김대중 대화록 ❺ 2007—2009

김대중 대화록 ❺ 2007—2009

정진백 엮음

도서출판 행동하는양심

차례

새로운 시대에 주목해야

대담 앨빈 토플러
일시 2007년 5월 31일

김대중 전 대통령과 미래학자 앨빈 토플러 박사가 지난 5월 31일 동교동 김 전 대통령 사저에서 만났다. 김 전 대통령과 토플러 박사는 북핵 문제 등 한반도 이슈와 미래사회의 변화상에 대해 대화를 나눴다. 김 전 대통령은 1980년 내란음모죄로 감옥에 있을 때 이희호 여사가 넣어 준 토플러 박사의 『제3의 물결』을 읽고 지식정보화 사회의 도래를 알 수 있었다고 한다. 재임 중에 김 전 대통령은 토플러 박사를 청와대로 자주 초청해 정보화에 대해 의견을 교환했다. 『뉴스메이커』가 김 전 대통령과 토플러 박사의 대화록을 단독으로 입수해 전문을 싣는다.

김대중 오늘 이렇게 찾아 주어 영광입니다. 진심으로 환영합니다. 부인께서 빨리 회복하시기 바랍니다.

토플러 내 처 하이디도 대통령님께 안부와 존경의 말씀을 전해 달라고 하였습니다. 앞으로 괜찮아지기는 하겠지만 지금은 걸을 수가 없습니다. 정원 손질을 하다가 다리를 다쳤는데 의사가 근육 발육을 위해 장화 신기를 권유

13

했습니다. 그런데 그것이 무거워서 오히려 무릎에 무리를 주어 지금은 무릎을 다친 상태입니다.

김대중 한국의 정보화에 가장 큰 영향을 준 이는 토플러 박사입니다. 그리고 전자정부를 권고해 준 이로는 일본의 손 마사요시(손정의) 소프트뱅크 회장과 빌 게이츠 마이크로소프트 회장이 있습니다.

토플러 감사합니다. 그것은 저에게도 무척 기쁜 일이었습니다. 부시 정권이 남북한 문제에서 태도 변화를 보이고 있는데, 북한이 정말 핵무기를 가지고 있는지 아닌지는 모릅니다. 북한은 정확히 핵무기를 가지고 있습니까?

김대중 핵탄두를 만들었다는 것은 사실입니다. 그러나 미사일을 장착해서 발사할 정도까지는 아니라고 알고 있습니다.

토플러 북한이 정말 변화할 것이라고 생각하십니까?

줄 것 주고 받을 것 받자

김대중 그것은 미국이 어떻게 하느냐에 따라 달라질 것입니다. 미국이 북핵 문제를 해결하기 위해 생각해 볼 수 있는 (방안으로) 첫 번째는 군사적 응징이 되겠습니다만, 현재 미국은 중동에 발목이 잡혀 있어서 북한을 대상으로 다른 전쟁을 또 치를 만한 여유가 없습니다. 두 번째로 지금 일본과 함께 경제 제재를 하고 있지만 중국과 한국이 동참하고 있지 않아서 성공을 거두지 못하고 있습니다. 중국과 한국은 미국이 북한과 줄 것 주고 받을 것 받는 협상을 해야 한다, 대화도 시도해 보지 않고 제재부터 할 수 있느냐라고 주장해 왔습니다. 세 번째로 작년 미국의 중간선거에서 민주당이 승리하였는데, 민주당은 부시의 압박정책에 찬성하지 않고, 대화를 통해 협상으로 풀자고 얘기하고 있습니다. 넷째, 부시의 임기가 거의 끝나 가고 있는데 중동에서 실패했기 때문에 한반도에서라도 성공해야 할 필요가 있고, 그래서 최근 부시의 대북 정책이 대화를 하자는 쪽으로 변화하고 있습니다. 줄 것 주고 받을 것 받자, 행동 대 행동(action to action), 말 대 말로 하자는 쪽으로 상황이 변하고 있습니다. 반면, 북한 역시 미국이 핵 포기, 비핵화를 조건으로 직접 대화, 안전 보장, 경제 제재 해제, 국교 정상화를 하겠다고 하니, 얻을 것 얻게 되면 핵을 고집할 명분이 없어집니다.

토플러 두 가지 질문이 있는데요, 만약 일본이 핵무기를 갖겠다고 하면 어떻게 됩니까?

김대중 일본은 북한의 핵 개발을 빌미로 핵을 보유하고 싶다는 것이 일본의 지도부 및 일반 다수의 심정입니다. 그러나 명분이 없습니다. 미국의 핵우산이 일본을 보호해 주고 있기 때문에 명분도 없고, 일본의 핵 보유를 미국이 원하지도 않습니다.

토플러 그럼 미국의 핵우산이 과연 신뢰할 만한가라는 의문이 드는데요.

김대중 미국이 얼마나 강력하게 결의하느냐, 그리고 일본과 미국이 얼마나 긴밀한 관계를 가져가느냐에 달려 있습니다만, 핵 문제를 걱정할 필요는 없으리라고 봅니다. 일본이 핵을 보유한다는 것은 중국에게는 매우 중대한 문제이기 때문에, 일본이 핵을 보유하기는 어려울 것입니다. 그러나 일본이 핵을 갖지 못하게 하려면 북한이 먼저 핵을 포기하게 해서 일본이 핵을 가지려는 구실을 없애야 합니다. 그래서 중국은 북한의 핵 포기에 전력을 다해 왔습니다.

토플러 일리 있는 말씀입니다. 그런데 아주 다른 시나리오인데요. 시간이 흘러서 남북한이 어떤 형식으로든 통일이 되었다고 가정할 때, 북한이 현재의 핵을 그대로 보유한 채 통일이 될 수도 있을까요?

김대중 북한이 핵을 보유하고 있는 한은 통일을 하지 않을 것입니다. 그리고 미국도 북한의 안전 보장, 국교 정상화, 경제 제재 해제 등을 해 주지 않을 것입니다. 그러므로 북한은 핵을 가질 수 없을 것입니다. 통일 한국이 핵을 보유하는 것은 주변 강대국들도 지지하지 않을 것입니다. 또한 우리도 핵은 필요 없습니다.

토플러 그럼 핵을 어떻게 제거할 수 있을까요?

김대중 2·13 6자회담 합의에서 북한의 요구를 들어주고 북한은 핵을 포기하기로 했습니다. 북한이 핵을 완전히 포기할 때 미국은 북한과의 국교 정상화를 하고 국제사회로 진출할 수 있도록 하기로 했습니다. 북한이 핵을 고집하는 이유는 안보에 대한 위협 때문인데 미국이 북한의 안전 보장을 하겠다고 했고, 또한 한국전에 참전했던 4대 주요국, 남북한과 미국, 중국이 함께 평화협정을 맺어서 양쪽의 안전 보장을 하자는 말을 부시 대통령이 이미 하고 있습니다. 그러므로 북한은 핵을 가질 필요가 없습니다.

토플러 네. 실제 핵을 포기한 국가들이 있기도 했습니다. 남아프리카가 그랬고 브라질인지 아르헨티나인지도 그랬지요. 그러나 핵을 포기하는 것은 매우 어렵습니다.

김대중 그 외에 우크라이나도 미·소가 안전 보장을 해서 핵을 포기했습니다. 리비아도 했지요. 부시 대통령이 클린턴 정부의 대북 정책을 계승했다면 이 모든 상황은 진작에 끝났을 것입니다. 그러나 에이비시(ABC·Anything But Clinton) 정책을 채택함으로써 그동안 6년을 허비했습니다. 북한은 핵확산금지조약(NPT)에서 탈퇴했고, 국제원자력기구(IAEA) 사찰단을 추방했고, 제네바협정도 어기고, 미사일 모라토리엄도 무시한 채 미사일을 발사했고, 핵실험을 하기도 하는 등 상황은 악화되기만 했습니다. 잘못된 정책 때문에 손해를 많이 입었습니다. 그러나 지금은 정책을 선회하여 대화를 추구하고 있고 북한도 만족하고 있습니다.

토플러 다른 질문 하나를 드릴까 합니다. 앞으로 태평양 지역에서 미국의 역할은 어떻게 될 거라 보십니까? 현재 미군은 이 지역의 안정화에 기여하고 있는데, 이런 미국의 역할이 앞으로 필요하거나 유효하다고 보시는지요?

김대중 그것은 미국이 하기에 따라 다를 것입니다. 중국과 미국이 화해 협력하여 태평양 지역의 평화와 안정을 보장하는 정책을 추구한다면 미군의 역내 주둔은 바람직할 것입니다. 반면 미·일이 군사동맹을 강화하면 중국이 군비 경쟁을 강화하는 등 미국에 반발하게 될 텐데 최근 그런 경향이 보이기도 합니다만, 아무튼 동북아 안정이 깨질 것이고, 그렇게 되면 미군의 역내 주둔이 긴장을 더욱 강화할 것입니다.

토플러 요즘 일본을 보면, 중국도 그런 듯합니다만 민족주의의 대두를 엿볼 수 있습니다. 뉴스를 보면 아베 총리가 어려움을 겪고 있고 야스쿠니신사 이야기도 나오는데, 기본적으로 동북아 지역의 국가들은 변화가 가져오는 문제들을 직면하고 있지 않습니까?

김대중 불안정으로 갈 것이냐 안정으로 갈 것이냐라는 갈림길은 미국과 중국의 관계에 따라 달라질 것입니다.

토플러 그럼 핵이 없다고 전제했을 때 통일 한반도도 중립국을 선언할 가능성이 있습니까?

김대중 19세기 말에 중국, 러시아, 일본은 우리나라를 점령하기 위해 전쟁을 치렀습니다. 러일전쟁, 청일전쟁 등이 있었는데 미국이 여기 있었다면 견제와 세력 균형자의 역할을 했을 것입니다. 그래서 우리의 입장은 미군이 한국에 주둔하고, 우리는 미국과 방위조약을 유지해야 한다는 것입니다. 다만 러시아, 중국, 일본 등과 적대시하지는 않을 것입니다. 그래서 반은 동맹, 반은 중립 같은 형태가 될 것입니다. 4대국과는 관계를 좋게 가져가면서 안보나 외교의 핵심에서는 미국과의 관계를 중시한다는 것입니다. 박사님, 박사님께서 최근에 출간하신 『부의 미래』에 대해 이야기를 듣고 싶습니다.

토플러 한국 및 전 세계는 현재 미국에서 전개되고 있는 새로운 시대에 주목해야 합니다. 그래야 미래를 전망할 수 있을 것입니다. 지난 30-40년간은 컴퓨터나 인터넷 등 제3물결에 해당하는 기술들이 큰 진전을 보였습니다. 최근에 일어난 일이라고 생각하는 분이 많지만, 이런 기술들은 1950년대부터 시작한 것이고, 1960년대에 들어와서는 정치적인 부문에서 많은 움직임이 일어났습니다. 예를 들어 여성운동이나 환경운동 등 말입니다. 기술이 다른 시대로 진전해 가는 만큼 기관(institution)도 변해야 합니다. 왜냐하면 사회·정치 부문의 발전 없이 기술만 계속 진전할 수는 없기 때문입니다. 하이테크나 정보기반 지식경제 등 제3물결이 도래하는 가운데 기관은 아직 제2물결의 산업화 시대에 머물러 있어서 이런 불일치가 비경쟁력을 낳고, 이런 것들 때문에 카트리나 재해 등이 발생했을 때 미국 정부가 상황에 대처할 수 없는 무능력을 낳았습니다. 이 외에도 의료·연금·교육 부문 등 위기가 너무 많습니다. 그런데 그 누구도 이것을 큰 위기라고 보고 있지 않습니다. 그러나 관료적인 기관은 이제 적절하지 못합니다. 이들이 제대로 변화하지 않으면 적절히 기능할 수 없습니다. 한국, 일본도 그렇고 앞으로 중국도 그럴 것입니다.

적절한 정부의 형태

김대중 그럼 적절한 정부의 형태는 무엇이 되어야 할까요?

토플러 많은 실험이 행해질 것이고, 많은 실패도 있을 것입니다. 우리는 관료적인 조직을 만들려는 본능이 강하고, 또한 관료적 조직 내의 구성원들도 큰 변화에 저항할 것이기 때문에 쉽지는 않을 것입니다. 예를 들어 9·11사태 이후 미국은 과거 더 작은 규모로 존재하던 15개의 정보기관(intelligence agency)을 1개로 통합하여 큰 관료적 조직으로 만들었습니다. 적(enemy)은 적은 수의 구성원이 센터나 본부도 없이 수평(flat)한 형태의 조직으로 운영되고 있는데 말입니다. 사실 우리가 쭉 따라온 방법이 관료적인 조직 형태였기 때문에 그랬겠습니다만, 산업화 시대의 관료적 조직에서 벗어나 이제는 비정부기구(NGO)나 시민사회 모델들, 네트워크 형태의 평평한 조직, 더 일시성(temporary)을 가지고 정확하게(correct) 문제를 해결할 수 있는 조직이 필요합니다. 거대한(giant) 그리고 모든 문제를 해결하려고 하는 비대한 하나의 관료 조직 대신에 말입니다. 어떤 형태의 기관이 되어야 하냐고 물으셨는데 참 어려운 질문입니다. 확신할 수 있는 것은 문제 발생이 점점 더 빠르기 때문에 조직 대응도 더 빨라야 합니다. 또한 한 개의 문제가 아니라 여러 문제가 유기적으로 얽혀서 일어나고 있기 때문에 한 가지 분야에만 집중하는 관료적 조직은 맞지 않습니다. 일어난 상황은 복잡다단한데 "우리는 이 문제만 다룬다. 저 문제는 저쪽에서 다룬다." 해서는 안 됩니다. 점점 더 복잡성과 일시성이 중요해질 텐데, 아직까지 이런 문제를 해결한 예는 없고, 심지어는 적절한 묘사조차 이루어지지 않고 있습니다.

김대중 그럼, 그런 바람직한 기관은 나타나지 않은 상태에서 사태만 진전되고 있다는 말씀인가요?

토플러 그렇습니다. 아직까지 슈퍼 모델(super model)도 나오지 않았고, 관심을 가질 만한 스몰 모델(small model)도 나오지 않은 상태입니다. 추측할 수 있는 것은 피라미드적 관료 조직이나 네트워크적 조직 등 두 가지뿐 아니라 훨씬 다양한 다른 조직이 나타나리라는 것입니다. 또 다른 중요한 현상은 프로슈밍(prosuming)의 부상입니다. 사람에 따라서 이 현상을 다르게 표현하기도 합니다만, 점점 더 많은 활동이 경제적 대가(without payment) 없이 일어나고 있습니다. 예를 들어 기업의 새 광고 전략을 짜는 데 아이디어를 내어 기여할 수도 있고, 이처럼 돈을 받지 않고 기여하는 형태의 병렬 경제(parallel economy)가 나타나고 있는데, 경제학자들은 이러한 병렬 경제의 성장세를 아직 묘사해 내고 있지 못합니다. 돈의 흐름이 따르지 않는 활동은 포착하지 않기 때문인데, 프로슈밍 경제는 점점 더 중요해지고 있습니다. 개인이 돈을 받고 한 행위가 아니었지만 결과적으로 돈과 관련된 결과(부의 창출)가 초래된 것을 의미하는데, 일례로 리눅스를 들 수 있습니다. 이 컴퓨터 운영체제(OS)는 기존 운영체제에 불만을 가진 엔지니어 한 사람이 만들어서 그 후 수백 명의 엔지니어들이 개선해 나간 것인데, 그들은 경제적 대가를 바라고 한 것이 아니라 편의를 위해 했던 것입니다. 그러나 이제는 중국 정부에서 MS 제품 대신 리눅스를 사용하도록 법제화한 상태입니다. 이처럼 프로슈머들이 돈을 바라지 않고(without payment) 시작한 일이 결과적으로 돈과 결부된 경제(monetary economy)에까지 영향을 미치고 있습니다. 그런데 경제학자들은 이를 포착하지 못하고 있습니다. 이제는 경제에 대한 다른 사고가 필요합니다. 사고팔고 투자하는 등 돈의 흐름에만 집중하다 보니 병렬적으로 존재하고 있는, 돈과 결부되지 않은 경제(non-monetary economy)에 대한 데이터를 수집하거나 알려는 노력을 많이 하지 않고 있습니다. 돈을 받고(paid) 돈을 받지 않고(unpaid) 간에 상호작용이 일어나고 있고, 돈과 결부된 경제와 결부되지 않은 경제 사이에서 부가 창출되고 있음에도 불구하고 말입니다. 경제학자들은 화폐경제에 영향을 미치는 모든 활동을 측량해야 합니다. 그런데 이런 본분에 충분한 관심을 갖고 있지 않은 것 같습니다. 이러한 활동들이 사소하다고 생각하는 것 같습니다. 이것은 마치 경제학자들이 자신의 한쪽 폐만 알고 다른 쪽 폐는 모르는 것과 같습니다. 사실 이런 지적은 경제학자들을 매우 불편하게 만들지요. 프로슈머로서의 개인은 이제 기술의 발전에 힘입어 직접 생산에도 참여하고 있고 이것이 통화의 부분에까지 영향을 미치고 있는 것입니다. 예를 들어 예전에는 혈압을 재려면 의사를 찾아가 돈을 지불하고 혈압을 쟀습니다. 그러나 요즘은 혈압 측정 기계를 개인이 사서 잴 수 있습니다. 사진도 예전에는 필름을 사고 찍어서 인화할 때는 따로 사진관에 맡겨야 했습니다. 그러나 지금은 기계만 클릭하면 인화도 직접 할 수 있습니다. 돈이 통용되는 경제 부문에서 강력한 기술 발전이 이루어지고, 이것은 다시 돈이 통용되지 않는 경제 부문에서 가치를 창출하고 있는 것입니다.

김대중 인류가 제1물결인 농업 경제에서 산업화 시대로 들어오는 데 1만 년이 걸렸던 반면, 18세기 산업화 사회를 거쳐 오늘날의 제3물결, 정보화 시대로 들어오는 데는 200년밖에 안 걸렸습니다. 이처럼 사회가 급변하면 사람들이 정신이 없지 않겠습니까?

토플러 사람들이 사회의 변화 속도를 따라잡지 못해서 겪게 되는 어려움은 이미 『미래의 충격』(Future Shock)에서 얘기했습니다만, 앞으로 이런 일이 점점 더 많이 일어날 것입니다. 육체·정신적으로 처리(process)할 수 있는 데에는 한계가 있지요. 그러나 앞으로 신경학이나 유전학 등의 발달로 두뇌 자체가 변화되어 30-50년 후에는 이런 한계조차 뛰어넘게 될 것입니다. 물론 그렇게 되면 도대체 어디까지 인간이라 규명할 수 있는가라는 질문에 봉착하게 되겠지요. 소소하지만 재미있는 얘기를 하나 해 드리자면, 얼마 전 오염된 사료를 잘못 먹고 강아지가 죽자 이를 둘러싸고 법적 논쟁이 붙었는데, 강아지 주인이 이 사료 업체를 고소하자 사료 업체는 그 강아지를 얼마에 구입했느냐, 사료비로 얼마가 들었느냐, 그만큼 배상해 주겠다고 했습니다. 그러나 강아지 주인은 그것이 중요한 것이 아니다, 심리적으로 그 강아지는 가족과 마찬가지였다고 했습니다. 이처럼 인간과 비인간 사이를 가르는 것이 재미있는 문제이기도 하지만 매우 종교적인 이슈가 되기도 할 것입니다. 제가 이런 얘기를 했더니 하이디가 저더러 미쳤다고 하더군요.(웃음)

김대중 이것은 반농담입니다만, 급속한 변화를 따라잡지 못하고 심리적 공황에 빠지는 이들을 중심으로 집단적 저항이 일어나면서 원시로 돌아가자는 움직임이 일어날 것이라고는 생각하지 않으십니까?

토플러 충분히 그럴 수 있습니다.

김대중 이슬람들이 점점 원리주의에 경도되어 현 문명은 기독교 문명이고 우리의 문명이 아니다라고 기존 문명을 배척, 나아가서는 문명 간의 대결이 일어날 수도 있다고 어느 분이 걱정하기도 했는데, 그럴 가능성도 있다고 보십니까? 기독교보다 이슬람인들은 신앙심이 더 깊어 힘이 폭발적인데요.

토플러 일리 있는 말씀이십니다. 이슬람 신도들 중 몇 퍼센트가 극단주의 자들인지는 알지 못하지만 향후 몇십 년 동안 위험한 상황이 지속될 수는 있습니다.

김대중 그럼, 그런 위험을 어떻게 해소할 수 있을까요?

토플러 이슬람인들을 획일적으로 보아서는 안 됩니다. 대개 이슬람인들은 자살을 하거나 타인을 해치려고 하지 않습니다. 2-3년 전 인도네시아의 한 학자를 방문할 일이 있었는데, 인도네시아에는 큰 이슬람 조직이 2개 있습니다. 각각 회원이 3000만 정도 되는데, 그 학자가 그 주요 조직 중 한 개의 수장이었습니다. 그를 만나기 위해 호텔로 찾아가 방문 앞에서 기다리며 누가 나올까, 수염을 길게 길렀을까 아니면 가운을 길게 늘어뜨렸을까 등등 궁금해했습니다. 그런데 문이 열리고 나온 이는 젊은이였고 느슨한 바지에다 미국식 셔츠를 입고 있었는데, 그 셔츠에는 'University of Chicago'(시카고대학교)라고 쓰여 있었습니다. 후에 그가 그 자리에서 쫓겨났다는 얘기를 듣긴 했습니다만 당시는 매우 놀랐습니다.

이어서 한번은 연설을 할 일이 있어 두바이에 잠깐 들렀다가 파리로 가는 비행기를 타고 있었습니다. 통로 쪽에 앉아 있었는데 맞은편 통로 쪽에 앉아 있던 한 신사가 영자 신문을 보고 있다가 제 쪽을 자꾸 돌아봤습니다. 보니 제 사진이 실려 있더군요. 그러다가 신문에 실린 사람이 제가 맞느냐고 물어보기에 그렇다고 대답했습니다. 그는 이란인이었고 두바이에서 부동산업을 하고 있다고 했는데, 그러다 대화를 시작한 지 5분도 안 되어 갑자기 "두바이에서 부동산을 더 매입해야 할까요?" 하고 질문을 하더군요. 그래서 두바이에 겨우 18시간밖에 안 있었는데 어떻게 알겠느냐고 대답했습니다.(웃음) 사람들은 미래학자라고 하면 모든 것을 알 것이라고 추측합니다.

김대중 지금 보면 이슬람의 원리주의가 급속히 번지고 있고, 기독교의 원리주의도 커지고 있어서 이것이 미국의 대선을 좌우할 정도까지 되었습니다. 이런 현상을 두고 헌팅턴은 '문명의 충돌'이라고도 표현했습니다만 이런 갈등을 해소하기 위해 전 이란 대통령은 문명 간 대화가 필요하다고 얘기했습니다.

토플러 물론 대화해야 합니다. 그러나 일부 과격한 집단들이 돈을 대주고 무기를 대주고 있지만 정부를 통제할 정도는 아닙니다. 이란 등과 얘기를 시작해야 하긴 하지만 그것만 가지고는 극단주의자들을 극복하는 데 한계가 있습니다.

김대중 사람들도 언젠가는 신의 존재를 입증할 수 있는 때가 올까요? 토인비가 신에 대해 한 얘기를 보면 인간이 육체와 관련해서 의학 연구를 해 온 것은 수천 년 전부터이지만, 인간의 내면이나 정신세계에 대한 연구를 해 온 것은 19세기 말이 되어서야 프로이트나 융의 연구를 통해서 나타나기 시작했습니다. 극히 최근 일이고, 심층심리학 등은 어린이 단계라고 할 수 있는데, 몇백 년이나 천 년씩 연구를 해 나가면 신이 있느냐 없느냐를 알 수 있는 가능성이 있지 않을까요?

토플러 이와 관련된 논쟁은 천 년이 지나도 끝나지 않지 않을까요?

---

* 이 글은 2007년 5월 31일 앨빈 토플러(Alvin Toffler) 박사와 김대중 대통령이 사저에서 나눈 대화록으로 2007년 6월 19일 자 『뉴스메이커』에 보도되었다.

민주 개혁세력 하나로 뭉쳐라

대담 문일석
일시 2007년 6월 1일

김대중 전 대통령은 6월 1일 오전 『브레이크뉴스』와 가진 단독 인터뷰에서 "남북정상회담은 올 8·15 이전에 열리는 게 바람직하다고 생각한다. 노무현 대통령으로서도 정상회담을 못 한 대통령이어서는 곤란하다. 상식적으로 생각할 때, 남북정상회담 개최를 위한 물밑 접촉이 진전되고 있다고 본다"고 말했다. 이어 "나는 민주 개혁세력 속에 50여 년간 몸을 담아 왔는데, 내 몸에 먼지를 안 묻히겠다고 외면할 수는 없다. 난 그렇게는 안 한다. 범여권의 단일화에 대해 내가 말하면 그 시비는 피할 수 없지만, 통합하라, 단일화하라는 주장을 할 수밖에 없는 처지"라고 말해 훈수 정치를 계속할 것임을 시사했다. 다음은 이날 인터뷰의 일문일답이다.

문일석 김대중 전 대통령님, 안녕하셨습니까? 건강은 어떠하신지요?

김대중 신장이 나빠서 치료받고 있습니다. 최근 건강 진단을 받았는데 괜찮다고 합니다.

직접 만나 본 김 전 대통령은 무척 건강해 보였다. 인터뷰 시간은 1시간이었고, 인터뷰 내내 몸이 흐트러지지 않고 의자에 앉아 진행했으며, 기억력도 여전히 좋아, 한 장의 메모지 없이 인터뷰를 진행했다.

문일석 건강하셔서 통일되는 것을 보셔야지요.

김대중 아직까지는 건강합니다. 그렇게 됐으면 행복하겠지요. 염려해 줘 감사합니다.

일본 정부 개탄 미래 걱정

문일석 지난 5월 12일부터 19일까지 독일을 방문하셨습니다. 독일 방문 중 느끼셨던 게 있으면 말씀해 주십시오.

김대중 독일의 베를린자유대학이 주는 자유상 수상차 독일을 다녀왔습니다. 독일의 지도층도 만났습니다. 독일에서 보니까 현 총리가 집권하면서 경제가 급속히 좋아지고 있었습니다. 독일이 유럽을 지도하는 국가가 될 가능성이 높다는 인상을 받았습니다.

독일은 과거의 잘못인 유대인 학살을 추모하는 장소도 만들고 많은 이들이 참관하고 있었습니다. 특히 젊은이들이 과거의 잘못을 사죄하는 기도를 하는 모습도 직접 볼 수 있었습니다. 반세기 전의 과거사에 대해 교육도 하고 사죄도 하고 배상도 하고 있었습니다. 이런 정책을 펴는 독일 정부는 세계와 유럽으로부터 신뢰를 받고 있었습니다. 그런 독일에 존경심이 앞섭니다. 그런데 일본은 정반대로 가고 있어 개탄스럽고, 미래가 걱정되는 심정이 깊어 갑니다.

문일석 독일 방문 때문에 경의선 시험 운행을 보지 못하셨습니다. 경의선-동해선 시험 운행 소감을 말해 주십시오. 이 시험 운행의 의미는 무엇이며,

앞으로 어떻게 발전해야 합니까?

김대중 참여하지 못해 아쉽습니다. 그러나 환영할 일이었습니다. 그것은 일회적이었습니다. 그러나 앞으로 북한을 거쳐 대륙으로 가는 철의 실크로드 길이 훤하게 열릴 것입니다. 그런 시대가 빨리 와야 된다고 생각합니다. 남북한의 철도 연결은 물론 유럽, 러시아, 중앙아시아까지 교역하는 큰길이 열려야 합니다.

남북 심리－문화적으로 변화

문일석 6·15남북정상회담 7주년이 다가오고 있습니다. 2000년 정상회담 이후 많은 변화가 있었는데, 소회 한 말씀 해 주십시오. 가장 큰 변화는 무엇이라고 생각하는지요.

김대중 그간 남북 관계의 큰 진전이 있었습니다. 이산가족의 경우, 남북정상회담 이전 50년간 겨우 200여 명이 상봉했을 뿐인데 남북정상회담 이후 1만 3,000명이 상봉했습니다. 금강산 관광은 백수십만 명이 다녀왔습니다. 개성공단 등 남북 경협도 순조롭게 진행되고 있습니다. 북한은 언어와 문화가 같은 나라입니다. 인종도 같습니다. 남한의 중소기업들이 노임이 싼 북한에 진출, 큰 혜택을 보게 될 것입니다.

남북정상회담 이후 가장 중요한 남북 관계의 변화는 정신적인 변화를 들수 있습니다. 6·15남북정상회담 이후 공산당은 싫지만 북한도 동족이라는 사실을 깨닫게 된 것입니다. 북한의 변화도 획기적입니다. 남한이 쳐들어 올라온다고 믿어 왔는데, 남한이 오히려 쌀도 주고 비료도 주었습니다. 남쪽의 쌀, 비료 포대가 그대로 북한에 올라갔습니다. 그래서 북한 사람들은 남한이 잘사니 주는 것이라고 인식하게 된 것입니다.

북한도 개혁 개방하기를 바라고 있습니다. 북한도 심리적으로 많이 변했습니다. 중국이나 베트남처럼 체제가 유지되면서 발전되기를 바라고 있습니다. 세계를 상대로 개혁 개방하기를 바라고 있습니다. 남북 관계의 심리적 변화는 문화의 변화로 이어지고 있습니다. 북한에서 우리의 대중가요가 불리고 있습니다. 드라마도 은밀하게 보고 있다고 합니다. 문화적인 변화가 근본적인 변화라고 봅니다. 이제는 되돌리려 해도 되돌릴 수 없습니다. 한반도의 전쟁 가능성은 사라졌습니다. 북한이 핵실험을 한다 해도 보따리 싸서 도망가지 않고 차분하게 대처했습니다.

남북정상회담 8·15 전 적기

문일석 남북정상회담 7주년을 맞는 올해는 강원도 해수욕장 등지의 철조망들을 걷는다고 합니다. 이런 상황도 남북정상회담의 혜택이라고 봅니다만.

김대중 평화가 진전되었기 때문이지요. 다행스러운 일입니다.

문일석 2000년 이후 7년 동안 남북 간 정상회담이 안 되고 있는데, 2차 남북정상회담이 노무현 대통령 재임 중에 가능할까요? 그리고 남북정상회담이 왜 필요하다고 보시는지요.

김대중 2차 남북정상회담은 지금 하는 게 좋다고 봅니다. 6자회담이 잘되려면 남북정상회담이 잘되어야 합니다, 북한에게 조언하는데, 북한은 지금의 기회를 놓치지 말고 과감하게 정상회담을 수용해야 합니다. 남북 간의 군사적 긴장을 해결하는 남북 불가침조약, 한반도 평화협정을 앞당길 수 있어야 합니다.

북한은 현재 생필품의 80퍼센트 이상을 중국에 의존하고 있습니다. 경제적으로 중국에 의존하는 것은 정치경제적으로도 중국에 예속되는 것을 의미합니다. 미국이나 우방과 긴밀하게 협조하면서 북한의 경제 발전을 지원해야 합니다. 이런 의미에서도 남북정상회담은 필요합니다. 한반도 평화 협력은 6자회담에도 도움이 될 것입니다. 6자회담의 주도권도 우리 민족이 쥐어야 합니다.

문일석 남북정상회담은 언제까지 열리는 게 바람직하다고 보십니까?

김대중 남북정상회담은 올 8·15 이전에 열리는 게 바람직하다고 생각합니다. 대선이 있는 해여서 정치적 이슈도 될 수 있어 8·15 이후까지 지체할 이유가 없습니다, 북한이 만약 안 한다고 하면, 6·15남북공동선언의 약속을 위반하는 것입니다. 남북정상회담의 장소는 바꾼다 해도 응해야 합니다. 노무현 대통령으로서도 정상회담을 못 한 대통령이어서는 곤란하겠지요. 상식적으로 생각할 때, 남북정상회담 개최를 위한 물밑 접촉이 진전되고 있다고 봅니다.

문일석 평양을 방문, 남북정상회담을 개최하고 노벨평화상을 수상하신 전임 대통령으로서 북한 방문을 언급해 오셨습니다. 오늘 이후의 방북 계획이 있으신지요? 지금도 그 생각에 변함이 없으신가요?

김대중 평양을 방문할 분위기가 성숙되어 있지 않습니다. 내가 평양에 가는 것보다 남북정상회담이 더 중요합니다. 그러나 필요하다면 갈 수도 있습니다.

북 퍼주기 사리 맞지 않아

문일석 아직까지 방코델타아시아 문제가 해결이 안 되고 있습니다. 송금이 지연되고 있어 6자회담 2·13합의가 이행될 것인지 걱정입니다. 어떻게 전망하시는지?

김대중 저는 미국 측을 향해 방코델타아시아 자금 문제와 관련 불법의 증거가 있으면 증거를 내놓고, 증거가 없으면 취소하라고 했습니다. 9·19합의 이후 방코델타아시아 은행 문제가 터져 1년 반 동안 허송세월했습니다. 그 사이에 북한은 핵실험을 하게 되었습니다. 그런데 최근 미국이 태도를 바꿔서 이 문제를 풀기 위해 직접 대화에 나서 다행입니다. 미국의 부시 정권은 직접 대화, 금융 제재 해제, 외교 관계도 정상화하려 합니다.

문일석 김대중 전 대통령께서 제안하시고 진전시키셨던 햇볕정책을 비난하는 이들도 많습니다. 이에 대한 견해는?

김대중 6·15남북정상회담은 국민의 절반 이상이 지지했습니다. 햇볕정책으로 인한 남북 간의 긴장 완화를 부인할 수 없습니다. 일부 반대자들의 말처럼 햇볕정책을 안 하면, 전쟁을 하자는 것입니까? 햇볕정책이 나쁘다면 대안이 무엇입니까? 전쟁을 할 것이냐, 냉전의 강화냐? 전쟁과 냉전 강화가 무슨 도움이 됩니까?

우리 기업은 북한의 노동력을 이용, 삶의 질을 높여야 남북이 서로 윈윈합니다. 우리나라는 석유도 광물자원도 없습니다. 대륙에 진출해야 합니다. 육로가 막혀 있습니다. 물류가 해상으로 움직이면 시간이나 운임이 육로보다 30퍼센트 이상 더 듭니다. 북한을 거쳐 중앙아시아 유럽으로 갈 수 있어야 합니다. 물류가 있으면 공업이 일어나고, 문화관광이 일어납니다. 우리나라는 국제사회에서 물류의 동쪽 거점이 되어 동쪽의 허브 국가가 되어야 합니다.

햇볕정책을 퍼주기라고 비난하는 분들도 더러 있습니다. 독일이 통일되기 이전 서독은 동독에 매년 32억 달러를 지원했습니다. 서독이 동독을 향해 그렇게 많은 돈을 지원했는데 결국 동독은 망했습니다. 서독의 자유경제 바람이 동독에 들어가 그런 결과를 가져온 것입니다. 남한은 북한에 연 1억 달러 정도를 지원합니다. 남한은 지원에 따라 북한의 민심은 바뀌고 있습니다. 햇볕정책이 퍼주기라는 것을 사리에 맞지 않은 주장입니다.

북에 호기, 기회 놓치지 마라

문일석 한반도 평화 체제 논의가 활발합니다. 독일 연설에서 "한반도에 완전한 평화가 임박하고 있다"고 하셨습니다. 6자회담이 성공하면 북·미 국교 정상화 등이 이루어지고 종전 선언, 4자회담도 개최되어 한반도 평화 체제 논의가 이루어질 것으로 보는데, 한반도 평화 체제는 어떻게 이루어지고 우리가 어떻게 해야 하나요?

김대중 미국의 부시 정부는 중동에서 실패해 한반도에서라도 성공하기를 바라고 있습니다. 부시 대통령 임기 내에 한반도 평화 체제를 마무리하려 합니다. 북·미 수교도 하려고 합니다. 남북 그리고 미국·중국 4자가 한반도 평화협정을 마무리하는 분위기도 성숙되어 있습니다.

6자회담이 잘되면 상설화해서 동북아 평화 협력을 진전시킬 수 있을 것입니다. 북한이 어떻게 나오느냐가 문제입니다. 북한은 방코델타아시아 문제로 불만이 있다 해도 이 기회를 놓치지 말아야 합니다. 미국은 여론 국가입니다. 북한에겐 호기가 왔습니다. 북한은 국제사회에 진출할 기회를 놓치지 말아야 합니다.

문일석 한·미자유무역협정(FTA) 협상이 극적으로 타결되었습니다. 한·미 자유무역협정(FTA)이 체결되면 한국이 얻을 수 있는 이익과 손해는 어떤 게 있을까요? 고견을 듣고 싶습니다.

김대중 지난 20세기는 민족 경제의 시기였습니다. 지금은 세계 경제 시기입니다. 우리나라는 석유를 비롯해 금·은·동 등 자원이 거의 없는 나라입니다. 경제가 세계 11위로 올라온 것은 수출 때문이었습니다. 이제 세계는 벌거벗고 경쟁해야 하는 시대입니다. 관세장벽이 무너지면 세계 1등만이 살아남습니다. 변화에 적응하지 못하면 망합니다. 우리 국민은 변화에 잘 적응해 왔습니다. 세계 11위 경제 대국으로서 국제통화기금(IMF) 외환 위기도 잘 극복했습니다. 큰 힘이 기업에서 나왔습니다. 자유무역협정(FTA) 체제가 되면 수출이 탄력을 받습니다. 큰 시장과 부자 나라에서 돈을 벌어 와야 합니다. 관세장벽이 없고 수출의 제한이 없는 체제가 자유무역협정(FTA) 체제입니다.

문제가 있는 농업·축산 부분도 보조금으로는 한계가 있고, 효과도 적습니다. 농업·축산도 경쟁력 쪽으로 개혁하고 혁신해야 합니다. 전남 무안·신안에서는 시금치로 연 1백억을 벌어들이는 마을도 있습니다. 영광굴비로 돈을 버는 이도 있습니다. 흑산도 홍어잡이로 10억을 버는 어부도 있다는 이야기를 들었습니다.

농어촌도 그런 가능성이 있습니다. 나이가 많아 농사를 못 짓는 분들은 영농회사에서 대신 경작, 가을에 배당받는 방법도 진행되고 있습니다. 이런 형태로 농어촌도 살려야 합니다. 농어촌에는 두 가지 큰 문제가 있습니다. 교육과 의료 문제가 시급합니다. 이제 도시인들이 농어촌으로 역유학을 갈 수 있도록 하는 등 종합적인 농촌 살리기 정책이 나와야 합니다.

범여권 하나로 뭉쳐라

문일석 대선과 관련해 한 가지만 여쭙겠습니다. 범여권이 어떤 형태로 대선에 임했으면 하나요? 훈수 정치라 비난도 쏟아지는데.

김대중 대통령을 지낸 이도 정치 문제를 이야기할 수 있고, 그 어떤 국민도 정치에 참여할 수 있습니다. 나는 되도록 정치에 간여하지 않으려고 했고, 그동안 그렇게 해 왔습니다. 그런데 최근에 내가 50여 년간 몸담아 온 민주 개혁세력이 사분오열되어 선거를 제대로 못 치를 상황에 빠져 있습니다. 누가 후보가 되는지, 어느 당이 후보를 내는지 모를 형편입니다. 분명하게 말하지만, 우리나라는 보수와 민주 개혁세력이 국민의 지지를 받아왔었습니다.

내가 나서면 정치적으로 시비를 불러올 것이라는 것을 잘 알고 있습니다.

그러나 국민이 실망하는 사태를 외면할 수만은 없었습니다. 그렇다면 국민의 도리가 아니라고 생각했습니다. 제가 지금 특정 후보 누구를 지지하는 것은 결코 아닙니다. "범여권이 하나로 뭉쳐라. 뭉쳐서 선거를 치르라"는 게 나의 주장입니다. 범여권이 하나로 뭉치면 국회 운영이나 선거에서도 도움이 될 것입니다.

나는 민주 개혁세력 속에 50여 년간 몸을 담아 왔는데, 내 몸에 먼지를 안 묻히겠다고 외면할 수는 없습니다. 난 그렇게는 안 합니다. 북한이 핵실험을 할 때도 직접 나서서 이야기했습니다. 미국을 향해 줄 것은 주고 받을 것은 받아라. 줄 것을 주었는데도 북한이 핵을 포기하지 않으면 그때 제재하라고 말했습니다. 내가 말한 대로 되지 않았습니까? 마찬가지로 범여권의 단일화에 대해 내가 말하면 그 시비는 피할 수 없지만, 통합하라, 단일화하라는 주장을 할 수밖에 없는 처지입니다.

문일석 민주 개혁세력이 하나로 뭉쳐서 단일 후보를 내리라 보십니까?

김대중 결국, 국민이 범여권의 후보 단일화가 성취되도록 만들 것이라 확신합니다. 우리 국민은 위대합니다. 1960년 4·19혁명 때도 국민이 일어나 이승만 정권을 교체시켰습니다. 박정희 정권의 말기도 그랬습니다. 김재규 당시 중앙정보부장은 국민의 힘이 무서워, 그 힘에 충격을 받아 정권의 마지막을 만들어 냈습니다. 전두환 정권도 국민 앞에 무릎을 꿇었습니다. 6월항쟁을 회상해 보십시오. 재벌도 노조도 국민을 무서워하고 있습니다. 오늘날의 범여권도 국민이 이대로 가만두지는 않을 것입니다.

내가 찾아가서 이야기하는 것이 아니잖아요? 찾아온 손님들에게 내 견해를 이야기하는 것뿐인데요. 나와 의견을 달리해 온 정치인들 가운데는 내가 아닌 다른 전직 대통령들을 찾아가서 이야기를 듣고 있지 않습니까?

문일석 김 전 대통령님은 첫 번째로 수평적 정권 교체를 이룩하신 장본인

입니다. 만약 한나라당이 수권하면 두 번째 수평적 정권 교체가 되는데, 이에
대한 견해는?

김대중 그것은 오직 국민의 선택에 달려 있는 문제입니다.

문일석 김영삼 전 대통령이 김 전 대통령을 강하게 비난하는 말을 하는데
요?

김대중 그래선 안 되지요.

* 이 글은 『주간현대』 10주년 기념으로 마련된 문일석 『브레이크뉴스』 발행인과의 대담이다.
  2007년 6월 4일 보도되었다.

언제까지 미국에만 의존해야 합니까?

대담 『한국일보』
일시 2007년 6월 7일

질문 6·15남북공동선언 7주년을 맞는 소회가 남다를 것 같습니다. 일부에서는 6·15선언 이후 북에 끌려가기만 했다고 비판하기도 하는데 이 시점에서 6·15선언의 의미를 평가해 주십시오.

김대중 6·15가 없었다면 어떻게 됐겠느냐를 생각해 보면 그 의미가 분명해집니다. 판문점에서 총소리만 나도 물건 사재기하고 그러지 않았습니까? 그러나 이제 미사일을 발사하고 핵실험을 해도 국민들이 끄떡없어요. 그만큼 남북 사이에 긴장이 완화가 됐다는 것이지요. 남쪽 사람들도 북한에 대한 인식이 달라졌지만 북한 사람들은 굉장히 많이 달라졌습니다. 남한에 대한 적대적 인식이 이젠 우호적 인식으로 바뀌었습니다. 6·15선언으로서 민족끼리 전쟁을 해서는 안 된다는 확고한 인식을 갖게 되었습니다. 미국이 북한에 강경 조치, 심지어 무력까지 행사하겠다는 태도를 바꾸는 데도 기여했고 6자회담을 하는 데도 남북 관계가 직간접적인 도움을 주고 있지 않느냐, 그런 생각을 합니다.

질문 하지만 남북 관계가 기대만큼 진전이 안 됐다는 지적도 있습니다. 김정일 국방위원장도 답방을 지키지 않고 있고요.

김대중 기대한 만큼 안 됐다는 것도 맞는다고 생각합니다. 그런데 그건 주로 남북 간 내부 문제가 아니고 미국과 북한의 관계 악화 때문입니다. 클린턴 정부 시절에 많은 진전이 있었는데 부시 정부 들어와 다 뒤집어 버렸거든요. 그 결과 남북 관계도 진전이 없었지만 또 미국도 많은 부작용을 겪었어요. 부시 정부 6년 동안 북한이 핵확산금지조약(NPT)에서 탈퇴하고 국제원자력기구(IAEA) 사찰단 추방하고 제네바합의를 무효화시키고 장거리미사일을 발사하고, 그리고 마침내 핵실험까지 하지 않았습니까? 남북정상회담이 없었다면 아마 전쟁이 났을지도 몰라요. 앞으로 6자회담이 잘 진행되면 남북 관계는 아주 봇물이 터지듯이 급속히 발전돼 나갈 것입니다. 그러한 바탕을 다 조성하고 때만 기다리고 있는 것입니다.

질문 지난해 북한의 핵실험 강행 후 햇볕정책에 대한 비판이 거세게 일었습니다.

김대중 이치에 맞지 않습니다. 햇볕정책 하니까 북한이 핵실험이 한 것이 아니고 미국이 못살게 하니까 살기 위해서 핵실험한다고 하지 않았습니까? 햇볕정책은 남북 관계 진전을 통해 상황 악화를 막았으면 막았지 더 촉진시킨 것은 아니거든요. 지금같이 긴장이 해소된 가운데 살게 된 것도 햇볕정책의 결과라는 것을 누구도 부인할 수 없습니다.

질문 6·15공동선언 내용 가운데 남측의 연합제안과 북측의 낮은 단계 연방제안의 공통성을 인정한다는 부분에 대해 논란이 많은데요.

김대중 남북연합제의 통일은 과거 정권에서도 얘기했어요. 이 방식은 통일론으로서는 아주 초보적인 것입니다. 양쪽 정부가 다 독립적인 권한을, 주권을 보유한 상태에서 교류 협력하고, 정상회담을 매년 한다든지, 장관급회담, 국회회담을 한다든지 하고, 합의된 것만 지키자는 것입니다. 합의 안 된

것은 안 하는 겁니다. 북한이 주장해 온 연방제는 외교권, 국방권을 중앙정부
가 갖는 것으로 미국이나 같습니다. 즉 완전 통일을 하는 것인데, 그런 것은
지금 우리가 할 처지가 못 되지 않느냐, 그래서 안 된다고 했더니 북한이 태
도를 바꿔 낮은 단계 연방제를 하자고 했습니다. 그게 우리가 말한 연합제하
고 똑같죠. 북한이 우리 쪽으로 다가온 셈이죠.

질문 통일 논의는 언제 시작하는 것이 좋다고 보십니까?

김대중 남북연합제를 5년이고 10년 한 다음에 연방제로 발전해 갈 수가 있
죠. 남북이 평화적으로 공존하면서 평화적으로 교류 협력하는 단계가 정세
에 달려 있겠지만 최소 10년, 20년은 가야 한다고 봅니다. 그래 가지고 양쪽
이 다 이만하면 안심하고 살 수 있다, 북도 경제가 회복돼 남한에 큰 부담 안
되겠다, 이런 단계까지 오면 완전 통일로 가자는 것입니다.

질문 그에 앞서 북핵 문제가 해결돼야 하는데, 지금 방코델타아시아(BDA)
북한 자금 송금 문제로 2·13합의 이행이 안 되고 있습니다.

방코델타아시아 문제는 미국이 무리

김대중 방코델타아시아(BDA) 문제는 미국이 무리했다고 봅니다. 이제 풀
려고 하는데 미 국내법상 애국법 때문에 비비 꼬여서 안 되는 것 같습니다.
그런데 거기까지는 미국의 책임이지만 북한도 지금은 방코델타아시아(BDA)
해결 안 됐다며 버티고 있어서는 안 됩니다. 『한국일보』를 통해 북한에 제안
하고 싶습니다. 북한도 상대방이 성의 가지고 노력한 것을 인정한다면 미국
국내 여론이 악화 안 되도록, 또 미국의 성의에 대해 어느 정도 격려하는 의
미에서 조치를 취해야 합니다. 예를 들면 국제원자력기구(IAEA) 요원들을 북
한에 초청해 방코델타아시아(BDA) 문제가 완전 해결되면 감시를 어떻게 할
것이냐, 이런 것을 협의하는, 그러면서 방코델타아시아(BDA) 해결을 기다리

는 제스처를 취하라는 것이죠. 그런 거라도 해서 분위기를 좀 반전시키는 게 좋겠습니다.

질문 중국도 미국을 의식해서인지 좀 소극적인데 촉구하실 말씀은 없습니까?

김대중 중국 정부는 미국이 무리한 일 해 놓고 이런 꼴 됐으니 당신네가 책임져라, 이런 태도거든요. 그러나 중국은 6자회담 의장국 아닙니까? 미국이나 북한과 최대한도로 실질적인 협력을 해서 일이 빨리 풀려 가도록 하는 것이 주최국(host country)으로서 도리가 아닌가 생각합니다.

질문 6자회담 프로세스에서 일본의 태도가 미국보다 강력하고, 납치자 문제가 풀리지 않으면 지원을 안 하겠다고 버티고 있습니다. 이에 대해서는 어떻게 생각하십니까?

김대중 일본은 납치 문제를 국내 정치에 최대 이용하고 있어요. 아베 총리는 완전히 납치 문제 가지고 국민에 호소해 총리가 됐습니다. 과거 고이즈미 총리는 북한과 국교하려고 굉장히 성의를 갖고 노력했는데 아베 총리는 아닙니다. 일본은 북한이라는 적을 부각시키고 그것을 계속 이야기함으로 일본 재무장에 이용하려 하고 있습니다. 현재 일본은 헌법을 개정하려고 하는데 그러려면 뭔가 주위에 긴박한 사태를 상정하면서 국민을 그런 방향으로 끌고 가고 영향을 줘야 하지요. 일본은 중국에 대해 굉장한 두려움을 갖고 있어요. 그런데 지금 당장 중국과 맞설 수 없으니 미국과의 동맹을 강화하고 군비 강화하는 데 국민이 동조하게 하고, 선거에 이득이 되게 하는 데 북한이 새로운 타깃이 된 것입니다.

질문 북한이 요구하는 조건만 갖춰 주면 정말 핵을 포기할까요? 미국 일부에서는 이미 개발한 핵을 북한이 갖는 것을 인정하는 상태에서 수교 단계로 나갈 것이라고 분석하는 사람도 있습니다.

김대중 어떤 문제를 판단할 때는 거꾸로 짚어 보고 생각할 필요가 있습니다. 북한이 핵무기를 포기 안 하면 결국 미국은 북한의 안전을 보장해 줄 수 없고 경제 제재 해제를 할 수 없고 국교 정상화도 안 할 것입니다. 북한은 경제적 파산 상태고 국제적으로 고립돼 있잖아요. 핵무기 갖고 국민 밥 먹여 줄 것입니까? 북한이 오매불망 바라는 것은 미국과 관계 개선해서 국제사회에 나가 북한도 경제적으로 일정하게 살아 보자는 것이죠. 그러나 핵을 포기 안 하면 불가능합니다. 중국도 그렇지요. 중국에 북한 핵이 문제가 되는 최대 이유는 일본과 대만 핵 무장을 불러올 수 있기 때문입니다. 중국에서는 둘 다 악몽 같은 일입니다. 중국이 북한에 식량이다 기름이다 물자를 대주고 북한 생필품의 70-80퍼센트를 대주는데 그 이유는 지금까지는 미국이 북한에게 무리하게 한다고 하니까, 그러니까 도운 거요. 미국이 생존권 도와주고 직접 대화하고 안전 보장해 주고 경제 제재 해제하고 국교 정상화 해 준다면 다 해 주는 거죠. 그런데 북한의 본심이 그런 요구에서 한 게 아니라 핵을 가지려는 야심이었다 하면 중국으로서도 용납할 수 없는 거죠. 미국이 다 들어줬는데도 북한이 핵을 포기 안 하면 본심이 핵을 가지려 하는 게 되고 중국도 용납 못 하는 것입니다. 그때는 중국의 지지를 계속 받을 수가 없고 물론 우리 지지도 못 받습니다.

그렇기 때문에 북한이 살려면, 지금 상태를 개선을 하려면 핵 포기하는 길 밖에 없는데 북한이 그 길을 가고 있다고 봅니다. 북한이 2·13합의 이후에 자주 김일성 주석의 유훈이라는 말을 하는데 그 말의 의미가 아주 큰 거예요. 북에서는 김일성 주석의 유훈은 신성불가침이에요. 그런데 핵을 포기했을 때 군부라든가 일부 국민들 사이에 불만이 일어날 수 있으니까 김일성 주석의 유훈이라고 설득을 시키고 있는 거요. 안 갖고 나와도 되는 유훈까지 갖고 나왔다는 것은 북한이 핵을 포기하고 한반도 비핵화하려는 의지를 보인 것입니다. 우리와의 비핵화공동선언을 위배하고 있거든요. 어느 모로나 보나 미국이 북한의 요구를 제대로 관철시키면 해결되는 문제라고 봅니다.

질문 김정일 위원장이 핵을 포기하면 결국 개혁 개방 갈 수밖에 없는데 현재의 경직된 수령 체제하에서의 개혁 개방이 가능하겠느냐는 회의론도 많습니다.

김대중 북한은 그 점에 대해 무엇보다 신경을 쓰고 있을 거예요. 북한은 자신을 갖고 있는 것 같아요. 베트남 중국을 보니까 공산당 체제를 유지하면서 경제는 개혁 개방을 해 가지고 잘되고 있거든요. 북한도 그런 방향으로 가려고 하는 거고, 그렇게 하면 북한도 성공할 수 있다고 봅니다. 사족으로 붙이면 중국이나 베트남이 개혁 개방해서 시장경제를 하게 되자 자연히 사유재산제를 허용하잖아요. 그러면 중산층이 생기거든요. 중산층이 어느 정도까지 올라가면 민주주의 안 하면 안 돼요. 공산주의 체제를 유지하면서 개혁 개방으로 나가다가 경제가 발전돼 중산층이 성장되면 민주화로 갑니다. 그 민주화가 혁명적 방법에 의해 정권 전복시키면서 이뤄지느냐, 아니면 평화적으로 하느냐는 국민과 공산당 지도자의 지혜에 달려 있다고 봅니다.

질문 남북정상회담 필요성을 강조해 오셨는데 한나라당과 보수 세력은 선거를 앞두고 정상회담을 하면 정략적 이용하는 것 아니냐며 반대를 하고 있습니다. 노무현 대통령도 그렇게 적극적인 것 같지 않습니다.

김대중 선거에 이용한다고 하지만 우리 국민이 그런 것 같고 선거에 이용당하지 않아요. 그 증거로 내가 2000년 정상회담 했어도 (당시 여당인 새천년민주당이) 국회의원 선거에 졌잖아요. 많은 사람이 남북정상회담이 선거에서 여당에 도움이 될 거라고 했지만 안 됐어요. 국민들이 그런 정도는 구별합니다. 대북 정책하고 국내 정치를 혼동하는 국민은 없습니다.

질문 정상회담을 한다면 언제 해야 한다고 생각하십니까?

김대중 정상회담은 정권마다 해야 합니다. 이번 정권에 해야 다음 정권도 하게 됩니다. 정상회담은 장관급 회담 등에서 해결 못 한 큰 문제를 해결할 수 있습니다. 무엇보다 중요한 것은 정상이 다시 만난다는 거예요. 시기는 늦어도 8·15까지는 해야지요. 그게 지나면 선거철이 임박하기 때문에 좋지가 않다고 봐요.

질문 서울에서 열린 제21차 장관급회담이 쌀 문제로 아무런 성과를 거두지 못했습니다. 쌀 지원 같은 인도적 문제를 핵 문제와 연계하는 게 바람직하냐는 비판 여론도 있습니다.

김대중 나는 미국의 반대나 비판이 있어도 쌀·비료 지원은 인도적 문제로 강행했습니다. 그게 북한 인식 바꾸는 데 결정적 역할을 많이 했어요. 남한 경제의 어려움이나 나쁜 정세에도 불구하고 인도적 지원을 변함없이 한 것에 대해 그 사람들이 내부적으로 감동하고 고마워하고 했습니다. 그래서 이번에 쌀 문제를 연결시킨 것은 타당치 않다고 봅니다. 무엇보다도 우리끼리 내부 문제, 쌀 문제를 갖고 그걸 6자회담에 연계시키면 우리 내부 문제를 대외에 종속시키는 것이 되고 그런 것은 아주 심각한 문제가 아닌가 생각합니다.

질문 지난해 평양 방문 계획이 무산됐지만 교착 국면을 풀기 위해 직접 나서서 역할을 하실 생각은 없으십니까?

김대중 작년에 가려고 했던 것은 개인 자격으로 가려고 했던 것입니다. 특사 파견은 대통령이 알아서 결정할 일이지 제가 할 얘기가 아닙니다.

질문 2·13합의가 잘 진행되면 한반도 평화 체제 문제가 본격 논의될 텐데 어떤 경로를 밟아 한반도 평화 체제를 구축하는 것이 바람직하다고 생각하십니까?

김대중 2·13합의가 잘 풀리면 우리가 북한하고 정상회담도 하고 국방장관회담도 하고 이렇게 해서 한반도 평화 체제나, 휴전선 긴장 완화나 일부 군축하는 것이나, 불가침 선언을 하는 문제가 있을 수 있습니다. 그리고 그다음에 미국·중국·북한·남한 이렇게 4자가 평화협정을 체결하는 방향으로 나가야 할 것 같습니다.

질문 그 과정에서 남북정상회담을 포함해서 북·미정상회담 남·북·미·중 4개국 정상회담 얘기 나오는데.

김대중 평화협정을 체결할 단계가 되면 정상회담은 자연히 되지 않겠습니까?

질문 한국 정부가 미국과 다른 얘기를 하면 굉장히 불안스럽게 생각하는 사람들이 적지 않고 현재 한·미 관계가 위기라고 생각하는 사람들도 많습니다.

김대중 우리가 과거 클린턴 정부 때는 밀착 협력했죠. 그런데 부시 정권에 들어와 클린턴과 합의한 북한 문제, 한반도 평화 문제를 모두 뒤집어엎었습니다. 주권국가로서 그렇게 해 놓은 것을 뒤집어엎으면 그렇게 해서는 안 된다고 해야 하는 것 아닙니까? 우리가 우방 국가와 협력을 하되 한반도 문제는 우리가 더 잘 알고, 북한 문제 더 잘 압니다. 어디까지나 이것은 우리의 문제입니다. 미국 대통령이나 국무장관은 아프리카부터 남미 구석구석까지, 수단, 코소보 문제 등 전 세계의 모든 문제에 대처하고 있는데 한국 문제를 생각할 시간이 얼마나 있겠어요. 그런데 우리는 그 문제를 아침부터 저녁까지 생각하죠. 우리가 조금 더 잘 아니까, 우리의 이해관계와 밀접하니까 우리가 미국에 대해 안 된다는 것은 안 된다, 이렇게 하자고 충고하는 것은 당연한 것 아닙니까. 그렇게 해서 6자회담 성공한 거요.

그런 데다가 이제는 한국도 6·25전쟁 때의 한국이 아니지 않습니까? 과거 20, 30년 전 한국이 아니고 이제는 한국이 세계 11번째 경제 대국이고 월드

컵과 올림픽을 다 해낸 국가입니다. 미국의 골드만삭스는 앞으로 한국이 50년 이내에 세계에서 미국 다음의 경제 발전하는 국가가 된다, 한국 국민의 1인당 국민소득은 8만 1,000불까지 간다고 얼마 전에 발표했습니다. 독일 『디벨트』지는 한국이 30년 후 독일을 앞서갈 것이라고 했습니다. 그런 평가를 받고 했는데 언제까지 미국에만 의존해야 합니까? 그런 식의 안보 생각은 안 갖는 게 좋습니다. (미국에 할 말을 하면) 북한 관계를 연계시켜서 북한으로 하여금 조금 더 평화적으로 협력하도록 유도하는 장점도 있습니다. 모든 것을 일면만 보지 말고, 반대면도 보면서 처리해야죠.

질문 주한 미군 재배치가 진행 중이고 전시작전권은 2012년 이양받기로 하는 등 한·미동맹 관계가 재조정기에 있습니다. 한·미동맹 관계가 어떤 방향으로 나가야 할까요?

김대중 이것도 양면이 있어요. 우리가 전작권을 맡고 미군이 일부 나가면 우리 안보에 대해 취약점이 생기거나 문제점이 생길 수 있어요. 반면 미국이 한국 앞세워 전쟁을 하는 것 아니냐고 걱정해 온 북한에 이제 전쟁을 안 하는 평화 체제에 대해 진지하게 협상하자고 제안하고 평화 체제를 강화시키면 오히려 전화위복을 만들 수 있어요. 군사 전문가가 아니라서 타당한지는 모르지만 미군 2사단은 북한으로서는 가장 겁나는 적이었거든요. 이렇게 후방으로 가고 미군이 가니까 대신 북한도 개성 일대 어느 군대를 후방으로 돌리라든지 이런 이야기를 했어야 한다고 생각해요. 자꾸 모든 것을 나쁜 쪽으로만 생각하지 말고 사태를 역이용해서 평화를 증진시키는 방향으로 발전시키는 그런 생각을 해 볼 때가 되지 않았습니까?

질문 한·미자유무역협정(FTA)이 우여곡절 끝에 타결됐지만 아직도 우리 사회에 반대 의견이 많고 발효까지는 진통이 예상됩니다.

김대중 한·미자유무역협정(FTA)은 안보 면에서 볼 때 미국과의 군사동맹이 경제동맹까지 이뤄진 것이어서 그 의미가 큽니다. 미국이 한국에서 경제적 이익이 증대되면 안보에도 자연히 관심을 갖게 됩니다. 미군 재배치와 전시작전권 반환 찬반도 있고 하는데 경제 자유무역협정(FTA)은 군사동맹에 대해 조금 걱정하는 사람에 대해서도 보완적 입장에서도 안보에 큰 도움이 됩니다. 결국 경제와 안보는 불가분의 관계지요. 또 하나, 지금 우리는 석유가 나와서 된 것도 아니고, 황금이 나와서 된 것도 아니고, 무슨 광물자원이 나와서 된 것도 아니고 아무것도 아니잖아요. 결국 우리가 무역을 해서 된 것입니다. 미국은 큰 시장입니다. 일본과 중국 동남아가 다 자유무역협정(FTA) 하는데 우리만 안 했다고 생각해 보세요. 시장에서 완전히 쫓겨나는 것입니다. 지금 유럽연합(EU)하고도 하고 장차 중국·일본하고도 얘기가 되고 있습니다. 이게 경제의 대세인데 미국하고 안 할 수 있습니까?

질문 국내 피해가 만만치 않을 텐데요.

도랑 안의 소처럼 양쪽 풀을

김대중 우리가 차지할 것만 하고 상대에게 줄 것 주지 않는 자유무역협정(FTA)은 없습니다. 중요한 것은 국내 피해 부문에 대한 보완입니다. 예를 들어 농업은 두 가지를 해야 해요. 우선 긴급 구제 대책을 세워야 하고, 농민들이 창의적인 영농을 통해서 축산을 통해서 세계시장과 경쟁할 수 있는 경쟁력을 키워줘야 해요. 덮어놓고 구제만 하면 아무것도 안 됩니다. 자유무역협정(FTA)을 기회로 경쟁력을 길러 세계시장에서 이겨내야 전화위복이 될 수가 있습니다. 중국은 뒤에서 쫓아오고 일본은 앞에서 달려가니 우리는 큰일 났다는 얘기도 합니다. 그러나 우리는 도랑 안의 소처럼 양쪽 풀을 뜯어 먹을 수가 있습니다. 거리도 가깝고 문화도 가깝고 그러니까 서구나 남미 국가보다는 월등하게 우월한 조건인데 그것을 잘 이용하느냐, 못하느냐는 우리의 능력입니다.

질문 남북 관계는 북·미 관계나 핵 진전에 따라 반 발짝 뒤에 가야 한다는 견해에 대해서는 어떻게 생각하십니까?

김대중 남북 관계는 남북 관계대로 있어요. 우리가 긴장 완화를 위한 여러 조치나 경제 협력은 6자회담과 관계없는 일 아닙니까. 그런 것은 진전시키고, 한반도 비핵화시키고 핵 없애야 한다는 것은 미국이나 우방국과 긴밀히 협조해야 합니다. 양립이 가능합니다.

질문 범여권 인사들이 김 전 대통령을 빈번히 방문하는 것과 관련해서 훈수 정치라는 비판이 많습니다. 김 전 대통령께서는 원래 장기나 바둑 안 좋아하시는데.

김대중 우리나라에서 내가 제일 정치 오래 한 사람이고 대통령까지 했으니까 소위 원로의 한 사람이라고 할 수 있으니 정치인들이 전직 대통령에게 와서 여러 의견도 듣고, 자기 말하고 하는 것은 자연스럽지 않습니까. 또 선배가 후배에게 훈수하는 건 있는 일이죠. 내가 하는 일은 누구를 지지하거나 누구를 반대하거나 하는 것도 아닙니다. 내 이야기는 국민이 걱정하니, 희망하니 여권이 하나로 뭉쳐라, 야당은 하나로 돼 있으니까 일대일로 해라. 그리고 페어플레이해라, 등등의 것입니다. 국민이 바라는 것은 이것 아닙니까?

질문 그렇지만 전직 대통령으로서 현실 정치에 깊이 간여한다는 인상을 줄 수도 있습니다.

김대중 나는 여권에 대해 현재 여권 어느 사람보다 관계가 깊습니다. 1955년 창당부터 관계가 있는 사람입니다. 50년 당 역사에서 내가 한 30년을 당 지도부 노릇을 했습니다. 내가 전생을 다 바쳐 봉사한 당과 사람이 사분오열돼 어느 바닥이고 누군지도 모르게 됐습니다. 그러니까 우리당 지지하던 국민들도 아주 걱정이 크고, 그렇지 않은 국민들도 저렇게 해서야 되느냐, 그런 생각을 다 생각을 갖고 있고, 그런 점에서 내가 책임감 갖고 하나로 뭉쳐라, 누구를 뽑는 것은 당신들이 알아서 해라, 정책도 당신이 알아서 해라, 그러나 하나로 뭉쳐 야당과 일대일로, 국민이 흥미 갖고 기대 갖는 경쟁 마당을 만들어라, 하는 것입니다. 그것이 왜…… 외국에서는 전직 대통령들이 돌아다니면서 운동도 하는데, 그런 얘기하는 것 갖고 무슨 내가 정치 금지법에 걸려 있는 사람도 아니고, 어떻게 하라는 말입니까?

질문 김 전 대통령께서 대통합을 강조하고 있지만 여의도 사정을 보면 쉽지 않은 것 같습니다. 사분오열되는 구도인데 하나로 통합이 가능할까요?

김대중 정세균 의장 등 열린우리당 사람들의 이야기도 듣고 김한길, 박상천 두 분 이야기도 듣고 하는데 조금씩 뉘앙스 차이는 있지만 지금 그분들 얘기한 범위에서 들어 보면 다 대통합에 대해 반대하는 사람은 없어요. 후보 단일화 안 해 가지고는 선거 하나 마나라는 것 잘 알고 있잖아요. 그런 식으로 하면 국민들이 용납하지 않죠. 제일 중요한 것은 국민이 뭘 바라는가 하는 거죠. 국민은 여야 일대일로 해서 정책을 내놓고 싸워라, 그러면 인물과 정책 보고 찍겠다, 이거 아닙니까?

질문 열린우리당과 노무현 대통령의 지지도가 매우 낮아서 그 이미지를 안고 가는 게 선거에 도움이 안 된다는 이야기도 있습니다. 그래서 아예 한나라당, 우리당과 노무현 대통령이 주도하는 당, 그리고 중도 개혁신당이 만들어져 3자 구도로 가는 것이 더 유리할 수 있다는 분석도 있는데.

김대중 아까 다 이야기했으니까…….

질문 올해 대선에서 대북 정책이 뜨거운 쟁점이 될 것 같습니다. 이 문제에 대해 대선 주자들에게 하고 싶은 말씀은.

김대중 엊그제인가 한나라당 원내대표가 국회에서 연설한 것을 잠깐 텔레비전에서 봤는데 역시 대북 정책에 있어서는 화해 협력의 정책을 추진한다고 합디다. 참 다행이라고 생각합니다. 요새 박근혜 씨나 이명박 씨도 대북 문제에 대해 긍정적인 이야기하고 있지 않습니까? 선거 본격화되고 정책 대결이 되면 그 문제는 싫건 좋건 가장 뜨거운 이슈가 되겠지만, 그때 정책들 방향이 잡혀질 것이고 국민도 여야가 한 이야기를 보고 판단할 것이라고 생각합니다. 누구에게 어떻게 하라는 것은 아니지만 햇볕정책 이외에 대안이 없어요. 햇볕정책 안 하면 전쟁하자는 것인데 안 그러면 냉전을 해서 과거 차디찬 냉전 속에서 전쟁의 악몽에 시달리는 생활을 하자는 건데 그걸 지지하는 국민이 어디 있겠어요.

김대중 6·10항쟁 20주년을 맞았는데 민주 개혁세력이 20년 동안 한 것도 많지만 실패론, 책임론도 나오고 있습니다. 민주 개혁세력의 실패론에 대해서 어떻게 생각하십니까?

김대중 우리가 세 번 독재자를 패배시켰습니다. 4·19혁명 당시 이승만 독재자를 그랬고, 박정희 독재자를 그랬고, 6월항쟁을 통해 전두환 독재자를 패배시켰습니다. 민주 세력이 큰 역할을 했고 국민이 언제나 동참해서 국민들의 여론 속에서 독재자가 물러났습니다. 그중에서도 6월항쟁은 반독재 투쟁의 결정타입니다. 민주화투쟁의 백미예요. 6월항쟁 이후는 다시는 독재자가 못 나타납니다. 6월항쟁의 위대한 승리의 결과라고 봅니다. 그리고 6월항쟁에 참가했던 사람들이 그 이후로 계승을 한 게 국민의정부이고 참여정부입니다. 국민의정부에서 우리나라 역사상 처음으로 여야 정권 교체를 이뤘습니다. 많은 민주적인 일들을 했습니다. 인권 신장시키고 여권女權 신장, 과거사 진상 규명을 했고 외환 위기를 극복해서 세계로부터 격찬을 받았습니다. 기초생활보장법이나 4대보험 개혁 같은 것으로 사회보장제도를 상당히 확충했고. 남북 관계도 발전시켰고. 이런 게 전부 민주 세력이 한 것 아닙니까?

노무현 정권에서도 제가 일일이 이야기 않겠지만 크게 봐서 민주주의와 투명한 시장경제를 발전시키고 했잖아요? 또 여러 가지 서민층이나 주택 문제, 어려운 사람 문제 등 하고 있잖아요? 단순히 실패했다 그러는데, 민주 세력이 실패했다고 하는데……, 그러면 과거 독재에서 소수에 부 집중, 무더기 용공분자를 만들어 아까운 목숨 앗아 가고 이런 것이 성공한 것입니까? 그렇게 말하는 것은 현실에 대한 무지 아니냐, 악의에서 나온 말 아니냐 생각합니다. 물론 부분적 실패나 잘못은 있습니다. 그러나 과거 정권의 대형 부정 많았습니다. 국민의정부와 노무현 정부에서는 대형 비리가 없어지고, 정경유착해서 권력이 마음먹으면 누구든지 부자를 만들고 어떤 부자도 거지 만들고 하는 일이 없지 않습니까? 매일 거리에서 최루탄 맞고 쫓겨 다니던 사람들이 이제는 국회에 10명이나 들어가 의석을 갖고 노동운동을 자유롭게 하는 것이 어째서 민주화 업적이 아닙니까? 그래서 나는 그렇게 말하는 것은 대단히 무지나 악의에서 한 것 아니면 잘 몰라서 한 말이라고 생각합니다.

질문 노무현 대통령이 임기 말임에도 목소리를 높이고 있습니다. 임기 말 대통령의 바람직한 자세는 무엇이라고 생각하십니까?

김대중 노 대통령 자신이 총명한 분이니까 모든 것 판단해서 잘하실 것으로 생각합니다. 제가 잘한다, 못한다 이런 얘기를 하는 것은 예의가 아니라고 생각합니다. 전직 대통령은 현직 대통령에 대해서도 할 말이 있으면 조용히 전달해서 해야지 그것을 공개적으로 언론에 하는 것은 바람직하지 않다고 봅니다. 〔박지원 실장이 국민의정부 마지막 시절 대통령 비서실에서 대선 공약과 추진하던 것 중 미진한 것을 각 부처를 통해 뽑은 게 71개였다며 대통령님이 2월 25일 이취임식인데 21일 회의 때까지 전부 점검하고 미진한 부분은 새 정부에 넘기라고 지시하셨던 것을 보면, 우리가 대통령님 모시고 일을 했지만 마지막까지 국정의 중심에 서서 모든 국민을 위한 업무를 처리한 것은 감회가 새롭다고 하자] 미국이고 어디고 정권이 말기에 들면 레임덕 현상이 나타나잖아요? 우리는 여당 사람들이 협력이 부족하고 그런 상태여서 내가 정부에서 각 부처가 둘 내지 셋 정도로 임기 말까지 꼭 마무리하고 나간다 하는 것을 뽑아라, 그게 71개였습니다. 매일매일 체크하면서 21일까지 가서 끝냈는데, 아마 70퍼센트, 80퍼센트는 마무리 짓고 끝나지 않았나 싶습니다. 내 입장에서 보면 임기 마지막 날까지 레임덕 현상은 아니었습니다. 정부가 마지막까지 목표를 갖고 계획을 갖고 업무를 수행해 나갔으니까요.

질문 그런데 그때는 조용하게 하셨지요.

김대중 …….

질문 건강이 좋아 보이십니다.

김대중 지난번에 컴퓨터단층촬영(CT)도 검사를 해 보고 했는데 신장 나쁜 것 제외하면 다른 데는 다 괜찮다고 그래요. 이번에 독일도 무사히 갔다 왔습니다, 독일 7박 8일이었는데. 『한국일보』는 내가 특별히 애정을 갖고 있는 신문인데, 『한국일보』는 지금 독자적으로 내고 있고 일부 대신문을 따라가지 않고 있어 『한국일보』의 존재 가치가 있어요. 우리의 대신문들은 논조가 상당히 편향적인데 신문이 국민들에게 공정하게 보도해 주고 좋은 정보를 주고 신뢰성이 있어야 신문의 미래도 있는 것입니다.

* 2007년 6월 7일 동교동 자택에서 있었던 『한국일보』 창간 기념 인터뷰다.

북한은 핵 포기해야 산다

대담 보이스오브아메리카(VOA)

일시 2007년 6월 10일

　　김대중 전 대통령은 6·15남북정상회담과 공동선언 발표 7주년을 맞아 지난 10일 가진 '보이스오브아메리카'(Voice of America) 방송과의 특별 회견에서, 북한은 핵을 포기하지 않고는 살길이 없을 것이라며 이같이 밝혔습니다.

　　김 전 대통령은 "미국은 북한이 핵을 포기하지 않으면 안전 보장을 해 주지 않을 것이고, 경제 제재도 해제하지 않을 것이며, 국교도 하지 않을 것"이라고 말했습니다.

　　김 전 대통령은 또 남북한은 한국의 대통령 선거 정국이 본격화되는 오는 8·15 광복절 이전에 정상회담을 해야 한다고 말했습니다. 김 전 대통령은 남북한 간 정상회담이 이뤄질 경우 여러 가지 면에서 한반도의 긴장 상태가 크게 완화될 것이라고 말했습니다.

　　김 전 대통령은 한·미 공조에 대한 미국 사회 일부의 비판에 동의하지 않는다고 밝혔습니다. 김 전 대통령은 한국이 이라크와 아프가니스탄에 미국과 영국에 이어 가장 많은 병력을 파견한 사실을 지적하면서, 미국 사회 내에 한국이 협력을 잘 안 한다고 비판하는 사람들이 있는 것에 대해 서운하다고 말했습니다. 다음은 김대중 전 대통령과 보이스오브아메리카(VOA)의 특별 회견 전문입니다.

질문 2000년 6월 13일…… 7년 전입니다. 7년 전 평양 순안공항에 내리셨을 때, 그 첫발의 느낌 기억하십니까?

김대중 기억합니다. 북한에 갈 때 김정일 위원장이 공항에 나온다는 말도 있고, 안 나온다는 말도 있고 해서 확실하게 몰랐습니다. 그런데 비행기가 도착해서 내려다보니까 와 있더라고요. 나는 북한 땅을 처음으로 밟아 본 것이니까……. 너무도 감개무량해서……. 그때 내가 다리만 불편하지 않으면 땅에, 대지에 엎드려서 입맞춤하고 싶다는 그런 충동을 느꼈어요. 놀라운 것은 북한에서 3군 의장대를 전부 동원해서 사열하게 하고, 약 50-60만의 군중을 거리에 모두 세워서 환영하게 하고……. 참 앞날에 대해서 회담이 잘 될 수 있겠다……. 그런 기대를 갖고 있었습니다.

질문 아무래도 남북정상회담의 주인공이시고, 공동선언을 같이 만드신 분으로서 7주년에 대한 소감은 특별하지 않으실까 생각합니다.

김대중 6·15회담을 우리가 성공적으로 할 수 있었던 것은 북한에 대해서 우리의 기본자세를 확실히 해서, 우리가 공산주의는 반대하지만 같은 동족끼리 서로 평화적으로 살아 나가다가 어느 때인가 양쪽이 가장 잘 합의된 때에 통일하자는 기본적인 생각을 갖고 있었고, 또 그렇게 말했습니다. 그리고 이 점에 대해서는 미국…… 특히 주변 각국에 대해서도 사전에 여러 가지를 알려 줬지만, 미국에 대해서는 숨소리 하나라도 다 알려 줘라……. 우리가 미국에 아무것도 감출 것이 없으니까……. 그렇게 해서 미국의 전면적인 지지를 받아 가면서 정상회담을 한 것이 하나의 성공 요인이라고 생각합니다.

질문 7년이라는 시간을 지켜보시면서 이것이 바로 6·15정상회담의 성과가 아닐까라고 평가하시는 부분도 있으실 것 같습니다.

6·15정상회담의 성과

김대중 그렇지요. 그런데 6·15정상회담의 성과는 북·미 관계가 그동안 나빴기 때문에 한계가 있었습니다. 그러나 그럼에도 불구하고, 이산가족이 과거 50년 동안에 200명밖에 못 만났지만 이제 1만 4천 명이 만났고, 금강산 관광은 140만 명이 다녀왔고, 개성공단이 열려서 거기서 제품이 나오고 북한 노동자가 1만 명 이상이 일하고, 장차 35만 명까지 일하는 계획을 가지고 있습니다. 남북 간 왕래하는 사람이 과거에는 거의 없었는데 이제는 연간 10만 명이 왕래를 합니다. 문화, 체육 등 모든 분야에서 교류가 있고, 또 우리가 북한에 대해서 쌀과 비료, 의약품 등을 주는데 그것이 전부 포대에 남쪽 상호가 붙은 채로 갔기 때문에 북한 사람들이 여기서 준 것을 다 압니다. 그래서 제일 중요한 변화는 남북한 양쪽이 다 그렇지만 특히 북한 사람들의 마음이 변했다는 것입니다. 과거에 우리를 북한을 침략했다고 증오하고, 미제 앞잡이라고 멸시하고, 이런 생각을 가졌던 사람들이 우리의 식량이나 비료 지원을 보고. "우리를 미워하면 이렇게 지원할 수 없지 않으냐……. 남한이 못산다더니 잘사니까 이렇게 주는 것이 아니냐……. 우리를 생각해 주니 남한이 고맙다. 우리는 부럽다……." 이런 생각으로 변해서 이제는 북한 사회에서 암암리에 남한의 대중가요를 부르고, 텔레비전 드라마를 보고, 남한의 패션을 따라가고 하는…… 그런 정도로 북한의 문화까지도 바뀌는 큰 변화가 있었습니다. 남쪽 사람들도 과거에는 북한은 전부 공산주의라고 미워했는데 이제 겪어 보고 나서 우리는 공산주의는 반대하지만 그러나 북한 사람들은 동족으로서 애정을 가져야 한다……. 이런 생각으로 바뀌어서, 남북 간의 긴장이 크게 완화됐습니다. 그 전에는 판문점에서 총소리 하나만 나도 도망갈 준비를 했었는데, 이제는 핵실험을 했다고 해도 끄떡없이 안정된 생활을 하는 것을 보면 그만큼 남북 관계가 크게 개선되고 안정됐다고 볼 수 있습니다.

질문 핵 문제에 관해서 여쭙겠습니다. 남북 관계 발전에 있어서 가장 중요한 변수로 얘기되고 있는데…… 너무나 어렵습니다. 약속을 했다가 파기되고 또다시 약속을 했다가 이행하지 않고…… 이런 문제가 바로 핵 문제이기도 한데요. 어떤 해답을 찾을 수 있을까요?

김대중 핵 문제는 지난 2월 13일에 합의된 것으로, 이제 북한도 미국도 서로 만족하는 조건에서 합의했기 때문에 핵 문제는 이제 해결 방향으로 가틀을 잡았습니다. 다만 핵 문제가 아닌, 본질적인 문제가 아닌, 방코델타아시아의 예금 문제로 시간이 걸리고 있는데…… 결국 이 문제도 어떻게든 해결될 것이고, 그렇게 해서 6자회담을 중심으로 2·13합의 된 방향에 따라서 핵 문제, 북한의 비핵화는 결국 이루어질 것이다, 물론 그동안에 우여곡절이 있겠지만 그대로 된다……. 만약 북한이 핵을 포기하지 않으면, 미국이 안전 보장도 해 주지 않을 것이고, 경제 제재도 해제도 안 할 것이고, 그리고 국교도 안 할 것입니다. 그러면 북한은 살길이 없습니다. 또 미국도 여기서 해결하지 않으면 군사적으로 북한을 침공할 여력도 없고, 경제 제재는 중국이 동의하지 않으면 성공할 수 없습니다. 그래서 이런 점으로 봐서 2·13합의는 6자가 모두 합의해서 된 것이기 때문에 잘된 것이고, 또 그대로만 하면 핵 문제는 해결된다고 생각합니다.

질문 한반도의 비핵화는 대통령께서 말씀하신 '평화 체제' 하고도 상당히 연관되어 있습니다. 바로 직결되어 있다고 할 수 있는데요. 워낙 '평화 체제'라는 것이 광범위한 부분을 포함하고 있어서 '평화 체제'라는 것을 어떻게 인식해야 하는가에 대한 의견도 많은 것 같습니다.

김대중 한반도 평화 체제를 위해서는 먼저 남북이 서로 회합을 해서 국방 장관 회의도 하고, 또 여러 가지 군축 문제라든가, 불가침 선언이라든가, 필요하면…… 또 서해 북방한계선(NLL) 문제라든가 이런 등등을 이야기해서……. 우리가 양쪽 다 평화를 위한 노력을 해야 하고, 둘째는 우리가 미국하고 군사동맹 관계를 가지고 있는데 이것을 굳건히 지켜 나가면서 북한이 어떠한 도발도 할 수 없도록 잘 지켜 나가야 하고, 그리고 세 번째는 6자회담을 성공시켜서 한반도 평화를 가져오는 동시에 6자회담을 상설화해서 한반도와 동북아시아 평화에 기여하는, 이런 서너 가지가 한반도 평화를 위해서 도움이 될 것이라고 생각합니다.

질문 요즘 평화 체제에 관한 관심이 상당히 많습니다. 얼마 전에도 통일연구원에서 국제학술회의가 있었는데요. 주변 4강국의 입장이라고 할까요? 이런 부분이 굉장히 첨예하게 나타나고 있습니다. 남북한이 주主가 되고, 미국과 중국이 동등하게 참여하고, 그리고 국제연합(UN)이 함께하는 그런 체제는 어떠한가라는 의견도 있습니다. 여기에 대해서는 어떻게 생각하시는지요?

김대중 한반도에서 전쟁이 있었는데 지금 말씀한 4자, 남북한과 미국·중국이 주로 간여했습니다. 따라서 한반도에 평화를 정착시키려면 이 4자가 합의해서 결국 평화협정을 맺어야 한다고 생각합니다. 그것을 국제연합(UN)이 지지하고, 6자회담이 지지하는 식으로 해서 세계가 모든 기구가 전체적으로 도와주는 그런 방향으로 나가면 성공적으로 평화를 추진할 수 있을 것이라고 생각합니다.

질문 미국의 대북한 정책에 관한 부분입니다. 가장 가깝게는 쌀 차관 유보에 관해서 한·미 공조에 기초한 것이라는 의견도 많습니다만, 늘 대통령께서는 한국과 미국의 관계에 있어 미국은 한국의 맹방이라는 표현을 하셨습니다. 한·미 공조의 역할과 중요성에 대해서는 어떻게 생각하십니까?

김대중 한국에 있어서 미국은 아주 중요합니다. 이것은 내가 북한에 가서 김정일 위원장을 만났을 때 김정일 위원장 자신도 "통일이 되더라도 미군이 한반도에 있어야 한다."라고 말했습니다. 그러면서 "우리 주변에는 중국이 있고, 러시아가 있고, 일본이 있다. 이 나라들이 과거 조선왕조 말엽에 한국을 병탄하기 위해서 전쟁까지 하지 않았느냐……. 그러기 때문에 그런 야심이 없는 미국이 한반도에 있는 것이 아주 중요하다." 이 점에 있어 두 정상의 생각이 일치했습니다. 그래서 미군은 우리의 평화 유지를 위해서 계속 한국에 주둔해야 하고, 그리고 4대국에 대해서 견제의 역할을 해 주고, 또 협력 역할도 해서 평화를 지켜 나가야 합니다. 그러나 또 한편으로는 우리 자신도 남북 관계에 있어서 평화를 진전시키려는 노력을 병행해 나가야 하지 않는가……. 이런 점에 있어서 나는 1971년…… 지금부터 36년 전에 대통령 출마를 했을 때, 그때 이미 4대국이 한반도의 평화 보장을 해야 한다고 발표한 적이 있는데, 지금도 그 생각은 마찬가지입니다. 우리는 4대국하고 관계를 원만히 해야 평화도 유지되고, 통일도 순조롭게 됩니다. 그러나 그중에 제일 중요한 것은…… 미국은 우리에 대해서 영토적인 야심을 갖지 않은 나라이고, 또 과거에도 가진 적이 없는 나라이고, 그리고 미국은 여기에서 자기네들의 경제적 이권이라든가 안보상의 이권을 지키려고 하지만, 우리에 대해서 예속, 종속시키려는 것은 가져서도 안 되고, 갖지 않는 입장이기 때문에 미국과의 관계를 중요시해야 한다고 생각합니다.

질문 한·미 간의 공조가 잘되어 가고 있다고 보시는지요?

김대중 기본적으로 그렇게 생각합니다. 한국은 다른 나라들이 안 하는 베트남파병을 하지 않았습니까? 5천 명이 죽고 1만 명이 부상했습니다. 지금 이라크에도 미국, 영국 다음에 우리가 가장 많이 파병했습니다. 아프가니스탄도 그렇습니다. 그리고 미국의 새로운 군사전략에 협력해서 2사단을 후방으로 이동하는 것에도 동의해 주지 않았습니까? 그리고 전시작전권 인수하라고 하는 것도 우리가 하기로 했습니다. 용산에 있는 기지를 평택으로 옮겨 가는 것도 현지 주민들이 일시 반대했을 때, 경찰을 동원해 막아 가면서 기지를 옮기도록 했습니다. 안 한 것이 없습니다. 그런데 내가 하나 유감스럽게 생각하는 것은…… 미국 사회에서 우리보고 말하자면 협력을 잘 안 한다고 비판을 하는 사람도 있는데 나는 그것은 서운하게 생각합니다. 왜냐하면 독일이나 프랑스가 얼마나 미국의 신세를 졌습니까? 그러나 그 사람들은 이라크 파병을 안 했습니다. 그런데 그런 나라들은 제쳐 놓고 우리에 대해서만 서운한 이야기를 한다는 것은 우리나라에 대한 예의가 아니라고 생각합니다. 이번에 또 자유무역협정(FTA)이 체결되지 않았습니까? 그러면 한·미 관계는 안보적 면에서 보면 한·미군사동맹과 경제 동맹으로 강화되고 있는 것입니다. 많은 사람들이 그 잘못된 것을 인식해 주었으면 합니다.

질문 한·미 공조에 있어서는 남북정상회담 재개 부분도 연결되어 있는 것 같습니다. 8·15 즈음에는 남북정상회담이 가능하지 않을까 하는 전망도 나오고 있는데, 대통령께서는 어떻게 생각하십니까?

김대중 8·15 전에 남북정상회담을 해야 합니다. 왜냐하면 8·15가 넘으면 대선 정국이 본격화되기 때문에 문제가 있다고 생각합니다. 그래서 남북 관계에 있어서 한반도에서 4개국이 평화협정을 할 때까지, 그 전에라도 우리가 부분적으로 남북 간의 평화를 촉진시키고, 필요한 군축이라든가 상호 군사적 협력 등도 하고, 그리고 경제 협력도 해서…… 지금 북한은 중국의 경제가 물밀듯이 들어오고 있습니다. 북한 생필품의 80퍼센트 이상이 중국에서 오고 있습니다. 그리고 중국이 북한에 막 투자하고 있습니다. 광산에 투자하고, 항만에 투자하고, 기업체에 투자하고 그러면 이렇게 경제적으로 중국에 빨려 들어가면 결국은 정치적으로나 군사적으로 영향을 받는 것입니다. 그래서 나는 미국 친구들에게 잘못하면 북한이 중국의 동북 3성에 이어 4성이 될 가능성이 있는데, 왜 당신들이 우리가 지원하려고 하면 반대를 하느냐, 우리가 들어가서 우리 경제력으로 중국하고 균형을 잡으면서 북한을 지원해야 북한이 일방적으로 예속 안 될 것이 아니냐, 이것은 미국이 우리에게 부탁해서라도 할 일인데 왜 그것을 백안시하고 잘못한다고 하느냐, 이런 이야기를 하는데 내 말을 들은 분치고 내 말에 반대하는 사람을 본 적이 없습니다. 그래서 이런 점에 있어서도 앞으로 한·미가 긴밀하게 서로 협력하고 또 북한 문제에 대해서도…… 이제는 한국도 이만큼 성장했습니다. 세계가 인정하는 민주국가가 됐지요? 경제는 세계의 11번째 대국이 됐지요? 그리고 이제 안보도 웬만큼 자력으로 담당하고 있고…… 그래서 전시작전권까지 넘기는 것 아닙니까? 그러면 한국의 의견도 미국이 존중해 가면서 긴밀하게 협력해 나갈 필요성이 있다고 봅니다.

질문 (남북정상회담의) 현실적인 가능성은 어느 정도라고 보시는지요?

김대중 나는 결국 할 것이라고 봅니다. 정상회담의 필요성도 있을 뿐 아니라 노무현 대통령 재임 중에 정상회담을 해야 다음 정권도 계속하게 됩니다. 여기서 맥이 끊어지면 다음도 어려울 수 있습니다. 그리고 노무현 대통령이 북한하고 정상회담을 하면 여러 가지 긴장 완화를 크게 가져올 수 있는…… 그리고 북한에 경제적으로 진출하고 문화적으로도 진출할 수 있는 계기가 마련된다고 생각합니다. 그리고 6자회담을 위해서도, 북한에 대해서 우리가 여러 가지 설득하고 다짐을 해 둘 일도 있다고 생각합니다. 물론 이런 정상회담의 과정에 미국하고 긴밀한 사전 협의를 하면서 해야 한다는 것을 더 말할 것도 없습니다.

질문 6·15공동선언 제1항에 "한반도 문제의 자주적 해결"이라는 부분이 있습니다. 북한에서 말하는 "우리 민족끼리"라는 표현이 되겠는데요. 같은 표현을 두고 남북한의 입장이 서로 다르지 않은가라는 생각이 드는데…… 여기에 대해서는 어떻게 생각하시는지요?

평화적으로, 점진적으로, 단계적으로

김대중 독일이 통일할 때 독일 민족끼리 했습니다. 그리고 주변 국가들이 미국을 포함해서 모두 지지했습니다. 우리도 그런 의미에서는 마찬가지입니다. 그러나 우리는 독일같이 급격히 흡수 통일하거나 급격히 통일하자는 것이 아니고, 단계적으로, 평화적으로 공존하고, 평화적으로 교류 협력하고, 평화적으로 통일한다……, 그래서 10년이고 20년 후에 우리가 이만하면 안심하고 통일할 수 있다, 그리고 주변 국가들도 독일통일을 축복했듯이 우리 통일을 축복하는 그런 단계가 되었을 때 통일하는 것이 좋다, 우리는 베트남식의 전쟁에 의한, 무력에 의한 통일도 반대하고, 또 독일식의 일시적으로 급격한 흡수 통일도 반대하고, 말하자면 평화적으로, 점진적으로, 단계적으로 통일한다는 생각을 가지고 있습니다. 자주적이라는 것은 필요한 우방들과 상의를 안 한다든가 우방의 지지가 없어도 된다는 이야기가 아닙니다. 독일도 독일 민족끼리 통일하지 않았습니까? 그러나 거기에는 주변에 있는 미국이라든가 프랑스, 영국…… 이런 나라들이 적극적으로 지원하지 않았다면, 또 러시아가 지원하지 않았다면 독일통일 안 되었을 것입니다. 그것은 서로 배치된 것이 아닙니다.

질문 현재의 국제 정세하에서 한반도의 통일 가능성…… 그리고 가능하다면 언제쯤으로 보시는지요?

김대중 그것은 예측하기가 어렵습니다. 우리가 앞으로 문제를 냉전 시대와 같은 현상 고착의 평화가 아니라 6자회담을 성공시켜서 통일 지향적인 평화로 발전시켜 나가야 합니다. 그래서 우리는 주변 4대국과 긴밀히 협의하고 특히 미국과 긴밀한 협조를 해 가면서 남북 관계가 평화적으로 같이 살고, 평화적으로 교류 협력해서…… 그리고 북한 경제도 다시 일어서도록 해서 통일하더라도 우리에게 큰 부담되지 않도록 하고, 그리고 그동안 교류 협력하면서 서로 적개심에 차 있던 것이 민족 동질성으로 회복되고, 우호 협력 관계가 회복되는, 그래서 통일했을 때는 승자도 패자도 없는, 승자가 패자를 정복하고 추방하는 것이 없는, 말하자면 공동 승리의 통일을 해야 한다고 생각하는데 그때는 공산주의는 크게 바뀌어 있을 것입니다.

질문 2008년도에는 한반도의 전쟁이 공식적으로 종료되고, 평화 체제가 만들어질 가능성이 있다고 주한 버시바우 미국대사가 이야기했습니다. 같은 생각을 갖고 계시는지.

김대중 방코델타아시아 문제만 해결되면 6자회담은 합의된 것을 실천한 것이니까 순조롭게 갈 것으로 봅니다. 그러면 2008년에 한반도의 전쟁이 종식되는 것은 충분히 가능하다고 봅니다.

질문 요즘 김정일 국방위원장의 건강 이상설이 크게 대두되고 있습니다. 러시아의 전문가들은 김정일 국방위원장이 있는 한 북한은 변하지 않을 것이라고 말하고 있는데 대통령께서는 어떻게 생각하시는지요?

김대중 김정일 위원장의 건강에 대해서는 나는 알 수가 없고, 또 그것이 확실한 근거가 있는 것 같지도 않고 김정일 위원장이 있는 한은 변화가 없다고 하는데 결국 지금 김정일 국방위원장이 있어도 6자회담에 협력하고 있지 않습니까? 그리고 남북 간에도 정상회담 하고, 개성공단도 하고, 철도도 개통하고, 하나씩 하나씩 하고 있지 않습니까? 내가 만나 본 김정일 위원장은 굉장히 머리가 좋은 사람입니다. 그리고 세계 사정을 잘 알아요. 그리고 그 사람은 미국과 관계 개선을 해야 살길이 열린다는 것을 확실히 알고 있어요. 그래서 내가 미국 친구들에게 이야기하는 것은 우리가 소련도 안았고, 중국도 안았고, 동유럽도 안았는데 왜 북한은 안지 못하느냐, 그렇게 해서 북한하고 우리하고 관계가 좋아서 한반도에서 미국이 한반도 평화를 위해서 영향력을 발휘하고 있어야, 그래야 커 가는 중국과 일본 사이에서 세력균형이 잡히는 것입니다. 그런 의미에서 동북아시아 평화를 위해서도 미국과의 관계 개선은 미국의 동북아시아 전략을 위해서도 아주 필요하다고 생각합니다.

북한의 이익에 맞으면 북한은 변화할 것입니다. 왜냐하면 변화하지 않으면 살아 나갈 길이 없습니다. 북한이 지금 제일 바라는 것이 국제사회에 나가서, 미국과도 국교하고, 국제통화기금(IMF)이라든가 아시아개발은행(ADB)에서 돈도 빌려 쓰고, 미국과 유럽의 투자가들이 와서 투자도 하고, 그리고 일본과 국교 정상화해서 100억 달러로 예상하는 배상금도 받아 쓰고…… 이렇게 해서 살길을 열어 가는 것을 열망하고 있습니다. 그 외에는 방법이 없습니다. 옛날과 같이 소련이 도와주는 것도 아니고 북한의 필요성을 감안하더라도 한반도의 문제, 북한하고의 문제는 해결의 가능성이 있다고 보고 있고, 그렇기 때문에 이미 2·13합의로써 그 틀이 잡혀 있는 것입니다.

질문 탈북자에 관한 문제입니다. 대통령께서는 직접 한국에 정착한 탈북자들과 대화해 나눠 보신 적이 있으신지요?

김대중 없습니다.

질문 지금 탈북자가 1만 명이 넘었다는 것은 알고 계시는지요?

김대중 1만 4천 명 정도가 됩니다.

질문 탈북자들의 한국 정착이 쉽지 않다, 너무 어렵다는 말을 많이 합니다. 탈북자 문제에 대해서는 한국 정부에서 또 국제간의 노력에서도 중요성이 제기되고 있는데 여기에 대해서는 어떤 대한 해결책이 있을까요?

김대중 탈북자 문제에 있어서는 한국 정부나 국제사회가 공동으로 노력을 해서 탈북자들이 순조롭게 정착할 수 있도록 도와줘야 합니다. 그런데 탈북자도 각오하고 있어야 할 문제가 있습니다. 그것은 공산주의 사회에서 하는 생활과 자유세계에서 하는 생활은 너무도 다른 것입니다. 자유세계에서는 자유도 있지만 책임도 있습니다. 공산주의 사회는 정부가 하라고 하는 대로 하면 됩니다. 집은 여기서 살아라, 직장은 여기 들어가 일해라, 자식은 이 학교에 보내라, 전기·수도 모두가 무료다. 그렇기 때문에 '자유' 하나만 포기하면, 정부가 하라는 대로만 하면 아무것도 머리 쓸 것이 없는 것입니다. 그런데 이 사회는 다릅니다. 자유가 있고 내가 마음대로 결정할 수 있는 대신에, 집도, 직장도, 자식 학교도 내가 구해야 하고, 일용 식품이나 식료품 등 모든 것을 내가 사야 하고……. 그러니까 직장을 못 얻으면 살기도 어렵게 되는 책임 문제가 있습니다. 그래서 근본적으로 공산주의 사회와 자유주의 사회는 다른 생활 패턴을 가지고 있습니다. 이런 것에 대해서 각오하고, 여기에 적응하려는 노력을 탈북자들이 해야 합니다. 그렇게 적응할 수 있도록 정부나 국제사회가 최대한 지원을 하되, 결국 마지막에는 탈북자 자신이 잘 적응해 나가느냐, 못 하느냐가 탈북자 문제의 중요한 핵심이라고 생각합니다.

질문 북한 인권 문제에 관한 관심도 상당히 높아지고 있습니다. 한국이 북한의 탈북자를 받아들이는 것도 인권 문제의 해결 중의 하나라는 말씀을 하셨던 기억이 납니다.

생존적 인권은 도와주어야

김대중 그렇습니다. 그 사람들이 갈 곳이 없는데…… 한국이 받아들여서 정착금 주고, 모두 해 준 것이 그것이 인권 문제가 되지 않습니까? 뿐만 아니라 우리가 북한에 식량을 주고, 비료를 주고……. 비료 10만 톤을 주면 식량 10만 톤이 더 늘어납니다. 그리고 의약품을 줘서 죽어 가는 사람들을 치료하도록 하고 하는 것…… 사람의 인권에는 '정치적 인권'이 있고, '생존적 인권'이 있습니다. '생존적 인권'은 인류가 이 세상에 태어난 그 순간, 어머니의 배 속에서 나온 그 순간, 젖 먹어야 살고, 밥 먹어야 사는, 그리고 건강하게 살아야 하는 인권이 있습니다. 그래서 한국은 그런 먹고사는 '생존적 인권'에 대해서는 어느 정도 도움을 주고 있습니다. 그러나 '정치적 인권'은 공산주의 사회에 대해서는 참 어렵습니다. 미국이 50년 동안 소련의 독재를 비판했지만 소련의 인권을 개선하지 못했습니다. 중국도 마찬가지였습니다. 결국 어떻게 그 인권 문제가 개선되었느냐······ 소련과 미국이 헬싱키협정을 통해서 데탕트(긴장 완화 정책)를 해서······ 소련 사람들이 어느 정도 바깥세상으로 나오고, 바깥 사람들이 소련으로 들어가서, 소련 사람들이 바깥세상을 알게 되고, 그래서 자기네가 천국에서 사는 줄 알았더니, 아니다, 지옥 같은 세상이라는 것을 알게 되었어요. 그리고 이렇게 가난하고 열악한 생활이 어디 있느냐······ 하다못해 동유럽보다도 못하다, 이렇게 되니까 불만이 일어나게 된 것입니다. 그래서 고르바초프가 말하자면 개혁 개방을 해서 결국 소련 사람들이 자유를 얻기 시작하고······ 그래서 결국 민주화가 된 것입니다. 중국도 마오쩌둥이 그렇게 독재를 하는데 닉슨 대통령이 가서 마오쩌둥 만나서 안전을 보장하다시피 하고, 국제연합(UN) 가입이라든가 미국과의 국교 정상화의 길을 열어 주니까 중국이 개혁 개방을 해 덩샤오핑이 등장하고 그래서 어느 정도라도 인권 문제가 완화된 것입니다. 베트남도 마찬가지입니다. 결국 공산주의는 다른 독재와 다릅니다. 다른 독재는 사유재산이 있습니다. 어느 정도 사람들이 바깥세상으로 왔다 갔다 합니다. 또 어느 정도 정부를 비판하는 언론도 있습니다. 야당도 있습니다. 독재국가라고 해도······ 그러나 공산주의 사회는 그런 것이 하나도 없습니다. 완벽하게 통제하고 있습니다. 생살여탈권을 쥐고 있어요. 의식주를 정부가 공급하니까. 결국 공산주의를 변화시키려면 개혁 개방으로 유도하고, 그래서 개혁 개방을 통해 시장경제 체제를 하게 되면 중산층이 생겨나기 시작합니다. 사유재산을 용납하니까······. 중국이 그렇지 않습니까? 그렇게 되면 중산층들이 자유를 요구하고 정부도 억압할 수만은 없는 힘을 얻게 됩니다. 그래서 공산주의 사회의 인권 문제에 왕도는 없습니다. 생존적 인권은 도와줄 수 있지만, 정치적 인권은 공산주의 체제가 개방하지 않는 한 한 걸음도 전진하기가 어렵습니다. 말하자면 우리가 북한 인권을 개선하려면 개방시켜야 합니다. 그래서 북한에 외국 자본도 들어가고, 기업체도 들어가고, 여러 북한 사람들도 자연히 왕래를 하게 되면 북한 사회가 달라지고, 특히 중산층이 생겨나면 달라집니다. 그래서 우리는 현재 가능한 탈북자 문제라든가 또 북한 사람들을 기아로부터 해결하는 문제 등 제한된 범위의 인권 문제에 노력하면서, 결국은 북한을 개혁 개방으로 유도하는 노력을 하는 것이 인권을 효과적으로 지원하는 길이라고 생각합니다.

질문 마지막 정리의 말씀을 여쭙고 싶습니다. 물론 한반도의 통일 문제에 있어서 남북 간의 정치적 이념적 문제도 있고, 국제 정세의 문제도 있겠지만 사람의 통일이라는 것도 중요한 핵심이지 않을까 합니다. 현재 국민들의 통일에 대한 관심, 혹은 청소년들이 가지고 있는 낮은 통일에 대한 관심도 달라져야 하지 않을까 합니다.

김대중 우리가 그런 점이 성숙도가 부족하니까…… 남북 간의 정신적인 갈등이 아직 제대로 해소되지 못했거든요. 그러니까 통일을 조급하게 서둘러서는 안 된다는 이야기를 한 것이 바로 그것입니다. 그러니까 이번에 6자 회담을 통해서 한반도 평화가 정착되면, 남북 간의 왕래가 급격히 늘어 갈 것입니다. 그렇게 되면 서로 만나는 과정에서 상대방에 대한 이해도 늘어나고 적개심도 줄어들고…… 우리가 1,300년간 통일한 세계에서 살아온 보기 드문 단일민족이 아닙니까? 그리고 남북의 분단, 분열은 우리가 하고 싶어서 한 것이 아니라 2차대전 종결 때 미국과 소련이 우리를 둘로 갈라 버린 것이거든요. 그렇기 때문에 우리는 당연히 통일할 권리가 있고 당위성이 있습니다. 그런 것은 시간문제입니다. 남과 북이 서두르지 말고 그 대신 쉬지 말고 '평화 공존'하고 '평화 교류'해서 '평화 통일'하는 노력을 한 발짝 한 발짝 해 나가면 그런 문제는 다 해결될 것입니다.

질문 보이스오브아메리카(VOA) 특별 인터뷰에 응해 주셔서 감사합니다.

김대중 수고하셨습니다.

민주주의, 민족 평화, 서민 경제를 지지해야

대담 김형민
일시 2007년 6월 13일

김형민 안녕하십니까? 2년 만에 다시 뵙게 됐습니다. 제가 여기 온 게 남북 정상회담 5주년 기념 때, 신년 특집으로 회견을 하려고 왔었는데, 2년이 벌써 흘렀는데 그때보다 더 정정해 보이십니다. 국민들이 대통령님 건강 많이 걱정하고 있는데, 건강이 어떠신지요?

김대중 건강은 좀 좋아졌어요. 최근에 시티(CT) 검사해 봐도 그렇고, 다만 신장이 좋지 않으니까, 그 때문에 투석 치료를 받고 있습니다.

김형민 일과는 어떻게 보내시는지도 궁금하고 또 요새 가장 큰 관심사는 어디에 있으신지 궁금하네요.

김대중 대개 매일 오는 손님들 만나고 또 어디 회합 약속할 때가 있으면 가고 신문이나 책 읽고 최근에는 독일 다녀왔습니다. 그렇게 하고 있고…… 요새 관심이 큰 것은 6자회담에 있습니다.

김형민 6자회담 이야기는 이따 자세히 좀 여쭤보겠습니다.

요즘 날씨가 무척 덥습니다만, 6월 하면 역사적으로 정치사회적으로 가장 뜨거웠던 달이 아닌가 싶습니다. 민족적인 비극이 있었던 한국전쟁도 6월에

터졌고, 그리고 민족 화해의 토대가 마련되었던 6·15남북정상회담도 6월이었고요. 또 월드컵 축구로 한마음이 되었던 것도 6월의 뜨거운 태양 아래서였던 것 같습니다.

그러나 6월 하면 빼놓을 수 없는 것이 6·10민주항쟁이 아닌가 싶습니다. 얼마 전에 성공회대에 있었던 기념식에 대통령님 참석하셨던 것을 제가 화면으로 봤는데, 20년 전에 모두가 하나가 돼서 그토록 열망했던 민주화가 20년이 흐른 이즈음에 어느 정도로 진척이 됐고 이루어졌다고 평가하시는지요.

독재를 종식시킨 6·10항쟁

김대중 내가 볼 때에 독재에 반대한 투쟁이 여러 번 있었습니다. 그중에서도 6·10항쟁이 가장 중요하다는 생각이 되는데, 아시다시피 이승만 독재, 박정희 독재, 전두환 독재 세 개의 독재를 우리 국민은 물리쳤습니다.

그러나 이승만 독재가 끝나면 박정희 독재가 나오고 박정희 독재가 끝나면 전두환 독재가 나왔는데 6·10항쟁에서 독재를 종식시키니까 20년 동안 독재자가 못 나오고 있습니다. 그런 의미에서도 6·10항쟁은 우리나라에서 민주화를 위해 싸워 준 결정타를 날리는 그런 쾌거였고 독재를 제도적으로 종식시켰다고 생각합니다.

그러나 아직도 민주주의에 대해서 말하자면 회의적인 생각을 가진 사람도 있고, 그래서 우리가 앞으로도 계속 민주주의를 지켜 나가는 데 있어서는 말하자면 경계심을 게을리하지 않고 국민, 정부가 힘을 합쳐 가면서 민주주의를 지켜내야겠다는 그런 노력을 해야 할 걸로 생각됩니다.

김형민 미흡하다면 민주화의 어느 측면이 미흡하다고 생각하시는지요?

김대중 예를 들면 6월민주항쟁을 해서 그 결과로서 국민의정부가 나오고 참여정부가 나왔습니다. 다른 정부를 배척한 건 아니지만 이것은 6·10항쟁의 결과로서 결실을 한 것이고 그래서 아시다시피 과거 50년 동안 하던 독재에 종지부를 찍고 그래서 민주화, 세계가 인정하는 민주화를 우리가 해냈습니다.

그럼에도 불구하고 그것을 폄하하면서 "잃어버린 10년이다."라는 말을 하는 사람들이 있습니다. 또 우리가 민주화를 한 덕택으로 과거와 같은 관권 경제, 부패의 경제 그리고 부실기업이나 부실 금융기관 이런 것이 전부 다 일소되고 그래서 투명한 경제 속에서 기업이나 금융기관들이 다 막강한 경쟁력을 갖는 그런 발전을 했습니다.

그런 것을 놓고도 '잃어버린 10년'이라고 하면서 폄하한 것은 6·10항쟁과 민주화를 위해서 목숨 바친 그런 분들에 대해서 예의가 아니다 그런 생각이 듭니다.

김형민 지금부터 6·15남북정상회담 7주년을 맞아 마련한 에스비에스(SBS) 특집, 6·15 의미와 남북 간의 해법에 대해서 여쭤보도록 하겠습니다.

2000년 6월 15일 날 있었던 남북정상회담, 역사적으로, 민족사적인 관점에서도 일대 사건이었습니다. 6·15 이전과 이후를 비교할 때 변화가 어떤 변화가 있었다고 평가를 하십니까?

김대중 6·15 이전에도 말하자면 전투가 없었다는 의미에서 평화는 있었습니다. 그러나 그것은 현상 고착적인 평화라고 할 수 있는데, 6·15 이후는 그것이 말하자면 화해 지향적인, 통일 지향적인 그러한 평화로 진행되고 있습니다.

아시다시피 6·15 이후 가장 큰 변화는 남북 양쪽의 민심이 바뀌어졌다는 것입니다. 남쪽 사람들도 옛날 북한 사람에 대해서 모두 빨갱이다, 이래 가지고 말하는 것도 싫어할 정도로 배척을 했는데 이제는 공산주의는 반대하지만 말하자면 동족으로서 동정할 것은 동정하고 도와줄 것은 도와줘야겠다,

이렇게 성숙된 태도를 갖게 되었습니다.

북한의 변화는 더 엄청납니다. 북한 사람들은 과거에 우리를 미워하고 증오하고 우리가 미 제국주의의 앞잡이가 되어서 침략하려고 한다. 이렇게만 생각하던 사람들이 그렇게 교육받았거든요. 그러던 사람들이 우리가 쌀 주고 비료 주고 의약품 주고 이러니까 굶주린 사람들이 밥을 먹고, 농사가 배로 잘되고, 말하자면 병든 사람 고칠 수 있고 이렇게 되니까 우리를 미워한 거 아니지 않냐, 또 우리를 이렇게 동족이라고 도와주니 얼마나 고맙냐, 남쪽이 잘사니까 부럽다. 이런 생각으로 바뀌어져서 지금 북한에서 남쪽의 대중가요가 유행하고, 그리고 남쪽의 텔레비전 드라마가 북한에서 암암리에 상영되고 이렇게 문화가 바뀌었습니다. 그래서 과거에 원수로 생각했던 사람들이 이제는 이웃사촌같이 생각하게 되었습니다. 이게 얼마나 큰 변화입니까? 그 외에 금강산을 140만 명이 다녀왔습니다.

6·15 전까지는 50년 동안에 200명밖에 이산가족이 만나지 못했는데 1만 4천 명이 지금까지 만났습니다. 앞으로 계속 더 만날 것입니다. 개성공단에서 지금 1만 5천 명의 북한 노동자가 일하고 있습니다. 서로 일하려고 합니다.

앞으로 35만 명까지 일하게 됩니다. 앞으로 미·북 관계가 좋아져서 북한 핵 문제가 해결되어 우리가 북한 쪽으로 전면적으로 진출하게 되면 북한에서 공장은 물론이고 광산도 개발하고 철도라든가 항만 같은 것도 수출해 가지고 사용하고 이렇게 할 수 있습니다. 동시에 무엇보다도 중요한 것은 남쪽의 중소기업들, 여기서 임금이 비싸고 여러 가지 사정으로 잘 안 돼서 중국으로 갔다가 베트남으로 갔다가 하던 사람들이 이제 거기도 잘 안 되니까 돌아오고 있는데, 이 사람들이 북한으로 가야 합니다.

지금 개성도 성공하고 있지 않습니까? 우리가 북한으로 가면 거리도 가깝고 말도 통하고 문화도 같고, 그리고 노동력도 우수하고 임금도 싸고 그래서 우리 중소기업들이 가서 하면 북한도 좋고 우리도 좋은 윈윈의 그런 협력을 해 나갈 수 있습니다.

6·15는 미·북 관계가 나쁘기 때문에 우리 바람만큼 충분히 발전을 못 했지만 그래도 과거에 비하면 엄청난 변화를 했습니다. 우리가 거꾸로 6·15가 없었다, 생각하면 지금 어떻겠습니까? 말하자면, 전쟁이 났을는지도 모르고 지금 이번에 핵실험까지 했는데 과거에 판문점에서 총소리 하나만 나도 모두 겁내서 도망가려 했던 사람들이 지금 어떻게 되고 있습니까?

이런 나라에 투자가 들어오겠습니까? 기업들이 이곳에서 안심하고 돈 투자하겠습니까? 이런 등등을 생각할 때 과거 6·15가 없었고 햇볕정책이 없었다고 할 때 어떻게 되냐, 햇볕정책을 반대하면 그러면 전쟁을 하잔 말입니까?

아니면 냉전 체제로 그대로 가자는 것인가요? 결국 그런 의미에서 6·15라는 것은 여야를 막론하고 국민의 어느 계층을 막론하고 민족이 다시 통일을 하기 위해서 협력을 하자는 것입니다. 어째서 그것이 잘못된 것입니까? 난 그렇게 판단해야 한다고 생각합니다.

김형민 6·15남북정상회담 이후에 남북 간에 본격적으로 논의가 되고 있는 남북 철도 연결 사업이 최근에 큰 결실을 맺었습니다. 5월, 지난달 중순에 경의선 열차를 시험 운행을 하셨는데, 김대중 전 대통령께서 소회가 남다르실 것 같습니다. 어떻게 지켜보셨습니까? 텔레비전 방송 보셨습니까?

김대중 예, 봤습니다. 그때, 독일에 있었는데요. 그런데 이것은 아주 중요한 일입니다. 이것이 개성까지만 갔지만 6자회담이 잘되면 이것이 머지않아 평양까지 갈 것입니다. 평양까지 가면 이것은 압록강 두만강을 넘어서 대륙으로 가서 중앙아시아 거쳐서 유럽까지 파리 런던까지 기차로 가는 것입니다.

우리가 지금 남한에 대해서 한반도다, 이러지만 반도란 것은 육지도 가고 바다도 가야 반도입니다. 그런데 우리는 바다는 가도 육지는 못 가지 않습니까?

김형민 막혀 있었죠.

김대중 막혀 있지 않습니까? 그러니까 우리의 발전이 한계가 있는 것입니다. 지금 중앙아시아는 거대한 시장, 노다지입니다. 어떤 의미에서는. 석유가 나오고 가스가 나오고 광물이 나옵니다.

미국, 러시아 할 것 없이 전 세계가 거기에 달라붙었는데, 우리만 지금 제대로 못 들어가고 있지 않습니까? 그것이 북한의 철도길 하나 못 가기 때문에 그런 것입니다. 우리가 지금 이런 기가 막힌 환경에 있는데 철도 문제가 개성까지 갔으니까 1단계, 평양까지 2단계, 그리고 제3단계 국경을 넘어서 가는 그런 시대가 오면 북한도 좋고 우리도 좋고 굉장한 경제 발전을 가져오게 될 것이고, 우리가 한강의 기적이라고 하지만 앞으로 압록강 기적이라고 할 시대가 결국 오고 만다, 그렇게 생각합니다.

김형민 한강에서 유럽까지 한 걸음에 달리는 그런 시대가 빨리 오면 좋겠습니다. 최근에 열차 시험 운행으로 남북 관계가 조금 풀어지는 듯하다 그 직후에 있었던 남북장관급회담이 사실상 별 성과 없이 끝났습니다. 그 원인을 되짚어 보면 2·13합의 불이행을 이유로 해서 정부가 쌀 차관, 쌀 지원을 보류한 데에 있는데 정부의 이런 방침 어떻게 보시는지요?

김대중 글쎄요, 정부는 정부 나름대로 생각이 있을 테니까 내가 잘했다, 못했다, 그렇게 말하고 싶진 않습니다. 더구나 전직 대통령은 그런 건 회피해야 한다고 생각하는데 내가 내 개인 입장에서 보면 쌀 부분 문제는 인도적인 문제입니다. 6자회담은 정치적인 문제입니다.

이 두 문제가 결부가 되는가, 그리고 우리가 쌀 주는 문제는 우리 동족끼리 말하자면 정을 나누는 문제인데 그것을 국제적인 외교에다가 결부시킨 것이 우리 내정 문제를 우리 스스로 종속시키는 결과가 되지 않는가, 그런 생각이 듭니다.

그래서 내 생각은 그렇게 하면 미흡하다고 생각합니다.

김형민 북한에 대한 쌀 지원은 이유를 불문하고 계속되어야 한다. 그런 입장이신가요?

김대중 그렇죠. 그리고 지금 6자회담이 내일이라도 재개되면 쌀 줄 거 아닙니까? 그러면 몇 달 차이인데 6자회담이 곧 열릴 가능성이 있잖아요?

김형민 네. 그렇게 상황이 변하고 있습니다.

김대중 그런데 그때 손해 보면서 줄 거 뭐 있습니까? 당장에 지금 우리 통일부 장관이나 정부 대표들이 6·15 북한 축제에 가려다가 못 가게 되지 않았습니까? 그것도 그런 데 원인이 있다고 보도한 걸 봤는데요.

김형민 김 대통령께서는 8·15이전에 남북정상회담이 열려야 된다고 여러 차례 강조를 해 오셨습니다. 그렇게 시기를 못 박으신 이유가 따로 있으신지요?

김대중 8·15라고 못 박은 것은 여러 가지 생각해 보면 8·15는 벌써 그때 한나라당에서 대통령 후보 지명한다고 나와 있지 않습니까? 또 범여권에서도 할 것이고 대통령 선거에 불붙어서 가는데 거기다 대고 남북정상회담 한다는 것은 조금 분위기가 맞지 않지 않냐, 그리고 또 북한에서도 대통령 선거를 머리에 두고 여러 가지 정략을 세울 테니까 바람직하지 않은 것이 나올 수도 있다, 그래서 그때 하는 것이 좋지 않냐, 생각한 것입니다.

김형민 8·15 전이라도 사실 대선 국면인데 대선에 미치는 영향이 그렇게 적을까요?

김대중 늦었지요. 늦었지만, 그래도 정식으로 후보들이 나타나지 않았으니까 그 전에 분위기로 봐서 하는 것이 좋다는 그 이야기입니다.

김형민 현 상황에서 8·15회담 이전 남북정상회담 성사가 가능하다고 보시는지요?

김대중 나는 우리 입장에서도 남북 관계에 있어서 긴장 완화를 위한 협의도 있고 그중에는 휴전선 혹은 서해 북방한계선(NLL)에 있어서도 문제도 있고 경제 협력을 한층 더 발전시킬 문제도 있습니다.

거기에 관련해서 말하면 북한의 생필품 80퍼센트 이상이 중국에서 들어오고 있습니다. 그리고 북한의 광산을 개발한다든가 항만을 개발한다든가, 공장을 설립하고 있다든가 이런 문제를 볼 때 잘못하면 북한 경제가 중국에 종속되어 버립니다.

그렇게 경제가 종속되면 정치적으로나 여러 가지 면에서 더 끌려들어 가게 됩니다. 이런 것을 생각할 때 우리가 북한에 가서 우리도 참여해서 말하자면 중국의 경제 협력과 우리의 협력이 균형을 잡도록 이렇게 하는 것이 중요합니다.

우리는 이미 현대가 북한에서 철도라든가 통신이라든가 항만이라든가 여러 가지 사업 분야에 있어서 30년 50년 권한을 확보하고 있지 않습니까? 그걸 활용을 해야 합니다. 그래서 우리가 어떻게 보면 북한 관계를 다 장악하고 거래를 했다고 볼 수가 있습니다.

그런 것을 생각할 때 앞으로 북한 경제의 문제에 대해서는 좀 더 적극적인 생각을 가지고 해 나가면서 미국이나 우방들이 이해를 못 하는 것을 잘 설득시켜야 합니다. 미국 지도자들이 자주 오는데 그분들한테 말합니다. "당신들은 이렇게 해서 중국이 일방적으로 북한의 경제적 지배권을 확대해서, 북한이 말하자면 중국의 동북 3성 중에 더 하나 붙어서 4성이 되는 이런 방향으로 가는 것을 바라는 거냐, 우리가 싫다고 해도 좀 우리보고 당신들은 같은 동족이니까 당신네가 나가서 북한에 좀 진출해라, 이렇게 말해야 앞을 내다보는 사람들이지 어떻게 해서 단거리적인 생각을 가지고 그렇게 우리가 하는 것을 싫어하는 그런 태도를 취하느냐." 그 점에 대해서 납득 안 한 분을 제가 보지 못했습니다.

김형민 7년 전에 김정일 위원장, 김대중 대통령 두 분이 순안공항에서 포옹을 나누던 감격적인 장면은 온 국민이 기억하고 있을 텐데, 김정일 위원장이 서울 답방을 오신다면 그 감격이 되살아날 것 같기도 한데 김정일 위원장이 공동선언문에도 명시가 된 답방을 요즘 못 하고 있습니다.

김정일 위원장이 약속을 지키지 못하고 있는 까닭, 어떻게 보십니까?

매년 정상회담을 한 번씩 해야

김대중 그 까닭은 내가 자세히는 모르겠습니다. 그런데 그동안에도 중국의 고위층을 통해서 여기를 방문하겠다고 그래서 내가 가서 만나러 갔을 때는 퇴임했지만 김대중 대통령도 만나겠다, 이런 말을 전해 왔습니다. 간접적으로 했는데 결국 안 왔어요.

한데 나는 김정일 위원장이 약속을 지키지 않은 것을 매우 유감스럽게 생각하지만 그보다 더 유감스럽게 생각하는 것은 약속을 못 지키게 되면 못 지킨다는 말을 해야 되고 못 지키면 미안하다는 얘기를 해야 됩니다.

그런데 하지 않고 저대로 넘어가고 있다는 것은 내심으로야 어떻게 마음을 먹었건 겉으로는 예의가 아닙니다. 그래서 결국 그러니까 이 남북 관계가 잘되게 하도록 추진하는 사람들이 국민 앞에서 면목이 없는 건 사실입니다.

그래서 나는 이제라도 김정일 위원장이 반드시 와야 한다고 생각합니다. 다만 노무현 대통령이 장소를 서울에 국한하지 않고 어디서든지 만난다고 하니깐 예를 들면 개성 같은 데서 만난다는 거 그것은 이제는 우리가 양해한 거라고 봐야 하니까 그렇게 해서라도 만나야 합니다. 그래야 김정일 위원장이나 노무현 대통령이나 이번에 만나야 또 이다음 대통령 시대에도 계속해서 맥을 이어 가면서 만나게 된다는 겁니다.

나는 내 욕심대로 말한다면 매년 정상회담을 한 번씩 해야 합니다. 그리고 그 외에 장관회담, 국회회담 이런 것을 정기적으로 해야 합니다. 그래서 우리가 남북 관계를 말하자면 냉전적인 고착 상태의 평화가 아니라 통일 지향적인 화해 지향적인 그런 평화로 유지해 나가려면 계속 서로 만나야 한다고 생각합니다.

김형민 우선 남북정상 간의 만남이 중요하니까 굳이 서울 답방을 요구하지는 않으시겠다. 그런 말씀이시군요.

김대중 나는 그 문제는 내가 풀어 주고 안 풀어 줄 권한이 없죠. 그런데 노 대통령이 그건 풀었거든요. 그러니까 이제는 김정일 위원장이 서울 올 수도 있고 아니면 다른 데서 하자고 할 수도 있는 것입니다.

김형민 지난해 직접 북한에 들어가시려고 추진을 하신 적도 있고 당시 열린우리당 내에서는 남북 관계 해결을 위해서 김대중 전 대통령께서 꼭 특사로 가야 된다, 하는 그런 의견도 있었습니다. 여건이 된다면 올해 안에 방북하실 의향은 있으신지요?

김대중 특사 얘기는 없었고요. 그때 북쪽에서 건강도 뭐하시니까 와서 며칠 쉬었다가 가시라, 그러한 초청이 있었습니다. 그래서 가게 되면 여러 가지 이야기도 하게 된다, 이렇게 생각했는데 그때 미사일 발사니 뭐니 이런 문제가 있어서 중단되어 버렸는데 지금 내가 가는 문제보다는 이제 시간이 촉박하니까 대통령이 만나는 문제가 말하자면 지금으로서는 가장 당면한 이슈가 아닌가, 그렇게 생각합니다.

김형민 북한 정권의 후계자가 누가 될 것인가를 놓고 갖가지 예측이 나돌고 있습니다. 후계 구도는 아직 베일에 싸여 있는 것 같고요. 최근에는 김 위원장 건강 이상설까지 불거지고 있는데 북한의 체제 변화, 혹시 북한 내부에서 급격한 변화가 있을 경우를 대비해 우리가 준비해야 할 것은 없겠습니까?

김대중 그 문제는 어려운 질문인데요. 결론적으로 말씀드리면 그 문제는 우리가 공개적으로는 이야기 안 하는 것이 좋다고 생각합니다. 내가 아는 범위에서는 김정일 위원장의 지위는 아주 안정되어 있습니다. 김정일 위원장은 군과 당과 정부를 완전히 장악하고 있습니다.

그리고 또 지금 정부 기관에서 얘기한 것만 봐도 그렇게 건강이 당장 위중하지 않다고 그러고. 그러니까 지금 그런 문제를 공개적으로 논의하는 것은 바람직하지 않다고 생각합니다.

김형민 예 알겠습니다. 햇볕정책에 대해서 김 대통령께서는 퍼주기가 아니다, 퍼주기가 아니라 퍼오기다, 이런 말씀도 하신 적이 있고 최근에는 한나라당도 햇볕정책에 대해서 전향적인 자세를 보이고 있는 것 같습니다. 대선 주자들 입에서 나오는 얘기도 햇볕정책에 근접하는 얘기들이 나오고 있는 것 같고요. 현 정부 아래에서 햇볕정책, 제대로 계승되고 있다고 보시는지 말씀해 주시죠.

김대중 대체적으로 노력하고 있다고 보고 있습니다. 햇볕정책을 안 하면 어떻게 하냐, 이겁니다. 햇볕정책을 비판한 분들이 많이 있었고 지금도 있는데 그러면 안 하면 어떻게 하느냐, 전쟁을 하자는 거냐 아니면 과거와 같이 서로 적대시하는 냉전 그것을 계속해 나가자는 거냐, 그렇게 해서 무슨 이득이 있냐, 손해밖에 없습니다.

그래서 우리가 햇볕정책을 한 덕택으로 국민이 얼마나 맘 놓고 살고 있고 긴장이 얼마나 완화되었고 외국 자본들이 안심하고 들어오고 있고 그러지 않습니까? 그리고 우리가 북한으로 경제적 범위를 넓혀 가면서 해 나갈 그런 토대를 닦아 가고 있고, 북한 사람들도 지금 남쪽에 대해서도 생각이 완전히 바뀌어서 이웃사촌처럼 우리를 대하고 있고 잘된 거 아닙니까?

우리의 통일은 말하자면 베트남식의 무력 통일을 해서도 안 됩니다. 그러면 수백만이 죽어야 하는데 (그렇게) 해서 되겠습니까? 또 독일식의 흡수 통일, 그렇게 해도 안 된다고 생각합니다. 결국 독일도 흡수 통일하니까 나중에 갈등이 얼마나 심했고 갑자기 동독을 인수해 놓으니까 얼마나 비용을 많이 냈습니까? 우리가 그런 비용을 낼 힘도 없어요. 서독같이 그런 힘이 없단 말입니다. 그리고 우리는 전쟁까지 했기 때문에 갈등도 더 심해요. 그래서 평화적으로 같이 공존해 살고, 평화적으로 교류 협력하고, 교류 협력은 우리도 북한 가서 투자하고 돈 번단 얘깁니다.

북한의 어려운 사람들은 도와주고, 그리고 경제는 공동 발전시켜야 합니다. 북도 좋고 우리도 좋아야 돼요. 경제는 이해가 없습니다. 그리고 말하자면 결국에 10년 혹은 20년 이렇게 가다가 이만하면 우리가 같이 살자, 이런 분위기가 조성되면 그때 공동 승리의 통일, 윈윈의 통일, 그렇게 하면 우리가 다시 1,300년 동안 단일국가였던 이 나라를 하나로 묶는 그런 일을 할 수가 있지 않냐, 그리고 통일하게 되면 남쪽 기업들이 북쪽 가서 발전하고 북쪽 사람들은 일터를 얻고, 동시에 대륙으로 진출을 하면 엄청난 부를 우리가 가져올 수가 있거든요. 압록강의 기적이 일어난다, 그 말입니다.

이 철의 실크로드가 동서로 갈라지는데 태평양 쪽 동쪽, 우리가 물류의 기지가 되고 파리 런던, 암스테르담까지 가는 그런 시대가 온다, 이 말입니다. 이 물류가 일어나면 산업이라든가 금융이라든가 이런 것이 일어납니다. 또 문화관광이 일어납니다. 이렇게 해서 우리가 발전해 나갑니다. 내가 꿈같은 소리 하냐, 아닙니다.

최근에 골드만삭스라고 있지 않습니까? 국제 금융기관, 거기에서 발표했는데 앞으로 2050년까지 한국은 미국 다음가는 경제적 강국이 된다, 그래서 한국 사람들이 1인당 국민소득이 8만 1000달러가 된다고 그랬습니다. 독일의 『디벨트』지는 앞으로 30년 후에 한국이 독일을 능가할 수 있다고 했습니다.

그런 것은 다 한국이 통일해서 남북이 하나가 된 것을 전제로 해서 한 것입니다. 그래서 이런 것들을 우리가 생각할 때 우리 미래에 창창한 국운 융성의 미래가 있고 민족 발전의 미래가 있는데 우리가 그런 기회를 놓치지 않고 지나가는, 이미 세계에서 다 버리고 난 찌꺼기가 된 냉전 잔재에 매달려서 우리가 살아간다는 것은 조상들에게도 죄송한 일이고 국민들에게도 죄짓는 일이라고 생각합니다.

김형민 화제를 좀 바꾸겠습니다. 북·미 관계 그리고 6자회담의 전망에 대해서 말씀을 들어 볼까 합니다. 최근 부시 정부가 북한을 가리켜서 최악의 독재국가 중의 하나다, 이렇게 강경한 발언을 했습니다. 그래서 그 발언 배경을 놓고 이런저런 얘기가 나오기도 했고 또 미국의 북한 정책이 다시 강경하게 복귀하는 것 아니냐 이런 우려도 나오고 있는데 미국의 북한 정책, 변화가 있다고 보시는지요?

김대중 저는 그렇게 안 봅니다. 부시 대통령이 강한 발언을 했는데, 알다시피 그 양반은 말을 거칠게 할 때도 있지 않습니까? 그런데 미국이 북한에 대해서 지금 대화하고 있는 것을 안 하면 어떻게 합니까? 그것도 한 번 역으로 생각해 보면 군사행동 해야 할 것입니다.

미국이 지금 중동에 발 묶여 있는데 북한에게 군사행동 할 수 없지 않습니까? 경제 제재해야 할 것입니다. 그러나 일본하고 미국하고 같이 경제 제재해 봤지만 중국이 도와주고 있고 또 한국도 일부 도와주고 있어 북한이 결국 견뎌 내고 있습니다.

결국 대화 외에는 길이 없습니다. 그래서 내가 미국한테 자꾸 얘기하는 것은 대화를 하시오, 그래서 북한이 요구하는 안전 보장, 경제 제재 해제 그리고 국교 정상화를 해 주면서 북한이 핵을 완전히 포기하고 남북비핵화공동 선언 원칙대로 비핵화, 이렇게 해서 또 남북하고 미국, 중국해서 4개국 사이 에서 한반도 평화협정 이런 거 맺어야 한다고 생각합니다.

그렇게 했을 때 미국은 북한에 대해서 바라는 것, 북한의 완전한 비핵화 그 리고 장차 대량살상무기 다 포기시키는 그런 길로 나갈 것이고 그렇게 안 하 면 미국은 국교도 안 할 것이고 경제 제재도 해제 안 할 것이고 안전 보장도 안 할 거란 말이에요. 그렇게 안 해 주면 어떤 문제가 생기냐, 미국이 2·13에 서 합의한 대로 보장을 안 해 줄 때는 중국이나 한국도 미국보고 당신네도 줄 것도 안 주면서 자꾸 상대보고만 내놓으라고 하니까 일이 잘 안 되지 않냐, 줄 거 주면서 해라, 이렇게 얘기해야 합니다.

그러나 이제 미국이 줄 것 다 준다는데 북한이 핵을 포기 안 하면 그때는, 내가 미국보고 이야기했습니다. 그럴 때는 중국에 대해서 우리가 이렇게까 지 하는데 북한이 안 할 때는 당신네도 우리와 같이 손잡고 북한 제재해야 할 것 아니냐, 다짐을 받아라, 이 이야기해요.

중국도 북한이 핵 가진 것은 절대 반대하고 있습니다. 그것은 북한이 핵을 가지면 일본이 갖게 되고 지금 일본에서 그런 소리가 나오고 있지 않습니까? 대만이 갖게 됩니다. 이 두 가지는 중국으로서는 악몽 같은 일입니다. 물론 우리도 안 됩니다. 우리도 일본이 핵 가지면 안 돼요.

그래서 북한이 반드시 핵을 포기해야 해요. 중국도 그런 의미에서 북한 핵 을 완전히 포기하는 데 협력할 것으로 봅니다. 우리도 미국이 2·13원칙을 지 켜 나가면 미국에 협조해야 합니다. 해서 나는 이 2·13문제는 미국이 군사적 으로나 경제적으로 특별한 수단이 없는 현실에 있어선 대화를 해서 하는 길밖 에 없다, 더구나 민주당이 의회 다수가 되어서 대화를 해서 풀어 가자는데 부 시가 안 할 수가 없는 거라고 생각합니다. 결국 북한이 얻을 거 다 얻게 되면 무엇 때문에 핵 문제를 가지고 자기를 망치겠습니까? 난 아닐 거라고 봅니다.

김형민 대통령님 말씀대로 다행히 북·미 간에 현안으로 걸려 있던, 방코델타아시아 북한 자금 송금 문제가 해결 실마리를 찾고 있는 것 같습니다. 그렇다면 2·13합의 이행도 뒤따르게 될 텐데, 북·미 관계, 남북 관계 전반에 커다란 변화가 예상이 됩니다. 대통령께서는 어떤 변화를 예상하시는지요?

통일을 위해서 손잡고 걸어가는 단계

김대중 결국 그렇게 되면 6자회담이 그대로 존속하면서 한반도와 동북아시아 평화를 위한 기구가 될 것으로 봅니다. 그리고 북한은 아주 알기 쉽게 이야기하면, 과거 미국이 중국하고 적대시하고 베트남하고 전쟁하고 했지만 결국 지금 다 화해하고 해서 교류 협력하고 외교하고 다 하고 있지 않습니까.

북한도 그런 상태로 갈 것으로 봅니다. 그런 상태로 가고 또 그게 북한이 바라는 것이라고 생각합니다. 그렇기 때문에 그렇게 되면 남북 관계는 급속도로 발전해서 한반도에 진정한 평화가 오고 우리가 통일을 위해서 손잡고 걸어가는 그런 단계가 올 것으로 봅니다.

김형민 6자회담이 앞으로 국제적인 기구로 상설화될 것이다, 이런 말씀이신데, 그렇다면 앞으로 6자회담, 기구가 될 6자회담의 역할은 어떤 것이 될 것이고, 얼마 전에 베를린자유대학에서 상을 받으시면서 하신 연설 가운데 이런 대목이 있었어요. 6자회담에 유럽연합(EU)이 참여하면 좋겠다, 이런 말씀도 하셨는데 그 배경은 또 어떤 배경이신지 한 말씀 해 주시죠.

김대중 6자회담은 내가 과거 1971년, 지금부터 36년 전입니다. 그때 대통령 출마했을 때 4대국 한반도 평화 보장 이야기를 했습니다. 그런데 그것이 바로 그 4대국이 미·일·중·소였거든요. 그런데 지금 거기다가 남북을 합친 것이 6자입니다.

그래서 이것은 30여 년 동안 이야기해 오던 것인데 지금 이 점에 대해서는 중국도 동의하고 있고 미국에서도 그런 이야기가 나오고 있고 일본에서도 그런 이야기가 나오고 있습니다. 그래서 이 문제는 거의 이견 없이 합의될 것으로 봅니다. 그렇게 되면 동북아시아에 일단 안정된 평화 시대가 올 것으로 봅니다. 그리고 유럽연합(EU)이 오는 것이 좋다는 것은 유럽연합(EU)은 이미 북한 경수로 건설 때 참가하고 있습니다. 유럽연합(EU)이 자발적으로 참가했어요. 그리고 아시다시피 유럽연합(EU)은 지금 세계적으로 평화에 대해서 대단히 열성적인 조직입니다. 그리고 또 유럽연합(EU)이 오히려 미국보다도 경제적 규모가 크지 않습니까? 그 경제적 협력을 받는 데도 그렇고 평화 협력을 받는 데도 유럽연합(EU)이 참가하는 것이 좋다 그런 생각입니다.

김형민 앞으로 남은 문제가 있다면 북한이 성실하게 2·13 6자회담 합의를 이행하는 것인데 우선 당장에 예상되는 것이 영변 핵 시설을 철거하고 그다음에 국제원자력기구(IAEA) 핵 사찰을 받아들이고 이후 과정은 핵에 사실은 관건이 달렸다고 볼 수 있겠죠. 북한이 순조롭게 핵에 완전 폐기까지 도달하게 될 것인지 아니면 또 단계 단계마다 여태까지 그랬던 것처럼 무리한 요구를 해 올 것으로 보시는지 앞으로 전망은 어떻게 하십니까?

김대중 북한이 하는 일을 보면 좀 심하다는 때도 있고 마음이 안 맞을 때도 있습니다. 그러나 내가 김정일 위원장을 한 10시간 정도 만나 본 결과라든가 그동안의 여러 가지 북쪽 사람들과 만나고 국제적인 평가 같은 걸 봐도 김정일 위원장이 미국과 관계를 개선해서 국제사회에 나가고 싶다, 그렇게 해서 미국 시장에 물건도 팔아먹고 국제통화기금(IMF)에서 돈도 빌리고 아시아개발은행(ADB) 돈도 빌리고 일본하고 국교 정상화해서 한 100억 달러 되는 배상금도 받고 이렇게 하고 싶다, 외국 투자도 받고 싶다, 이것이 최고 목표입니다.

모든 북한의 행동이 그 목표에 집중되어 있습니다. 그래서 심지어 김정일 위원장은 나한테 대해서도 남북이 통일되더라도 미국은 한반도에 있어야 한다. 그래야 일본·중국·러시아의 과거 19세기 있었던 야망이 다시 되살아나는 것을 막을 수 있다. 이렇게까지 말하고 있습니다.

그래서 나는 미국 친구들한테 기회를 줘라, 그렇게 당부해요. 그 기회란 것이 안전 보장하고 국교 정상화하고 경제 제재 해제해서 중국이랑 베트남한테 해 준 거랑 똑같이 하라는 겁니다. 그렇게 해 주면 다 협력한다는데 한번 해 줘 보고 협력하면 도와주고 안 하면 안 도와주면 되지 않냐 내가 그렇게 얘기합니다.

그래서 나는 앞으로 그런 방향에서 6자회담도 순조롭게 갈 것이고 6자회담이 순조롭게 가면 동북아시아 평화기구로서 6자회담이 상설화될 것으로 봅니다. 그래서 내가 이 문제를 가지고 중국 가서 최고 지도자하고 이야기했을 때도 그쪽에서 동의를 표시한 일이 있습니다.

김형민 남북 간의 6자회담에 관련한 이야기를 나눠 봤습니다. 이제부터는 국내 정치 이야기를 해 볼까 합니다. 연말 대선을 앞두고 정치권의 움직임이 속도를 더해 가고 있습니다. 특히 범여권 통합과 관련해서 급물살이 흐르고 있는 것 같습니다. 그런데 현재 통합을 주도하고 있는 중진 의원들은 과거 김 대통령님의 영향 밑에서 정치를 하셨던 분들인데 지금은 통합 방식을 놓고 서로 대립하는 모습을 보이고 있습니다. 범여권 통합과 관련해서 어떤 생각을 가지고 계시는지요.

김대중 난 그 점에 있어서 국민의 뜻대로 하자 이겁니다. 1950년대 중반부터 지금까지 국민이 바라는 것은 양당 제도입니다. 그래서 대통령 선거도 여야가 일대일로 싸우는 것을 국민이 바랐습니다. 그러니까 그대로 하자는 것입니다.

그렇게 해서 우리 국민이 선거에 관심을 갖게 만들고 흥미를 갖게 만들고, 그리고 선택하기 쉽게 만들자, 이게 국민에 대한 도리다, 그러니까 더구나 지금 여권으로서는 국민에 대한 책임이 더 크니까 그런 방향에서 단일 후보를 내야지요. 단일 정당으로서 단일 후보를 내는 것 여기에 집중하고 또 그렇게 안 된 경우가 있을 때는 연합해서 내는 이런 제도를 취해야 한다 생각하고 있습니다.

김형민 김근태 전 열린우리당 의장이 갑작스럽게 불출마, 대선 불출마 선언을 했습니다. 고건 전 총리나 정운찬 전 서울대 총장의 불출마 선언과는 조금 성격이 다르다고 보입니다. 현실적인 정치 기반이 있는 정치인이 대선에 불출마하겠다는 것이 자기희생이다, 범여권 통합의 물꼬를 틀 것이다, 이렇게 높이 평가하는 분들도 계십니다. 대통령께서는 어떻게 보십니까?

김대중 나도 그렇게 생각합니다. 그래서 내가 며칠 전에 한명숙 전 총리를 만났을 때 이번에는 대선 후보자들이 후보가 되는 문제에 앞서서 대통합을 위해서, 몸을 던져서 협력하냐, 여기에 따라서 국민의 평가가 나올 것이다 이런 얘기를 했는데, 그런 의미에서 나는 김근태 의원이 이번에 살신성인적인 일을 했다고 생각합니다.

그래서 비록 대통령은 안 나가더라도 국민이 정치인 김근태에 대해서 다시 재평가하고 성원을 보낼 것이라고 생각합니다.

김형민 그러면 범여권 통합을 위해서 많은 지금 대권의 꿈을 가지고 있는 많은 주자들이 스스로 불출마 선언을 하기를 기대하고 계시나요?

김대중 그런 사람이 있을 수 있고 경합에서도 지고 나면 협력하는 사람도 있고 그거는 민주적으로 하면 되는 거 아닙니까?

김형민 혹시 심중에 이 사람은 계속 끝까지 갔으면 좋겠다는 사람은 있으십니까?

김대중 그런 대답은 안 할 줄 아시지 않습니까?

김형민 일부에서는 여권의 통합을 놓고 도로 민주당이다, 지역주의로 돌아가는 것 아니냐는 비판을 내놓고 있습니다. 열린우리당 현재 모습을 어떻게 평가하시고 민주당의 진로는 앞으로 어떠해야 된다고 생각하시는지요?

소이를 버리고 대동을 취해야

김대중 "도로 민주당이다."라는 말이 나오고 있는데 지금 현 정부는 민주당이 당선시킨 대통령입니다. 그렇기 때문에 대통령을 당선시킨 그 민주당이 중심이 되어 다음 후보를 만드는 것, 그거 당연하지 않습니까? 민주당이 어느 특정 지역에서 강세였지만 다른 지역 사람을 배척한 것도 아니고 또 그렇게 보면 야당도 특정 지역에서 아주 압도적인 지지를 받고 있지 않습니까?

그건 외국에도 지역에 따라서 다 있습니다. 미국도 있고 독일도 있고 그래서 나는 이 문제에 있어서는 문제는 민주당이냐 아니냐가 중요한 게 아니라 여권, 한나라당하고 다르다고 생각하는 사람들, 그런 사람들이 막강한 한나라당하고 경합을 하려면 소이小異를 버리고 대동大同을 취한다는 말이 있는데 그렇게 해서 하나로 뭉쳐서, 그래서 국민이 볼 때 제대로 게임다운 게임을 하는 것이 정치의 멋이고 또 국민에 대한 도리라고 생각합니다.

그래서 여권이 민주당을 중심으로 해서 또 다른 분들과 합쳐서 함께 가는 것이 잘못이라고 할 수 없다고 생각합니다.

김형민 민주당이 탄생시킨 정권, 참여정부가 임기 말로 향해 가고 있습니다. 사실 몇 달 안 남았는데 그 업적을 평가하신다면 잘한 것이 있을 테고 아쉬운 부분이 있을 텐데 어떻게 생각하시는지요?

김대중 난 참여정부가 대체적으로 봐서는 긍정적인 역할을 했다고 생각합니다. 그리고 제대로 평가를 못 받고 있다고 생각합니다. 국민의정부하고 참여정부를 전부 몰아서 잃어버린 10년이다, 그렇지만 과거 50년의 독재화 체제를 민주화시키는 데 참여정부도 같이했지 않습니까?

또 관료 특권 경제, 부패 경제, 금융기관 부실, 그런 것이 지금 두 정부, 국민의정부와 참여정부에서 다 해결됐지 않습니까?

그래서 금융기관이라든지 이런 데는 부실대출이 1, 2퍼센트에 불과합니다. 그리고 과거의 부실대출 기업이 다 되살아나서 지금 대우건설이라든지 현대건설이라든지 비싼 값으로 팔리고 있는 중 아닙니까?

그리고 39억 달러밖에 없던 외환 보유고가 내가 물러나올 때 1천300억 달러 있었습니다. 지금은 아마 3000억 달러쯤 될 것입니다. 외환 능력이 없어서 나라가 패망할 그런 악조건이었던 것을 이만큼 해 놨는데 칭찬은 못 할망정 잃어버린 10년이란 것이 말이 되겠습니까?

그리고 남북 관계에 있어서 그저 원수하고 악수하고 언제 전쟁 날 줄 모르고 국민은 불안하고 총소리만 나도 도망갈 준비하고 그러던 것이 이만큼 안전이 되어서 이번에도 6·15회담에 100명이 북한을 가고 있지 않습니까?

그렇게까지 했는데 그것을 잃어버린 10년이라고 어떻게 말할 수 있습니까? 그래서 그런 점에 있어서 좀 더 공정한 평가를 해 줘야 한다고 생각합니다.

김형민 좋은 평가도 받을 수 있는데 평가를 제대로 못 받고 있다, 그런 말씀이시고요. 노무현 대통령이 최근 참여정부 평가 포럼에서 이런 얘길 했습니다. 참여정부가 지향하는 진보는 국민의정부가 지향하는 진보와 같다, 이런 발언을 했는데 동의하시는지요.

김대중 반대 안 합니다.

김형민 김 대통령께서 생각하시는 진보는 어떤 것이고 현재 우리에게 필요한 진보 세력의 주체는 어떤 사람들이 돼야 한다고 생각하십니까.

김대중 진보는 기본적으로 민주정치를 해 나가야 되고, 경제적으로는 시장경제의 기틀 위에 사회정의를 실현시켜 중산층이라든가 서민들이 희망을 가지고 국가의 혜택을 입을 수 있는 그런 사회, 기업들의 역할도 인정하면서 모든 국민에게 기회를 주는 이런 것이 진보정치가 되지 않나 생각합니다.

김형민 대통령을 지내신 전 대통령이시니까 대통령은 이런 사람이 되어야 한다, 대통령의 조건에 관해서 많은 생각을 하셨을 테고 가지고 계실 거라고 믿습니다. 차기 대통령이 갖춰야 할 덕목이 있다면 어떤 덕목이 될 것이고, 올 대선에서 요구되는 시대정신은 어떤 것이라고 생각하시는지요?

김대중 대통령이 되려는 사람은 첫째 민주주의를 위해서 몸 바친 사람이어야 합니다. 우리나라 국시가 민주주의 아닙니까? 그 민주주의가 위기에 처했을 때 어떤 태도를 취했냐 하는 것이 중요합니다.

그리고 또 우리 민족이 지금 분단돼서 참혹한 전쟁까지 하고 지금도 약 200만의 군인들이 서로 대치하고 있는, 우리 역사상 가장 비극적인 이런 현실에서 민족의 화해와 그리고 평화적 통일 이런 문제에 대해서 진실한 정책을 가지고 국민 앞에 나오는 사람이어야 한다고 생각합니다.

난 요새 대통령 나오려는 분들이 그러한 민족 문제, 통일 문제에 대해서 별로 이야기 안 한 것을 좀 섭섭히 생각하고 있습니다. 그리고 무엇보다도 지금이 정보화 시대, 세계화 시대에는 빈부 격차가 생겨나게 마련입니다. 그렇기 때문에 경제 발전만 한 것 가지고 자랑이 안 됩니다.

서민들, 가난한 사람들에 대해서 어떻게 기회를 만들어 주느냐, 이것이 중요합니다. 그런 의미에서 이제 어느 정도 경제가 발전되었는데 아직도 부족한 사람들 있지 않습니까? 그동안에 기초생활 보장이라든가 4대보험 계획이라든가 했지만 아직도 어려운 사람들이 많이 있는 것이 사실입니다.

그런 분들에 대해서 희망을 줄 수 있는 사람, 민주주의를 위해서 몸을 바친 사람, 그리고 민족의 화해 협력에 대해서 확실한 신념이 있는 사람 그리고 시장경제 체제에서 중산층과 서민에게 희망을 주는 사람, 그런 분들이 대통령이 됐으면 좋겠다고 생각합니다.

김형민 요즘 현실 정치에 대한 걱정이 많으신 듯합니다. 대선 주자들과 최근에 많이 접촉을 하신 모습을 놓고 언론에서는 훈수 정치다, 이런 이야기들을 하고 있습니다. 어떻게 받아들이십니까?

김대중 나는 우리나라에서 정치를 가장 오래 한 사람 중의 한 사람입니다. 그리고 또 지금 날 찾아온 사람들은 과거 나와 같이 정당을 한 사람들입니다. 그 사람들이 이런 중대한 시국에 처해서 내 의견을 듣고 싶다고 찾아오고 또 자기네 의견도 이야기하고 그런 것입니다. 그건 자연스럽지 않습니까? 그리고 선배가 후배한테 이야기해 준 것도 자연스럽고.

지금 나는 두 가지만 이야기합니다. 하나로 뭉쳐서 여야 일대일의 경합을 하시오, 그리고 국민에게 신뢰할 수 있는 정책을 내걸어서 국민들의 지지를 받아서 성공하시오. 이 두 가지 이야기만 합니다. 누구 개인을 지지하고 누구를 반대하고 그걸 하지 않고 있습니다. 그래서 만나고 있습니다. 나는 그건 괜찮다고 생각합니다.

김형민 현직 대통령인 노무현 대통령이 대선 주자들과 관련한 이야기를 해서 선거법 중립 논란에 휩싸여 있습니다. 최근의 상황, 어떻게 보시는지요?

김대중 그것까지는 생각 안 해 봤습니다.

김형민 올해는 대선의 해이기도 하지만 국제통화기금(IMF) 외환 위기 10주년이 되는 해입니다. 최근에 경기가 풀리는 조짐이 있어 참으로 다행스러운데 한편에서는 그동안에 많이 늘어난 가계대출 때문에 제2의 금융 위기가 또 오지 않나 그런 걱정도 하고 있는 것 같습니다. 국제통화기금(IMF) 외환 위기를 극복한 대통령이시라는 평가를 받고 계시는 김 대통령께서 보시기에 최근 우리 경제에 가장 커다란 문제가 있다면 뭐라고 보시는지, 앞으로 우리 경제가 나아가야 할 방향에 대해서 말씀해 주시면 좋겠습니다.

김대중 첫째 기본적으로는 경제가 세계화가 되었습니다. 그래서 무한 경쟁입니다. 1등만이 살아남고 2등은 소용없는 시대가 되었습니다. 그것은 누가 바라고 안 바라고 관계없이 현실이 그렇게 됐습니다. 그렇기 때문에 세계 속에서 1등 할 수 있는 경제를 만들어야 합니다. 이건 절대적인 명제입니다. 그런 의미에서 자유무역협정(FTA) 같은 것도 봐야 된다고 생각합니다.

그리고 둘째는 우리 경제의 체질이 튼튼해야 합니다. 그것은 허리가 튼튼해야 한다는 이야기입니다. 중산층이 튼튼해야 한다는 이야기입니다. 중소기업이 튼튼해야 한다는 이야기입니다. 지금 대기업은 자기 힘으로 해 나갈 수 있습니다. 대기업은 감사만 나가면 됩니다. 중소기업은 지원해야 합니다. 그리고 제힘으로 못 살아 나가는 사람들은 구제하고 스스로 활동할 여지가 있는 사람들은 교육시켜서 중산층으로 올라갈 수 있는 그런 능력과 기술을 가진 사람이 되도록 만들어 나가야 합니다. 그래서 그렇게 해서 국가 경제를 이끌어 나가야 하지 않나 생각합니다.

김형민 우리 사회는 현재 많은 문제를 안고 있습니다. 언급을 하신 사회 양극화, 저출산, 고령화 문제가 산적해 있습니다. 그래서 이 사회가 걱정스럽다라는 경고도 들려오고 있지만, 아직도 뾰족한 해법은 없는 그런 상황인 것 같고요. 혹시 이들 문제를 풀어 갈 그런 묘안에 대해서 생각해 본 적 있으신지요?

김대중 정부는 그러한 저소득층, 노령화된 사람들, 이런 사람들을 과거와 같이 그냥 노인이다, 이제 역할이 끝났다 생각하지 말고 대부분 풍부한 경험을 가지고 있는 그런 사람들을 활용해서 그래서 자기 힘으로 살아가도록 유도해야 된다, 또 출산율이 떨어지는 걸 이걸 먼저 해결하려면 보육 문제 이것부터 해결해야 합니다.

그래서 보육 문제는 아파트 같은 데는 공동 보육 시설, 큰 직장은 직장의 보육 시설을 갖추어 주는 것이 해결책이라고 생각합니다.

김형민 김 대통령님의 그동안 살아오신 역정을 살펴보면, 누구보다 많은 고초를 겪으셨고 그만큼 많은 성취와 업적을 남기셨습니다. 그래도 아직 못다 한 꿈이나 계획이 있으신지 궁금하네요.

하늘이 내게 거기까지는 기회를 주지 않았다

김대중 내가 대통령이 되어서 외환 위기 극복하고 우선 4대 개혁을 해서 경제 개혁에 몰두하다 보니까 빈부 격차 문제에 대해서 충분한 도움을 못 줬습니다. 그런 시간적 여유가 없었어요.

그래서 기초생활보장법 같은 획기적인 제도를 하긴 했지만 좀 아쉽다는 생각이 있고요. 그리고 클린턴 대통령 때 북한하고 문제가 다 합의가 되어서 클린턴이 공개적으로 햇볕정책 지지한다는 소리 여러 번 했습니다.

그리고 "김대중 대통령이 앞장서면 도와준다"고 얘기했습니다. 그래서 북한하고 미국하고 잘 되어서 클린턴이 북한 방문할 그런 (시기가) 임박했다가 미국의 정권 교체가 있었습니다.

그래서 부시 대통령이 클린턴 정책을 완전히 뒤집은 정책을 했기 때문에 결국에는 제대로 마무리를 못 했습니다. 그것이 굉장히 아쉽습니다. 지난번에 클린턴 대통령이 여기 우리 사무실에 와서 "그때 내가 1년만 더 세월이 있었으면 당신과 같이 한반도 문제를 완전히 해결하는 건데 참으로 아쉽다."라는 이야기를 했는데 그것이 굉장히 아쉽습니다.

그랬으면 진즉 끝나 버렸습니다. 모든 문제, 결국 하늘이 내게 거기까지는 기회를 주지 않았습니다. 그러나 실망하지 않고 퇴임한 대통령으로서 최대한 현직 대통령들을 도와서 앞으로도 그러한 미진한 문제, 특히 고통받고 생활고에 시달리는 그런 분들에 대한 지원 문제, 그리고 한반도 평화에 대한 문제 이런 문제에 대해서는 제 힘이 닿는 데까지 미력하게나마 협력하겠다, 그런 생각을 가지고 있습니다.

김형민 요즘 현 정부와 언론 간의 관계가 그렇게 화기애애하지가 않습니다. 기자실 통합 문제가 불거져서 그 이후에는 서로 논쟁이 계속 벌어지고 있고요. 대통령님께서는 언론에게 어떤 당부의 말씀을 하시겠습니까?

김대중 난 그것을 관심 가지고 보고 있는데, 나는 기술적인 문제는 잘 모르겠으나, 이 문제는 언론의 취재 자유가 최대한 보장되는 방향으로 서로 협의하는 것이 좋겠다, 그렇게 생각합니다.

정부도 언론계도 할 말이 있으니까 대화로써 못 풀 문제가 아니다, 그런 생각이 있고요. 난 또 언론에 대해서 이야기하고 싶은 것은 과거 독재정권 치하에서 언론계가 어떻게 서러운 세상을 살았는가, 얼마나 기가 막힌 세상을 살았는가, 다 압니다.

지금 언론계가 누리고 있는 자유는 적어도 국민의정부나 참여정부의 사람들이 다 과거에 목숨 바쳐 싸운 그런 공도 있다고 생각합니다. 그렇기 때문에 지금 언론계와 정부 사이가 나빠서는 안 되고 나쁠 이유도 없다고 생각합니다.

우리는 어떤 의미에서는 언론의 자유를 위해서 싸운 사람들입니다. 그런 의미에서 언론계도 좀 더 아량 있는 태도를 취할 필요가 있지 않은가 그렇게 생각합니다.

김형민 최근 노무현 대통령의 선거 관련 발언으로 불거지긴 했지만, 대통령께서 여러 번 생각을 해 보셨을 것 같아서 질문을 드립니다. 정치인이자 공무원 신분의 대통령은 정치적 자유를 얼마만큼 누릴 수 있는 것인지, 한계가 있다면 어떤 것이 한계가 될지 듣고 싶습니다.

김대중 나도 법률 전문가가 아니라서 법적으로 이야기하기는 부족한 점이 있고 나는 법대로 해야 한다고 생각합니다. 법이 미비하면 고쳐야지, 법이 있는데 법을 무시하는 태도는 안 되지요. 또 동시에 법을 운용하는 분들은, 선거에 대해서는 모든 사람들이, 특히 국정에 영향력 있는 사람들은 자기 의견을 자유롭게 이야기할 수 있는 방향으로 최대한 그러한 해석을 최대한으로 융통성 있게 하는 것이 좋다고 생각합니다.

김형민 6·15남북정상회담 7주년을 맞이해서 에스비에스(SBS)가 마련한 특집대담, 벌써 마쳐야 될 시간이 됐습니다. 장시간 우리 사회, 우리 정책 현안 문제와 관련해서 명쾌하게 성의 있게 답변해 주신 김 대통령께 다시 한번 감사의 말씀 드립니다. 고맙습니다.

김대중 수고하셨습니다.

김형민 김 전 대통령의 바람대로 조만간 남북정상회담이 또 한 번 성사가 돼서 우리 민족의 번영과 통일을 위한 주춧돌이 하나 더 놓이면 참 좋겠다는 생각을 합니다. 에스비에스(SBS) 특집 「김대중 전 대통령에게 듣는다」 여기서 마칩니다. 여러분 고맙습니다.

국민의 협력과 정부의 리더십으로 외환 위기 극복

대담 마이클 슈먼

일시 2007년 6월 19일

김대중 책을 쓰고 있다고요?

슈먼 네. 1950년대까지 거슬러 올라가서 경제 기적의 역사에 관한 책을 쓰고 있습니다. 책 내용 중 일부는 금융 위기에 관한 것이고 그래서 대통령님과의 인터뷰를 요청했습니다. 금융 위기에 관한 부분에서는 특히 한국의 경험, 그중에서도 대통령님의 경험에 집중할 생각입니다. 이 책은 딱딱한 경제 서적이 아니라 구술(narrative) 형태가 될 것이고요. 그래서 특정 시기에 어떤 정책들을 펴셨는지 등 구체적인 질문들을 드릴 생각입니다. 오늘 인터뷰의 전반부에서는 금융 위기 초기와 국제통화기금(IMF) 조치 등에 대해서, 그리고 후반부에서는 대우 파산 건에 대해서 여쭤볼 생각입니다. 그래서 대통령님의 성격(personality)이나 캐릭터가 잘 드러나게 할 생각입니다.

김대중 잘 부탁드립니다.

슈먼 저는 당시 기자로서 관련 사건들을 취재했었는데요. 대통령님께서는 1997년 12월 대선 캠페인 당시만 해도 국제통화기금(IMF)의 정책을 비난하는 발언을 하셨고 그래서 국제통화기금(IMF) 프로그램에 대해서 재협상을 원하신다고 말씀하셨습니다. 그러시다가 대선이 다가오면서 그리고 대통령으로 당선되신 후에는 입장을 바꾸시어 국제통화기금(IMF) 프로그램을 적극 지지하셨습니다. 이처럼 국제통화기금(IMF) 프로그램에 대한 입장을 바꾸시게 된 것은 어떤 계기 때문이셨습니까?

김대중 1997년 말 금융 위기 발발 시에는 위기의 심각성을 몰랐습니다. 그리고 우리 정부에서도 아무 걱정 마라, 대처 가능하다고 말하고 있었고 실제 위험의 조짐도 없었습니다. 그래서 얼마나 심각한지를 몰랐기 때문에 당시 국제통화기금(IMF)이 요구한 고금리와 초긴축 재정 등의 조건이 너무 가혹하다, 우리 경제를 일거에 질식시킬 가능성도 있겠다 생각했습니다. 우리나라 말에 "소뿔 고치려다 소 잡는다"는 말이 있는데 외환 위기 잡으려다 경제 파탄이 날까 해서 국제통화기금(IMF)과의 협력을 반대하고 지나친 조항은 수정해야 한다고 말했던 것입니다. 그런데 당시가 대선 중이다 보니 반대파나 언론이 이를 악용해서 마치 국제통화기금(IMF) 자체를 반대하듯이 보도했습니다. 슈먼 기자도 아마 그런 영향을 받았을 것입니다. 나중에는 고금리나 초긴축 재정 등은 해서는 안 되는 너무 가혹한 조건이라고 국제통화기금(IMF)도 인정하였고 그래서 수정하게 되었습니다.

사정이 그쯤 되자 당시 정부에서도 사태의 긴박성을 알려 왔습니다. 충분한 외환이 있다고 얘기해 왔었지만 실제 보니 39억 달러밖에 없었습니다. 그때 "아! 한국사 이래 최대의 국난이구나!"라고 생각했고 문제점을 안 이상 이를 해결하기 위해 국제통화기금(IMF)과 적극 협력해야겠다고 생각해서 긴밀한 협의를 했습니다. 물론 말씀드린 것처럼 고금리나 초긴축 재정 등의 너무 가혹한 조건에 대해서는 수정을 했습니다. 한때는 금리가 30퍼센트까지 치솟아서 건전한 기업도 다 사라질 판국이었습니다. 그리고 이것이 전체 경제에 미치는 파급효과를 생각해서 고금리는 안 된다고 주장했고 그래서 1998년 한때 30퍼센트였던 고금리가 1998년 하반기에는 6-8퍼센트까지 안정화되었습니다. 덕분에 기업이 숨을 돌릴 수 있게 되었습니다. 고금리를 조정하지 않았으면 건전 기업도 도산을 할 판국이었고 물가도 폭등하여 국민 타격이 매우 컸을 것입니다. 결과적으로 내 주장대로 고금리에 대한 재협상이 옳았던 것으로 나타났습니다.

슈먼 말씀하신 내용 중에 사태의 심각성을 아시고 국제통화기금(IMF)에 대한 입장이 변하게 되었다, 당선 후에 정부에서도 정보를 주었는데 사태가 매우 심각했고 그래서 놀랐다, 이렇게 말씀하셨는데 이 부분을 좀 더 말씀해 주시겠습니까? 어떤 내용을 새로 알게 되셨고 이런 얘기를 들었을 때 대통령님의 반응은 어떠셨는지요?

김대중 내 주변에 있는 경제 참모들에게서도 정보를 얻었고 당시 정부의 경제부총리도 와서 설명을 해 주었습니다. 며칠 전까지만 해도 문제없다고 하다가 마침내 고백을 해 왔습니다. 그런데 우리가 외화를 스스로 벌 수 있는 길은 없지 않습니까? 석유나 희귀 광물이 나는 것도 아니고 우리가 외화를 벌 수 있는 길은 오직 교역을 통해서만 가능했고 이는 국제경쟁력이 있어야 가능한 일이었습니다. 그래서 국제통화기금(IMF)과 협의, 협력을 했고 난국을 극복했습니다.

슈먼 말씀하신 경제부총리와의 미팅이 언제였는지요? 선거 후였습니까?

김대중 선거 중에, 그 전 선거 중에 있었던 부총리 겸 경제 장관은 그렇게 큰소리치고 경제 문제 없다고 하다가 이제 사태가 악화되니까 물러나고 새 사람이 들어왔는데 새 사람도 처음에는 괜찮다고 했습니다. 그런데 새 사람도 며칠 안 가서 실상을 얘기하고 선거 끝나니까 나한테 찾아와서 사실을 얘기한 겁니다.

슈먼 로버트 루빈이 쓴 저서를 보면 당시 한국이 금융 위기를 맞았던 부분이 나오는데요. 그때 대통령님께서 당선이 되신 날 클린턴 대통령이 전화를 해서 이러한 개혁에 대해서 자기는 지지를 한다고 책에 그러한 내용이 나오는데 그때 어떤 얘기를 나누셨는지 기억이 나시는지요?

김대중 클린턴 대통령이 나한테 전화를 한 것은 당선 다음 날입니다. 12월 19일 날 나한테 전화를 해서 당선 축하하고 한국 경제가 중대한 사태에 있으니까 국제통화기금(IMF) 개혁안을 지지해서 잘해 달라고 당부하는 말을 했습니다.

슈먼 그런 말씀을 클린턴 대통령이 해 주었을 때 대통령님께서 뭐라 말씀하셨는지 기억이 나십니까?

김대중 국제통화기금(IMF)과 잘 상의해서 하겠다고 그랬습니다. 그래서 필요한 개혁을 할 테니까 걱정 말라고 했습니다.

슈먼 당시를 생각하시게 되면 참 놀라운 시기라고밖에 할 수가 없는데요. 자유선거를 통해서 대통령님이 처음으로 야당 후보로서 당선이 되신 역사적 사건도 있었지만 당시 이런 금융 위기가 있었다는 측면에서도 굉장히 놀라운 시기였습니다. 그런데 이런 난국에 빠진 나라를 이끌어 가야 하는 차기 대통령의 입장에서 기분이 어떠셨는지요?

국민의 협력만 잘 이끌어 내면

김대중 나는 정치 활동을 하면서 수십 년 동안 몇 번의 죽을 고비도 넘기고, 감옥살이도 하고, 망명도 하고 별 고생을 다 했는데, 이제 대통령에 당선 됐으니까 고생 덜한 줄 알았습니다. 그런데 오히려 나라를 맡아서 진짜 고생을 하게 됐다 해서 "내 팔자는 고생하는 팔자인가 보다."라는 생각을 했습니다. 당시에 당선되면 선거운동 기간에 많이 지쳤기 때문에 어디 가서 한 달쯤 쉬려고 했는데 당선된 그다음 날부터 바로 정권을 실질적으로 인수하게 됐습니다. 그래서 쉬지도 못했습니다. 한국 사람 사고방식에 '팔자타령'이라고 있는데 사실 그때 '팔자타령' 했습니다.

그러나 나는 당황하거나 절망하지는 않았습니다. 첫째 나는 원래 경제를 공부한 사람이고 국회에서도 경제를 전문적으로 다루었던 경험이 있고 또

6·25전쟁 폐허 위에서 이만한 나라를 건설한 국민의 저력을 알고 있기 때문에 국민의 협력만 잘 이끌어 내면 위기를 극복할 수 있다고 생각했습니다. 또 하나는 우리 기업인들이 권력하고 결탁해서 여러 가지 좋지 않은 일을 하기는 했지만 기업인들 자체는 상당히 평가할 만한 능력을 갖고 있기 때문에, 이것을 바른 방향으로 이끌고 가면 외환 위기를 극복하는 데 기업인들이 한몫을 해낼 것이라고 생각해서 실망하거나 좌절하지 않았습니다. 그러나 사태의 심각성을 깊이 느꼈던 것은 두말할 필요가 없습니다.

슈먼 기자 생활을 하다 보면 이것저것 한꺼번에 다 하기가 힘든데 대통령님께서는 이러한 일련의 사태들이 한꺼번에 다 일어났을 때 어떻게 우선순위를 정하실 수 있으셨는지요?

김대중 우선순위는 내가 정했다기보다는 그때 우리나라의 정세가 우선순위를 갖다 밀었습니다. 그것은 외환 위기를 극복하라는 것입니다. 그 외환 위기를 극복하려면 국제통화기금(IMF)과 협력을 하고 국제적 신임을 얻어서 외환 투자를 많이 끌어 내고 외채를 많이 이끌어 내서 외환 보유고를 늘리는 것입니다. 그리고 그다음에는 경제인들을 채찍질해서 수출을 많이 늘리고 돈 벌어서 우리 스스로 외환 보유고를 늘리는 것이 첫째가 된 것입니다. 슈먼 씨가 그때 한국에 계셨으니까 기억하실는지 모르겠지만 그때 내 선거의 메이저 이슈는 '준비된 대통령'입니다. 나는 수십 년 정치를 하면서 내가 정권을 잡으면 어떻게 할 것인가 하는 것을 정치, 경제, 사회, 외교, 국방 등 전부 내 나름대로 정책을 가지고 있었습니다. 경제 분야도 가지고 있었기 때문에 내가 생각한 그 길로 이끌고 나갔는데 국제통화기금(IMF) 사태, 이것은 돌발 사태였습니다. 그러나 과거 정권 밑에서 경제가 얼마나 잘못 운영되고 있는지를 잘 알고 있었기 때문에 나에게는 그렇게 놀라운 일이 아니었습니다. 그래서 나는 비교적 침착하게 대응할 수 있었다고 생각합니다.

슈먼 금융 위기에 대해서 한 가지 질문만 더 드리고 대우 사태로 넘어가겠습니다. 한국 같은 경우에는 금융 위기를 굉장히 빨리 회복한 나라 중에 하나인데요. 굉장히 심각하게 확 떨어졌다가 다시 아주 빠른 시간 내에 조속히 회복을 하였습니다. 회고를 해 보실 때 이렇게 빠른 회복이 가능했던 것에는 (2-3가지) 어떤 정책적인 부분이 특별히 있었나요?

김대중 결국에서 위기 극복의 가장 큰 역할은 국민이 침착하게 협력해 주었다는 겁니다. 국제통화기금(IMF) 위기 사태가 나니까 국민이 협력하여 '금 모으기 운동'을 하지 않았습니까? 그것이 전 세계를 감동시켰습니다. 그래서 그 후로 세계 정상들을 만나면 '금 모으기 운동'에 관한 얘기를 자주 합니다. 캐나다의 크레티앵 수상은 '금 모으기 운동'하는 장면을 텔레비전으로 보고 미국 대통령한테 전화 걸어서 "이런 나라 같으면 도와주자." 이런 얘기를 했다고 저에게 얘기한 적이 있습니다. 중국의 장쩌민 주석도 '금 모으기 운동'에 대해서 "도저히 상상할 수 없는 애국심이다. 이것 보니까 한국은 외환 위기 극복하겠다"고 말했다는 얘기도 했습니다. 이렇듯 세계가 감동했고 우리 국민도 그렇게 해서 일어섰습니다.

그리고 또 내가 자화자찬한 것 같아 미안하지만 조금 전에 말했다시피 대통령이 되었을 때 이 나라를 어떻게 끌고 갈 것이냐는 계획을 수십 년 동안 준비하고 있었어요. 그래서 내 계획에 대해서 객관적인 평가는 놔두고 나는 나대로 자신감을 갖고 끌고 갔던 겁니다. 그래서 그러한 국민과 정부의 리더십, 이것이 위기를 극복한 원인이라고 생각합니다.

그리고 세계로부터 급격한 신뢰를 얻게 된 것에 대해서 내가 한마디 더 하겠습니다. 국제적 신뢰 얘기가 나왔는데 조금 전에 말한 대로 클린턴 대통령이 전화했을 때 사람을 우리에게 보내겠다고 했습니다. 그 후 일주일도 안 돼서 미국에서 재무부 차관 립튼이란 사람이 왔습니다. 나중에 안 사실이지만 립튼 차관의 방한은 나를 테스트하러 온 거였습니다. 내가 추진하려는 정책이 희망이 있으면 도와주고 없으면 한국이 파산하는 것을 놔둘 수밖에 없다는 것을 나중에 알았습니다. 나는 립튼 차관에게 "민주주의와 시장경제를 철저히 해서 투명한 경제를 하겠다. 과거와 같은 정경유착을 일체 금절하고 부패의 여지없이 투명하게 하겠다"고 얘기했습니다. 그래서 기본적으로는 문제가 없었습니다. 그런데 립튼 차관은 노동 문제에 대해서 가장 관심을 가지고 "경제를 살리려면 필요 없는 노동자를 대량 해고해야 하는데 그걸 하겠느냐?"고 물었습니다. 당시 미국 쪽에서는 내가 상당히 개혁적이고 진보적인 생각을 가지고 있어서 노동자 문제를 쉽게 안 하려고 할 것이라고 생각하고 있었습니다. 그래서 나에 대한 지지 여부를 노동자에 대한 정책을 내가 어떻게 하느냐에 따라서 결정하겠다는 생각을 가지고 있다고 합니다.

그래서 내가 한마디로 이렇게 답했습니다. "노동자가 기업에 100명이 있는데 10명을 해고해서 그 기업이 살아난다면 90명은 살아남는다. 그래서 그 기업이 잘돼 가면 다시 또 10명을 재고용할 수 있다. 그러나 10명을 해고 안 하려고 버티다가 기업이 망해 버리면 100명이 다 실업자가 된다. 그러면 다시 살아날 길이 없다. 나는 그러한 어리석은 일은 하지 않는다. 나는 확실히 그렇게 기업을 살려서 경쟁력 있는 기업을 만드는 데 주력하겠다. 그 점에 있어서 나는 노동자를 설득할 자신이 있다. 내가 그 정도는 노동자에게 신뢰를 받고 있다고 생각한다." 그렇게 얘기했는데 나중에 그렇게 됐습니다.

그래 가지고 립튼 차관이 미국으로 돌아가서 바로 100억 달러를 지원한다고 했는데 그때 미국이든가, 국제통화기금(IMF)이던가? 여하튼 립튼이 돌아간 후로 그때 '크리스마스 선물'이라고 해서 한국에 대해서 100억 달러를 지원하는 것이 결정이 됐습니다.

슈먼 이제 대우 문제에 관해 질문드리겠습니다. 대우의 파산이 있었던 때 저도 기자로 활동 중이어서 알고 있었는데 저는 항상 추정하기를 대우가 워낙 몸집이 큰 회사였기 때문에 만약에 파산하게 되면 한국 경제에 미칠 영향이 너무도 크기 때문에 대우를 구제하지 않고는 안 될 것이라고 생각을 했었는데 결과적으로는 시장에서 퇴출하게 되었습니다. 대통령님께서 그러한 결정을 내리셨는데 원래 처음에는 너무 커서 시장에서 퇴출하기가 좀 힘들다고 추정을 하셨는지요? 그리고 마지막에 결단을 내리신 것이 대통령님의 결단이 맞는지요?

김대중 대우 문제에 대해서 결론부터 얘기하면 옳았다는 것은 확실합니다. 대우는 오너만 바뀌었지 대우 산하의 기업들, 대우중공업, 대우건설, 대우증권 등은 지금 모두 건전한 기업으로 되살아나서 비싼 값에 팔리고 있습니다. 그것만 보더라도 대우 조치는 결과론으로 얘기하면 옳았다는 것이 입증이 됩니다. 나는 애초에 대우를 그렇게 파산시킬 계획이 전혀 없었고, 오히려 당선자 시절, 최종현 전경련 회장의 후임자로 김우중 씨를 내정하고 나한테 상의했을 때 나는 그분이 능력이 있는 사람이니까 전경련 회장이 되는 것이 좋겠다고 지지했습니다.

나는 많은 대기업들이 모두 상황이 좋지 않아서 구조조정을 하는데 그 상황에서 김우중 회장에게도 얘기했습니다. "당신 기업도 산하에 많은 기업을 가지고 있는데 꼭 필요한 핵심 기업을 제외하고는 모두 처리하시오. 그렇게 간단하게 해서 살려야지 다 살리려고 했다가는 하나도 못 살리게 되오. 결단을 빨리하지 않으면 자꾸 금리는 늘어나고 외채도 늘어나서 어렵지 않으냐"고 얘기했습니다. 그렇게 얘기하니까 김우중 씨가 (그때가 정초인데) "10월까지만 여유를 달라. 그러면 미국 지엠(GM)과 얘기해서 10억 달러 이상의 돈을 투자받기로 되어 있으니까 다 해결된다. 걱정 말라"고 얘기해서 10월까지 여유를 주겠다고 승낙했습니다.

슈먼 그때가 몇 년이지요?

경쟁해서 돈 많이 벌어라, 세금 많이 내라

김대중 아마 1998년 1월, 2월일 겁니다. 그런데 10월이 돼도 안 되었습니다. 지엠(GM)과는 실패했고 또 다른 국내 기업한테 대우 일부를 넘긴다는 것도 또 안 돼 버리고 그런 상황에서 오히려 대우는 부실기업을 매각하는 것이 아니라 오히려 기업을 더 인수하려고 달려들었습니다. 아마 대우의 리더들은 과거의 예를 보더라도 "대기업이 저질러 놓으면 정부가 경제적 여파가 크기 때문에 차마 쓰러트리지 못할 것이다. 좌우간 계속 저질러 놓으면 정부가 안 도와줄 수 없다." 이러한 과거 독재정권 체제하에 있었던 것을 믿고 그렇게 한다고밖에 볼 수 없었습니다. 그런데 우리 정부는 국민 앞에 투명하게 하기 때문에 그런 것이 전혀 불가능한 것이었고, 그래서 결국 대우는 스스로 잘못된 판단 때문에 그런 결과를 가져온 것입니다. 과거 독재체제하에서는 대기업들을 쓰러트리지 못했습니다. 그래서 그때 유행한 말이 '대마불사' 大馬不死입니다. 즉 "큰 말은 죽지 않는다."

그런데 국민의 정부 들어와서 30대 재벌 중에 16개가 주인이 바뀌거나 문을 닫게 만들었습니다. 그렇게 해서 경제 개혁을 한 겁니다. 오늘날 기업들은 모두 경쟁력을 갖게 되었습니다. 과거와 같이 정경유착도 없어지고 정치자금도 없어지고 이제는 세계시장에 나가서 1등 한 기업만 살아남습니다. 내가 기업인들에게도 "앞으로 절대 정부하고 결탁해서 돈 벌 생각 꿈에도 하지 마라. 그 대신 정부도 과거와 같이 간섭 안 한다. 과거에는 정부가 기업을 거지로 만들 수도 있고, 가난뱅이를 부자로 만들 수도 있었지만 이제 그렇게 안 한다. 그 대신 당신들은 국제 시장에 나가서 경쟁해서 돈 많이 벌어라. 그래서 세금 많이 내라. 그러면 애국자로 대접하겠다"고 얘기했습니다. 실제로 재임 중 그대로 했습니다. 당시 구조조정한 대기업들은 모두 성공했습니다. 그래서 나는 대우가 처음에 내 충고를 듣고 그때 결단을 내렸으면 파산을 안

했을 거라고 생각합니다. 대우는 그렇게 파산했지만 대우 산하 기업들은 오너만 바뀌었지 다 건전한 기업으로서 다시 비싼 값에 팔리고 있습니다.

슈먼 좀 더 구체적인 질문을 하나 더 들겠습니다. 김우중 회장이 2003년에 『포춘』(Fortune)지와 인터뷰를 한 적이 있는데 그때 얘기하기를 대통령님을 여러 번 언급하면서 한때 대우를 살려 달라고 대통령님께 로비를 했다, 정부로부터 론(Loan)을 좀 받을 수 있도록, 국책 은행으로부터 론을 받을 수 있도록 도움을 요청하는 그런 만남을 가졌었고 하노이에서 그런 부탁을 드렸던 것으로 생각을 하는데 그때가 아마 1998년이나 1999년 때쯤이었다고 얘기했습니다. 실제 그런 로비가 있었는지 궁금하고 로비가 있었다면 그러한 부탁을 받았을 때 대통령님의 반응은 어떠셨는지요?

김대중 나는 대우가 망하는 것을 바라지 않았습니다. 김우중 회장이 한 두어 번 나를 만나서 부탁을 한 일이 있습니다. 그래서 내가 아까도 말했다시피 불필요한 산하 기업을 매각하고 몸을 슬림화해서 살길을 찾아야지 문어발식으로 해서는 안 된다고 권했습니다. 그런데 김 회장이 그렇게 안 했습니다. 나는 김우중 회장을 지목해서 망하게 할 생각도 없었고 또 자구 노력을 못 한 기업은 다 주인이 바뀌었습니다. 대우만 그런 것이 아닙니다. 대우 김우중 회장에 대해서는 그분이 세계적으로 다니면서 일을 하는 업적 등을 내가 좋게 평가하고 있었기 때문에 살리고 싶었습니다. 그런데 내 입장에서 말하면 대우는 내가 권유한 것을 받아들이지 않고, 뭔가 산하 기업을 제대로 정리하지 않고 오히려 확장까지 하려다가 세계적으로 너무 벌인 것이 가장 큰 원인이었다고 생각합니다. 김우중 회장에 대해서는 그렇게 되어 개인적으로 나도 안 좋다고 생각합니다. 그러나 기업들은 모두 살렸어요.

슈먼 또 다른 미팅이 하나 더 있었던 것으로 생각하는데요. 김우중 회장이 인터뷰 당시에 대통령님과 인터뷰를 했다고 하면서 1999년 8월 25일 날 식사

미팅을 가졌다고 했답니다. 그래서 1999년 8월 25일이 어떤 날이냐면 바로 그다음 날 채권단이나 구조조정에 개입을 하기 시작한 날이었는데요. 이러한 구조조정을 앞두고 저녁 식사에 초대를 해서 이러한 구조조정이 시작된다는 얘기를 하면서 도움을 요청하는 미팅이 또 한 번 있었다고 들었습니다.

김대중 여하튼 대우에 대해서는 아까 내가 말한 그것입니다. 나는 개인적으로는 대우가 망하기를 바라지 않았고 공적으로는 다른 기업과 똑같이 원칙에 의해서 처리를 했습니다.

슈먼 마지막 질문입니다. 김우중 회장은 아까 『포춘』지와 인터뷰를 가졌을 때도 했던 얘기인데요. 대통령님과 한 번 전화 통화를 한 적이 있는데 대통령님께서 김우중 회장에게 아무래도 한국을 떠나는 것이 좋겠다는 얘기를 했다고 합니다. 그렇게 실제 말씀을 하셨는지요?

김대중 했습니다. 그 이유는 이제 대우는 구조조정을 해야 하는데 김 회장이 여기 있으니까 대우 임직원들이 자꾸 김 회장에게 가서 얘기를 하고 해서 일이 잘되지를 않았습니다. 그리고 김 회장이 자꾸 간섭을 하고, 간섭할 처지에 없는데, 그런 점에 있어서 대우 구조조정을 순조롭게 하기 위해서 좀 떠나 있으라고 얘기했습니다.

슈먼 언제였는지 기억이 나십니까?

김대중 자세히는 기억이 안 납니다. 그래서 김 회장이 출국을 했는데 정부 부처에서 김 회장이 여기 있으면 아무튼 구조조정이 순조롭게 안 된다, 밑의 사람들이 김 회장 눈치 보고 잘 움직여 주지 않고 협력을 안 한다, 그리고 또 김 회장도 자꾸 간섭을 해서 곤란하다, 그래서 김 회장이 잠시 나가 있는 것이 좋겠다 해서 그렇게 한 겁니다. 아까 내가 '대마불사'라는 말을 했는데 '대우'라는 말은 죽지 않았습니다. 기수만 바뀌었지 말은 죽지 않고 지금 힘차게 달리고 있습니다.

슈먼 대우의 파산 같은 경우에는 대우그룹의 사이즈가 워낙에 컸기 때문에 이게 만약에 파산을 한다면 엄청난 여파가 있을 것이라는 것을 생각해서 사실 구조조정 과정에서 시장에서 퇴출시키기로 결정하기가 굉장히 어려웠을 텐데요. 그런 잠재적인 경제에 대한 여파에 대한 우려들이 많이 있지 않았습니까?

김대중 나는 우리나라 경제 담당 공무원들의 역량이나 자기 직책에 충실한 점을 믿었고 대우를 그만큼 키운 대우 사람들의 역량을 믿었기 때문에 정부가 중심만 잡고 확고하게 끌고 나가면 중요한 대우 기업들은 다 살릴 수 있다는 자신감을 가지고 있었습니다. 그리고 실제로 그렇게 살렸습니다. 우리는 대우뿐 아니라 현대도 처리했고 또 기아자동차도 처리했고 동아건설도 처리했습니다. 30개 재벌 중 16개를 처리했지만 모두 성공을 했습니다. 그리고 그 과정에서 어떠한 잡음이나 비리도 없었습니다.

슈먼 감사합니다.

김대중 그런데 대우 문제를 열심히 묻는 이유는 무엇인가요?

슈먼 워낙에 복잡한 이슈가 금융 위기를 통해서 발생을 했는데 대우 같은 경우에는 금융 위기를 통해서 한국의 경제가 얼마나 극적인 변화를 했는지, 그리고 금융 위기를 통해서 정부와 기업 간의 관계가 얼마나 극적으로 변했는지, 정부의 개혁 정책이 그러한 것에 어떤 영향을 미쳤는지 등을 가시적으로 보여 줄 수 있는 가장 돋보이는 예라고 생각했기 때문에 그렇습니다.

김대중 우리나라 외환 위기를 다루는 저서로서 국내외적으로 아직 뚜렷한 저서가 없지 않은가 생각합니다. 자세히는 모르는데, 슈먼 씨가 국제적으로 하나의 교본이 될 수 있는 책을 쓰시기 바랍니다.

슈먼 감사합니다.

---

* 이 글은 마이클 슈먼(Michael Schuman) 『타임』지 아시아 전문 기자가 아시아 경제 관련 저서인 『더 미라클』 집필을 위해 2007년 6월 19일 오후 4시부터 동교동 사저에서 인터뷰한 것이다.

나는 재벌에게 단호했다

대담 얀드리 아르피안
일시 2007년 6월 26일

아르피안 대통령으로서의 첫 며칠을 어떻게 보내셨나요?

김대중 대통령 당선 하루 뒤 클린턴 대통령으로부터 전화 한 통을 받았습니다. 클린턴 대통령은 한국의 경제 위기가 얼마나 심각한지를 알리고, 내각 멤버 중 한 명을 보내어 한국이 국제통화기금(IMF)과 협력하는 데 지원할 수 있도록 하겠다고 했습니다. 3일 뒤 데이비드 립튼(David A. Lipton) 미 재무부 차관이 서울에 도착했습니다. 그러나 립튼 차관은 사실 내가 국제통화기금(IMF)과 어떻게 협상해 나가야 할지를 아는지 테스트하러 왔었습니다. 상당히 긴 논의 끝에 그는 한국이 미국의 지지를 받을 것이라고 말했습니다.

아르피안 당시 한국 경제는 얼마나 심각했나요?

김대중 외채가 1,000억 달러 이상이었는데 외환 보유고는 38.7억 달러에 불과했습니다. 설상가상으로 외채의 반이 단기 외채였습니다. 채권자들은 내가 미국이나 국제통화기금(IMF)과 협력하지 못하면 외채 상환 시기를 연장해 줄 수 없다고 했습니다. 그래서 한국의 국가 부도 사태를 막기 위해서는 국제통화기금(IMF)의 지원을 확보하는 것이 중요했습니다.

아르피안 국제통화기금(IMF)이 정말 한국에 필요했습니까?

김대중 국제통화기금(IMF)과의 협력은 외환 위기를 해결하기 위한 유일한 방법이었습니다. 한국은 고무, 석유, 광물자원 등 천연자원이 부재합니다. 우리가 가지고 있는 것은 다른 국가들과의 교역뿐이었으므로, 위기 상황하에서 국제사회의 신뢰는 한국 경제에 결정적인 요인이었습니다. 그러나 물론 국제통화기금(IMF) 프로그램의 영향을 고려하지 않은 채 있는 그대로 실행하지는 않았습니다.

아르피안 무슨 말씀이신가요?

김대중 국제통화기금(IMF)과 채권국에게 한국은 경제 시장에 민주주의와 투명성을 적용할 것이라고 강조했습니다. 그리고 우리가 실행하기에 적합하지 않은 몇 가지 국제통화기금(IMF) 프로그램은 재협상을 했습니다. 한 가지 예는 30퍼센트에 달하는 연 금리와 긴축 정책이었습니다. 만약 그러한 권고를 따랐다면 한국은 경제 성장이 멈추고 국가 부도에 이르렀을 것입니다.

아르피안 협상에 성공하셨나요?

김대중 예. 국제통화기금(IMF)을 설득하여 정책을 수정토록 하는 데 성공했습니다. 국제통화기금(IMF)과의 관계가 얼마나 밀접하냐와 상관없이 우리는 국제통화기금(IMF) 프로그램을 한국 상황에 맞게 조정해야 했습니다. 1998년 말에는 금리가 연 6-8퍼센트까지 내려갔습니다.

아르피안 한국 경제의 회복을 위해 어떤 정책들을 실행하셨습니까?

김대중 경쟁에 기반을 두고 한국 경제의 기초 체력(fundamental)을 강화시키고자 했습니다. 금융, 기업, 노사, 공공 부문에서 시작하였으며, 재임 5년 동안 투명성과 공정한 경쟁 역시 적용하였습니다.

아르피안 금융 부문의 개혁은 어떻게 진행되었습니까?

김대중 거의 모든 금융기관들이 파산했으며 이윤을 낼 수 없는 상태였습니다. 재무 상태가 심각했으며 부실채권 비율이 10퍼센트를 상회했습니다. 정부는 마침내 5개 은행 및 600개 지점을 폐쇄하고 5,000명 이상의 직원들을 해고했습니다.

아르피안 재벌 개혁을 단행하기 위해 어떤 접근을 하셨나요?

김대중 과거 재벌은 많은 혜택을 누렸습니다. 정치인들과 결탁도 했습니다. 그러나 국민의정부하에서는 부정부패가 금지될 것이라고 강조했습니다. 정치적인 기부도 할 필요 없다고 했습니다. 한국 기업에게 정치에 관여하지 말라고 부탁했습니다.

아르피안 그렇다면 재벌에게 더 이상 특혜를 주지 않는다는 말씀입니까?

김대중 나는 기업들에게 이윤을 낼 수 있는 세계 일류 제품을 생산할 것을 요청했습니다. 그래서 정부가 재원이 필요한 경우에는 그들이 세금을 낼 수 있도록 말이지요. 그 길이 애국하는 길이라고 했습니다.

아르피안 재벌에게 단호하셨다는 말씀이군요. 어떤 것들을 달성하셨습니까?

김대중 실제 나는 단호하게 했습니다. 이윤을 낼 수 없다면 방향을 변경하거나 기업 소유주가 기업에서 물러나야 했습니다. 결과적으로 56개 재벌들이 사업을 접거나 경영진을 교체했습니다. 대우가 그 일례입니다. 기업주가 교체되었고 대우는 외환 위기를 극복했습니다. 건설 부문 자회사들을 통해 (그렇게 한 후에) 대우는 이윤을 낼 수 있었습니다.

아르피안 재임 시 금 모으기 운동은 누가 시작했나요?

김대중 그것은 전적으로 한국 국민들이 시작한 운동입니다. 그 배후에 특정 인물이나 조직은 없었습니다. 경제 회복을 돕겠다는 한국 국민들의 의식에서 시작되었습니다. 총 22억 달러어치의 금이 모였으며 이는 외환 보유고로 할당되었습니다.

아르피안 개인 재산을 기부하는 것이 한국의 전통이라는 것이 맞습니까?

김대중 우리 역사상 금 모으기 운동은 일본이 한국을 침략하기 전인 19세기 초에 시작되었습니다. 일본은 당시 한국 정부에 차관을 도입하도록 강요했는데, 목적은 새 식민지 건설 및 한국의 일본 경제 예속이었습니다. 그러나 한국 국민들은 독립을 위해 저항했습니다. 마침내 한국 국민들은 외채를 갚기 위해 개인의 저축과 담배를 기부하기 시작했습니다. 1997년 외환 위기 시 금 모으기 운동은 한국 역사의 일부분을 따른 것입니다.

아르피안 경제 위기 시 모은 금이 얼마나 도움이 되었나요?

김대중 금 모으기를 통해 모은 돈은 막대했습니다. 그러나 더 중요한 것은 국제사회가 이 금 모으기 운동을 보고 감명받았다는 것입니다. 텔레비전을 통해 사람들은 한국 국민들이 자발적으로 금을 기부하기 위해 길게 줄을 선 모습을 보았습니다. 다른 나라의 지도자들은 한국이 국가를 살리기 위해 정말 열심을 다한다는 인상을 받았습니다.

아르피안 한국이 570억 달러에 달하는 국제통화기금(IMF) 차관을 단 3년 만에 상환할 수 있었던 주요 요인은 무엇인가요?

김대중 우리는 수출을 활발히 했고 외국인 투자도 적극 유치했습니다. 이로 인해 38.7억 달러에 머물렀던 외환 보유고가 1998년 말에는 400억 달러까지 이르게 되었습니다. 대통령직을 마칠 즈음에는 외환 보유고가 1,300억 달러에 이르렀습니다. 이것이 한국이 외채를 빨리 상환할 수 있었던 요인입니다.

아르피안 대통령으로서 달성한 바에 만족하시는지요?

김대중 어느 정도까지는 그렇습니다.

* 이 글은 인도네시아 영자주간지 『템포』(TEMPO)지에서 동남아 외환 위기 10년 특별 기획으로 마련한 대담이다. 2007년 6월 26일 오전 10시 30분 사저에서 얀드리 아르피안 기자가 인터뷰하여 『템포』지 2007년 8월 6일 자에 게재되었다.

북·미, 주고받는 일괄 타결해야

대담 마이크 치노이

일시 2007년 6월 28일

치노이 대통령님을 직접 뵙고 취재를 한 적은 없지만 간접적으로 대통령님에 관한 보도를 한 적이 많았습니다. 마침내 이렇게 뵙게 되어 참으로 큰 영광입니다.

김대중 만나서 반갑습니다. 그런데 이번에 책을 쓰신 다고요?

치노이 시엔엔(CNN)에서 25년을 근무하고 작년에 그만두었습니다. 그래서 지금은 서던캘리포니아대학교(USC)에 위치해 있는 국제정치태평양위원회에서 일하고 있습니다. 뉴욕에 위치한 대외관계연구소에 버금가는 남부에 있는 연구소라고 생각하시면 됩니다.

김대중 우리 아들이 서던캘리포니아대학교(USC)에서 석사학위를 받았습니다. 아내도 거기서 명예 박사학위를 받았습니다.

치노이 서던캘리포니아대학교(USC)와는 인연이 깊은 것 같은데, 그러면 컬럼비아대학과는 인연이 없으신지요? 제 아들이 컬럼비아대학에서 역사학을 공부 중입니다.

김대중 내가 1980년대 미국 망명 중일 때 컬럼비아대학에서 강연을 한 적이 있습니다. 하나 유감스럽게 생각하는 것은 컬럼비아대학에서 나에게 명예 박사학위를 수여하겠다고 제안했었는데 사정 때문에 받지 못했습니다. 지금도 유감스럽게 생각합니다.

치노이 컬럼비아대학이 대통령님께 명예 박사학위를 수여하기로 결정한 것은 그들이 바른 결정을 한 것이라 생각합니다.

김대중 감사합니다.

치노이 제가 지금 진행하고 있는 프로젝트는 주로 북핵 위기의 역사에 관한 내용으로서 1990년대는 아니고 최근 상황을 중점적으로 2000년대부터 시작한 것입니다. 내용을 잠시 말씀드리면 2000년도 당시에 조명록 씨가 워싱턴을 방문했고, 올브라이트의 평양 방문 등 북·미 간 고위급 교류를 시작했다가 그 이후 급격히 관계가 악화되고 그러다가 현재에 이르게 된 그 시기를 조명하고자 합니다. 물론 남북정상회담이라든가 햇볕정책에 대해서도 언급을 하겠지만 중점적으로 다루게 될 분야는 부시 정부가 대북 강경책을 쓰게 됨으로써 북·미 관계에 그리고 나아가서 한·미 관계에 어떤 영향을 미치게 됐는지에 관해서 조명을 하고자 합니다. 그래서 이와 관련해서 이미 서울뿐만 아니라 미국, 일본 등에서 150회의 인터뷰를 했습니다. 그리고 앞으로 중국에서도 인터뷰를 할 수 있기를 기대하고 있습니다. 그동안 많은 분들을 인터뷰했는데 워싱턴에서는 콜린 파월, 리처드 아미티지, 리처드 롤리스, 존 볼튼, 로버트 조제프, 제임스 켈리, 크리스토퍼 힐, 에번스 리비어, 토마스 하버드 씨 같은 분들을 인터뷰했고 한국에서는 정형근, 양성철 씨와 한승수 씨는 곧 인터뷰를 하기로 되어 있습니다.

제가 이번 책에서 목표로 하고 있는 것은 중요한 순간들을 포착해서 그 순간에 어떤 일들이 있었고 관련자들이 어떤 말과 어떤 행동들을 취했는지 등을 구체적으로 보여 줌으로써 독자가 실제 그 상황에 들어가서 그것을 체험

하는 것처럼 느끼게 해 주는 것이 목적입니다. 그리고 마지막으로 바란다면 한국이나 미국의 관계자뿐만 아니라 북한 쪽 관계자들과도 얘기를 나눈 후에 책을 냈으면 하는 바람이 있는데 제가 마지막으로 평양을 방문했을 때가 2005년 8월에 김계관 외무상을 만났을 때입니다. 저는 이제까지 북한을 14번 정도 방문을 했었고 다소 북한과 좋은 관계를 맺고 있다고 생각을 하기 때문에 책을 내기 전에 자료 수집 차원에서도 북한을 다시 한번 방문하여 북한 사람들을 인터뷰하고 싶은 바람이 있습니다.

김대중 북한 사람들과 인터뷰를 하는 것이 아주 중요합니다.

치노이 그리고 인터뷰를 직접 하지는 못했지만 방북을 했던 사람들과 대담을 나누기도 했습니다. 그중에 잭 프리처드, 찰스 카트먼, 존 루이스 같은 분들을 만나기도 했었는데 그 이유는 북한이 어떤 관점을 가지고 있었는지에 대해서 보여 주고 싶었기 때문입니다. 사람들이 북한에 대해서 너무도 많은 오해를 하고 있기 때문에 그 사람들이 왜 어떤 시기에 어떤 결정을 내릴 수밖에 없었는지 그런 것들을 북한의 관점에서도 좀 보여 주고 싶어서 관련자들하고 계속 만나고 있습니다. 책은 2008년 말쯤 발간 예정이고 뉴욕의 아주 유명한 세인트마틴스프레스(St. Martin's Press)라는 곳을 통해서 낼 계획인데 앞으로 한 13개월 작업 시간이 있습니다. 저는 이 책이 미국 대선 전에 나오기를 바랍니다. 그 이유는 책이 발간되고 나면 사람들이 책에 대해서 어떤 리뷰를 한다든지 그것에 대해서 말이 나오기 시작하면서 북한에 대해서 좀 더 나은 이해가 되고 실제로 문제가 무엇이었는지 대해서 정확히 이해를 하게 됨으로써 미국 관련자들이 북한에 대한 제대로 된 정책을 수립하는 데 도움이 될 수 있기를 바라기 때문입니다. 여쭙고 싶은 내용이 너무 많지만 제한된 시간 안에서 최대한 노력을 해서 질문을 드리고 이번 책에서 주로 다루고자 하는 상황들에 대해서 구체적인 질문을 드리도록 하겠습니다.

부시 대통령이 정권을 잡은 것이 2001년 초가 되는데 당시 부시 대통령이 당선되었을 때 얼마나 걱정이 되었습니까? 방미 전에 얼마나 걱정이 되었고 그래서 부시 정권이 클린턴의 포용정책으로부터 멀어지지 않을까 하는 걱정이 얼마나 크셨는지요?

고어가 당선되기를 간절히 바랐다

김대중 아주 컸습니다. 그래서 사실 선거 때 앨 고어가 당선되기를 간절히 바랐습니다. 부시가 당선되면 클린턴 정권과 지금까지 같이 해 온 우리의 대북 정책에 큰 차질이 생기고, 일대 후퇴가 있을 것 같아 매우 걱정을 했습니다. 그런데 결국 바라는 대로 고어가 안 되고 부시가 당선되어 내 우려는 더욱 커졌습니다. 클린턴 대통령과 나의 관계를 간략히 말씀드리면 대통령 취임 후 처음 클린턴 대통령을 만나서 햇볕정책을 설명을 했을 때 클린턴 대통령은 전폭적으로 지지했습니다. 그래서 2000년에 내가 북한을 방문할 때는 완전히 클린턴 대통령과 협의를 해서 갔고 북한을 다녀온 후로도 김정일과 회담 내용에 대해서 보고를 해서 클린턴 대통령이 만족을 했습니다. 그 후 조명록이 방미하고 올브라이트가 북한에 갔습니다. 그리고 클린턴 자신도 북한에 가기로 해서 아주 순조롭게 됐습니다. 재작년에 클린턴이 여기 내 사무실 와서 얘기했지만 그때 1년만 더 임기가 있었어도 모든 것이 다 됐을 텐데 아쉽다고 할 정도로 일이 순조롭게 진행됐는데 결국 불행히도 우리가 바라던 고어가 안 되어서 나중에 아주 큰 역전이 되었는데 그건 또 나중에 계속 얘기하겠습니다.

치노이 (녹음기가) 잘 되고 있는지 한번 검사해 보겠습니다.

김대중 그래서 이제 부시 대통령이 2001년 취임한 후 2001년 3월에 미국을 갔습니다. 그래서 부시 대통령과 회담하기로 한 그날 아침에 파월 국무장관과 아침 식사를 같이했습니다. 그 자리에서 파월 장관과 얘기가 완전히 잘되어 우리 정부와 미 국무부와 합의해서 클린턴 정권 때 추진했던 대북 정책을 그대로 계승해서 밀어주겠다고 합의가 돼서 발표가 됐습니다. 발표를 했는데. 그러고 나서 부시 대통령과 함께 기자회견장에 갔는데 그곳에서 판이 뒤집어져 버렸습니다. 부시 대통령은 기자회견장에서 나를 앉혀 놓고 갑자기 북한 김정일을 독재자라고 비난하면서 그날 공동성명에서 발표한 내용을 모두 무시하는 말씀을 했습니다. 그래서 완전히 북한과의 관계가 역전되어 아주 경색된 분위기로 바뀌게 됐습니다. 당시 부시 대통령은 우방국의 대통령을 국빈으로 초청한 자리에서 양국 정부 간에 공식으로 합의된 내용을 뒤집었습니다. 이것은 국제 외교 관례상 굉장히 실례를 범한 것입니다. 거기다 나에 대해서 "디스 맨(This man)"이란 표현도 쓰고 했는데 내가 어떻게 보면 좀 모욕을 당한 겁니다. 그런데 그 후 몇 년 뒤에 부시 대통령은 지금 유엔사무총장인 반기문 씨를 통해서 그때 자기가 그렇게 한 것을 사과한다고 전달해 왔습니다.

치노이 그날 부시 대통령과 함께 백악관 대통령 집무실에서 있었던 미팅에 대해서 여쭤보고 싶은데요. 그때 부시 대통령에게 정확히 어떤 말씀들을 하셨는지 궁금합니다. 제가 콜린 파월이나 다른 사람들에게 들었던 내용은 당시 대통령님께서 말씀하시기를 "김정일의 주된 목적은 정권의 유지이고, 이들로부터의 위협을 철회할 수 있는 가장 큰 방법은 포용정책이다. 그러니 부시 대통령께서 우리의 포용정책을 지지해 주면 좋겠다"는 말씀을 하셨다고 하는데 이러한 사실이 맞는지요?

김대중 맞습니다.

치노이 그러면 그 얘기를 듣고 부시 대통령이 어떤 말씀을 했습니까? 부시 대통령의 말하는 투라든지 태도는 어떠했는지요?

김대중 태도는 텍사스식이고 또 내 말에 대해서 뭐라고 얘기했는지 기억에 없어요. 그러나 여하튼 좋지 않았던 건 사실이에요. 그러나 나한테 아주 무례하게 한 것은 아니었어요. 국내외 기자들 앞에서 나와 함께 있는데 이 양반이 흥분을 했는지 신이 났는지 김정일을 공격하는데 마치 복싱 선수가 약한 상대를 펀치를 먹이는데 계속 교대로 먹인 그런 식으로 떠들었어요.

치노이 제가 다른 사람에게 들었던 내용을 말씀드리면 당시 부시 대통령이 굉장히 카우보이처럼, 예의 바른 자세가 아닌 약간 비스듬하게 앉아 있고 질문도 햇볕정책이 도대체 뭐냐? 북한이 나쁘다는 건 알고 있느냐? 이런 식으로 물었다는 얘기를 들었습니다.

김대중 태도를 그렇게 했지만 그때는 내가 위축된 것은 없고 또 내가 화도 안 내기로 결정했어요. 그래서 좌우간 당신하고 나하고는 앞으로 몇 년 정상회담을 해야 하니까 만나다 보면 당신이 또 나를 알게 되고 내 말도 납득하게 될 것이라는 자신감을 갖고 있었기 때문에 되도록 내가 말을 안 하고 부시 대통령의 말을 듣고만 있었고 또 아까 말과 같이 "김정일에 대해서 김정일은 미국과의 관계 개선을 열망하고 있으니까 대화로써 모든 걸 풀 수가 있다. 그 점에 대해서 나는 의심의 여지가 없다"는 얘기를 했어요.

치노이 그러면 제가 조금 전에 말씀드린 부시 대통령이 당시 취했던 매너에 대해서 제가 묘사한 내용이 기억하시는 내용하고 일치하는지요?

김대중 그렇습니다.

치노이 굉장히 캐주얼하고 카우보이같이……

김대중 그건 나중에 미국 정부공화당 사람이 변명하기를 "디스 맨(This man)"이라고 하거나 태도를 그렇게 캐주얼하게 취한 것은 미국에서는 친한 친구한테 그렇게 하는 거라며 변명했어요. 그런데 그때 나는 처음 만났기 때문에 친한 것도 없고 안 친한 것도 없었거든요.

치노이 그런데 그날 아침 콜린 파월 장관과 굉장히 순조로운 대담을 나누셨다고 하는데 그것에 비해서 부시 대통령이 보여 주었던 말씀하신 내용을 전달하는 방식 때문에 굉장히 놀라시지는 않으셨는지요?

김대중 아주 의외였어요. 나는 콜린 파월과의 회담에서 양국 정부 간의 공동성명이 잘되었기 때문에 안심했고, 그것으로써 양 정부 간 공식 회담은 끝나고, 부시 대통령과는 뭔가 립 서비스하고 유쾌한 대화나 나눌 걸로 생각했는데 그렇게 나와서 아주 놀랐어요. 그때 회담 도중에 콜린 파월이 나가더라고요. 그래서 나간 것만 보고 무엇 때문에 나갔는지 몰랐는데 나중에 보니까 오전에 발표한 내용 즉, "클린턴이 했던 그 자리에서부터 계속하겠다"는 말을 취소하러 나간 거요. 그러니까 지시를 받은 거죠.

치노이 그러면 귀국하실 때 이러한 상황에 대해서 얼마나 우려가 되셨습니까?

김대중 좀 앞으로 힘들겠다 생각했어요. 그러나 내가 햇볕정책, 포용정책을 바꿀 생각은 전혀 없었고 결국 시간이 가면 부시 대통령을 설득해 나갈 수 있다고 생각했습니다. 왜냐하면 미국이나 한국을 위해서 옳은 정책이고 또 북한을 우리가 잘 다루는 정책이기 때문에 부시 대통령도 납득 안 할 이유가 없다고 생각했어요. 그리고 부시(George W. Bush) 대통령과 회담 후 미국기업연구소가 주최한 회담에 나가서도 대화를 많이 하고 설명을 충분히 했는데 거기에는 주로 공화당 사람들이 많아 참석했거든요. 또 부시 대통령의 아버지에게 텍사스로 전화해서 얘기하는 등등 해서 앞으로 계속 그걸 기반으로 해서 해 나가겠다는 생각을 했습니다. 아버지 부시(George H. W. Bush) 대통령은 나하고 잘 아는 사이인데 나에게 너무 걱정하지 말라고 위로하며, 결국 아들도 북한 문제는 대화로 풀 거라고 그러니까 너무 걱정하지 말라고 했습니다. 또한 자기도 협력하겠다고 했습니다.

치노이 아버지 부시가 이렇게 말씀하신 게 언제였나요?

김대중 부시 대통령을 만나고 난 다음 날입니다. (이틀 뒤임)

치노이 그러면 만약에 오늘 아들 부시 대통령을 만나 미팅을 했으면 그다음 날 아버지 부시에게 전화를 했고 그때 아버지 부시가 너무 걱정 말라는 말씀을 하셨다는 것이죠?

김대중 맞습니다.

치노이 대통령님께서 걸었습니까? 아니면 아버지 부시 대통령이 전화를 했습니까?

김대중 제가 걸었습니다.

치노이 시간을 뛰어넘어 '악의 축'에 관한 연설이 있었던 때로 가겠습니다. 부시 대통령이 '악의 축'이란 연설을 했을 때 어떻게 느끼셨고 얼마나 화가 나셨습니까?

김대중 이것은 미국이 북한에 대해서 군사행동도 할 수 있다는 선언으로 받아들였어요. 그런데 군사행동을 하면은 수백만의 사람이 죽거든요. 그리고 국내가 재가 되도록 타게 될 것이고 그러니까 아주 큰 충격을 받았죠. 그래서 어떻게 하든 군사행동을 막아야 한다고 생각을 했습니다. 그래서 부시 대통령이 1월에 그렇게 선언을 하고 2월에 한국에 왔어요. 그래서 나는 부시 대통령이 한국에 오기 전 한 10여 일 동안 대책을 세우는 데 시간을 보냈어요.

치노이 부시가 한국에 왔을 때 대통령님과 나누신 대화에 대해서 좀 말씀해 주십시오.

김대중 그때 부시 대통령도 오고 콜린 파월 국무장관도 왔는데, 처음 예정은 부시 대통령과 단독 회담을 45분 동안 하고 나머지 45분은 각료들과 확대 회담을 하기로 했는데 결론적으로 부시 대통령과 얘기가 잘 됐습니다. 부시 대통령이 신이 나서 대화에 흥미를 가지고 나섰어요. 그래서 각료들과 하는

회담을 취소하고 나하고 둘이 단독으로 하는 회담을 45분 더 연장에서 1시간 30분 동안 했어요. 그 이상 연장 안 한 것은 기자회견 시간이 예정되어 있기 때문에 그렇게 했어요. 처음에 부시 대통령은 자기가 '악의 축'을 발표하게 된 이유를 설명했습니다. 그리고 북한의 인권에 대해서 얘기하면서 "김정일이 국민을 굶겨 죽이면서 군사력만 의존해서 팽창주의를 하려고 한다. 아주 나쁜 독재자다. 용납할 수 없다. 이런 악한 독재자에 대해서 응징을 해야 한다. 그래서 '악의 축'이라고 선언했다"는 설명을 했어요. 또 북한과 같은 그런 악한 자와는 대화할 수 없고 북한이 대량살상무기 같은 것을 포기하고 태도를 바꾸지 않으면 무엇도 줄 수 없다면서 응징의 의사를 표시했어요.

치노이 그런 말씀을 듣고 대통령님께서는 어떤 대답을 하셨는지요?

김대중 "첫째, 대화는 필요하면 악마하고도 하는 것 아니냐. 대화는 친구 사귀는 것이 아니다. 이해관계 가지고 주고받는 것이다. 당신네가 그렇게 말하지만 6·25전쟁 때 아이젠하워는 전쟁 중에 공산 침략군과 대화하지 않았느냐. 또 레이건은 소련을 '악마의 제국'이라고 해 놓고 대화하지 않았느냐. 닉슨은 중국까지 찾아가서 마오쩌둥을 만나지 않았느냐. 그런데 왜 북한하고만 대화를 못 한다는 거냐. 대화를 못 하면 전쟁밖에 없는데 전쟁해서 되느냐. 만일 대화를 안 하고 북한이 굴복을 안 한 이상 전쟁할 수밖에 없는데 만약 전쟁을 한다면 전쟁 하루 만에 서울 주변에서만 150만 명이 사망한다고 유엔군 사령관에서 조사를 한 바 있다. 그중에는 수만 명의 미군도 포함되어 있다. 우리가 그런 전쟁을 해야 되겠느냐. 또 꼭 전쟁이 필요하다 하더라도 우리가 대화로서 할 수 있는 일을 다 해 보고 전쟁을 해야지 대화로 해결할 수 있는 일을 안 하고 전쟁을 할 수 없는 것 아니냐. 북한은 미국보고 대화하자, 대화해서 우리의 정당한 요구를 받아들이면 우리도 미국 요구를 듣겠다고 하는데도 대화를 한번 해 보지 안 한다고 하느냐"고 얘기했습니다.

치노이 부시 대통령이 한국을 방문했을 때 도라산역을 방문한 적이 있는데 도라산역을 방문하기 전날에 부시 대통령께서 대통령님을 예방하여 15분 정도 만난 적이 있는데 그때 예방을 하러 왔을 때 같이 왔던 미국 관리가 한국 정부 측 관리에게 다음 날 도라산역에서 부시 대통령이 할 연설문의 카피를 전달을 해 주었는데 그 내용 중에 '악(evil)'이라는 단어가 들어 있었다고 합니다. 그래서 한국 정부에서는 걱정이 돼서 그다음 날 도라산역에 직접 가시기 전에 부시 대통령과 대통령님께서 회담을 가지셨을 때 예정 시간보다 미팅 시간이 길어졌다는 얘기를 제가 들었습니다. 그래서 그 미팅이 30분 정도 더 길어졌던 것이 대통령님과 부시 대통령 사이에서 그런 연설문, 즉 도라산역에서 하실 연설문에 '악(evil)'이란 단어가 나올 것에 대한 우려감 때문에 뭔가 좀 얘기를 하느라 길어졌던 것인지, 아니면 반대로 고위급 각료들이 따로 만나 회담에서 자기들이 부시 대통령이 이러한 '악의 축'이란 것을 또다시 언급할까 봐 걱정이 돼서 논의를 하느라고 미팅이 길어진 것인지 그런 것에 대해서 말씀을 해 주십시오.

김대중 그런 것은 아니에요. 도라산역 간다고 할 때는 부시하고 나하고 대화가 잘돼서 아주 좋은 기분으로 갔어요. 그리고 부시는 나하고 대화를 통해서 완전히 납득을 했어요. 내가 계속 노력했어요. 그래서 부시는 내가 한 말에 차츰 빨려 들어오기 시작했어요. 그래서 긍정적으로 공감하더라고요. 솔직한 사람이기 때문에 납득이 가니까 확 풀어지더라고요. 그래서 내가 이 얘기를 했어요. 우리가 북한 문제를 다루는 데 있어서 공산당을 다루는 역사를 한번 돌아보자, 그 얘기부터 시작했어요. "당신네가 소련과 동유럽을 50년 동안 공산주의에 대해서 인권 문제 등으로 비난을 하면서 봉쇄 정책을 했지만 아무것도 변화시키지 못하지 않았느냐. 그런데 당신들이 그 정책을 바꿔서 데탕트 정책을 펴고 유럽안보협력 정책, 그러니까 헬싱키조약을 통해서 소련이나 동유럽 나라들에 대해서 국경도 보장하고 경제 거래도 하고 문화 교류하고 인적 교류를 하고 모두 합의해서 데탕트로 들어가니까 화해 정책으로 들어가니까 바뀌겠다. 그런데 왜 바뀌지느냐. 서방 사람들이 소련 안으로 들어가고 소련 사람들도 바깥세상으로 나가고 하니까 소련 사람들에게 정보가 어느 정도 흘러들어서 세상이 다르다. 우리가 낙원에서 사는 줄 알았더니 아니다. 서방 사람들은 우리를 매일 공격하려고 하는 줄 알았더니 그런 것이 아니다. 그리고 우리가 잘산다고 했는데 이렇게 비참하게 못산다. 심지어 동유럽보다도 못산다. 이게 말이 되느냐. 이런 불만이 일어났다. 그래서 이러한 불만을 무마하기 위해서 고르바초프 대통령이 무마하기 개혁 개방 정책을 했는데 그 개혁 개방 정책이 국민을 한 번 풀어 놓기 시작하니까 국민의 힘이 올라가서 결국 민주화까지 된 거다"고 이야기했습니다.

치노이 조금 전 도라산역에서 부시 대통령이 한 연설문에 대해서 여쭤보았는데 그것에 대해서 한 가지만 더 여쭤보겠습니다. 백악관의 연설문을 담당하는 사람이 어떻게 하다 보니까 부시 대통령이 다시 한번 '악의 축', '악'이라는 말이 들어갈 연설을 할 것이라는 그런 정보가 새어 나와서 한·미 양측 정부 간의 조율이 계속 있었던 것으로 제가 들었습니다. 그것이 부시 대통령이 한국을 방문했을 때 그러한 일이 일어났다고 들었었고 특히 도라산역을 방문하기 전날 그러한 일이 있었다고 하는데 그것이 사실인지요?

침목이 빨리 북쪽하고 연결되기를 바란다

김대중 나는 그건 잘 모르겠습니다. 다만 부시 대통령은 처음에는 도라산역을 방문할 계획이 없었는데 나하고의 회담이 잘돼서 그래서 기분이 좋아서 우리 측에서 권하니까 가게 된 것입니다. 도라산역에 가서도 아주 유쾌한 태도를 표시하고 철도 침목에 "침목이 빨리 북쪽하고 연결되기를 바란다"는 의미의 사인도 했습니다. 그러고 나서 만찬장에서도 부시 대통령과 나하고 유쾌한 대담을 했고 둘이 서로 친해졌어요. 낮에 부시 대통령은 기자회견 할 때 "레이건은 소련을 '악마의 제국'이라 했지만 대화했다"고 내가 한 말을 자기 말로 썼거든요. 그것에 대해서 부시 대통령은 "내가 당신 말을 한 번 이용했다"고 농담까지 하면서 회담은 아주 성공적으로 합의가 됐습니다.

내가 부시 대통령에게 "소련과 동유럽뿐 아니다. 중국은 당신네가 한국전쟁 개입했다고 해서 전쟁 범죄자라고 몰았는데 결국에서는 아무 변화 못 시키지 않느냐. 결국 닉슨이 중국을 방문해서 마오쩌둥을 만났다. 만나서 중국의 안전을 보장하고 국교 정상화를 하니까 중국에서 덩샤오핑이 등장하고 그래서 개혁 개방을 하고 그래서 지금 우리가 안심하고 중국에 가서 투자하는 나라가 됐다. 베트남하고는 전쟁을 했다. 그러나 베트남하고 전쟁하고 무역하니까 좋은 관계가 되었다. 반면에 당신들이 쿠바에 대해서는 50년 동안 봉쇄했지만 조그마한 점과 같은 섬을 그것 하나를 지금도 못 바꾸고 있지 않냐. 그러니까 우리가 얘기하고자 하는 것은 공산주의에 대한 교훈은 개혁 개방으로 유도하면 변화하고 약화되지만 봉쇄하면 더욱 강해진다." 이렇게 얘기했습니다.

치노이 북한에서 우라늄을 개발하기 위해서 관련 부품들을 대규모로 사들이고 있다는 첩보가 나왔는데, 미국에서 그러한 첩보를 입수했던 때가 2002년 여름쯤이라고 합니다. 그런 소식을 대통령님께서 처음 들으셨을 때는 언제이고 그런 것을 들으셨을 때 이것이 사실이다, 아니다, 어떻게 느끼셨는지요?

김대중 내 기억이 그 점에서는 정확하지 않은데 내가 그것을 안 것은 제임스 켈리 차관보가 북한을 가서 "북한이 농축우라늄이 있다고 시인을 했다." 그렇게 말하고 또 북한은 "그렇게 말한 것은 아니고 우리도 우라늄이건 뭐건 가질 권리가 있다는 말을 했다"는 말이 나왔을 때 알게 됐는데 당시 정부 사람들에게 물어봐도 북한이 우라늄을 가지고 있는지, 안 가지고 있는지 모르겠다고 했어요.

치노이 그러면 강석주 부상이 그러한 고농축우라늄 프로그램을 가지고 있다는 말을 했다고 하는데 그러한 강석주 부상이 참여했던 미팅록을 미국 사람들이 대통령님께 공개를 했는지요?

김대중 아니요.

치노이 그러면 북한이 그러한 고농축우라늄 프로그램을 가지고 있다고 시인을 했든, 그게 아니면 우리는 뭐가 되든지 가질 권리가 있다고 시인을 했든 그렇게 얘기를 함으로써 미국의 강경파들이 힘을 얻어 가지고 제네바합의를 폐기해야 한다고 주장을 했고 결과적으로 한반도에너지개발기구(KEDO)가 중유 선적을 그만두어야 한다고 얘기까지 하기에 이르렀는데 그것에 대해서 어떻게 생각하십니까?

김대중 그렇게 해서 미국이 얻은 게 없었죠. 미국이 북한에 주는 중유의 수송을 중단하고 했는데 북한이 핵확산금지조약(NPT) 탈퇴하고 국제원자력기구(IAEA) 요원도 추방하고 그러니까 북한에서 핵무기가 어떻게 돌아가는지 전혀 모르게 됐죠. 그리고 북한이 제네바협정 맺은 것 폐기하고 장거리미사일 발사하고 마침내 핵실험까지 하게 된 겁니다. 그래서 결국에서는 미국이 2002년 1월 '악의 축'이라고 얘기한 이후로 계속 사태는 악화만 됐는데 그것도 미국 쪽에 불리한 쪽으로 악화가 됐습니다. 그러니까 결국 올해 2·13합의 될 때까지 그렇게 일이 잘못된 거죠.

치노이 그러면 그때 한반도에너지개발기구(KEDO)가 더 이상 중유를 선적하면 안 된다고 미국 쪽에서 주장을 했었는데 중유를 선적하지 말라고 얼마나 강하게 한국 정부에 주장을 하고 압력을 했는지요?

김대중 중유는 미국이 주기로 했다가 안 준다고 미국이 취소한 겁니다. 우리가 준 것이 아니죠.

치노이 물론 중유를 공급하는 쪽은 미국이 맞습니다만 한반도에너지개발기구(KEDO) 안에 포함된 대표 위원들 중에는 한국 위원도 있고 일본 위원도 있었습니다. 그래서 그해 12월에 한반도에너지개발기구(KEDO) 회의를 통해서 참가자들이 모인 상태에서 미국이 우리 이제 못 주겠다, 중단하자 이렇게 얘기를 했을 때 당시 참여하고 있었던 한국 대표나 일본 대표는 그것에 대해서 굉장히 부담을 느끼고 불편한 조치라고 생각을 했었는데, 그런 측면에서 그걸 합의하는 데 있어서 한국은 얼마나 불편했습니까?

김대중 우리는 그런 식으로 해 가지고는 문제가 해결 안 된다고 생각했어요. 그래서 아까 말한 대로 북한과 미국이 대화를 통해서 줄 것 주고, 받을 것 받는 일괄 타결해야 한다, 그래야지 이렇게 압박한다고 해서 해결되는 것이 아니다, 그렇게 얘기하고 당시에도 잘못된 일이라고 설명도 하고 좀 저항도 했지만 미국 태도가 워낙 완강하고 미국에서 그 문제의 키를 쥐고 있었기 때문에 할 수 없이 포기했습니다.

치노이 김정일 위원장을 만났을 때 개인적으로 받았던 인상은 어떠했는지, 이 사람은 어떤 사람이다 하는 느낌은 어떤 거였는지, 그리고 만나셨을 때 김정일 위원장이 가지고 있었던 전략, 그해뿐만 아니라 그 이후로도 가져갔던 전략이 무엇이라고 생각을 하셨는지요?

북한을 이끌어 갈 자질을 갖고 있다

김대중 김정일 위원장은 만나 보면 상당히 총명한 사람이에요. 그리고 또 남의 말을 잘 들어요. 그리고 또 그 말이 옳으면 따라가고. 그 자리에서 결정해요. 누구하고 상의도 안 하고. 그리고 세계 정세에 대해서 잘 알고 특히 남한 정세에 대해서 잘 알고 있어요. 그때 회의를 해 보니까 누구하고도 상의하지 않고 혼자서 다 결정했어요. 옆자리에 다른 사람이 앉아 있었지만 혼자서 다 결정해요. 그러니까 완전한 독재체제, 그런데 내가 볼 때 김정일 위원장은 북한 사회를 이끌어 갈 만한 자질을 갖고 있다고 생각해요. 그런데 이 점에 대해서는 나중에 김정일 위원장을 만나 본 올브라이트 장관이나 스웨덴이 페르손 총리, 일본의 고이즈미 총리 등 모두 같은 인상을 받았다고 얘기했습니다. 그러나 김정일 위원장은 답방하기로 나하고 약속해 놓고 지키지 않을 뿐 아니라 왜 지키지 못한다거나 혹은 약속을 지키지 못해서 미안하다는 말을 안 하는 점에 있어서는 상대했던 사람으로서 진실성이 부족하다고 생각합니다. 나는 그 점에 대해서는 상당히 화가 나 있었습니다. 그리고 김정일 위원장은 국내적으로는 잦은 국민 접촉, 스킨십, 이런 걸 통해서 한 달의 절반 이상을 돌아다니면서, 국민들한테 자기 이미지를 심는 것 같고 그래서 민심을 자극하는 그런 것이 하나의 정권 유지의 비밀이라는 생각이 듭니다.

둘째 그는 당과 정부와 군을 완전히 장악하고 있습니다. 그리고 지금 당과 군의 유력한 지도자들은 김정일 위원장이 아버지 밑에서 후계자 수업을 받았을 때부터 키운 사람들입니다. 전부 김정일 위원장의 사람들로서 김정일 위원장이 북한 정권을 완전히 장악하고 있습니다. 그리고 그중에서도 정권 유지하는 데 제일 중요한 것, 독재를 유지하는 데 가장 중요한 것은 군대라는 것입니다. 그래서 선군 정치를 통해서 군에 모든 우선권을 주는 그런 정책을 통해서 군을 이끌고 가고 있지 않나 생각합니다. 그리고 정권을 유지하는 비결로서 겉으로는 미국을 가장 중시합니다. 미국과의 관계 개선만이 살길이라고 생각하고 있습니다.

그런데 그 관계 개선하는 데 미국의 정책이 두 가지로 나누어져 있습니다. 하나는 미국이 우리의 생존을 보장하고 국제사회로의 진출을 도와주면 북한은 핵도 포기하고 미사일도 포기하고 대량살상무기 등 모든 것을 포기할 수 있다고 하고 있습니다. 그러나 미국이 그렇게 하지 않고 네거티브하게 나오면서 대화도 안 하겠다, 북한이 먼저 포기해라, 그러면 그때 북한은 "좋다! 너 죽고 나 죽자." 이렇게 나옵니다. 우리 한국 사람의 싸움의 비결 중 마지막은 "너 죽고 나 죽자"는 것이거든요. 북한은 그런 식으로 해서 국민을 결속시킵니다. "우리가 여기까지 했는데 미국이 우리를 죽이려고 한다. 죽자." 이런 식으로 하는 거죠. 이런 상황이 중국이나, 한국, 러시아, 일본, 미국 등에서 북한이 주장한 내용이 일리가 있지 않으냐. 미국이 너무 무리하게 하지 않느냐는 생각들이 일어나거든요. 그래서 미국의 정책이 흐트러지는 거죠. 그런 식으로 해서 지금 북한이 성공하고 있습니다.

치노이 북한이 핵을 다 포기하고 봉인한다고 하면 미국은 북한을 포용하고 관계를 정상화해야 할까요? 이미 8-10개 정도의 폭탄을 만들 수 있다고 하는데 지금 와서 포기한다고 해서 미국이 북한을 포용하고 관계 정상화한다고 하면 너무 늦은 것 아닐까요?

김대중 8-10개의 폭탄을 만들 수 있다고 하지만 미국은 수천 개를 가지고 있는데 그에 비하면 어린애 장난감 아니겠습니까? 지금 북한의 경제는 최악입니다. 국민을 먹여 살릴 수 없고 의료 혜택을 줄 수도 없습니다. 핵무기로는 밥을 먹일 수 없습니다. 그러다 망하게 됩니다. 그러면 백성들이 탈출하게 되고 봉기가 일어나게 됩니다. 지금도 탈출하고 있습니다만. 만약 핵을 완전히 포기했는데 미국이 안전 보장도 해 주지 않고 경제 제재도 해제해 주지 않고 북한의 최고 목표인 관계 정상화도 안 해 주면 북한은 살길이 없습니다. 미국이 한 번 기회를 줬으면 합니다. 북한에게 한 번이라도 기회를 줘 보고, 만약 약속을 안 지키면 그때 가서 중국, 한국과 함께 제재하면 손들 수밖에 없을 겁니다. 중국 역시 북한의 핵 보유는 반대합니다. 이는 중국 지도자들과 직접 한 얘기이니 확실합니다. 왜냐하면 북한이 핵을 갖는다고 하면 일본과 대만도 핵을 가지려 할 것이기 때문인데, 이는 절대 용납할 수 없는 악몽과 같은 것이기 때문입니다. 미국은 이제 바른길로 들어섰으니 흔들림 없이 가야 합니다. 방코델타아시아(BDA) 이슈 해결에서 보여 준 것 같이 인내심을 가지고 가면 북한도 감동하여 협력할 것입니다. 한번 해 보자고요. 해 보지도 않고 안 된다 말만 말고 말입니다.

치노이 예상보다 인터뷰가 더 길어졌습니다. 매우 흥미로운 사실들, 중요한 자료들을 많이 배울 수 있어서 감사드립니다.

김대중 만족하셨다니 저도 기쁩니다. 좋은 책 내시기를 바랍니다.

치노이 책이 나오면 보내 드리겠습니다. 제 아들도 오늘 1시간 동안 컬럼비아대학에서 배울 수 있는 것보다 더 많은 것을 배울 수 있었습니다. 감사합니다.

* 이 글은 시엔엔(CNN) 기자 마이크 치노이(Mike Chinoy)가 북핵 문제 관련 저서인 『멜트다운』 (Meltdown: The Inside Story of the North Korean Nuclear Crisis) 집필을 위해 2007년 6월 28일 오후 4시부터 동교동 사저에서 인터뷰한 것이다.

행동하는 양심 앞에 부끄러움 없어

대담 손숙

일시 2007년 8월 21일

김대중 전 대통령은 긴 설명이 필요 없는 분이시지요. 파란만장한 삶을 살아오신 분이십니다.

일생 동안 다섯 번 죽을 고비를 넘겼습니다. 사형 선고도 받았습니다. 6년의 옥살이까지 하셨습니다. 10년 동안의 망명과 연금 생활을 강요당해야 했습니다. 하지만 결국 대통령의 자리에까지 오르셨지요.

재임 기간 동안 김정일 북한 국방위원장의 초대로 평양을 방문해서 6·15 남북공동선언을 이끌어 내셨습니다. 50여 년 동안 지속되어 온 한반도 냉전을 남북 화해와 평화의 기틀로 바꾸는 데 온 힘을 바쳐 온 공로로 노벨평화상까지 수상했습니다.

비록 남북정상회담이 10월로 연기됐지만 이를 바라보는 전직 대통령으로서의 감회, 자식을 키우면서 아파했던 순간들, 고향 그리고 부모님에 대한 추억 등 인간적인 김대중 전 대통령의 모습들을 8월 21일 기독교방송(CBS) 「손숙의 아주 특별한 인터뷰」에서 만나 보았습니다. 이 인터뷰는 동교동 김대중 전 대통령의 사저에서 이루어졌습니다.

손숙 건강은 어떠세요?

김대중 신장이 좋지 않아서 투석 치료를 받고 있는데, 그걸 빼면 의사들이 다 좋다고 합니다.

손숙 특별히 하시는 운동이 있으신가요?

김대중 운동은 다리도 불편하고 해서 별로 못 하고 맨손체조를 주로 합니다. 건강을 위해서 제일 좋은 것은 유쾌하게 사는 것, 웃고 사는 것이 좋은 거니까 집사람하고 그런 생활을 하려고 노력하고 있어요.

손숙 아침에 보통 몇 시에 일어나세요?

김대중 아침 7시에 일어나서 제일 먼저 하는 건 신문 보는 겁니다. 그리고 라디오도 듣는데 텔레비전 옆에 갖다 놓고 듣고 있어요. 기독교방송(CBS)도 자주 들어요. 내가 볼 때는 우리나라 방송이 텔레비전이든 라디오든 뉴스가 좀 부족해요. 그리고 세계화 시대인데 우리나라 뉴스에서 아프리카나 중남미, 유럽의 뉴스가 정말 없잖아요. 이 세계화 시대에 세계인을 만들어 가야 하는데, 그런 점에서 방송이 좀 더 적극적으로 해 줬으면 좋겠어요.

섬마을 소년, 눈감으면 고향 생각 선명해

손숙 고향이 전남 신안군 하의도인데, 언제 다녀오신 적이 있으세요?

김대중 다녀온 지 10년 되었어요. 고향에 가도 옛날 사람들이 대부분 세상을 떠났고, 많은 사람들이 도시로 나와서 사실 섬이 비어 있다시피 해요.

손숙 그곳에서 몇 살까지 사셨어요?

김대중 열두세 살까지 살았어요.

손숙 초등학교를 하의도에서 다니셨나요?

김대중 하의도에 있는 초등학교가 4년제라서 그곳에서 4학년까지 다녔어요. 그리고 목포로 전학을 갔죠. 내가 어렸을 때는 초등학교조차 없어서 서당에 다녔어요. 유명한 한문 선생한테 한문을 배웠는데 내가 공부를 잘했어요. 서당에서 장원을 했는데 장원서를 써 줘서 그걸 가지고 집에 왔더니 부모님이 굉장히 좋아하셨어요. 어머니가 떡, 술, 과일 등을 머슴한테 지고 당신도 이고 서당에 가서 한탕 거나하게 벌인 일이 있어요.

그런 어느 날 아버지가 동생을 초등학교에 입학시키려고 하는데 저보고도 구경 삼아 따라가라고 하셔서 초등학교를 갔어요. 밖에서 놀고 있는데 안에 들어가셨던 아버지가 나오시더니, 너는 여기서 2학년이 된다고 하니 2학년으로 들어가라고 하셔서 들어갔어요. 그때 2학년으로 안 들어갔으면 오늘날의 내가 없는 거죠. 아마도 시골에서 구의원쯤 하면서 군수 혼내고 있을 거예요. 그래서 사람의 운명이라는 것이 우연이라는 것이 참 많아요.

그러던 어느 날 누워 있는데 부모님이 말씀하시더라고요. 어머니는 얘가 공부를 잘하는데 이대로 썩히기에는 아까우니 목포로 나가서 밥장사라도 해서 아이를 가르치자고 제안을 하세요. 아버지가 농사를 지으셨는데 좋다고 그렇게 해 보자고 해서 시골로서는 상당히 많은 재산을 팔고 목포에서 '영신여관' 이라는 여관을 했어요. 그래서 목포북교초등학교에 4학년으로 편입해서 졸업하고 목포상업학교를 갔어요.

손숙 교육열이 대단하셨던 것 같아요.

김대중 1937년 그 무렵인데 그 시대 하의도 같은 벽촌에서 그런 생각을 가졌다는 것이 참 기가 막힌 일이에요. 또 그런 부모를 안 만났으면 오늘의 내가 없는 거죠.

손숙 하의도에서 초등학교를 다니실 때 어떤 학생이셨어요?

김대중 모범생이었어요. 공부도 잘했고, 선생님들이 아주 좋아했어요. 일본인 선생 한 명, 한국인 선생 한 명이 있었는데 일본인 선생이 교장이었어요.

손숙 형제는 어떻게 되세요?

김대중 6남매인데 내가 둘째예요. 목포에 갈 때는 밑에 동생들은 놔두고 갔죠.

손숙 가끔 하의도의 고향 풍경이 눈에 그려지시나요?

김대중 환히 그려지죠. 사람의 기억이 중년 이후는 잊어버리는데 옛날 어렸을 적 기억이 선명하게 되살아나요. 논에서 뛰어놀던 것, 갯가에서 낙지 잡아서 먹던 것까지. 낙지 잡아서 먹을 때 기술이 필요해요. 알다시피 산 낙지가 들러붙잖아요. 콧구멍으로 잘못 들어가면 사람이 죽을 수도 있어요. 그래서 낙지를 잡으면 머리를 꽉 쥐고 자꾸 다리를 훑어서 힘을 빼야 해요. 다리를 꽉 쥔 채로 머리부터 씹어야 돼요. 그 기술이 필요해요. 갯벌에 가서 낙지 구멍에 손을 넣고 잡아내서 먹곤 했어요.

손숙 지금도 산 낙지를 가끔 드세요?

김대중 지난번에 목포에 갔을 때 먹었어요. 요새는 기술이 발달해서 꼬챙이에 끼워서 주데요.

어머니께 고생한 모습만 보여드려…… 가슴이 아파

손숙 부모님은 어떤 분이셨어요?

김대중 아버지는 도시에서, 지금 태어났으면 굉장한 예술인이 되셨을 거예요. 국악을 참 잘하셨고 춤도 잘 추셨어요. 말하자면 한량이죠. 우리 집이 마을에서 처음으로 축음기를 사 왔어요. 임방울의 노래 등을 축음기로 돌리면 동네 사람들이 와서 듣는 거예요. 다른 곳은 없으니까. 사람들이 듣고는 어떻게 저 조그만 통 안에 사람이 들어가서 노래를 부르느냐고 아주 신기하게 생각했어요. 그리고 어머니는 현실적이고 경제에 대해서 아주 관심이 많고 특히 자식들에 대한 사랑, 교육열이 강했어요. 집안 살림을 어머니가 꾸려가다시피 했어요.

손숙 어머님을 생각하면 마음이 아프거나 죄송했던 일이 있으신가요?

김대중 죄송했다기보다 어머님에게 존경심을 갖게 된 것은 내가 아마 네다섯 살 때였을 거예요. 마을 논밭에 놀러 나갔는데 엿장수 아저씨가 엿통을 땅에 놓고 술에 취해서 잠을 자더라고요. 그때는 시골에서 엿장수들이 엿만 파는 것이 아니라 여러 가지 화장품 등을 방물장수처럼 팔러 다녔어요. 그런데 엿장수가 잠을 자니까 동네 아이들이 물건을 하나씩 집었어요. 훔친 거죠. 나도 담뱃대 하나를 가지고 집에 왔는데 그때는 나쁜 줄 모르고 가져왔단 말이죠.

그걸 가지고 어머니한테 드리면서 큰 효도나 하는 것처럼 아버지 드리라고 하니까 어머니가 너, 이거 어디서 났냐? 하시기에 저기 엿장수가 있는데 애들이 하나씩 가져갔다고 그랬어요. 어머니가 이리 가까이 오래요. 그러고는 덜미를 잡으시더니 이 어린놈의 새끼가, 뒤통수에 피도 안 마른 놈이 도둑질부터 배운다고 막 때리시더라고요. 그리고 엿장수 있는 곳에 끌려갔어요. 어머니가 엿장수를 깨우더니 당신이 돈이 얼마나 많아서 이따위로 장사를 하느냐고 담뱃대를 던져 주면서 야단을 치세요. 그때 비로소 나쁜 짓인 줄 알았어요. 그런 점이 잊히지 않죠. 그리고 아까 말했듯이 목포로 나오는데 어머니가 그렇게 주장하지 않으셨으면 목포에 나올 수가 없었고 오늘의 내가 없었어요.

손숙 언제 어머님이 돌아가셨어요?

김대중 1971년도에 대통령 선거를 하고 돌아가셨어요.

손숙 낙선하신 것을 보시고 돌아가셨어요?

김대중 보시고 돌아가셨어요. 그러니까 부모에게 좋은 모습을 보여드리지 못했죠. 감옥에 끌려다니고 고생한 것만 보여드려서 가슴이 아파요.

손숙 혹시 낙선하시고 나서 어머님이 뭐라고 말씀하시던가요?

김대중 아무 말씀도 안 하시데요. 대통령 선거할 때는 굉장히 관심을 갖고 보셨는데 떨어지고 나니까 너무 낙심해서 아무 말씀도 안 하세요. 그런데 그때 엄청난 국민 지지가 일어났었어요. 그래서 모두 되는 줄 알았어요. 내가 전체 46퍼센트를 얻었었거든요.

돈 잃고, 낙선하고…… 그래도 내 꿈은 정치가

손숙 초등학교 때 꿈이 뭐였어요?

김대중 어렸을 때부터 정치가가 되고 싶었어요. 그래서 신문도 일제강점기 신문이지만 1면의 정치면을 많이 읽었어요. 초등학교 때부터 그런 거니까 좀 특별했죠.

손숙 나중에 사업도 하셨어요.

김대중 사업을 하기는 했지만 거기에 마음을 못 붙였어요.

손숙 돈도 좀 버셨다고 들었어요.

김대중 많이 벌었어요. 나중에 정치하면서 국회의원 네 번을 떨어지면서 완전히 알거지가 됐어요. 옛날 국회의원 선거는 지금과는 달라서, 밥을 몇백 명씩 먹여야 하고 돈 줘야 하고 하니까 못 견뎌요.

손숙 돈도 잃고 낙선하고, 그 순간 정치를 그만두어야겠다는 생각은 안 하셨어요?

김대중 절대 안 했어요. 대신 굉장히 고통스러운 생활을 얼마 동안 해야 했어요. 그래서 전처도 많은 고생을 하고 지금의 집사람도 시집와서 정말 고생 많이 했어요. 내 뒷바라지하느라고…….

손숙 생활비를 다달이 가져다주거나, 이런 일도 안 해 보셨어요?

김대중 어쩌다 생기면 주지만 누가 주는 사람이 있어야지요. 그때 야당에 얼마나 압박을 해 오던지 어디 가서 손 하나 벌릴 수도 없고 장사 하나 할 수도 없었어요. 그러면서 유혹이 많이 있었지만 그걸 뿌리치고 하지 않았어요. 아내가 뒷받침해 주지 않았다면 어려웠을 거예요. 집사람이 이대 나가서 강의하거나 기독교여자청년회(YWCA) 전국연합회 총무 하면서 받은 월급으로 먹고살 때도 있었어요.

평생을 손에서 놓지 않은 책, 정신적 자양이 돼

손숙 평생에 걸쳐서 가장 열심히 하신 취미 생활 중 하나가 독서이신데, 1993년도에 한국애서가클럽에서 주는 '제3회 애서가상'을 받으셨어요. 지금까지 책을 몇 권이나 읽으셨어요?

김대중 나는 책을 빨리 못 읽어서 생각보다 많이는 못 읽었어요. 그러나 일생을 손에서 책을 놓지 않고 산 것은 사실이에요. 책을 읽을 때 정독을 해요. 줄도 긋고.

손숙 어느 인터뷰에서 "책을 읽고 싶어서 다시 감옥에 갈 생각을 할 정도"라고 하셨어요.

김대중 감옥에서 책을 읽을 때 어떤 때는 진리를 배울 때가 있어요. 무릎을 치면서 내가 여기를 오지 않았다면 진리를 모르고 죽었을 텐데 하고요. 지금 지식의 상당 부분은 감옥에서 배운 거예요. 그런데 감옥에서 책에 대한 불만이 뭐였는가 하면 내가 읽고 싶은 책은 마음대로 못 들여와요. 책 권수도 제한이 있고, 조금이라도 정치색이 나오면 안 되고. 나와서 보니까 좋은 책이 자꾸 나오더라고요. 사람들을 자꾸 만나면 입이 있으니까, 제대로 못 읽고 하니까 차라리 감옥에 다시 들어갔으면 하는 생각이 정말로 들더라고요. 바깥 생활에 익숙해지니까 그런 생각도 자연히 없어졌지만 한때는 그랬어요.

손숙 최근에 읽은 책 가운데 기억에 남는 책이 있으신가요?

김대중 요즘에는 책을 많이 못 읽었어요. 앨빈 토플러의 『부의 미래』를 읽고 있고 조정래 씨가 쓴 소설 『오, 하느님』을 아주 감동적으로 읽었어요.

손숙 지금까지 읽으셨던 책 중에서 추천해 주시고 싶은 책이 있다면요?

김대중 토인비의 『역사의 연구』라고 12권짜리가 있어요. 아주 방대한데 감옥에서 다 읽었어요. 역사철학이라서 상당히 어려워요. 어떤 대목은 읽어도 뭔지 의미를 모르고 넘어간 것도 있거든요. 하여튼 다 읽고 많은 걸 배워서 내가 갖게 된 세계관, 역사에 대한 철학이 형성되었어요. 그리고 박경리 씨의 『토지』를 다 읽었는데 그걸 통해서 우리 민족, 조상들의 많은 것을 느끼고 배우게 되었어요.

손숙 예전에 제가 했던 「카뮈」의 공연에도 오셔서 끝나고 카뮈와 사르트르에 대해서 얘기하시던 기억이 있어요. 문학 서적도 많이 읽으세요?

김대중 문학 서적을 굉장히 많이 읽었어요. 러시아 문학은 푸시킨이나 도스토옙스키, 톨스토이 등 거의 다 읽었어요. 그리고 미국의 헤밍웨이 책도 읽고 『노인과 바다』, 『무기여 잘 있거라』 등이 있잖아요. 영국, 프랑스 소설도 많이 읽었죠. 그것이 내 정신적 자양에 크게 도움이 된 것 같아요.

손숙 초등학교 때부터 책을 읽으셨어요?

김대중 그때는 지금 초등학생들처럼 읽을 만한 만화라든지 그런 것이 별로 없었어요. 있어도 일본 거였고. 아무튼 초등학교 때부터 읽는 것을 좋아했어요. 특히 신문 읽는 걸 좋아했죠.

사랑이라는 말보다, 농담 주고받으며 많이 웃어

손숙 취미 생활 중에서 북도 좀 치시고 소리도 하시나요?

김대중 소리는 못하는데 흥얼거리는 정도는 하죠. 그리고 북, 장구는 흉내는 내요. 정식으로 배운 것은 아닌데 사업할 때 밑에 있는 직원이 북을 배워서 가르쳐 주더라고요. 젊을 때 예술 분야에 관심이 많았고 흥이 있었어요.

손숙 영화도 많이 보셨어요?

김대중 그렇게 많이 본 것은 아니지만 조금씩 봤어요.

손숙 좋아하는 배우가 있으신가요?

김대중 잉그리드 버그만을 좋아했어요. 남자 배우로는 험프리 보가트를 좋아했고요.

손숙 첫사랑에 대해서 이야기해 주세요.

김대중 초등학교 5, 6학년 중에서 우등생들은 체육대회가 있으면 교장 선생님한테 상품을 전달해 주는 역할을 했었어요. 내가 6학년인데 5학년인 여학생 하나가 옆에 앉는데 아주 예쁘장하더라고요. 말하자면 첫눈에 반했어요. 그리고 졸업하고 나는 목포상업학교 가고 그 친구는 목포여자학교에 들어갔는데 상업학교하고 여학교가 방향이 정반대예요. 그럼에도 내가 그 여학생 얼굴 한 번 보려고 길을 바꿔 가면서 아침에 다니곤 했는데 4, 5년 동안을 했어요. 나 혼자 그렇게 좋아한 거니까 말 한마디 걸어 보지도 못하고 짝사랑만 했는데 졸업 후에 만났어요. 한 두세 번 만나고 나서는 자연히 멀어졌어요. 나중에 학교 왕래하면서 부딪치면서 좋아한다는 건 알게 되었어요. 나도 굉장히 생겼었거든요. 여학생들에게 인기도 있었어요. 그 이후에도 소식은 계속 들어 알고 있는데 잘 살고 있다는 얘기를 들었습니다.

손숙 이희호 여사님과는 어떻게 만나게 되셨어요?

김대중 6·25전쟁 때 부산에 가서 사업을 하는데 집사람이 면학회라는 단체의 회원으로 있었어요. 강영훈 전 국무총리 등이 그 모임에 있었고요. 내가 거기에 가입은 안 했지만 그분들과 가까이 지냈어요. 그러면서 집사람을 알게 됐죠. 그래서 친구로 지내다가 집사람이 미국에서 유학할 때 전처가 죽었어요. 집사람이 미국에서 공부 끝나고 돌아와서 만나게 되었는데 서로 가까워져서 결혼하게 된 거죠.

손숙 당시에 두 아드님과 함께 사셨을 때라서 초혼이셨던 이희호 여사님과 결혼하실 때 주변의 반대는 없었어요?

김대중 집사람 집안 쪽에서는 반대한 것으로 알고 있어요. 그런데 이희호 여사가 관대한 생각으로 나를 거둬 준 거죠.(웃음)

손숙 두 분이 애정 표현을 자주 하시나요?

김대중 둘 다 인색하게 해요. 요즘 젊은 사람들처럼 못 하고. 사랑한다는 말은 하지만 빈번하게는 안 하고 우리는 둘이 농담을 많이 해요. 그래서 많이 웃어요. 그러면서 하루를 보내죠.

손숙 최근 「화려한 휴가」라는 영화를 관람하실 때 김대중 대통령께서 손수건으로 눈물을 닦으시더라는 기사가 나왔어요.

김대중 눈물을 조금 흘린 건 맞는데 진짜로 운 것은 미국에 있을 때, 독일에서 온 5·18민주화운동 기록 테이프를 내가 받았는데 얼마나 가슴이 떨리던지 가지고만 있고 석 달을 못 봤어요. 그러다가 미국에 있는 동포들과 함께 관람을 했는데 그때 참 많이 울었어요. 이번에는 그때처럼 울지는 않고 몇 군데 눈물이 났어요.

신군부 협력은 영원히 죽는 것, 끝내 타협 안 해

손숙 인생에서 가장 많이 울어 보신 적이 언제셨어요?

김대중 난 눈물이 많아요. 그리고 슬픈 일도 많고. 그때 사형 선고를 받아서 틀림없이 죽게 생겼는데, 미국에서 레이건과 카터의 대통령 선거가 있었어요. 카터가 현직 대통령인데 나를 살리려고 애를 썼는데 신군부가 말을 안 들어요. 카터가 대통령으로 당선이 되면 내가 살고 레이건이 당선이 되면 공화당은 민주주의에 대해서 관심이 적으니까 나는 죽는다고 생각을 했었어요. 그런데 미국 선거 날짜는 지났는데 누가 됐는지 알 수가 있어야지요. 하루는 밖에 소장 당번이 지나가면서 레이건이 됐다고 말을 하더라고요. 그래서 발 뻗고 울었어요. 하느님이 나를 버리셨다고, 이제는 죽었다고…….

실제로 나중에 주한 미국대사였던 글라이스틴 대사의 이야기를 들어 보니까, 레이건이 당선이 되니까 신군부, 특히 허 씨들, 대령급(허화평, 허삼수 등)들이 손뼉을 치면서 이제는 됐다, 김대중을 죽여도 누가 시비 걸 사람이 없다고 했다는 거예요. 그래서 대사가 미국으로 뛰어가서 레이건 당선자를 만나서 사태가 이렇다, 당신이 됐다고 이제는 김대중을 죽여도 좋다고 하니 어떻게 하면 좋겠냐고 했더니 레이건이 버럭 화를 내면서 "정권이 바뀐다고 김대중을 살려야 한다는 원칙까지 바뀐 것은 아니다. 절대 못 죽인다." 그래서 구명에 나선 거예요. 그래서 사실 전두환을 미국에 국빈으로 초대한 것은 내 구명하고 교환한 거죠. 이건 대사를 비롯해서 당시에 구명에 나섰던 분들이 직접 이야기해 준 거니까 틀림없는 사실입니다.

손숙 발 뻗고 우실 때 무슨 생각을 하셨어요?

김대중 죽는구나 했죠. 그런데 나는 죽는 문제에 대해서는 항상 각오를 하고 있었으니까 죽는 것 자체는 크게 두렵지 않은데 감방에 앉아 있으면 사형수니까 언제 불려 갈지 모르잖아요. 물 가지고 온 사람 발소리만 들어도 깜짝 놀라고, 밥 가지고 온 사람 발소리만 들어도 깜짝 놀랐죠. 그런 걸 생각하면 가슴이 죄어 올 때마다 스스로를 타일렀어요. 사람이 죽으려면 길거리 가다가도 자동차에 치여서 죽고 전염병에 걸려서도 죽는 거니까, 그래도 내가 민주주의를 위해서 싸우다 죽는 것은 보람 있는 일이 아닌가 하고 스스로를 타일렀어요.

하루는 신군부 사람이 왔어요. 나하고 면회하면서 우리하고 협력하자고 해요. "우리하고 협력하면 살려 주고 아니면 반드시 죽이겠다. 사흘 후에 올 테니 답변해라." 사흘 후에 왔더라고요. 많은 고민 후에 답변을 했어요. "나도 죽는 것은 두렵고, 죽고 싶지 않고 살고 싶다. 하지만 내가 지금 당신들과 협력하면 나는 일시적으로는 살지만 영원히 죽고, 내가 당신들과 협력 안 하면 일시적으로는 죽지만 영원히 산다고 생각한다. 그러니 날 죽이시오."

그때 대의적인 명분도 있었지만 가장 타협을 못 하겠다고 한 이유 중의 하나는 가족이더라고요. 가족이 그렇게 나를 존경하고 나 때문에 모진 고생을 하면서도 불평 한마디 없이 나를 자랑으로 생각했는데, 내가 그 사람들과 타협해서 집에 돌아가면, 사회는 내가 안 나가면 얼굴 안 보면 그만이지만 가족은 아침저녁으로 봐야 하는데 아내 얼굴을 어떻게 보고 자식들 얼굴을 어떻게 보겠어요? 할 수 없이 가족이니까 받아는 주겠지만 나를 옛날처럼 존경하겠는가, 나를 어떤 사람으로 취급하겠는가 생각하니까 가족의 명예를 위해서도 내가 죽어야겠다는 생각이 들더라고요.

손숙 나중에 부인께 그 말씀을 하셨어요?

김대중 집사람은 말을 안 하는 것이 장기니까 듣기만 했어요.(웃음) 집사람에 대해서 하나 생각난 것은 육군교도소 면회를 와요. 면회하면 사람들이 있으니까 제대로 할 말도 못 하고 하느님께 기도를 해요. 그런데 기도하는데 "하느님, 내 남편 살려 주세요." 하고 기도하는 게 아니고 "하느님, 뜻대로 하십시오." 한다고요. 살려 달라고 하면 살려 줄 수도 있을 텐데 왜 저런 식으로 기도를 하는가, 밖에 나가면 단단히 한번 해 주려고 마음을 먹었던 적도 있어요.(웃음)

인간을 용서한 '빛나는 노벨평화상'

손숙 감옥살이, 사형 선고 등 온갖 고생을 겪으시면서 가슴 치게 억울한 일들을 당하셨잖아요. 나를 그렇게 힘들게 했던 사람들이 진심으로 용서가 되세요?

김대중 용서했다고 봐야죠. 나는 원칙이 있어요. 죄는 용서하지 않지만 사람은 용서한다. 범죄적인 인권 유린이라든지 잘못된 것은 반드시 바로잡는다고 해서 내가 대통령 되면서 시작했잖아요. 내가 당선이 되고 취임도 하기 전에 김영삼 대통령과 이야기를 해서 전두환, 노태우를 석방시켜 주었어요. 그리고 사면 복권시키고 그 사람들한테 보복하지 않았어요.

나는 보복을 하려면 할 사람이 너무 많아요. 나한테 하도 억울하게 한 사람이 많아서 그거 하다 보면 아무것도 못 하겠더라고요. 이름을 대도 괜찮겠다고 생각하는데 강삼재 의원 같은 사람은 얼마나 나한테 야멸차게 했어요. 대통령 선거하고 있는데 선거 도중에 내가 일가친척들 총동원해서 각 은행 계좌에 수백억 원의 돈을 넣었다고 일일이 계좌 이름과 액수까지 대고 했잖아요. 그러면서 여당의 사무총장이 근거 없이 말하겠느냐고, 그 때문에 잘못하면 떨어질 뻔했어요.

그때는 선거 끝나고 당선만 되면 가만 안 두겠다 생각했는데 선거 끝나고 내가 지금까지 한마디 안 했어요. 내가 노벨평화상을 받았는데 그 이유 중의 하나가 정치적 반대파에 보복하지 않았다는 게 들어 있어요.

손숙 진정한 화해나 용서는 어떤 거라고 생각하세요?

김대중 사람은 누구나 마음속에 악과 선이 있어요. 악마와 천사가 다 있어서 천사가 많이 나타날 때는 선한 사람이고 악마가 많이 나타날 때는 악한 사람이에요. 악마였다가 천사가 이기면 좋은 사람이 되는 거고 좋은 사람이었다가도 악마가 이기면 나쁜 사람이 되는 거죠. 그래서 사람은 좋은 사람이 되기 위해서 계속 노력해야 해요.

그런 의미에서는 나도 똑같은 거예요. 나도 행동으로는 하지 않았지만 속으로 사람을 미워한 적도 있고 어떤 때는 죽어 버렸으면 좋겠다고 생각한 적도 있고, 남이 알지만 않는다면 나쁜 일도 했으면 좋겠다고 생각하거든요. 그렇기 때문에 사람은 원죄니 뭐니 그런 걸 떠나서 좋은 사람도 자기 노력과 환경에 따라서 나쁜 사람이 될 수도 있어요. 그런 의미에서 우리는 남을 용서할 의무가 있고 또 사랑은 못하더라도 용서는 할 수 있거든요. 그런데 나쁜 사람, 미운 사람을 사랑하라는 것은 불가능하더라고요. 백성을 탄압하고 죽이고 부정을 저지른 사람들을 어떻게 사랑하겠어요? 나는 못 하겠더라고요. 그러나 용서는 할 수 있겠더라고요. 그런 생각으로 나한테 가혹하게 한 사람들을 용서할 수 있었어요.

손숙 대통령 임기 중에도 많은 오해도 받고 어려운 일들을 겪으셨는데 그때마다 대통령으로서 어떤 마음가짐을 가지셨는지 궁금합니다.

김대중 정치를 해 나가다 보면 반대파가 있기 마련이잖아요. 반대파는 비판하기 마련이거든요. 그중에는 정당한 비판도 있고 억울한 비판도 있죠. 그걸 당연한 일로 각오해야 해요. 그리고 내가 옳은 일을 하고 있으면 억울한 비판을 하더라도 언젠가 이 문제는 해결이 된다고 생각하면 되는 거예요. 내가 야당에 있을 때는 나를 빨갱이로 아는 사람이 참 많았어요. 나는 자기들을 위해서, 민주주의를 위해서 이렇게 몸 바쳐 하는데 그렇게 악의가 아닌 오해를 하는 국민들을 볼 때 피를 토할 심정이었죠. 그러나 이 문제는 반드시 시간이 가면 해결이 된다고 믿었어요. 과거의 역사를 보더라도 얼마나 위대한 사람들이 자기 생애에서 얼마나 기가 막힌 억울한 일들을 당했는가, 그것이 인간의 숙명이다, 그렇게 생각하면서 억울하고 부당한 일은 끝까지 극복하고 나아가면 어느 때인가는 내가 살아 있는 동안에 해결이 안 되면 죽어도 해결이 된다 생각하고 살았기 때문에 좌절된 일은 없었어요.

손숙 음식 드시는 거 좋아하시죠?

김대중 그렇게 많이 먹지도 않는데 대식가라고 소문이 나서 돌이킬 수가 없어요.

손숙 어떤 음식을 좋아하세요?

김대중 중국요리를 좋아해요. 육류든 생선이든 가리는 거 없이 다 잘 먹어요.

손숙 세계 각국에 친구가 많으신데 친한 친구분을 소개해 주세요.

김대중 미국의 클린턴 대통령과 친한데 클린턴 대통령은 한마디로 말하면 사랑스러운 사람이에요. 클린턴의 임기가 마지막이라서 아시아태평양경제협력체(APEC)에 마지막으로 출석했을 때인데 정상들이 앉아 있으니까 종이하고 볼펜을 갖고 들어오더라고요. 그러더니 한 사람마다 앞에 가서 사인해 달라고, 어린아이들이 스타를 보고 사인해 달라고 하는 것처럼 사인을 해 달래요. 정말 순수한 사람이라는 생각이 들었어요.

그 사람은 자기가 도덕적으로, 인격적으로 훌륭한 사람이라고 생각하면 아낌없이 존경의 뜻을 표시해요. 미국에 국빈으로 방문했을 때도 만찬사에 이런 말을 하더라고요. "우리 시대에는 우리가 존경하는 영웅들이 있다. 남아공의 넬슨 만델라, 체코의 하벨, 한국의 김대중. 이런 사람들이 우리 시대의 영웅이다." 미국이라는 강대국 대통령의 프라이드를 제쳐 놓고 하나의 사람으로서 사람에 대해서 존경할 수 있는 사람은 존경한다는 거죠. 그런 면을 볼 때 참 훌륭하다는 생각을 했어요.

행동하는 양심 앞에 부끄러움 없어, 영원한 꿈은 정치가

손숙 대통령까지 역임하셨으니까 인생에서 정치가의 꿈을 다 이루셨는데 가족에게는 미안한 게 있으실 것 같아요. 지금 이 순간 어떤 게 가장 미안하세요?

김대중 아내에게는 미안하다기보다는 감사하다, 존경스럽다, 그런 생각이 많고 자식들이 나 때문에 젊은 시절을 완전히 봉쇄당했거든요. 취직도 못 하고 장사도 못 하고 결혼조차 못 했어요. 그래서 둘째는 두 번 약혼했다가 상대방 부모가 반대를 해서 파혼을 했어요. 현재 며느리도 부모가 반대해서 못하고, 그때 내가 1983년에 미국에 망명해서 있었는데 아들도 며느리하고 결혼하는 것을 단념하고 미국으로 왔을 때예요. 그랬는데 집사람이 도저히 둘째가 안쓰러워 못 보겠다고 해요. 밤마다 한국에 있는 여자애하고 전화를 하는데 저걸 어떻게 하면 좋으냐고 하는데 자식에 대해서 두 번 파혼당하고 세 번째까지 그러니까 가슴 아프다는 말을 표현할 수가 없더라고요.

그래서 아까 얘기한 주한 미국대사로 있던 글라이스틴 대사를 만나자고 해서 내 사정이 이렇고 인간적인 문제인데 당신이 도와줄 수 없느냐고 했더니 알았대요. 얼마 후에 며느리가 한국에서 미국으로 단독으로 건너왔더라고요. 글라이스틴 대사가 도와준 거죠. 결혼식을 올리는데 부모가 없으니까 며느리 아버지는 문동환 목사가 아버지 역할을 해 줘서 성당에서 결혼을 시켰어요. 나중에는 사돈된 분들이 사위에 대해서 굉장히 만족을 하고 관계가 지금 아주 좋아요.

세상의 상식적인 생각으로 호의호식시켜 주는 아버지는 못 되었지만 목숨을 내놓고 민족과 국민을 위해서 혹은 세계의 평화를 위해서, 행동하는 양심을 위해서 자기의 목숨까지 걸었다는 것이 자식들에게는 천금과도 바꿀 수 없는 교훈이 되지 않았을까, 세상을 바르게 살아간다는 것, 한 번 결심하면 끝까지 한다는 것이 교훈이 되었다고 생각합니다.

손숙 나중에 다시 태어난다면 어떤 일을 하고 싶으세요?

김대중 정치 아니면 역사학자를 하겠어요. 역사를 좋아했어요.

남북정상회담, 한반도의 서광을 알리는 신호탄

손숙 6·15공동성명을 창출하신 전직 대통령으로서 이번 남북정상회담에 대해 감회가 새로우실 것 같아요.

김대중 내가 걱정한 것은 노무현 대통령 재임 중에 남북정상회담이 안 되면 다음 정부가 맥을 이어 갈 수가 없다고 생각해서 상당히 걱정을 했었어요. 그런데 그게 해결이 돼서 다행으로 생각하고 있습니다. 나는 앞으로 남북 간에는 매년 정상회담이 있어야 한다고 생각해요. 정상회담을 하면 총리와 장관들 회담을 하고 국회회담도 하고, 이렇게 계속 서로 오고 가고 협력하는 거죠. 6·15남북정상회담 이후로 얼마나 세상이 변했어요? 중요한 것은 북한 사람들의 마음이 바뀌었어요. 그렇게 우리를 원수로 생각하고 미워하던 사람들이 우리에 대해서 고맙다, 남한이 잘사니까 부럽다, 평화적으로 살고 싶다고 하더니 마침내 문화적 변동이 생기고 있잖아요.

북한에서는 알다시피 남쪽의 대중가요가 유행하고 있고 텔레비전 드라마를 보고 있고 심지어 영화도 숨어서 보고 있거든요. 이러니까 문화의 변화가 오는 거예요. 마음이 바뀌어졌단 얘깁니다. 이것만 봐도 남북정상회담을 하는 게 성공한 것이라고 보는데 이산가족이 가장 절실한 문제예요. 내가 대통령이 될 때까지 50년 동안 총 200명이 서로 만났어요. 그런데 대통령이 된 이후로 15,000명이 만났어요. 앞으로 면회소 만들어 놓고 계속 만날 거예요. 이것만 해도 어딥니까? 50-60년 동안 생사도 확인하지 못하고 만나지 못하던 사람들이 만난다는 것이 얼마나 중요합니까?

그리고 중소기업들이 잘 안 돼서 베트남으로도 가고 중국으로 가는데 앞으로 북한으로 가야 돼요. 북한으로 가면 거리가 짧고, 말이 통하고, 노동력이 우수하고, 임금이 싸고 아주 좋아요. 여기 있는 중소기업들 대부분이 살아나요. 또한 지하자원이 세계적으로 부족한 시대인데 북한이 우수한 지하자원이 많아요. 북한의 지하자원을 캐면 북한도 도움이 되고 우리도 도움이 되는 거죠. 개성공단 같은 것도 북한 도처에 만들어서 북한이 어떤 경우에도 남쪽으로 내려오지 않고 거기서 벌어먹고 살도록 만들어야 돼요.

중요한 것은 철도를 연결시켜서 시베리아 대륙을 관통해서 유라시아 대류, 유럽의 파리, 런던까지 가야 해요. 그럼으로써 한국은 태평양 쪽의 물류 거점이 되고 대서양과 마주 보는 거죠. 그 사이에 있는 중앙아시아가 석유, 가스, 광물 등이 나와서 노다지판인데 우리도 거기에 들어가서 그 판에 끼어야 해요. 이런 점에 있어서 우리는 북한과 관계를 잘 맺어서 유라시아 대륙과 연결해 진출하는 것이 장차 21세기 발전에 아주 중요하다고 생각해요. 그러기 위해서는 남북 관계가 좋아져야 하고 남북 관계가 좋아지기 위해서는 무엇보다 정상이 만나서 서로 믿음을 주어야 해요.

내가 6·15남북정상회담 때 김정일 위원장의 마음을 사로잡는 결정적인 말을 했어요. "인생이란 것은 누구나 영원히 사는 사람이 없다. 또 높은 자리에 간다고 해서 영원히 가는 사람도 없다. 당신과 나는 남북을 대표하는 입장인데 우리가 마음 한 번 잘못 먹으면 우리 민족이 공멸한다. 그러나 우리가 마음을 잘 먹고 평화를 유지하고 잘 협력해 나가면 우리 민족이 다 같이 축복을 받을 것이다. 역사에서 높이 평가받을 것이다. 우리가 지금 기로에 서 있는 것이다. 실제로 독일의 예를 들어서 우리가 당신들을 흡수 통일할 거라고 생각하는데 우린 그럴 생각 없다. 아니, 그럴 생각이 없는 게 아니라 능력이 없다. 우리는 북한이 독자적으로 경제 발전을 하는 데 도와주고 남북이 그렇게 왕래하면서 교류 협력하고 장차 평화적으로 통일하는 것을 바라지 흡수 통일 같은 거 안 한다. 마찬가지로 당신들이 일부에서 생각하는 공산당 통일은 우리도 죽어도 용납 안 한다. 만일 그렇게 하려고 하면 전쟁밖에 없다. 그런 건 당신들도 꿈에라도 버려야 한다. 그러니 같이 살면서 같이 협력하고 같이 발전하다가 이만하면 됐다 할 때 그때 통일하자." 그것이 김정일 위원장에게 천 마디 말보다도 더 영향을 주었다고 생각해요.

이번에 2차 정상회담 하게 되었는데 한마디로 말해서 안도의 한숨을 쉬었어요. 그리고 이번 정상회담 성공할 겁니다. 6자회담도 성공할 거예요. 이제는 미국과 북한의 이해가 맞아떨어졌어요. 지금까지 남북이 잘 안 되었던 건 미국과 북한과의 관계가 나빠서예요. 내년부터는 한반도 동북아시아에 서광이 비치는 시대가 올 거라고 생각합니다.

손숙 인터뷰에 응해 주셔서 감사드리고 통일될 때까지 건강하시기 바랍니다.

* 이 글은 2007년 8월 21일 오후 4시에 방송된 기독교방송(CBS) 라디오 「손숙의 아주 특별한 인터뷰」를 녹취한 것이다.

한반도에 평화의 서광이 보이고 있다

강연 미국 내셔널프레스센터
일시 2007년 9월 18일

김대중 존경하는 제리 즈렘스키 내셔널프레스클럽(NPC) 회장, 피터 히크맨 부회장, 돈 오버도퍼 교수님 그리고 이 자리에 계시는 귀빈 여러분!

오늘 세계적으로 권위 있는 이 장소에서 제가 연설할 수 있도록 초청해 주신 것을 큰 영광으로 생각하고 감사를 드립니다. 저는 1971년 대통령 선거에 출마한 이래 수차례에 걸쳐 이 자리에서 연설이나 기자회견을 했습니다. 특히 1994년 5월 12일 1차 북핵 위기가 발생했을 당시 저는 이곳에서 연설할 기회가 있었습니다. 저는 그때 미국과 북한은 주고받는 일괄 타결을 해야 하며, 지미 카터 전 대통령이 북한을 방문해서 핵 위기를 해결해야 한다고 주장했습니다. 당시 저의 연설은 텔레비전과 라디오를 통해 전국에 중계되었고 많은 미국 국민의 지지를 받았습니다. 그리하여 카터 전 대통령은 방북했고 그의 탁월한 노력으로 당시의 핵 위기는 해결되었습니다.

존경하는 여러분!

저는 1998년 2월 한국의 대통령에 취임했습니다. 취임 후 저는 그동안 제가 주장해 온 평화 공존, 평화 교류, 평화 통일의 3원칙과 남북연합, 남북연방, 남북통일의 3단계 통일을 골자로 하는 '햇볕정책'을 정부의 대북 정책으로 제시했습니다. '햇볕정책'은 당시 클린턴 정부의 전면적인 지지를 받았습니다. 또한 중국, 러시아, 일본, 유럽연합(EU) 등 세계 모든 나라의 지지도 받았습니다. 저는 2000년 6월 북한을 방문해서 평화 공존과 평화 교류, 평화 통일에 대한 남북 양 정상 간의 합의를 이끌어 냈습니다. 그리고 북한의 김정일 국방위원장은 저의 강력한 권고도 있고 해서 제2인자인 조명록 차수를 미국에 보내 클린턴 대통령을 만나게 했습니다. 클린턴 대통령은 그 답례로 매들린 올브라이트 국무장관을 북한에 보냈습니다. 양측의 협의 결과 북한의 미사일과 핵 문제, 그리고 북·미 간의 관계 정상화는 합의에 접근했습니다.

그러나 2001년 부시 정권이 들어서자 미국의 정책은 일변했습니다. 부시 대통령은 북한과의 직접 대화를 거부하고 "잘못된 행동에 보상이 있을 수 없다"고 선언하면서, 북한을 '악의 축'이라고 규정했습니다. 북·미 관계는 다시 극도로 악화되었습니다. 저는 당시 한국의 대통령으로서 부시 대통령에게 거듭거듭 북한과 직접 대화하고 줄 것은 주고 받을 것은 받는 일괄 타결을 받아들일 것을 주장했습니다. 그러나 큰 성과를 거두지 못한 채 2003년 2월 퇴임하게 되었습니다.

퇴임 후에도 저는 일관된 주장을 했습니다. 그러다 작년 10월 돌연 북한의 핵실험이 있었습니다. 한국은 물론 세계적으로 폭풍과도 같은 반발이 일어났습니다. 그러나 저는 생각을 바꾸지 않았습니다. 저는 국내외의 수많은 언론과의 인터뷰를 통해서 말했습니다.

"북한이 핵을 가지려는 이유는 미국과 직접 대화를 통해서 안전을 보장받고 경제 제재 해제와 국교 정상화를 얻기 위한 목적 때문이다. 따라서 미국은 지금까지의 태도를 바꿔서 북한과 대화하고 줄 것은 주고 받을 것은 받는 결단을 내려야 한다. 그렇게 하면 북핵 문제는 해결된다."

마침내 부시 대통령은 결단을 내렸습니다. 6자회담의 2·13합의를 통해서 미국과 북한은 행동 대 행동의 원칙에 따라 주고받는 일괄 타결을 하기로 합의했습니다. 그리고 영변 핵 시설을 봉쇄하고 국제원자력기구(IAEA) 사찰단을 초청하는 제1단계의 조치가 실현됐습니다. 이어서 북한의 모든 핵 시설에 대한 불능화 조치와 핵 프로그램의 전면적 공개에 대해서도 합의가 진행되고 있습니다. 이런 가운데 부시 대통령은 "나는 이미 선택했다"며 자신의 임기 내에 북한 핵 문제를 해결하겠다는 의지와 자신감을 피력했습니다. 저는 부시 대통령이 성과 없는 정책을 과감히 청산하고 북한 핵 문제 해결의 바른 길을 연 데 대해서 이를 높이 평가하고 환영하는 바입니다.

존경하는 여러분!

저는 6자회담은 반드시 성공할 것이라는 확신을 가지고 있습니다. 제가 평양에서 북한 김정일 국방위원장을 만났을 때 그는 미국과의 관계 정상화를 열망하고 있었습니다. 심지어 "미군이 통일 이후까지도 한반도에 주둔해야 한다"고 말하기도 했습니다. 그는 북한이 안전을 보장받고, 파탄 난 경제를 구하는 길은 미국과의 관계 정상화에 있다는 것을 확실히 알고 있었습니다.

이제 북한은 그들이 바라던 대로 미국이 직접 대화에 응하고 북한의 안전 보장과 경제 제재 해제, 국교 정상화의 방향으로 나가고 있는 상황에서 더 이상 핵 보유를 고집할 이유가 없습니다.

존경하는 여러분!

우리 한국은 북한의 핵 보유를 단호히 반대합니다. 북한이 핵을 포기하지 않는 한 남북 관계의 근본적인 개선은 있을 수 없습니다. 북핵 문제에 있어서 우리는 그동안 미국이 북한과 직접 대화를 해서 줄 것은 주고 받을 것은 받는 일괄 타결의 원칙으로 돌아가라고 계속 주장해 왔습니다. 이제 그 원칙이 실현되고 있는 상황에서 한국은 적극적으로 미국의 입장을 지지할 것입니다.

한편 미국은 북한이 핵을 전면적으로 포기하고 한반도 비핵화에 응한다고 한 이상 사태 해결에 주저할 이유가 없는 것입니다. 지금 부시 대통령의 태도는 매우 적극적입니다. 저는 부시 대통령의 퇴임 전까지 북한 핵 문제를 둘러싼 모든 협상이 완전히 해결되기를 바라고 또 가능하다고 믿습니다. 종전 선언과 북·미 수교가 이루어질 것이고, 관계국 간에 평화협정도 체결될 것입니다. 이제 한반도에 평화의 서광이 비치고 있는 것입니다.

존경하는 여러분!

한국의 노무현 대통령은 오는 10월 2일부터 북한을 방문하여 김정일 국방위원장과 정상회담을 갖습니다. 저는 이번 정상회담은 무엇보다도 6자회담이 성공할 수 있도록 적극 지원하는 데 양 정상이 합의할 것으로 믿습니다. 그리고 남북 간 경제 협력의 확대 문제를 논의하게 될 것입니다. 또한 한반도의 평화와 긴장 완화를 위한 문제가 논의될 것으로 생각합니다.

현재 북한은 생필품의 약 80퍼센트를 중국으로부터 수입하고 있습니다. 중국은 북한의 주요 지하자원과 여러 경제적 이권도 선점하기 시작하고 있습니다. 이러한 상황에서 한국은 하루빨리 북한에 경제적으로 진출해서 중국과 균형을 맞춰야 한다고 생각합니다. 그리고 장차 미국을 비롯한 주요 우방국의 기업가들과 함께 북한에 공동으로 진출하는 방안을 적극적으로 모색해야 할 때라고 생각합니다. 북한은 텅스텐, 금 등 값진 지하자원의 보고입니다. 관광자원도 풍부합니다. 이번 남북정상회담의 결과는 한·미 양국의 공동 이익을 위해서도 크게 도움이 될 것으로 믿습니다.

존경하는 여러분!

미국 일부에서 "한국 내에 반미 성향이 일어나고 있다", "한국이 중국으로 기우는 것 아니냐", "한국은 한국전쟁 당시 미국의 은혜를 모른다." 등의 이야기들이 있다는 것을 알고 있습니다. 그러나 이것은 모두 사실이 아닙니다.

절대다수의 한국 국민은 미국이 중요한 우방이라는 것을 확실히 알고 있습니다. 한국이 일본, 중국, 러시아에 둘러싸여 있는 지정학적 위치에서 미국이 한반도에 와 있는 것이 얼마나 중요한 것인가를 잘 알고 있다는 것입니다. 19세기 말 조선왕조 말엽에 만일 우리가 미국의 도움을 얻을 수 있었다면, 우리는 주변 강대국의 파워 게임에 희생되어 독립을 잃지 않았을 것입니다.

미국은 중국과 일본 등 동아시아 대륙의 위상이 크게 부상하고 있는 이때에, 그 중간에 위치한 한국과 군건한 동맹을 유지하고 동시에 북한과 관계 개선을 해야 할 것입니다. 한국은 베트남전에 참전해서 5천여 명이 사망하고 1만여 명이 부상당하는 희생을 치렀습니다. 현재 이라크에는 미국, 영국 다음으로 많은 2천 명의 군대를 보내고 있습니다. 미국의 전략적 유연성에 의한 한반도의 미군 재배치, 즉 전방에 있는 미군 부대의 후방 이동에도 적극 협력하고 있습니다. 또한 한·미자유무역협정(FTA)이 순조롭게 비준 처리되고 시행될 경우, 한·미 양국의 공동 이익에도 크게 기여할 것입니다.

한국 국민은 미국이 대북 정책을 수행하는 과정에서 우리의 의견을 충분히 참작하지 않는다고 생각할 때 불만을 갖는 경우가 있습니다. 예를 들면 이미 말씀드린 부시 정권 아래서의 북핵 문제 대응에 대한 견해 차이입니다. 그러나 그것은 미국의 정책에 대한 비판이지 반미가 아닙니다.

존경하는 여러분!

6자회담이 성공의 방향으로 가고 있습니다. 남북 관계와 미·북 관계도 크게 개선될 전망입니다. 우리는 이 기회를 놓치지 말고 한반도 평화와 동북아시아의 안정을 반드시 실현시킵시다. 한반도에 평화의 서광이 비치고 있습니다. 21세기는 승리의 해가 될 것입니다.

감사합니다.

질의응답

질문 대통령께서는 역사의 산증인이라 할 수 있는데요. 한국은 전쟁 상태로 분단된 지 50년 이상이 되었습니다. 이렇게 된 상황에서 어떻게 성공적인 통일을 한반도에 가져올 수 있을까요? 한국은 이 전쟁을 끝내고 번영을 같이 일구어 나가고 싶어 하는 것 같은데요, 어떻게 화해를 가져올 수 있을까요?

김대중 분단된 지 60년이 되었습니다. 우리 젊은이들은 과거 통일 시절을 모릅니다. 그러나 우리는 세계에서도 보기 드물게 1,300년 동안 단일국가를 유지해 왔습니다. 단일민족입니다. 단일문화입니다. 단일언어입니다. 그렇기 때문에 우리의 긴 전통과 본질적인 정체성은 60년 동안의 분단으로써 훼손될 수 없는 것이고, 실제로도 그러합니다. 그러나 또 한편, 60년 동안의 분단 결과는 상당한 이질적인 발전이었고, 더구나 북한은 공산주의 우리는 민주주의를 하기 때문에 근본적 이념에서도 차이가 있습니다. 따라서 사고방식에도 많은 차이가 있습니다. 이런 상황에서 급속히 통일을 추진한다는 것은 큰 갈등을 불러일으키고 통일이 되더라도 동서독의 예에서 보다시피 많은 문제점들이 생겨납니다. 따라서 통일은 단계적으로 남북연합, 남북연방, 완전 통일식으로 해서, 예측한다면 2-30년 더 걸릴 생각을 하면서, 통일을 지향하는 노력을 꾸준히 하되, 통일을 서두르지 않아야 합니다. 민주적 통일이 될 때까지 기다려야 한다고 생각합니다.

질문 이미 미국 같은 경우에는 이런 평화적인 협력에 대해 200년간 노력해 오고 있습니다. 9월 1일은 세계 평화의 날이었습니다. 내셔널프레스클럽은 유엔의 평화의 날을 이번 주 금요일 여기에서 행사를 가지게 될 것입니다. 그 행사에 남북한 사람들도 참여하게 되는데요. 대통령께서도 참석해 주실 수 있으십니까?

김대중 초청해 주셔서 감사합니다. 제가 꼭 참석한다고는 할 수 없지만 그날 행사가 잘되기를 진심으로 바라고, 마음으로나마 저도 동참해서 축하하고 성원하겠습니다.

질문 1차 정상회담 때 김정일 국방위원장을 만나서 물론 진지한 대화를 나누었을 것이라고 생각합니다. 비핵화 이슈에 대해서도 대화를 나누었습니까? 그리고 앞으로 있을 2차 정상회담에서 노무현 대통령이 비핵화에 대해서 이야기할 것이라고 생각하십니까?

김대중 제가 김정일 위원장을 만났을 때는 2000년 6월이었습니다. 그때는 북한 미사일 발사 문제가 이슈가 되어 있었습니다. 당시 저는 김정일 위원장과 대화를 통해서뿐만이 아니라 문서로서 장거리미사일이나 핵무기 등 대량 살상무기는 우리가 절대로 묵과할 수 없으니까 북한도 그러한 대량살상무기에 대해서 분명히 야심을 버려야 한다는 것을 문서로써 김정일 위원장에게 수교했습니다. 그 이후로 여러분이 아시다시피 사태가 북한 핵 문제로 크게 발전을 했는데, 저는 공개적으로 혹은 간접적인 방법으로 우리는 핵을 절대로 용납할 수 없고 핵을 가지고는 남북 관계 개선이나 북·미 관계 개선이 있을 수 없으므로 철저히 포기해야 한다고 얘기했습니다.

노무현 대통령도 이번 정상회담에서 북한 핵 문제에 대해 당연히 얘기할 것입니다. 우선 6자회담과 지금 성공적으로 진행 중인 북한 핵 문제 해결에 공동으로 협력하자는 것을 강력히 요구하고 그런 합의에 대해 공동으로 협력하고 노력하자는 것을 요구할 것이라고 생각합니다.

질문 북한이 계속해서 테러지원국 명단에 남아 있어야 한다고 생각하십니까?

김대중 북한은 테러 지원을 하지 않겠다는 것을 공개적으로 선언하고 있고, 또 지금 상당 기간 동안 테러를 지원하지 않고 있습니다. 이것은 미국도 인정하고 있는 사실입니다. 따라서 저는 북한이 앞으로 테러 지원을 하지 않을 것으로 보고 있습니다. 만약 한다면 미국과의 관계 개선이나 세계로부터 신뢰를 얻을 수 없고, 또한 일종의 자살 행위이기 때문에 저는 하지 않을 것으로 보고 있습니다. 그래서 이런 것들을 미국도 인정하고 있기 때문에 이번 북핵 문제의 2단계 해결책인 북한 핵 불능화가 완전히 이루어지면 미국은 북한의 테러 지정을 해지할 것으로 우리는 다 알고 있습니다.

질문 지금 한국에서 미군이 재배치되고 있는데요. 수적으로도 많이 줄어들고 있습니다. 이렇게 되면 수적으로 줄어들더라도 조금 더 공격적인 힘을 가진 군대로 재편되어야 한다고 생각하지 않으십니까?

김대중 새로운 군사전략의 유연성 원칙에 의한 미군의 재배치는 한국에서 많은 논란 끝에 완전히 합의가 돼 실시되고 있습니다. 그래서 양측은 그런 재배치와 더불어 한반도의 확고한 안보를 위해서, 장차 또 한국이 전시작전권까지도 입수하는 그런 단계에 있어서도 강력한 협조 속에서 안보의 흔들림이 없도록 하기 위한 협의가 계속되고 있고, 그런 점에 있어서는 상당히 성공적으로 협조가 잘되고 있는 것으로 알고 있습니다.

질문 완전한 성공을 낙관하기는 이르지만, 김 전 대통령께서도 말씀하신 대로 한반도의 평화에 큰 기대를 하지만, 그러나 저는 한반도 평화의 단순한 시작이라고 생각합니다. 다가오는 대선에서 선출될 차기 대통령이 지금 시작으로부터 완전한 통일에 이르기까지 어떠한 운영과 역할을 하게 될 것이며, 그 과정에서 겪게 될 가장 큰 도전은 무엇이라고 생각하십니까?

김대중 한반도에 있어서 남북통일은 절대적인 명제입니다. 그러나 이것은 절대적이지만 말처럼 쉽게 통일이 되는 것도 아니고 여러 가지 남북 관계에서 이해관계 혹은 그동안에 있었던 적대 관계의 해소, 신뢰의 구축, 그리고 군사적인 안전 조치 등에 관해서 통일의 길로 한걸음 한걸음 나가지 않을 수 없습니다. 그리고 주변 정세도 중요합니다. 그래서 여기에 대해서 저는 우리 통일은 아까 연설문에서도 말씀드렸듯이 단계적으로 해야 한다고 생각합니다.

차기 대통령은 통일에 있어서 3단계로 추진하는 것이 좋겠다고 생각합니다. 1단계는 남북연합, 이것은 남쪽과 북쪽이 독립정부로서의 권한을 가지면서 협력하는 체제, 즉 독립적인 관계를 갖다가 그러면서 경제적·문화적 협력을 해 나갈 필요가 있다고 생각합니다. 2단계에 가서는 미국과 같은 중앙정부가 외교, 국방권을 갖고, 남북한 현 정부는 지방정부로서의 권한을 갖는 방향으로 추진해 나가고 그러다가 마지막 단계에서는 안심하고 같이 살 수 있게 되고, 여러 가지 체제도 많이 동질화되었을 때 완전한 통일이 이루어지는 것입니다. 따라서 통일은 급격하게 서두를 것이 아니라 착실하게 단계적으로 해 나아가는 것이 가장 바람직하고 또 성공적으로 할 수 있다고 생각합니다. 차기 대통령은 무엇보다도 남북이 평화 공존 체제를 유지하게 하는 것이 중요하고, 그 위에 모든 분야에 교류, 협력하여 동질성을 회복하고 북한의 경제가 자립할 수 있도록 협력하는 등 장차의 통일에 대비해야 합니다. 차기 대통령은 그러한 관점에서 헌신하여야 한다고 생각합니다.

질문 한국과 일본의 관계라는 것은 멀어졌다가 또 가까워졌다가 하는데 일본 정부가 이번에 바뀌게 되었습니다. 일본을 어떻게 보고 계십니까?

김대중 그동안에 일본이 과거 침략 전쟁 때 범한 여러 가지 과오에 대해서 반성이 부족하고 이를 자꾸 미화시키는 것을 했기 때문에 한국이나 중국 기타 과거에 피해를 입은 나라들과 관계 특히 국민들과의 감정이 나쁜 상태가 되어 버렸습니다. 저는 이 점을 매우 우려하고 있었습니다. 그런데 이번에 과거를 미화하고 인접 국가들의 국민감정을 무시하는 경향이 있었던 정부가 물러났습니다. 이제 과거를 반성하고 주변 국가들의 감정도 존중하는, 그 증거로서는 야스쿠니 참배도 하지 않겠다고 말하는 그런 자세를 가진 후보가 당선될 것이라고 확실시됩니다. 말씀하신 후쿠다 야스오 씨가 당선되면 분위기가 상당히 좋아지지 않을까 생각하고 있습니다.

대통령이 되어서 일본에 국빈 방문했을 때 과거에 대해서 일본이 사죄하고 그리고 새로이 했기 때문에 저도 새로이 출발할 것을 약속해서 제 임기 5년 동안은 매우 좋은 관계를 유지했는데 그 후로 일본이 급격히 우경화해서 사태가 상당히 악화되었습니다. 그러나 그것에 대해서 일본의 반성이 또 상당히 있어서 이번에 후쿠다 야스오 씨가 과거를 반성하고 인접 국가들의 감정을 존중한다는 생각이 있어서 이번에 일본의 총리로 뽑힐 걸로 봅니다. 그런 점에 있어서는 앞으로 상당히 좋은 점으로 발전될 가능성이 있다고 생각해서 기대를 가지고 있습니다.

일본이 과거에 대해서 전혀 반성 안 한 것이 아니고, 반성을 했는데 하고 나면 일본의 지도자들은 딴소리를 해 왔습니다. 예를 들면 과거 한국을 침략한 것이 자기들이 우리나라를 발전시켜 줬다는 얘기를 정부의 관료들이 하고 또 "과거 태평양전쟁이 침략 전쟁이 아니라 대동아의 전쟁이다. 아시아 사람들을 서구 식민지로부터 해방시켜 주는 전쟁이다." 이런 식의 얘기를 하는 것입니다. 그래서 과거에 대해서 반성이 부족하고 또 반성한 문제를 국민들에게 교육시켜서 국민들이 과거 잘못에 대해서 알게 하는 그런 일이 부족합니다. 독일은 과거에 대해서 철저히 사죄하고 보상하고 교육하고 그렇게 했는데 일본은 그런 것이 아주 부족해서 우리가 항상 걱정을 하고 있습니다. 우리는 일본하고 앞으로 사이좋게 지내고 싶고 이웃으로서 서로 안심하고 살고 싶은데 과거에 대한 반성과 신용이 없으면 안심할 수가 없는 것입니다. 새로운 정부 밑에서 이러한 점이 시정되기를 바라고 있습니다.

질문 북한이 핵무기를 가지려고 하는 이유가 있을 텐데요. 그렇게 주장하는 것이 미국으로부터 자신을 방어하기 위한 것이 아니라, 자신들 국민들을 억압하고 체제를 유지시키기 위한 것이라는 주장들이 있는데요. 그것에 대해서 어떻게 생각하십니까?

김대중 북한은 핵무기 없어도 국민을 완벽하게 장악하고 있습니다. 북한처럼 철저하게 국민을 통제하고 있는 나라가 없습니다. 따라서 북한은 핵무기 없이도 그것을 할 수 있는 것입니다. 핵무기는 결국 북한이 미국에 대항하기 위해 만들었다고 하는데, 우리는 그 핵무기를 100퍼센트 반대합니다. 북한의 입장은 미국이 자기들과 대화도 안 하고 자기들의 생존권을 보장 안 해 주고 그리고 북한 정권을 전복시키려고 하니까 할 수 없이 살기 위해서 하고 있다고 주장하고 있습니다. 그것이 어디까지 진실인지는 별도의 문제라고 하더라도 북한이 국민 억압을 위해서 핵무기를 만들었다고 보기 어렵습니다. 물론 핵무기를 만든 것이 국민에게 정부의 권위를 과시하는 것은 될 것입니다. 저는 동시에 지금 현재 보여 주는 바와 같이 미국이 북한을 상대해서 북한의 생존권을 보장해 주면 북한은 핵무기를 반드시 포기할 것으로 봅니다. 만일 포기 안 하게 되면 그때는 6자회담에 참가하는 나라들, 즉 중국, 일본, 러시아, 한국, 미국 이런 나라들의 공통된 압박을 받아 더욱 어려워지기 때문에 안 할 수가 없다고 생각합니다. 북한은 안전 보장, 경제 제재 해제, 국교 정상화 이런 것을 요구하며 핵을 완전히 포기하겠다고 공언하고 있기 때문에 한번 해 주어서 핵 포기를 하는지 봐야 합니다. 만약 안 하면, 그때는 제재를 해야 합니다. 그러나 저는 그렇게 해 주면 북한은 포기할 것이라고 생각합니다. 제재를 해제받는 것만이 북한이 살길이기 때문입니다. 이대로는 살아갈 수 없는 것입니다. 그래서 북한 핵 문제를 국내용만으로는 볼 필요는 없지 않은가 생각합니다.

질문 부시 대통령과 노무현 대통령의 최근 미팅에 대해서 논란이 있었고 통역에 문제가 있었다고 알려졌습니다. 노무현 대통령은 몇 번이나 강조하면서 한반도의 비핵화 이슈 얘기를 했다고 들었습니다. 어떻게 생각하십니까?

김대중 그 문제에 대해서는 통역의 과정에서 착오가 있었다고 양쪽 정부에서 얘기하여 저는 그 얘기를 받아들인 입장입니다. 그 후로 양 정부에서 더 이상 문제가 되지 않았기 때문에 저는 개입하지 않았습니다. 통역은 매우 필요하고 중요한 역할을 하지만 때로는 통역 때문에 여러 가지 착오가 생길 수가 있습니다. 그것이 우리들의 한계인데 저는 하루빨리 세계 사람들이 한 가지 언어만 쓰게 되었으면 하는 바람입니다.

우리는 점진적, 단계적 통일을 원한다

대담 에드윈 퓰너

일시 2007년 9월 19일

퓰너 내셔널프레스클럽(NPC) 연설은 민감한 사안을 다루셨는데 양국이 함께, 6자회담도 함께 해야 할 필요성 등을 잘 반영하셨다. 이명박 후보가 우세하던데 앞으로 대선은 어떻게 될 것이라 보시는가?

김대중 확실치 않지만 10월 중순경이면 여권 후보 단일화가 될 것이다. 그러면 여야 간의 일대일 시소게임도 가능하리라 본다.

퓰너 특별히 선호하는 후보가 있으신가?

김대중 특별히 선호하는 후보는 없고, 국민경선을 통해 여권 후보가 선정되어야 하는데 당이 심하게 분열되어 있어 여권 후보 단일화만 격려하였다. 단일 후보만 나온다면 1997년 나를 당선시키고 2002년 노무현 대통령을 당선시킨 이들이 다시 뭉칠 것이다. 그러면 선거가 제대로 될 것이다.

퓰너 새 교황을 만나 보셨는가?

김대중 새 교황은 못 만나 봤고 예전 교황은 두 번 만났다.

퓰너 어제 내셔널프레스클럽(NPC) 연설에서 북한 경제에 대한 중국의 영향력을 견제해야 한다고 말씀하셨는데 중요하다고 생각한다. 한국과 미국이 함께 북한 경제에 대한 대안을 가져야 할 것이다. 2차 남북정상회담은 어떻게 전망하시는가?

김대중 2차 남북정상회담이 다가오고 있는데, 북·미 회담과 6자회담의 진전에 힘입어 남북 관계도 잘 진전되리라 본다.

폴너 북한은 법치도 없고 예측도 불가한데, 후계 정부를 누가 맡게 될지, 누가 맡느냐에 따라 남북 관계가 후퇴하지는 않겠는가?

김대중 김정일 위원장의 건강 상태는 비교적 양호한 것으로 알려져 있어 후계 문제가 급박하지는 않다고 본다. 그러나 돌발적인 사태가 일어날 경우 누가 후계자가 될지는 확실치 않다. 이것은 한국도 우려하는 바이다. 예측 불가능하고 믿을 수 없다는 것은 당연하지만 어쩌면 북한 입장은 일관적이었다. 직접 대화를 하고 안전 보장, 경제 제재, 국교 정상화만 해 주면 핵을 포기하겠다는 것이다. 과거에는 미국이 이 요청을 들어주지 않아서 북한이 반발하였고, 그래서 핵확산금지조약(NPT) 탈퇴, 국제원자력기구(IAEA) 사찰단 추방, 장거리미사일 발사, 핵실험을 단행하였으나, 이제는 2·13합의가 이루어짐에 따라 북한도 적극적으로 핵 폐기의 의사를 보이고 있다. 만약 미국이 2·13합의를 지킨다면 북한도 약속을 지킬 것이다.

폴너 만약 북한이 약속을 지키지 않으면 어떻게 하는가?

김대중 6자회담 당사국 중 미·중·한·러·일 5개국이 경제 제재를 하면 된다. 지금까지 제재가 효율적이지 못한 것은 미·일만 제재를 하였기 때문인데, 중국과 한국이 동참하면 효과적일 것이다. 미국이 주고받는 협상, 2·13합의를 수용한 뒤에도 북한이 약속을 지키지 않는다면 중국이 제재를 가할 것이다. 중국도 북한의 핵 보유를 반대하므로 제재에 동참할 것이다. 그런 의미에서 이번에는 북한이 약속을 지키지 않을 경우 중국도 제재에 동참하라는 다짐을 받아야 한다. 북한 핵 문제 해결은 간단하다. 그쪽에서 안 내놓으면 우리도 줄 거 안 주면 된다.

풀너 2000년 북한 방문 이후 북한에 어떤 변화가 있었는가? 북한 주민들의 복지나 의사 결정 면이라든지 식량 문제라든지에서?

김대중 많은 변화가 있었다. 북한 사람들이 남한 사람들을 바라보는 시각이 변했다. 미국 제국주의의 앞잡이다, 우리를 공격하려는 원수다 하고 생각했으나 식량, 비료, 약품을 원조해 주는 것을 보고는 변했다. 그리고 적군 총사령관인 내가 북한을 방문하여 잘 지내자 하니 변했다. 그리고 남한이 잘사는 것을 보니 부럽다, 도와주니 고맙다 생각하면서 전쟁은 없겠다 하고 생각한다. 매년 30만 톤의 비료와 40만 톤의 식량을 원조하는데, 20킬로그램, 40킬로그램 포대에 담겨 매년 수천만 개가 북한에 원조된다. 지금까지 몇 년을 원조하였으니 지금은 그 포대가 수억 개, 2-3억 개 돌아다니고 있다. 포대가 질이 좋아 쇼핑백으로도 쓰고 바람막이로도 쓴다. 대한적십자사나 비료회사 마크가 찍혀 있어서 그 물품들이 남한에서 왔다는 것을 안다.

풀너 긍정적인 변화다.

김대중 남한에 대한 생각 변화는 문화에 대한 변화도 가져왔다. 북한 사람들은 요즘 남쪽 대중가요, 텔레비전 드라마 등을 비밀리에 관람하고 있다. 북한은 7·1경제개선조치라는 것을 단행했는데, 과거에는 중앙에서 의식주를 모두 책임졌지만 지금은 의식주를 알아서 해결하라고 한다. 사람들은 월급만으로 살 수 없으니 장사도 한다. 일대 돈벌이 열풍이 불고 있다. 과거 정부가 모든 것을 공급할 때에는 사회주의에 관심이 많았지만 지금은 돈에 대한 관심이 많다. 선생도 오전에는 가르치고 오후에는 장사하고 의사도 오전에는 진료하고 오후에는 택시 기사 하는 격이다. 돈에 대한 관심은 민간인뿐 아니라 북한 당 관료도 마찬가지다. 잡혀도 돈 주면 풀려나고, 만주로 건너갈 때 여권이 없어도 경비병에게 돈 주면 보내 준다. 돈으로 안 되는 일이 없다.

북한 사회주의의 큰 위기다. 북한은 6자회담이 잘되어 국제사회로 나아가 제2의 중국, 베트남이 되기를 바란다. 그런데 그렇게 되기 위해서는 미국과의 관계 개선을 통해 안전 보장, 경제 기회를 얻어야 하므로 북·미 관계도 개선될 것이다. 이제 미국과 북한은 서로 요구하던 것을 주고받게 되었으니 나날이 큰 진전이 있을 것이다. 부시가 잘못된 정책을 과감히 버리고 정책 선회를 하여 주고받는 협상을 택한 것은 아주 잘한 일이다. 이러한 태도만 견지한다면 성공할 것이다. 부시 대통령 취임 후 대통령을 마음으로 지지하기는 처음이다.

풀너 부시 대통령과의 첫 미팅은 그다지 성공적이지 않았는데 그때 블레어하우스에서 만찬을 같이 한 기억이 있다. 그러나 지금은 힐 특사가 영향력을 행사하며 북·미 관계에서 많은 진전을 만들어 나가고 있다.

김대중 힐 특사가 주한 미국대사 시절 내 사무실에 와서 얘기를 나눈 적이 있는데 이야기가 잘 통했다. 그런 사람이 대북 협상을 도와 다행이다.

풀너 어제 내셔널프레스클럽(NPC)에서 한국 사람들은 반미 감정이 없다, 미국 자체에 대한 비판이 아니라 미국 정책에 대한 것이다 하고 말씀하셨다. 북한 사람들도 그러한가?

김대중 김정일 위원장과 미군 철수에 대해서도 긴밀히 협의했는데, 놀라웠던 것은 통일이 된 후에도 계속해서 미군이 주둔해야 한다고 한 점이다. 한국은 조선 말 주권을 잃고 독립을 상실하였는데 일·중·러가 조선을 병탄하려 두 차례 전쟁(일·러, 일·청 전쟁)을 치렀다. 당시 미국의 협력을 얻었다면 국권을 상실하지 않았을 텐데 실패하였고 미국은 오히려 일본을 도와 조선의 병탄을 도왔다. 일·중·러 3국 사이에서 안전하려면 우리는 미국과의 관계를 잘 가져가야 한다. 미국은 균형자, 안전 보장 역할을 한다. 한국인들은 마음 깊이 일·중·러보다는 미국인과 가깝다고 생각한다. 민주주의, 철학, 제도 등에 있어서 신념을 같이하기 때문이다. 그런데 반미 감정과 관련하여 미국이 공정치 못하다는 불만이 있다. 2차대전 당시 미국 신세를 많이 진 프랑스나 미국과 전쟁까지 치른 독일은 이라크 파병을 반대했다. 그런 프랑스와 독일에게는 좋은 말을 하고, 파병을 한 한국에게는 은혜를 모른다, 반미다 하니 불만이다. 베트남전쟁 때도 파병을 하여 5천이 죽고 만 명이 부상을 당하였고, 이라크전에도 미국, 영국 다음으로 세 번째 큰 군을 파병해서 지금 2,000명 정도가 주둔하고 있고 아프간과 레바논에도 한국군이 나가 있다. 국내에서는 미군의 전략적 유연성을 위한 부대 후방 재배치에도 적극 협력하고 있다. 돈도 주고 땅도 주면서 적극 협력하고 있다. 그런데 프랑스, 독일보다 우리를 불공정하게 차별하니 불만이 있는 것이다.

퓰너 미국은 한국군이 나토나 아프간, 이라크전 등에서 용감히 싸워 주신데 대한 빚을 지고 있다고 생각한다. 나와 내 친구들이 알고 있는 가장 현명한 한국분이시면서 광범위한 관점에서 보실 수 있는 분이시니 한 가지 질문을 더 드릴까 한다. 중국은 현재 동북공정이라 하여 아시아 주변 국가의 역사를 자기네 역사로 편입시키려는 노력을 하고 있는데, 동북공정이 서울에서만큼이나 평양에서도 큰 우려 사항일는지?

김대중 2000년 정상회담 시 김정일 위원장과 10시간 정도 솔직하게 대화를 나누었는데 중국 얘기를 하다 보니 북한의 감정이 안 좋았다. 미군 주둔이 계속되어야 중·러·일의 대국 지배 위험성을 견제할 수 있다고 했다. 작년 핵실험 때도 20분 전에야 중국에 통보하여 중국이 격분하였다 들었다. 위원장은 중국에 거리감을 가지고 있었는데, 한 예로 신의주를 개발하려는 것도 중국이 반대하여 불만이었다. 남북한 사람들은 가까운 대국인 일·중·러를 경계하는 반면, 미국과는 마음 놓고 가까이할 수 있다. 영토적 야심이 없고 민주주의라는 기본 철학을 공유하고 있기 때문이다. 북한은 러브콜을 보냈는데 미국이 안 받아 주고 안 들어준 것뿐이다. 한마디로 북한이 어여쁜 처녀라면 이웃집 총각에게는 관심이 없고 건너 동네 총각한테 관심 있는데, 건너 동네 총각은 이 맘을 모르고 괴롭히기만 한 것이다.

퓰너 소문에 북한의 갑작스러운 붕괴를 우려하는 중국이 북한의 후계 구도를 조직하고 있다는 얘기가 있다.

김대중 그런 풍문 있을 수 있다. 그래서 한·미 관계를 강화해야 한다. 좀 전에도 얘기했지만 건너 동네 총각에게 가진 이 동네 처녀의 사랑과 열정은 거짓이 아니다. 김정일 위원장은 확실히 북·미 관계 개선을 원한다.

퓰너 영어 속담에 친구는 선택할 수 없어도 이웃은 선택할 수 있다는 말이 있다.(웃음) 마지막으로 질문 하나 드리면 통일은 언제쯤 가능하다고 보시는가?

김대중 우리는 통일을 서두르지 않는다. 점진적, 단계적 통일을 원한다. 평화 협정하고 평화 공존한 후 평화 교류·협력하고 서로 장사도 하고 왕래도 하고 결혼도 하고, 서로를 이해할 수 있게 되어 정신적 갈등이 해소된 다음 통일해야 한다. 만약 6자회담 및 북·미 관계가 잘 진전되면 남북 관계도 큰 진전이 있을 것이다. 통일은 10-20년 정도 걸리지 않겠나 생각하는데, 그 사이에는 평화 공존해야 한다.

* 이 글은 2007년 9월 19일 미국 워싱턴에서 헤리티지재단 회장 에드윈 퓰너(Edwin Feulner)와 나눈 대화록이다.

북한의 경제 가치를 중요하게 평가해야

대담 미국 의회 상원 주요 인사
일시 2007년 9월 19일

질문 햇볕정책 실시 후 얻은 것이나 새로이 전개되는 상황은 무엇인가?

김대중 가장 큰 성과는 남북 간의 긴장이 완화된 것이다. 햇볕정책을 실시하는 과정에서 북한에 비료, 식량, 의약품 등을 지원했다. 매연 비료 30만 톤, 식량 40만 톤을 지원하니까 연간 포대만 수천만 개가 북한에 가고, 지금은 몇억 개가 북한 천지를 돌아다니고 있을 것이다. 그 포대에 남한 제품이라는 것이 표시되어 있어서 북한 사람들도 안다. 그들은 이제 남한이 잘산다는 것도 알고 자기들을 도와준다는 것도 알기 때문에 과거와 같이 "남한이 미국의 앞잡이로 북한을 침략하려 한다"고 더 이상 생각하지 않는다. 북한 사람들의 생각이 변하게 되면서 문화도 변했다. 북한에서는 남한의 대중가요, 드라마, 영화 등을 몰래 보고 있는데, 남한에 대해서 마음만 연 것이 아니라 문화도 받아들이고 있다.

정상회담을 하고 햇볕정책을 하고 남북 교류를 한 후, 북한은 2002년에 7·1경제개선조치라는 것을 발표했다. 그 이유는 공산국가라면 의식주 배급을 보증해야 하는데 그것이 어려워지자 식食과 의衣 등의 생활 부분은 스스로 조달하라는 뜻에서 그렇게 제도를 변경했다. 그래서 요즘 북한 사람들의 관심은 온통 돈 버는 데 쏠려 있다. 정부가 생활을 보장할 때는 사회주의가 관심사였는데 이제는 돈이 관심사이고 그래서 장사 열풍이 일고 있다. 교사는 오전에는 학생들을 가르치고 오후에는 택시 기사를 하거나 장사를 한다. 의사도 오전에는 진료를 하고 오후에는 돈벌이를 하러 나간다. 월급만으로는 못 살기 때문인데 이것은 민간인뿐 아니라 당, 정부 관료들도 마찬가지다. 요즘 북한에서는 돈이 아니면 안 되는 일이 없다. 감옥에 가도 돈만 주면 풀려나고, 국경을 건너 만주 등으로 가려 해도 여권이 없어도 돈만 주면 갈 수 있다. 도덕적으로 흔들리고 있다고 할 수 있다.

질문 어제 연설 중에 미국은 북한에 대한 투자를 해야 한다고 말씀하셨는데 어떻게 할 수 있을까? 미국 기업이 직접 북한에 진출해서 공장을 짓고 할 수 있는 건지, 그럴 경우 북한이 이를 받아들일 것인지?

김대중 지금도 북한은 외부 투자를 받고 있지만, 미국은 북한이 테러지원국이라고 해서 적성국교역법을 두고 제한하고 있다. 그래서 미국 투자가 자유롭지 않다. 북한이 미국 투자를 받아들인다고 해도 미국이 법으로 못 들어가게 한다. 지금 북한 핵이 해결되는 과정 중에 있는데 일단 문제가 해결되면 북한에 대한 미국 투자가 자유롭게 진출할 수 있을 거라고 생각한다. 북한은 이미 미국의 투자를 열망하고 있다. 한국과 미국 기업이 합작회사 등을 만들어서 같이 진출할 수 있기를 바란다. 지금 개성공단에는 북한 노동자 15,000명이 일하고 있는데, 서로 그곳에서 일하려고 경쟁이 심하다. 기업도 성공을 거두고 있을뿐더러 북한 사회에도 정신적으로 큰 영향을 주고 있다.

질문 개성공단이 어디 있는 건가?

김대중 휴전선 바로 위쪽에 있다.

질문 길을 통해서 갈 수 있나?

김대중 길로도 갈 수 있고 철도로도 갈 수 있다. 개성공단 확장이 완료되면 35만 명의 노동자가 일하게 된다. 재미있는 에피소드를 하나 말씀드리면, 김정일 위원장에게 "개성공단 완공 시 총 35만 명의 노동 인력이 필요한데 개성 인구는 그에 미치지 못한다. 노동자 부족을 어떻게 해결할 것이냐"고 물었더니 그때는 군인을 제대시켜서 그들을 공장에 투입하겠다고 했다.

질문 어떤 한국 기업들이 개성공단에서 일을 하고 있고, 어떤 일을 할 수 있는지? 단순히 제조해서 수출만 하는 것인지, 아니면 거기서 생산한 물건을 북한에 팔 수도 있고, 한국 제품이 다시 북한으로 들어가서 판매될 수도 있는 것인지?

김대중 개성공단에서 생산된 물건은 남한에 가져와서 남한에서 소비하고 일부는 수출을 하는데, 미국과 같이 북한 제품 수입을 금지하는 국가에는 수출을 못 하고 있다. 한·미자유무역협정 협상 시 여러 번 요청하기는 했으나 합의를 이루지 못했다. 우리는 "개성공단에서 생산된 제품을 미국에서 받아 달라. 한국 기업이 투자해서 만든 제품이니 그렇게 해 달라"고 요청했지만 합의가 되지 못했다. 그러나 현재 교섭 중이기 때문에 핵 문제가 해결되면 이 문제도 잘 될 것이라고 생각한다.

질문 북한에 제품을 판매할 수 있나? 그리고 개성에서 제조한 제품을 남한에 판매할 수 있는 방법이 있나?

김대중 아직 개성에서 생산된 제품을 북한에서 판매할 수는 없다. 그러나 조만간 2차 남북정상회담이 있을 텐데 여기서는 경제 협력 확대가 많이 논의될 것이다. 경제 협력 확대에 대해서 두 정상이 합의를 하게 되면 그런 제품을 북한에 팔고 남한에서 제조된 제품을 북한에서도 팔게 되는 교역에 합의하게 되지 않을까 생각한다. 지금도 남한이 북한의 농산물이나 일용품은 수입하고 있다.

현재 북한은 중국으로부터 일용품의 80퍼센트를 수입하고 있다. 중국은 북한의 지하자원이나 공장 건설 등에 투자를 많이 하고 있고 항만도 보수하여 쓰고 있는데 이러다가 북한 경제가 중국에 예속될까 걱정이다. 그래서 우리도 "북한에 진출해서 투자해야 한다. 북한 경제에 참여해야 한다"고 얘기했는데 지금까지는 미국이 적극 반대를 해서 어려웠다. 그러나 핵 문제가 해결되고 잘 풀리게 되면 적극 북한으로 진출하여 중국의 전면 지배를 막고 균형을 맞춰야 한다. 이렇게 되면 미국도 동참해 주길 바란다.

질문 한·미자유무역협정 협상 진행 중에 남한이 미국과 합작 투자 등을 해서 북한에 진출해야 한다고 말씀하셨는데, 그동안은 핵 문제 때문에 북한을 고립시키기 위해 북한으로부터 물건 수입을 허용할 수 없다는 게 미국의 입장이었다고 생각하신다면, 한·미자유무역협정을 할 경우 북한이 더 고립될 거라고 생각하시지는 않는지?

김대중 한·미자유무역협정과 북한의 고립이 직접 연관이 있다고는 생각하지 않는다.

이태식 개성공단에서 만든 제품을 미국에 수출하는 문제는 한·미자유무역협정 논의 과정에서 합의는 못 이루었으나 일단 가능성은 열어 두기로 했다.

질문 개성공단에 진출한 기업은 한국이 운영하고 한국이 소유하는 것인가?

김대중 그렇다.

질문 그러나 북한에서 판매는 할 수 없나?

김대중 안 된다.

질문 그럼 개성공단에서 얻을 수 있는 이득은 노동력뿐인가?

김대중 일단 노동력도 값쌀뿐더러, 우리나라 기업들이 중국, 베트남 등에 진출하고 있는데 이들과 비교해서 북한은 거리도 가깝고 언어도 같으며, 노동력도 우수하다. 북한은 고등학교까지 의무교육이고 또 군대에서 6-7년, 많게는 10년까지도 보내기 때문에 훈련이 잘되어 있다.

질문 개성공단에서 일하는 북한 노동자들은 노동법 등에 의해서 보호받고 있나?

김대중 남한이 아니라 북한 노동법과 사회보장의 관리를 받고 있고, 남쪽은 이 문제에는 직접 개입하지 않는 것으로 알고 있다.

질문 그게 문제가 될 수 있다. 장시간 노동에 임금은 적고 근로 환경이 나쁘다면 그런 환경에서 만들어진 물건을 수용하는 것은 문제가 있는 것 아닌가?

김대중 노동법 관계는 자세히 모르는데, 내가 알기로는 북한과 협정이 맺어져서 남한 기업들의 통제하에서 일할 수 있도록 한 것으로 알고 있다. 분명한 것은 북한 노동자들이 서로 개성공단에서 일하려 하고 있고 대우에도 만족하고 있으며 공장 운영에도 적극 협력하고 있다는 것이다.

질문 그렇다면 어차피 북한에서 만들어진 제품을 남한 제품으로 취급해서 수입하기는 어려울 거 같고, 차라리 북한 내 특별 지구를 지정하고 거기에서 생산된 것으로 해서 예외로 인정하고 수입하는 것이 나을 것 같다. 어차피 방법은 달라도 북한을 개방시킨다는 같은 목적은 달성할 수 있을 거 아닌가?

김대중 현재 한국과 미국 사이에서 자유무역협정이 논의 과정에 있는데 이러한 북한 제품의 미국 시장 수출 문제는 앞으로 상황 변동에 따라서 논의의 여지가 남겨져 있다고 본다. 다시 논의할 때 그런 좋은 제안 등이 나오지 않을까 생각한다.

질문 이태식 대사는 한·미자유무역협정과 관련해서 참 끈질기게 로비했다.

다이앤 나만 해도 세 번 만났다.

김대중 한·미자유무역협정을 두고 한국민 일부는 이에 반대했지만, 나도 찬성했고 국회의원 다수와 국민 다수도 이에 찬성했다. 동아시아 국가들 중에서 미국과 빨리 자유무역협정을 체결함으로써 경제 협력 부분에서 기선을 제압할 뿐 아니라, 그렇게 함으로써 한·미방위동맹에도 큰 힘이 될 것이라고 생각했다. 그래서 우리 국회뿐 아니라 미국 의회에서도 순조롭게 비준이 되기를 바란다.

질문 어제 연설에서 언급하시기를 한·미동맹이 중요하다, 주한 미군의 계속적인 주둔도 중요하고 북한에 투자하는 것도 중요하다, 그리고 북한에 함께 나아가야 한다고 말씀하셨는데, 반면 중국의 북한에 대한 투자와 교역이 너무 커져서 걱정이라고 하셨다. 이럴 경우 통일에도 좌절적인 결과가 있을 것으로 보시는지?

김대중 그렇다. 미국은 한국이 북한 경제에 진출하는 것을 견제해 왔는데, 이제 미국과 한국은 협력해서 북한이 중국 일변도가 되는 것을 견제해야 한다. 북한의 핵 문제가 해결되면 북한에 적극 진출해 주기를 바란다. 미국은 북한의 경제적 가치를 중요하게 평가하지 않는 경향이 있는데 나는 생각이 다르다. 첫째, 북한은 상상보다 희귀 지하자원 등이 풍부하다. 텅스텐도 중요한 자원인데 세계 매장량의 50퍼센트 이상이 북한에 있다. 그리고 우수한 관광자원도 많고 그래서 미국에서도 투자에 관심을 가질 가치가 있다고 생각한다. 특히 북한 철도는 시베리아를 거쳐 중앙아시아, 유럽으로도 연결될 수 있는데, 중앙아시아는 알다시피 석유, 가스 등이 풍부한 노다지판이다. 철도를 연결하게 되면 배보다도 육로의 경우 시간과 임금도 20-30퍼센트 정도 더 경쟁력이 있다. 북한에 진출한 미국 기업들도 파리, 런던까지 육로로 유럽까지 갈 수 있다. 대통령 재임 시 푸틴 대통령을 만났을 때 철도 연결에 대해서 특히 많은 대화를 나누었다. 철도 연결은 남한, 북한, 러시아 모두 합의했고, 일본의 고이즈미 총리한테 이 얘기를 했더니 자기들은 그러면 해저터널을 만들어서 그것을 북한의 유라시아 횡단철도와 연결시키겠다고 했다. 그러니 미국도 관심 가져 주기 바란다.

질문 오늘 얘기를 듣다 보니 대통령님은 참으로 선구적인 생각을 하신다는 생각이 든다. 한국은 대통령님이 있어서 참 행운이라는 생각이 든다. 전 세계적으로 대단한 지도자시며 많은 희생을 감내하고 국가와 민족을 위해 일하셨다. 그런 비전을 가지고 있는 분은 세계적으로 참 특별한 분이다. 그런 분을 오늘 이 자리에 모시게 되어 참 행운이라 생각한다.

김대중 환대해 주시고 이런 대화를 나눌 수 있어서 감사하고 미국을 방문한 보람이 있다. 서로 협력하고 협조하여 동북아 안정 및 한반도 평화를 빨리 정착시키고 미국의 이익도 증진될 수 있도록 여러분 모두 계속 지원해 주시기 바란다.

* 이 글은 2007년 9월 19일 미 의회에서 1시간 동안 있었던 대화록이다. 당시 다이앤 파인스타인(Dianne Feinstein), 제프 빙거맨(Jeff Bingaman), 리처드 루거(Richard Lugar), 벤저민 카딘(Benjamin Cardin) 의원과 박지원 실장, 이태식 대사, 양성철 전 대사가 함께했다.

문제는 핵 문제 해결이다

토론 존스홉킨스대학교 한미연구소
일시 2007년 9월 20일

김대중 한국 사람들은 항상 미국에 감사한 마음을 가지고 있다. 특히 한국 전쟁에서 도와준 것을 감사하게 생각한다. 그 보답으로 베트남전쟁에 파병을 했고 지금도 아프가니스탄과 이라크에도 파병하고 있다. 개인적으로 미국에 은혜를 느낀 것은 내가 1973년 8월 8일 일본 도쿄 호텔에서 한국 중앙정보부(KCIA)에 의해 납치되었을 때 미국이 구출하는 데 결정적인 역할을 했다. 1980년 사형 선고를 받고 사형 집행 직전에 미국이 아니었으면 나는 그때 이 세상에서 사라졌을 것이다.

우리는 한반도의 미래, 평화와 안정을 위해서 미국과 협력하고 동맹 관계를 강화하는 게 매우 중요하다고 생각한다. 안보상의 문제만 아니라 경제적인 상호 이익을 위해서 자유무역협정(FTA)을 체결했다. 일부 국민들의 반대가 있었지만 대다수 국민들의 지지를 받아 양국의 이익을 위해 자유무역협정(FTA)을 체결했는데 여러분들도 앞으로 많은 협력을 해 주시길 바란다. 마지막으로 부탁의 말씀을 드린다. 북한은 지금 엄청난 수해를 입고 기아의 위협에 빠져 있다. 한국도 매년 40만 톤의 쌀을 보내고 있는데 미국도 북한에 식량을 지원해서 굶주린 사람을 도와주면 좋겠다.

질문 북한이 핵을 포기할 것으로 생각하나?

김대중 북한의 핵 문제는 절대로 용납할 수 없다. 남한은 북한이 핵을 갖는 것을 100퍼센트 반대한다. 북한과의 관계 정상화는 핵 포기가 선결 과제라고 생각한다. 미국도 마찬가지라고 생각한다. 북한은 미국에 대해 직접 대화하고 경제 제재를 해제하고 국교를 정상화하면 핵을 포기하겠다고 공언해 왔다. 지난 2월 13일, 6자회담에서 합의가 이루어졌다. 잘될 것으로 기대하고 있다.

질문 햇볕정책과 현 정부의 포용정책과는 어떤 차이가 있는가?

김대중 햇볕정책을 추진하는 데는 내 재임 시절이나 지금의 한국 정부나 큰 차이가 없다. 남북 관계를 진전시키고 평화를 발전시키고 화해, 협력을 추진하고, 통일에 대비해 나가는 것에서 큰 차이가 없다. 햇볕정책은 일관되게 국민의 과반수 이상의 지지를 받고 있다.

질문 대북 지원에서 모니터링 시스템 문제는?

김대중 북한은 원조를 받을 때 만족할 만한 수준은 아니지만 나름대로 모니터링에 협조하고 있는 것으로 알고 있다. 한국도 매년 40만 톤의 쌀과 30만 톤의 비료를 지원하고 있는데 어느 정도 지원 과정을 살피고 있고, 북한도 협조하고 있다.

질문 북한과 협상에서 비핵 연료의 지원 방법으로 가야 하는가, 아니면 북한이 주장하는 경수로 방식으로 가야 하는가?

김대중 2·13합의에서도 핵 문제가 해결되는 대로 경수로를 지원하는 것으로 되어 있다. 경수로를 지원하는 것이 선결 조건이 아니라 북한의 핵 포기가 선결 조건이다. 그렇게 해서 북한이 국제사회에서 믿음을 주는 것이다. 그렇게 되면 경수로를 어떻게 할 것인가도 이해와 협력 속에 해결될 것이다.

질문 2차 남북정상회담에서 200억 달러에 달하는 대북 지원 약속이 있을 거라는 추측이 있는데?

김대중 좋은 이야기 들으러 왔는데 어려운 질문이 많이 나오니 내가 잘못 온 것 같다.(웃음) 나는 북한 경제 전문가는 아니지만 아는 범위 내에서 말씀드리겠다. 지금 북한 경제는 최저 수준으로 아주 나쁘다. 국민의 기본 생활도 충족시키지 못하고 있다. 북한이 미국과 관계 개선을 하려는 최대의 목적은 경제 제재의 해제를 통해 경제의 활로를 찾으려고 하는 것이다. 국제통화기금(IMF)이나 아시아개발은행(ADB)에서도 돈을 빌리고 일본에서도 100억 달러로 추정되는 배상금도 받고 다른 나라로부터 국제 투자도 받아들이려고 하는 것이 북한의 경제 현실인데, 이는 모두 미국의 동의가 없이는 불가능하다. 내가 2000년 6월 김 위원장을 만났을 때 이렇게 얘기했다. "미국과 관계 개선을 하라. 그것만이 북한이 원하는 안전 보장과 경제 활로를 찾는 길이다. 국제통화기금(IMF)과 아시아개발은행(ADB)에서 돈을 얻는 것도 미국과의 관계 개선에 달려 있다." 여기에 대해 김 위원장은 아주 긍정적으로 말했다. 그리고 나는 또 이렇게 이야기했다. "남쪽을 보시오. 남쪽은 미국의 협력을 얻어서 잘살고 있지 않느냐. 북한도 미국과 관계 개선을 해야 한다. 그렇게 하려면 대량살상무기를 모두 포기해야 한다." 이렇게 이야기했다. 북한은 우수한 인적 자원과 고등학교까지 의무교육을 받고 군사훈련을 받고 임금이 싼 노동자들이 많다. 북한도 중국이나 베트남보다 훨씬 앞서갈 수 있다. 핵심 문제는 미국과의 관계 개선이고 핵 문제 해결이다.

질문 남북 관계 개선에서 저해 요인은? 북한이 정말 핵을 포기할 것이라고 생각하는가? 지금 일본의 정권 교체가 되려고 하는데 북한과의 관계 개선에 도움이 되나?

김대중 1994년 내셔널프레스클럽(NPC) 연설 때 줄 것은 주고 받을 것은 받는 일괄 타결을 하고 카터 대통령의 방북을 권유한 바 있다. 세월은 지났지만 북한 핵 문제에 대한 내 태도는 일관됐다. 북한은 안전 보장, 경제 제재 해제, 국교 정상화를 하고 핵을 포기하는 것이다. 클린턴 정부는 햇볕정책을 적극 받아들였다. 내 임기 중반쯤에 부시 정부가 들어섰는데 부시 정부는 대화를 거부하고 북한을 '악의 축'으로 규정해서 극단적 대립이 계속됐다. 그렇게 6년이 지났다. 북한은 핵확산금지조약(NPT)을 탈퇴하고 국제원자력기구(IAEA) 사찰단을 추방시키고, 장거리미사일을 발사하고 마침내 핵실험을 했다. 허송세월을 한 것이다. 결국 부시 대통령도 그동안의 태도를 바꾸어 북·미 대화와 2·13합의에 이르게 되었다. 1단계에서 영변 5메가와트급 핵 시설을 봉쇄하고 국제원자력기구(IAEA) 사찰단을 초청했다. 2단계의 핵 프로그램의 신고와 핵 시설의 불능화를 하고 있는데 잘 진전될 것으로 생각한다.

그동안 일본은 북한과의 관계에서 납치 문제를 극도로 강조해 왔다. 아베 정권은 납치 문제를 규탄하면서 국민 여론을 조성하여 총리의 자리에 올랐는데 납치 문제가 해결되지 않으면 석유 제공도 협조하지 않겠다고 했다. 일본의 주장이 틀렸다는 것이 아니라 너무 납치 문제에 치중하는 바람에 일본과 북한 관계가 아주 악화되었고, 6자회담에도 장애가 되고 있다. 그런데 이제 아베가 물러나고 후쿠다 야스오 씨가 다음 총리가 될 것 같다. 후쿠다 씨가 등장하면 유연한 태도로 북한 문제를 대처할 것이라고 생각한다.

질문 남한에서 북한에 제공하는 원조가 6자회담의 진전 사항에 맞추어 연계적으로 제공되어야 하지 않겠는가. 또한 북한에 대한 남한의 인도주의적 지원이 6자회담에서 제공하는 지원의 일부분으로 제공되게 되면 6자회담이 제공해야 하는 중유 등 지원의 부담이 덜어지지 않겠는가.

김대중 남한은 6자회담의 일원이기도 하지만 남한과 북한은 같은 민족으로 서로 대치하고는 있지만 협력할 수도 있다. 본격적인 대규모 투자나 원조는 6자회담이 잘 풀려서 미국 및 국제기구가 북한에 들어갈 때 하겠지만, 긴급한 식량이나 비료 지원 등은 우리 것 우리가 주는 것이니까 동족을 지원할 수 있다고 생각한다. 북한에 경제적으로 진출할 이유가 있는데 그것은 중국 문제다. 중국은 북한에 경제적으로 크게 진출하고 있다. 북한 생필품의 약 80 퍼센트가 중국산이다. 중국은 북한의 광산, 공장 등에 진출하고 있다. 북한이 중국의 경제권으로 편입하고 있는 것이 문제이다. 우리도 북한에 일부라도 진출해서 중국에 대한 견제와 균형 역할을 해서 북한 경제가 중국에 예속되는 것을 막아야 한다. 이는 미국의 관심사에도 부합할 것이라 생각한다. 한국과 미국, 그리고 세계가 북한에 참여할 수 있는 시대가 오길 바란다.

질문 존스홉킨스대학에 박사과정에 있는 한국 학생이다. 한반도 평화를 위해서 젊은 세대들이 어떻게 준비하고 통일에 기여해야 하는가?

김대중 우리는 1,300년간 단일민족으로 살아왔다. 분단은 우리도 모르게 미국과 소련이 2차대전 종전 조치로 삼팔선으로 둘로 갈랐다. 그리고 전쟁으로 수백만이 희생을 당했다. 타의에 의해 분단됐지만 통일은 우리의 힘으로 해 나가야 한다. 민주주의적 통일이 되어야지, 공산통일은 할 수가 없다. 그리고 무력, 흡수 통일도 안 된다. 윈윈의 통일이 되어야 성공하는 통일이다. 남북 간의 화해를 위해서는 평화 공존해야 한다. 통일은 급속히 서두르는 것보다는 1단계 남북연합, 2단계 남북연방, 3단계 완전 통일의 단계로 해야 한다. 이렇게 잘 노력해 나가면 10-20년 내에 통일을 이룰 수 있을 것이다. 젊은 이들이 이러한 통일을 위해서는 이번 대선에서 통일에 의욕을 갖고 열망을 갖고 있는 후보가 당선되도록 가능한 지원을 해야 할 것이다. 통일에는 미·일·중·러 4대국의 협력이 중요한데 미국에 있는 여러분들이 미국의 협력을 위해서 노력해 달라. 조선왕조 말엽, 중·일전쟁, 일·러전쟁이 있었다. 이렇게 세 나라는 항상 우리와 친숙한 관계였지만 경계해야 할 나라이다. 만일 그

때 미국이 도왔더라면 일본이 우리를 강탈하지는 못했을 것이다. 그러나 그
때 우리는 미국을 우리 편으로 만드는 데 실패했다.

* 이 글은 미국 존스홉킨스대학교 한미연구소(SAIS) 토론에서의 김대중 대통령의 모두 말씀과
  질의응답 내용이다.

미국은 북한을 안아야 한다

대담 로버트 루빈·데이비드 립튼
일시 2007년 9월 24일

미국 뉴욕을 방문 중인 김대중 전 대통령은 9월 24일(월) 오전 숙소에서 로버트 루빈 전 재무장관(현 시티그룹 회장), 데이비드 립튼 전 재무차관, 퍼거슨 시티그룹 아·태 지역 마케팅 상무를 면담하고, 한국의 외환 위기 극복, 미국 경제, 6자회담과 북한 문제, 미·중 관계 등에 대해서 70여 분간 대화를 나눴다. 이 자리에는 박지원 비서실장, 양성철 전 주미대사, 김경근 뉴욕총영사가 배석했다. 다음은 이 자리에 배석한 최경환 비서관이 정리하여 발표한 대화록 요지이다.

한국의 외환 위기 극복

김대중 여러분은 외환 위기 극복의 은인들이다. 만나서 반갑다.

루빈 우리가 아니라 대통령님께서 나라를 구했다.

김대중 그런 말을 루빈 장관 저서에서, 그리고 얼마 전 한국에 와서 한 강연에서도 한 것으로 알고 있는데 감사드린다. 미국과 국제통화기금(IMF)에서 도와주지 않았으면 불가능한 일이었다. 거기에다 금 모으기까지 하면서 국난을 극복하려는 국민의 힘이 컸다. 립튼 차관께서 내가 당선자 시절 나를 찾아와 나를 테스트했다. 돌아가서 좋게 보고해 주어 도움이 되었다.(좌중 웃음)

립튼 나는 루빈 장관 지시를 따랐다.(좌중 웃음) 결과적으로 대통령님께서 방향을 잘 설정하고 위기를 헤쳐 나갈 의지를 보여 주었기 때문이다.

김대중 결론적으로 말하면 한국 외환 위기는 한국 국민, 미국, 국제통화기금(IMF), 한국 정부 4자가 잘 협력했기 때문에 극복할 수 있었다. 30개 중 16개의 재벌 기업이 문을 닫거나 주인이 바뀌는 개혁을 했다. 은행 점포 600개를 폐쇄하는 구조조정을 했다. 이 과정에서 국민 저항이나 업계 저항이 적었던 이유는 그렇게 하지 않으면 미국이나 국제통화기금(IMF)의 지원을 받을 수 없고, 지원을 받지 못하면 망한다는 것을 알아 그것이 압력도 되고 설득도 되었다.

미국 경제

루빈 한국과 아시아 외환 위기 당시는 미국이나 국제사회가 도움을 주었고 한국에 뛰어난 리더십이 있어서 가능했는데, 현재 미국은 국제기구 등의 도움을 받기가 힘들어 더 어려운 것 같다.

김대중 그러나 미국 국민들의 지혜와 루빈 장관과 같은 탁월한 경제 지도자가 있어 결국 난관을 헤쳐 나갈 것이라고 생각한다.

루빈 난관은 헤쳐 나갈 수 있겠지만 미국 경제의 펀더멘털(fundamental)의 개혁을 잘 이끌기 위해서는 한국이 1998년 그랬던 것처럼 정치적 시스템의 결단이 필요한데 그것이 쉽지 않다.

김대중 외부에서 저희가 보기에는 미국은 큰 경제인데, 군사 비용이 너무 크다 보면 이것이 반드시 미국 경제에 좋은 영향을 미치지는 않는 것 같다.

립튼 이라크 전비 지출 등 국방비 지출액이 얼마가 되어야 할지 등에 대해서는 긴 논의를 가졌는데, 그동안 군사 비용이 급격히 늘어난 것은 사실이다. 그러나 미국 경제는 이나 경제 성장을 계속 지탱할 만한 요소가 많이 있기 때문에 강하다고 할 수 있다. 다만 새로운 문제가 항상 나타나고 있기 때문에 이에 대처하기 위해서는 민간과 공공 규제 기관 사이의 창의적 해결 방법이 필요하다. 미국 경제는 기술 진보 및 혁신 등에 의해서 더 빨리 발전하고 있으나 잘못된 방향으로 가지 않기 위해서는 가이던스(guidance)가 필요하다.

김대중 군사 개입을 하여 비용 지출이 많아도 군사 개입에서 성공을 하면 국민 사기도 오르고 경제도 좋은 영향을 받을 터인데, 지금의 군사 개입이 반드시 성공하고 있지 않다는 것이 더 문제가 아닌가 생각한다.

루빈 매우 현명하신 말씀이다. 미국 경제의 펀더멘털은 1998년 한국과 마찬가지로 재무, 교육부터 모든 부문에 걸쳐서 조정이 필요한데 이를 위해서는 대통령님과 같은 인물이 필요하다. 대통령님께서 차기 미국 대선에 출마하시면 여기 있는 립튼이 선거운동을 도울 것이다.(좌중 웃음) 이제 다른 질문을 드려 볼까 한다. 북한과의 관계 전망을 어떻게 보시는지?

6자회담과 북한 문제

김대중 먼저, 대통령 출마 이야기는 과분하여 오늘 밤 잠을 못 이룰 것 같다.(좌중 웃음) 북한과의 관계는 내가 대통령으로 있을 때 클린턴 대통령과 모든 것이 잘 협조되어 해결 단계까지 갔지만, 클린턴 대통령의 임기가 끝나 완결 짓지 못했다. 2년 전 클린턴 대통령이 서울의 제 사무실에 오셔서 "임기가 1년만 더 있었으면 당신과 협력해서 한반도 문제를 해결했을 텐데 아쉽다"고 했는데, 나도 아쉽게 생각한다. 부시 대통령은 취임해서 에이비시(ABC·Anything But Clinton) 정책을 펴서 클린턴 대통령이 북한과 해 놓은 것을 다 취소했다. 2년 동안 부시 대통령을 상대로 "그래서는 안 된다, 직접 대화하고 줄 것은 주고 받을 것은 받아야 한다"고 설득했다. 부시 대통령에게 직접 대화 등의 정책을 따르라고 설득하고 합의도 했다. 그러나 부시 대통령은 대북 강경 정책, 북한 정권을 무너뜨리려고 하는 정책을 펴서 계속 실패했다. 그 결과 북한은 핵확산금지조약(NPT) 탈퇴, 국제원자력기구(IAEA) 요원 추방, 미사일 모라토리엄 파기와 장거리미사일 발사, 그리고 마침내 핵실험까지 했다. 부시 6년 동안 대북 정책은 실패의 연속이었다. 저는 야당 때나 정부에 있을 때나 퇴임 후나 일관되게 북한이 핵을 가지려는 것이 목적이 아니라, 미국과 직접 대화하고 안전 보장받고 경제 제재 해제받고 국교 정상화를 해서 결국에는 중국이나 베트남과 같이 국제사회에서 활동하려는 것이 목적이라고 주장했다. 이제 마침내 2월 13일에 그런 내용으로 합의를 했다. 미국에서는 그렇게 해 주었는데도 북한이 배신하면 어떻게 하느냐는 걱정이 있는데, 2·13합의는 행동 대 행동(action for action) 원칙으로 되어 있다. 우리가 중유를 제공해서 북한은 영변 5MW 핵 시설을 폐쇄하고 국제원자력기구(IAEA) 사찰 단원을 초대했다. 앞으로 핵 시설 불능화, 핵 프로그램 신고를 하게 되면 거기에 따른 대가로 미국은 북한을 테러지원국 리스트에서 제외하는 등의 액션을 취할 수 있다. 만일 북한이 속인다면 중국과 한국도 대북한 제재에 참여할 것이고 그러면 북한도 견딜 수 없을 것이다. 중국은 북한의 핵 보유를 절대적으로 반대하고 있는데, 북한이 핵을 보유하게 되면 일본과 대만의 핵 무장으로 이어져 중국에게는 하나의 악몽이다. 결론적으로 미국이 지금의 태도를 바꾸지 않는 한반도 비핵화는 성공한다. 북한은 그런 준비가 돼 있다. 지금 걱정되는 것은 방코델타아시아(BDA) 문제와 같이 미국에서 북한 문제가 순조롭게 풀리는 것을 원하지 않는 이들이 문제를 일으키는 것을 경계해야 한다. 여러분들이 6자회담이 순조롭게 진행되도록 지원해 달라.

루빈 우리는 민간인이라 뭐라 말씀드릴 수는 없지만, 예전보다는 상황이 좋아졌다. 이번 미국 대선에서 누가 승리를 하든 미국 대외 정책은 보다 실용적이 될 것이고, 그래서 북한 문제도 잘 풀릴 것이라고 생각한다.

김대중 2·13합의는 클린턴 정책을 계승한 것이어서, 민주당도 클린턴 정책을 계승한 것을 환영해야 할 것이다. 이번에 워싱턴에서 올브라이트 장관과 웬디 셔먼 대북 정책조정관을 만났는데 "여러분이 추진한 정책이 햇볕을 보게 되었고 결과적으로 성공하게 되었다"고 얘기했다.

미국과 중국 관계, 동북아 정세

립튼 앞으로 걱정되는 것은 미국과 중국의 관계가 잘될 것이냐 하는 것이다. 전반적으로 미국 내에서, 특히 민주당 측에서는 중국과 마찰이 있다. 이것이 6자회담에 장애가 되지 않을까 걱정이 된다.

김대중 아주 중요한 문제를 지적했다. 미국은 중국 문제 관련 기로에 있다. 미국이 일본과 군사적 협력을 통해 중국을 견제하게 되면 중국은 위협을 느껴 군부가 사회를 주도하게 되고 군사 대국화 할 수 있다. 그러나 중국이 미국의 군사적인 위협이 대응할 만하다고 생각하고 미국과의 관계 개선에 희망이 있다고 생각하면 후진타오 주석이 추진하는 화평굴기和平崛起 정책, 즉 모든 것을 평화적으로 해 나갈 수 있을 것이다. 그리고 중국 내에는 두 가지 논리가 논쟁 중이다. 이 논쟁에는 전 부총리, 장관, 각료 등이 참여하고 있는데 신좌파와 신우파 논리이다. 신좌파는 "지금의 중국 부패와 빈부 격차 문제는 무책임한 개혁 개방에 있고 이를 극복하기 위해서는 통제, 계획경제, 즉 마오쩌둥 시대로 돌아가야 한다"고 주장한다. 신우파는 "그렇지 않다. 부패와 빈부 격차는 민주주의를 안 하기 때문에 감시와 비판도 안 되고 그래서 투명한 경제가 안 된다. 공산당 일당 독재를 수정하고 스웨덴의 수정 사회주의를 해야 한다"고 주장한다. 그런데 놀라운 것은 그러한 신우파 정책에 대해 후진타오 주석이 "하오 하오(좋다 좋다)" 하며 호응했다는 것이며, 이러한 동향을 미국은 주목할 필요가 있다. 또한 중국에서는 시장경제 도입 후 급속도로 중산층이 늘어났다. 5년 전 공산당 당헌을 고쳐서 당원으로 노동자, 농민만 참여할 수 있었던 것을 기업인, 지식인 등 중산층도 참여할 수 있도록 했다. 그리고 보도되고 있지는 않지만 정치 문제는 아니더라도 경제적 사회적 문제와 관련한 시위와 여러 비판이 있다. 매일 수백 건의 시위가 일어나고 있다. 중산층의 압력이 정부에 가해져 신우파 의견도 나오고 후진타오와 같은 정부 지도자의 공감을 얻고 있다. 그런데 중국이 민주화까지 갈 것이냐 하는 것은 미국과 일본의 군사연합이 중국에 생존의 협으로 느껴지느냐 아니냐, 혹은 견딜 만한 것이냐 아니냐에 달려 있다. 시장경제가 도입되면 반드시 중산층이 생겨나게 마련이다. 중국에는 현재 5천만에서 1억 명 사이의 중산층, 즉 자기 재산을 가진 사람들이 등장하고 있다. 영국이나 프랑스에서도 그랬는데, 프랑스의 경우에는 이들 중산층의 요구를 들어주지 않아서 귀족과 왕이 말살당하는 대혁명으로 이어졌다. 민주화는 평화적으로도, 또한 무력을 통해서도 이루어질 수 있지만 중국 정부가 끝까지 이들을 억압하면 충돌이 있을 것이다. 그런데 문제는 미국이 중국에 대한 군사적 압력을 계속 가하면 중국이 군사 대국화하여 민주화의 가능성이 죽고, 반면에 군사적 압력이 견딜 만하게 느낀다고 생각하면 민주화의 힘, 즉 국민적 지지가 더 커질 것이다.

루빈 총체적이고 실용적인 관점 감사드린다. 그런데 현재 미국의 대중국 관계는 그런 측면보다는 주로 교역적인 측면에만 치중이 되어 있다.

립튼 미국이 중국과의 교역적인 측면과 안보적인 측면을 같이 생각하면 당연히 충돌이 생겨나기 마련인데, 미국이 중국을 혼자서 상대하기보다는 다자 대화 시스템을 통해서 상대하면 좋을 듯하다. 아시아의 리더들이 도와주어 대중국과의 관계에서 미국이 어떤 이점을 얻을 수 있다는 점 등을 설득하여 주는 등 다자 대화 시스템이 있었으면 좋겠는데, 6자회담이 12자나 16자 등의 대화기구가 있었으면 한다.

김대중 장쩌민 주석을 만나서 6자회담을 동북아 안보협력기구로 만들자고 했더니 찬성했다. 앞으로는 몽골이나 유럽연합(EU)도 정식 회원이든 옵서버로든 참석하여야 할 것이며, 그래서 동북아 평화와 경제 안정에 기여를 하고 인권, 민주주의 발전에도 기여했으면 좋겠다. 과거 헬싱키협정이 구소련과 동유럽의 민주화와 인권에 영향을 미쳤듯이 중국과 북한의 인권에도 영향을 미칠 수 있을 것이다. 그렇게 되면 미국의 역할이 커질 것이다.

루빈 대통령님이 널리 존경받는 인물이시고 미·중 관계에 관한 전체적인 구도적 관점을 가지고 계시므로 『뉴욕타임스』나 『월스트리트저널』 등에 기고를 해서 많은 미국인들이 읽을 수 있도록 하면 좋겠다.

북한과의 경제 협력

김대중 마지막으로 북한과 경제 협력에 대해서 이야기하겠다. 미국은 우리가 북한과 경제 협력하는 것을 견제해서 그동안 제대로 경제 협력을 발전시킬 수 없었다. 그러는 동안 중국은 북한 경제에 진출하여 북한 생필품의 80퍼센트가 중국에서 오고 있고, 중국은 북한의 지하자원, 항만, 공장 건설 등에도 진출하고 있다. 그것은 북한을 중국 경제권에 예속시키는 결과를 초래한다고 미국인 친구들을 만날 때마다 항의해 왔다. 남한이 적극적으로 북한에 경제적으로 진출해서 교역과 투자를 해서 중국과 균형을 맞춰야 한다. 그리고 6자회담이 잘되면 미국이나 유럽 기업인들도 북한에 들어가 북한이 중국 일변도가 되는 것을 막아야 한다. 김정일 위원장도 미국과 유럽 기업의 북한 진출을 진심으로 바라고 있다고 생각한다. 내가 미국 친구들을 만날 때마다 북한 경제가 중국 경제에 예속되는 것을 바라느냐고 묻는다. 루빈 장관께서 경제적으로 큰 영향을 가지고 계시니 내 말이 옳다고 생각하시면 큰 영향력을 발휘해 주시기 바란다.

루빈 대통령님 말씀에 일리가 있다.

김대중 김정일 위원장은 미국으로부터 안전 보장, 경제 제재 해제, 국교 정상화를 보장받으면 미국에 적극 협력할 것이다. 2000년에 직접 만나고 그 이후 간접적으로 이야기를 들은 바로도 그렇다. 그러므로 미국은 이번에 북한을 안아야 한다. 미국이 남북한과 좋은 관계를 가지게 되면 전략적으로도 큰 이점이 있다. 미국은 그러한 전략적 요구, 북한 지도자의 열망, 북한의 경제적 가치, 한반도를 통한 유라시아 횡단철도를 통한 대륙 진출 등의 측면에서 볼 때 미국도 주목할 만한 큰 가치가 있다. 미국이 단순히 협력해 달라는 것이 아니라 미국도 외교적, 군사적, 경제적 이득을 취하면서 윈윈(win-win)하자는 것이다.

루빈 대통령님의 그러한 지혜와 비전이 많은 사람들에게 혜택을 줄 것이다.

---

* 이 글은 당시 로버트 루빈(Robert Rubin) 전 미국 재무부 장관과 데이비드 립튼(David A. Lipton) 전 재부무 차관과의 대화록이다.

한반도에 평화가 오고 있다

강연 미국 코리아소사이어티

일시 2007년 9월 25일

김대중 존경하는 도널드 그레그 이사장, 에번스 리비어 회장, 그리고 귀빈 여러분!

저를 오늘 이 영광스러운 자리에 초청해 주신 데 대해서 감사를 드립니다. 그리고 2007년 '밴플리트상'을 수여해 주신 데 대해서 큰 영광으로 생각합니다.

연설을 시작하기에 앞서 '코리아소사이어티'의 업적에 대해서 몇 말씀 드리고자 합니다. 오랜 시간 북한 핵 문제의 어두운 터널을 지나오는 동안 '코리아소사이어티'는 핵 문제 해결에 정확한 방향을 제시했으며, 효과적이고 열성적인 노력을 기울였습니다. 최근 북한 핵 문제 해결과 한·미 관계 개선에는 '코리아소사이어티'의 노력이 매우 컸다는 것을 말씀드리고 감사해 마지않습니다. 특히 오랫동안 '코리아소사이어티'를 이끌면서 탁월한 식견과 역량으로 한반도 문제 해결에 큰 업적을 남기신 도널드 그레그 이사장의 공로를 찬양해 마지않습니다.

존경하는 여러분!

오랫동안 한반도에 위기를 가져왔던 북한 핵 문제가 이제 해결의 길을 찾아가고 있습니다. 2·13합의에 의해 행동 대 행동(action for action)의 원칙이 확립되었습니다. 미국은 북한의 안전을 보장하고 경제 제재를 해제하며 국교를 정상화할 것을 약속했으며, 북한은 핵을 전면적으로 포기하고 한반도 비핵화에 동참할 것을 약속했습니다. 참으로 획기적인 변화가 지금 이루어지고 있습니다.

부시 대통령은 최근 "나는 선택했다"고 선언하고 북한과의 대화에 적극 나서면서 주고받는 일괄 타결을 진행하고 있습니다. 또한 미국은 북한의 핵폐기를 확인하게 되면 반세기에 걸친 한반도 전쟁 상태의 종식을 선언하고 평화협정을 체결하겠다고 말하고 있습니다. 저는 부시 대통령의 현명한 결단을 환영해 마지않습니다.

존경하는 여러분!

저는 1971년 대통령 선거에 출마한 이래 평화 공존, 평화 교류, 평화 통일의 3원칙과 남북연합, 남북연방, 완전 통일의 3단계 통일 방안으로 구성된 '햇볕정책'을 제시해 왔습니다. 그리고 북핵 문제 해결 방안으로 북한은 핵무기 등 대량살상무기를 완전히 포기하고, 미국은 북한의 안전 보장과 경제 제재 해제, 국교 정상화의 대가를 주고받으면 핵 문제 해결은 물론 한반도에 항구적인 평화가 올 수 있다고 주장해 왔습니다. 저는 이러한 내용을 야당으로 있을 때나, 대통령으로 재임 중, 또는 퇴임 후에도 일관되게 주장해 왔습니다.

작년 10월 북한 핵실험이 있었을 때도 저는 핵실험의 충격으로 인한 국내외의 비관적 견해에도 불구하고 여전히 같은 주장을 계속했습니다. "북한은 핵무기를 갖는 것이 목적이 아니다. 미국이 북한이 원하는 안전 보장, 경제 제재 해제, 국교 정상화를 실행하면 북한은 핵을 완전히 포기할 것이다. 이것은 내가 2000년 6월 북한의 김정일 국방위원장을 직접 만나 본 결과와 그 후의 간접적인 접촉으로 확신할 수 있다." 당시 저는 국내외의 수많은 언론 매체를 통해서 이러한 내용을 강력히 주장했습니다.

다행히 부시 대통령이 결단을 내려서 마침내 2·13합의를 도출하게 되었습니다. 이 합의에 의해서 북한은 제1단계 조치인 영변 핵 시설을 폐쇄하고, 국제원자력기구(IAEA) 사찰관을 초청했습니다. 이제 제2단계인 핵 시설의 불능화 조치와 농축우라늄을 포함한 모든 핵 프로그램의 신고도 순조롭게 이루어질 것으로 보입니다. 물론 미국도 약속한 대가를 이행할 것입니다.

이제 긴 세월에 걸친 어두운 터널 속에서의 방황은 끝나 가고, 터널의 밝은 끝이 보이기 시작하고 있습니다. 저는 부시 대통령이 비현실적인 정책을 과감하게 버리고 북핵 문제에 대한 생산적인 정책과 결단을 내린 데 대해서 다시 한번 환영하고 지지해 마지않습니다.

존경하는 여러분!

북한의 김정일 위원장은 무엇보다도 미국과의 관계 정상화를 열망하고 있습니다. 저는 이것을 잘 알고 있습니다. 김정일 위원장은 북한의 안전과 생존이 보장된다면 핵 포기는 물론 모든 대량살상무기의 해결에도 적극 협력할 것입니다. 이것은 그러한 무기들이 북한 주민의 궁핍한 생활을 해결해 줄 수도 없고, 경제를 살릴 수도 없기 때문입니다. 경제 문제가 해결되지 않으면 북한은 생존해 나갈 수 없습니다.

뿐만 아니라 김정일 위원장은 저를 만났을 때 한반도에 주둔해 있는 미군이 현재는 물론 통일 이후에도 한반도에 있어야 한다는 저의 주장에 적극 동조했습니다. 그는 19세기 말 조선왕조 말엽 중국, 일본, 러시아가 우리나라를 병탄하기 위해서 전쟁을 일으키고, 그로 인해서 국권을 상실한 사실에 대해 언급했습니다. 만일 그때 우리가 미국의 지원을 얻을 수 있었다면 망국의 서러움은 없었을 것이라고 그는 생각하고 있었습니다. 저는 미군의 한반도 주둔에 대한 김정일 위원장의 태도를 보고 한편으로는 의외로 생각했고, 한편으로는 안도했습니다.

존경하는 여러분!

우리는 미국 내의 일부에서 한국에 대한 비판적 이야기들이 있다는 것을 알고 있습니다. "한국은 6·25전쟁 때의 은혜를 잊고 있다", "한국 내에 반미 감정이 일어나고 있다", "한국이 중국 쪽으로 기우는 것 아니냐"는 등의 비판입니다. 그러나 이것은 전혀 사실이 아닙니다. 절대다수의 한국민은 미국의 은혜를 잊지 않고 있고, 미국의 중요성을 충분히 인식하고 있습니다. 한국이 중국, 일본, 러시아와 같은 대국 사이에서 안전을 유지하고 발전하기 위해서는 미국과의 동맹 관계와 협력이 매우 중요하다는 것을 잘 알고 있습니다.

한국은 베트남전에 참전해서 5천여 명이 사망하고 1만여 명이 부상을 입었습니다. 지금도 이라크에 2천여 명을 파병하고 있는데, 이것은 미국, 영국 다음으로 큰 규모입니다. 아프가니스탄과 레바논에도 파병하고 있습니다.

한국은 미국과 이렇게 국제 무대에서 협력할 뿐만 아니라 양국 현안에 대해서도 협력을 강화하고 있습니다. 미국이 미군의 전략적 방침에 따라 전방에 있는 미군 부대를 후방으로 이동 배치하기로 했을 때 이를 수용했습니다. 미군사령부의 후방 이전에도 적극 협력하고 있습니다. 뿐만 아니라 일부 국민의 반대에도 불구하고 미국과 자유무역협정(FTA)을 체결했습니다. 한·미 자유무역협정(FTA)은 경제적 효과뿐만 아니라 한·미 안보협력 체제도 더한 층 강화시키는 효과를 가져올 것입니다.

저는 한·미동맹은 한국을 위해서뿐만 아니라 동북아에서 미국의 군사적· 경제적·외교적 이익을 위해서도 중요하다고 생각합니다. 양국의 이해가 일치한 만큼 이러한 동맹 관계는 공고하고 오래 지속될 것입니다.

존경하는 여러분!

한국의 노무현 대통령은 오는 10월 2일 북한을 방문해서 김정일 국방위원장과 정상회담을 갖습니다. 남북정상회담은 부시 대통령과 충분한 협의하에 이루어지고 있는 것으로 알고 있습니다. 정상회담에서는 무엇보다도 북한 핵 문제를 해결하려는 6자회담의 노력을 적극 지지하는 데 합의할 것입니다. 한반도 평화 체제를 실현하는 협의도 이루어질 것입니다. 그리고 한국이 북한 경제 회복에 동참하는 문제도 중점적으로 논의될 것입니다. 과거의 원조 중심 경제 협력으로부터 이제 남북의 공동 이익을 추구하는 경제체제가 논의될 것으로 봅니다.

중국은 북한에 경제적으로 대거 진출하고 있습니다. 하루속히 한국도 북한에 진출해서 중국과 균형을 맞춰야 한다고 생각합니다. 그리고 북핵 문제가 해결되면 국제통화기금(IMF)이나 아시아개발은행(ADB)과 같은 국제기구, 그리고 미국을 비롯한 서방세계의 기업들이 한국과 공동으로 북한에 진출해야 할 것입니다.

한반도 평화와 번영을 위해서 한반도에 미군이 주둔하고, 한·미 공동으로 북한에 경제적으로 진출하는 일은 매우 중요하다고 생각합니다. 저는 부시 대통령의 지지를 얻은 이번 노무현 대통령의 방북이 큰 성공을 가져올 것으로 믿습니다.

존경하는 여러분!

저는 몇 년 전부터 6자회담이 성공하면 이것을 해체하지 말고 발전시켜 동북아 안보협력(security and cooperation) 기구로 상설화해야 한다고 주장해 왔습니다. 이제 남북 간의 긴밀한 화해 협력, 북·미 관계 정상화와 함께 그러한 협의가 진행되고 있습니다. 동북아 6자 안보협력체가 이루어지면 한반도 평화도 공고화될 것입니다. 그리고 이러한 발전은 미·일·중·러 4대국의 공동 이익과 세계 평화에도 크게 기여할 것입니다.

존경하는 여러분!

한반도에서 오랜 불확실성의 시대가 가고, 핵전쟁의 우려와 핵무기의 불법적인 확산에 대한 우려도 사라져 가고 있습니다. 한반도에 평화가 오고 있습니다. 한·미 양국은 앞으로 더욱 긴밀하게 협력해서 평화와 번영의 공동 이익을 실현시킵시다. '코리아소사이어티'가 더한층 노력하여 이러한 과정에 큰 기여를 다할 것을 바라 마지않습니다.

감사합니다.

질의응답

질문 북한이 핵을 보유한 상태에서도 한반도의 평화가 가능할까요?

김대중 북한의 핵 보유가 종식되지 않는 이상 한반도의 평화와 화해 협력은 있을 수 없습니다. 그러나 북한 핵 문제는 해결 과정에 있으며, 해결될 때에는 상황이 일변해 한반도의 평화와 화해가 가능할 것입니다. 그러나 남북한은 그동안 이질적인 발전을 해 왔기 때문에 급격한 통일은 바람직하지 않습니다. 그래서 점진적인 3단계 통일을 주장해 온 것입니다.

질문 6자회담이 진전을 보임에 따라 북한이 다시 경수로 제공을 요구할 것이라고 보지 않으십니까?

김대중 경수로 건설은 제네바합의에서 이미 합의된 사항이었으나 2차 핵위기로 인해 중단되었습니다. 그러나 6자회담에서 북한 핵 문제가 해결될 때 경수로 건설 문제를 다시 논의한다는 가능성을 열어 두었습니다. 건설이 중단되기까지 약 30억 달러 예산 중에서 1/3을 들여 공사가 진행되었고, 이 재원의 대부분은 한국에서 충당했습니다. 경수로 건설 문제는 6자회담에서 북한 핵 문제 협상이 순조롭게 진행되어 각국이 만족할 만한 수준에 이르게 되면 다시 북한이 제기할 것으로 봅니다. 그러면 나머지 5개국은 이미 약속하였듯이 긍정적인 논의를 하기를 바랍니다. 경수로 건설의 전제는 북한의 완전한 핵 포기이며 또한 핵 개발을 다시는 시도하지 못하도록 철저한 감시를 받는 것입니다.

질문 단계적 통일론에 따라 평화 교류 등을 하게 되면 국경이 느슨하게 될 텐데, 그렇게 되면 대량의 북한 난민이 남한에 유입되는 일이 발생하지는 않을까요?

김대중 국내에도 그런 우려가 있습니다. 그러므로 북한 핵 문제가 해결될 때에는 북한 당국과 협력하여 그 문제를 논의해야 합니다. 북한은 먼저 자주적으로 국제통화기금(IMF)이나 아시아개발은행(ADB) 등과 같은 국제 금융기구로부터 차관을 빌릴 수 있어야 하고, 일본과 국교 정상화도 하면 100억 달러 정도의 보상금도 받을 수 있을 것입니다. 그리고 미국과 유럽은 북한에 투자를 해야 합니다. 북한은 주요 지하자원과 관광자원이 풍부하고, 또한 우수하고 저렴한 노동력이 있으므로 투자가치가 큽니다. 그러므로 북한 투자에 대해 많은 관심을 가져 주시길 바랍니다. 다가오는 2차 남북정상회담에서는 양국 정상이 개성공단과 같은 공단을 더 많이 짓자는 데 합의할 것으로 보이는데, 이처럼 새로운 공단이 더 많이 생기게 되면 일자리도 많이 창출되고 북한 경제가 발전할 것입니다. 그때 북한 경제에 대한 참여가 필요합니다. 남한은 노동력 부족에 비싼 노임으로 중소기업이 경쟁력이 없는데 대기업뿐 아니라 중소기업까지 북한에 진출하면 윈윈할 수 있습니다. 우리는 북한 인구가 대량으로 남한에 유입되는 일이 없도록 북한 경제를 회복시켜야 합니다. 북한 핵 문제가 잘 풀리게 되어 국제사회로부터 경제적 지원을 받게 되고, 남한도 자유로이 북한 경제에 진입하게 되면 북한 사람들의 일자리가 늘어나게 되어 대량의 난민 사태는 일어나지 않을 것입니다.

질문 대통령님의 햇볕정책은 해가 따뜻한 햇살을 비춰서 지나가는 나그네의 옷을 벗긴다는 논리인데, 일부에서는 "햇볕정책이 효과가 없었다."라고 주장한다. 대통령님은 왜 햇볕정책이 성공을 거뒀다고 생각하십니까?

김대중 햇볕정책의 핵심은 북한의 옷을 벗기는 것이 아니라 냉전의 찬바람을 보내는 것을 중단하자는 것입니다. 이솝우화와는 관련이 없습니다. 햇볕정책의 구체 내용은 평화 공존, 평화 교류 및 협력, 그리고 평화 통일입니다. 통일을 일방적으로 하는 것이 아니라 합의에 의해 단계적으로 연합제, 연방제를 거쳐 완전한 통일을 이루고, 그래서 서로 윈윈하자는 것입니다. 7천만의 한국민이 화해 협력하여 다시 손을 잡아 우리 조상들이 1,300년 동안 유지해 온 통일을 다시 이룩해야 합니다. 그러나 통일 과정에서 어느 일방의 희생이나 지배가 있어서는 안 되며 공동의 승리를 거둘 수 있어야 합니다.

질문 화해 협력을 통해 통일로 나아가자는 활동의 일환으로 남북한 단일 축구팀을 결성하는 등의 노력도 하지만, 이러한 위에서의 상징적 조치 외에 실제 국민들은 화해 협력의 태도를 갖고 느끼는 것이 어렵지 않나요?

김대중 남북한은 체육 분야에서도 서로 협력을 하여 단일팀 등을 결성하는 등 노력하고 있습니다. 성공이 안 된 때도 있었습니다만 이때는 선수들이 잘하고 못하고를 떠나서 남북한이 똑같은 수의 선수를 배정해야 한다고 고집할 때였습니다. 그러나 스포츠 행사에서 남북한 선수 공동 입장이나 단일팀 구성 등 하나하나 접근을 해 나가고 있습니다. 그리고 남북 간 교류가 활발한데 그중 하나가 이산가족 상봉입니다. 제가 재임하기 전 50년 동안은 200명만이 상봉할 수 있었습니다만, 제가 대통령이 된 후에는 15,000명이 상봉을 했습니다. 금강산 관광객도 150만에 이르고 있으며, 매년 남북한 왕래자도, 대개는 남에서 북으로 가는 이들입니다만, 10만에 이르고 있습니다. 게다가 남한 텔레비전에서는 남북한이 합작하여 만든 드라마가 방송되고 있고, 체육 경기가 있을 때는 북한에서 온 아리따운 응원단이 남한 사람들 사이에서 인기를 얻기도 했습니다. 남북한 국민들 사이에 차츰 교류가 확대되면서 적대감이나 불신이 해소되고 동족이라는 생각이 자리 잡아 가고 있습니다. 단계적으로 통일을 향해 나아감에 따라 양 국민 사이를 가로막고 있던 장벽이 차츰 허물어지고 변할 것입니다. 우리는 무력 통일도 흡수 통일도 원하지 않고, 공동의 승리를 할 수 있는 통일을 바라며, 그래서 단계적 통일을 원합니다.

질문 2차 남북정상회담이 다가오고 있는데, 지금까지 일본은 북한과의 국교 정상화에 앞서 일본의 납치 문제가 먼저 해결되어야 한다는 입장이었습니다. 남북정상회담에서 노무현 대통령이 일본인 납치 문제도 거론할 것이라고 보십니까?

김대중 그 문제는 내가 이렇게 해야 한다고 말하기가 어렵습니다. 개인적으로야 납치 문제도 원만히 해결되고 국교 정상화도 병행해서 논의되기를 바랍니다만, 정상회담에서 이렇게 해야 한다고 답변드릴 입장은 아니라고 생각합니다.

공산국가와 비공산국가의 인권 대처는 달라야

대담 쉘 마그네 본데빅
일시 2007년 9월 25일

본데빅 어제 미얀마에서 시위가 일어났다. 미얀마 군사정부가 폭력적인 시위 진압을 못 하도록 중국과 인도 정부가 압력을 가하면 좋겠다. 어제까지는 군부대가 시위대를 공격하지는 않았다고 하는데 오늘은 어떻게 될지 모르겠다. 또 가택 연금 중이던 아웅산 수지 여사가 오늘 다시 수감되었다는 소식도 들었다. 조만간 미얀마를 방문하는 반기문을 만날 예정인데, 미얀마의 민주화를 위해 전달하고픈 메시지가 있으신가.

김대중 진짜 민주주의가 서기 위해서는 자국민의 피와 땀과 눈물이 있어야 한다. 국제사회의 성원이 있더라도 민주주의를 쟁취하는 것은 자국민의 몫이다. 한국도 그러했다. 많은 이들이 목숨을 잃고 감옥에 갔다. 미얀마도 그러지 않으면 민주주의를 세울 수 없다. 이번에 본격적으로 궐기하기 바라며, 그러면 온 세계가 이를 지원할 것이다.

본데빅 외부 세계가 미얀마 내부의 시위를 받쳐 주는 것이 중요하다. 필요하면 총회 중이지만 국제연합(UN) 긴급회의를 열든지 해야 할 것이다. 미얀마 경제 지원을 중단한다는 국제연합(UN)의 결의 등 구체적인 행동이 있으면 미얀마 내에서 싸우는 사람들이 용기를 얻고 성공할 것이다. 이번에는 승려, 소수 인종, 학생, 아웅산 수지 여사가 이끌던 정당 등 많은 이들이 시위에 참여하고 있다. 현재 중국 정부는 미얀마 정부를 돕고 있는데, 중국은 국제연합 (UN) 안보리 상임이사국으로서 미얀마 군사정부를 규탄하고 결의해야 한다. 중국이 국제사회 움직임에 동조한다면 큰 영향이 있을 텐데, 동조하지 않는 다면 세계가 이를 비판할 것이다. 특히 중국은 2008년 올림픽 개최를 앞두고 있으니 국제사회 여론을 무시할 수 없을 것이다. 문제는 국제사회가 분리돼 있다는 것이다. 지난 1월에도 미얀마 정부에 대한 결의가 있었으나 중국과 러시아가 이를 거부했다. 그러나 그때는 미얀마 국민이 궐기하지 않았기 때문에 밖에서 지원하는 힘이 약했다. 이번에는 국민과 승려 등이 참여하여 본격적인 시위가 일어나고 있다.

6자회담이나 남북정상회담 등 현재 북한과의 상황은 어떤가.

김대중 6자회담은 한마디로 잘 진행되고 있다. 미국이 태도를 바꾸어 북한과 직접 대화, 줄 것 주고 받을 거 받는 일괄 타결 협상을 실천하고 있다. 이는 북한이 오래 요구해 온 사항으로 앞으로 6자회담이 성공하고 북핵이 해결될 것이다. 6자회담에서 이루어진 2·13합의의 제1단계를 이미 마쳤다. 북한은 영변 5MW 핵 시설을 폐쇄하고 국제원자력기구(IAEA) 사찰단을 받는 등 1단계를 마쳤고, 이달 중 다시 6자회담이 열리면 핵 시설 불능화 및 핵 프로그램 보고에 관한 2단계 합의가 이루어질 것이다. 그러면 미국은 북한을 테러지원국에서 해제한다든지 등 주고받으면서 2단계를 이행해 나가야 할 것이다. 남북 간 정상회담도 6자회담 분위기에 힘입어 순조로울 것이다. 남북정상회담에서는 경제 협력 진전이 주로 논의될 것인데, 원조 위주의 시혜적 도움을 앞으로는 투자나 교역 중심으로 전환하여야 할 것이다. 회담에서는 또한 긴장 완화에 합의할 것이다. 2차 정상회담도 10월 2일부터 열리고 한반도 전망은 밝다.

개성공단에서는 지금 15,000명이 일하고 있는데 서로 일하려 경쟁하는 등 아주 성공적이다. 노동자들도 협력적이고, 공단이 전면 확장되면 35만 명이 일하게 될 것이다. 앞으로는 개성공단 같은 곳을 더 많이 만들 것이다. 그래서 북한 사람들이 자주적으로 일어설 수 있도록 지원해야 한다. 그 외에 금강산 관광도 아주 성공적이어서 이미 150만이 다녀왔다. 북한은 금강산 외에도 관광자원이 풍부하다.

본데빅 첫 번째 이산가족 상봉이 서울에서 있을 때 그 자리에 초청받아 갔었는데 아직도 그 감격을 잊지 못하겠다.

김대중 내가 대통령이 되기 전 50년 동안은 200명밖에 못 만났지만, 내가 대통령이 되고 정상회담을 한 후에는 15,000명이 상봉을 했다. 금강산에 큰 상봉 건물도 만들고 있는데 숙식 및 상용 시설을 갖춘 빌딩이 오픈하게 되면 더 많은 사람들 만나게 될 것이다.

본데빅 북한 사람들의 인권이 우려된다. 예전에 논의했듯이 인권은 물론 사회적, 경제적, 정치적, 시민적 인권 등 다양하게 있지만 북한의 인권 상황이 걱정된다. 예전에 엘리 비젤 등과 함께 북한에 관한 인권 보고서를 만들었었는데, 지금 오슬로센터에서는 한 법률회사와 함께 지난 한 해 동안의 북한 인권 상황을 업데이트하는 보고서를 20-30장으로 준비하고 있다. 기회가 되면 이 보고서를 국제연합(UN) 안보리 등에서 공식 미팅 사이에 비공식 미팅 형태로라도 발표하고 싶다. 보고서가 다 완성되면 대통령님과 도서관장에게 알려드리겠다.

김대중 북한 인권 개선에 대한 본데빅 총리의 노력을 환영하고 높이 평가한다. 남한 사람들도 북한 인권에 관심을 가지고 있다. 그러나 미얀마 같은 일반 독재국가에서의 인권과 북한 같은 공산 독재국가하에서의 인권은 다르다. 일반 독재국가에서는 사유재산이 인정되고 자기가 벌어서 먹고산다. 소수이긴 하지만 야당과 비판 언론도 존재한다. 외국인이 드나들면서 미얀마인들과 접촉을 하고, 그러면서 미얀마인들은 외부 세계에 대한 정보를 얻을 수 있다. 국제 통신망과도 연결돼 있다. 그런 나라에서는 국민이 일어나 민주주의를 쟁취하면 된다. 외부 세계 지원도 있다. 그러나 공산 독재국가에서는 의식주를 정부가 제공하면서 사회를 완전 장악하고 있고, 정보가 차단되어 있다. 공산국가에서는 8시간 일하고 남는 시간에는 이념 학습하고 잠자고 딴 생각할 수 없다. 공산국가가 천국이라 매일 세뇌당한다. 바깥에 더 좋은 세상이 있는지 모른다. 소련의 경우에도 서방세계의 비판이 아무것도 변화시키지 못했다. 헬싱키협정을 통해 동서 간 교류가 시작되고, 소련이 경제 원조를 받고, 문화, 정보, 인적 교류가 있게 되면서 외부 세계를 알게 되었다. 그러면서 자신들이 실제로는 지옥에서 살고 있었고 속고 있었다는 것을 알게 된 것이다. 결국 소련 정부와 서방 정부 간의 헬싱키협정을 통해 바깥세상을 알게 되고 내부적 각성이 일면서 인권이 개선되고 민주화도 되었다. 중국도 암흑이었으나 닉슨과 마오쩌둥이 서로 만난 뒤, 덩샤오핑이 나타나 개혁 개방하고 투자도 받으면서 인권과 자유가 개선되었다. 정부와 정부 간의 액션이 먼저 있어야 한다. 공산국가를 변화시키기 위해서는 외부 비판이나 보고서도 가치 있지만, 민주국가 정부와 공산국가 정부 간의 협상이 먼저 있어야 한다. 공산국가의 인권과 비공산국가의 인권 대처는 달라야 한다.

본데빅 흥미로운 말씀이다. 일전에 평양을 방문하려던 계획이 취소되었는데 조만간 다시 평양을 방문하실 일이 있는가?

김대중 지금으로서는 없다. 계속 한반도 문제에 관심을 가지고 협력해 주기 바라며, 세계를 위해 애쓰는 데 대해 감사드린다. 아내에게도 안부 주기 바란다.

본데빅 2월 오슬로센터 이사회 미팅에 와 주시면 감사하겠다.

* 이 글은 2007년 9월 25일 미국에서 쉘 마그네 본데빅(Kjell Magne Bondevik) 전 노르웨이 총리와
  나눈 대화록이다.

민주주의는 절대적인 가치

대담 다이앤 소여
일시 2007년 9월 25일

미국 뉴욕을 방문 중인 김대중 전 대통령은 9월 25일 오전 에이비시(ABC) 스튜디오를 방문하여 「굿모닝 아메리카」의 진행자 다이앤 소여(Diane Sawyer)와 인터뷰를 가졌다. 동 인터뷰는 9월 26일 오전 8시 40분에 방송되었다. 다음은 방송 녹취록 전문이다.

다이앤 오늘은 민주주의를 위해 싸운 아시아의 영웅, 아시아의 만델라이자 역사의 승자를 만나 보겠습니다. 미·북 간 북핵 협상이 진행 중이며, 내일 6자회담이 다시 재개되고, 다음 주면 제2차 남북정상회담이 개최됩니다. 오늘 만날 분은 북한의 김정일 국방위원장을 직접 만났으며, 민주주의를 위해 목숨을 건 투쟁을 하신 김대중 전 대통령입니다. 고국에서는 민주주의의 상징으로, 또한 '아시아의 넬슨 만델라'로 불리는 김대중 전 대통령은 정부의 압박 속에서도 죽음을 불사하는 민주투쟁을 하셨습니다. 그 가운데 6년간의 수감 생활, 가택 연금, 그리고 다섯 번에 걸친 죽음의 고비도 넘겼으나 적을 용서하기까지 하신 분입니다. 1997년 한국 대통령에 당선되셨으며, 한국 경제를 전 세계 12대 경제 국가로 이끄신 분입니다. 또한 적으로 간주되었던 북한의 김정일 국방위원장을 만나고 노벨평화상도 받으셨습니다.

6자회담이 다시 재개될 텐데, 진정으로 한반도의 비핵화가 이루어질 수 있다고 희망할 수 있을까요?

김대중 그럴 가능성이 높습니다. 그동안 북한이 요구해 왔었던 직접 대화를 통한 안전 보장, 경제 제재 해제, 국교 정상화 등의 요구에 미국이 호응하고 있기 때문입니다.

다이앤 미국인들은 북한과 맺은 협정은 신뢰할 수 없다고 생각하고 있습니다.

김대중 북한이 더 속일 이유가 없습니다. 이번에는 북한이 반드시 약속을 지키고 핵을 해체하는 방향으로 나아갈 것이라 확신합니다.

다이앤 10월 2일에 2차 남북정상회담이 있을 텐데요. 2000년 1차 남북정상회담이 열린 때가 기억납니다. 당시 신문마다 머리기사를 장식하셨는데, 김정일 국방위원장을 만나러 가시면서 어떤 생각을 하셨는지요?

김대중 김정일 위원장이 마중을 나와 있을지 몰랐으나 비행기 문을 열고 내리자 바로 앞에 있었습니다.

다이앤 미국인들은 김정일 위원장이 심지어는 망상가 아니냐 하고 생각하는데요.

김대중 남한 사람들도 그렇게 생각했습니다만, 제가 북한을 방문해 만나보니 정상적인 사람이었습니다. 물론 절대 권력을 가지고 있는 통치자인 것은 사실입니다.

다이앤 여기 밤에 찍은 남북한 위성사진을 보시면 북한은 깜깜한 데 비해 남한은 불빛이 환합니다. 언제쯤이면 북한 쪽 사진도 남한과 같이 변할 수 있을까요?

김대중 북한은 베트남, 중국과 같이 되고 싶어 합니다. 공산 체제는 유지하면서 경제 발전을 이룩하는 것인데 이를 도울 수 있는 것은 미국에게 달려 있습니다.

다이앤 개인적인 질문을 하나 드리면, 그 오랫동안의 고난을 이겨낸 힘은 무엇이었나요?

김대중 타협을 하면 살 수는 있었겠지만 그럴 수 없었습니다. 민주주의를 위해 싸우다 죽으면 죽더라도 역사에는 남을 것이라고 생각했기 때문에, 나라와 국민을 위해 민주주의를 위해 싸우다 죽는 것은 받아들일 수 있었습니다.

다이앤 김대중 대통령은 민주주의가 인간의 존엄성을 지킬 수 있는 절대적인 가치라고 말씀하셨습니다.

북한에 진출하여 균형과 견제의 역할을 해야

대담 빌 클린턴
일시 2007년 9월 26일

김대중 전 대통령은 9월 26일 오전 뉴욕 쉐라톤호텔에서 열린 클린턴글로벌이니셔티브(Clinton Global Initiative) 연례회의(Annual Meeting) 개막식(Opening Plenary)에 이희호 여사와 함께 참석했다. 개막식은 1시간 30분간 진행되었다. 개막식의 일부로 진행된 패널토의 중 민주주의를 위한 세계 곳곳의 행동을 거론하며 클린턴 전 대통령은 참석 중인 김 전 대통령을 지명하여 "내 오랜 친구 되시는 김대중 대통령은 바로 민주주의를 위해 평생을 투쟁하셨고 결국 나라의 민주주의를 성취하신 분이다."라고 소개했다.

개막식이 끝난 후 김 전 대통령은 클린턴 전 대통령과 40분간 별도 면담을 가졌다. 다음은 클린턴 전 대통령과의 대화 주요 내용이다.

김대중 이번 훌륭한 회의를 개최하고 훌륭하게 사회를 보신 것을 축하드린다. 패널토의 중 나에 대해 언급하여 주신 데 대해 감사하게 생각한다.

빌 클린턴 늘 존경하고 있던 분이라 당연하며, 지난번 연세대김대중도서관을 방문하였던 것을 기억한다.

김대중 항상 대통령을 생각하고 있고 지켜보고 있으며 오늘과 같은 회의와 활동을 해 주신 것을 자랑스럽게 생각한다. 부시 대통령이 최근 대북한 정책을 선회하여 클린턴 대통령과 내가 하던 정책을 따르기 시작했다.

빌 클린턴 부시 대통령의 예전보다 지금 상황이 더 잘 진전되고 있는 것 같다.(웃음)

김대중 부시 대통령의 지난 6년간은 클린턴 정권의 대북 정책을 배척했다. 결국 그 사이에 북한은 핵확산금지조약(NPT)에서 탈퇴하고, 국제원자력기구(IAEA) 사찰 단원들도 쫓아내 북한 내에서 핵 상황이 어떤지 알 수 없게 되었다. 또한 북한은 미사일 모라토리엄도 어긴 채 장거리미사일을 발사했고, 마침내 핵실험을 하는 등 (부시의 정책은) 상황 진전에 악영향만 미쳤다. 그런데 비현실적이던 정책을 최근 선회하게 되어 참 다행이다. 이러한 정책 선회와 관련해서 부시 대통령을 격려한다는 말을 어제 코리아소사이어티(Korea Society) 연설 중에도 밝혔다. 사실 부시 대통령이 이번에 태도를 바꿔 추진하고 있는 대북한 정책의 오리지널은 '클린턴─김대중 정책'이다.

빌 클린턴 (웃음) 동감이다. 감사하게 생각하는 일은 대통령께서 이렇게 활동적으로 강연도 하시고 김대중도서관 활동 등도 하고 계시는 점이다. 퇴임 후에 민간인이 되었다고 활동을 멈추는 것이 아니라 계속해서 사회에 대한 책임의식을 갖고 활동하는 것에 감사드린다.

김대중 대통령을 다시 뵙게 되니 여쭤보고 싶은 것이 있는데 앞으로 미국은 중국을 어떻게 다루어야 한다고 생각하나?

빌 클린턴 최선을 위해 함께 협력해야 할 것이다. 그러나 동시에 최악의 경우도 대비해야 할 것이다. 미국과 중국은 경제, 정치, 안보 면에서 협력할 뿐 아니라 동북아의 평화와 번영을 위해서도 관련국들을 한데 모으는 등의 협력에 있어서도 관심이 있다. 계속해서 최선을 위해 계속 협력해 나가는 것이 중요하다. 중국이 협력적인 관계로 나아갈 가능성이 더 크다고 생각하지만, 잘못된 방향으로 나아갈 가능성도 충분히 있다고 본다.

김대중 루빈 전 재무장관을 만나서 중국 얘기를 나누었는데 그 이야기를 좀 해 드리고 싶다. 중국 내에는 많은 정치적 파벌이 존재하지만 크게 보면 군부와 당이 힘의 줄다리기를 하고 있다. 만약 미국과 일본의 동맹의 힘이 중국에서 감당하기 어려울 정도의 압박으로 느껴진다면 중국 내에서는 군부가 득세를 할 구실이 되어 군사 강대국이 될 수 있다. 그러나 미·일동맹이 중국에서 걱정할 정도는 아니다, 당연한 정도다, 하고 받아들인다면 당이 힘을 얻게 되고, 후진타오가 주장하는 화평굴기, 즉 평화 속의 발전을 추구하게 될 것이다. 중국 내에는 매일 수백 건의 시위가 일어나고 있는데 생활고, 민생고를 겪는 사람들이 일으키는 것이다. 따라서 지금 중국 정부의 시급한 사안은 경제적으로 빈곤한 계층을 먹여 살려 사회불안을 무마시키는 것이다. 중국 당이나 정부는 그래서 미국과의 평화로운 관계 속에 내정에 집중하고 싶어 한다. 대통령 말씀대로 미국은 중국의 군사력에 대비하고 있어야 하겠지만, 한편으로는 평화로운 관계를 설정하여 중국이 안심하고 내정에 집중할 수 있도록 했으면 어떤가 한다. 현재 중국 내에는 주목할 만한 현상이 하나 있는데 신좌파와 신우파 간의 열띤 논쟁이다. 이는 정부 각료 등도 포함된 것으로서 반정부 세력의 논쟁이 아니라 정부 내의 논쟁이다. 신좌파는 "현 중국 사회의 부패나 빈부 격차는 자본경제를 했기 때문이므로 계획경제로 돌아가야 한다."라고 말한다. 반면 신우파는 "부패와 빈부 격차의 원인은 민주주의를 하지 않았기 때문이며, 비판의 목소리도 없고 투명한 경제 및 공정한 분배도 되지 않기 때문이다."라고 한다. 그런 의미에서 일당 지배는 타당하지 않고 시정되어야 하며 종국에는 스웨덴의 사회당 모델을 따라야 한다고 한다. 이처럼 중국 내에서 여러 가지 고민이 있으니, 미국에서는 한편으로는 군사적으로 안보를 대비하면서도 중국이 안심하고 내정에 집중할 수 있도록 유도하는 것이 좋지 않나 하는 것이 내 생각이다. 경제가 발전하고 공정한 분배가 이루어지게 되면 중산층이 생겨나고 그러면 중산층이 자기 힘으로 민주화를 이룩하게 될 것이다. 중국이 민주화되면 우리에게 위험이 되지 않는다. 미국도 생각해 볼 필요가 있다고 생각한다.

빌 클린턴 같은 생각이다. 중국과 대립하기보다는 같이 미래를 만들어 가야 한다고 생각한다. 다만 만에 하나 있을 수 있는 만일의 위험은 대비해야 한다고 생각했다. 예전에 장쩌민 주석을 만났을 때 장쩌민 주석이 미국과 중국이 협력(cooperation)하는 미래를 만들어 가야 하는가, 아니면 경쟁(competition)하는 미래를 만들어 가야 하는가 하고 물은 적이 있다. 그때 나는 두 가지 모두 조금씩 추구해야 한다고 답했다. 경제적 경쟁도 필요하면 해야 할 것이고, 다만 갈등(conflict)의 미래는 지양해야 한다고 말했다. 미국이 중국을 지배하는(dominate) 상황을 원하지도 않으며, 같이 윈윈할 수 있는 미래를 만들어 가야 한다고 말했다.

김대중 마지막으로 북한과의 관계에 대해서 말씀을 드리겠다. 내가 재임 시절 대통령님이 지원을 많이 해 준 덕분에 햇볕정책도 추진할 수 있었고 북한도 방문할 수 있었고, 그 후 식량, 비료, 약품 등도 지원하고, 남북한 간 왕래도 있게 되었다. 그 결과 북한 주민들 사이에서는 표면에 보이는 것보다 더 큰 변화가 진행되고 있다. 과거에는 우리를 "자기들을 미워한다, 미국 제국주의의 앞잡이다, 자기들을 공격하려 한다."라고 생각하였지만, 이제는 "남한 사람들이 돕는 걸 보니 자기들을 싫어하는 것이 아닌 모양이다. 그들이 잘 사는 것을 보니 부럽다, 우리도 저렇게 됐으면 좋겠다."라고 바란다. 예전에는 원수로 여겼으나 이제는 우리를 이웃사촌으로 여긴다. 그리고 이러한 북한 사람들 마음의 변화는 문화적 변화도 가져왔다. 요즘 북한 사람들은 비밀리에 남한의 유행가도 듣고, 비디오로 남한의 텔레비전 드라마나 영화도 보는 등 남쪽 문화를 수용하고 있다.

빌 클린턴 좋은 변화다.

김대중 그래서 6자회담이 잘되어 북핵 문제가 해결된다면 남북한 관계는 급격히 개선될 것이다. 그렇게 되면 미국 기업도 남한 기업과 같이 북한에 진출하였으면 한다. 북한은 지하자원과 관광자원이 풍부하고 노동력도 매우 우수하다. 고등학교까지 의무교육을 받고 군사훈련도 받아서 매우 잘 교육되어 있고 임금도 싸다. 현재 북한 생필품의 80퍼센트는 중국에서 수입되고 있는데 북한 경제가 중국에 예속되기 전에 우리가 빨리 북한에 진출하여 균형과 견제의 역할을 해야 한다. 그러므로 북한 핵 문제 해결 시에는 미국 기업도 많이 들어가서 북한 경제를 살려야 할 것이며, 동시에 진출한 미국 기업들도 풍부한 북한 자원으로부터 혜택을 얻을 수 있을 것이다. 북한의 이러한 모든 변화는 대통령님과 나의 힘 때문인 것도 있으니 이와 관련하여 축하를 드린다.

빌 클린턴 동감이다. 한국 대선의 결과가 어떻든 앞으로도 이런 대북 정책이 계속되기 바란다.

김대중 나도 희망하는 바이며, 햇볕정책은 국민이 지지하는 것이므로 선거 결과와 상관없이 계속될 것으로 보인다. 우리나라 대선만큼이나 미국 대선에도 관심을 갖고 있는데 클린턴 힐러리 상원의원에게도 좋은 일이 있기를 바란다.

이희호 이번 대선에서 클린턴 힐러리 상원의원에게 좋은 일이 있기를 바란다.

빌 클린턴 지금까지는 아주 잘 진행되고 있다. 민주당 내에서뿐 아니라 얼마 전 여론조사를 보니 공화당도 앞서고 있어 매우 자랑스럽다.

북핵 문제가 순조롭게 진행되어야

대담 헨리 키신저
일시 2007년 9월 28일

미국을 방문 중인 김대중 전 대통령은 2007년 9월 28일, 뉴욕 숙소에서 헨리 키신저(Henry Alfred Kissinger) 전 국무장관을 만나 50여 분간 북핵 문제, 한·미동맹 등에 대해 환담을 나누었다. 다음은 주요 대화 내용이다.

김대중 키신저 박사가 나보다 한 살 더 많고 노벨평화상도 받은 선배이기 때문에 내가 먼저 찾아가야 하는데 이렇게 찾아와 주셔서 감사하다.

키신저 김 대통령은 나라를 새로운 방향으로 이끌고 어려움 속에서도 입장을 굳건히 하신 용기를 늘 존경해 왔다.

김대중 그렇게 말씀해 주셔서 감사하다.

키신저 예전에 청와대에서 뵌 기억도 있고 야당 시절에 뵌 기억도 있다. 야당 시절 한국의 고위급 사람들은 말하기를 대통령님이 대통령이 될 가능성은 전혀 없다고 했는데 대통령이 되셨다. 현재 한국 및 동북아 상황을 어떻게 보시는가?

김대중 2·13합의가 되어 북핵 문제 해결의 전망이 밝아 보인다. 북한이 그동안 요구한 것은 직접 대화, 안전 보장, 경제 제재 해제, 국교 정상화만 되면 핵을 포기하겠다는 것이었는데 그동안 미국은 이러한 요구를 거부해 왔다. 그러나 2·13합의를 통해 북핵 문제 해결이 순조롭게 진행되리라 본다.

키신저 나는 이러한 협상을 지지하는 입장이다. 그러나 사람들은 생각하기를 북한이 양보할 때 이를 조금씩 나누어 해서 실질적으로 목표한 바를 성취할 수 있을지는 절대로 모른다고 생각한다. 그렇게 조금씩 나눠서 양보를 하면서 전체 과정을 연장한다는 것인데, 2·13합의 이행도 원래 일정보다 지연됐다.

김대중 2·13합의는 '행동 대 행동' 원칙을 따르고 있으므로 북한이 조금씩 주면 우리도 조금씩 주고, 북한이 많이 주면 우리도 많이 주면 된다.

키신저 2·13합의는 그 끝을 향해 가고 있는데, 북한이 핵을 포기한다면 북한은 어떤 상황에 놓일 것인가?

김대중 북한이 핵을 포기하면 미국은 주저 없이 테러지원국 해제, 적성국 교역법을 해제해야 한다. 그리고 국교 정상화를 해야 한다. 북한은 그것을 열망하고 있기 때문에 이번에는 기회를 놓치지 않을 것이라고 기대한다. 미국이 2·13합의만 지킨다면 북한은 살기 위해서라도 적극 협력할 것이다.

키신저 그러면 이 모든 조치가 북한이 핵을 포기한 다음에 이뤄져야 한다고 생각하는가?

김대중 병행되어야 한다고 본다. '행동 대 행동' 원칙은 믿지 못하는 이들 사이에는 이해관계를 주고받기 위해 만들어진 것이다. 동시에 주고받는다는 원칙에 이미 합의하였다.

키신저 정부적 관점에서야 미국이 북한에게 군사적 공격을 감행하지 않겠다는 보장을 하는 것은 문제가 되지 않는다. 그러나 역사가적 관점에서 보면 북한의 개방 및 대외 관계 수립으로 인해 북한 사람들이 외부 세계를 알게 될 때에는 북한 정권이 그 생존을 걱정하게 될 것이라 여겨지는데…….

김대중 북한은 중국이나 베트남의 길을 가고자 한다. 즉 공산정권은 유지하면서 경제적 개방을 하여 국력을 기르고 백성을 먹여 살리고자 한다.

키신저 통일은 언제쯤 될 것이라고 보는가?

김대중 통일을 서두를 필요는 없다. 먼저 평화 공존, 평화 교류 및 협력의 단계를 거쳐 상호 신뢰를 쌓고, 북한 경제도 회복되고 난 후 그다음에 완전 통일을 할 텐데 앞으로 한 10-20년 정도는 걸릴 것이다.

키신저 통일은 일차적으로 한국의 문제라고 생각한다. 중국이나 일본 등 주변국들이 나서서 도와주지는 않을 것이다.

김대중 중요한 말씀이다. 코리아소사이어티 연설 중에도 미국과의 동맹 관계를 유지하는 것이 중요하다고 말했다. 미군의 한반도 주둔은 동북아의 안정 및 균형, 우리의 안전과 발전에도 중요하다. 그리고 통일에도 미국의 도움이 중요하다. 과거 중국, 러시아, 일본은 우리나라를 침략하려 했고 침략했는데, 이들이 우리의 통일에 간섭하지 않고 협력하도록 유도하는 데도 미국의 역할이 중요하다. 북한의 김정일 위원장을 만났을 때 김 위원장도 미군은 통일 이후에도 한반도에 주둔해야 한다, 그래야 주변 강대국의 부당한 지배를 막을 수 있다고 말했다.

키신저 북핵 문제가 진전을 보이고 있는데, 그러면 평화협정이 지금 맺어져야 한다고 생각하시는가. 아니면 북핵 문제가 해결된 다음 맺어져야 한다고 보는가?

김대중 핵을 포기하지 않는 한 평화협정을 맺기는 어렵다. 가장 중요하고 긴급한 것은 북핵 문제 해결이다. 북핵 문제만 해결되면 동북아 및 한반도 정세는 일변하여 평화협정도 순조롭게 맺을 수 있을 것이다. 그러므로 우리의 관심과 노력을 핵 문제 해결에 집중해야 한다.

키신저 곧 2차 정상회담이 있다고 들었다. 김정일 위원장이 답방을 하기로 되어 있었는데…….

김대중 서울을 답방하기로 나한테 약속을 했는데 지키지 않았다.

키신저 서울을 방문한다면 북한 사람들에게는 굉장한 경험이 될 텐데, 서울 방문을 주저하는 이유는 방문 기간 중 찍은 사진을 통해 서울의 놀라운 발전상이 알려질까 두려워하는 것 같다.

김대중 그런 문제도 있고, 또 서울 방문 기간 중 남한 사람들이 반대 시위를 할 수도 있고, 신변의 위협을 느낄 수도 있어서일 것이다.

키신저 처음 서울을 방문했을 때가 1951년이었는데 그때 서울에서 제일 높은 건물은 일본 정부 청사였다. 당시 오늘날 서울의 모습을 그려 보았다면 꿈같다고만 생각했을 것이다. 한국 대선은 어떻게 보는가?

김대중 현재 야당이 우세한데, 여당이 단일 후보를 내게 되면 일대일 시소 게임이 가능할 것으로 본다. 박사님과 같은 세계 석학을 만났으니 한 가지 공부할 겸 여쭙고 싶은 것이 있다. 중국의 장래에 대해서는 어떻게 보시는가. 21세기를 지배하는 패자가 될 것이라 보시는가?

키신저 중국은 물론 더 강해질 것이다. 그러나 정치적 승계 등 내부 문제가 많이 있다. 그리고 개발에 따른 비용도 있다. 새로운 경제체제에 익숙한 젊은 세대가 성장하는 데 따른 문제도 있다. 그러나 중요한 것은 중국을 존경하는 마음을 가지고 파트너로서 대해야 할 것이다. 조금 전에 대통령님께서 말씀하신 미국과 한국 간의 관계 강화 및 미군의 한반도 주둔은 중요하다. 그러지 말자는 유혹도 많기 때문이다. 그러나 내가 생각하기에는 중국의 경제, 군사적 힘은 더욱 커질 것이다. 그러므로 미국과 한국은 계속 긴밀한 관계를 맺는 것이 중요하다. 한국이 중국과 미국 사이에서 왔다 갔다 플레이를 한다면 위험할 것이다. 한국이 미국에게 신뢰감을 갖고 있다는 것은 대단한 자산이다.

김대중 한국인들은 미국과의 군사동맹과 자유무역협정(FTA) 등 경제적 협력을 유지하는 것이 일차적 중심이 되고, 그러면서 일본, 중국, 러시아와 좋은 관계를 맺어야 한다고 생각하는데, 일차적 관심은 미국과의 관계이다. 심지어 김정일 위원장도 주변 강대국의 부당한 간섭을 막기 위해 한반도에 미군이 현재 그리고 통일 이후에도 주둔해야 한다고 말했다. 중국, 러시아, 일본을 지명하면서 이들의 간섭을 막기 위해 필요하다고 말했다.

키신저 앞으로 일본은 어떻게 발전할 것이라고 보는가?

김대중 지금 급격한 우경화가 우려스러운데, 그것보다 더 우려되는 것은 젊은이들이나 젊은 국회의원들의 우경화다. 이들은 과거 침략을 부인하고, 미화하기 때문에 일본의 피해국이었던 한국과 중국민들은 이에 민감한 반응을 보이고 있다. 우경화의 근본 원인은 일본인들이 과거 침략에 대한 교육을 제대로 받지 않았기 때문이다. 일본은 독일과 달라서 65세 이하 인구의 90퍼센트는 과거를 모르고 그래서 반성도 하지 않고 시정도 않는다. 그래서 일본 인접국들은 걱정이 많다. 프랜시스 후쿠야마 씨는 최근에 이러다가 일본이 국제적으로 고립될 것이라고까지 했다.

키신저 후쿠다가 신임 총리가 될 것이라 보는가?

김대중 아베 신조와 달리 후쿠다는 생각이 유연하고 과거에 대한 반성도 있고 인접 국가도 잘 지내려 한다. 그런데 문제는 일본 인구의 다수가 교육을 제대로 받지 못해 바로 생각하지 못한다는 것이다. 내가 대통령 재임하던 5년 동안은 일본과의 관계가 한·일 역사상 가장 좋은 시기 중 하나였는데, 퇴임 후 급격히 우경화되어 걱정이다. 젊은 국회의원들 다수가 태평양전쟁을 미국과 영국 등 서구의 지배에서 해방시키기 위한 전쟁이라고 미화하며 대동아전쟁이라고 부른다.

키신저 대통령님의 말씀을 잘 이해했다면 동아시아의 공동 번영에 있어서도 미국이 그 일부가 되어야 한다는 말씀인가?

김대중 그렇다. 6자회담이 성공을 거둔다면 이를 해체하지 말고 동북아의 평화와 번영을 위한 협력기구로 발전시켜야 할 것이다. 그리고 미국은 여기서 주도적인 역할을 해야 할 것이다.

키신저 인도는 어떠한가?

김대중 그동안 인도는 동아시아에서 어느 정도 거리를 두어 왔으나, 이제는 동아시아정상회의에도 참석하는 등 차츰 거리를 좁히고 있다. 동아시아는 여러 국가들이 있는데 중국이 워낙 크다 보니 인도가 균형을 맞춰야 한다는 의견도 있다.

키신저 지난주 인도 총리를 비롯한 그룹을 만나 이야기를 나누었는데 국제 정치의 중심이 대서양에서 태평양으로 옮겨 간다고 말했더니, 그 의견에 이의를 제기했다. 남아시아를 빼고 북아시아로만 간다고 덧붙여서 흥미로웠다. 그 사람들은 말하기를 아직까지는 사람들이 중국에만 관심이 있고, 중국이 미얀마에서 어떤 행동을 보일지, 한국이나 일본의 동맹 관계 등에만 관심을 보인다고 했다.

김대중 대서양에서 태평양으로 중심이 옮겨 가고 있다는 것은 맞는데, 그중에서도 동북아가 먼저 중심이 되고 앞으로는 남아시아도 관심을 받을 것이다.

키신저 인도가 그동안 거리를 보여 온 것을 역사적으로 설명할 수 있는데 인도는 그동안 자신들이 영국의 식민지를 받았기 때문에 유럽에 더 가깝다고 생각해 왔다. 19세기 영국인들이 하던 힘의 균형 정치를 하고 있는데, 영국인들보다 더 잘하고 있다. 오늘 떠나신다고 들었다. 너무 오래 잡고 있으면 안 되겠다.

김대중 하루 더 머무는 한이 있더라도 세계적 석학인 박사님과 얘기하는 것은 기쁜 일이다.

키신저 다음에 한국을 방문할 일도 있고 하니 다시 대화할 일이 있을 것이다. 이렇게 미국에서 다시 뵙게 되어 영광이다.

김대중 야당 시절부터 내게 시간을 많이 내주시어 감사하다.

키신저 그것은 대통령님이 훌륭한 비전(great vision), 훌륭한 상상력(great imagination)을 갖고 계시는 분이기 때문이다.

김대중 세계적 대석학에게서 그런 말을 들으니 큰 영광이다. 내 자서전에 꼭 넣도록 하겠다.

비폭력 투쟁은 가장 확실한 성공의 길

대담 베니그노 아키노 다큐멘터리 팀
일시 2007년 10월 18일

질문 아키노 상원의원 주변 사람들은 "아키노의 죽음이 남은 사람들에게 너무도 많은 일을 남겨 두고 갔다."라는 말을 한다고 합니다. 대통령님도 그렇게 느끼셨는지요?

김대중 나도 그렇게 생각합니다. 남긴 것뿐 아니라 그의 죽음이 필리핀 사람은 물론이고 민주주의를 염원하는 사람들에게 큰 감동과 충격을 주었기 때문에 그 후에 한국의 민주화, 인도네시아의 민주화, 태국의 민주화에 많은 기여를 했다고 생각합니다.

질문 그런 점에서 아키노 상원의원의 죽음이 역사의 큰 전환점이 되었다고 생각하십니까?

김대중 그렇죠. 왜냐하면 그때까지는 미국이나 서구 사회에서는 "아시아에서 민주주의는 빠르다. 그렇기 때문에 아시아에서 어느 정도 독재정치는 불가피하다." 이런 사고방식을 가지고 있었거든요. 그런데 아키노 의원이 죽음으로써 아시아에서 민주주의를 안 하면 국민이 결코 참지 않는다, 아키노 의원의 용기와 희생이 바로 그것을 증명하는 것이다, 그래서 세계가 잘못된 신화, 아시아에서 민주주의는 빠르다는 신화가 깨지기 시작한 단초를 열었다고 볼 수가 있고 아까 말과 같이 많은 나라에 큰 영향을 주었다고 믿습니다.

질문 서구 사회뿐만 아니라 아시아인들이 자기들에 대해서 생각하는 것도 바뀌었죠?

김대중 물론 크게 영향을 받았죠. 우리 한국 사람도 마찬가지입니다.

질문 아키노 상원의원이나 대통령님이나 민주화 인사들과 많은 친분을 나누셨을 것으로 생각합니다. 필리핀, 한국과 같은 '피플 파워'로부터 영감을 받은 민주주의 지도자들이 있다면 말씀해 주십시오.

김대중 아키노 의원이 돌아가신 이후 내가 상당 기간 내가 미국에 있었는데 그때 우리는 미국에 있는 필리핀 사람과 한국 사람들이 같이 합쳐서 반독재 투쟁하고 연대해서 시위 등을 했습니다. 그래서 아키노 의원의 희생은 적어도 필리핀 사람이나 한국 사람한테는 그 정신이 계속 계승된다고 생각합니다.

질문 아키노의 죽음이 대통령님의 안전 귀국에 영향을 주었습니까?

김대중 내 친구이자 동지의 죽음으로 내가 안전을 얻었다는 것은 기쁜 일은 아니지만 현실적으로는 그렇게 됐습니다. 그렇게 해서 아키노 씨가 죽은 이후에 미국 사람들은 그를 잘못 보호했던 것에 대해 후회하고 정부를 비판했습니다. 내가 귀국한다고 할 때 한국 정부가 반대했지만 억지로 귀국하려 했는데 '제2의 아키노'가 되는 것을 방지하기 위해서 미국에서는 굉장한 국민적 운동이 일어났습니다. 당시 귀국하려 할 때 한국 정부는 아주 적극 반대했는데 내 신변을 보호하려는 사람들이 미국 전역에서 반대하고 신문에 투고하고 했습니다. 에이비시(ABC) 「나이트라인」 프로그램에 출연시켜 인터뷰하고 격려를 해 주고 또 국무부에서 나를 초청해서 국무부 강당에서 연설시키면서 결국 한국 정부에 대해서 김대중을 보호하겠다는 의지를 표시하고 그것이 아키노의 쓰라린 경험에서 김대중마저 아키노와 같은 운명에 처하게 해서는 안 된다 하는 것이 미국 국민들의 일치된 여론이었습니다. 내가 귀국할 때는 2명의 국회의원, 전직 해군대장, 국무부 차관보 등 많은 사람들이 동행하면서 나를 지켜 주는 노력을 했습니다. 하버드대학의 데릭 복(Derek Bok) 총장은 『뉴욕타임스』에 기고까지 해서 내 안전을 지켜야 한다는 것을 주장하기도 했습니다.

질문 이렇게 비폭력을 주장하신 것이 대통령님이나 아키노 상원의원이 쌓아 올린 이론과 실천에 얼마나 중요했다고 생각하십니까?

김대중 우리가 폭력에 대해서 폭력으로 대한다면 그 점에 있어서는 마찬가지로 나쁘다고 얘기할 수밖에 없습니다. 그래서 우리는 폭력에 대해서 비폭력으로 대함으로써 도덕적으로 높은 위치에서 대할 수 있기 때문에 큰 영감을 사람들에게 줄 수 있다고 생각합니다. 그리고 폭력으로 투쟁을 하면 많은 희생이 나오는데 그것은 상대방이 폭력정권이니까 폭력정권이 훨씬 더 폭력을 사용하는 데는 능숙합니다. 힘이 있으니까. 군대도 있고 경찰도 있고. 그런데 폭력으로 대응하면 그것은 십중팔구 지게 마련입니다. 그래서 상대방의 강점이 폭력이면 이쪽은 비폭력으로 대응함으로써 국민들을 감동시키고 궐기시키고 동정을 일으키고 이렇게 하는 것이 대중을 일으키는 길이 됩니다. 그리고 또 대중들도 폭력을 쓰라 하면 상대방의 더 우수한 폭력에 의해서 희생된 것이 뻔하기 때문에 적극적으로 나서기를 주저합니다. 그러나 비폭력으로 하게 되면 1만 명이 비폭력 투쟁으로 패배를 하면 다시 10만 명이 일어나고 또 50만 명이 일어나고 100만 명이 일어나면 아무리 큰 폭력도 그 비폭력 세력 앞에서 굴복하지 않을 수 없습니다. 그렇기 때문에 비폭력은 도덕 윤리적으로도 옳고 그리고 상대방의 강점인 폭력에 대해서 대응하는 가장 좋은 전략 전술이고 그리고 최종적으로는 국민과 더불어 승리를 쟁취하는 가장 확실한 성공의 길이기 때문에 그렇습니다.

* 이 글은 베니그노 아키노(Benigno Aquino) 상원의원 다큐멘터리 팀과의 인터뷰이다. 2007년 10월 18일 오전 10시 30분 김대중 대통령의 사저에서 이루어졌다.

납치 사건의 지휘자는 박정희

대담 가네히라 시게노리
일시 2007년 10월 30일

가네히라 김대중 사건에 대한 진상규명위원회의 조사 보고서가 발표되었습니다. 대통령님은 사건 진상 해명이 충분하다고 생각하시는지요?

김대중 제가 한국에서 말했지만 이번에 조사위원회가 노력한 흔적은 많이 있지만 진상을 제대로 밝혀냈는지에 대해서는 불충분하다고 생각합니다. 이번 조사의 핵심은 나를 납치한 것이 살해 목적이었느냐, 아니면 그냥 한국에 데려가는 것이 목적이었느냐 이거였는데 이 문제가 확실치 않게 결론이 났습니다. 즉 호텔에서 그들은 저를 살해하려고 했었고 바다에 데려가서 물에 던지려고 했지만 이 사건들에 대해서는 진술도 충분히 있고 증인들도 충분히 있으며 미국 측 정보책임자도 살해 목적이었다고 얘기를 했습니다. 이러한 내용을 진상조사위원회 측에도 전달을 했지만 충분히 조사하지 않았고 이런 문제들에 대해서 배려를 하지 않았습니다. 조사의 핵심 사항은 누가 지시를 했느냐인데 당시 중앙정보부장이던 이후락 씨가 나중에 박정희 전 대통령이 암살당한 후에 우리들에게 연락을 해서 박정희 대통령의 엄명에 의해서 이루어진 것이라고 얘기를 한 적이 있습니다. 사실 박정희 대통령의 지시에 의한 것이 아니고 이 부장 단독에 의한 것이라면 그는 아마 바로 구속이 되었을 겁니다. 그뿐 아니라 어느 누구도 처벌을 받지 않았습니다. 이것은 바로 박정희 대통령의 지시에 의한 것이라는 것을 의미하는 것이 아니겠습니까? 그런데 심증은 가지만 단언할 수 없다고 결론을 낸 데에 대해서 우리는 불충분하다고 생각하는 것입니다.

가네히라 미국 정부의 마지막까지 아슬아슬한 개입으로 대통령님의 생명을 구했다고 알려지고 있는데 이것을 사실이라고 생각하십니까?

김대중 그때 온 것은 미국 비행기는 아니라고 미국 정보기관의 책임자가 언급했지만 구체적으로 얘기는 안 했습니다.

가네히라 그러면 자위대였습니까?

김대중 자위대가 그런 능력을 가지고 있는지는 모르겠지만 당시 경고를 했던 비행기는 미국 비행기가 아닌 것으로 알고 있습니다.

가네히라 사건 지휘를 박정희 전 대통령이 했다면 박 전 대통령의 범죄라고 생각하십니까?

김대중 그렇다고 생각합니다. 대통령 이외에는 그런 일을 할 수 없다고 생각합니다.

가네히라 진상규명위원회가 일본 경찰에 협력을 요청했으나 거절당했다고 하는데 일본 조사 당국에 하고 싶은 말씀은?

김대중 일본 경찰 자체는 내 사건의 진상을 밝히려고 애를 썼지만 납치사건에 대한 뚜렷한 증거를 가지고 정치 결착에 굴복한 것은 유감스럽게 생각합니다. 이번에도 이러한 요청이 있었습니다. 과거에도 저는 조사에 협력한 적이 있지만 아무 진전이 없었고 확실한 증거를 가지고도 수사를 안 한 일본 경찰에게 유감입니다.

가네히라 일본 경찰이 수사를 본격적으로 재개한다면 협력할 용의가 있으십니까?

김대중 만일 수사를 시작해서 본격적으로 진상 규명에 노력한다면 저는 얼마든지 협력할 용의가 있습니다. 그러나 지금은 아무 의미가 없습니다.

가네히라 일본 경찰의 수사에 협력한다면 그 조건은 무엇입니까?

김대중 일본 경찰이 수사를 재개하고 파악하고 있는 증거를 활용하는 한편 피의자를 신문하는 등 최선을 다해야 한다고 생각합니다. 김동운 일등서기관은 반드시 조사를 해야 합니다.

가네히라 제이엔엔(JNN)에서 이미 1983년 8월에 김동운 일등서기관이 사전에 일본 공안 당국에 납치 계획을 밝혔고 일본 측은 그것을 중지하도록 경고하였다는 사실을 보도하였는데 그에 대한 감상은?

김대중 그러한 이야기를 들은 것은 같은데 확실한 것은 모르겠습니다.

가네히라 일본 정부에 대한 거액의 뒷돈(4억 엔)이 지불되었다는 사실을 확인하셨습니까?

김대중 사건 직후부터 한국에서는 그러한 얘기들이 많이 있었습니다. 최근 다나카 가쿠에이의 최측근도 『분게이슌주』(文藝春秋)에서 나의 사건과 관련하여 똑같은 얘기를 했습니다. 확실한 물증은 없지만 신빙성 있는 얘기라고 생각합니다.

가네히라 진실규명위원회의 보고서 안에 있는 김동운의 사과문을 보셨습니까?

김대중 진상조사위원회에서 그렇게 했다는데 조사위원회에서 저에게 가지고 오지 않아서 보지 못했습니다. 일본 경찰이 수사를 재개하고 진실을 파악하는 노력을 해야 합니다. 증거도 가지고 있으므로 피의자도 한번 만나고 그렇게 해 줘야 합니다. 김동운 서기관도 조사해야 합니다.

가네히라 헌법개정론이나 역사 교과서 개정 등 최근 일본의 소위 '우경화'에 대해서 어떻게 생각하고 계시는지요?

김대중 저의 대통령 재임 5년 동안 한·일 관계는 매우 좋았습니다. 저와 오부치 총리는 '21세기 한·일 파트너십' 선언을 통해서 오부치 총리는 과거 한국민의 피해에 대해서 '마음으로부터의 사죄'를 했습니다. 저는 일본의 전후 민주화 평화헌법을 평가하고 미래지향적인 관계로 발전시켜 나가자고 얘기했습니다. 역사적 전환점을 만들었습니다. 그럼에도 불구하고 최근 일본의 우경화에 대해서 걱정이 큽니다. 일본은 평화헌법을 개정하려고 하고 있고, 위안부 문제를 부인하고 있습니다. 일본은 총체적으로 과거사에 대해서 역사 인식이 부족합니다. 일본의 우경화는 우리에 대해서 여러 가지 걱정거리와 근심을 갖게 하고 있습니다. 이러한 근본 문제는 일본이 똑바로 역사 교육을 하지 않기 때문입니다. 그러니까 국민들은 과거사를 알지 못합니다. 과거를 알지 못하니 사과나 보상을 할 수 없습니다. 그러므로 일본은 새로 태어날 노력을 생각할 수 없습니다. 이러한 것은 독일과 근본적으로 다릅니다. 독일은 과거 범죄에 대해서 사죄하고 반성하고 배상을 했습니다. 그리하여 주변 국가들이 독일을 신뢰하게 되었고 북대서양조약기구(NATO)에 참여할 수도 있게 되었습니다. 또한 독일통일 때 주변 국가들이 모두 지지해 주었습니다. 어떻게 보면 독일은 적게 주고 많이 받은 것입니다. 일본과 독일은 같은 침략 범죄 국가인데 독일과 일본은 너무도 다릅니다. 우리는 일본이 미워서도 아니고 멀리하고 싶어서도 아닙니다. 가까이하고 싶은데 일본은 군사적·경제적으로 강대국이고 과거 역사에 비추어 걱정하고 있는 것입니다.

가네히라 역사 인식의 차이를 해결하기 위해 어떤 노력을 기울여야 할까요?

김대중 내가 대통령으로 재임 시 '역사인식공동위원회'를 만들었는데 그 의견의 차이를 메우지 못했습니다. 일본이 이웃 나라임에도 신뢰를 가질 수 없기 때문에 적극적인 지원을 하지 못한 것을 안타깝게 생각합니다.

가네히라 소위 '햇볕정책'에 대해 "김정일 체제를 지원할 뿐"이라는 비판적인 의견이 있고, 더구나 2002년 9월 17일 고이즈미 총리 방북 시 북한 김정일 위원장이 일본인 납치를 인정한 이후에는 북한에 대한 반발이 확산되고 있는데 이에 대해 어떻게 생각하십니까?

김대중 납치는 절대 용납할 수 없는 문제이며 피해자에게 납득이 갈 때까지 성의를 다해서 문제의 진상을 밝히는 것이 필요하다고 생각합니다. 이 점은 나는 한국에서도 언론 보도를 통해서 여러 차례 "일본인 납치 문제에 대해서 북쪽은 지금까지도 상당히 조치를 취한 것은 사실이지만 일본이 부족하다고 생각하니까 피해자가 만족할 수 있도록 더 적극적인 조치를 취한 것이 좋다"는 얘기를 한 적이 있습니다. 일본도 납치에 대해서 주장하더라도 북한과 관계 정상화하는 데 최대한 배려를 할 필요가 있습니다. 결국 동북아에서 같이 살고 있는 이상 동북아 평화를 위해서는 북한과 관계를 개선하는 것이 필요하므로 그러한 배려를 할 필요가 있습니다.

가네히라 일본 내에서 북한에 대하여 대화와 압력이라는 여러 의견이 나오고 있는데, 압력을 가하면 북한은 어떻게 될 것이라고 생각하십니까?

김대중 역사상으로 소련과 동유럽 등 공산주의는 외부 압력으로 변화하지 않았습니다. 소련은 헬싱키협정, 유럽안보협약조약을 통해서 개혁 개방의 길을 가게 되었습니다. 중국도 압력으로는 안 됐습니다. 베트남도 전쟁까지 했지만 안 됐습니다. 대화를 통해 개혁 개방을 했을 때 변화했습니다. 북한도 마찬가지라고 생각합니다. 그러나 상대방이 무력을 행사하거나 부당한 일을 하는 것에 대한 대비책은 확실히 준비해야 합니다. 예를 들면 이번처럼 북한이 핵 개발을 했을 때 단호히 반대하고 핵을 포기시켜야 합니다. 그러나 그것도 북한의 정당한 요구를 들어주면서 변화시켜야 합니다. 일방적으로 해서는 안 됩니다. 지난 2·13합의는 6자회담을 통해서 북·미 간 대화를 통해서 서로 주고받는 관계 속에서 발전한 것입니다.

가네히라 마지막으로 일본 국민들에게 대한 메시지를 말씀해 주십시오.

김대중 올해 6자회담의 2·13합의에서도 "동북아에서의 지속적인 평화와 안정을 위한 공동 노력"을 하기로 합의를 봤습니다. 결론적으로 한국인은 일본을 신뢰하면서 동아시아 발전을 위해 협력하고 싶다고 생각합니다. 과거의 침략과 민족적인 모욕에 대해 상대에게 잘못했다고 사과해야 합니다. 경제적으로 군사적으로 대국인 일본이 한·일 우호 관계 발전을 위해 협력하고, 동북아시아의 발전과 협력을 위해 중심이 되길 바라고 있습니다.

* 이 글은 2007년 10월 30일 일본 교토 에이엔에이(ANA)호텔 2층 사가로룸에서 있었던 티비에스(TBS·도쿄방송) 텔레비전 회견 녹취록이다. 당시 가네히라 시게노리(金平茂紀) 보도국장이 인터뷰하였다.

한·일 정부는 납치 사건의 진상을 밝힐 의무가 있다

대담 일본 언론

일시 2007년 10월 30일

산케이신문 24일에 과거사 진상규명위원회에서 한국 중앙정보부가 주도적으로 일을 꾸민 사건이었다고 발표를 했습니다. 대통령님께서는 이에 대해서 유감을 표명하신 것으로 알고 있습니다. 이 조사 보고서에 대해서 어떻게 평가를 하시는지, 어떤 점들에 대해서 납득을 못하시는지를 듣고 싶습니다.

김대중 두 가지를 지적을 했는데요. 하나가 납치가 살해 목적이었냐, 아니었냐 하나와 또 하나는 누가 시켰느냐 하는 그 점에 있어서 조사위원회는 발표를 해 놓은 것 가지고도 확실히 할 수 있다고 하는데 결론은 제대로 내지 않은 것 아니냐 생각했습니다. 저의 납치 목적은 살해가 분명합니다. 제가 납치해서 돌아온 후 기자들에게 발표한 그 내용을 봐서도 분명하고 또 미국 정보기관이 하는 얘기를 봐서도 그러하고. 그리고 바다에서 나를 납치만 하려면 그냥 팔목에 쇠고랑만 채워 묶으면 되는데 칠성판 판자 위에다 묶어 놓고 또 입을 막고 눈을 가리고 발목에 팔에 물체를 달고 그리고 이불까지 달라고 하는, 그렇다면 죽이지 않으려면 무엇 때문에 그렇겠습니까? 그런 문제가 미진하다, 분명한 살해 목적이었는데 그것을 지적하지 않은 것은 유감스러운 일 중 하나입니다. 그리고 납치를 누가 시켰느냐 하는 것은 그 당시 납치의 책임자였던 이후락 정보부장이 박정희 대통령이 사망한 후에 우리 집사람 친구인 최영근 의원이라고 과거 국회의원 하신 분으로 돌아가셨는데, 최영 근 의원한테 고백을 했습니다. 박정희 대통령이 자기한테 처음 한 달 동안은 움직이지 않았더니 다시 지시해서 자기가 나를 살해하기로 그래서 박 대통 령이 시켰다는 것을. 그리고 살해할 목적이었다는 것, 이것을 얘기했습니다. 그런데 만일 박정희 대통령이 안 시켰다면 이 사건이 터져서 한·일 관계와 전 세계가 모두 알게 됐는데 왜 이후락 씨를 안 잡아들였겠습니까? 그러면서 납치에 가담했던 사람들을 처벌을 해야 했는데 안 했습니다. 그런 점만 보더 라도 이것은 박정희 대통령의 지시가 분명한데 이 점에 대해서도 심증만 간 다고 하는 것은 미흡하다고 생각합니다. 일본에서 납치에 가담한 사람 역시 한 명도 처벌하지 않았습니다.

엔에이치케이(NHK) 기자 보고서가 나온 후에 김대중 대통령님께서는 한 국 정부에게 앞으로 어떤 대응을 바라고 계십니까? 보도에 의하면 유명한 한 국대사가 일본 정부에 유감 표명을 할 것 같다는 보도가 있는데 이에 대해서 도 어떻게 생각하십니까?

김대중 여하튼 일본 정부건 한국 정부건 납치사건 그리고 그 뒷수습에 있 어선 나의 인권을 무시한 것에 대해서 항의합니다. 그리고 늦었지만 지금이 라도 진상을 확실히 밝혀서 책임질 사람은 책임을 져야 한다고 생각합니다.

유춘호(SBS 도쿄 특파원) 한국 대선과 관련하여 아까 강연문에서도 말씀하셨 지만 대선 이후에 집권당이 집권을 누가 하든 대북 정책에 변화가 없을 것이 라는 말씀을 하셨는데요. 총괄적으로 한국 대선과 관련하여 기대와 전망을 말씀해 주시기 바랍니다. 우문이라고 생각이 되지만 현답을 부탁드리겠습니다.

김대중 한국 대선 문제는 한국 가서 얘기를 해야지.(웃음) 원칙적인 얘기인데 이번 대통령 선거는 정말 건전한 정책 대결로 했으면 좋겠고 지금 국민들한테 남북 관계나 경제 문제가 관심이 제일 큰 데 그 문제에 대해서 확실히 방향을 잡을 수 있도록 그래서 대통령 후보를 자신을 가지고 선정을 할 수 있도록 그런 구체적이고 손에 쥐여 주는 것 같은 그런 정책을 놓고 선거를 해 주었으면 좋겠다. 그리고 나 자신은 우리 국민은 세계 어디에 내놓아도 흔들리지 않는 그러한 우수한 판단력과 정치적 신념을 갖는 국민이기 때문에 이번 선거에도 유권자로서 자유롭고 공정하게 판단할 수 있도록 우리 모두 국민들에게 기대를 주어야겠다 이렇게 생각합니다.

윤경민(YTN) 납치사건과 관련해서 한국 정부가 발표를 했을 때 일본 정부는 마쓰무라 관방장관이 정례 회견을 해서 왜 이 시점에 과거 34년 전 사건을 발표를 하는지 그 의도가 무엇인지 알 수가 없다, 그리고 한국 정부가 친일파 재산을 몰수하는 일본의 사고방식으로는 도저히 이해할 수 없는 일을 하고 있다, 이런 식으로까지 비난을 했습니다. 이에 대해서 일본 정부의 이러한 태도 표명에 대해서 어떻게 생각하시는지. 그리고 이에 앞서 엔에이치케이(NHK) 기자가 질문을 했습니다만 답변을 하지 않으셨는데 한국이 일본에 대해서 일본 정부에 사과 표명을 하는 것이 옳은지 유감 표명 정도로 족하다는 보시는지 그것에 대해서 말씀해 주십시오.

김대중 나는 지금 한국 정부가 일본 정부에 유감을 표시했다, 그것 가지고 그것이 부족하다고 하는데 나는 그것이 중요하다고 생각하지 않습니다. 내가 얘기하는 것은 한국 정부나 일본 정부나 내 납치사건에 대해서 진상을 밝힐 의무가 있습니다. 진상을 밝혀야 할 것은 일본 정부로서는 주권이 침해된 것이고 나를 일본에서 보호해 줄 의무가 있는데 그것을 안 해서 나의 인권이 침해된 것입니다. 그리고 또 한국 정부는 그 당시의 정부가 한 일을 현 한국 정부가 과거 청산하는 마당에 이것도 분명히 청산을 해야 한다고 생각합니다. 그 점에 있어서 관심이 있지 나머지 사과 수준이라든가 뭐 해야 하느니 안 해야 하느니 그러한 것은 관심이 없습니다. 그리고 친일파 재산문제에 대해서는 일본이 관여할 성질이 아니다, 그것은 우리 정부가 처리할 문제라고 생각합니다. 그리고 내가 한 가지 더 첨부하고 싶은 것은 나는 일본이 한국하고 내 문제를 가지고 정치 결착을 할 때 내가 출국을 포함해서 행동의 자유가 있다고 했습니다. 사실 동백림사건에 의해서 납치돼서 한국에 왔던 사람들은 프랑스와 서독 정부의 항의에 의해서 전부 프랑스와 독일로 돌아갔습니다. 나도 당연히 그렇게 될 걸로 알았는데 전혀 그렇게 되지 않았습니다. 일본은 그것을 관철시키지 않았습니다. 또 그다음에 나는 일본에서 한 행동에 대해서는 처벌을 받지 않는다고 한·일 양국이 합의했음에도 불구하고 일본에서 한민통(한국민주회복통일촉진국민회의) 의장이 됐다는, 한민통이 반국가단체니까 반국가단체의 수괴다 해서 사형 선고를 받았습니다. 그때 나는 일본하고 한국 사이에서 내가 일본에서 한 행동은 처벌을 받지 않는다고 했기 때문에 일본이 그것을 구실로 해서 적어도 내가 죽지 않을 것이라고 기대했었습니다. 물론 일본도 관심이야 있었겠지만 결국 내가 살아난 것은 카터 대통령과 레이건 당선자의 적극적인 노력으로 살아났습니다. 그때 당시 나는 일본의 그러한 노력을 얼마나 기대했던가, 당시 그것이 이루어지지 않았을 때 내가 얼마나 실망했던가, 이루 말로 표현할 수 없습니다. 참으로 슬펐습니다. 나는 이런 점에 있어서 나의 출국이 이루어지지 않은 것, 사형문제를 일본이 저지하지 못한 점 이런 점에 대해서 나는 일본 정부의 설명을 듣고 싶습니다.

교도통신 아까 대통령님께서는 한국 정부와 일본 정부가 진상 규명을 해야 할 의무가 있다고 말씀하셨는데 혹시 일본의 경시청에서 진상 규명을 목적으로 해서 대통령님께 참고인 조사를 요청했을 시에 어떻게 하실 생각입니까.

김대중 이번에도 내가 일본을 방문한다고 하니까 일본 경찰이 참고인 조사에 응해 달라는 요청이 있었습니다. 그런데 그것을 내가 하지 않기로 했습니다. 왜냐하면 과거에 이 문제 가지고 조사를 한 적이 있습니다. 그때 그렇게 되면 뭔가 수사가 진전이 될 줄 알았습니다. 일본 경찰이 수사를 진심으로 할 용의가 있다면 언제든지 한국에서건 일본에서건 진술할 용의가 있습니다. 그런데 일본 경찰이 수사를 진심으로 규명할 의지가 있느냐 그 문제가 선결되어야 한다고 생각합니다.

* 이 글은 2007년 10월 30일 오후 5시, 일본 에이엔에이(ANA)호텔 2층 주작룸에서 있었던 일본 언론들과의 기자 간담회 녹취록이다. 일본 언론인과 한국 특파원 등 100여 명이 참석하였다.

나라가 존경받으려면 도덕적 우월성을 가져야 한다

대담 오카모토 아쓰시

일시 2007년 10월 31일

오카모토 2007년은 한반도를 둘러싼 정세에 큰 변화가 있었습니다. 지금까지 북한과 대화를 하지 않았던 부시 정권이 방침을 바꿔 6자회담의 2·13합의가 이루어진 후 북핵 문제를 둘러싼 움직임이 매우 빨라지고 있습니다. 10월에는 7년 만에 제2차 남북정상회담이 개최되었고, 일본에서 대북 강경 정책을 폈던 아베 정권의 붕괴도 한반도 정세에 영향을 주었다고 생각합니다. 먼저 이렇게 급전환하는 동아시아의 탈냉전 움직임을 어떻게 보고 계시는지 여쭙고 싶습니다. 그리고 지난번 노무현 정권의 임기 말 대통령 선거를 앞둔 시기에 남북정상회담이 개최되었습니다. 한국의 여론조사에는 74퍼센트가 성공적이라고 평가하였습니다. 금번 정상회담의 실현과 성과를 어떻게 평가하십니까?

통일의 제1단계인 남북연합 체제는 언제든지 가능하다

김대중 저는 금번 2차 정상회담이 상당한 성과를 거두었다고 생각합니다. 이번 여름까지만 해도 노무현 정권 시대에 남북정상회담이 가능할 것인지 걱정하였습니다. 그러나 정상회담이 실현되었고, 두 개 정권에서 연속해서 정상회담이 개최되었으므로 다음 정권도 당연히 그것을 계승할 것이라고 생각합니다. 2차 정상회담에서 김정일 위원장, 노무현 대통령 양 정상은 2000년 제1차 정상회담을 지지한다고 하였으며 선언문 중에 이를 5차례 언급하였습니다. 이에 따라 1차 정상회담에서 합의된 민족적, 자주적으로 분단문제를 해결하는 문제와 통일을 단계적으로 시행하는 문제, 그리고 경제, 문화 교류 등을 계속해서 이어 가게 되었습니다. 현재 진행되고 있는 6자회담이 성공적으로 끝나고 한반도를 둘러싼 분위기가 좋아지면 통일의 제1단계인 남북연합 체제는 언제든지 가능하다고 생각합니다. 남북이 대결하고 증오하는 냉전 시대로부터 서로의 손을 마주 잡고 협력하여 통일을 향해 서서히 전진해 가는 과정에 진입하는 것입니다. 이것은 민족적으로도 매우 중요한 의미가 있습니다. 조금 전에도 말씀드렸듯이 경제, 문화 등 다방면의 교류가 점점 깊어지면 남북 경제 공동 협력 체제가 가능하다는 견해도 있습니다.

오카모토 2006년 7월에는 북한이 미사일을 발사하고 또 10월에는 핵실험을 해서 긴장이 고조되었습니다. 그러나 그 뒤 1년이 지나 긴장은 매우 완화되었고 미래의 전망이 상당히 좋아졌습니다. 정상회담의 상대인 북한의 정치, 경제적 또는 군사적 현상을 어떻게 보고 계십니까?

김대중 북한은 2000년 남북정상회담 이전까지는 남쪽 체제를 전적으로 부정하고 증오하고 적대시해 왔습니다. 그리고 미국의 힘을 배경으로 북한을 공격하지 않을까 생각하고 있었습니다. 2000년 정상회담 때 적국의 총사령관이 북한에 와서 자기들의 지도자와 악수를 하는 모습은 북한 사람들에게 커다란 충격과 심리적 변화를 주었다고 생각합니다. 물론 남쪽의 국민들에게도 똑같이 커다란 변화를 주었습니다. 그리하여 일거에 한반도에서의 긴장이 완화되었습니다. 그리고 그 이후부터 남한은 북한에 매년 40만 톤의 식량, 30만 톤의 비료, 그리고 많은 의약품 등을 지원하고 있습니다. 그동안 대량의 쌀, 비료가 20, 30킬로그램의 포대에 담겨 북한에 보내졌는데 모두 남쪽에서 만들어졌다는 글씨가 인쇄되어 있습니다. 그것을 본 북한 주민들은 "남한은 소수가 부유하고 대부분의 국민은 가난하다고 들어 왔는데, 그것은 사실이 아니다. 또한 남한이 우리를 미워하고 있다면 이렇게 지원했을 리가 없지 않으냐"고 생각하게 되었습니다. 그래서 남쪽에 대해서 감사와 선망의 기분을 갖게 되었습니다. 이러한 심리적인 변화가 북한의 문화적 변화를 초래하였습니다. 북한에는 지금 비밀리에 남쪽의 대중가요를 부르고 텔레비전 드라마나 영화를 보는 사람이 있습니다. 물론 남쪽에도 문화적 변화가 있었습니다. 북한에 대해서 부정 일변도였던 의식이 지금은 공산주의는 반대하지만 동족이기 때문에 서로 사이좋게 지내야 하고, 북한은 가난하기 때문에 지원해야 한다는 생각을 갖게 되었습니다. 금번 제2차 정상회담을 많은 국민들이 지지하고 있는 것은 그러한 이유 때문이라고 생각합니다.

북한이 절실히 원하는 것은 국제사회에서 경제적 협력을 얻는 것

김대중 북한은 군사적, 정치적 부분은 안정기에 있다고 생각합니다. 김정일 국방위원장이 권력을 장악하고 있기 때문입니다. 김 위원장은 김일성 주석이 생존해 있던 1970년대부터 권력의 중추에 있었기 때문에 현재 북한의 당, 군부, 행정부 지도자들은 김정일 위원장이 발탁한 사람입니다. 문제는 경제입니다. 북한의 경제는 계획경제입니다. 계획경제는 국민의 의식주 전부를 정부가 책임지고 있는데 그것이 지금은 가능하지 않습니다. 그래서 북한 정부의 입장은 매우 약하게 되어 있습니다. 그러나 이러한 문제를 북한 스스로의 힘으로는 할 수가 없습니다. 북한은 소련이 붕괴되고 동유럽이 붕괴된 후 중국의 지원에 겨우 유지하고 있습니다. 또한 남한도 도움을 주고 있으나 충분하지 않습니다.

이러한 상황에서 북한이 절실히 원하고 있는 것은 국제사회에 진출해서 경제적 협력을 얻는 것입니다. 그러한 협력을 얻는 데 절대적인 조건은 미국과 관계를 개선하는 것입니다. 미국이 승인하지 않는 한 국제통화기금(IMF), 아시아개발은행(ADB)으로부터 자금을 빌릴 수가 없습니다. 외국의 투자도 불가능합니다. 방법이 없습니다. 그래서 북한은 절망하게 되었습니다. 미국 정권은 조금도 누그러지지 않고 어떻게든 북한 정권이 붕괴될 것을 목적으로 하고 있습니다. 북한은 절박한 상황에 처해 있는 것입니다. 한국 사람들이 궁지에 몰리면 사용하는 말 중에 "너 죽고 나 죽자"라는 말이 있습니다. 이러한 절박한 심정에서 북한은 핵무기를 제조했습니다. 자기는 죽더라도 그냥 죽지는 않는다는 것을 보여 주는 것이었습니다.

여기에 대해서 미국은 어떻게 대응해야 할까요. 하나의 선택은 군사적 제재입니다. 물론 북한이 가지고 있는 핵폭탄 몇 개는 미국이 갖고 있는 수천 개의 핵폭탄 앞에서는 장난감에 불과합니다. 그러나 지금 미국은 중동에 다리를 담그고 있어서 북한에 군사력을 투입할 여유가 없습니다. 일본과 함께 북한에 경제 제재를 취해 봤으나 별 효과가 없습니다. 중국이 경제적 지원을 하고 있는 한 한계가 있습니다. 여기에 더하여 2006년 미국 중간선거에서 공화당은 패배했습니다. 의회의 다수를 차지한 민주당은 클린턴 대통령이 했듯이 북·미 간 직접 대화와 주고받는 협상 정책을 추구해야 한다는 입장입니다. 부시 대통령의 방침에 반대하는 정책입니다. 미국은 의회가 외교에 큰 영향력을 행사합니다. 그리고 부시 대통령은 재임 중 중동에서 성공할 전망이 보이지 않습니다. 유일하게 북한에서 핵 문제를 해결할 가능성이 있습니다. 그래서 부시 대통령은 북·미 간 직접 대화에 적극적으로 대응하는 것입니다.

부시 대통령, 6년 만에 클린턴과 내가 했던 정책으로 돌아왔다

김대중 과거에 클린턴 대통령과 내가 했던 북한과의 직접 대화와 주고받는 협상 정책을 부정했던 부시 정권은 6년 만에 바로 그 자리로 돌아왔습니다. 북에 줄 것은 주고 그 대가로 핵을 포기시킨다는 교섭을 시작했습니다. 부시 정권은 지금까지 반대해 왔던 북한과 직접 대화를 하고 북한의 안전 보장과 경제 제재를 중지하는 방향으로 가고 있습니다. 그리고 국교 정상화도 당연히 시야에 들어오고 있습니다. 이에 대한 대가로 북한은 핵을 포기하는 방향으로 가고 있습니다. 이에 북한은 "당연하다. 그전부터 우리에게 정당하게 대응을 해 오면 핵을 포기한다고 말해 왔지 않은가."라고 말하고 있습니다. 이러한 협상은 급속히 진전되어 2007년 2·13합의가 성공하게 되었습니다. 이러한 합의의 제1단계 조치로 영변에 있는 핵 시설이 폐쇄되었습니다. 그리고 국제원자력기구(IAEA) 사찰 요원이 북에 들어가고 만족할 만한 사찰이 이루어졌습니다. 지금은 제2단계로서 10·3합의에 의하여 핵 시설의 불능화와 핵 프로그램의 신고단계에 진입했습니다. 북한의 요구와 미국의 요구가 맞아떨어진 것입니다. 북한과 미국은 결국 상대를 부정해서는 아무것도 되지 않고 또 다른 길이 없다는 것을 알게 되었습니다.

오카모토 말씀하신 것처럼 6자회담은 지금 급속히 진전되고 있으나 그것은 북한이 계속해서 말해 왔던 "말 대 말", "행동 대 행동"의 원칙 즉, 외교적으로 주고받는 것이 성립되었다는 것이죠. 그런데 부시 정권의 임기는 앞으로 1년 2개월 정도 남았습니다. 그것을 보면 2000년 클린턴 정권 말기에도 올브라이트 장관이 방북하고 조명록 국방위원회 부위원장이 워싱턴에 왔던 것이 생각납니다. 그때 클린턴 대통령이 방북하기 직전까지 갔으나 결국은 잘 이루어지지 못했습니다. 이번 상황은 그때보다 진전되었다고 보십니까?

김대중 북한은 지금 미국의 다음 정권의 등장을 기다리며 대응하는 자세는 아닙니다. 부시 정권이 있는 동안에 모든 것을 끝마치고자 하는 태도입니다. 부시 대통령도 또한 자기의 임기 중에 성공하고 싶은 생각이 있고 북·미 양자가 그런 점에서 의견이 일치하고 있습니다.

오카모토 1차 정상회담에서 김정일 국방위원장과 장시간에 걸쳐 말씀을 나누셨을 때, 김 위원장은 미국과의 관계 정상화를 열망하고 있고 북한의 생존을 위해서 미국으로부터 경제 보장과 안전 보장, 국교 정상화를 받고 싶다는 점에서 의견이 일치되었다고 들었습니다. 부시 정권의 대북 정책은 변화하였으나 그 후 6자회담 중에 유일하게 강경 정책을 취해 온 것은 일본입니다. 미국이 북한을 테러지원국가로서 지정했던 것을 해제하려고 할 때 일본은 일본인 납치 사건 해결이 되기 전까지는 해제하지 않기를 바라는 요청을 미국에 하고 있습니다. 저는 이러한 일본 정책에 대하여 문제가 있다고 생각합니다. 확실히 일본인 납치 사건은 일·북 간의 해결해야 할 문제이나 또한 동시에 핵 문제나 탈냉전이라고 하는 동아시아 전체의 과제에 관하여 적극적으로 역할을 하지 않으면 안 된다고 생각합니다. 9월에 강경 일변도였던 아베 정권이 붕괴된 것은 앞으로 다소나마 대화의 방향으로 전환될 수 있는 기대가 있습니다. 일본 정책에 대하여 어떻게 생각하십니까?

6자회담에서 일본 태도는 조금 지나치다

김대중 저는 일본의 정책이나 행동에 대하여 간섭하고자 하는 생각은 없습니다. 그러한 자격도 없다고 생각합니다. 다만 6자회담은 우리나라와 직접 관련이 있기 때문에 일본 정부의 태도가 6자회담에 영향을 주고 있는 점에 대하여 얘기하겠습니다. 제 생각으로는 일본의 지금의 태도는 외교적으로 스마트하다고는 생각하지 않습니다. 왜냐하면 뭐라 해도 6자회담의 주요 과제는 북한 핵 문제입니다. 그것은 한국이나 6자회담 당사자도 일치하고 있는 과제입니다. 그런데 일본은 여기에 납치 문제를 꺼내어 그것을 우선하지 않으면 다른 문제는 다룰 수 없다는 태도를 취하고 있습니다. 이 문제에 대하여 다른 나라도 무시할 수 없어 동조하지 않을 수 없는 부분도 있지마는 어떤 의미에서는 이러한 일본의 태도에 대하여 좀 과하다는 인상을 다른 나라들도 가지고 있지 않나 생각합니다. 저는 일본인 납치 문제에 대하여 수차례 북한에 충고했습니다. 북한이 2002년 일본에 대하여 납치를 인정하고, 사죄하고, 생존자를 귀국시킨 것에 대해서는 저는 인정합니다. 그러나 납치 문제는 인권 문제이고 결코 있어서는 안 될 일을 북한은 저질렀기 때문에 피해자 쪽에서 납득할 수 있을 때까지 협력하는 것은 당연한 것이라고 충고했습니다. 가해자 입장에서 피해자가 그러한 태도를 취해야만 문제가 해결되는 것이라고 말하였습니다. 그와 동시에 일본은 무엇을 바라는가, 일본에 무엇을 협력할 것인가, 북한 측에서 적극적으로 어프로치 하면 어떻겠냐고 얘기했던 적이 있습니다. 그러나 동시에 제가 의문을 가지고 있는 점은 체면을 매우 중요시하는 북한으로서 김정일 국방위원장이 스스로 납치 사건의 실체를 인정하여 고이즈미 총리에게 사죄했다는 것입니다. 체면을 중요시하는 북한의 사정을 일본이 인정하고 해결해 가는 방법밖에 없습니다. 예를 들면 반환된 요코타 메구미 씨의 유골의 진의와 관련하여 일본은 가짜라고 주장하고, 북한은 진짜라고 얘기하고 있으나 그런 문제는 북한과 상담하여 제3의 국제기관에 의뢰하여 검사를 받으면 된다고 생각합니다. 이것은 한 예입니다. 그렇게 해결하는 방법이 있는데도 현재처럼 완강한 방법을 주장하는 것은 해결을 목적으로 하는 유연한 태도는 아니라고 생각합니다. 전후 60년 이상 경과했음에도 불구하고 이러한 외교적 해결 방법을 이루지 못한 것은 일본과 북한 쌍방의 책임이라고 생각합니다. 일본으로서도 국교 정상화의 이야기를 진전시키면서 납치 문제를 병행하여 취급하는 방법도 있을 텐데 왜 그러한 유연한 태도를 취하지 않는지 모르겠습니다.

오카모토 일본은 국교 정상화 진전을 막기 위하여 이러한 문제에 움직이지 않는다고 생각하지는 않으시는지요?

김대중 납치 문제를 일부 정치가가 국내 정치에 이용하지 않냐 하는 인상도 있습니다.

일본은 납치된 나의 인권 문제에도 동일하게 행동했는가

오카모토 지금 부시 정권도 일본 정부가 말하는 해결은 무엇이고, 또 진전은 무엇인지 구체적으로 제시해 주기를 바라고 있습니다. 애매한 경우 북한으로서도 주변 국가로서도 무엇을 하는 것이 좋을지 알 수 없다는 것입니다.

김대중 일본에서 납치되었던 저의 입장을 얘기하더라도 일본 정부가 납치된 일본인의 인권 문제는 그렇게 집념을 불태우면서 일본에서 똑같이 납치된 저의 인권 문제에 대해서는 동일하게 행동했는가 의문이 듭니다.

오카모토 바로 그 문제입니다만 1973년에 일본에서 발생한 선생의 납치사건에 대하여 여쭙겠습니다. 10월 말 한국의 진실규명위원회가 최종 보고서를 냈습니다. 거기에는 한국의 국가기관이 일본으로부터 선생을 납치한 것을 인정했습니다만 그 당시에도 이미 한국 중앙정보부(KCIA)의 범행이라는 것은 이미 잘 알려진 일이었습니다. 한국 정부가 스스로 한국 정부가 행했다는 것을 조사하여 국민에게 보고하는 것은 당연하다고 생각합니다. 그러나 당시는 냉전의 최절정이었고 일본과 한국의 정재계는 일한 유착이라고 일컬어질 정도로 매우 깊은 이해관계로 맺어져 있었습니다. 선생의 납치사건은 일한 합작이라고도 일컬어집니다. 첫째 이유는 납치 그 자체에 일본의 우익이나 전前 자위대 관계자가 배후에서 활동했다는 흔적이 있습니다. 둘째는 양 정부의 정치 결착의 문제입니다. 사건은 일본의 주권 침해임과 동시에 일본에 체류하고 있던 유력한 정치가의 인권 침해였습니다. 일본 정부는 선생의 인권을 최우선하여 원상 회복을 강하게 요구했어야만 했습니다. 그러나 결국 일본 정부는 원상 회복을 요구하지 않고 그것을 애매하게 정치 결착했습니다.

사형 선고받고 일본에 얼마나 섭섭했는지 모른다

김대중 주권 침해에 대하여 일본 정부는 계속해서 주장했습니다만 저의 인권 문제에 대해서는 충분히 해명했다고는 생각하지 않습니다. 박정희 정권하에서 저를 납치하기 전에 동베를린에서 북한과 접촉했다는 구실로 서독이나 프랑스에 있는 학자와 유학생을 납치하여 서울에서 재판을 했던 경우가 있습니다.(동베를린 사건, 1967년) 그때 서독과 프랑스 정부는 한국 정부에 강력하게 항의하고 사형 선고까지 받았던 그들을 자기 나라로 다시 원상 회복시켰습니다. 저의 케이스도 전적으로 똑같은 케이스입니다. 당연히 일본은 원상 회복을 시켜야만 할 입장이었다고 생각합니다. 그러나 실제로는 정치 결착 과정에서 출국하는 것을 포함하여 모든 행동의 자유가 있는 것으로 말하면서도 내가 연금당하고 출국은 물론 국내에서의 활동까지도 어렵게 되었을 때도 일본 정부는 이를 문제 삼지 않았습니다. 또한 정치 결착을 해서 나의 해외에서의 행동은 법적으로는 묻지 않겠다고 약속을 했음에도 불구하고 1980년 광주항쟁으로 군정에 체포되었을 때, 일본에서 한민통 의장이 되었던 것이 죄가 되어 "한민통은 반국가적 단체다, 국가보안법상의 소위 반국가 단체의 수괴다."라고 하여 사형 선고를 받게 되었을 때도 일본 정부는 "약속이 틀리다"고 군사정권에 말하지 않았습니다. 나는 어느 정도 일본이 그렇게 해 주기를 바라고 있었습니다. 언제 사형당할지 모르는 입장에서 나의 유일한 법적 구명의 길은 일본에서의 행동이 문제 되지 않는다는 약속이었습니다. 당연히 일본이 그것을 문제 삼아줄 것으로 생각했습니다. 그러나 일본은 그것을 하지 않았습니다. 최후의 순간에 저를 살린 것은 미국의 카터 대통령과 레이건 대통령 당선자 2명의 협력에 의해서입니다. 당시 내가 일본에 대하여 얼마나 섭섭했는지는 상상이 갈 것으로 생각합니다. 내가 말씀드리고자 하는 것은 어느 한 국가가 존경을 받으려면 그 조건은 무역이나 경제력뿐 아니라 도덕적인 우월성이라는 것입니다. 우리는 작은 나라이지마는 노르웨이, 스웨덴 등의 국가를 훌륭한 나라로 존경하고 있습니다. 그것은 그 나라의 높은 도덕 수준 때문입니다. 도덕적으로 높은 민주주의를 실천하고 있기 때문입니다. 민주주의의 핵심은 한 사람 한 사람의 인권입니다. 그것이 문제가 되었을 때 몸을 던져 지킬 수 있느냐의 여부가 국가의 진가를 결정하는 것입니다. 나의 인권을 지키는 것은 일본으로서는 민주주의의 진가를 보여 주는 절호의 기회였습니다. 그럼에도 불구하고 일본은 관심을 보이지 않았습니다. 저 자신에게도 매우 괴로운 경험이었으나 일본에게도 안 된 일이었다고 생각합니다.

오카모토 서독은 국교단절까지 포함하여 한국에 강하게 압박했습니다. 그러나 일본은 애매한 결착을 택했습니다. 박정희 정권 또는 전두환 정권의 구미에 맞게 뒤에서 적당히 이야기한 것으로 일컬어지고 있습니다. 정치 결착에는 기시 노부스케(岸信介) 총리나 야쓰기 가즈오(矢次一夫) 씨 등 전쟁 전부터 한반도와 관계를 갖고 있던 우파 그룹이 암약했다고 듣고 있습니다.

김대중 한국에서 출국하지 못하고 있을 때 내가 들은 내용은 나의 출국을 오히려 일본이 바라지 않았다는 것입니다. 당시 다나카(田中) 총리가 "김대중은 일본에 오지 않는 것이 좋다. 일본으로서도 곤란하다."라고 이야기했다고 합니다. 또는 정치 결착을 위하여 4억 엔의 금전이 오고 갔다는 이야기도 들었습니다. 최근 『분게이순지』(文藝春秋)에 다나카 총리의 측근이었던 사람이 폭로 기사를 게재했습니다만 이러한 이야기는 30년 전에도 한국에 흘러 다니는 얘기였습니다. 누가 돈을 들고 가서 어떤 이야기를 나누었는가에 대한 최근의 보도는 30년 전 그것과 완전히 똑같아서 놀랐습니다. 인권 문제에서 이런 이야기가 나오는 것 자체가 얼마나 부끄러운 이야기입니까. 그러한 의미에서 일본의 매스컴은 국민에 대하여 진상 규명을 일본 정부에 요구할 필요가 있다고 생각합니다.

오카모토 한국의 대통령 선거가 12월로 다가왔습니다. 김 전 대통령은 쭉 여당인 우리당이나 민주당이 통합해야 한다고 강하게 주장하고 또한 노력해 왔다고 들었습니다. 한국의 정치는 1988년에 민주화 이후 정치 참가의 폭이 넓혀져 오는 과정이라고 볼 수 있습니다. 그러한 단계에서는 한나라당이 정권을 잡을 가능성이 높다고 생각합니다. 금번 대통령 선거의 최대의 초점은 무엇이라고 생각하시며 새로운 정권은 대북 그리고 대일 정책에 무엇을 해야 한다고 생각하십니까.

김대중 지금 한나라당의 후보자가 유력하다는 것은 모두 잘 알고 있습니다. 저는 다른 여당 후보들이 대화를 계속한다면 여당 측의 국민적 지지가 올라갈 것으로 생각합니다. 또한 북한에 대한 정책에 대해서는 지금 선거 등으로 여당 내부에서 여러 가지 얘기가 나올 수 있으나 결국 햇볕정책을 무시하지는 못할 것입니다. 그것은 국민의 지지가 있기 때문입니다. 처음에 국민의 98퍼센트까지 내가 대통령으로 채택한 햇볕정책을 지지해 주었습니다. 그 후 60퍼센트 이하로 떨어진 적은 없었습니다. 그러므로 누가 정권을 잡더라도 남북 관계는 후퇴하지 않을 것으로 생각합니다. 특히 6자회담이 성공하면 남북 관계는 빠른 진전이 있을 수는 있어도 후퇴는 있을 수 없습니다. 한국의 정치는 국민을 무시하고는 할 수 없습니다. 지금 여야 논쟁의 초점은 경제 정책입니다. 한나라당 후보가 정권을 잡으면 재벌과 대기업 중심의 경제가 될 것이며, 거꾸로 여당이 정권을 유지하면 중소기업이나 서민의 방향에 초점을 두는 정책이 될 것입니다. 여당이 정권을 유지하면 양극화 문제에 대해서 적극적으로 임할 것으로 봅니다. 그러나 기본적으로 누가 정권을 잡더라도 혁명적인 변화는 없을 것이라고 저는 생각합니다.

오카모토 제가 2002년 10월 지난번 대통령 선거 직전에 한국에 갔을 때 노무현 씨가 당선될 리가 없다고 많은 사람들이 얘기했습니다. 그것이 12월이 되어 대역전이 되어 깜짝 놀랐습니다. 또다시 이런 역전이 있을지 모르겠습니다.

김대중 그런 가능성은 있습니다. 선거의 행방을 단정하는 것은 시기상조라고 생각합니다. 현재의 상황에 한정하여 볼 때 한나라당이 우세할 것으로 보입니다만 한나라당 내부에도 지난번 대통령 후보였던 이회창 씨가 탈당하여 출마할 것이라는 얘기가 있습니다. 이것이 큰 변수입니다.

오카모토 한나라당이 승리한다 해도 군사정권으로 돌아갈 리는 없고, 냉전정책으로 돌아가는 것도 불가능하지요. 일본 내에는 정권이 교체되면 일본과의 관계가 호전될 것으로 생각하는 우파의 사람들이 있습니다.

김대중 과거를 돌이켜 보면 알 수 있을 것입니다. 철저한 우파였던 이승만이나 박정희, 전두환은 모두 계기가 있을 때마다 반일을 선동하여 일본에 항의하여 국민을 결집하였습니다. 우파가 아닌 내가 정권을 잡았을 때는 대일관계가 얼마나 좋았습니까. 그것을 돌이켜 보면 일부 사람들의 그러한 의견은 현실적이지 않다고 생각합니다.

오카모토 어제 10월 30일의 강연(리쓰메이칸대학 강연)에서 일본의 우경화와 역사의식이 후퇴한 것에 대하여 강한 비판을 하셨습니다. 일본의 이야기로 돌아갑니다만 일본의 우경화나 야스쿠니 문제, 교과서 문제에 대해서 어떻게 보고 계십니까?

일본이 뒷걸음치고 있다

김대중 일본은 경제 대국이고 유엔에서도 가장 많은 분담금을 담당하고 있는 나라입니다. 세계의 개발도상국에 대해서도 원조도 매우 크며 그러한 점에 있어서는 높이 평가해야 한다고 생각합니다. 일본은 시야를 세계 전체를 향하여 도덕적으로 존경받는 국가가 되어야 함에도 불구하고 오히려 뒷걸음질 치고, 옛날로 돌아가려는 우경화를 하고 후퇴해 가는 경향이 있습니다. 이러한 점은 매우 유감입니다. 프랑스 문명비평가 기 소르망은 최근 "한국인은 일본과 중국의 사이에 끼어서 불행하다고 일컬어지고 있으나 나는 그렇게 생각하지 않는다. 중국의 관료주의적이고 비민주적인 정치는 장래를 낙관할 수 없고, 과거를 지향하고 후퇴하는 일본은 앞으로 나아가는 기대를 할 수 없다. 그러한 점에서 적극적으로 세계를 향하여 바라보며 전진하는 한국인에게 오히려 미래가 있다"는 취지의 발언을 하였습니다. 한국과 일본 모두에게 중요한 것은 교육입니다. 내가 최근 놀란 것은 20년 전에 전두환 정권 시절에 민주화를 성취했습니다.(1987년 6월 민중혁명) 그러나 지금 한국 젊은 사람들은 그것을 이해하지 못하고 있는 사람이 다수입니다. 현대사를 학교에서 충분히 교육하고 있지 않기 때문입니다. 일본도 마찬가지로 과거에 대하여 교육을 받고 있지 않으므로 역사적인 사실을 잘 모르고 그래서 반성도 어렵습니다. 반성이 없으므로 사죄나 보상도 하지 않습니다. 제일 중요한 것은 교육입니다. 제가 재임 시절에 교과서 문제의 한·일공동위원회를 만들었습니다. 그러나 효과는 크지 않았습니다. 제가 개인적으로 생각하고 있는 아이디어는 한·일 역사 교과서와 관련하여 서로 대화를 하여 양국이 다르게 주장하는 문제에 대하여 양국의 주장을 병렬적으로 기술하는 것입니다. 그렇게 한다면 일본 국민도 한국민이 어떤 생각을 가지고 있는가를 알게 됩니다. 예를 들면 위안부 문제, 야스쿠니신사 문제도 양국의 입장을 병렬해서 기술한다면 많은 사람들이 상대방의 생각을 전할 수 있고 그렇게 된다면 대화가 가능할 것입니다. 특히 현재와 같이 일방적으로 교육을 해 나간다면 서로의 생각을 맞춰 갈 수가 없습니다. 또한 상대의 생각을 이해하는 것도 불가능합니다. 그러므로 반발이 계속해서 일어날 것으로 생각합니다.

오카모토 일본의 반성이 부족한 것은 교육의 문제도 있습니다만 오랜 냉전의 시대에 냉전의 모순을 주변 한국이나 대만, 오키나와에 부담시키고 일본은 평화를 향유하고 경제 성장을 하여 풍요롭게 된 점도 문제가 있다고 생각합니다. 그것이 중국이나 한반도에 대한 과거 일본이 행한 것에 대해서 자각이나 인식을 지연시켰다고 저는 생각합니다. 그러나 그런 문제는 40년이 지나도 50년이 지나도 해결하지 않으면 안 될 문제라고 생각합니다.

일본은 미국, 유럽, 한국에서 민주주의를 배워야 한다

김대중 역사를 정확하게 받아들이기 위해서는 민주주의가 필요합니다. 민주주의는 자신의 인권도 중요하지만 상대의 인권도 중요하게 생각합니다. 일방적인 것을 얘기하는 것은 독단입니다. 한국인이 현재처럼 전쟁의 폐허로부터 일어서고 일본에까지도 유행하는 한류韓流라는 문화적 힘을 발휘하게 된 것은 한국은 민주주의가 있었기 때문입니다. 한국인은 민주주의를 위해서 피를 흘렸습니다. 많은 사람들이 죽었습니다. 수만 명의 사람이 가산을 파탄하고 취직도 못 하고 또한 감옥에서 청춘을 5년이고 10년이고 보냈습니다. 그런 어려운 가운데서도 민주주의가 탄탄하게 정착되었습니다. 도쿄대학의 강상중 교수가 한국에 와서 나에게 일본의 우경화에 대해서 걱정을 하였을 때 나는 "민주주의는 토머스 제퍼슨이 말한 것처럼 인민의 피와 눈물과 땀으로 이루어진다. 피와 눈물로 이루어 낸 한국의 민주주의는 어떠한 독재자도 어떠한 강력한 정부도 그것을 무너뜨릴 수 없다. 일본은 패전에 의하여 민주주의를 스스로 쟁취하지 못하고 미국에 의하여 받아들이게 되었다. 지금 거기에서 유발한 문제가 나타나기 시작한 것이 아닌가 생각한다. 여러분이 정말로 일본의 민주주의를 강하게 흔들리지 않게 하고자 한다면 한국이나 미국이나 유럽의 모든 사람들이 해 왔듯이 국민의 노력과 희생에 의하여 민주주의가 커 갈 수 있다는 전제를 하는 운동이 필요하다고 생각한다"고 다소 간섭처럼 들리는 얘기를 한 바 있습니다. 저는 정말로 일본을 소중히 생각합니다. 한 사람의 친구로서 일본 국민 여러분이 민주주의에 대하여 우리나 미국, 유럽의 아픈 경험으로부터 교훈을 배워야 한다고 생각합니다.

오카모토 선생님은 내년 2008년은 한반도의 탈냉전이라고 하는 의미에서 획기적인 해가 될 것이라고 말씀하셨습니다. 2008년은 베이징올림픽이 있습니다. 동아시아의 평화와 안정을 위하여 일본, 한국, 중국이 함께 어떤 것을 해야 한다고 생각하십니까?

북한을 격리시키는 동아시아 안정은 결코 있을 수 없다

김대중 매우 좋은 질문입니다. 동아시아 또는 동아시아 안정을 위해서는 반드시 한·일·중의 협력이 필요하다고 생각합니다. 동시에 잊어서는 안 될 것은 반드시 북한을 안고 가야 한다는 것입니다. 북한을 격리시키는 안정은 결코 있을 수 없습니다. 또한 북한은 동아시아의 대열에 참가하는 것을 바라고 있다고 생각합니다. 중요한 것은 먼저 6자회담을 성공하는 것입니다. 그리고 6자회담의 성공을 기반으로 동아시아의 평화와 안정을 위한 기구로 발전시키는 것입니다. 그러한 과정에서 북한을 확실히 끌어안고 국제사회의 일원으로 참가시켜 책임을 맡기는 것이 중요합니다. 그것과 병행하여 일본은 북한과 국교 정상화 교섭을 진전시켜 납치 문제를 합리적으로 해결하는 것입니다. 납치 문제에 대하여는 방금 전에도 말씀드렸다시피 북한은 사실을 인정하고 사죄했기 때문에 일본은 북한을 규탄하는 단계는 끝났다고 생각합니다. 남아 있는 문제는 북에 남아 있는 몇 사람의 귀국문제입니다. 그리하여 사망한 분들의 유골은 어떻게 되었는가 하는 문제입니다. 그를 위하여 공동의 조사위원회를 만든다든지 토론을 갖는다든지 할 수 있습니다. 냉정하게 하나하나 사무적으로 처리하지 않으면 안 됩니다. 이런 문제를 더 이상 정치적인 문제로 발전시키는 것은 좋지 않다고 생각합니다. 60년 이상 북한과 외교가 이루어지지 않는 것은 일본으로서도 결코 명예로운 일은 아닙니다. 어떻게 하면 이 문제를 해결할 수 있을지, 감정적으로 접근하지 않는 것이 필요합니다. 북한에도 중국이나 베트남과 같이 발전할 수 있는 기회를 주지 않으면 안 됩니다. 그것이 동아시아의 진정한 안전의 길이고 과거 식민지 국가였던 일본은 북한의 지금 상태에 대해서 책임의 일부가 있기 때문에 보상이나 지원도 하지 않으면 안 됩니다. 일본은 도덕적으로 높은 국가가 되어 세계로부터 평가받는 것이 중요하다고 생각합니다. 그러기 위한 하나의 방법으로서 북한과의 관계를 유연한 태도로 해결해 가는 것이 좋다고 생각합니다. 일본과 한국은 지리적으로도 가장 가깝습니다. 우리 선조는 과거 수천 년간 서로 좋은 교류 관계를 구축해 왔습니다. 우리의 언어 구조는 중국과는 다릅니다. 문화도 공유하고 있습니다. 역사를 보더라도 과거 많은 사람들이 한국에서 일본으로 건너가 지금의 일본 민족을 형성하는 데도 참여했습니다. 한·일이 협력해서 사이좋게 지내지 않는 것이 오히려 이상합니다. 일본과 한국의 지도자나 지식인들이 역사적인 관점에서 그리고 미래지향적인 관점에서 양국의 관계를 주시하여 나갈 것을 저는 간절히 바랍니다. 그러나 문제점에 대해서는 확실하게 해 가는 것도 중요합니다. 그러한 점에 있어서 지금까지 『세카이』(世界)는 많은 공헌을 했습니다. 내 개인과 관련해서도 말로다 표현할 수 없는 신세를 졌습니다. 야스에 료스케(安江良介) 선생 때부터 지금까지 저는 『세카이』를 가장 친한 친구로 생각하고 있습니다. 『세카이』에 대하여 많이 감사하고 앞으로도 일본의 민주주의와 일본의 도덕적 발전과 한국과의 우호 관계와 아시아의 평화를 위하여 많은 업적을 이루기를 바랍니다.

오카모토 감사합니다. 좋은 말씀 들었습니다.

* 이 글은 2007월 10월 31일 김대중 대통령의 일본 교토 방문 당시 오카모토 아쓰시(岡本厚) 『세카이』(世界)지 편집장과의 대담으로 『세카이』 2008년 1월 호에 게재되었다.

한반도와 동북아시아에 새로운 지평을

대담 미국 언론인 방한단
일시 2007년 11월 8일

김대중 오늘 저희 사무실을 방문해 주신 것을 환영하고 방한하신 성과를 거둘 것을 기원합니다. 저는 9월 하순 미국 워싱턴과 뉴욕을 방문했습니다. 미국에서 내셔널프레스클럽(NPC)에서 연설을 하고 에이비시(ABC) 방송에도 출연했습니다. 그리고 존스홉킨스대학에서도 토론도 하고, 클린턴 전 대통령을 비롯하여 키신저, 올브라이트, 파월 전 국무장관을 만나서 한반도와 동북아시아 문제에 대해서 의견을 교환했습니다. 그리고 미국 의회를 방문하여 파인스타인, 루거 상원의원 등을 만나 한반도 문제에 대해서 얘기를 나누었습니다. 제가 미국을 방문했을 때는 9월 말로 10월 초 있었던 6자회담과 2차 남북정상회담이 개최되기 전이었습니다. 저는 많은 분들과 대화하는 가운데 6자회담은 반드시 성공할 것이고 남북정상회담도 좋은 결실을 맺을 것이라고 얘기했습니다. 자세한 얘기는 조금 뒤 나누어 드릴 저의 내셔널프레스클럽(NPC) 연설문 텍스트에 모두 나와 있으니 참고하시기 바랍니다.

결국 10월 들어 6자회담과 2차 남북정상회담은 제가 미리 말씀한 대로 좋은 성과를 얻어서 지금 후속 조치가 진행 중입니다. 2008년은 해방 후 60년 동안의 혼란과 긴장 속에 쌓여 있던 한반도와 동북아시아에 새로운 지평이 열려서 화해와 협력, 안정의 방향으로 나갈 수 있는 가능성이 상당히 있다고 생각합니다. 그런 의미에서 대변화가 예고되는 이때에 여러분들이 한국을 방문하신 것은 매우 시의적절하다고 생각합니다. 더구나 한국은 얼마 뒤 대선이 있기 때문에 여러분들이 많은 한국의 정치 상황을 유익하게 파악할 수 있게 될 것이라고 생각됩니다. 이제 여러분들의 질문을 받겠습니다.

질문 과거 대통령님께서는 남북 관계가 진전되게 되면 남북이 연합제 형태로 발전할 수 있을 것이라고 말씀하셨는데 그것이 아직도 가능하다고 생각하시고 현실적이라고 생각하십니까?

김대중 2000년 제가 김정일 위원장과 정상회담 했을 때 공동선언에 단계적으로 통일한다는 입장을 발표했습니다. 남북연합, 북한에서는 그것을 '낮은 단계의 연방제'라고 하는데 남북연합과 같은 것입니다. 1민족 2독립정부 체제의 남북연합을 하다가 장차 미국과 같은 연방제, 그다음에 더 가면 완전 통일을 하자는 것입니다. 이렇게 단계적으로 통일하자는 것이 2000년에 합의가 되었습니다. 이번 2차 남북정상회담에서 1차 정상회담을 계승하고 그 합의를 존중한다는 것이 합의가 되었습니다. 통일은 전쟁을 통한 통일도 아니고 독일과 같은 흡수 통일도 아닌 단계적으로 나간다는 것이 남북 간에 합의가 되었습니다.

질문 현재 남북 관계와 북·미 관계에서 화해와 관계 정상화 등 많은 진전이 이루어지고 있는데 미국 정부가 화해와 관계 정상화 과정에서 있을 수 있는 장애물들을 어느 정도 적극적으로 해체시키고 얼마나 그것을 도와줄 것이라고 생각하십니까?

김대중 여러분들이 알다시피 제가 대통령에 재임 중일 때 클린턴 대통령 말기에 북한과 미국은 서로 왕래하고 북핵 문제와 미사일 문제는 거의 해결의 단계에 갔다가 부시 정권으로 넘어갔습니다. 부시 정부는 클린턴 정부의 것을 모두 거부했습니다. 클린턴 정부는 미국과 북한이 직접 대화하고 서로 주고받는 협상을 한다고 합의했는데, 부시 정권은 "북한과 대화 안 한다. 나쁜 짓을 한 자와는 대화 안 한다. 대가를 주고는 협상을 안 한다"는 정책을 거의 6년 동안 고수했습니다. 저의 대통령 임기 5년 중 2년을 부시 대통령과 함께했는데 저는 부시 대통령에게 클린턴 대통령이 합의한 원칙으로 가야 핵문제가 해결된다고 많은 설득을 했는데 때로는 부시 대통령이 그것을 동의를 했다가 다시 또 정책이 바뀌고 그래 가지고 결국 저는 큰 성과를 얻지 못한 채 퇴임하게 되었습니다. 그러는 사이 북한은 핵확산금지조약(NPT)을 탈퇴하고, 국제원자력기구(IAEA) 요원 추방, 미사일 발사, 핵실험까지 하는 등 사태는 나쁜 방향으로 진전돼 갔습니다. 그러던 것이 지난 2·13합의로 미국이 태도를 바꿔서 북한과 직접 대화하고 북한이 요구하는 안전 보장, 경제 제재 해제, 국교 정상화 등을 받아들이고, 그 대신 북한은 핵을 포기하는 것을 확실히 하는 데 합의했습니다. 이렇게 미국 정책이 크게 전환되었는데 저는 이러한 부시 대통령의 결정이 늦었지만 그래도 바른 방향으로 전환하게 된 것을 환영하고 잘한 것이라고 생각합니다.

저는 2000년 평양을 방문했을 때 김정일 위원장과 약 10시간 가까이 대화를 나누었습니다. 당시 김 위원장이 확실히 한 태도는 미국과 관계 정상화를 열망하고 있었다는 사실입니다. 미국과 관계 정상화를 하지 않으면 자기들의 안전이 보장받을 수 없고, 경제적 활로를 열 수 없다는 것을 알고 있었습니다. 그래서 저는 이번에 부시 대통령도 옳은 방향으로 정책을 바꾼 만큼 북한이 이번에는 적극적으로 협력해서 6자회담 문제가 성공의 방향으로 갈 것으로 보고 있습니다. 북한 핵은 미국만 반대하는 것이 아니라 한국도 반대하고 일본, 중국, 러시아도 모두 반대합니다. 북한은 핵을 가지고 국제사회에서 유지해 나갈 수 없습니다. 그리고 핵만 가지고는 북한의 파탄 난 경제를 회생시킬 수도 없습니다. 그러므로 저는 북한도 이번 기회에 핵을 포기하고 협조적으로 나올 것으로 생각합니다. 그런 점에 있어서 미국은 적극적인 정책을 추진해서 이번 기회에 성공적으로 마무리 지을 것을 바라고 있습니다.

질문 작년 10월 북한이 핵실험을 했을 때의 첫 반응은 무엇이었습니까? 또한 김정일이 핵실험을 통해서 세계에 보내는 메시지는 무엇이라고 생각하셨는지요. 또한 당시의 상황을 타개하기 위해 어떠한 노력을 하셨는지요?

김대중 작년 핵실험을 했을 때 국내에서는 노무현 대통령을 비롯한 많은 사람들이 충격을 받고 이제 파탄이 올 것이라고 생각했습니다. 그러나 저는 달랐습니다. 저는 "북한 핵을 절대 용납할 수 없다. 그러나 북한은 핵을 갖는 것이 목적이 아니라 미국과 대화하고 미국과 주고받는 협상을 통해서 살길을 찾자는 것이 목적이니까 이제라도 미국이 태도를 바꿔서 북한과 직접 대화하고, 경제 제재 해제하고, 국교 정상화하는 것을 보장해 주면 북한은 핵을 포기한다"고 말했습니다. "위기가 기회"라고 말하는데 이번이야말로 북·미 양자가 결단을 내릴 수 있는 좋은 기회이므로 미국과 북한이 대화를 하도록 하자고 했는데 그 후 다행히 미국과 북한의 직접 대화가 시작되고 조금 전 말씀과 같이 모든 것이 원만히 합의가 되었습니다.

질문 햇볕정책이 북한 주민에게 미친 가장 중요하고 긍정적인 변화가 있다면 무엇입니까?

김대중 가장 중요한 것은 남북 간의 긴장이 크게 완화된 것입니다. 그래서 전쟁의 공포로부터 많이 해방되었습니다. 두 번째는 북한 주민의 생각이 바뀐 것입니다. 북한 사람들은 과거에 우리를 원수로 생각하고 우리가 미국 제국주의의 앞잡이가 되어 침략을 하려 한다고 생각했습니다. 그러나 남북정상회담 후 서로 왕래하고 식량과 비료 지원 후 남한이 북한을 미워하지 않고 도와주려는 한다는 것과 평화적으로 같이 살고 싶어 한다는 것을 이해하게 되었습니다. 그래서 북한의 민심이 크게 바뀌어서 과거 적대적이던 감정이 우호적으로 변화하고 따라서 긴장이 크게 완화되었습니다. 우리가 북한에 매년 식량 40만 톤, 비료 30만 톤을 지원하는데 그것이 각기 40킬로그램, 20킬로그램 포대에 담겨 북한에 들어갑니다. 포대에는 남한 제품이라는 표시가 되어 있고 연간 수천만 개의 포대가 북한 사회에 들어갑니다. 벌써 몇 년 지원했으니까 현재는 수억 개가 돌아다니고 있습니다. 이렇게 해서 북한 사회가 크게 영향을 받게 되었습니다. 현재 북한에서는 남한의 대중가요를 부르고 남한의 영화, 텔레비전 드라마 등을 몰래 보고 있습니다. 문화적인 변화까지 일어나고 있는 것입니다.

질문 김 전 대통령께서 2000년 김정일 위원장을 만났을 때 상당히 따뜻한 모습을 보여 주었었는데 이번에 노무현 대통령이 방문했을 때에는 그때와 비교되는 모습을 보였습니다. 그러한 차이점을 느끼셨는지요?

김대중 그런 것까지 아는 것 보니까 남북정상회담을 주목해서 본 것 같은 느낌이 듭니다.(웃음) 그런 느낌이 있었으나 후반에 들어가서는 서로 잘 얘기가 되어서 원만히 모든 것이 진행되어 성공적으로 회담이 결실을 맺었습니다.

질문 대통령님께서 10년 전 당선되셨을 때나 지금 생각해 보면 햇볕정책을 물론 대통령님께서는 처음 만드셨고 지금 입장에서는 이것을 계승하는 입장이 되겠지만 상황이 매우 다를 것이라고 생각합니다. 그게 대한 생각은 어떻습니까?

김대중 햇볕정책에 대한 국민의 지지는 일관되었습니다. 처음에는 97퍼센트까지 지지하다가 어느 때는 60퍼센트가 지지했습니다. 언제든지 국민의 과반수 이상이 항상 지지하고 있습니다. 국민적 합의가 된 것은 틀림없고 햇볕정책 외에는 대안이 없습니다. 그 외에는 전쟁인데 전쟁을 하게 되면 개전 24시간 내에 남한 내에서 150만 명이 사망하고 미군도 5-6만 명이 사망한다고 미군 사령부가 추계하고 있습니다. 이런 전쟁은 할 수 없는 것입니다. 전쟁을 안 해도 공산주의를 극복할 자신이 있습니다. 정상회담 후 7년 동안 북한을 오늘만큼 변화시켰습니다. 나는 햇볕정책은 올바른 정책이고 성공할 것입니다. 결국 부시 대통령이 2·13합의를 통해서 북한과 대화하고 줄 것 주는 협상을 한 것도 평화적으로 주고받는 협상은 하는 햇볕정책인 것입니다. 그런 점에서 나는 햇볕정책이 한반도에서 북한 핵 문제라든가 긴장을 완화시키는 유일한 좋은 정책이라고 생각합니다.

지금 북한은 제2의 베트남의 길을 지향하고 있는데 그것은 제2의 중국을 지향한다는 말과 마찬가지입니다. 그것은 공산당 독재체제는 유지하면서 그러면서 경제 발전시키겠다는 것입니다. 시장경제를 실시하겠다는 얘기인데 결국 시장경제를 해서 경제가 성장하면 자연히 중산층이 생깁니다. 중산층이 생겨나면 결국에서는 정치적 권력을 요구하게 됩니다. 민주주의를 요구하게 됩니다. 그래서 나는 중국이나 베트남의 미래는 정치적 민주주의 하면 안정된 발전이 있을 것이고 만일 집권자들이 정치적 민주주의를 거부하면 결국에서는 중산층들이 상당한 저항을 할 것으로 생각합니다. 그래서 북한도 그런 식으로 나가면 결국 북한이 경제 개방해서 국제사회에 진출하려면 시장경제를 받아들여야 하고 시장경제를 하려면 상당한 개방을 해야 되고 국제적 규칙을 따라야 합니다. 그러면 어느 정도 자유도 허용해야 하는데 결국 북한에서 앞으로 성장한 중산층이 북한의 민주화를 추진할 가능성도 있습니다.

질문 대학생들을 만나 보면 통일은 경제적 비용도 많이 들기 때문에 통일에 대해 별로 관심이 없는 것 같습니다.

김대중 요즘 젊은이들이 정치적, 사회적 문제나 남북 관계에 대해서 관심이 적습니다. 그들은 당면한 취업 문제 등에 오히려 관심이 많고 자기 중심적으로 생각합니다. 그러나 이러한 모습이 모든 젊은이들의 현상은 아닙니다. 남북한은 1,300년 동안 통일국가였습니다. 언어가 같고, 문화가 같습니다. 분단은 우리가 원해서 한 것이 아니고 소련과 미국이 억지로 갈라놓은 것입니다. 1,300년 통일국가를 이룩했던 우리가 60년 분단으로 포기할 수 없습니다. 지금까지는 북한과 관계가 진전되지 않아 지치고 체념했지만 이제는 많은 변화가 있습니다. 10만 명 이상이 남북을 왕래하고 150만 명이 금강산 관광을 다녀왔습니다. 젊은이들도 어느 단계가 되면 통일에 대한 생각이 달라질 것입니다. 우리는 흡수 통일을 반대하고 전쟁에 의한 통일도 반대합니다. 오랫동안 통일국가였기 때문에 통일의 방향으로 나아갈 것입니다.

질문 햇볕정책은 김정일 위원장과 이루어졌습니다. 만일 김일성 주석과 회담을 했다면 햇볕정책의 추진이 달라졌을까요? 그리고 미국에서 김정일은 계속 악당으로 묘사되고 있는데 어떻게 생각하시는지요?

김대중 재미있는 질문입니다. 만일 김일성 주석과 회담을 했어도 햇볕정책은 성공했을 겁니다. 왜냐하면 김정일 위원장은 김일성 주석의 유훈을 실천하고 있는 사람입니다. 북한에서 김일성 주석의 유훈은 신성불가침한 것입니다. 그리고 김정일 위원장은 상당히 리더십이 있고 판단력이 우수합니다. 물론 독재자인 것은 틀림없는 사실이고 받아들일 수 없습니다. 이러한 김 위원장에 대한 평가는 북한을 방문한 일본의 고이즈미 총리나, 올브라이트 전 국무장관, 스웨덴의 페르손 총리 등 모두 같은 인상을 받았다고 얘기하고 있습니다. 김정일 위원장은 하나의 국가를 통치할 능력이 있는 지도자입니다.

질문 한국 대선이 얼마 남지 않았습니다. 이번 대선에서 누가 당선될 것 같습니까?

김대중 왜 이 문제에 대해서 질문이 안 나오나 궁금했습니다.(웃음) 간단히 말씀드리면 지금까지는 야당 후보가 유력했으나 이회창 전 총재의 출마로 이제 야당 두 명, 여당 한 명의 3파전이 되었습니다. 선거가 본격화되면 저를 당선시키고 노무현 대통령을 당선시킨 여당이 상당히 힘을 발휘할 것으로 생각합니다. 3파전에서 누가 될 것이라는 것을 장담하기 어렵게 되었습니다.

다시 한번 이번 한국 방문이 유쾌하고 성공적인 방문이 되기를 바라고 도서관 방문에 감사합니다.

* 2007년 11월 8일 오후 4시 김대중도서관 지하 1층에서 있었던 미국 언론인 방한단 접견록이다. 다빌라(Julio Davila, 국제뉴스 에디터·『시애틀타임즈』), 잉글룬드(William Englund, 사설 에디터·『볼티모어선』), 펠드만(Paul Feldman, 국제뉴스 에디터·『엘에이타임즈』), 홈(Morgan Holm, 뉴스국 부국장·오리건방송), 라커(Raymond Locker, 국가안보 뉴스 에디터·『유에스에이투데이』), 멜니코(Mark Melnicoe, 국내문제 에디터·『세크라멘토비』), 모세티그(Michael Mosettig, 선임 프로듀서·뉴스아우어), 멀린즈(Lisa Mullins, 앵커·비비시), 팩스톤(Patrick Pexton, 에디터·『내셔널저널』), 실카(Madhulika Sikka, 선임 프로듀서·「모닝에디션」·내셔널퍼블릭라디오), 스미스(Randall Smith, 에디터·『캔자스시티스타』), 설리번(Elizabeth Sullivan, 사설 담당 에디터, 『더플레인딜러』) 외 존스홉킨스대학 관계자 6명이 참석했다.

미국은 북한과 직접 대화를 해야

대담 블레인 하든·김성희

일시 2007년 11월 9일

하든 제 동료 돈 오버도퍼 교수가 가능한 한 빨리 대통령님을 찾아뵈라고 강력히 제안했습니다.

김성희 돈 오버도퍼와도 굉장히 친하고 아시아 온 지는 8월이었는데 그때부터 인사드리러 오려 했지만 일정이 바빠서서 이제야 왔습니다.

김대중 반갑습니다. 돈 오버도퍼 교수는 지난 9월 미국 가서도 만났습니다.

하든 아드님이 국회에서 일하시게 된 것을 축하드립니다.

김성희 오기 전에 얘기를 했는데 아드님께서 아버님과 같이 훌륭한 정치가가 되기를 바란다고 전해 달라 했습니다.

김대중 고맙습니다.

하든 크게 세 가지를 여쭤보고 싶은데 제일 먼저 여쭙고 싶은 것은 최근 북·미 간 긴장이 많이 완화되고 있어 김정일 위원장을 위시한 북한 지도력이 진정으로 세계로 손을 뻗치려 하는 듯합니다. 힐 차관보는 지난주 얘기하기를 북한에서 진정한 개방의 의지(real sense of openness)가 보인다고 했으며, 이는 전에 본 적 없는 중요한 움직임이라고 했는데 대통령님은 이에 대해 어떤 인상을 받으셨습니까?

김대중 근자의 북·미 관계 진전, 6자회담 발전을 환영합니다. 워싱턴을 방문하여 내셔널프레스클럽(NPC) 연설할 때에도 얘기했는데 이번 6자회담은 북·미 모두 필요성에 의해 주고받는 것이 일치해서 하는 것이니 성공할 것이라 말했고, 앞날에 대해서 상당히 기대를 하고 있습니다.

북한은 내가 2000년 남북정상회담 했을 때에도 북·미 관계 개선만이 자기들 살길이라는 것을 잘 알고 이를 열망하고 있었고 나는 그것을 클린턴 대통령에게 전달해서 클린턴 대통령하고 북한 측하고 서로 고위층 왕래를 했습니다. 북한서 조명록 차수가 미국을 가고 미국서 올브라이트 장관이 북한을 방문하고 모든 것이 순조롭게 진행이 됐는데 마무리 짓기 전에 클린턴 대통령 임기가 끝나고 부시 대통령이 인계해서 클린턴 대통령이 한 것을 다 뒤집어 버렸기 때문에 그동안은 사태가 악화된 것입니다.

지난 6년 동안 부시 대통령은 북한 정권의 교체까지 포함해서 모든 압박을 가했는데 결국 아무것도 성공하지 못하고 거꾸로 북한이 핵확산금지조약(NPT)을 탈퇴하고, 국제원자력기구(IAEA) 요원을 추방하고, 미사일을 발사하고, 핵실험을 하는 사태까지 왔습니다. 그래서 마침내 미국으로서는 북한과 전쟁을 하느냐 안 하느냐 하는 단계까지 왔는데 전쟁할 여력은 없고 경제 제재는 일본이랑 해 봤으나 별로 효과가 없었고 그래서 이제 북한이 요구하는 직접 대화를 해 가지고 안전 보장, 경제 제재 해제, 국교 정상화의 요구를 들어주면서 북한이 핵을 포기하는 협상을 시작했는데 그러한 부시 대통령의 변화는 아주 잘된 것이라고 생각하고 이제 그런 양자의 요구가 맞아떨어져서 좋은 성공의 길을 가고 있지 않나 생각합니다.

하든 그러나 지난 6년은 허송세월한 거 아닌지요?

김대중 허송세월했고 클린턴 정권 당시에는 주로 미사일이 문제였지 핵 문제는 큰 걱정 안 했는데 핵 문제가 큰 문제로 대두됐죠. 여러 가지로 악화된 거지요.

하든 김정일 위원장이 북한 내부에서 얼마나 큰 경제적 압박을 받고 있다고 생각하십니까? 북한 상황을 주시하고 있는 전문가들에 따르면 북한 사회를 개방하고 외부로부터 자금 유입을 해야 한다는 압박이 굉장히 크다는 분석이 있습니다. 그러나 김정일 위원장은 정권 변화에는 관심이 없고 단지 자금 유치에만 관심이 있다고 하는데 맞는 분석인지요?

김대중 맞습니다. 북한은 중국, 베트남을 모범으로 한다고 하는데 그것은 공산정권을 유지하면서 경제는 개방경제를 한다, 그래서 국제적 협력을 얻고 국제사회로 진출한다는 것이기 때문에 북한에서는 정치적 통제는 그대로 유지하고 경제는 약간 보완을 했는데 근본적인 변화는 것은 미국과의 관계가 개선돼서 미국 경제 제재가 해제되어야만 국제사회에 나가 국제통화기금(IMF)이나 아시아개발은행(ADB)에서 돈도 빌리고 외국 투자도 받아들이고 일본하고 국교 정상화해서 100억 달러 정도의 배상금도 받아들이고 할 수 있습니다.

모든 문제는 미국하고 해결되어야만 될 것입니다. 이것은 북한에 가서 2000년 김정일 위원장과 얘기해 봤는데 당신들이 살길은 결국 미국으로부터 안전 보장받고 경제 제재 해제받아야 될 것 아니냐, 그러니 미국하고 관계 개선해라 했는데 거기에 대해서는 그 사람들도 동의하고 그렇게 노력했습니다, 클린턴하고.

김성희 김정일 위원장이 북한 자국민에 대한 얼마나 강한 리더십을 가지고 있다고 생각하십니까? 북한이 갑자기 붕괴되는 것을 바라지 않는 측면도 있고 또 김정일 위원장이 어느 정도 강해야 협상이 가능하다는 측면이 있거든요.

김대중 김정일 위원장은 지금 정치적으로는 안정돼 있습니다. 현재의 당이나 정부나 군 모두 지도자들은 모두 김정일 위원장이 지명하고 육성한 이들입니다. 문제는 경제적으로 어려움에 처하고 있다는 것입니다.

공산주의는 계획경제고 계획경제는 국민의 의식주를 정부가 다 책임지는 건데 지금 북한은 국민의 먹는 문제를 해결 못 하고 있습니다. 국민들은 자기 힘으로 돈을 벌어먹는 문제를 해결하고 있는데 그래서 북한 사회는 전부 지금 장사에 나서고 있는데 그것이 북한 사회의 통제를 흔들고 있어 어느 정도 견제를 하려고 하는데 잘 안 된다고 하는 것이 오늘 아침 신문에도 났습니다. 그러니 김정일 위원장의 가장 큰 약점은 경제 문제입니다. 경제 문제 해결을 위해서는 미국과의 관계 개선이 최우선인데, 관계 개선하기 위해서는 핵을 포기한다, 미국이 자기들 살길만 열어 주면 포기하겠다 그래서 경제 문제 해결하겠다 하고 있습니다. 그런데 아까 말했듯이 공산당이 정권을 유지하면서 경제는 개방경제를 하려는 것이 북한의 현재 자세라고 봅니다.

하든 현재 힐 차관보를 위시한 미국과 북한 간 협상이 순조롭게 진행되고 있는 듯합니다. 힐 차관보가 얘기하기를 북한은 부시 정권 임기가 끝나기 전에 핵을 없애고 테러지원국 리스트에서 해제되어야 하는 시급성이 있다고 보는데 그렇지 않으면 새 대통령과 다시 다 시작해야 하고 그러면 모든 것이 지연되게 되니까요. 북한에 이런 시급성이 있다고 보십니까?

김대중 그렇습니다. 미국도 부시 임기 중에 끝내고 싶어 하고 북한도 부시가 물러나기 전에 열심히 하려고 하니까 그걸 이용해서 일을 끝내 버리자 하는 태도를 취하고 있습니다. 그런 점에서 부기 임기 전에 마무리 짓자 하는 것은 북한과 미국이 일치하는 태도라고 볼 수 있습니다.

하든 한국의 대선이 매우 혼란스럽게 전개되고 있는데 지금까지는 이명박 후보가 순조로워 보이다가 이회창 후보가 나오면서 앞으로 더 혼란스러울 것으로 봅니다. 이 상황을 어떻게 보시며 누가 이길 거라고 보십니까?

김대중 말씀하신 대로 혼란스러운데요. 두 가지 가능성이 있는데 하나는 여권이 탈락하고 야당 보수끼리 대결하는 가능성도 있고 하나는 보수 양당, 이명박·이회창 두 사람과 여당 쪽, 말하자면 현재로 봐서는 정동영, 이렇게

3자 구도로 선거가 치러질 가능성이 있는데, 저는 3자 구도로 갈 가능성이 있고 그렇게 되면 지금까지와 같이 야당 일변도의 선거 승리의 전망으로부터 여당도 상당한 시소게임을 해내지 않겠는가 그렇게 보고 있습니다.

하든 만약 종국에 시소게임이 된다면 대통령님이 고향 지역에서 큰 영향력을 갖고 있다 들었는데 특정 후보를 지지함으로써 대선 결과에 영향을 미칠 수도 있습니까?

김대중 내가 여당 쪽을 지지한 것은 조금도 비밀이 아닙니다. 과거 나를 지지했던 분들은 그걸 알고 있으니까 자기들이 알아서 판단을 할 것입니다.

내가 야당 후보에 대해서 지지하지 않거나 걱정하는 이유는 남북 관계에 있어서 지금까지 해 놓은 것을 역전시키려 하는데 그것은 아주 큰 잘못된 생각이고 우리 국민도 야당을 지지하는 사람들도 햇볕정책은 과반수 국민들이 계속 지지하고 있습니다. 나는 그 때문에 햇볕정책 고수를 지지하는 여당 후보를 지지하는 것입니다. 그게 주로 큰 이유입니다.

하든 정동영 후보는 대통령님의 큰 지지를 받고 있습니까?

김대중 여하튼 여당이 단일 후보가 되도록 주장을 해서 대체적으로 통합이 됐습니다. 통합 대표가 정동영인데 그 점에서는 내가 정동영을 지지하고 있고 본인들도 물론 그걸 알고 있습니다.

김성희 남북 관계뿐 아니라 북·미 관계에서도 기여를 해 주실 수 있을 텐데 어떻게 해 주실 수 있을는지요?

김대중 과거에 중국, 일본, 러시아 세 나라가 우리나라를 병탄하기 위해서 일·청, 일·러전쟁을 하지 않았어요. 우리나라는 지정학적으로 세 나라에 둘러싸여 있지 않아요? 세 나라의 일방적 지배를 막기 위해서는 미국이 반드시 한국에 와서 균형을 잡아 줘야 해요. 그래서 한·미군사동맹이 중요하다고 했고 자유무역협정(FTA)을 내가 지지한 이유도 그것이 미국과 한국의 협력을 강화시키기 때문이에요. 이 점에서는 김정일 위원장도 나와 생각이 같아요. 그래서 미국과 동맹을 굳건히 유지하면서 일본, 중국, 러시아와도 좋은 관계를 유지해야 한다, 그래서 이번 6자회담이 끝나고 나면 그것을 동북아 평화 안보 기구로 발전시킨다 하는 것이 내 생각입니다.

김정일 위원장은 나한테도 분명히 미군은 통일 이후에도 있어 가지고 한반도에서 안정과 균형자의 역할을 해 줘야 한다 했는데 이 말은 올브라이트 장관한테도 한 것으로 알고 있습니다.

하든 며칠 전 한국 국방장관이 미국 게이츠 국방장관 방한 시 북한은 아직 한국에 위협이 되고 있고(represent active threat) 비대칭 무기를 아직 확보하려고 한다고 말했는데 이에 동의하십니까?

김대중 그런 관점에서 보면 그리 말할 수 있으나 전반적으로 보면 2000년 남북정상회담 이후 남북 관계의 긴장은 상당히 완화된 게 사실입니다. 북한은 전력을 다해 미국의 지원을 얻어 내려 하는데 그러면서 우리를 침략해 내려오겠습니까? 그건 이치에 안 맞지요. 그러니까 문제는 6자회담 성공에 걸려 있습니다. 6자회담이 성공하면 한반도와 동북아시아 '평화안전기구'가 설치될 것이고 그러면 제도적으로 한반도 평화가 정착될 것이고 그러면 물론 남북 간 전쟁도 종식되고 따라서 명년 2008년은 현재의 전망대로 간다면 1945년 남북이 분단되어 대립한 이래 처음으로 화해와 협력의 길로 나가는 전환의 해가 되지 않겠는가 생각합니다.

김대중 이 펜은 내 이름이 있는 것인데 취재 시 써 주시기 바랍니다.

하든 감사합니다. 그러겠습니다.

---

* 이 글은 2007년 11월 9일 김대중 대통령의 사저에서 있었던 블레인 하든 당시 『워싱턴포스트』 아시아 지국장, 김성희 서울 특파원과의 인터뷰이다.

남북한과 미국이 한반도에 튼튼한 보루를 만들어야

대담 김당·황방열

일시 2007년 11월 13일

김당·황방열 지난 10월에 일본 가셨을 때 특파원들과 간담회를 하셨는데, 그 전문을 보니까 "1980년에 일본이 적극적으로 구명하지 않았던 것이 한없이 슬펐다"고 가슴에 묻어 둔 소회를 밝힌 것이 인상적이었다.

김대중 그때 일본이 너무했다. 그때 미국 아니었으면 죽었다. 국내에서는 모든 신문이 이런 사람이 대통령 됐으면 큰일 날 뻔했다고 공산당 취급하고 말 한마디 할 수가 없었다. 일본은 그것이 문제다. 납치 문제도 자기 나라 사람이 북한에 납치된 것 갖고는 저 난리 아닌가. 그런데 한국 사람이 일본 내에서 납치당한 것(김대중 납치사건)은 관심을 안 갖는다. 자기네 주권 침해됐다는 얘기만 하지, 내 인권과 관계된 것은 말하지 않는다. 그래서 일본은 진짜 민주주의가 아니다. 토머스 제퍼슨은 "피를 흘리지 않은 민주주의는 민주주의가 아니다."라고 말했다. 내가 일본 사람들한테 "민주주의에는 공짜가 없다. 공짜를 얻으면 반드시 청구서가 온다. (일본이) 공짜 민주주의를 몇십 년 했는데, 이제 청구서가 와서 우경화에 시달리고 있는 것이다. 이제라도 진짜 민주주의를 하려면 우리 한국 사람처럼 고문도 당하는 등 희생을 치를 각오로 해야 민주주의가 내 것이 된다"고 자주 얘기한다.

국내 정치 문제

김당·황방열 어제 대통합민주신당과 민주당이 합당 및 후보 단일화를 공식 선언한 것과 관련해서 대통령께서 "잘된 일이다. 이제 모든 것을 대선에 집중 해야 한다"는 말씀을 하신 것으로 보도됐는데, 별다른 반향이 없었는가?

김대중 "잘된 일"이라고 한 게 아니라, "잘되기를 바란다"고 했다. (그런데) 지금 (합당 및 후보 단일화 선언) 결과를 놓고 좀 시끄러운 모양이지? 나는 미국에 서도 얘기했고, 여기 와서도 얘기했지만, 지금은 시간도 없고, 통합으로 가면 또 다른 국회의원이니 뭐니 하고 이해관계가 얽히고 힘드니까 대통령 하나 로 해서 연합을 해 가지고 단일 후보가 되는 게 좋지 않으냐, 그렇게 얘기했 는데 갑자기 (두 당이) 통합으로 나오니까 그렇게라도 잘됐으면 좋겠다고 얘기 를 했다. 그런데 내가 걱정한 대로 내부에서 말이 생기고 있지 않나.

김당·황방열 김 전 대통령께서는 지난 1년 동안 "국민들은 여야 일대일 선 거 구도를 바라고 있다"며 범여권 대통합을 강조해 왔다. 어제 대통합민주신 당과 민주당이 합당 및 후보 단일화를 공식 선언했다. 반면에 야당은 이회창 전 한나라당 총재가 출마함으로써 분열된 상황이다. 현재의 대선 구도와 정 국 상황을 어떻게 진단하시는지 궁금하다.

김대중 이회창 씨가 따로 나왔지만 현재 상태는 여론조사에도 나온 것처 럼 여전히 야당이 유리하다. 그러나 나는 과거에 나를 당선시킨 사람들, 또 노무현 대통령을 당선시킨 사람들은 같다고 본다. 그 사람들은 지금도 엄존 하고 있다. 그 사람들을 집결시킬 수만 있다면, 또 집결시켜야 하고, 그러면 선거는 해볼 만하다고 본다.

김당·황방열 대선이 30여 일밖에 안 남은 상황에서 단일화는 어떻게 이루어져야 한다고 생각하시는지, 또 개인적으로는 누가 단일 후보가 되는 것이 더 승산 있다고 보시는지, 개인적으로 선호하는 후보가 있으신지?

김대중 정당 대 정당으로 단일화되면 그것도 좋고, 그런데 지금은 시간이 너무 늦었고 또 정당 단일화하면 당연히 국회의원 내다보는 지분 얘기도 나오고 하면 문제가 어려워지니까, 지금은 가뜩이나 지지율이 낮은데 거기에 몰두하면 안 된다. 지금은 대통령 하나에만 집중해야 한다. 정당 단일화가 되면 좋고 그게 조금이라도 어려우면 연합으로, 문국현 씨까지 포함해서 모두다 연합으로 해서 대통령 당선시키고, 설사 안 되더라도 최선의 투쟁을 해서 국민적 인정을 받으면 나중에 국회의원 선거 때는 총선 끝나고 나서 통합해도 되는 것이다.

내가 이런 이야기를 하는 것은 쉽고 단순하게 해야 한다는 것이다. 목표는 단순하게 대통령 하나에만 집중해서 해야 한다는 것이다. 그런데 당을 통합하기로 했다니까 나로서는 잘되면 좋은 것이고, 그래서 잘되기를 바란다고 한 것이다.

김당·황방열 지난 1997년에는 이른바 '디제이피(DJP) 연합'을 통해, 2002년에는 여론조사를 통해 후보 단일화를 했는데 지금 단계에서 단일화 방법은 어떤 게 좋다고 보는지?

김대중 지금도 여론조사 외에는 방법이 없다. 그것이 가장 공평하고 설득력 있고, 통합이든 연합이든 여론조사를 통해 할 수밖에 없다.

김당·황방열 전통적 지지층을 복원하면 이길 것이라고 하셨는데, 범여권 후보가 단일화되더라도 시너지 효과가 있겠느냐, 하는 비관적 전망이 적지 않다. 현재 범여권의 문제점은 무엇이고, 이런 패배주의를 극복할 방안은 무엇인가?

김대중 범여권에서는 다른 생각하지 말고 대통령 선거에 '올인'해야 한다.

그 '올인'하는 것도 국민이 제일 선호하는 사람으로 해야 한다. 내가 누구를 선호하는 게 아니라, 국민이 누구를 선호하는가로 해야 한다, 그건 여론조사에 나오니까. 그렇게 해서 그 사람 당선시키는 데 전력을 다해야 한다. 그렇게 되면 국민이 감동을 받을 것이고, 과거 지지했던 사람들이 이러면 되겠다, 하는 희망과 용기를 얻게 되니까 (단일 후보에) 집중할 것이다. 그러면 과거에 두 번 이겼으니까 또 한 번 이길 수도 있다.

앞으로 한반도는 남북 관계, 6자회담 등 중요한 문제가 많다. 그런 점을 볼 때 이번 대선이 어떤 의미에서는 역사상 가장 중요한 선거이다. 국민이 이런 걸 느끼게 되면 상황이 확 달라질 수 있다. 문제는 국민들한테, 특히 과거 지지 세력들에게 감동을 주느냐 못 주느냐 하는 것이다.

김당·황방열 현재 단일화 대상 세 후보 중에서 정동영 후보가 (다른 후보보다) 두 배 이상 지지도가 높은데, 개인적인 선호나 지지 후보 (밝히는) 말씀은 어렵겠지만, 그 말씀은 국민 여론을 따라가라는 뜻인지?

김대중 실제 나부터 내가 누구를 선호하느냐 문제보다 국민이 누구를 선호하느냐가 중요하다. 그래야 국민이 당선시킬 것 아닌가. 모두가 내 선호는 놔두고, 국민이 누구를 선호하느냐, 여론조사에서 나오면 그것을 지지해야 한다는 것이다.

김당·황방열 이명박 후보와 이회창 후보는 모두 '잃어버린 10년'이라는 구호를 내세우고 있다. 이 구호가 어느 정도 먹혀들기 때문에 야당이 계속 주창한다고 판단되는데 이 구호에 대해 어떻게 생각하나.

김대중 그것은 냉정하게 생각해 보면 전혀 사실 아니다. 해방 이후 내가 대통령 될 때까지 여야 정권 교체가 한 번도 없지 않았나? 그동안 얼마나 많은 사람들이 반공법, 국가보안법, 형법으로 희생이 됐나? 그러던 것이 자유를 찾았으니, '잃어버렸던 50년'에서 '자유 찾은 10년' 아닌가. 그리고 과거 정경유착으로 얼룩졌던 나라가 적어도 '국민의정부' 이후 개인적인 부패는 있었지만 정경유착으로 재벌과 결탁한 것은 없지 않나? 그리고 재벌도 정권과 결탁해서 부자 되겠다는 생각은 이제 안 한다. 국제사회에 진출해서 성공해야 부자 된다고 생각하지. 그런 것을 바꾼 것까지 보면 '잃어버린 50년을 되찾은 10년' 아닌가?

(지난 정부에서) 4대보험이라든가 국민 기초생활 보장이라든가 해서 그래도 저소득층에 대한 국민 지원 늘어났다. 남북 관계도 50년 동안 대립만 해 오던 나라가 6·15남북정상회담 이후에는 웃는 낯으로 화해했고, 그리고 북한이 얼마나 변했고, 긴장이 완화됐나? 지금 우리가 북한 가는 것 보통 아닌가? 그리고 우리가 북한 사람 만나 보면 얼마나 달라졌나? 그런 것 볼 때 '되찾은 10년'이라고 말할 수 있지만, '잃어버린 10년'이라는 게 뭔가?

외환 위기 때, 6·25전쟁 때처럼 다 망하게 된 것을 되살린 게 '국민의정부' 아닌가? 이것은 세계가 다 인정한 것 아닌가? 골드만삭스는 21세기 중반까지 한국이 미국 다음으로 국민소득이 8만 1천 불 된다고 하지 않았나? 독일의 『디벨트』지는 30년 이내에 한국이 독일보다 앞서간다고 했다. 엊그제도 보니까 국제 경제기구에서 세계 131개국 중에서 한국이 경제 발전에서 11번째라고 하더라.

한국이 세계에서 민주주의 하고, 경제 잘하고, 정보화에서 첨단이고, 한류가 세계를 휩쓸고 있다는 평가를 받고 있는데, 이런 나라가 왜 '잃어버린 10년'이라는 평가를 받나? 무엇을 봐도 말이 안 되는 얘기다. 역사를 역행하려는 사람들에게는 말이 될지 몰라도, 역사를 바로 알려는 사람들에게는 말도 안 된다는 것이다.

김당·황방열 이명박, 이회창 두 후보는 국민의정부와 참여정부를 '좌파정부'라고 공격하는데.

김대중 좌파정부를 규정하는 제일 큰 태도는 미국에 대한 태도다. 반미냐 아니냐는 것이다. 노무현 정부에서는 (미국에 대해) 조금 말은 거칠게 했지만 이라크에 파병한 게 누구냐? 세계에서 미국, 영국 다음으로 파병을 많이 했다. 좌파정부가 파병하나? 미국과 안보 동맹하고 협력하는데 이게 어떻게 좌파정부냐? 또 한·미자유무역협정(FTA), 이게 말하자면 경제 동맹이다. 한·미 관계에서 중요한 것은 안보조약과 한·미자유무역협정(FTA)이다. 자유무역협정(FTA)을 아시아에서 제일 먼저 한 것이 한국인데, 이런 나라가 어떻게 좌파정부인가?

그리고 좌파라는 말도 마치 큰 문제로 생각하는데, 영국 노동당도 좌파인데 정권 잡았고, 독일 사민당도, 프랑스 사회당도 좌파인데 정권 잡았다. 유럽에는 수두룩하다. 유럽 어느 나라고 정권 잡지 않은 나라가 없다. 그런데 지금 실제로는 좌파건 우파건 다 중도 통합의 시대다. 그래서 지금 좌파 우파 찾는 것은 냉전적 사고이고, 케케묵은 것이다. 차라리 그냥 "공산주의 한다"고 하면 또 모르겠다. 좌파라고 해서 공산주의 냄새를 피우는 것은 정치적으로도 졸렬한 짓이고, 우리 국민을 우습게 아는 것이다.

김당·황방열 이회창 전 총재가 '보수 본색'을 강조하면서, 그동안 대북 정책의 실용적 접근을 표방했던 이명박 후보도 '햇볕정책' 비판을 강화하는 쪽으로 돌아서고 있는데 이에 대해 어떻게 보시는지. 이회창 후보는 오늘(13일) 대구에 가서 "잘못된 햇볕정책 바로잡는 게 '진보'이지 왜 우리가 '수구'냐"고 했던데.

김대중 그러면 '햇볕정책' 안 하면 어떻게 하겠다는 것인가? 평화적으로 대화해서, 남북이 공동 승리의 길을 가자는 것이 햇볕정책이다. 우리나라 통일 정책에서 구체적으로는 평화 공존, 평화 교류, 평화 통일 속에 1단계 남북연합, 2단계 남북연방, 3단계 완전 통일하자는 것이다. 너도 살고 나도 살자는 것이다.

미국이 지금 북한과 하고 있는 게 '햇볕정책'이다. 그럼 친미를 앞세운 분들이, 미국에게 "북한과 왜 그러냐"고 해야 하는 것 아닌가. 우리가 북한하고 화해하고 대화하는 것은 나쁘고, 미국이 (북한하고) 하는 것은 좋다는 그런 이론은 없을 것 아닌가. 그래서 나는 이 분들이 큰 실수를 하고 있다고 생각한다.

내가 예언한다고 큰소리할 수는 없지만 6자회담 잘될 것이다. 내가 지난 9월에 미국 가서 계속 얘기했다. 남북 관계 앞으로 굉장히 진전할 것이다. 명년 되면 6자회담 완성돼서 미국이 북한을 테러지원국, 적성국 교역금지법에서도 해제할 것이다. 그리고 결국 국교 정상화로 갈 것이다. 부시 대통령은 자기 임기 내에 마치려 하고, 북한도 '풀 스피드'로 그런 방향으로 협력하겠다는 것 아닌가.

그렇게 가는데 우리는 지금 여기서 '햇볕정책' 반대하고 북한과 관계 개선 반대하면, 미국과 완전히 엇박자로 가는 것이다. 그렇게 되면 한·미 관계가 우스워지는 것이다. 한때 내 이전 정부에서 미국 국무부 관계자가 "남한보다 북한과 얘기하는 게 더 쉽다"고 공개적으로 언론에 얘기하지 않았나. 그런 사태로 갈 수 있다.

과거와 같이 냉전 시대에는 그렇게 하면 통하겠지만, 지금처럼 북·미 관계가 급속도로 개선돼서 한반도에 평화가 오고, 북한에 미국 투자가 들어가고 하면 어떻게 하겠다는 것인가? 지금 미국이 중국, 베트남과 잘하고 있지 않나. 미국이 북한에게 그렇게 한다는 말이다. 그런데 우리가 북한은 나쁜 놈이라고 그렇게 반대하면, 잘못하면 우리만 고립되는 것 아닌가? 외교에는 국익밖에 없다. (그 분들이) 그런 것까지 내다보고 말하는 것인가 의심스럽다.

김당·황방열 386세대 젊은 의원들이 대선보다 내년 총선만 의식하고 행동한다는 비판들이 있다. 원로이자 정치 대선배로서 조언을 한다면.

김대중 386세대가 됐건, 노장세대가 됐건 올해 대선에 올인하지 않는 사람들은 국회의원 선거에도 희망이 없다. 국민이 그렇게 만만하지 않다. 우리 젊은 국회의원들은 (지난 총선에서) 국민이 한꺼번에 대량 등장시켰다. 국민들의 큰 기대를 받고 나왔다는 것이다. 그런데 과연 그분들이 국민의 기대에 부응했느냐 하면, 그렇지 못했다.

지난번에 386 의원들한테도 말했는데, 이러지 말고 배낭에 깃대 꽂고 국민 속으로 뛰어들어 가서 국민의 친구가 되라는 것이다. 국민들이 보기에 보신주의나 하고 내년 총선에 기대만 하면, 오히려 더 안 된다. 국민들이 당신들에게 얼마나 기대하고 있었나, 우리 정치 바꾸라고 한 것인데 못 바꿨으면 조금 늦었지만 대선에 전력을 다해서, 과거에 표를 주었던 사람들을 안으라는 말이다. 그래야 대선도, 총선도 희망이 있는 것이다. 그리고 (그렇게 해서 정치인) 한 사람 한 사람이 국민 속에서 커 가는 것이다.

김당·황방열 "조금 늦기는 했지만 국민 속으로 들어가라"는 말씀은 비유적인 표현이 아니라 실제 민심 대장정을 하라는 것인가.

김대중 내 말은 젊은 사람뿐 아니라 모두 다 그렇게 해야 한다는 것이다. 범여권 정치인들은 (국민의) 막중한 은혜 속에 두 번이나 집권하는 막중한 은혜를 받았다. 그런데 특히 젊은 국회의원들이 그래야 한다는 것이다. 우리는 과거에 정치할 때 길 나쁘고, 여러 여건이 안 좋고 해도 전국을 두 번, 세 번 밟고 다녔다.

김당·황방열 대선이 불과 36일 남았는데 가치와 정책 경쟁은 안 보이고 '세 불리기'나 합종연횡만 있다는 비판이 적지 않다. 왜 이번 대선이 역대 대선에서 가장 중요한 건가.

김대중 (다음 정부에서) 국내 문제는 남북 문제나 대외 문제에 비해 큰 변동이 없을 것이다. 그런데 남북 문제는 해방 이후 60년 만에 대전환이 온다. 미국과 북한이 화해하고 협력하는 시대가 온다. 동북아에서 처음으로 한국, 북한, 미국, 중국, 일본, 러시아 6자 중심으로 동북아 평화 안보협력기구가 생긴다. 내가 2004년에 중국 가서 장쩌민 주석에게도 6자회담 성공하고 나면 해체하지 말고 동북아에서 평화 안보협력기구를 만들자고 얘기했고, 중국도 좋다고 했다. (그것이) 벌써 6자회담 합의문에 들어가 있지 않나. 그렇게 되면 완전히 새로운 시대가 오는 것이다.

동북아 협력 시대에서 가장 큰 혜택 보는 것은 남북한이다. 우리는 완전히 안정 속에서 협력하고 발전하는 시대가 오는 것인데, 여기에 역행하는 사람이 대통령 되면 어떻게 되겠느냐는 것이다. 우리는 완전히 고립되고, 경제 발전에는 중대한 차질이 오고, 잘못하면 북한이 미국과 손잡고 우리를 고립시키는 우스운 시대가 올 수 있다. 전혀 불가능한 얘기가 아니다. 미국으로서는 자기 정책 지지하는 북한이 있고, 우리는 거기에 지지하지 않고 북한과 대결하려고 하면 협력이 안 되는 것 아닌가. 내가 지금 말하고 싶지 않지만 여러 안 좋은 상황이 올 수 있다.

그런 의미에서 이번 대선에서는 '햇볕정책' 지지하고, 6자회담 지지하고, 남북 관계 발전 지지하고 북·미 관계 발전 지지하는, 그런 새로운 흐름에 동조하는 사람이 나라를 맡아야 한다는 것이다. 새로운 시대가 온다는 것이다. 1945년 이후 이어져 온 냉전 시대가 끝나고 새로운 화해 협력 시대가 오는데, 우리가 그것을 거역하면 되겠느냐는 것이다.

김당·황방열 그 말씀을 요약하면 '평화 경제 대통령'으로 받아들여도 되는가.

김대중 평화만 잘하면, 경제는 (저절로) 잘된다. 북한 자원 개발하면. 지금 자원 경쟁 시대 아닌가? 북한은 거리가 가깝고, 말이 통하고, 문화가 같지 않나? 또 노임이 중국이 20만 원이면, 북한은 6만 원이다. 북한의 노동력은 세계에서 교육 수준이 가장 높은, 세계 최고 노동력이다. 중국이 발전한 것도 값싼 노동력으로 한 것 아닌가? 북한의 노동력을 우리도 같이 이용할 수 있고 엄청난 성과를 올릴 수 있다. 북한도 돈 벌고, 윈윈(win-win)의 경제 협력이 되는 것이다.

지금까지는 '퍼주기'라고 했지만, 앞으로 북한 가서 관광 개발하고, 산업 개발하고, 지하자원 개발하고, '철의 실크로드' 통해 유라시아 들어가고 해서 이렇게 벌어 오면 한국은 태평양 지역의 아시아에서 물류 거점이 된다. 엄청난 물류가 일어나면 산업, 금융, 문화, 관광이 모두 일어난다. 한국이 21세기에서 지식경제 앞서가고 있는데, 19세기의 영국처럼 될 수 있다. 1820년에 중국 국내총생산(GDP)이 세계 국내총생산(GDP)의 27퍼센트, 인도가 14퍼센트, 영국이 5퍼센트, 미국이 1퍼센트였다. 그런데 산업혁명 이후 영국, 미국이 엄청 커지고 그 파도를 못 탄 중국과 인도는 몰락했다.

우리도 세계 11번째 경제력 있는 나라인데, 정보화 파도 타고 있고, 나노산업, 문화콘텐츠, 우주항공산업 등이 발전하고 있다. 우리도 영국이 세계를 지배한 것처럼 세계 5대, 6대 강국 가는 것 어렵지 않다고 본다. 이렇게 되려면 북한과의 관계가 해결돼서, 한반도 평화가 확고히 정착돼야 한다. 21세기는 남북이 미국과 공조하는 틀이 만들어져서, 우리가 북한을 안아야 한다. 북한 사람들 먹고살 수 있게 해 줘야 한다.

그렇게 됐을 때 중국과 일본 사이에서 생존할 수 있다. 여기에 미국을 끌고 들어가야 미국이 우리를 받쳐 준다. 우리가 일·청전쟁, 일·러전쟁 때 미국만 안았으면 일본이 우리를 병탄하지 못했다. 미국을 놓쳤기 때문에 미국이 일본 쪽으로 갔다. 이번에는 그렇게 가면 안 된다. 우리는 우리를 위해 그렇게 하는 것이다. 미국은 자기네 이해관계로 볼 때, 과거에도 중국, 러시아 남하를 막기 위해 일본을 지원했다. 그런데 우리가 튼튼하게 있으면 대륙과 해양의 다리에 있는 우리와 미국은 굳게 손잡는다. 그런 것을 생각하면, 새로운 대통령 시대가 얼마나 중요한지 알 수 있다.

단순히 지금까지의 남북 간 교류, 이런 것은 아무것도 아니다. 엄청난 변화가 올 것이다. 그 변화를 못 타면 우리는 낙오한다. 북한은 그 변화를 타려고 호시탐탐 노력하고 있지 않나? 우리가 조금이라도 방심하면 안 된다. 남북과 미국이 합쳐서 한반도에서 튼튼한 보루를 만들어야 한다. 튼튼한 경제 협력 체제를 만들어야 한다. 그렇게 해서 중국도 일본도 견제해야 한다.

남북 관계 및 국제 문제

김당·황방열 최근 북한 내각 총리가 베트남을 방문해 북한이 베트남식 개혁 개방을 염두에 두고 있는 것 아니냐는 관측이 나온다. 또 내일부터 남북총리회담이 열리는데 아직도 북한의 변화 가능성에 대해 부정적인 시각이 있다. 북한이 변화하고 있다고 보는 근거는 무엇인지, 그리고 남북 관계의 미래에 대한 전망을 해 달라.

김대중 북한은 과거 6·15 전에 비하면 괄목할 만한 변화 과정에 있다. 남북 간에 원수 보듯 하던 것이 변했다. 우리의 지원을 감사하고, 남쪽 사람들 잘 사는 것을 부러워한다. 이제 북한 사람들은 남쪽이 북한보다 좋은 세상이라는 것을 의심하는 사람 없다. 그래서 북한 사람들이 남한의 대중가요를 몰래 부르고, 방송 드라마, 영화를 보는 문화적인 변화까지 일어나고 있다.

6·15공동선언 이후 우리가 북한을 침공하지 않는다는 것을 확신하니까 북한이 비로소 2002년에 7·1경제개선조치를 했다. 북한이 상당히 시장경제 체제 받아들여지니까, 식량 배급제도 없어지다시피 하고 먹고사는 문제가 월급으로는 해결이 안 된다. (그래서) 학교 선생들도 오전만 가르치고 오후에 장사하고, 의사도 오전에는 진료 보고 오후에는 돈 벌러 간다. 거기다 30, 40대 아줌마 부대들이 시장으로 쏟아져 나왔다. 현재 북한에는 우리 재래시장 같은 곳이 300개 있다.

사회주의, 공산주의 경제는 계획경제다. 계획경제는 의식주를 국가가 해결하는 것인데 북한은 주택 주는 것 외에 옷이나 먹는 것을 국가가 해결할 수 없다. 그래서 공산주의가 성립되기 어렵게 됐다. 그만큼 바뀌었다. 북한이 바라는 것은 미국과 관계 개선해서, 국제통화기금(IMF), 아시아개발은행(ADB)에서 돈도 빌리고, 일본과 국교 정상화해서 100억 달러 이상 식민지 보상금도 받아 내고, 세계 각국의 투자를 받아 내서 자기네도 잘살아야겠다는 생각이다. 그래서 남한과 협력하는 것도 결심하는 것이다.

그 모범이 중국과 베트남이다. 정치체제는 공산주의 유지하면서, 경제만 시장경제적으로 발전시켜 나가겠다는 것이다. 나는 그렇게 가야 한다고 보는데, 상황이 공산당이 자기들이 생각하는 대로 되는 게 아니다. 경제가 발전하면 중산층이 생겨나고, 중산층은 투표권 즉 민주주의를 요구한다. 영국이 산업혁명 뒤에 부르주아가 돈 벌어서 투표권 요구하니까 귀족들이 줬다. 그래서 영국은 평화적으로 민주화가 됐다. 프랑스는 시민들이 투표권 달라는데 안 주니까 혁명이 일어난 것이다. 그래서 왕과 귀족들 모두 죽이고 한 것이다. 중산층이 일어나면 막을 수 없다.

중국은 이미 공산당 당헌에, 농민과 노동자에 기업인과 지식인을 포함해 '3개 대표론'을 채택하지 않았나. 그렇게 되니까 결국 공산주의가 자기 체제 유지하면서 경제 발전시키는데, 경제가 한창 발전하면 중산층이 발생하고 투표권 요구하는 것이다. 결국 기로에 서는 것이다. 영국식이냐, 프랑스식이냐 둘 중 하나다. 그런데 결국 격돌해도 공산주의는 진다. 소련이나 동유럽도 미국이 50년 동안 냉전으로 봉쇄해서 못 바꿨는데 결국 헬싱키협정으로 대화하고 교류하고 왕래하면서, 자기들과 다른 세계, 더 좋은 세계 있다는 것 알게 되고 그래서 고르바초프의 개혁, 개방이 나온 것 아닌가?

그와 마찬가지로 북한이나 중국도 외부와 거래하고 왔다 갔다 하고, 외국

문물도 보고 하면서 자연스럽게 우리가 제일 좋은 나라가 아니라는 것 알게 되고, 정부에 의식주 의존할 때는 정부 말 들을 필요가 있지만, 자기가 벌어 자기가 살게 되면 자기 권리 주장하게 되는데, 이게 중산층이다. 그때 되면 민주주의 하든지, 아니면 파탄으로 가든지 하는 때가 오는 것이다.

그래서 우리가 전쟁할 수는 없는 것이므로, 북한도 개방시켜서 외국 경제 들어가게 하고, 북한 사람들도 외국 나가게 하고 그렇게 해서 제2의 중국, 베트남까지만 가면 전쟁 위험은 없어지는 것 아닌가. 그 상황이 되면 또 그다음 대로 변화가 오는 것이다.

김당·황방열 그런데 요즘 젊은 세대들은 통일을 열망하지 않고 통일보다 평화를 더 중시하는 것 같다. 우문이지만, 왜 통일을 해야 하나?

김대중 통일되면 젊은 사람들에게 제일 좋다. 우선 군대 안 가도 되지 않나? 지원병제로 될 것 아닌가? 평화 향유한다는 것 아닌가? 북한도 우리 무대가 된다는 것, 세계 속에 웅비한다는 것, 그러니 얼마나 좋나? 중국과 일본이 대국인데, 합쳐서 7천만밖에 안 되는 우리가 갈라져서 군사적으로 대립하면서, 막대한 군사 비용 나가고, 그 속에서 살아남기 어렵다는 것을 왜 못 느끼나?

중국과 일본은 엄청난 강국이다. 그런데 우리는 갈라져서 힘을 탕진하고 있다. 이런 상황에서 우리가 안전할 수 있나? 우리가 이 정도로 안전한 것은 미군이 여기 와 있고, 미군이 세력균형을 해 나가고 있기 때문이다. 과거 외환 위기 때 봐라. 당시 일본과 우리 정부가 사이가 나빴는데, 일본이 외채 상환 만기 연장 안 해 준 것도 (외환 위기의) 한 원인이었다. 그렇게 국제 관계가 얽혀 있다.

1,300년 동안 통일돼 있던 국가를 남이 멋대로 갈랐는데, 민족적 자존심으로라도 이게 안 된다고 해야 싹수가 있는 것이다. 실제 문제로도 엄청난 강대국이 (우리의) 양쪽에 있다. 그 속에서 우리가 생존하려면 둘이 힘을 합쳐도 굉장히 어렵다. 우리가 살기 위해 통일해야 한다. 우리가 통일하면 만만치 않다.

최근에 프랑스 문명비평가 기 소르망이, 중국은 잘나가고 있지만 현재처럼 민주주의 거부하고 통치하면 결국 실패한다고 한다. 일본은 보수화에 문제가 있다고 했다. 앨빈 토플러도 (중국이) 부패, 부정, 양극화, 심지어 심각한 환경오염까지 겹쳐서 낙관만 할 수 없다는 것이다. 그런데 세계 전문가들이 한국에 대해서는 지적 모험심이 있고, 정보화 등에 적극적이고, 자기희생 속에 민주화했다고 해서 희망이 있다고 한다.

우리는 작지만, 모험심 있는 사람들이 모여서 통일국가 만들면 커 나갈 수 있다. 우리 힘이 하나고 북한이 0.5인데, 우리가 북한과 싸우면 0.5는 탕진하는 것이다. 그런데 우리가 합치면 1.5가 되고 2가 되는 것이다.

김당·황방열 제2차 남북정상회담 이후 금방이라도 평화협정을 위한 종전 선언이 있을 것 같았는데, 지금은 분위기가 한풀 꺾였다. 향후 종전 선언 및 평화협정 체제 협상은 어떤 경로를 밟아야 하는지?

김대중 그 문제는 핵 문제가 핵심이다. 이거 해결되면 평화 협상뿐 아니라 북·미 수교까지 다 된다. 종전 선언은 물론이고, 그건 아무것도 아니고, 그건 선언이니까. 평화협정은 본격적인 전쟁 종식이다. 한반도 안보 체제가 되는 것인데 그것 다 된다.

그런데 내가 보기에는 핵 문제가 해결된다는 것이다. 북한과 미국, 양쪽 모두 필요성이 있고, 해결 의지가 강하기 때문이다. 미국은 처음에는 (북한에) 군사력 쓰려고 했는데, 지금 중동에 묶여서 못했다. 그다음에 일본과 같이 경제 제재해 봤는데, 우리와 중국이 (북한을) 도와주니까 별로 성공 못 했다.

그렇게 되니까 대화밖에 없는 것이다. 과거에 클린턴 정부 이래로 내가 클린턴하고 그렇게 충고한 것을 이제야 부시 대통령이 받아들인 것이다. 그동안 6년 세월이 흘렀는데, 그동안 북한이 핵확산금지조약(NPT) 탈퇴했고, 국제원자력기구(IAEA) 사찰단 쫓아냈다. 장거리미사일 모라토리엄 깨고 미사일 발사하고, 핵실험까지 했다. (미국이) 다 손해 볼 만큼 보고 할 수 없으니, 대화한 것이다. (미국이) 지금이라도 그렇게 한 것은 잘한 것이다. 지금 나하고 클린턴이 만들어 놓은 그 길로 다시 온 것이다.

그 길이 뭐냐? 북·미 직접 대화 통해 줄 건 주고 받을 것 받으라는 것이다. 나는 1994년부터 말해 왔다. (지난 9월) 미국 워싱턴의 내셔널프레스클럽에서 말했다. 그래서 지금이라도 부시한테 잘했다는 것이다. 이건 성공한다고 본다. 부시는 중동에서 실패했고, 작년 중간선거도 졌기 때문에 급해졌다. 그리고 북한도 미국하고 해결 안 되면 살길 안 나온다. 미국과의 관계 해결이 최대 열망이다. 그래서 성공하게 돼 있다. 그래서 우리가 이 기회를 놓치면 안 된다.

김당·황방열 '국민의정부' 후반기에 부시 정부가 들어서고, 이어 참여정부가 들어선 이후 전통적인 한·미 관계가 흔들린다는 지적이 주로 보수 언론에서 제기된다. 한·미 관계의 현재에 대한 진단과 미래에 대한 전망을 해 주신다면?

김대중 클린턴 정부 때는 클린턴은 햇볕정책을 공개적으로 여러 번 지지했다. 부시는 그러지 않았다. 그래서 내가 설득해서 부시가 2002년 2월에 한국 와서는 다 합의됐는데, 결국 잘 안 됐다. 북한 고농축우라늄 때문에 안 됐다. 그동안 한·미 관계 안 된 것은 하나는 부시 정권이 북한과 대화 거절하고, 필요하면 군사력 쓰겠다고 억압하고 해서 한국과 의견이 안 맞은 것이다. 그래서 나는 한국이 잘못이라고 생각 안 한다.

그런데 우리가 미국에 필요 없는 자극적인 말을 한다든가 하는 태도를 취해서 미국 사람들에게 책잡히고 감정 악화시킨 측면도 있다. 그러나 내가 미국 지도자들에게 여러 번 말했다. 당신들이 우리한테 반미 한다고 하는데, 반미 하면 한·미자유무역협정(FTA) 하고 이라크에 미국, 영국 다음으로 많이 파병하겠느냐고 한다. 그런데 미국의 우리의 정당한 정책도 안 받아들이면, 불평할 수밖에 없는 것 아니냐고 하면, 맞는 얘기라는 (미국) 사람들도 많다.

미국과 우리는 이해가 얽혀 있는 것이기 때문에 근본적인 대립은 아니다. 문제는 우리가 앞으로도 왜 미국이 우리에게 필요한가를 인식하고, 우리를 위해 미국을 잘 활용해야 한다(는 것이다). 그러려면 외교적 역량, 외교적 배려가 있어야 한다.

김당·황방열 지난번 미국 방문 시 루빈 전 재무장관에게 중국의 미래에 대한 전망을 말씀하신 것을 인상 깊게 들었다. 그때 하신 말씀을 요약해 달라.

김대중 내가 루빈에게 그랬다. 지금 미국의 최대 현안 중 하나는 중국을 어떻게 다뤄야 하느냐는 것이다. 중국도 마찬가지다. 내가 볼 때는 후진타오 등 중국의 주류는 미국과 일본이 합세해서 중국에 가하는 군사적 압력이 세력 균형을 맞추는 수준이라면 안심하고 받아들이고 자기네 국내 문제에 집중하겠다는 태도지만, 그러나 그 선을 넘어서면 군부가 들고일어나서 군사적 초강국으로 치닫고, 중국 내 민주화와 인권이 크게 제약될 것이다. 그것에 대한 미국의 현명한 판단이 필요할 것이다.

중국이 경제 발전을 하면서 중산층, 지식인이 늘어나고 있다. 이들의 민주주의에 대한 욕구가 점점 커져 가고 있다. 그러나 중국은 한편으로는 부패와 빈부 격차가 심하다. 그런데 중국 집권층 내부에서 양론 대립이 있다. 하나는 신좌파고, 또 하나는 신우파다.

신좌파는 중국의 부패, 빈부 격차는 시장경제 때문이라고 보고 계획경제로, 마오쩌둥식으로 돌아가자고 주장한다. 신우파는 그 이유를 민주주의 안 하기 때문이고 그래서 모든 것이 감춰지고, 국민 여론이 반영 안 되기 때문이라고 주장하고 있다. 그래서 공산당 일당 지배를 완화하고 스웨덴 같은 사회민주주의를 지향할 필요가 있다는 것인데, 여기에 후진타오가 동의했다는 말이 있다.

그런데 나는 중국이 민주주의로 갈 거라고 안일하게 보고 있는 것은 아니지만, 결국 뭔가 개혁 방향으로 가려는 생각이 중국공산당 내에 상당히 있다고 생각한다. 그래서 우리는 그런 힘을 키워 주는 정책으로 가야 한다는 것이다. 민주주의 하는 중국이라면 우리가 겁낼 것이 뭔가, 싫어할 것이 뭔가. 중국이 그런 길로 가려는 사람들이 많은데 이들을 억압하고 군사적으로 위협해서, 오히려 군대가 들고일어나서 민주주의와 자유를 억압하는 구실을 안 줘야 한다는 것이다. 그런 현명한 정책을 해야 하는 게 아니냐는 것이다.

김당·황방열 지난 대선에서 노무현 대통령을 찍은 사람들의 33퍼센트가 이명박 후보에게 가 있다. (이번 통합으로) 다시 돌아올 것이라 보나.

김대중 그럴 가능성이 크다고 본다. 전부 선거에 '올인'하고 의원들이 전부 배낭 메고 전국 다니면서 국민에게 호소하고 (그러면 된다.) 지금은 충분히 집약을 못 시키고 있는데 정책을 충분히 집약해야 한다. 이명박 후보는 '경제', 이회창 후보는 '좌파정부' 이런 것으로 하고 있는데, 여당도 그렇게 해야 한다. 위아래 없이 전부 나서서 국민에게 신뢰와 감동을 줘야 한다.

투표라는 것은 한번 누구에게 투표하면, 여간 다른 사람에게 가기 힘들다. 우리가 제대로 하면 안 돌아올 수가 없다. 돌아오도록 감동 주고 희망 줘야 한다.

김당·황방열 이회창 후보도 두 번 대선에서 1천만 표씩 얻었다. 이들이 다시 그를 찍을 가능성도 높은 것 아닌가?

김대중 한나라당 이회창 후보에게 찍은 사람들이, 무소속 이회창 후보에게 찍는 것은 다른 문제일 것이다.

김당·황방열 현재 지지도만 보면 '보수 대 보수의 대결 구도'이고, 내년 총선도 대선 직후여서 우리도 (이번 대선에) 보수 정권이 들어서면, 일본처럼 보수 양당 구도로 갈 가능성 높다는 시각이 많은데.

김대중 그 얘기는 (가정을 전제한 것이어서) 지금 해 봐야 별 필요도 없다. 정치는 생물이라, 너무 예측을 많이 하면 안 맞는다. 오늘 너무 많이 얘기했다. 내 밑천이 다 떨어졌다.

김당·황방열 노무현 대통령 임기가 3개월 남았다. 국정 운영 경험자로서 이 시기에 필요한, 성공적인 국정 마무리를 위한 조언을 하신다면.

김대중 대통령이 알아서 잘할 것이다.

김당·황방열 지난 여름에 영화 「화려한 휴가」를 관람하셨는데, 많은 독자들이 당시 고통을 겪은 김 전 대통령의 전두환 전 대통령에 대한 인간적 소회를 궁금해했다.

김대중 전두환 대통령이 1980년부터 1987년까지 7년간 대통령 했는데, 7년 하기 위해 그렇게 민주주의 역행하는 일을 한, 그 결과가 뭐냐는 생각을 한다. 감옥 가고, 백담사 가고 지금도 여러 어려움을 겪고⋯⋯. 나는 앞으로 이것이 정치하는 사람들에게 큰 교훈이 될 것이라고 본다. 전 대통령은 밑지는 장사를 했다고 생각한다.

해방 이후 처음으로 우리에게도 '햇볕'이 정면으로 비치고 있다. 기회는 왔다. 기회 잘 살려서 세계적인 우량 국가로 가느냐, 못 가느냐는 우리가 잘 하느냐, 못하느냐에 달렸다. 세계 190여 개국 중에 서구 선진국 빼고 자기 힘으로 민주화하고 외환 위기 극복하면서 경제 발전한 나라가 없다. 자기 힘으로 남이 강요한 분단 체제 극복해 가는 나라가 없다. 한국 사람들이 너무 우리 (자신의) 가치를 모르고 있다.

이번 대선에서 누가 대통령이 되든 국내 정치 문제는 거기가 거기일 것이다. (이번 대선에서) 우리에게 필요한 리더는 남북 문제, 동북아 문제에 합당한 리더가 돼야 한다는 것이다.

---

* 이 글은 2007년 11월 13일 오후 4시 김대중도서관 집무실에서 있었던 『오마이뉴스』인터뷰 전문이다.

한반도와 동북아, 대전환의 시대

강연 북한대학원대학교

일시 2007년 11월 27일

김대중 존경하는 박재규 총장, 그리고 이 자리에 계시는 교수, 학생, 내빈 여러분!

제가 오늘 한반도와 동북아에서 전개되려 하고 있는 대전환의 시대에 대하여 몇 마디 말씀드릴 기회를 주신 데 대해서 감사해 마지않습니다. 강연에 앞서 경남대학교가 '극동문제연구소'에서 오늘의 '북한대학원대학교'에 이르기까지 30여 년 동안 민족의 운명을 좌우하는 문제인 한반도 평화와 통일에 관해 연구와 교육을 거듭해 오신 노고를 높이 치하하고자 합니다.

저는 오늘 연설을 통해 6자회담의 진전, 동북아 평화기구의 전망, 남북 관계의 내일의 발전 등에 대해서 저의 견해를 말씀드리고자 합니다.

첫째, 6자회담은 이제 본격적인 진전을 보이고 있습니다. 저는 작년 10월 9일 북한 핵실험 직후 국내외에서 북한에 대한 규탄과 비관적 여론이 비등할 때 다음과 같이 말한 바 있습니다.

"북한은 핵을 갖는 것이 근본 목적이 아니다. 미국이 북한과 직접 대화하고 테러지원국 지정 해제, 경제 제재 해제, 국교 정상화 등을 실천할 때 북한은 핵을 포기하는 데 주저하지 않을 것이다. 위기는 기회다. 그러므로 지금 미국은 북한과 적극적으로 대화하고 협상을 해서 돌파구를 찾아야 한다."

저는 이러한 내용을 국내외 수십 개 주요 언론 매체와의 인터뷰를 통해서, 그리고 여러 곳의 강연을 통해서 주장했습니다. 마침내 부시 대통령은 6년간에 걸친 부적절하고 성과 없는 정책을 버리고, 북한과 직접 대화하고 주고받는 협상을 하는 결단을 내렸습니다. 그리하여 지난 2월 13일 6자회담에서 성공적인 합의를 도출했습니다. 제1단계 조치인 영변 핵 시설의 폐쇄와 국제원자력기구(IAEA) 사찰 요원의 초청이 성공적으로 마무리되었습니다. 지금은 제2단계인 모든 핵 시설의 불능화와 핵 프로그램의 전면 신고가 순조롭게 진행되고 있습니다. 큰 이변이 없는 한 6자회담은 2008년에 성공의 희소식을 전 세계에 알리게 될 것입니다.

존경하는 여러분!

저는 1998년부터 2003년까지 5년 동안 대통령으로 재임했습니다. 임기 전반은 미국의 클린턴 대통령과 상대했고, 후반은 부시 대통령과 상대했습니다. 클린턴 대통령과 저는 대북 정책에 있어서 완전한 합의를 보고 북한과의 협상을 성공적으로 발전시켜 나갔습니다. 미·북 간의 직접 대화와 주고받는 협상을 추진해 나간 것입니다. 이러한 과정에 클린턴 대통령은 저의 '햇볕정책'을 공개적으로 지지한다고 천명했습니다. 즉 평화적 대화 속에 문제를 풀어서 대화의 쌍방에 밝은 햇볕을 비추게 하는 정책 말입니다. 그러나 북한과의 협상이 마무리되기 전에 그의 임기가 끝나고 부시 대통령의 시대가 왔습니다.

부시 대통령은 취임하자마자 클린턴 대통령이 이룩해 놓은 대북 관계의 성과를 모조리 파기시켰습니다. 악을 행한 자와의 대화는 할 수 없으며, 보상도 줄 수 없다고 선언했습니다. 심지어 무력에 의한 북한 정권의 교체까지 운운하는 소리가 미국 정부 내에서 빈번히 나왔습니다. 북·미 간의 대결의 시대가 시작된 것입니다. 이러한 가운데 북한 핵 문제는 조금도 해결의 실마리를 찾지 못하고, 오히려 북한은 핵확산금지조약(NPT) 탈퇴, 국제원자력기구(IAEA) 사찰 요원의 추방, 장거리미사일 모라토리엄 폐기와 발사, 그리고 마침내 핵실험까지 하게 되었습니다.

부시 대통령의 대북 정책은 큰 좌절을 맞은 것입니다. 부시 대통령은 결단의 시점에 임박했습니다. 무력을 사용할 것인가, 그러나 중동에 발이 묶여 있는 미국은 그러할 여유가 없었습니다. 우리 또한 무력 사용은 절대로 반대한 것입니다. 경제 제재를 할 것인가, 이 또한 일본과 함께 해 봤지만 중국이 북한을 지원하고 있는 마당에 그 성과는 크지 않았습니다.

마침내 부시 대통령은 클린턴 대통령과 제가 추진하던 직접 대화와 주고받는 협상의 자리로 돌아왔습니다. 2·13합의가 바로 그것입니다. 저는 부시 대통령이 늦었지만 그러한 결단을 내린 것을 환영했습니다. 부시 대통령의 이러한 태도가 변하지 않는 한 6자회담은 반드시 성공할 것으로 확신합니다. 왜냐하면 북한은 지금 미국과의 관계 개선을 열망하고 있습니다. 이번 기회를 놓치지 않고 성공시키려 하고 있기 때문입니다. 북한과 미국이 서로 그 필요성과 이해관계에 있어서 일치하고 있기 때문에 6자회담의 전도는 낙관할 근거가 크다고 생각합니다.

둘째, 동북아 평화기구에 대해서 말씀드리겠습니다. 저는 수년 전부터 6자회담이 성공하면 이를 해체하지 말고 동북아의 '평화협력기구'로 발전시켜야 한다고 주장해 왔습니다. 그리고 중국과 미국 등 많은 지도자들로부터 지지를 얻었습니다. 다행히 지난 2·13합의를 통해서 "동북아에서의 지속적인 평화와 안정을 위한 공동 노력"을 하기로 합의하고, 6자회담 내에 논의 기구까지 설치했습니다. 이러한 노력이 결실을 맺어 동북아에 '평화협력기구'가 만들어진다면 이 지역에서는 냉전의 잔재가 말끔히 사라지고, 1945년 이래 처음으로 평화와 안정의 시대가 올 것입니다. 이러한 시대에 가장 큰 혜택을 입게 되는 것은 남북한이 될 것입니다. 어떤 의미에서 우리는 북한 핵 문제를 동북아 평화 발전을 위한 전화위복의 계기로 만들었다고 볼 수 있습니다.

다행히 최근 미·중 관계도 상호 협력의 방향으로 분위기가 증대되어 가고 있습니다. 이러한 사실은 제가 지난 9월 미국을 방문하여 정치, 경제, 언론계 등 각계의 지도자들을 만난 결과 감지할 수 있었습니다. 또한 일본과 중국 관계도 정부 간은 물론 국민적 레벨에서 상당히 발전되어 가고 있습니다. 우리는 이 기회를 놓치지 말고 6자회담의 성공을 적극 지원해서 동북아 평화 협력의 시대를 열고, 이 지역에서의 냉전과 대결의 어두운 그림자를 말끔히 씻어 내야 하겠습니다.

조선왕조 말엽 우리는 주변에 포진하여 호시탐탐 한반도 침략의 기회를 노렸던 일본, 중국(청나라), 러시아의 야망과, 특히 일본의 침략을 지지하는 미국의 태도를 제대로 다루지 못해서 망국의 설움을 보게 되었습니다. 우리는 앞으로 미국을 동북아 안정자로서의 역할을 담당하도록 적극 활용해야 하겠습니다. 이 점에 있어서는 2000년 정상회담 때 김정일 위원장도 저에게 같은 견해를 밝힌 바 있습니다.

그리고 우리는 주변 국가 모두와 균형 잡힌 우호 관계를 유지해서 민족의 안전과 발전에 활로를 열어 가야 하겠습니다. 역사는 되풀이될 수 있습니다. 세계에서 유일하게 4대 강국에 둘러싸여 있는 우리의 지정학적 위치를 명심하고 모처럼 찾아온 동북아 '평화안전기구'를 만드는 호기를 반드시 성공적으로 활용해야 하겠습니다. 이것은 21세기 우리 민족의 안전과 대약진을 위한 절대적인 조건이 되는 것입니다.

셋째, 남북 관계의 내일의 발전 전망에 대해서 말씀드리겠습니다. 2000년 남북정상회담 이래 북한 핵 문제와 북·미 간의 갈등 등 부정적 상황에도 불구하고 남북 간에는 큰 변화가 있었습니다. 무엇보다도 긴장이 크게 완화되었습니다. 남북 양 국민 사이에는 과거의 적대와 의심으로부터 우호와 협력의 분위기가 조성되어 가고 있습니다. 개성공단과 금강산 관광 등 경제적 협력이 성공적으로 실현되어 왔습니다. 문화, 체육 분야의 교류도 왕성해졌습니다. 무엇보다도 반세기 동안 생사의 소식조차 몰랐던 이산가족 상봉이 크게 이루어졌습니다. 세계가 우리의 이러한 화해 협력을 위한 '햇볕정책'에 대해서 높이 평가하고 지지하고 있습니다. 국내에서는 일부 보수 세력의 거부 반응에도 불구하고 국민의 절대다수가 남북 간의 화해 협력을 지지하고 있습니다.

지난 10월 2차 남북정상회담과 연이어 개최된 총리회담이 성공적으로 이루어졌습니다. 안보, 경제, 문화, 체육 등 모든 분야에서 구체적인 협력 계획이 합의되었습니다. 이제 6자회담의 성공과 더불어 남북 간에는 교류 협력의 대진전이 이루어질 것입니다. 그리고 6자회담이 성공하면 평화협정이 체결되어 냉전 시대에 종지부를 찍게 될 것입니다. 완전한 한반도 평화의 시대가 오는 것입니다.

일부에서 '퍼주기'라고 비난했던 경제 협력도 북한과의 협력 속에 엄청난 공동의 이익을 가져오는 시대가 올 것입니다. 북한에는 금, 동, 텅스텐, 철광석, 석탄 등 양질의 지하자원이 풍부하게 매장되어 있습니다. 세계는 지금 자원 전쟁의 시대입니다. 중국은 이미 북한에 경제적으로 대거 진출하고 있습니다. 우리가 북한에 적극 진출하는 것은 국가 이익을 위해서나 민족 경제를 위해서나 매우 중요합니다. 우리는 북한이 자력으로 경제를 재건하도록 도와주어야 합니다. 6자회담이 성공적으로 마무리되면 세계가 북한 지원과 투자에 참여할 것입니다. 북한이 경제적으로 자립해야만 평화에 보다 적극적인 태도를 취하게 되고 어느 정도의 민주화도 진전될 것입니다. 그리고 통일이 된 후에도 우리의 부담이 적어집니다.

통일은 3원칙 3단계로 진행하는 것이 바람직하다고 생각합니다. 평화 공존, 평화 교류, 평화 통일의 3원칙과 남북연합, 남북연방, 완전 통일의 3단계를 거쳐서 남북이 공동 승리하는 윈윈(win-win)의 통일을 추진해야 할 것입니다. 그래야만 평화와 화해, 협력과 단결의 한민족 시대가 다시 돌아올 것입니다.

남북이 협력하면 북한을 거쳐 시베리아, 중앙아시아, 유럽까지 가는 철길이 열리게 될 것입니다. 시베리아, 몽골, 중앙아시아는 지금 자원의 보고로 등장하고 있습니다. 우리가 북한의 철도를 거쳐서 유라시아 대륙을 관통하는 '철의 실크로드'를 열 수 있다면 남북은 큰 경제적 발전을 이룩할 수 있습니다. 이때 한국은 유라시아 대륙의 동쪽, 태평양 쪽의 물류 거점이 되어 중앙아시아를 거쳐 서쪽의 파리, 런던과 연결될 것입니다. 물류가 일어나면 산업, 금융·보험업, 문화·관광산업이 일어납니다. 희망의 한반도 대약진의 시대가 오는 것입니다.

존경하는 여러분!

21세기는 한민족이 웅비하는 세기가 될 가능성이 큽니다. 미국이나 독일의 저명한 경제 연구기관이나 언론들은 한국의 미래가 매우 밝다고 말하고 있습니다. 골드만삭스는 21세기 중반까지는 한국의 국내총생산(GDP)이 1인당 8만 1천 불이 되어 미국 다음이 될 것이라고 발표하고 있습니다. 심지어 독일의 신문은 앞으로 30년 후에는 한국이 독일을 추월하게 될 것이라고 말하고 있습니다.

우리 민족은 높은 교육 수준을 가지고 있습니다. 지적 전통과 능력이 탁월합니다. 모험심이 강합니다. 자력으로 민주주의를 이룩했고, 정보 강국도 만들었습니다. 한반도의 평화를 가져오는 데 성공하고 있습니다. 21세기는 한

민족에게 역사상 처음 보는 큰 희망의 세기입니다. 우리 앞에 다가오는 천금과 같은 국운 융성의 미래를 놓치지 말아야 합니다. 아무리 행운의 여신이 미소 지으며 다가와도 우리가 이를 깨닫고 붙들지 않으면 행운의 여신은 속절없이 사라져 버릴 것입니다.

북한은 지금 미국과 관계를 개선해서 살길을 열고자 열중하고 있습니다. 내심으로는 '제2의 중국', '제2의 베트남'이 되고자 하고 있습니다. 즉 공산 체제는 유지하면서도 경제적인 개혁 개방을 해야만 살길이 열린다고 확실히 믿고 있습니다.

역사의 진리는 분명합니다. 동서고금을 막론하고 개혁 개방을 하게 되면 경제가 발전합니다. 경제가 발전하면 기업인이나 지식인 등 중산층이 대량으로 생겨납니다. 중산층은 반드시 정치 참여를 요구합니다. 민주주의를 요구하는 것입니다. 산업혁명 후의 영국이나 프랑스가 그랬고, 20세기 말의 소련이나 동유럽이 그랬습니다. 어떠한 억압적인 정권도 끝내 이러한 요구를 무시할 수는 없습니다. 지금 중국에서는 빈곤 타파, 민주주의 실현, 인권 존중 등의 주장이 봇물 터지듯이 일어나고 있습니다. 집권층 내에서조차 다당제와 민주화에 대한 주장이 나타나고 있습니다.

개혁 개방을 하게 되면 북한도 변할 것입니다. 그렇게 되면 우리는 어느 정도의 민주주의 체제를 갖춘 북한과 공존하다가 평화적으로 통일하게 될 것입니다. 공산주의를 변화시키는 길은 개혁 개방으로 유도하는 것입니다. 과거 소련이 그랬습니다. 동유럽과 동독이 그랬습니다.

우리는 남북한 간 대화와 협력을 통해 민주주의를 향해서, 민족의 공동 번영을 향해서 성공적으로 나갈 수 있다는 확신을 가져야 합니다. 우리는 베트남식의 무력 통일을 반대합니다. 독일식의 급격한 흡수 통일도 바람직하지 않습니다. 독일은 지금 통일 후 17년이 지났지만 심각한 후유증을 앓고 있습니다. 우리는 어디까지나 이미 말한 3원칙 3단계의 평화적이고 점진적인 통일의 길을 가야 할 것입니다. 화해 협력의 '햇볕정책'을 고수해야 합니다.

그랬을 때 젊은 여러분들은 전쟁의 우려에서 해방될 것입니다. 통일 시대로 가면 지원병제로 바뀌기 때문에 군대는 지원하는 사람만 가면 될 것입니다. 그리고 여러분의 활동 무대는 남한뿐 아니라 북한 전역으로 넓혀지고, 나아가 유라시아 대륙까지 뻗어 나가게 될 것입니다. 일자리와 소득이 크게 늘어날 것입니다.

사랑하고 존경하는 여러분!

다시 한번 강조합니다. 6자회담을 반드시 성공시킵시다. 이것만이 한반도 평화와 남북 간 화해 협력의 길입니다.

남북 간의 1, 2차 정상회담을 통해서 합의된 기틀을 지키고 발전시켜서 우리 민족이 서로 화해와 협력과 통일에의 길을 성공적으로 나가도록 합시다. 그리하여 '대한민족의 시대'를 실현하여 '압록강의 기적'의 내일을 이룩합시다.

세계에서 미·일·중·러 4대국에 둘러싸여 있는 나라는 우리나라뿐입니다. 이 나라들과 어떻게 손잡고, 어떻게 견제하느냐에 따라서 우리의 운명이 결정될 것입니다. 이미 말한 대로 우리는 항상 주변 국제 정세에 관심을 집중해야 하고 이를 성공적으로 다루는 '외교하는 민족'이 되어야 합니다. 그것은 평화와 통일을 위한 절대적인 길이요, 복잡한 지정학적 위치를 극복하고 성공하는 필수 불가결한 길입니다.

젊은 여러분은 '서생적 문제의식'과 '상인적 현실감각'을 가지십시오. 망원경같이 멀고 넓게 보고, 현미경같이 세밀하고 집중해서 보십시오. '행동하는 양심'이 되십시오. 이것은 인생의 삶을 성공적으로 살아가는 기본이 되는 길입니다.

'북한대학원대학교'가 한반도의 평화와 화해 협력, 그리고 궁극적인 평화 통일에의 선구자가 되도록 노력합시다.

경청해 주셔서 감사합니다.

질의응답

질문 한반도를 중심으로 국제축과 민족축이 공존하고 있는데 국제 공조와 민족 공조가 조화를 이룰 수 있는 통일 담론은 무엇이고 그 통일 과정에서 주변 국가의 협력을 얻을 수 있는 통일 방안은 무엇인지요?

김대중 좋은 질문 해 주셨습니다. 제가 조금 전에도 우리가 '외교하는 국민'이 되어야 한다고 말씀드렸는데 우리가 앞으로 평화적으로 살다가 성공적으로 통일하려면 민족적인 화해 협력, 이것이 성공해야 할 뿐만 아니라 국제적 특히 주변 국가와의 관계를 발전시키는 데 우리가 성공적으로 추진해 나가야 할 것입니다. 그렇게 했을 때 우리는 평화가 있고 통일이 있을 것입니다. 독일을 보십시오. 독일이 과거에 동서 양쪽으로 침략 전쟁을 했습니다. 유럽에서 독일은 공포와 경원의 대상이었습니다. 독일은 절대로 통일시켜서는 안 된다고 해서 4개의 지역으로 갈랐습니다. 그랬던 독일이 그렇게 과거 자기들의 잘못을 사과하고 보상하고 침략 전쟁을 해서 안 된다는 것을 교육하고 했기 때문에 주변 국가들의 마음이 차츰 바뀌어졌습니다. 그래서 독일이 북대서양조약기구(NATO)에도 가입하고 유럽연합(EU)에도 가입했습니다. 그렇게 해서 독일이 통일하는데 주변 국가들이 "오늘의 독일은 과거와 다르다, 그러니까 통일해라.'라고 도와주었습니다. 독일통일을 두려워하던 그 유럽 각국들이 도와서 통일을 이룩하게 되었습니다. 우리는 이 점에 있어서 많은 점을 배워야 한다고 생각합니다. 조금 전 제 연설문에도 있었지만 조선왕조 말엽에, 물론 제국주의 국가들이 나쁜 것이 틀림없지만, 우리 자신도 그런 침략자들에 대해서 제대로 대응하지 못한 것도 사실이고 또 결정적인 열쇠를 쥐고 있는 미국을 활용할 기회를 놓쳤습니다. 이 점에 있어서 우리는 이번에는 그러한 과오를 되풀이해서는 안 됩니다. 물론 지금은 제국주의 시대는 아닙니다. 그러나 4대국들 중 어느 한 나라도 본격적으로 우리에게 심술을 부리고 통일을 반대하면 여간 통일이 어려워지지 않습니다. 그래서 우리는 기본적으로는 미국을 한반도에서 붙들고 그래 가지고 나머지 일본, 중국, 러시아를 설득하고 견제하고 협력해야 합니다. 미국을 안정자로 붙들어야 합니다. 그리고 일본, 중국, 러시아와 좋은 관계를 유지해야 합니다. 그리고 그렇게 하기 위해서는 무엇보다도 남북이 서로 화해하고 협력하고 민족의 장래를 위해서 공동으로 노력해야 합니다. 우리가 우리끼리 협력하지 않고 싸우면 결국에서는 우리는 야심을 가진 어느 나라에게 이용당합니다. 조선왕조 말엽같이 다시 한번 친일파가 생기고 친러파가 생기고 친중파가 생기는 사태가 올 수도 있습니다. 그래서 이 문제에 있어서 우리는 절대적인 조건으로 민족적인 협력 관계 그리고 국제적인 협력 관계 이 둘은 분리할 수 없는 하나로 생각하고 해 나가야 합니다. 이런 점에 대해서 여러분들도 많은 관심을 가져 주시기 바랍니다.

질문 '국민의정부'가 추진해 온 햇볕정책의 입장에서 '국민의정부' 이전 대북 정책과 '참여정부'의 대북 정책을 각각 어떻게 평가하시는지 말씀해 주시기 바랍니다.

김대중 '국민의정부' 이전의 박정희, 노태우, 김영삼 정부들은 때때로 북한과 관계 개선에 태도를 보인 경우가 있었습니다. 박 정권의 7·4남북공동선언이나 노태우 정권의 남북기본합의서, 한반도비핵화공동선언 등, 남북기본합의서의 경우는 다시없이 잘돼 있습니다. 그리고 김영삼 정권 시대는 북한에 식량도 주고 남북정상회담도 합의하고 그랬습니다. 그러나 모두 그것을 일관되게 하지 않았습니다. 조금 하다가 또 반대로 돌아서서 서로 죽이니 살리니 하는 그런 대립을 해 나갔습니다. 그렇기 때문에 아무 성과가 없었습니다. 말만 했지 실제 실천이 안 된 것입니다. 그리고 또 어떤 때는 대북 정책을 국내 정치에 이용하는 것도 상당히 있었다고 보여집니다. 그래서 그런 점에 있어서 전혀 아무것도 안 했다고 무시하는 것은 아니지만 대단히 부족했다고 생각합니다. 그리고 노무현 정권은 햇볕정책을 계승해서 했다고 볼 수 있습니다. 대체적으로 남북 관계는 이번 정상회담까지 포함해서 잘 됐다고 생각합니다. 다만 햇볕정책을 계승해서 일관되게 한 것이 아니라 집권하자마자 대북 관계 특검을 만들고 이렇게 해서 그동안 남북 화해 협력에 찬물을 끼얹는 그런 일들이 있었고 또 상당 기간 북한에 대해서 화해 협력을 추진하고 정상회담을 추진하는 것을 적극적으로 하지 않는 이런 일도 있었습니다. 그러나 마지막으로 지난 정상회담, 이번 총리회담 이것은 아주 잘된 것이라고 생각합니다. 2000년 남북정상회담이 남북 관계의 화해 협력 그리고 통일에 대해서 큰 물꼬를 텄다면 이번 노 대통령의 정상회담, 총리회담은 이것을 구체적으로 실천하는데 상당한 계획이 수립되고 길이 열렸다고 생각합니다.

질문 2007 남북정상회담 이후 총리회담, 부총리급회담, 장관급회담이 제도화됨으로써 형식적으로는 남북연합의 요건을 구비했다는 평가가 있습니다. 오늘 김대중 전 대통령께서도 3단계 통일과 관련해서 의견을 말씀해 주셨습니다. 이를 '낮은 단계의 연방제'와 '남북연합'에 공통점이 있다고 하는 6·15공동선언의 2항과 관련해서 평가를 하신다면 어떻게 보시는지요?

김대중 이번 2차 정상회담까지 포함해서 '남북연합'과 북한이 말한 '낮은 단계의 연방제'가 내용이 같습니다. 표현만 달라요. 북한이 연방제를 주장했는데 일거에 버릴 수 없으니까 '낮은 단계'란 걸 붙였지만 내용은 같습니다. 이제 그런 단계로 들어갈 수 있는 여건이 되었다고 봅니다. 다만 국민들이 이것을 납득하고 지지해야만 실천이 될 것입니다. '남북연합'은 1민족 2독립정부의 시대입니다. 그렇게 해서 남북 양쪽이 정상회담, 총리급회담, 장관급회담 혹은 국회회담을 정례적으로 열고, 여러 가지 협력을 하는 의제를 놓고 상의해 나가고 실천해 나가는 것입니다. 다만 여기에는 다수결이 없고 남북이 합의해야만 될 수 있습니다. 그 이유는 독립정부이기 때문입니다. 그래서 한쪽이 한쪽에 대해서 강요하거나 억압적으로 할 수 없는 것입니다. 그런 단계를 거친 후 그다음에 미국과 같은 연방제, 그다음에 완전 통일의 단계로 나가는 것입니다. 지금의 남북 관계는 1차, 2차 정상회담의 성과로 봐서 이제는 1차의 '남북연합'을 선언하는 실질적인 조건이 형성되었다고 봅니다. 다만 우리 국민이 그러한 통일의 1단계 즉 '남북연합'의 시대로 들어가는 것을 지지하느냐, 이것이 문제가 되지 않는가 생각합니다.

질문 대통령님의 햇볕정책으로 대북 관계가 바람직한 방향으로 진전돼 가고 있는 것 같습니다. 대통령님께서 보시기에 햇볕정책을 통해 대북 포용정책으로 북한 내부의 어떤 의미 있는 변화가 있었고 그러한 변화가 어떤 방향으로 확산, 진전되리라고 보시는지요?

김대중 햇볕정책의 결과로서 남북 관계는 근본적으로 큰 변화가 있었습니다. 첫째 심리적으로 북한 사람들이 그동안 남쪽에 가졌던 "나쁜 놈이다. 우리를 침략하려고 한다. 믿을 수 없다"는 등 부정적인 생각이 크게 바뀌었습니다. 북한 사람들이 이제는 남쪽에 대해서 "우리를 도와주니까 고맙다. 남쪽이 못산다더니 잘산다. 부럽다. 우리도 그렇게 살았으면 좋겠다." 이런 생각을 가지고 있습니다. 우리가 매년 비료와 식량을 각기 30만 톤, 40만 톤 주었습니다. 그것이 20킬로그램, 40킬로그램 포대입니다. 그 포대에는 남해화학, 대한적십자사라고 쓰여 있습니다. 이러한 포대 수천만 개가 북한 천지를 돌아다닙니다. 그래서 북한 사람들은 남쪽에서 도와주고 있다는 것을 모두 알고 있습니다. 그래서 심리적 변화가 오고 있는 것입니다. 그리고 실제적으로 많은 변화가 있었습니다. 금강산 관광으로 160만 명이 다녀왔습니다. 이산가족 상봉이 1만 5천 명 이상입니다. 계속 늘어날 것입니다. 6·15정상회담 이후 남쪽에서 북한을 방문 한 사람이 200만 명 이상입니다. 과거 50년 동안에는 수천 명에 불과했습니다. 이렇게 큰 변화가 있습니다.

그리고 북한 사람들은 남쪽에 대해서 호감을 갖게 되고 문화적으로 수용하고 있습니다. 남쪽의 대중가요를 부르고 남쪽의 드라마 영화를 보고 있습니다. 물론 숨어서 봅니다. 또 지금 북한에 시장이 전국에 약 300여 개가 생겼습니다. 가정주부들이 전부 나와서 장사를 합니다. "아줌마 부대"라고 해서 대규모로 나와서 장사를 하고 있습니다. 남자들은 직장 공장이나 사무실에 나가서 일을 하지만 월급을 받아서는 먹고살 수 없습니다. 그러니까 부인들이 장사해서 버는 이런 시대가 온 것입니다. 남자들도 오전에는 직장에 출근하고 오후에는 장사를 하고 있습니다.

공산주의는 계획경제이고 계획경제는 정부가 의식주를 책임을 져야 합니다. 그렇기 때문에 독재가 가능합니다. 그런데 북한은 식량, 주택을 정부가 제대로 책임을 못 지고 있고 있습니다. 그래서 이제는 민간이 주택을 건설하고 있습니다. 그것이 북한으로서는 고급 주택입니다. 우리로 보면 중급 주택이지만 짓고 있습니다. 이렇게 해서 북한은 체제적으로 경제적으로 큰 변화가 일어나고 있습니다. 북한도 경제를 회생시키려고 노력을 하다하다 해 보는데 안 되고 그래서 어떻게 해서든지 미국과 관계 개선해서 개혁 개방을 하겠다는 것이 북한의 생각입니다. 개혁 개방을 하면 국제사회로 나와서 국제통화기금(IMF), 아시아개발은행(ADB)에서 돈도 빌리고, 일본과 국교 정상화해서 100억 달러 되는 보상금도 받고, 남한을 비롯하여 세계 각국으로부터 투자도 받을 수 있습니다. 사실 북한은 그렇게 되면 급속히 발전할 것입니다.

아시다시피 북한은 세계에서 가장 우수한 노동력입니다. 모두 고등학교까지 의무교육이고 군대에 5년, 10년 갔다 왔습니다. 임금이 중국의 1/3밖에 안 됩니다. 우리 입장에서 보면 거리도 가깝고, 말이 통하고, 문화가 같습니다. 이렇기 때문에 우리는 누구와 경쟁해도 이길 수 있습니다.

6·15정상회담 이후로 북한이 대변화의 시기로 들어가고 있고 이미 상당히 변화를 하고 있습니다. 그동안 미국이 우리가 북한에 접근하고 투자하는 것을 자꾸 방해하고 싫어했습니다. 그래서 내가 미국 사람들한테 자주 얘기했고 최근에도 미국을 방문해서 얘기했습니다. "당신들이 그러는 동안에 북한은 중국이 전부 들어와서 북한 생필품의 80퍼센트 정도가 중국에서 들어온다. 그리고 중국이 북한의 동광산, 석탄광산, 철광산에 투자해서 30년, 50년 계약해서 지금 하고 있다. 당신들이 우리가 북한에 들어가서 중국과 균형을 맞추려는 것을 이렇게 막으면 북한을 중국에 밀어 넣자는 것이냐"고 얘기했습니다. 그래서 이젠 미국 사람들, 전문가들도 많이 이해하고 그렇게 해서는 안 된다는 생각을 갖고 있습니다. 북한도 변했지만 남쪽도 많이 변했습니다. 지난번 부산 아시안게임, 대구 유니버시아드게임에서 북한의 선수단과 응원단에 대해서 우리 국민들이 한 태도를 보십시오. "공산주의는 싫지만 북한 사람들은 동족으로서 같이 잘 살아야 한다. 어느 때인가 통일해야 할 사람들이다."라는 생각을 가지고 있는 것이 분명하지 않습니까.

그동안에 햇볕정책의 발전을 가로막고 있던 북한과 미국의 관계가 이제는 풀렸습니다. 이제 북·미 간에는 햇볕이 왕창 내리쬐고 있습니다. 머지않아서 북·미는 국교하는 단계까지 갈 것입니다. 이렇기 때문에 지금까지도 많은 변화가 있었지만 앞으로는 근본적인 변화가 있을 것이다. 그래서 우리 모두가 평양가고 신의주 가는 것이 남한 내에서 왔다 갔다 하는 것과 같은 시대가 곧 올 것입니다. 그리고 남북이 서로 장사도 하고, 거래도 하고, 문화, 체육 교류도 하면서 서로 이해가 깊어지고 정이 들고 돈벌이를 같이 하게 될 것입니다. 돈벌이를 같이 해야 합니다. 이렇게 하면 앞으로 통일을 하더라도 독일같이 지장 없이 잘해 나갈 수 있습니다. 그러므로 이런 것을 생각해서 햇볕정책 이외에는 대안이 없습니다. 이것 안 하려면 그럼 전쟁하자는 것입니까? 과거와 같은 냉전으로 가자는 것입니까? 그래서 그런 점에 있어서는 상당한 변화가 있었지 않나 이렇게 생각합니다.

질문 개성공단에 대한 대북 투자가 활성화될 것이라는 기대가 있습니다. 정권이 교체된다는 전제하에 앞으로 이러한 경제 협력의 큰 흐름이 지속될 수 있을 것인지에 대해서 대통령님의 입장을 듣고 싶습니다.

김대중 재미있는 질문입니다. 선거와도 관련이 있고. 이 부분에 대해서는 두 가지를 얘기할 수 있습니다. 하나는 어떤 정부가 나와도 필요한 일은 안 할 수 없다는 것입니다. 어느 정부가 출범하든지 개성공단 하는 것이 돈벌이가 되는데 왜 안 합니까. 북한하고 거래하고 왕래하는 것이 장사가 되는데 왜 안 합니까? 지금 자원 경쟁의 시대에 북한에서 지하자원 개발해 가지고 오면 우리 경제에 도움이 되는데 왜 안 합니까? 지금 이미 자원이 오고 있지 않습니까? 그렇기 때문에 이 점은 정권이 교체되더라도 큰 변동이 없을 것이라고 생각합니다. 예를 들면 우리가 북한에 들어가서 지하자원 개발하고 산업 분야 참가하고 특히 사회간접자본(SOC) 분야에 크게 참가하게 되면 건설 업체를 비롯하여 철공소, 조선업 하는 사람들 크게 발전을 하게 될 것입니다. 그리고 중소기업은 남쪽에서는 도저히 노동력도 임금도 비싸서 안 되는데 북한에 가면 지금 베트남과 중국보다 훨씬 낫습니다. 이런 좋은 조건이 있기 때문에 누가 정권을 잡더라도 그걸 막을 수가 있습니까? 그걸 막으면 정권 유지 됩니까?

다만 지나치게 북쪽에 대해서 거부적인 태도를 취하는 정권이 나오면 결국에서는 북한과의 관계가 상당 기간 악화될 우려가 있습니다. 미국과 북한이 급속이 가까워지고 있습니다. 아마 내년에는 국교가 정상화될 것입니다. 그러면 미국은 지금 베트남과 중국하고 하고 있는 것과 똑같이 북한과도 관계가 좋아집니다. 그런데 우리만 북한하고 관계가 나쁜 시대가 지금 잘못하면 몇 년 계속될 가능성이 있는데 그렇게 됐을 때 우리는 외톨이가 됩니다. 북한은 미국과 가까이하면서 오히려 우리를 고립시키려고 할 것입니다. 그런 우려도 있습니다. 그래서 내 생각은 그런 점을 국민들이 잘 감안해서 그래 가지고 누가 대통령이 되더라도 기본적인 것은 바꿀 수 없지만 지금 북한의 태도로 봐서 정권 여하에 따라서는 상당히 경색된 단계가 오지 않을까 이런 생각도 들고 하니까 국민들이 잘 판단해서 투표하셔야 할 것입니다.

질문 남과 북의 미래를 책임질 학생들에게 있어서 가장 좋은 통일 교육 내용이나 방법을 혹시 생각하고 계시는 것이 있는지 여쭤보고 싶습니다.

김대중 내가 여기저기 학교에서 강연을 해 봤는데 질문을 시켜 보면 여학생이 제일 어려운 질문을 해요.(웃음) 그런데 그것이 참 어려운 질문입니다. 그런데 내가 볼 때는 이제 우리가 북한과 화해 협력하는 단계로 들어갈 때는 북한에 대해서 사실대로 교육을 시켜야 할 것입니다. 그리고 결국 "우리는 1,300년 통일한 민족이다. 우리가 분단된 것은 우리가 하고 싶어서 한 것이 아니지 않으냐. 미국과 소련이 2차대전 후 우리를 멋대로 갈라놓은 것이다. 그래서 전쟁까지 했다. 60년을 우리가 이렇게 갈라져 있는데 이것은 우리 조상에게도 죄송한 일이고 후손들에게도 큰 책임이다. 그러니 우리는 언제가 통일을 해야 한다. 그런데 통일의 방법 중 전쟁으로 통일해서는 절대 안 된다. 다시는 우리끼리 민족끼리 죽이는 일을 해서는 안 된다, 그리고 한쪽은 이기고 한쪽은 지는 독일식 통일을 해서도 안 된다. 독일이 그래 가지고 지금도 동독과 서독이 서로 원수로 지낸다. 그래서 우리가 단계적으로 서로 원원하는 공동 승리하는 통일을 하자." 이렇게 교육을 해야 한다고 생각합니다.

그리고 동시에 북한과 우리의 교육 지도자들끼리 서로 대화를 해서 장래 통일을 내다본다면 국민들 사이에 지나치게 적대감을 조성하는 교육을 해서는 안 됩니다. 그리고 서로 상대방을 너무 폄하하는 일을 해서도 안 됩니다. 상대방에 대해서 이해하고 비판을 하더라도 이해하는 선에서 교육을 해야 합니다. 어느 분야에서는 공동 교과서도 만들 수 있다는 생각을 갖고 해야 한다고 생각합니다. 제일 중요한 것이 교육입니다. 일본이 오늘날 저렇게 우경화된 것도 사실은 과거 침략 전쟁에 대해서 교육을 안 했기 때문에 저렇게 잘 못돼 간 것입니다. 독일이 이렇게 주변 국가들에게 전부 칭찬받고, 지지를 받고, 유럽의 최대 강국으로 부상한 것도 교육을 철저히 해서 과거를 반성하고, 민족이 다시 화해 협력해야 한다는 교육을 했기 때문입니다. 서독은 동서독 관계에서 많은 지원을 했습니다. 우리는 매년 북한에 1억 달러 정도 지원을 했지만 서독은 과거 분단 때 동독에 대해서 적어도 10억 달러 이상을 지원했습니다. 그런 것을 우리가 참고해서 통일을 해야 합니다. 그리고 통일은 공동 승리의 통일이 되어야 합니다. 그리고 통일 이후에도 서로 긴밀하게 협력하고 교류 협력해서 민족의 동질성을 회복하도록 노력해야 합니다. 그리고 전쟁은 절대로 안 됩니다. 다시는 우리 젊은이들을 총알받이로 내세워서는 안 됩니다. 이런 등등의 내용으로 교육을 하면 어떻겠는가 생각합니다.

중국은 이미 민주화 방향으로 나가기 시작했다

대담 울리히 벡
일시 2008년 4월 4일

김대중 세계적으로 저명한 석학을 이곳에 모시게 되어 영광입니다.

벡 제가 더 영광입니다.

김대중 남북 관계가 최근 예민해지고 대결 모드로 가고 있어 걱정이 많은데 벡 교수는 어떻게 보십니까?

벡 사회학적 관점에서, 특히 제가 주장하는 위험(Risk)이론의 관점에서 말씀드리면, 위험이란 재앙 자체라기보다는 재앙의 예견으로 정치적 영향력을 가질 수 있습니다. 이 개념을 한국 사회에 적용해 보면, 일어나지도 않은 북한의 핵 발사가 남한뿐 아니라 동아시아, 남아시아까지 사람들의 일상생활은 물론 정치에 영향을 주는 위협이 될 수 있습니다.

정치권에서 두 가지 반응을 보일 수 있습니다. 짧게 말씀드리면 첫째는 이 위협 요소를 극화하여 다른 특정 우선순위, 다른 정치적 주제를 위해 이용할 수 있습니다. 둘째는 코즈모폴리턴적 관점을 가지는 것으로 공동의 위협에 대처하기 위해 일종의 국제사회를 결성하는 것입니다. 이런 것은 남북한 문제에도 적용될 수 있을 것입니다.

이제는 더 이상 한 국가의 문제가 그 국가 차원에 머물지 않습니다. 남북한 문제만 하더라도 남북한만 직접적으로 참여해서 해결할 수 있는 것이 아니라 보다 큰 틀 안에서 여러 나라가 참여해야 해결할 수 있습니다. 독일도 분단국이었는데 독일통일 역사를 보면 빌리 브란트 총리가 이러한 정치적 개념화를 이용한 것을 볼 수 있습니다. 당시 그는 독일통일을 위해 주변 유럽 국가들은 물론 미국, 구소련까지 참여하고 상호작용하는 코즈모폴리턴적인 큰 틀을 구성하고 그 참여국들 간의 브리지(가교)를 결성하는 것, 가장 작게는 동, 서독 간의 브리지를 결성하는 것을 추구했습니다.

공산국가를 변화시키는 것은 하드웨어가 아니라 소프트웨어

김대중 1998년 대통령에 당선된 후 그 전부터 주장해 왔던 햇볕정책을 실시했는데 그 결과 후임 대통령인 노무현 대통령 정권에 이르기까지 지난 10년 동안 남북 관계가 상당히 진전됐습니다. 긴장이 완화됐고 교류와 협력이 증가했으며 북한 주민의 과거 적대적인 태도가 우호적으로 변했습니다. 심지어는 문화적 변화까지 있어서 요즘 북한 사람들은 한국의 대중가요는 물론 텔레비전 드라마, 영화 등도 즐기고 있습니다.

그러다 정권 교체가 되면서 이명박 정부에서는 과거의 정책을 무시하고 대결주의적 자세를 취하면서 북한이 강력한 반발을 하는 가운데 한반도의 긴장이 고조되고 있습니다. 이명박 대통령과 내가 근본적으로 생각이 다른 부분은 이명박 대통령은 공산국가를 대할 때 냉전적 대결 정책을 취해야 공산국가의 버릇을 고칠 수 있다고 믿는 것입니다. 반면 나는 야당 때부터 대통령이 된 뒤까지 일관되게 햇볕정책을 주장해 왔습니다. 이는 나그네의 망토를 벗긴 것이 강한 바람이 아니라 따뜻한 햇볕이었다는 이솝우화와 마찬가지로 공산국가를 변화시키는 것은 하드웨어적인 것이 아니라 소프트웨어라는 주장입니다. 즉 공산국가를 개혁 개방으로 유도할 때에만 성공할 수 있다는 것입니다.

서방세계가 소련을 상대로 수십 년 동안 봉쇄 정책, 냉전적 대결 정책을 취했지만 소련을 변화시키지 못했습니다. 그러다가 헬싱키협정을 통해 구소련을 개혁 개방으로 유도하면서 소련을 물론 동유럽까지 민주화가 된 것입니다. 중국도 마찬가지입니다. 한국전 이래 중국과 무력 대결, 냉전 대결을 했으나 변화를 시키지 못하다가, 닉슨 대통령이 중국을 방문해 마오쩌둥을 만난 뒤 개혁 개방이 이루어지고 덩샤오핑 같은 인물이 등장하면서 문화대혁명 당시와는 비교도 할 수 없는 변화가 일어난 것입니다. 베트남과는 전쟁까지 하고 지고 나왔지만 지금은 국교를 맺고 무역을 하면서 상호 이익이 되는 관계를 발전시키고 있습니다. 북한도 마찬가지입니다. 미국이 북한과 국교 정상화만 하면 북한이 국제사회에 나와 활동하게 되고 그러면 북한도 제2의 중국, 제2의 베트남이 될 수 있습니다. 내가 만난 김정일 위원장은 미국과의 관계 개선을 매우 열망하고 있었습니다. 그러니 미국은 북한에 기회를 줘야 합니다.

나는 1998년부터 2003년 2월까지 5년간 대통령 재임을 했는데 임기의 반은 클린턴 대통령을 상대했고 반은 부시 대통령을 상대했습니다. 클린턴 대통령은 햇볕정책, 즉 평화적 방법, 대화를 통해 어려운 문제를 푼다는 정책을 적극적이고 공개적으로 지지해 주었습니다. 그리고 2000년 내가 북한을 방문할 때도 이를 지지해 주었습니다. 그 이후 내가 클린턴 대통령에게 주선을 해서 북한과 미국 간의 고위층 교류가 이루어졌고 거의 국교 정상화 단계까지 갔는데 클린턴 대통령의 임기가 끝났습니다. 2001년 2월 부시 정권이 들어서자마자 에이비시(ABC·Anything But Clinton) 정책을 취하면서 그동안 나와 클린턴 대통령이 만들어 온 대북 관계에서의 모든 진전을 폐기하고 나쁜 행동에는 보상을 할 수 없다며 대결주의로 돌아갔습니다. 사태는 미국에 불리하게만 전개되어 북한은 핵확산금지조약(NPT)을 탈퇴했고 국제원자력기구(IAEA) 요원을 추방했으며 모라토리엄에 있던 장거리미사일을 발사했으며 마침내는 2006년 10월 9일 핵실험을 하기까지 이르렀습니다. 부시 대통령은 강경 정책의 실패를 깨닫고 마침내 2007년 2월 13일 합의, 즉 직접 대화, 주고받는 협상, 행동 대 행동의 원칙을 받아들이고 바른길로 나아가기 시작했습니다. 앞으로도 우여곡절은 있겠으나 북핵 문제는 결국 해결될 것으로 봅니다.

그런데 이명박 대통령이 '비핵·개방·3000', 즉 북한이 핵을 포기하고 개방을 하면 10년 내에 국민소득을 3000달러 수준까지 올리겠다 하고 발표를 했습니다. 이는 부시 대통령이 과거 북한이 핵을 포기해야만 도와주겠다고 했던 것과 같은 주장인데, 부시 대통령은 이것이 실패하여 결국 직접 대화, 주고받는 협상으로 돌아왔습니다. 이러한 시점에 이명박 대통령의 주장은 참으로 동떨어진 주장입니다.

그런데 아직 대선 후보 시절 나를 찾아왔을 때 보니 상당히 생각이 유연했습니다. 그러므로 앞으로 이런 방식으로는 일이 안 되겠다 깨달으면 시정 조치를 할 것으로 봅니다.

백 그러기 바랍니다. 대통령님의 비전은 매우 설득력 있고 분명합니다.

과거 구소련의 붕괴 및 유럽의 변화를 보면 동쪽, 서쪽 진영 모두가 서로에게 공동 위협이 되자 역설적이게도 양측이 브리지를 만들려는 움직임을 보였습니다. 즉 서로가 서로의 존재에 위협이 된다고 생각하면 양측 진영 모두 이념적 차이를 극복할 수도 있다는 것입니다. 과거 빌리 브란트 총리가 그랬듯이 말입니다.

한국에는 비현실적일 수도 있지만 실험적이고 계몽적일 수도 있는 이야기를 한 가지 더 덧붙이면, 현재 기후변화 문제를 둘러싸고 많은 논의가 이루어지고 있습니다. 기후변화는 인류 문명에 파괴적 위협이 될 수 있다는 점에서만 중요한 문제가 아니라 새로운 정치의 근간이 될 수 있다는 점에서도 중요합니다. 기후변화의 심각성에 제대로 대처하기 위해서는 정치권의 패러다임 전환이 필요할 것입니다. 즉 국가 단위의 정치가 서로 결합되어 공동으로 해결책을 찾아야 할 것입니다. 이는 동아시아, 남아시아의 상황에도 암시하는 바가 있을 것입니다. 서로 다른 국가들이지만 공동의 위협에 대처하기 위해서 단결하는 것인데 대통령님의 햇볕정책도 이렇게 적용될 수 있지 않을까 합니다.

빈국 국민의 불만은 군사적 대결보다 더 큰 리스크다

김대중 기후변화 문제는 중대한 문제인데 한 가지 희망을 가질 수 있는 이유는, 잘사는 나라든 못사는 나라든 동쪽 진영이든 서쪽 진영이든 기후변화의 위협은 모두에게 똑같다는 것입니다. 즉 협력하지 않으면 공멸한다는 공동의 이해를 가지고 있어서 해결할 수 있을 것입니다.

곤란한 문제는 따로 있는데 바로 빈부 격차입니다. 잘사는 나라의 사람은 못사는 나라의 빈곤 문제가 자기들에게는 위협이 되지 않으니 신경을 쓰지 않습니다. 그리고 저개발 국가에서 에이즈나 말라리아 등으로 고통받는 사람들의 문제도 남의 일 보듯이 합니다. 그러나 빈국 국민은 잘사는 너희가 우리를 수탈해서 그런 것이라고 원망할 수도 있고, 바로 그런 것이 오늘날 국지전이나 테러의 배경이 되고 있지 않나 생각합니다. 그래서 빈부 격차야말로 인류의 큰 문제점입니다. 빈국 국민이 갖는 이런 불만은 군사적 대결보다 더 큰 리스크입니다.

벡 대통령님의 현상 분석, 즉 불균형적인 부의 배분으로 그런 상황이 발생한다는 것에는 대개 공감하기는 하지만 아직 확신이 들지는 않습니다. 빈국의 문제도 한 국가 내에서만 다뤄질 수 있다는 생각은 점점 더 그 정당성을 잃고 있습니다. 각 국가들은 이제 글로벌한 불평등의 문제에 문을 열어야 합니다.

역사적으로 보면 19세기 유럽에서 칼 맑스가 노동자의 국제화라는 비전을 내세우면서 글로벌한 차원에서 문제를 해결해야 한다고 말했는데, 당시 민족국가들은 큰 충격을 받았습니다. 그때까지만 해도 개별 국가 차원에서 모든 문제를 해결해 왔고 또 그것이 성공적이었기 때문입니다. 그러나 지금은 개별 국가가 글로벌한 불균형 문제 등을 단독으로 해결할 수 없는 상황이 되었습니다.

다시 기후변화에 대해서 잠깐 말씀드리면 놀라운 것은 기후변화와 관련하여 국제사회가 이에 대한 공동 대응을 승인하고 있고, 그래서 생태 자본주의, 혹은 환경 자본주의 부상을 가능하게 하고 있습니다. 이는 모든 기관을 기본적으로 변경하게 될 것입니다.

한 가지 여전히 궁금한 것은 이러한 새로운 정치가 아시아 지역에도 적용될 수 있을 것인가, 지역적 정치가 기후변화와 같은 문제를 다룸에 있어서 공동 대응 방식을 받아들일 것인가 하는 것입니다. 즉 중국, 남한, 북한 등의 국가들이 서로 다른 관점을 극복하고 연합(unite)할 수 있을 것인가 하는 것입니다.

김대중 기후변화와 같은 환경 문제는 서로가 공동의 이해관계를 가지고 있어 충분히 해결되리라 봅니다. 예를 들어 중국의 황사는 한국, 일본에도 피해를 주고 있고, 중국의 해양이 오염되면 한국, 일본도 영향을 받습니다. 중국의 황사를 막으려 남한 사람들은 식목에 적극 참여하고 있습니다. 환경 문제 관련 협력은 가능할 것입니다.

문제는 남한과 일본은 민주주의 체제인 반면 중국은 민주주의에 반대하는 공산주의 체제라는 것이 전면적인 부조화, 대립의 기저에 있는 것이 아닐까 합니다. 그러나 역사적 관점에서 보면, 미국이 일본과 협력하여 중국에 지나친 군사적 압력만 가하지 않는다면, 중국은 미국의 군사적 행동에 대한 두려움 없이 국내 문제에만 열중할 수 있을 것입니다. 이는 상당히 희망적인 전망일 수 있습니다만, 중국의 경제가 발전할수록 중산층이 등장합니다. 현재 중산층 인구는 5천만에서 1억까지 추산되고 있는데 이들은 돈이 있고 파워가 있으며 그들의 민주적 권리를 요구할 것입니다. 영국의 산업혁명 때도 중산층으로 등장한 부르주아가 투표권을 요구했는데 영국의 귀족들은 현명하게도 투표권을 인정하여 평화적으로 민주체제 이행이 이루어졌습니다. 반면 프랑스 귀족들은 이를 거부하여 왕과 귀족이 몰락하였습니다. 즉 중산층이 늘어나면 이들은 본인들의 민주적 권리를 요구하게 되고 이에 평화적으로 응대하면 평화적 민주체제 이행이 되는 반면, 이에 폭력적으로 대응하면 힘겨운 이행이 될 것이라는 점입니다. 지금 현재 중국은 경제 발전과 더불어 중산층이 증가하고 있습니다. 중국이 이들의 요구에 어떻게 대처하느냐에 따라 중국의 미래, 나아가 동아시아, 세계도 큰 영향을 받을 것입니다. 그런데 나는 이 부분에 낙관적입니다.

희망을 갖는 이유는 첫째, 중국 지도층이 사실을 인식하고 장쩌민 주석 말기 때 공산당 당헌을 고쳐 세 개의 대표군을 채택했습니다. 과거에는 노동자 계층만 될 수 있었던 당원을 지식인, 기업인 등에게까지 확대했다는 것입니다. 이들은 바로 중산층들인데 중국 지도층은 새로운 변화에 적응하고 있는 듯합니다.

그리고 매일 지방에서는 300여 개의 시위가 일어나고 있는데, 이는 농민과 빈민층의 불만에서 출발하는 것으로 정부가 이를 무력 탄압하지 않고 있습니다. 시위도 폭동으로 이어지지는 않고 있습니다. 적당한 선에서 시위자는 불만을 배출하고 당국도 고칠 수 있는 것은 고치고 있습니다.

중국은 기로에 서 있습니다. 미국이 중국으로 하여금 내정에 전념할 수 있도록 해 준다면 중국은 민주화의 방향으로 나아가고 이를 점진적으로 수용할 것입니다.

또 다른 증거는 공산당 내에서 일고 있는 논쟁입니다. 중국의 부정부패, 빈부 격차는 자본주의 때문이니 이를 폐지하고 계획경제로 돌아가자는 신좌파의 주장이 고위직 가운데 흘러나오고 있는데, 역시 정부 고관들이 참여하고 있는 신우파 운동은 이러한 주장에 반대하고 있습니다. 그들은 중국의 부정부패, 빈부 격차는 민주주의의 부재 때문이므로 민주주의를 도입하면 투명성을 보장하는 제도, 감시 체제가 마련되어 부패나 빈부 격차 문제 등을 해결할 수 있다고 합니다. 나아가 일당 지배가 아니라 복수 당을 지향해야 하며 중국에는 스웨덴식 사회민주주의를 지향해야 한다고 말합니다. 중요한 것은 후진타오 주석도 이러한 신우파 주장에 찬성했다고 알려진 것입니다. 아직까지 전면적으로 실시되고는 있지 않지만 이런 논쟁이 정부 고위직들 사이에서 이루어졌다는 것이 중요합니다.

공산당 당헌을 고쳐 당원 자격을 세 개 대표군으로 확대했다는 것, 매일 300여 개의 시위가 정부의 암묵적인 승인 아래 나름대로 평화적으로 일어나고 있다는 사실, 그리고 신우파와 신좌파 간의 논쟁이 일고 있고 신우파의 주장을 중국 최고 지도층이 동의하고 있다는 것이 뚜렷한 민주화는 아니더라도, 중국을 잘 다루기만 하면 특히 미국이 잘 다루기만 하면 중국도 종국에는 민주화가 될 것이라는 것을 보여 줍니다. 언제 구소련이 무너지고 민주화가 될 것이라고 상상이나 했습니까? 중요한 것은 이러한 변화가 외부 세계가 아니라 내부로부터 오고 있다는 것입니다.

동양 격언에 공자 앞에서 유교 가르친다는 말이 있는데, 이렇게 말을 해 놓

고 보니 세계 석학 앞에서 오히려 가르치려 한 거 같습니다.(웃음)

백 대통령님의 비전과 분명한 분석, 설득력 있는 주장에 매우 놀랍습니다. 대통령을 포함한 많은 정치가들을 만나 보았으나 대통령님만큼 명확한 비전을 갖고 계시는 분은 만나지 못했습니다.

한 가지 아직 '물음표'로 남아 있는 것이 있습니다. 반년 전 강연차 중국 베이징을 방문해서 정치인과 지식인 등을 포함한 다양한 그룹과 논의를 했는데 가기 전에는 대통령님과 같은 비전, 즉 중국이 종국에는 민주화로 나아갈 것이라는 비전을 갖고 갔었으나 돌아올 때는 약간의 의구심이 들었습니다. 중국의 근대화를 보면 한편으로는 비즈니스를 하는 등의 경제적 자유는 상당히 허용하면서, 공적(public) 영역, 민주적인 일(democratic affairs) 같은 영역에는 아주 분명히 참여를 제한하고 있습니다.

중국은 전환기, 아마도 긴 전환기를 거칠 것이며 중산층은 이 기간 중 혜택을 입을 것입니다. 그러나 그들은 사적, 민간 영역에서는 투자도 하고 수익도 얻고 할 수 있겠지만, 정치 영역에서는 그러지 못할 것입니다. 대통령님과 제가 유럽의 경우에서 본 것처럼 교육받고 부유한 중산층이 등장하면 이들이 정치적 영역에 대한 참여를 요구할 수 있다는 것이 중국에는 적용될 것 같지 않습니다. 중국은 경제를 개방하고 민간 영역에서는 자유를 허용하겠지만 정치적으로는 억압할 것입니다. 물론 중산층은 이를 수용할 것입니다. 다만 이를 위해서는 두 가지 조건이 충족되어야 하는데 경제적 위기 없이 고성장을 계속한다는 것이고 중국이 내셔널리즘(nationalism)을 계속 유지한다는 것입니다.

동양에도 인권 민주주의 사상이 있었다

김대중 중국의 민주화에 대해서는 누구도 장담할 수 없겠지만, 아까 말씀드린 몇 가지 이유에서 긴 안목으로 보면 지금은 아니겠지만 결국은 중국이 민주화로 나아갈 것이고 지금 그런 방향으로 나아가기 시작했다고 생각한 것입니다. 외부에서 장애가 되는 위협을 가하지만·않는다면 그래서 중국이 내부적으로 집중할 수 있도록 돕기만 한다면 말입니다. 이처럼 낙관하는 데 는 사상적 근원도 있습니다. 17세기 말 유럽에서는 존 로크라는 사상가가 사회계약론을 주장했습니다. 즉 주권은 국민에게 있는데 이를 통치자에게 위임한 것이다, 통치자가 이를 선용하지 않으면 국민들은 이를 도로 회수할 수 있다, 이러한 인민 주권주의를 주장했습니다. 그런데 동양에서는 존 로크보다 2000년이나 앞서서 이런 말을 한 이가 있습니다. 맹자는 「방벌론放伐論」에 서 "황제는 천자로 하늘의 아들인데, 하늘이 자신을 대신해 좋은 정치를 하라고 권력을 위임한 것이며, 제대로 하지 못할 때에는 인민이 하늘 대신 일어나 그를 쫓아낼 수 있다." 했습니다. 중국은 200년 주기로 왕조가 변했는데 새 왕조를 일으키고자 한 이들은 이러한 사상을 이용하여 자신들이 하늘 대신 폭군을 위해 일어섰으며 그러므로 자신들의 혁명은 정당하다고 주장했습니다. 이러한 맹자의 논리는 동양 사회가, 한국에도 그런 사상가들이 많았습니다만, 이미 민주주의와 상통하는 역사가 있었다는 것을 보여 줍니다.

백 완전히 설득당했습니다.(웃음)

김대중 잘 들어줘 고맙고 좋은 말씀 많이 해 주셔서 고맙습니다.

백 오늘 나눈 이야기는 매우 흥미진진했으며 유럽에도 대통령님과 같은 비전을 가진 정치가가 있었으면 합니다.

김대중 과분한 말씀입니다.

백 진심입니다.

김대중 중국, 일본, 한국은 일 년에 두 번 정도 방문하십니까?

백 그렇지 못합니다. 중국은 작년에 방문했고 한국은 이번에 방문하게 됐는데 앞으로 더욱 자주 방문하고 싶습니다. 요즘 서구 사람들은 믿기를, 미래는 아시아에 있다고 합니다. 그러나 이 지역을 잘 알아야죠.

김대중 맞습니다. 중국과 인도 등이 큰 존재가 될 것인데, 특히 중국이 평화적으로 민주국가로 이행해 간다면 이는 세계에 축복이 될 것이며, 그들이 중화주의, 제국주의, 자기도취적 민족주의에 빠진다면 이는 큰 재앙이 될 것입니다. 아직 현재로서는 희망도 비관도 하기 어려운데 역사를 돌이켜 보면 다소 희망을 가질 수 있습니다. 중국이 이렇게 민주화의 길을 갈 수 있도록, 즉 내정 문제에만 집중할 수 있도록 미국과 유럽 모두 노력해야 하며, 이러한 내용을 지난 9월 방미 때 미국 지도자들에게도 많이 얘기했습니다.

벡 바쁘신데 귀한 시간 내어 주셔서 감사합니다. 즐거운 대화였습니다.

* 이 글은 2008년 4월 4일 오전 10시 30분 김대중 대통령의 사저에서 울리히 백(Ulrich Beck) 교수와 나눈 대담 내용이다.

도전과 응전, 그리고 하느님

강연 미국 포틀랜드대학교

일시 2008년 4월 17일

김대중 존경하는 포틀랜드대 보챔프 총장, 위노우스키 이사회 회장, 스타브로우스키 부총장, 평화연구소 스파노비치 소장, 그리고 교수와 학생, 내빈 여러분!

1995년 포틀랜드를 방문한 이래 13년 만에 다시 이곳에 오게 되었습니다. 그리고 여러분 앞에서 강연하도록 초청받은 데 대해서 큰 영광으로 생각합니다. 여러분 대단히 반갑습니다. 저는 오늘 「도전과 응전, 그리고 하느님」이란 제목으로 여러분께 몇 말씀 드리고자 합니다.

존경하는 여러분!

한국의 독재정권 아래서 저의 삶은 오랜 세월 동안 수난의 연속이었습니다. 도전과 응전의 연속이었습니다. 30년을 감시와 연금, 그리고 망명 생활을 했습니다. 저의 집 주변 사방에는 감시 가옥이 있었습니다. 심지어 거기에서 도청까지 했기 때문에 집에서 아내와의 대화조차 필담으로 하지 않으면 안 되었습니다. 이런 가운데 심각한 빈곤도 감내해야 했습니다. 자식들은 취직도 못 하고 사업도 할 수 없는 환경이었습니다.

신앙과 민주주의 신념으로 긴 세월의 난관을 극복했다

김대중 그러나 저와 제 가족은 신앙과 민주주의에 대한 일관된 신념으로 긴 세월의 난관을 극복했습니다. 저는 하느님께서 우리의 정의로운 싸움을 지켜 주시고 반드시 승리로 이끌어 주실 것이라고 확신했습니다. 또한 민주주의와 정의사회, 남북 간의 평화적 통일을 위한 저의 투쟁도 성공할 것이라는 것을 확신했습니다. 만일 제가 현세에서 이러한 성공을 보지 못하면 사후에라도 실현될 것이라고 믿어 의심치 않습니다.

하느님이 저를 지켜 주신다는 믿음은 실제로 나타났습니다. 그것은 제가 1973년 8월 8일 한국의 비밀경찰에 의해서 일본 도쿄의 한 호텔에서 납치되었을 때입니다. 저는 납치되어 그들의 공작선에 실려졌습니다. 그들은 제 손발을 묶고 입에 재갈을 물리고, 눈을 가렸습니다. 그리고 무거운 물체를 저의 오른손과 왼쪽 발목에 달았습니다. 그런 후 저를 태평양 바다에 던지려고 하였습니다. 그 순간 갑자기 예수님이 제 곁에 나타났습니다. 저는 예수님의 옷소매를 붙잡고 "주님! 살려 주십시오. 저는 우리 국민을 위해서 할 일이 많이 있습니다."라고 애원했습니다. 바로 그 순간 '펑' 소리가 나면서 옆에 있던 비밀경찰들이 "비행기다!" 하고 소리치며 갑판 위로 뛰어나갔습니다. 폭음과 같은 소리가 계속 들리고, 배는 쏜살같이 달렸습니다. 그리고 얼마 뒤 선원 한 사람이 다가와 저의 귀에 대고 "당신은 이제 살게 된 것 같습니다."라고 말했습니다.

저는 납치 후 6일 만에 집으로 돌아올 수 있었습니다. 저는 당시 이러한 절박한 순간에 하느님의 나타나심과 구원에 대해서 너무도 큰 충격과 감동을 받았습니다. 하느님에 대한 감사는 이루 말할 수 없었습니다. 납치 이후부터 지금까지 30여 년 동안 저의 생환기념일에는 온 가족들과 친지들이 모여 신부님의 집전 아래 감사의 미사를 드리고 있습니다.

하느님은 미국이 나를 살리는 역할을 하도록 이끌어 주셨다

김대중 당시 제가 극적으로 살아날 수 있었던 것은 하느님께서 미국으로 하여금 저를 살리는 데 큰 역할을 하도록 이끌어 주셨기 때문입니다. 제가 납치되었을 때 미국 정보기관은 가장 먼저 이를 포착하고 즉시 일본 정부에 통보하여 저를 살리도록 압박을 가했습니다. 당시 헨리 키신저 국무장관은 공개적으로 김대중을 살려야 한다고 선언하기도 했습니다. 그리하여 미국 정부는 한국 정부에 대해서 저를 살해하는 것을 중단하도록 엄중히 경고했던 것입니다. 하느님이 미국을 움직여 이러한 역사를 하지 않았다면 저는 살아나지 못했을 것입니다.

여러분! 저는 하느님을 찬양하고 미국에 감사합니다.

하느님이 미국을 움직여 저를 구출하신 사례가 또 하나 있습니다. 그것은 1980년 5월 한국에서 군사쿠데타가 일어났을 때 신군부 사람들이 저에게 내란선동죄와 반국가단체 수괴의 혐의로 사형 선고를 했을 때입니다. 그들은 사형 선고를 해 놓고 한편으로는 저에게 협력을 요구했습니다. "우리에게 협력하라. 협력하면 살려 주고 높은 자리도 보장하겠다. 그러나 협력하지 않으면 반드시 죽이겠다. 재판은 요식행위이다." 저는 죽음을 앞에 두고 공포와 번민 속에 많은 것을 생각했습니다. 매일 하느님께 열심히 기도하고 인도하심을 간구했습니다.

그때 기도하는 저의 머리에는 "믿기만 하여라! 너의 병이 나을 것이다."라는 성서 속의 예수님의 말씀이 섬광같이 떠올랐습니다. 마침내 저는 결심을 했습니다. 그리고 신군부 사람에게 말했습니다. "내가 여러분에게 협력하면 나는 일시적으로 살지만 역사와 국민 속에 영원히 죽을 것이다. 그러나 내가 여러분의 협력 요구를 거부한다면 일시적으로는 죽겠지만 나는 영원히 살 것이다. 나는 영원히 사는 길을 택하겠다. 이것이 하느님의 뜻이다."라고 단호히 거절했습니다.

그때 미국에서는 카터 대통령과 레이건 공화당 후보 간의 대통령 선거가 있었습니다. 모두가 카터 대통령이 당선되면 저는 살고 레이건 후보가 당선되면 죽을 것으로 예상했습니다. 공화당은 상대적으로 인권 문제에 적극적이지 않다고 생각했기 때문입니다. 저 또한 그렇게 생각하고 있었습니다. 그러나 선거 결과는 레이건의 당선으로 끝났습니다. 이 사실을 알게 된 저는 발을 뻗고 울었습니다. "하느님이 결국 나를 버리셨다!" 이렇게 외쳤습니다.

그러나 하느님의 지혜는 사람의 지혜와 달랐습니다. 레이건 후보는 대통령에 당선되자마자 "정권이 바뀌었다고 해서 김대중을 살린다는 정책이 변한 것은 아니다. 어떤 일이 있어도 죽여서는 안 된다"고 말했습니다. 그리고 한국 정부에 강한 압박을 가했습니다. 레이건 후보가 당선되자 "이제는 김대중을 죽이는 데 큰 장애가 없어졌다"고 만세를 부르던 한국의 신군부는 당황했습니다. 결국 그들은 미국의 압력에 굴복하여 저를 무기징역으로 감형했던 것입니다.

여러분! 이 얼마나 절묘한 하느님의 역사이십니까!

존경하는 여러분!

미국은 단순히 저 개인의 목숨만을 살려 준 것이 아닙니다. 한국의 민주화에 결정적인 역할을 하기도 했습니다. 초대 대통령인 이승만 박사가 영구 집권을 위한 부정선거를 한 데 대해서 국민이 총궐기했을 때 미국은 이승만 대통령이 평화적으로 물러나게 하는 데 큰 역할을 했습니다. 주한 미국대사가 이 대통령을 찾아가서 "국민이 모두 반대하는데 이를 총검으로 진압하는 것을 미국은 지지할 수 없다. 국민의 뜻을 받들어 결단을 내리기 바란다"고 강력히 충고했습니다. 이에 굴복하여 이 대통령이 하야했습니다.

18년에 걸친 박정희 군사독재, 7년에 걸친 전두환 군사독재를 종식시키기 위해서 국민이 일어섰을 때도 미국은 우리 국민의 편에 서서 도와주었습니다. 저의 생명과 오늘날 한국의 민주주의 실현에는 미국의 도움이 매우 컸다는 것을 여러분께 말씀드리면서 위대한 미국 국민과 미국 정부에 대해서 감사해 마지않습니다.

나는 일생을 도전과 응전 속에 살았다

김대중 존경하는 여러분!

저는 이미 말한 대로 일생을 도전과 응전 속에 살아왔습니다. 수많은 고난과 박해, 빈곤의 도전에 대해서 저는 최선의 응전으로써 이를 극복해 왔습니다. 그리하여 저는 1997년 마침내 대통령에 당선되었고 5년 동안의 단임제 임기를 마쳤습니다. 저의 대통령 당선으로 한국은 역사상 처음으로 여야 간 정권 교체를 이룩했습니다. 이런 가운데 저는 저에게 박해를 가했던 독재자들과 비밀경찰 등에 대해서 모두 용서했습니다. 용서와 화해의 하느님 말씀을 실천한 것입니다. 그러나 재임 중에 독재정치를 지탱하는 제도는 모조리 청산하고, 민주주의를 위한 각종 법령과 제도를 정비하여 완전한 민주국가를 실현시켰습니다.

저는 취임 전부터 불어 닥친 외환 위기를 성공적으로 극복하여 한국 경제를 오늘날 세계 10위권의 경제 대국으로 만드는 데 이바지했습니다. 외환 위기 극복은 세계 어느 나라보다도 성공적으로 했기 때문에 당시 미국의 재무장관이었던 로버트 루빈 씨는 그의 저서에서 한국이 외환 위기를 극복하여 한국과 세계 경제 안정에 크게 기여한 공로는 미국도 아니고 국제통화기금(IMF)도 아니고 "김대중 대통령과 한국 정부 사람들의 영웅적인 노력의 결과"라며 격찬해 주었습니다. 저는 대통령 재임 중 21세기 정보화 시대의 도전에 응전하여 한국의 정보화를 재빨리 추진했습니다. 오늘날 한국은 세계에서 가장 앞서가는 지식정보 강국이 되었습니다.

네 가지 원칙—민주주의, 시장경제, 생산적 복지, 그리고 평화 통일

김대중 저는 60여 년 동안 계속된 남북 간의 냉전적 대립을 종식시키고자 2000년 6월 처음으로 남북정상회담을 열어서 화해와 협력의 길을 열었습니다. 지금 한반도는 과거 어느 때보다 긴장이 완화되고 남북 간의 교류 협력이 확대되고 있습니다. 머지않아 6자회담이 성공하면 남북 간의 평화 공존과 평화적 교류 관계는 더한층 발전될 것입니다. 저의 정치 이념과 신념을 뒷받침하는 데는 네 가지 원칙이 있습니다. 그것은 민주주의, 시장경제, 생산적 복지, 그리고 평화 통일입니다. 이러한 저의 모든 신념은 하느님의 사랑과 정의의 실현이라는 믿음에 기초를 두고 있습니다.

존경하는 여러분!

저는 반세기가 넘는 저의 정치 생활을 통하여 하느님이 살아 계시며, 예수님이 부활하신 것을 믿는 가운데 예수님의 가르침대로 눌린 자의 해방과 고통받는 사람들의 구원을 위해서 헌신하는 일에 미력이나마 노력해 왔습니다.

이미 말씀드린 대로 저를 박해했던 사람들을 모두 용서했고 우리 민족을 식민 지배했던 일본과도 과거에 대한 일본의 사죄 속에 화해를 했습니다. 그리고 저는 한국만이 아니라 세계의 인권과 민주주의에 대해서도 관심을 갖고 노력을 기울였습니다.

저는 오랫동안 미얀마의 아웅산 수지 여사의 민주화투쟁을 지지했습니다. 대통령 시절에는 유엔총회 연설을 통해서 수지 여사를 지지한 바도 있습니다. 최근 서울에서 한국에 거주하는 미얀마 사람들이 대거 참석한 가운데 '미얀마 민주화의 밤'을 성대하게 개최한 바 있습니다. 여기에는 미국의 클린턴 전 대통령, 독일의 폰 바이체커 전 대통령, 고노 요헤이 일본 중의원 의장 그리고 노벨위원회의 올레 단볼트 미에스 회장이 메시지를 보내왔습니다.

동티모르에서 10만 명을 죽음의 위기에서 구했다

김대중 저는 동티모르의 독립에도 기여했습니다. 1999년 뉴질랜드에서 열린 아시아태평양경제협력체(APEC) 회의 참석 중에 동티모르의 민병대가 무고한 국민들을 학살하고 있다는 사실을 듣고 클린턴 미국 대통령, 하워드 호주 총리 등과 협력해서 인도네시아로 하여금 그들의 영향하에 있는 민병대의 살육 행위를 중단시키도록 강한 압력을 가했습니다. 이로 인해서 약 10만 명의 인명을 죽음의 위기로부터 구해 냈다고 평가되었습니다.

저는 또한 앰네스티인터내셔널 등 세계의 인권단체와 협력하여 사형 폐지 운동에 적극 참여했습니다. 저는 대통령 재임 중 단 한 사람도 사형을 집행하지 않았으며, 13명의 사형수를 무기징역으로 감형했습니다. 모든 것이 하느님의 믿음 속에 이루어진 도전과 응전의 저의 삶이었습니다.

존경하는 여러분!

저는 2000년 6월 15일 남북 간의 정상회담을 통해서 반세기에 걸친 적대와 냉전의 장벽을 허물고 교류 협력의 물꼬를 텄습니다. 이제 남북 간에는 긴장이 크게 완화되었습니다. 경제적 교류, 문화적 교류, 관광 교류 등이 진전되고 있습니다. 이러한 발전은 남북 간의 평화를 증진시키고 냉전을 종식시키는 데 큰 역할을 하고 있습니다. 세계가 대화를 통해서 평화적으로 문제를 풀어 가자는 저의 햇볕정책을 지지해 주고 있습니다.

이미 말씀드린 대로 미·일·중·러와 남북한이 참가한 6자회담이 성공하면 한반도의 평화와 교류 협력의 상황은 일거에 큰 진전을 보게 될 것입니다. 그리고 우리 민족의 평화적 통일의 시기가 구체적인 현실로서 앞당겨지게 될 것입니다. 저는 2000년 남북정상회담이야말로 우리 민족과 세계 평화에 큰 공헌을 했다고 믿습니다. 앞으로도 저의 생명이 계속되는 한 이러한 민족 화해와 세계 평화를 위한 노력을 하느님이 주신 사명으로 믿고 계속해 나갈 것입니다.

존경하는 여러분!

저는 하느님의 은총으로 세계에서 평화를 위해 가장 고귀한 상으로 여겨진 노벨평화상을 2000년에 수상했습니다. 이미 말씀드린 민주주의에 대한 투쟁과 희생, 적에 대한 관용과 용서, 미얀마와 동티모르에 대한 지원, 그리고 성공적인 남북정상회담이 가져온 평화에 대한 기여 등으로 노벨평화상을 받게된 것입니다. 저는 노벨평화상의 영광을 하느님 앞에 바치면서 노벨평화상의 가치와 이상에 부합하는 노력을 제 생이 계속되는 한 이어 나갈 것입니다. 저의 이러한 노력에 대해서 여러분의 많은 성원을 바라 마지않습니다.

여러분!

다 같이 하느님께 영광과 감사를 드립시다.

경청해 주셔서 감사합니다.

질의응답

질문 대통령님께서 이룩하신 일 중에 이산가족 상봉이 있습니다. 과거 50여 년 동안 못 만났던 사람들이 남북의 화해 물결 속에서 상봉하게 되었을 때 느낀 점은 무엇입니까?

김대중 아주 좋은 질문입니다. 현재 남북 간의 이산가족이 수백만 명 됩니다. 그런데 제가 대통령이 되기 이전까지 50년 동안 이산가족이 약 200명이 만났었습니다. 그러나 제가 대통령이 된 후 북한과 적극적으로 교섭해서 현재 1만 6천 명이 상봉했습니다. 그것은 아주 감격적인 장면입니다. 그리고 앞으로도 이러한 상봉은 더욱 확대되어 나갈 것으로 생각합니다. 저는 인권 문제에 있어서 혈육들이 생사의 소식조차 듣지 못하는 상황이 인권에 얼마나 큰 타격인가 하는 것을 항상 느끼면서 이 문제 해결에 전력을 다해서 노력했습니다. 지금 그 상봉이 궤도에 올라 있습니다.

질문 북한이 핵실험을 하려고 하고 핵을 계속 개발하려고 하는 것 때문에 대통령님께서 추구하는 화해 움직임이 위험에 빠졌다고 생각하시는지요?

김대중 그것은 매우 불행한 일입니다. 그러나 우리는 어떠한 일이 있어도 북한 핵을 용납해서는 안 됩니다. 다행히 미국, 일본, 중국, 러시아 그리고 남북한이 참여하는 6자회담이 좋은 성과를 얻어서 해결의 과정에 있고 북한은 결국 핵을 포기하는 전망이 강해졌습니다. 우리는 앞으로도 끝까지 북한 핵 문제를 해결시켜서 한반도뿐 아니라 동북아, 나아가 세계 평화를 증진시키는 일을 해야 한다고 생각합니다. 북한 핵 문제 해결에 대해서는 과거 어느 때보다도 전망이 좋은 상태입니다. 이번에 싱가포르에서 미국과 북한의 대표가 만나서 상당히 좋은 합의를 본 것 같고 여기에 대해서 부시 대통령도 처음으로 이것을 수용하는 그런 입장에 있기 때문에 앞으로 6자회담이 다시 열려서 좋은 결과가 나오리라 생각합니다. 물론 핵 문제를 완전히 해결하는 데는 시간이 걸리지만 이제 해결의 바탕은 성립이 된 것 같습니다.

북한은 핵 문제에 대해서 우리는 핵을 포기하겠다, 그 대신 미국은 우리의 안전을 보장하고 경제 제재를 해제하고 국제사회의 일원으로 참가하게 해 달라고 요구하고 있습니다. 거기에 대해서 미국은 그렇게 해 주겠다. 그러니까 핵을 철저히 검증해서 우리가 완전히 납득할 수 있도록 포기해라, 그렇게 해서 북·미 양쪽이 서로 이해가 일치하고 서로 주고받는 조건이 합의가 된 것입니다.

질문 차기 미국 대통령에게 세계 평화와 관련해서 말씀해 주고 싶은 내용은 무엇입니까?

김대중 여기 오면서 여러 가지 질문이 있을 거라 예상했지만 이렇게 엄청난 질문을 받으리라고는 생각하지 못했습니다.(웃음) 그러나 질문이 있으니까 제가 한 말씀 하겠습니다. 미국은 세계에서 가장 경제적으로 강한 나라입니다. 미국은 세계에서 가장 군사적으로 강한 나라입니다. 미국은 또 세계 민주주의의 대표적인 훌륭한 나라입니다. 미국이 세계 평화를 위해서 해야 할 일은 세계 사람의 마음을 얻어야 합니다. 세계 사람의 마음을 얻는 데는 그들로부터 존경받는 국가가 되는 것이라고 생각합니다. 최근 여론조사를 보면 한국, 프랑스, 영국, 일본 등 민주국가들의 절대다수가 미국을 존경하고 좋아합니다. 그러나 미국의 정책에 대해서는 동의하지 않는다는 조사 결과가 있었습니다. 이런 점에 있어서 미국은 세계의 우방 국가들과 함께 긴밀한 대화와 협력 속에서 세계 사람들의 마음을 얻는 노력을 해야 한다고 생각합니다.

그리고 중요한 것은 세계에 빈곤에 허덕이고 있는 나라가 너무도 많습니다. 세계 65억 명의 인구 중에 약 10억 명의 사람들이 하루에 1달러 미만으로 생활하고 있습니다. 에이즈, 말라리아 등 질병에 고통받고 있는 사람들이 많이 있습니다. 이런 점에 대해서 미국이 선도해서 세계의 부국들과 같이 빈곤을 해결하고 질병을 타파하는 노력을 하는 것이 미국이 전 세계로부터 지지받고 존경받는 평화 애호 국가가 되는 길이 아닌가 생각합니다.

질문 저는 9세 이하의 아이 5명을 집에서 홈스쿨링을 하고 있습니다. 그런데 오늘 강연의 주제인 '도전과 응전'을 듣고 큰 감명을 받았습니다. 왜냐하면 도전에 대해서 응전을 한다는 것이 크게 다가왔기 때문입니다. 내일부터 아이들을 가르칠 때 이러한 대통령님의 말씀을 전하고 또 도전과 응전에 관해서 말할 것입니다. 아주 좋은 교훈이었습니다.

김대중 제가 드린 말씀이 아이들 교훈에 도움이 된다고 하니 저 또한 무척 기쁩니다. 감사합니다.

보챔프 총장 여기 오신 모든 분들을 대신해서 오늘 이 자리에서 와 주셔서 감사합니다. 그동안 많은 분들이 여기 오셨지만 대통령님만큼 이렇게 좋은 말씀을 해 주신 분은 없었습니다. 진심으로 감사합니다.

---

* 김대중 대통령은 2008년 4월 15일, 10박 11일간의 일정으로 미국을 방문했다. 포틀랜드대학교 강연을 비롯해 다섯 차례의 연설, 토론회 등의 일정을 가졌으며, 이 강연이 있던 2008년 4월 17일 포틀랜드대학교에서 명예 박사학위를 받았다.

6자회담과 북한 경제

강연 포틀랜드 지역 경제인 오찬
일시 2008년 4월 18일

김대중 존경하는 포터 시장, 스파노비치 소장, 존 딕슨 월드트레이드센터 이사, 그리고 경제인과 귀빈 여러분!

저를 오늘 오찬 자리에 초청해 주신 데 대해서 진심으로 감사를 드립니다. 특히 포틀랜드 시장께서 오늘은 '김대중의 날'로 선포하고 환영해 주신 데 대해 큰 영광으로 생각하고 감사드립니다.

저는 젊은 시절에 한국에서 상당히 큰 규모의 연안 화물선 회사와 지방 일간지를 경영한 경험이 있습니다. 오늘은 여러분께 6자회담과 북한 경제에 대해서 몇 말씀 드리고자 합니다.

아시다시피 6자회담은 지금 북한의 핵 프로그램 신고 문제로 정체 상태에 있습니다. 그러나 6자회담은 큰 테두리에서 미국은 북한에 대해서 그들이 원하는 테러지원국 해제, 적성 국가 교역 금지 해제, 그리고 외교 관계 수립 등을 보장하기로 합의했습니다. 한편 북한은 핵을 완전히 포기하여 한반도 비핵화를 실현하기로 합의했습니다. 즉, 주고받는 합의가 이루어졌습니다. 그리고 합의의 일부는 성공적으로 진행되고 있습니다. 지금 북한 핵 프로그램에 대한 신고 문제로 회담 진행이 정체되고 있지만 북한 핵 문제는 6자회담을 통해 결국 해결될 것입니다. 그것이 미·북 양국이 바라는 결과이기 때문입니다. 북핵 문제를 전쟁이나 경제 봉쇄로 대처할 가능성은 매우 적다고 봅니다.

신사 숙녀 여러분!

북한은 흔히 가난한 나라이고, 경제적 가치가 별로 없는 것으로 생각되어 왔습니다. 그러나 북한이 가난한 것은 사실이지만 경제적 가치가 없는 것은 아닙니다. 북한은 풍부한 지하자원을 가지고 있습니다. 철, 동, 금, 마그네사이트, 텅스텐, 석탄 등 광물자원이 매우 풍부합니다. 한국 상공회의소의 보고에 의하면 2조 달러 가치의 지하자원이 묻혀 있다고 합니다. 지금 중국은 물론 유럽연합(EU) 국가들 즉, 영국, 프랑스, 독일, 스웨덴, 이탈리아 등이 북한 경제에 적극 진출하고 있습니다.

그뿐 아니라 북한은 우수하고 잘 훈련된 노동력을 풍부하게 가지고 있습니다. 북한의 노동임금은 중국의 1/3밖에 되지 않습니다. 또한 북한에는 매우 뛰어난 관광자원이 많이 있습니다. 그리고 남한의 철도가 북한으로 연결되면 유라시아 대륙을 횡단해서 파리, 런던까지 가는 기차가 태평양과 연결되는 것입니다. 약 30퍼센트의 물류 비용과 시간이 절약됩니다. 여기에 대해서는 러시아, 중국, 일본이 큰 관심을 갖고 있습니다.

저는 그동안 북한 경제 문제에 대해서 미국의 친구들에게 여러 번 호소해 왔습니다. "현재 북한 생필품의 80퍼센트는 중국이 공급하고 있고, 중국은 북한의 광산, 항만 등에 적극 진출하고 있다. 그런 북한의 지도자 김정일위원장은 중국 경제에 예속된 것을 매우 꺼리고 오히려 미국과 관계를 개선해서 한국과 미국, 유럽연합(EU) 등 여러 국가들과의 다각적인 경제 교류를 바라고 있다. 특히 미국과의 경제 협력을 열망하고 있다. 그러나 우리가 핵 문제의 완전한 해결을 기다리면서 북한 경제를 끝까지 외면하면 결국 북한은 중국에 매달릴 수밖에 없다. 만일 중국이 북한에 경제적 진출을 통해서 그 영향력을 더욱 확대시키게 되면 결국 중국은 북한에서 정치적 영향력까지 강화하게 될 것이다. 그렇게 되면 남한과 일본은 큰 압력을 받게 된다. 이것은 미국의 이익과도 직결된다. 따라서 우리는 북핵 문제의 해결을 서두르는 동시에 한편으로 민간 차원에서 북한 경제에 진출하여 중국과 균형을 잡는 조치를 취해야 할 것이다."

한국과 미국은 굳건한 군사동맹 관계를 유지하고 있고 이것이 동북아 전체의 안정에 결정적인 역할을 하고 있습니다. 한국은 과거 베트남전에 참전해서 5천여 명이 사망하고 1만여 명이 부상하는 희생을 내면서 미국에 협력해 왔습니다. 이라크에는 미국, 영국 다음으로 많은 수의 군대를 파견했습니다. 레바논과 아프가니스탄에도 지원 부대를 파병하고 있습니다. 한국은 또한 동아시아 국가 중 최초로 미국과 자유무역협정(FTA)을 맺는 나라이기도 합니다.

저는 한국과 미국이 북한 핵 문제 해결에도 같이 협력하고 북한의 경제적 진출에도 함께 나아가는 것은 양국의 이익에 알맞다고 생각합니다. 한반도는 동북아에서 군사적, 정치적, 경제적으로 미국에도 중요한 지역입니다. 북한의 지도자 김정일 위원장도 미군의 항구적인 한반도 주둔을 지지하고 있습니다. 국교 개시와 경제 협력을 열망하고 있습니다. 이것은 2000년 6월 제가 북한을 방문했을 때 김정일 위원장이 저에게 직접 한 말입니다. 김정일 위원장은 올브라이트 국무장관에게도 똑같은 말을 했습니다.

우리는 베트남이나 중국 같은 공산국가에 진출해 있습니다. 북한에도 진출하지 못할 이유가 없다는 것을 거듭 말씀드립니다. 한·미 양국은 6자회담을 성공시켜 한반도 비핵화를 실현시키는 일을 추진하면서 동시에 북한 경제에서 실리를 취하는 적극 추진해야 할 것입니다. 기업인 여러분의 이해와 찬동을 바라 마지않습니다.

질의응답

질문 톰 포터 시장께서 '김대중의 날' 선언문을 낭독하셨는데, 선언문의 마지막 부분에 "중국을 북한 경제 모델로 활용하여" 부분에 대해서 그 내용은 삭제하는 것이 좋겠다고 생각합니다. 왜냐하면 중국의 경제적인 부분은 어떤지 모르겠지만 인권 문제에 관한 이슈가 있기 때문에 삭제하는 것이 바람직하다고 생각합니다.

김대중 우리는 공산국가의 인권 문제에 대해서 오랫동안 거론해 왔습니다. 과거 소련에 대해서 거론하고 동유럽에서도 거론했습니다. 그러나 그러한 비판만으로는 성공하지 못했습니다. 50년에 걸친 봉쇄 정책을 버리고 소련과 동유럽 나라들과 대화를 통해 헬싱키협정 즉, 유럽안보조약을 체결해서 서로 안보를 보장하고 경제 협력을 하고 인적 교류, 문화 교류를 통해서 서로 공산권을 개혁 개방으로 유도했을 때 성공했습니다. 개혁 개방을 통해서 공산주의 사람들은 서방세계를 알게 되었고, 또 서방세계 사람들이 공산권으로 들어가서 그들과 접촉함으로써 큰 변화가 생겼습니다. 개방을 통해 소련과 동유럽 사람들은 과거 자기들이 세뇌당한 것처럼 서방세계가 악마의 세계가 아니고 매우 매력적인 세계라는 것을 알게 되었습니다. 또 공산국가가 낙원이 아니고 지옥 같다는 것도 깨닫게 되었습니다. 그래서 그들의 마음이 변해서 결국 고르바초프의 개혁 개방과 옐친의 민주화로 연결되었습니다. 우리가 오랫동안 전쟁과 군사적 대립으로는 해결하지 못한 문제를 이런 대화와 교류를 통해서 공산주의를 변화시키고 민주국가로 만드는 엄청난 성공을 한 것입니다.

중국에 대해서 말씀드리면, 중국은 한국전쟁에 참전하여 전쟁을 같이 했습니다. 그러나 우리는 이기지 못했습니다. 그 후 중국을 오랜 시간 봉쇄했지만 변화시키지 못했습니다. 그러나 닉슨이 중국을 방문해서 마오쩌둥을 만나고, 중국이 미국과 서방세계와 대화를 하고 국교를 하는 방향으로 변화시킨 결과 중국은 투자를 받아들이고, 우리가 중국으로 마음대로 여행할 수 있고 중국에서 살 수도 있을 정도로 변화를 했습니다. 베트남은 전쟁까지 했지만 아시다시피 이기지 못하고 나왔습니다. 그러나 지금 베트남은 외교와 교역을 통해서 안심하고 사업도 하고 교류도 하는 나라가 되었습니다. 많이 변화시킨 것입니다. 결국 저는 이렇게 변화를 시켜 가면 중국, 베트남에도 많은 중산층과 지식인이 생겨나고 결국 그들의 힘에 의해서, 내부적 힘에 의해서, 공산주의를 변화시키고 궁극적으로는 민주주의를 실현시키는 그런 날이 온다고 생각합니다. 무력이나 봉쇄 가지고는 안 된다는 것을 우리는 2차대전 이후 60년의 역사를 통해서도 배운 것입니다.

민주주의에는 승리의 미래가 있다, 공산주의에는 미래가 없다

김대중 지금 중국에서는 하루에 약 300건의 노동자, 농민, 하층민의 시위가 일어나고 있습니다. 그리고 그들의 주장에 대해서 정부는 때때로 받아들이고 있습니다. 최말단 행정기관에서는 선거도 하고 있습니다. 이러한 내용이 언론에 보도되지는 않았지만 현재 중국 내에서 국민들은 스스로의 권리와 인권에 대한 주장을 조금씩 하고 있습니다. 동시에 중국공산당의 공산당원 자격을 노동자, 농민에게만 국한했던 것을 이제는 기업인과 지식인에게도 당원 자격을 주고 있습니다. '3개의 대표론'이라고 합니다. 이것은 중산층 즉, 기업인과 지식인이 중국의 통치기구에 참가한다는 의미입니다. 마치 물이 조금씩 스며들듯이 그런 변화가 서서히 중국에서 일어나고 있습니다. 물론 궁극적인 변화는 현재 약 5천만 명에 이르는 중산층이 2억, 3억 명으로 늘어났을 때 과거 영국이나 프랑스의 민주주의 혁명 때 중산층이 민주주의를 쟁취해 낸 것처럼 중국에서도 그들이 그러한 힘을 발휘할 것이라고 생각합니다. 그것이 역사가 우리에게 준 교훈이라고 생각합니다.

민주주의에는 승리의 미래가 있습니다. 그러나 공산주의에는 미래가 없습니다. 우리는 소련과 동유럽에서 성공한 경험과 교훈을 살려서 세계의 공산국가에 대해서 인내심과 민주국가들의 공동 협력을 통해 노력해 나간다면 중국, 베트남, 북한에서 결국은 민주주의가 발전되는 그런 시대가 올 수 있다고 저는 역사의 교훈을 통해 믿어 의심치 않습니다.

질문 불가능하지는 않지만 북·미 관계 때문에 사실상 북한에서 사업을 하는 것이 어렵습니다. 만약 오리건에 있는 회사가 북한에 진출해서 공장을 짓고 사업을 할 계획을 가지고 있다면 어떤 말씀을 해 주고 싶으신지요?

김대중 북한은 조금 전에도 말씀드렸듯이 투자에 상당히 매력적인 장점들이 있습니다. 그러나 미국 기업이 진출하는 데는 여러 가지 제약이 있을 것입니다. 왜냐하면 북한은 미국의 적성국 교역금지법과 테러지원국 명단에 들어 있기 때문입니다. 지금 미국 기업들이 진출하는 데는 지장이 있지만 그러나 민간 차원에서 북한과 접촉하는 것을 미국 정부가 용인한다면 가능하다고 생각합니다. 북한은 현재 중국 기업만 들어오는 것을 꺼리고 있습니다. 그래서 유럽연합(EU) 국가들의 투자를 유치하고 있습니다. 그러나 앞서도 말씀드렸듯이 북한이 가장 바라는 것은 미국의 투자인 것입니다. 따라서 미국 정부가 어느 정도 제한된 범위 내에서라도 기업인들이 북한과 접촉하고 투자하는 것을 용인한다면 그것은 지금도 가능하다고 생각합니다. 더구나 최근 6자회담이 순조롭게 진행되고 있고 좋은 전망을 가지고 있기 때문에 저는 기업인들이 이러한 환경변화에 힘입어서 적극적인 관심을 가질 필요가 있다고 생각합니다.

북한 핵 문제는 해결될 것인가?

연설 포틀랜드 전미국제문제협의회(WAC)
일시 2008년 4월 18일

김대중 존경하는 마리아 울프 국제문제협의회(WAC) 오리건 회장, 메트 에시 이사회 회장, 국제문제협의회(WAC) 회원과 포틀랜드 시민 여러분!

전통과 권위를 자랑하는 국제문제협의회(WAC)의 초청에 감사를 드립니다. 국제문제협의회(WAC) 오리건은 2차 세계대전 후 미국의 고립주의에 반대하여 국제 문제 토론을 장려하기 위해 1974년에 결성된 빛나는 역사를 가지고 있습니다. 저는 미국에서 망명 중이던 1983년 5월 샌프란시스코 국제문제협의회(WAC)에서 오찬 연설을 한 바 있습니다. 오늘 여러분을 만나게 되어 매우 반갑습니다.

저는 "북한 핵 문제는 해결될 것인가?"라는 당면한 우리들의 의문에 대해서 몇 말씀 드리고자 합니다.

존경하는 여러분!

저는 1994년 제1차 북한 핵 문제로 미국이 무력을 사용하기 일보 직전에 있을 때, 그해 5월 12일 워싱턴 내셔널프레스클럽에서 연설한 바 있습니다. 그때 저는 "북한의 목적은 핵을 갖는 것이 아니라, 미국과 직접 대화를 해서 북한의 안전 보장과 경제 제재 해제, 국교 정상화 등을 얻는 것이다. 따라서 카터 전 대통령과 같은 분을 북한에 보내서 직접 대화를 하면 이 문제는 해결될 수 있다"고 주장했습니다.

냉전의 빙벽을 무너뜨리고 따뜻한 햇볕을 주고받자

김대중 저는 그때나 지금이나 일관되게 '햇볕정책'을 주장하고 있습니다. '햇볕정책'은 냉전의 빙벽을 무너뜨리고 따뜻한 햇볕을 주고받자는 것입니다. 이것은 대화 속에 모든 것을 평화적으로 해결하자는 것입니다. 평화 공존, 평화 교류, 평화 통일의 3원칙 아래 제1단계 남북연합, 제2단계 남북연방, 제3단계 완전 통일을 이룩하자는 것입니다.

클린턴 대통령은 저의 '햇볕정책'을 공개적으로 지지해 주었습니다. 2000년 6월 15일 제가 한국의 대통령으로서 방북해서 김정일 북한 국방위원장과 가진 정상회담도 환영해 주었습니다. 그 후 북한과 미국의 고위층이 상호 방문하는 가운데 미국은 북한을 테러지원국 명단에서 삭제하고, 적성국 교역금지법 적용을 해제하고, 국교 정상화의 방향으로 태도를 굳혔습니다. 이에 북한은 핵을 완전히 포기하고 미사일을 발사하지 않기로 합의했습니다. 모든 것이 순조롭게 진행되었습니다.

그러나 그해 미국 대선에서 부시 후보가 당선됨으로써 사태는 일변했습니다. 부시 대통령은 소위 '에이비시(ABC) 정책'에 의해서 클린턴 대통령이 이룩한 대북 합의들을 모조리 취소시켰습니다. 부시 대통령은 2001년부터 6년여 동안 북한과 대화를 거부하고, 대북 압박정책을 계속하였습니다. 그 사이에 북한 핵 문제는 한 발도 해결의 방향으로 나가지 못하고, 오히려 사태는 악화만 되었습니다. 즉, 북한은 핵확산금지조약(NPT)을 탈퇴하고, 핵 감시를 목적으로 상주하고 있던 국제원자력기구(IAEA) 요원을 추방하고, 장거리미사일 발사 모라토리엄을 해지했습니다. 그리고 마침내 2006년 10월 9일에는 핵실험을 하는 사태까지 왔습니다.

그러나 이러한 북한의 엄청난 도발 행위에 대해서 미국은 중동에 발이 묶여 있는 현실에서 북한에 군사행동을 할 수 없었습니다. 일본과 함께 경제 제재를 해 봤지만 그것도 결정적인 타격을 주지는 못했습니다. 마침내 부시 대통령은 이제까지의 태도를 바꿔서 클린턴 대통령과 제가 추진했던 북한과 직접 대화와 주고받는 협상 원칙을 받아들이게 되었습니다. 그리하여 2007년 2·13합의에 의해서 북핵 문제는 6자회담의 테두리 내에서 해결의 길을 걸어왔습니다.

그러나 이제 다시 북한 우라늄 농축프로그램(UEP)과 핵기술 이전을 둘러싼 진실 규명 문제가 6자회담의 진전을 가로막고 있습니다. 미국은 북한이 이 문제에 대해서 진실을 밝혀야 한다고 주장하고 있고, 북한은 "그런 일은 과거에도 없었고, 현재도 없고, 앞으로도 없을 것"이라고 말하고 있습니다.

때마침 최근 싱가포르 북·미회담에서 그간 북핵 문제의 가장 큰 장애 요소인 핵 신고 문제에 진전이 이루어진 것은 환영할 일입니다. 이를 계기로 6자회담에서 완전한 합의와 실천이 이루어지기를 기대합니다.

김정일 위원장을 만나 10시간 가까이 대화를 주고받았다

김대중 존경하는 여러분!

저는 북한의 김정일 위원장을 직접 만나서 10시간 가까이 많은 대화를 주고받았습니다. 김정일 위원장은 미국과의 관계 개선을 열망하고 있었습니다. 그가 핵을 개발한 것도 미국의 압박에 대처하고 미국으로 하여금 북한과 관계 개선에 나서도록 압력을 가하기 위한 면이 있습니다.

북한은 과거 조선왕조 말엽 망국의 역사에 비추어서도 주변 국가인 일본,

중국, 러시아를 경계하고 있습니다. 제가 김정일 위원장에게 "미군은 현재뿐 아니라 통일 이후에도 주둔해서 한반도와 동북아시아의 안정자 역할을 해야 한다"고 주장하자 이를 적극적으로 찬성했습니다. 그는 이러한 뜻을 그 후 올브라이트 미 국무장관이 방북했을 때도 전달했습니다.

북한이 필요한 것은 핵이 아니라 경제 회생이다

김대중 북한이 핵을 갖는다고 해서 지금 굶주림에 허덕이고 있는 북한 주민들을 먹여 살릴 수 있겠습니까? 북한이 필요로 하는 것은 핵이 아니라 경제의 회생입니다. 경제를 살리려면 미국이 도와주어야 합니다. 그래야만 국제통화기금(IMF)이나 아시아개발은행(ADB)에서도 돈을 빌릴 수 있습니다. 일본과 국교 정상화해서 100억 달러 내외가 되는 식민지 지배 대가도 받을 수 있습니다. 또한 세계 각국으로부터 투자도 받아들일 수 있습니다.

북한은 지하자원이 풍부한 나라입니다. 텅스텐, 마그네사이트, 금, 동, 석탄 등 자원이 풍부합니다. 항공기, 자동차, 전자 제품 등의 제작에 핵심 요소인 마그네사이트라는 희귀 광물은 세계 최대의 매장량을 가지고 있습니다. 북한의 전체 지하자원 매장량을 환산하면 약 2조 달러가 된다고 합니다. 이것만 개발한다면 북한은 가난도 극복할 수 있습니다. 그러나 이 개발을 위해서는 이미 말씀드린 바와 같이 미국의 지원이 필요합니다. 미국의 지원이 없으면 북한은 국제사회의 협력을 제대로 받을 수 없습니다.

지금은 자원 전쟁의 시대입니다. 자원을 가진 나라가 부국이 되는 것입니다. 자원을 가진 나라와 그 개발에 참여하는 나라가 큰 혜택을 보는 것입니다. 중국은 이미 북한 지하자원 개발에 나서고 있습니다. 유럽연합(EU) 국가들 즉, 영국, 프랑스, 독일, 이탈리아, 스웨덴 등도 부분적으로 참여하고 있습니다. 그러나 북한이 기다리고 있는 것은 미국입니다. 이미 말한 대로 미국의 협력이 있어야만 본격적인 경제 개발을 이룩할 수 있기 때문입니다.

북한 사회에 문화적 변화가 오고 있다

김대중 존경하는 여러분!

2000년 6·15정상회담 이후 한반도에는 많은 변화가 일어나고 있습니다. 무엇보다도 긴장이 크게 완화되었습니다. 전쟁의 위협이 많이 사라진 것입니다. 남한에 대한 북한 민심이 과거의 적대와 복수심에서 우호적 방향으로 변화해 가고 있습니다. 그들은 한국에서 보내온 식량과 비료의 포대에 남한의 상호가 적혀 있는 것을 보고 남한에서 지원한 것을 알게 되었습니다. 그리고 이를 보내 준 남한에 대해서 감사히 생각하고 남한이 잘사는 것에 대해서 부러워하고 있습니다.

이러한 북한 주민의 심리적 변화는 북한 사회의 문화적 변화까지 가져오고 있습니다. 지금 북한 주민 사이에는 남한의 대중가요가 유행하고, 텔레비전 드라마, 비디오, 영화 등이 상영되고 있습니다. 이것은 '햇볕정책'의 아주 중요한 성과라고 생각합니다. 새로 들어선 이명박 정부는 이러한 긍정적 변화를 잘 활용하고 발전시켜야 할 것입니다.

전쟁이나 경제적 봉쇄를 통해 한 번도 성공한 일이 없다

김대중 존경하는 신사 숙녀 여러분!

우리는 공산 종주국인 소련과 그 충실한 위성국인 동유럽을 변화시키고 민주화시켰습니다. 중국과 베트남도 크게 변화시켰습니다. 이 모두가 대화와 개방 유도를 통해서 이룩해 낸 것입니다. 전쟁이나 경제적 봉쇄를 통해서는 한 번도 성공한 일이 없습니다. 이 교훈은 북한에 대해서도 마찬가지입니다.

북한 핵 문제는 이미 말씀드린 6자회담 관계국과 긴밀한 협조 속에 북한을 대하는 것이 좋겠습니다. 우리는 자신을 가져야 합니다. 한반도 비핵화는 이룩될 수 있습니다. 북한을 국제사회의 일원으로 살아가도록 변화시킬 수 있습니다. 오늘의 저의 말씀이 여러분께 많은 참고가 되기를 바랍니다. 경청해 주셔서 감사합니다.

질의응답

질문 부시 대통령이 북한을 '악의 축'으로 선언한 것이 한국의 정치에 끼친 영향은 무엇이었습니까?

김대중 저는 햇볕정책을 통해서 북한 사람들이 남한에 대한 인식을 바꾸도록 노력했고 또 어느 정도 성공을 했습니다. 제가 대통령으로 재임했을 때 3년 동안을 클린턴 대통령과 함께 일하면서 서로 완전한 협력 속에 햇볕정책을 성공적으로 진행시켰습니다. 그러나 북한의 핵, 미사일 문제를 종결하기 전에 미국 대선으로 인해 정권이 교체되어 부시 대통령이 등장하게 되었습니다. 부시 대통령은 이미 말씀드린 대로 클린턴 대통령의 정책을 반대하고 있었기 때문에 북한과 대화하는 것과 주고받는 협상 전부를 거절했습니다. 저는 부시 대통령에게 한국의 대통령으로서 북한과 대화할 것을 강력히 주장했습니다. 저는 부시 대통령에게 "당신은 북한을 '악의 축'이라 해서 대화를 거부하는데 대화는 어떠한 악한 자라 하더라도 국가의 이익과 평화를 위해서 필요하면 하는 것이다. 과거 레이건 대통령은 소련을 '악마의 제국'이라 했지만 그 악마의 제국과 대화했다. 당신도 북한과 대화해서 주장할 것은 주장하고, 요구할 것은 요구하는 주고받는 협상을 하는 것이 좋겠다"고 말했습니다.

2002년 부시 대통령이 한국을 방문해서 저와 정상회담을 했습니다. 당시 우리는 장시간 좋은 토론을 통해서 북한과 대화하기로 합의했습니다. 그러나 이러한 합의는 결국 다시 번복되고 말았습니다. 그 후의 결과는 이미 말씀 드린 대로 북한의 핵확산금지조약(NPT) 탈퇴, 국제원자력기구(IAEA) 요원 추방, 미사일 발사, 핵실험 등의 불행한 상황만 계속되었습니다. 저는 대통령 재임 중 2년 동안 부시 대통령과 서로 많은 대화를 나누고 의견을 교환했습니다. 그러나 부시 대통령은 북한과 대화를 거부하고 협상을 하지 않겠다는 정책을 계속했습니다. 그러다가 마침내 부시 대통령이 태도를 바꿔서 북한과 대화하고 줄 것 주고, 받을 것 받는 협상을 하는 데 동의함으로써 이제 북핵 문제는 해결의 방향으로 나가고 있는 것입니다.

저는 대통령 퇴임 때인 2003년 이후에도 계속 일관되게 햇볕정책을 주장했습니다. 저는 현재 진행되고 있는 대로 부시 대통령이 북한과 대화하고 협상하는 태도를 가지고 6자회담을 진행시키는 것을 환영하고, 이것이 성공하기를 바라고 꼭 성공할 수 있다고 생각합니다. 그렇게 되면 남북 관계도 급속히 개선될 것입니다.(웃음과 함께 박수)

질문 동독과 서독이 통일한 후 상당히 많은 어려움이 있었습니다. 특히 서독에서는 높은 세금을 감당해야 하는 상황에서 불평불만이 일어나고 있는데 이런 문제가 한국에도 되풀이되리라고 생각하지 않았습니까?

우리는 베트남식 무력 통일도, 동서독식 흡수 통일도 찬성하지 않는다

김대중 저는 동서독이 통합한 직후 독일 본에 있는 대통령 궁에서 당시 폰 바이체커 대통령을 만났습니다. 저는 폰 바이체커 대통령에게 "한국에서 통일할 때는 독일이 통일한 것처럼 흡수 통일하거나 무리해서 하지 않겠다. 우리는 점진적으로 평화 공존하고 평화 교류해서 평화 통일을 하겠다"고 얘기했습니다. 저의 말에 폰 바이체커 대통령은 "미스터 김! 꼭 당신이 말한 대로 하시오. 우리는 너무 급속히 통일을 했기 때문에 여러 가지 문제에 신음하고 있습니다. 동서독 간의 베를린 장벽은 무너졌지만 마음의 장벽은 무너지지 않고 있습니다."라고 말씀한 적이 있습니다.

우리는 통일을 하더라도 베트남식의 무력 통일도 반대하고 동서독식의 흡수 통일도 찬성하지 않습니다. 점진적으로 서로 화해 협력하는 분위기를 조성하고 신뢰를 형성하는 것을 첫째로 추진해야 합니다. 동시에 우리는 미국의 지방자치와 같이 남과 북이 강력한 자치를 함으로써 북한 스스로 자기들의 국내 문제, 경제 문제를 해결하도록 지원할 것입니다. 남한이 모두 맡아서 하지 않을 것입니다. 그러나 외교, 국방문제만은 중앙정부가 맡아서 하도록 해서 단계적으로 완전 통일로 들어가는 통일을 추진하도록 할 것입니다. 한쪽이 한쪽을 숙청하고 전적으로 지배하는 것이 아니라 같이 공동 승리하는 통일을 추진해 나간다면 독일이 겪은 바와 같은 재정적 부담과 정신적 갈등은 극복해 나가면서 해 나갈 수 있다고 생각합니다. 제가 이러한 통일 방안을 얘기했을 때 폰 바이체커 대통령은 저의 의견에 전적으로 찬성하고 격려를 해 준 바 있습니다.

질문 미국이 북한의 경제 발전에 왜 그렇게 중요한지요. 중국이 오히려 지리적으로 가깝고 중국도 그만한 역할을 할 수 있지 않을까요?

북한이 경제를 회복시키려면 미국 동의 없이 아무것도 할 수 없다

김대중 북한이 경제 발전을 해 나가는 데 있어 미국이 중요한 이유는 첫째 북한 경제를 살리기 위해서는 국제통화기금(IMF)에 가입하고 국제통화기금(IMF) 지원을 받아야 하는데 국제통화기금(IMF)은 미국이 대주주입니다. 따라서 미국이 동의를 하지 않으면 북한은 가입할 수 없고 돈을 빌릴 수도 없습니다. ADB(아시아개발은행)도 마찬가지입니다. 둘째로 북한이 일본과 국교를 정상화한다면 약 100억 달러에 이르는 과거 식민지 지배에 대한 보상금을 받을 수 있습니다. 그런데 이것도 미국이 동의해야만 가능합니다. 일본은 미국이 동의하지 않는 일을 하려고 하지 않습니다. 따라서 이 문제도 미국의 입장이 아주 중요한 것입니다. 세 번째는 북한은 경제 발전을 위해서 미국이나 세계 여러 나라의 민간 자본의 투자가 필요합니다. 기술도 도입해야 합니다. 그런데 미국은 적성국 교역금지법을 북한에 적용하고 있기 때문에 외국에서 투자를 할 수 없고 또 기업들도 미국의 의사를 거슬러서 투자했다가는 많은 불이익을 받기 때문에 그런 일을 하려고 하지 않습니다. 이 점에 있어서도 미국의 동의가 절대적으로 필요합니다. 다시 말하면 북한이 경제를 발전시키고 회복시키려면 미국의 동의 없이는 아무것도 해낼 수 없다는 것입니다. 그러므로 북한은 미국과의 관계 개선을 절대적으로 중요시하고 있습니다.

질문 오늘 오찬 연설에서 "미국 기업들이 북한으로 많이 진출해서 투자를 해야 한다"고 말씀하셨는데 적성국 교역금지법 적용이 해지된다고 하더라도 북한에 안심하고 들어가서 일하기에는 한계가 있지 않을까요?

김대중 북한은 지금 외국 투자를 받아들이기 위한 여러 가지 법률적 준비를 하고 있습니다. 그리고 이미 말씀드린 대로 미국의 투자를 열망하고 있기 때문에 적성국 교역금지법과 핵 문제가 해결되어 미국이 북한에 들어가는 것을 북한은 크게 환영할 것입니다. 따라서 미국 기업은 완전하게 성공적으로 투자를 해 나갈 수 있습니다. 한 가지 더 강조하고 싶은 것은 과거 연결되어 있던 남북한 철도가 한국전쟁 이후로 운행이 중단되고 있는데 이 철도를 다시 연결하려고 남북 간 합의가 진행되어 왔습니다. 앞으로 철도가 연결되면 남한을 출발한 기차가 북한을 거쳐서 시베리아, 중앙아시아, 유럽의 파리, 런던까지 갈 수 있습니다. 이렇게 되면 물류 비용이 약 30퍼센트 절약됩니다. 또 이 철도가 연결되면 태평양 쪽에 있는 미국으로서는 한국을 통해 최근 경제적 가치로 크게 부상하고 있는 중앙아시아로 진출할 수 있게 되어 미국의 국익에도 중요한 것이 될 것입니다. 일본은 여기에 큰 관심을 갖고 한국과 일본 사이의 해저터널을 건설할 의향이 있다고 총리가 말한 바도 있습니다. 그래서 동아시아가 세계 경제의 중심이 되어 가는 이때에 미국이 한반도에 자리를 잡고 경제적 기반을 다져 나가는 것은 미국의 국익을 위해서 또 경제적 이익과 외교적 이익, 안보 등을 위해서도 아주 중요한 것이 될 것은 틀림없습니다. 이런 점에 있어서 미국이 많은 관심을 가져 주기 바랍니다. 중국은 세계 최대의 경제 국가로 부상해 가고 있습니다. 한반도에서 미국이 안정적 기반을 잡아서 한국과 같이 협력해서 중국에 진출하는 것도 미국 국익에 큰 도움이 될 것입니다.

질문 대통령 재임 시절에 겪으셨던 가장 큰 어려움은 무엇이었는지요?

김대중 가장 큰 어려움은 북한이 6·15정상회담을 통해서 남북 간 교류 협력을 적극 추진하기로 합의를 했는데 그러한 합의들을 북한이 자주 지키지 않아서 합의된 내용들을 진전시키는 데 지장이 있었습니다. 그런데 당시 그 문제는 북한 핵 문제 때문에 미국과 북한의 갈등으로 인해서 그것이 남북 관계에도 영향을 미쳤던 것입니다. 저는 재임 중 많은 일을 하려고 노력했지만 결국 큰 진전을 보지 못하고 퇴임했습니다. 그러나 6·15정상회담을 통해서 남북의 긴장이 완화되고, 과거 50년 동안 불과 200명밖에 만나지 못했던 이산가족이 1만 5천 명이나 만나고, 과거와 달리 남북 사이의 적대심이 많이 줄어들고 상호 이해가 이루어지는 등의 성과가 있었다고 생각합니다. 그러나 결국 북한 핵 문제로 인해서 남북 관계도 영향을 받아서 처음에 기대했던 것 이상의 큰 성과를 얻지 못했던 것이 제가 재임 중 아쉬워했던 점입니다.

질문 북한과의 관계를 개선하는 데 있어서 미국이 한반도에 계속 주둔해야 하는 이유는 무엇입니까?

미국은 한반도에서 평화의 다리, 균형자 역할에 큰 도움이 된다

김대중 조금 전에도 말씀드렸지만 김정일 위원장조차 미군이 한반도에서 반영구적으로 주둔하는 것을 바라고 있습니다. 그것은 과거 우리 주변의 강대국인 일본, 중국, 러시아가 우리나라를 병탄하기 위해서 전쟁을 하고 우리를 괴롭혔던 역사가 있기 때문에 그렇습니다. 미국은 태평양 건너에 있기 때문에 영토적 야심을 우리에게 가질 수 없고 또 미국은 그런 나라가 아니라는 것을 우리가 잘 알고 있습니다. 따라서 미군이 한반도에 와 있는 것이, 과거 우리를 괴롭혔던 주변 강대국들의 야심이 다시 일어나는 것을 막아 주고, 한반도가 강대국 사이에서 하나의 평화의 다리가 되어 균형자 역할을 하는 데 큰 도움이 된다고 생각하고 있기 때문에 미군이 한반도에 있는 것을 바라고 있습니다. 또 이미 말씀드린 대로 동아시아가 이제 세계의 중심이 되어 가고 있는데 태평양 국가인 미국을 위해서도 한반도에 미군이 와 있는 것이 미국 국익에도 큰 도움이 되리라고 생각합니다.

질문 미국은 곧 새로운 대통령을 뽑게 되는데 차기 미국 대통령에게 한반도 정책에 대해서 어떤 조언을 해 주고 싶으십니까?

김대중 한반도 정책은 미국이 북한에 대해서 세 가지의 선택이 있습니다. 하나는 북한이 핵을 갖고 평화를 해치는 것에 대해서 무력을 사용하는 것입니다. 그러나 미국은 지금 중동에 발이 잡혀 있어 한반도에 군사적 행동을 하기는 어려운 상황이고 또 그것이 성공한다는 보장도 없습니다. 둘째는 경제적 제재인데 이것은 미국과 일본이 지금 북한에 대해서 하고 있지만 결정적인 타격을 주지 못하고 있습니다. 오직 한 가지 길은 과거의 제가 클린턴 대통령과 같이 진행했고 현재 부시 대통령이 다시 그 길을 채용해서 하고 있는 대로 북한과 직접 대화하고 주고받는 협상을 해서 북한을 국제사회로 끌어내는 것입니다. 미국은 중국과 대화해서 많은 변화를 시켰습니다. 전쟁까지

했던 베트남과도 대화를 해서 국교를 정상화했습니다. 북한과 못 할 이유가 없는 것입니다. 그런 점에 있어서 북한을 중국이나 베트남과 같이 변화시키는 데 성공할 수 있다고 생각하고 있습니다. 그래서 미국이 그러한 방향으로 한반도 정책을 추진해 주시기 바랍니다.

한 가지 더 첨가할 것은 민주주의는 우리의 보편적 진리이고 역사의 길입니다. 공산주의는 자본주의에 대한 일시적 반동이지 진리가 아닙니다. 또 우리가 가야 할 길이 아닙니다. 우리는 소련과 동유럽을 변화시키고 민주화시켰습니다. 중국과 베트남도 많은 변화를 시켰습니다. 북한이라고 못 할 이유가 없는 것입니다. 민주주의가 최후에 승리한다는 자신을 가지고 슬기롭게 공산국가를 다뤄서 평화적으로 역사적 성공과 발전에 기여할 필요가 있다고 생각합니다. 이러한 점에 있어서 한국 국민은 미국 국민과 기꺼이 협력해서 그러한 성공의 길을 갈 용의가 있다는 것을 여러분께 말씀드리면서 여러분의 큰 성원을 바라 마지않습니다. 감사합니다.

세계 평화의 길

대담 드루 길핀 파우스트

일시 2008년 4월 22일

파우스트 대통령님께서 1983년 하버드에서 수학하셨을 때 계셨던 데릭 복 총장을 어제 만났습니다. 데릭 복 총장은 현재 '행복'을 주제로 책을 쓰고 있는데 대통령님을 만나 뵙게 된다고 하니 안부를 전해 달라고 하셨습니다.

김대중 데릭 복 총장께서는 1985년 제가 귀국할 때 필리핀의 아키노 상원 의원처럼 귀국 도중 공항에서 사망하는 일이 발생하면 안 된다고 미국 『뉴욕타임스』에 저의 안전 귀국을 촉구하는 칼럼을 게재하기도 했습니다. 파우스트 총장께서 역사학 분야에 권위가 있으신데 저 또한 관심이 많습니다. 만나서 반갑습니다.

파우스트 저 역시 대통령님을 뵙게 되어 무척 반갑습니다. 저는 얼마 전에 '죽음과 전쟁'에 관한 책을 저술한 적이 있습니다. 그러나 이 책이 세상에 대해서 너무 우려하는 시각으로 쓴 것이 아닌가 걱정됩니다만 간접적으로나마 평화 활동을 고무시킬 수 있기를 바랍니다.

고통받는 사람에게 희망을 주는 것

김대중 평화는 세계적으로 중요한 문제입니다. 빈곤 퇴치, 질병 치료 등을 통해서 고통받는 사람들에게 희망을 주어야 합니다. 이런 문제가 해결되지 않으면 세계 평화는 요원할 것입니다.

파우스트 대통령님께 여쭙고 싶은 내용이 있습니다. 한국 특히 동북아 평화 문제와 관련하여 미국이 해야 할 일은 무엇이 있을까요?

김대중 현재 미·일·중·러와 남북이 참여하는 6자회담에서 북핵 문제가 해결되면 그것을 해체하지 말고 동북아 안보 유지 체제로 나가자는 합의가 있습니다. 저는 6자회담을 통해서 핵 문제가 머지않아 해결될 것으로 생각합니다. 그때 미국이 적극적으로 6자회담을 동북아 평화 체제로 만들어 나가는 데 주도해 주기를 바랍니다. 미국이 중국과 잘 협력해 동북아와 세계 평화에 이바지할 수 있으면 좋겠습니다. 미국은 중국이 국내 문제에 전념하도록 유도하여 결과적으로는 6자회담에 참여하는 한국, 미국과 함께 동북아 평화 문제에 적극 협력하도록 노력해야 할 것입니다. 오늘 저녁 케네디스쿨에서 할 연설문을 드릴 테니 읽어 보시기 바랍니다. 중국 문제에 관한 내용이 있습니다.

파우스트 저도 어떤 내용으로 말씀하실지 무척 궁금했습니다. 저는 지난번에 중국 베이징을 방문하여 대학 관계자들을 만나 중국의 시사 문제, 역사 문제 등에 관해 대화를 나누었습니다. 당시에 중국이 직면한 상황에 대해 무척 궁금했는데, 방금 대통령님께서 말씀하신 대로 심각한 군사적 위협을 느끼지 않도록 하여 내정에 전념하도록 유도하는 것이 중요하는 말씀 내용은 참으로 흥미로운 것 같습니다. 베이징올림픽으로 중국 관련 상황이 앞으로 어떻게 전개될 것인지 중요한 국면인 것 같습니다. 지금 중국의 내정 문제가 국제 문제로 발전하고 있습니다. 내부의 민족주의 의식이 분출하고 있습니다.

김대중 중국은 미국이나 외부 세계가 군사 위협이 된다고 생각하지 않으면 내정에 전념할 것입니다. 그러면 중국의 민주화 전망이 가능합니다. 그러나 중국이 안보 위협을 느끼게 되면 배타적 민족주의가 발생하여 군부가 주도권을 장악하게 되어 위험한 상황이 올 수도 있습니다. 그러므로 미국, 일본은 중국이 민주화의 길을 가도록 협력해야 할 것입니다.

파우스트 제가 중국을 방문했을 당시 대만에서 선거가 있었습니다. 대만에 신정부가 들어서면 평화가 더욱 진전될 것으로 전망하는 의견들이 있었는데 대통령님 의견은 어떻습니까?

김대중 저도 그렇게 봅니다. 과거의 대만 정부는 독립과 유엔 가입 등 과격한 주장을 했고 그것을 미국도 반대했습니다. 그런데 새로 출범한 정부는 중국과 평화 공존과 관계 개선을 지향하는 것 같습니다.

파우스트 현 대만 총통도 하버드대 동창입니다. 지금 베이징올림픽 사태는 중국 정부의 통제를 벗어난 것 같습니다. 중국 내부에서뿐 아니라 외부에서도 시위와 항의가 일어나고 있습니다. 중국과 세계 각국이 어떻게 다룰지 중요한 이슈로 떠오르고 있습니다.

중국, 소수민족에게 자치를 허용하는 방향으로 타협할 것

김대중 현재 올림픽 개최를 둘러싸고 최근 일어나고 있는 중국 정부 반대 시위는 지나치게 파괴적이지 않으면 이것은 중국이 반성하고 뭔가 깨닫게 되는 계기가 될 것입니다. 그러나 올림픽을 해치는 정도로 발전하면 중국의 민족주의는 자극을 받아 반외세적 성향을 띠게 될 것입니다. 중국의 소수민족 문제도 중요합니다. 대만, 티베트, 신장웨이우얼 등 현재 독립 문제로 억압하고 있으나 어느 시점이 되면 미국의 연방제도와 같은 시스템으로 소수민족에게 자치를 허용하는 방향으로 타협을 하지 않으면 사태가 수습할 수 없게 될 것입니다. 그러므로 중국이 여유를 갖고 판단할 수 있도록 세계는 충고하고 협력해야 할 것입니다. 미국이 이를 설득하는 것이 중요합니다.

파우스트 하버드대 내에 한국학 연구에 대한 관심이 증가하고 있습니다. 대통령님께서 수학하셨던 1980년대 이후 하버드대의 국제 학생의 비율이 높아졌습니다. 그중에서 한국 학생의 비율이 아주 높아졌습니다. 현재 중국 학생 다음으로 가장 많은 수가 한국 학생입니다. 그래서 한국학이나 한국 언어에 대한 과정도 늘어나고 있습니다.

김대중 한국 학생들이 하버드와 같은 훌륭한 곳에서 공부할 기회를 주어서 감사합니다. 한국은 과거 1000년 동안 '과거'라는 시험제도가 있었습니다. 서양의 봉건제도와 달리 행정 관료를 선출할 때 '과거' 제도를 통해서 선발했는데 지배층의 자식이라도 '과거' 시험을 통과해야만 관료가 될 수 있었습니다. 이러한 사유로 한국에는 교육열이 높고 유대인에 버금가는 교육열과 전통을 갖고 있습니다.

파우스트 개인적인 일을 한 가지 말씀드리겠습니다. 제 딸과 절친한 친구 중 한 명은 캔자스에서 출생한 재미교포인데 하버드대에 다니기 전까지는 한국에 대해서 잘 몰랐다고 합니다. 그러나 하버드를 다니면서 오히려 한국과 한국 언어에 대한 관심이 많아져 지금은 그 분야의 학자의 길을 가게 되었습니다. 이렇게 하버드대는 다양한 문화가 존재하고 있습니다.

통일을 준비하면서 링컨의 교훈을 배우고자 한다

김대중 파우스트 총장께서 미국 역사를 전공하셨으니까 한 가지 질문을 드리고 싶습니다. 링컨이 남북전쟁 후에 남부 사람을 차별하는 의견에 반대하지 않았다면 당시 미국은 남북으로 분단되었을까요? 링컨이 그 분단을 막는 데 결정적인 역할을 한 것입니까?

파우스트 흥미로운 질문입니다. 언제나 역사를 다른 시각으로 바라보는 것은 흥미롭고 어려운 문제입니다. 링컨은 당시 꼭 필요했던 리더십을 보여주었습니다. 그가 없었다면 미국이 남북으로 갈라졌을 가능성이 크다고 할 수 있습니다.

김대중 제가 이러한 질문을 드리는 이유는 미국의 남북전쟁은 과거의 얘기지만 한국은 지금도 분단되어 있고 통일을 준비하는 과정이기 때문에 링컨의 교훈을 배우고자 질문해 봤습니다. 오늘 시간 내어 주셔서 감사합니다.

파우스트 저 또한 즐거운 시간이었습니다.

<hr/>

* 미국 보스턴을 방문 중이었던 김대중 대통령 내외는 2008년 4월 22일 오전 미국 최초의 여성 하버드대학교 총장인 드루 길핀 파우스트 총장의 집무실로 찾아가 약 30여 분간 환담을 나누었다. 총장 집무실에 도착한 김대중 대통령은 "敬天愛人, Respect Heaven Love People, 경천애인" 세 개 언어로 방명록에 서명을 하고 과거 하버드대에서의 추억과 동북아 평화 문제, 중국 문제 등을 주제로 대화를 나누었다.

햇볕정책이 성공의 길이다

강연 하버드케네디스쿨 정치연구소 포럼
일시 2008년 4월 22일

김대중 존경하는 제임스 리치 소장, 보즈워스 플레처스쿨 학장, 교수 및 학생 여러분, 그리고 내빈 여러분!

오늘 저를 저명한 '하버드케네디스쿨 정치연구소(Institute of Politics) 포럼'에 초청하여 말씀드릴 수 있는 기회를 주신 것을 큰 영광으로 생각하고 감사해 마지않습니다. 저는 미국 망명 중이던 1983년 이 대학의 국제관계센터(CFIA)에서 방문연구원(Visiting Fellow)으로 1년간 체재한 바 있습니다. 그리고 여기에서 『대중참여경제론』(Mass Participatory Economy)을 저술했는데 하버드 대학 출판부에서 출판을 해 주는 영광을 가진 바도 있습니다. 하버드 대학의 명예로운 한 식구로서 24년 만에 다시 방문한 저의 감회는 참으로 가슴 벅차고 기쁨에 차 있습니다. 여러분 모두에게 사랑과 우정의 인사를 드리는 바입니다.

존경하는 여러분!

저는 오늘 이 자리에서 「햇볕정책이 성공의 길이다」라는 제목으로 몇 말씀 드리고자 합니다. 저는 30년 이상 긴 세월 동안 이솝의 우화에서 말한 바와 같이 "행인의 망토를 벗기는 것은 차가운 북풍이 아니라 따뜻한 햇볕이다. 공산주의를 성공적으로 변화시키는 길도 무력 사용이나 냉전적 봉쇄가아니다. 평화적 공존이나 평화적 교류를 통해서 안전을 보장하고 경제, 문화, 인적 교류 등을 촉진시키는 데 있다."라고 주장해 왔습니다.

1998년 대통령 취임식에서 정식으로 햇볕정책을 천명하고, 북한 김정일국방위원장과의 정상회담을 제안했습니다. 그 후 2000년 6월 15일 역사적인남북정상회담이 열렸습니다. 50만 명의 평양 시민이 환영하는 가운데 이루어진 저의 방북은 큰 성공을 거두었습니다. 저는 김정일 위원장에게 "우리는공산주의를 절대로 수용하지 않지만 그렇다고 우리가 북한 체제를 전복시킬의사가 없다. 통일도 무력 통일이나 흡수 통일이 아니라, 평화적 공존, 평화적 교류, 평화적 통일의 원칙 아래 남북이 공동 승리하는 통일을 바란다"고강조했습니다. 그리고 한반도의 평화를 위해서 북한과 미국의 관계 개선을강조하고 제가 그 중재에 나설 것을 제안했습니다. 김정일 위원장은 미국과의 관계 개선을 열망하고 있었습니다.

저는 당시 클린턴 대통령에게 북한의 자세를 설명하고 북한을 따뜻하게감싸도록 요청했습니다. 저의 햇볕정책을 일관되게 지지하던 클린턴 대통령은 저의 건의를 쾌히 수락했습니다. 클린턴 대통령은 북한의 제2인자인 조명록 국방위원회 부위원장을 백악관으로 초청하고, 올브라이트 미 국무장관을북한에 보내 김정일 위원장과 만나게 했습니다. 그리하여 미·북 간에는 북한의 미사일과 핵 문제를 평화적으로 해결할 것과 북한에 대한 제재를 해제하고 미·북 간의 국교를 정상화하는 문제 등이 합의되었습니다. 말하자면 미국이 취한 햇볕정책의 실현이었던 것입니다.

그러나 이러한 합의들이 채 마무리되기 전에 클린턴 대통령의 임기가 끝나고 부시 정권 시대가 왔습니다. 그리고 사태는 일변했습니다. 부시 대통령의 '에이비시(ABC) 정책'은 클린턴 대통령이 해 놓은 것을 전면적으로 배제했습니다. 따뜻한 햇볕의 시대가 차가운 북풍의 시대로 다시 역전한 것입니다. 그 후 6년 동안 북한은 핵확산금지조약(NPT)을 탈퇴하고 북한 핵 시설을 감시하던 국제원자력기구(IAEA) 요원도 추방했습니다. 장거리미사일을 발사했습니다. 그리고 마침내 2006년 10월 핵실험까지 하게 된 것입니다. 지금까지 북핵 문제는 해결을 보지 못하고 있습니다.

햇볕정책은 큰 성공을 거뒀다

김대중 한편 남북정상회담을 통한 저의 햇볕정책은 큰 성공을 거뒀습니다. 남북 간의 긴장이 크게 완화되었습니다. 남한은 북한 지역에 들어가 공단을 건설하고 관광사업을 하게 되었습니다. 금강산 관광을 180만 명이 다녀왔습니다. 과거 50년 동안 200명밖에 만나지 못했던 이산가족이 이제 1만 6천 명이나 상봉을 했습니다. 남한은 또한 북한에 매년 40만 톤의 식량과 30만 톤의 비료를 지원해 주었습니다. 북한 전역에 남한의 생산자 이름이 적혀 있는 수억만 개의 포대가 퍼져 나갔습니다. 그동안 남한을 미워하고 남한이 미 제국주의의 앞잡이가 되어 북한을 침략하려 한다고만 생각했던 그 한국에서 이렇게 자기들의 굶주림을 해결하기 위해서 비료와 식량을 보내 준 데 대해서 북한 주민들은 놀랐습니다. 지금까지의 적개심이 우정으로 변했습니다. 그리고 남한을 부러워하고 남한처럼 잘살고 싶다는 생각을 갖게 되었습니다.

이러한 심리적 변화는 문화적인 변화까지 나타나게 되었습니다. 현재 북한에서는 남한의 대중가요를 부르고, 텔레비전 드라마를 보고, 영화가 상영되고 있습니다. 물론 비밀리에 말입니다. 이 얼마나 큰 변화입니까! 얼마나 자랑스러운 햇볕정책의 성공입니까!

햇볕정책의 유용성은 국제적으로도 그 효력이 입증되었다

김대중 존경하는 여러분!

무력 사용이나 냉전 대결을 배제하고 대화와 교류 협력을 통해서 문제를 해결하려는 햇볕정책의 유용성은 한국에서만 성과를 얻은 것이 아니라 국제적으로도 그 효력이 입증되었습니다. 미국 등 서방세계는 과거 50년 동안 소련의 공산당과 무장대결하고 냉전적 봉쇄를 계속했습니다. 그러나 어떠한 성공도 이룩하지 못하고 변화도 시키지 못했습니다. 마침내 미국은 소련과 대화하고 교류 협력하기로 태도를 바꿨습니다. 이를 뒷받침하기 위해서 유럽안보협력조약 즉, 헬싱키협정이 체결되었습니다. 경제 교류, 문화 교류, 인적 교류 등이 합의되고 동유럽 국가들의 주권도 보장되었습니다.

그 결과 공산권 내의 사람들은 외부로 나갈 수도 있고, 외부 사람을 받아들일 수도 있게 되었습니다. 그들은 큰 충격을 받았습니다. 외부 세계가 그동안 자기들이 세뇌당한 대로 나쁜 사회가 아니고 매력적인 사회라는 것을 알게 되었던 것입니다. 자기들이 사는 곳이 낙원이 아니라 지옥과 같은 사회라는 것도 깨닫게 되었습니다. 마침내 민심이 바뀌었습니다. 내부적인 동요가 일어난 것입니다. 이것이 소련과 동유럽 일대의 민주화로 이어진 것입니다. 냉전의 북풍으로는 공산주의의 망토를 벗기지 못했지만 따뜻한 햇볕으로는 성공한 것입니다. 또한 중국이나 베트남에서도 전쟁이나 봉쇄로는 성공하지 못했지만 외교 관계 수립과 교류 협력을 통해서 지금 보고 있는 바와 같이 상당한 변화를 가져왔습니다. 그렇게 인류를 위협했던 공산 제국은 이제 역사의 본 무대에서는 사라졌고 나머지 국가들도 큰 변화를 이루고 있습니다. 이 모든 것이 유연한 햇볕정책의 큰 성공이 아니고 무엇이겠습니까!

중국의 선택이 전 인류의 운명에 지대한 영향을 미친다

김대중 존경하는 여러분!

이제 여러분의 관심이 많은 중국에 대해서 몇 말씀 드리겠습니다. 중국의 경제 대국화는 역사의 필연이라고도 볼 수 있습니다. 1820년 당시 중국의 국내총생산(GDP)은 세계 총 국내총생산(GDP)의 27퍼센트였고, 인도는 14퍼센트였다고 합니다. 영국은 5퍼센트, 미국은 1퍼센트였다고 합니다. 그러나 산업혁명의 여세를 타고 순식간에 영국, 미국이 세계 경제를 제패하는 시대가 왔습니다. 산업혁명에 뒤진 중국과 인도는 식민지, 반#식민지 상태로 전락했습니다. 이제 다시 중국과 인도가 일어선다 하더라도 결코 우연만은 아닌 것 같습니다. 역사의 뒤풀이를 가져올 수 있는 저력의 표출이라고 볼 수 있기 때문입니다.

우리가 궁금해하는 것은 과연 경제적 거인이 된 중국이 정치적으로 어느 방향으로 나아갈 것이냐 하는 문제입니다. 민주주의냐, 배타적 민족주의냐, 어느 길을 선택하느냐에 따라 전 인류의 운명에 지대한 영향을 미칠 것입니다. 여기에는 미국의 태도가 매우 중요합니다. 미국이 일본 등과 함께 중국에 과도한 군사적 압력을 가하면 중국의 민족주의는 폭발하고 군부가 세력을 장악하게 될 것입니다. 파멸적인 위험한 시대가 올 수 있습니다. 그러나 미국이 중국이 위협을 느끼지 않을 만큼 균형 잡힌 군사력만을 유지하고 내정에 전념하도록 유도한다면, 다시 말하면 일종의 햇볕정책을 실시한다면, 중국의 민주화에 대한 희망은 가져 볼 수 있다고 생각합니다.

그 이유는 첫째, 중국에는 사상적으로 민주주의와 상통하는 뿌리와 전통이 있기 때문입니다. 중국의 유교는 인본주의적 가르침으로서 백성을 하늘로 삼는 것입니다. 공자 다음으로 유교의 종주인 맹자는 지금부터 2,300년 전 엄청난 선언을 했습니다. 맹자는 다음과 같이 말했습니다.

"황제는 하늘의 아들이다. 하늘이 백성에게 선정을 하라고 황제의 자리를 맡긴 것이다. 만일 황제가 선정을 하지 않고 백성을 학대하면 백성은 하늘을 대신하여 들고일어나서 폭군을 쫓아낼 권리가 있다."

중국은 역사적으로 대략 200년마다 새로운 왕조들이 탄생했는데, 혁명 세력이 임금을 몰아낼 때에는 맹자의 이러한 주장을 원용해서 자신들의 혁명을 정당화했던 것입니다. 맹자의 주장은 일종의 인민주권론으로서 서구 민주주의의 사상적 원조인 17세기 존 로크의 사회계약론 주장보다 2천 년이나 앞선 것입니다. 이렇든 중국에는 민주주의적 사상과 전통의 요소가 연면連綿히 지속되고 있습니다.

둘째, 중국에는 현재 약 5천만 명 이상으로 추산되는 중산층이 형성되고 있다는 사실입니다. 이러한 중산층의 대두는 산업혁명 이후 영국이나 프랑스 등 서구 사회에서 본 바와 같이 반드시 민주주의를 요구하게 됩니다. 한국도 한 예가 될 것입니다. 실제로 중국공산당은 수년 전에 당헌을 개정하여 중산층을 공산당원으로 받아들였습니다. 즉 '3개 대표론'이라 하여 과거에는 노·농 세력만이 공산당 당원 자격이 있었는데 이제는 기업인과 지식인도 당원이 될 수 있도록 했습니다. 중산층이 집권 공산당의 일원이 된 것입니다.

셋째, 현재 중국에는 매일 300여 건 이상의 농민, 도시 빈민, 노동자의 시위가 발생하고 있습니다. 그런데 이들 시위는 대체로 비폭력적이고 정부는 온건하게 대응하고 있습니다. 때로는 시위자들의 주장을 수용하기도 하고 있습니다. 최말단의 행정단위에서의 선거도 이루어지고 있습니다. 이것도 민주화를 위해서 좋은 징조라고 볼 수 있습니다.

중산층과 지식인이 늘어나면 민주주의 압력은 제압하기 어렵다

김대중 넷째로 집권 세력 내에 주목할 만한 논쟁이 일어나고 있다는 사실입니다. 공산당 내에는 신좌파와 신우파가 대결하고 있습니다. 신좌파는 "중국이 빈부 격차와 부정부패로 시달리고 있는데, 그 원인은 자본주의를 채택한 결과이다. 따라서 과거 마오쩌둥 시대의 계획경제로 돌아가야 한다"고 주장하고 있습니다. 그러나 신우파는 "그렇지 않다. 부정부패와 빈부 격차는 민주주의를 하지 않기 때문이다. 민주주의를 하면 인민의 힘으로 부정을 척결할 수 있고 투명하고 공정한 경제 정책을 실현시켜 빈부 격차를 없앨 수 있다. 중국도 복수정당제를 채택해야 한다. 그리고 장래에는 스웨덴과 같은 사회민주주의를 받아들여야 한다"고 주장하고 있습니다. 주목할 것은 후진타오 주석이 이러한 신우파의 주장에 대해서 상당히 공감하고 있다는 사실입니다.

여러분! 중국의 중산층과 지식인이 2억, 3억 명으로 늘어난다면 그들의 민주주의에 대한 압력은 제압하기 어려워질 것입니다. 큰 변화가 올 것입니다. 중국의 경제 발전 속도로 보아 그날이 머지않았습니다.

존경하는 여러분!

거듭 말씀드립니다. 저는 역사의 교훈에 비추어 또 저 자신의 경험에 비추어 햇볕정책이 공산주의를 성공적으로 변화시키는 길이 될 것이라고 믿어 의심치 않습니다. 지금 북한 핵 문제 해결을 위해 진행 중인 6자회담도 햇볕정책의 성공적인 사례가 될 것입니다. 지금은 어느 때보다 미국을 위시한 세계 민주국가들이 현명한 자세로 중국, 베트남, 북한 등을 대해야 할 때입니다. 성공의 신은 우리에게 미소를 지을 것입니다. 경청해 주셔서 감사합니다.

질의응답

질문 현재 햇볕정책은 한국인들의 지지 속에 많은 성과를 냈습니다. 그러나 햇볕정책을 추진하는 데 있어서 국민들의 편협한 민족주의 때문에 국민의 지지를 얻는 것이 쉽지 않을 텐데요. 대통령님께서는 어떻게 국민들이 편협한 민족주의를 극복하여 햇볕정책을 지지할 수 있도록 하셨는지요?

햇볕정책은 민족주의와 배치되는 개념이 아니다

김대중 햇볕정책은 민족주의와 배치되는 개념이 아닙니다. 내 이웃 나아가서 세계와 평화롭게 살고 모든 문제를 대화를 통해서 풀고 공동 승리하는 방안을 찾는 것입니다. 따라서 자기 민족의 이익은 물론 이웃의 이익까지 공동 승리하는 정책으로서 민주주의에 배치되는 개념은 아닙니다.

질문 아시아에서 특히 미얀마의 아웅산 수지 여사라든지 티베트의 달라이 라마 같은 사람들이 투쟁을 하고 있는데 햇볕정책이 인권 문제와 관련된 내용에도 적용이 가능한가요? 즉 개인과 국가의 문제가 아니라 국가와 국가 단위에 조화로운 관계를 이루고, 나아가서 이러한 인권을 무시하는 처사에 대해서 개입하는 등 이것을 효과적으로 해결하는 데 적용될 수 있을까요?

김대중 당연히 개인, 국가 나아가서 세계 단위에 적용할 수 있습니다. 왜냐하면 이것은 분쟁을 평화적으로 해결해서 공동의 이익을 추구하자는 것이기 때문입니다. 미얀마든 티베트든 분규가 있는 모든 곳에서 대화를 통해서 공동 승리를 추구하고 주고받는 협상을 해야 한다는 것입니다. 그리고 역사적으로 볼 때 이러한 평화적인 해결책이야말로 유일한 성공책이라고 할 수 있습니다.

질문 햇볕정책이 훌륭한 정책이라는 데는 추호의 의심도 없습니다. 그러나 실질적으로 남한이 많이 지원한 데 비해서 북한은 그만큼 대응을 하고 있지 않아 보이는데 이것이 진정한 상호주의적인 정책이 되려면 어떻게 해야 할까요?

햇볕정책은 쌍방이 혜택을 받는 것을 추구하는 것

김대중 6자회담은 북한 핵 문제를 대화로 풀어 가자는 것인데 북한이 핵을 포기하고 협력하기 시작하면 미국과 세계는 북한의 안전을 보장하고, 경제 제재를 해제하고, 국교 정상화를 하게 될 것입니다. 그렇게 되면 북한이 국제 사회의 일원으로 받아들여지겠지요. 이것이야말로 주고받는 협상, 진실로 상호주의적인 태도라고 할 수 있습니다. 즉 햇볕정책은 쌍방이 혜택을 받는 것을 추구하는 것입니다.

질문 중국이 티베트의 인권 탄압을 하는 것을 세계적 지도자들이나 세계 각국이 어떻게 대응해야 한다고 생각하십니까?

김대중 제가 하버드에 연설을 한다고 하니까 한국의 친구들이 가지 말라고 말렸습니다. 케네디스쿨이 얼마나 터프한 곳인데 그런 곳을 가느냐고 말렸지만 저는 용기를 내어 왔습니다. 그런데 오늘 보니 친구들의 충고가 헛되지 않았다는 것을 알 수 있습니다.(웃음) 티베트의 인권 문제나 이와 유사한 문제는 세계적으로 아주 많습니다. 세계는 당연히 티베트에 관심을 가져야 합니다. 중국 정부는 티베트의 대표와 만나서 대화를 해야 하고 그래서 합리적인 협상을 해야 합니다. 티베트의 지도자인 달라이 라마가 요구하는 것은 완전한 독립이 아니라 미국의 연방제와도 같은 충분한 자치를 인정하라는 것이기 때문에 중국 정부도 티베트와 타협의 여지가 충분하다고 생각합니다. 먼저 티베트와 대화를 하고 주고받는 협상을 할 수 있습니다. 그런데 협상을 할 때 가장 중요한 것은 공동 승리가 되어야 한다는 것입니다. 나도 승리하고 너도 승리할 수 있을 때만 협상은 성공할 수 있고 그 협상은 오래갈 수 있습니다. 그렇지 않으면 상황은 악화될 뿐이고 폭발일로로 갈 뿐입니다. 그러므로 중국 정부의 현명한 태도를 바랍니다.

질문 햇볕정책의 장애에 대해서 말씀드리고 싶습니다. 한국은 우익 언론이나 좌익 언론에 따라서 햇볕정책에 대해 지지하기도 하고 비판을 하기도 합니다. 그런데 이처럼 한국 언론이 양분되어 있는데 앞으로 한국 언론이 햇볕정책과 관련해서 어떤 역할을 해야 한다고 생각하십니까?

한국인들은 남북 간의 전쟁이나 대결을 원하지 않는다

김대중 지적했듯이 햇볕정책에 대한 한국 언론의 지지는 양분되어 있습니다. 무시하기도 하고 비판하기도 합니다. 그러나 중요한 것은 언론보다 국민의 여론입니다. 햇볕정책은 제가 북한을 방문한 이래로 때로는 60퍼센트의 지지를 받고 때로는 80-90퍼센트의 지지를 받았습니다. 한국인들은 우익이 되었든 좌익이 되었든 다시 남북 간의 전쟁이나 대결을 원하지 않습니다. 그런데 햇볕정책은 남북이 다 같이 화해와 협력 속에 살다가 점차 통일국가를 이루자는 것입니다. 그렇기 때문에 일부 언론에서 햇볕정책을 반대하거나 지지할 수 있지만 국민 여론이 더 중요한 것이고, 국민의 대다수는 햇볕정책을 지지하고 있습니다. 그렇기 때문에 햇볕정책은 성공할 것으로 믿고 또 햇볕정책 이외에는 다른 방법이 없다고 생각합니다. 화해와 공동 승리를 추구하지 않는다면 전쟁을 하겠습니까? 전쟁을 할 수는 없습니다. 미국도 전쟁을 할 여력이 되지 않습니다. 경제 제재도 지금 미국이 일본과 하고 있지만 그것으로 북한을 굴복시키지 못했습니다. 왜냐하면 중국이 도와주고 있기 때문입니다. 그리고 북한은 고통을 잘 감내하고 있습니다. 부시 대통령과 같은 경우는 지난 6년 동안 대화를 거부하고 주고받는 협상을 거부했지만 성공하지 못했기 때문에 정책을 바꿔서 주고받는 협상의 길로 돌아선 것입니다. 이외에는 길이 없는 것입니다.

질문 조금 전 연설에서 "미국의 클린턴 정권이 부시 정권으로 넘어가면서 대북 정책이 바뀌었다"고 말씀하셨는데 한국도 정권 교체가 일어나서 새 정부는 햇볕정책에 대해서 다소 강경한 태도를 보이고 있는데 이에 대해서 어떻게 생각하십니까?

김대중 말씀드렸듯이 클린턴 대통령은 햇볕정책을 추구한 것이죠. 반대로 부시 대통령은 반대 방향으로 갔습니다. 즉 북풍으로 행인의 망토를 벗겨 보려고 했으나 6년 동안 실패만 했습니다. 그러다가 결국 작년 2월 13일 직접 협상을 하고 '행동 대 행동', '주고받는 협상'을 하기 시작했습니다. 그 뒤 크게 보면 협상은 아주 순조롭게 진행되어 왔습니다. 이명박 대통령의 행보를 살펴보면 특히 최근 미국에 오셔서 하신 말씀을 보면 결과적으로 북한과 대화를 추구할 것으로 보입니다. 물론 경제적인 협력이라는 것은 서로 조건이 맞아야 하겠지만 인도적인 지원은 조건 없이 하겠다고 말씀하셨기 때문에 결과적으로 우리와 같은 입장을 취하지 않을까 생각합니다. 그리고 이명박 대통령이 후보 시절 저의 사무실에 찾아와서 대화했을 때 저의 햇볕정책에 대한 설명을 듣고 전적으로 동감한다고 여러 번 말씀을 했었습니다. 그렇기 때문에 새 정부도 결과적으로 북한과 대화를 하고 평화적인 관계를 구축할 것으로 기대합니다.

질문 햇볕정책과 연관해서 인권 문제에 관한 질문을 드리고자 합니다. 개성공단의 노동자들의 임금은 아주 낮고 언론 보도에 의하면 거의 아시아에서 최저 수준이라고 합니다. 또한 중국의 노동자들과 비교해서도 임금의 일부밖에 받지 못한다고 합니다. 반면 이들은 결사의 자유도 보장받지 못하기 때문에 모임을 결성해서 임금 인상에 대한 요구도 할 수 없는 처지입니다. 앞으로 북한 개성공단의 임금 문제와 관련해서 남한 정부가 북한 인권을 보호해 줄 수 있는 방법이 있을까요?

김대중 개성공단의 임금이 중국보다 싼 것은 사실입니다. 그렇기 때문에 개성공단에 들어가서 투자할 메리트가 있는 것입니다. 그러나 북한 기준으로 보면 개성공단 노동자들은 사실상 북한 내에서 최고의 임금을 받고 있습니다. 그래서 서로 일을 하려고 하고 있고 또 열심히 일하고 있습니다. 제가 알기로 북한 노동자들은 현재의 임금에 만족하고 있고 큰 불만이 없습니다.

질문 한국전을 겪은 세대들이 점점 돌아가시거나 사라지면서 젊은 세대들은 통일에 대해서 관심이 점점 줄어들고 있습니다. 이런 상황에서 정부나 사회가 통일에 대한 심각함을 불러일으키기 위해서 할 수 있는 일이 있을까요?

우리 국민의 바람은 평화롭게 살다가 평화롭게 통일하는 것

김대중 젊은 세대가 통일에 대해서 관심이 적은 것은 사실입니다. 그러나 우리 민족은 지난 1,300년 동안 통일국가, 단일국가였기 때문에 단지 60년 분단되었다고 통일을 포기할 수 없습니다. 물론 그동안 남북 간의 좌절과 갈등을 겪은 시기도 있었지만 국민의 진실된 바람은 평화롭게 살다가 평화롭게 통일하는 것입니다. 한반도는 강대국들이 주변에 있습니다. 통일을 하더라도 덩치가 작은 국가인데 서로 싸워서는 살아날 수 없다는 것을 서로 잘 알고 있습니다. 그렇기 때문에 통일은 국민의 열망입니다. 그리고 통일을 하지 않으면 21세기 세계적인 경쟁 시대에서 일본이나 중국, 러시아의 대국에 둘러싸여 있는 상황에서 살아남을 수가 없습니다. 우리는 남북이 합쳐 봐야 통일을 해도 8천만 명의 인구인데 중국은 13억의 인구 아닙니까? 살기 위해서라도 반드시 통일을 해야 합니다. 통일을 하게 되면 북한이 큰 경제 발전을 하게 될 것입니다. 북한은 가난하지만 그렇다고 경제적 가치가 없지는 않습니다. 금, 은, 동, 마그네사이트, 텅스텐 등 지하자원이 풍부하고 관광자원도 풍부합니다. 또 노동력도 매우 우수합니다. 그들은 고등학교까지 의무교육을 받았고 군대에서 7-8년간 복무하고 훈련을 받았습니다. 임금은 중국의 1/2밖에 되지 않습니다. 그러므로 지하자원과 노동력을 잘 개발한다면 급격한 발전을 이룩할 수 있을 것입니다. 여기에 한국 정부도 동참을 해야 하고 북한은 미국 정부가 동참해 주기를 바라고 있습니다. 그렇게 했을 때 우리는 보다 나은 삶, 보다 안전한 삶을 살 수 있을 것입니다. 강대국 사이에서 있기 때문에 통일이 필요한 것입니다.

질문 한국전이 있었던 당시 남북의 사정은 별로 다르지 않았습니다. 그러나 요즘은 많은 변화가 나타나고 있습니다. 특히 중국과 북한을 비교해 보면 중국은 많은 발전을 하고 있는데 앞으로 중국이 북한에 대해서 어떤 도움을 줄 수 있을까요?

김대중 북한은 말씀드렸듯이 지하자원이나 노동력을 활용하면 경제적 발전을 이룩할 수 있을 것입니다. 그런데 여기서 제일 중요한 것은 미국과의 관계 개선입니다. 왜냐하면 일본과 함께 미국은 국제통화기금(IMF), 아시아개발은행(ADB) 등 국제기구의 대주주입니다. 북한이 경제 개발을 하기 위해 돈을 빌리려면 일본과 미국의 동의가 필요합니다. 또 북한이 일본과 국교 정상화를 할 경우에 100억 달러에 달하는 식민지 지배에 대한 보상금을 받을 수 있는데 이것은 북한에 아주 중요한 가치가 있는 돈입니다. 그러나 이러한 배상금은 미국이 합의를 해야 일본이 줄 것입니다. 또 다른 외국 국가들과 유럽, 남한도 북한에 투자를 하려면 미국의 협조가 필요합니다. 미국의 협조가 없다면 순조롭게 투자를 할 수 없습니다. 그리고 중국의 경제 규모가 크다는 것은 사실이지만 중국은 국내 문제 해결에도 바쁩니다. 5천만 명 이상의 국민이 빈곤에 시달리고 있기 때문에 그들은 미국만큼 도와줄 여력이 없습니다. 그래서 북한은 사활을 걸고 미국과의 관계 개선을 원하고 있는 것입니다. 미국과 관계 개선이 된다면 남한도 적극적으로 북한 경제에 진출하고 지원을 할 수 있을 것이며 그러면 풍부한 지하자원을 이용해서 북한은 급격한 경제 발전을 할 수 있을 것입니다.

리치 이로써 질의응답을 모두 마치겠습니다. 김 전 대통령은 가정의 햇볕정책도 이루신 분입니다.(웃음)

김대중 리치 소장은 하원의원을 할 때부터 나의 민주화운동은 물론 한국의 민주화운동에 협조와 노력을 해 준 분으로 아주 오래된 친구입니다. 오늘 보니 정말로 좋은 분이라는 것을 새삼 생각하게 되었습니다. 왜냐하면 질문에 대한 답변의 밑천이 떨어져 가는데 마침 질의응답 시간을 마무리 해 주어서 다시금 좋은 친구라고 생각하게 되었습니다.(웃음, 청중들 모두 일어서서 기립박수)

* 김대중 대통령은 미국 방문 중인 2008년 4월 22일 저녁(한국 시간 오전 7시) 하버드케네디스쿨 정치연구소(IOP) 포럼에서 「햇볕정책이 성공의 길이다」를 주제로 강연하였다. 이 자리에는 학교, 재학생, 교직원, 하버드대 커뮤니티 관계자 등 약 400여 명이 참석했다. 이날 김대중 대통령의 하버드대학교 강연은 1984년 하버드대 앰네스티포럼에서 「한 사형수의 경험과 그의 조국에 대한 보고」에 대해서 강연한 후 24년 만이었다.

이명박 대통령, 후보 시절 햇볕정책에 공감했다

강연 터프츠대학교 플레처스쿨

일시 2008년 4월 23일

김대중 존경하는 보즈워스 학장님 그리고 이 자리에 참석하신 여러분!

한국에서 저는 대통령으로 재임하고 있었고 보즈워스 학장께서는 주한 미국대사로 계셨습니다. 그 당시 클린턴 대통령도 재임 중이셨는데 저와 보즈워스 학장은 한국의 외환 위기 극복과 민주주의 완성, 한반도의 평화 확립 등에 대해서 의견이 완전히 일치해서 서로 협력하여 성공적인 한·미 관계를 유지하고 발전시켰습니다. 오늘 그날이 새삼스럽게 생각나면서 이렇게 뜻깊은 자리를 마련해 주신 것에 대해 감사를 드립니다. 보즈워스 학장께서 저를 소개하신 내용을 보니 저에 대해서 제가 기억하고 있는 것 이상으로 잘 알고 계시는 것 같습니다. 저의 가장 좋은 친구이기 때문에 저에 대해서 많은 것을 알고 계신다고 생각하고 보즈워스 학장이 저의 좋은 친구라는 것을 다시 한 번 확인하게 되었습니다.

저는 오늘 여러분에게 남북 관계와 북한의 변화, 6자회담 전망, 그리고 동북아 평화 문제에 대해서 간단히 말씀드리고자 합니다. 그리고 여러분의 질문에 답변하도록 하겠습니다.

클린턴 정부의 전면적인 축복을 받은 남북정상회담

김대중 저는 2000년 미국 클린턴 정부의 전면적인 축복을 받으며 남북정상회담을 했습니다. 2차대전 이후 한반도를 뒤덮었던 냉전으로부터 남북이 평화적으로 공존하고 서로 협력하는 단초를 여는 성공적인 회담을 했습니다. 남북정상회담 이후 한반도에는 급속히 긴장이 완화되었습니다. 그리고 남북 간의 왕래가 빈번하게 이루어지게 되었습니다. 정상회담 이후 매년 10만 명 이상의 민간인이 남북을 왕래했습니다. 금강산 관광은 제가 대통령이 되어 시작한 이후 약 180만 명이 다녀왔습니다. 그리고 무엇보다 제가 뜻깊게 생각하는 것은 50년 이상 서로 생사조차 모르던 이산가족들이 상봉하게 된 것입니다. 과거 50년 동안 200명만이 상봉했던 이산가족이 제가 북한을 다녀온 이후 1만 6천 명으로 늘었습니다. 이산가족 상봉은 앞으로도 계속할 수 있는 준비가 되어 있어 획기적인 변화를 이루었습니다.

북한 쪽으로 6킬로미터 이상 들어가서 건설된 개성공단에는 현재 1만 5천 명의 북한 노동자가 열심히 일하고 있습니다. 앞으로 공단이 전면적으로 확대되면 35만 명의 북한 주민들이 일하게 될 것입니다. 우리는 또한 인도적 입장에서 굶주린 북한 주민을 구제하기 위해 매년 쌀 40만 톤과 비료를 지원했습니다. 그런데 그 비료의 포대에 남한의 제품이라는 표시가 되어 있어 북한 사람들은 이제 남한에서 지원한 것이라는 것을 잘 알게 되었습니다.

북한 사람들의 마음과 문화가 바뀌고 있다

김대중 북한 사람들은 지금까지는 정부의 선전대로 "남한은 미 제국주의의 앞잡이가 되어 북한을 침략하려 한다. 또 남한 사람들은 일부만 부자이고 모두가 굶주리고 있다"고 생각해 왔습니다. 그런데 남한이 쌀과 비료를 보내온 것을 보면서 "우리를 미워한다는 것은 사실이 아니구나. 남한이 못산다면 어떻게 이런 것을 보내 줄 수 있느냐. 남한이 잘사는구나. 부럽다. 우리도 저렇게 잘살면 좋겠다"는 생각을 갖게 되었습니다. 그래서 남한에 대한 적개심이 우호적 감정으로 변하게 되었습니다. 이제 북한 사람들은 남한에 대해서 감사하다는 생각, 부럽다는 생각을 갖게 됨으로써 북한 사람들의 문화가 변하기 시작했습니다. 현재 북한 사람들은 비밀리에 남한의 대중가요를 부르고, 텔레비전 드라마를 보고, 영화를 상영하고 있습니다. 이렇듯 북한 사람들의 마음과 문화가 바뀌게 된 것입니다. 이것은 한반도에서 긴장이 완화되고 서로 평화적으로 같이 살면서 통일을 지향하는 데 아주 중요한 요소가 되기 때문에 이것은 햇볕정책의 큰 성공이라고 생각합니다.

6자회담 성공하면 한반도 평화의 시대가 온다

김대중 6자회담이 지금 성공적인 방향으로 가고 있는데 이것이 성공하면 남북 관계는 훨씬 더 진전되어 한반도에는 흔들림 없는 평화의 시대가 오고 장차 평화적인 통일도 내다볼 수 있을 것이라고 생각합니다. 이러한 햇볕정책을 과거 클린턴 정부는 적극적으로 지지해 주었고, 지금 부시 정권도 한반도 문제를 평화적으로 해결하는 방향으로 정책을 돌리고 있습니다. 따라서 미국의 협조 속에서 이러한 것이 이루어질 것이라고 생각하고 있습니다. 다음에는 6자회담이 과연 성공할 것인가, 또 그 전망에 대해서 말씀드리겠습니다. 클린턴 대통령 재임 시절 저와 클린턴 대통령은 서로 협력하고 여기 계시는 보즈워스 대사께서도 적극 협력해서 남북 관계와 핵, 미사일을 포함해서 북·미 관계도 거의 다 해결의 방향을 잡았고 국교 정상화까지 논의하는 단계까지 갔습니다. 그러나 클린턴 대통령이 남북 관계의 발전 기조 위에서 북·미 관계를 정상화하는 마무리를 하기 전에 부시 대통령이 등장했습니다. 부시 대통령은 소위 말하는 '에이비시(ABC) 정책' 즉, 'Anything But Clinton'이라

해서 클린턴이 이룩해 놓은 것을 모두 폐지했습니다. "북한과 절대 대화할 수 없다. 그리고 주고받는 협상도 못 하겠다"고 하여 사태를 역전시키고 찬바람이 부는 그러한 시대로 돌아갔습니다. 결국 부시 대통령 재임 6년 동안 북한은 핵확산금지조약(NPT)을 탈퇴하고, 북한 핵 시설을 감시하던 국제원자력기구(IAEA) 요원을 추방하고, 장거리미사일 모라토리엄을 파기하고, 마침내는 핵실험까지 하게 되었습니다. 모든 것이 악화만 되었습니다.

부시 대통령의 정책 시정을 충심으로 환영한다

김대중 부시 대통령은 북한과 6년 동안 대화를 거부하고 주고받는 협상을 거부했지만 결국 아무 성과가 없고, 해결 전망은 보이지 않았습니다. 그렇다고 북한이 핵을 쉽게 포기할 것 같지도 않고 또 미국이 군사력을 행사할 처지도 못 되었습니다. 경제 제재를 일본하고 해 봤지만 큰 성과는 없었습니다. 그래서 결국 부시 대통령도 정책을 바꿔서 클린턴 대통령과 제가 추진했던 화해 협력의 정책, 즉 직접 대화와 주고받는 협상, 행동 대 행동의 협상을 하기로 해서 결국 작년 2월 13일 6자회담에서 합의가 이루어졌습니다.

저는 부시 대통령의 이러한 정책 시정을 충심으로 환영합니다. 새로운 부시 정책에 의해서 이루어진 6자회담 2·13합의는 북한이 핵을 포기하고, 미국은 북한의 안전을 보장하고 경제 제재를 해제하고 국교를 정상화하는, 이러한 북·미 간에 주고받는 협상을 통해 문제가 해결될 것으로 믿어 의심치 않습니다. 저는 작년 9월 뉴욕에서 클린턴 대통령을 만났을 때 "당신과 내가 하던 화해 협력 정책, 즉 햇볕정책이 결국 다시 살아났다. 그래서 축하한다"고 얘기했습니다. 여기 계시는 보즈워스 학장에게도 우리가 한국에서 함께했던 일이 다시 시작되게 된 것을 축하한다고 말씀드리고 싶습니다. 저는 부시 대통령이 정책을 시정한 것을 매우 기쁘게 생각하고 우리들의 생각이 옳았다는 점에 대해서 긍지를 느끼고 있습니다.

6자회담을 동북아 평화기구로

김대중 그다음에는 앞으로 동북아시아는 어떻게 될 것인가, 중국은 날로 강성해 가고 또 미국은 동북아시아에서 어떤 위치를 차지하고 어떤 역할을 해야 할 것이냐에 대해서 간단히 몇 말씀 드리겠습니다.

작년 2·13합의에서 미·일·중·러, 남북한 6개국은 한반도 핵 문제가 해결되면 6자회담을 해산하지 않고 동북아의 평화기구로 발전시키는 것을 합의했습니다. 이것은 매우 중요한 일이고 아주 잘된 일이라고 생각합니다, 한반도 주변에는 러시아, 중국, 일본이 있습니다. 그 사이에 우리가 끼어 있어서 항상 위협을 받아왔습니다. 과거에 이 3개국은 우리를 침략했고 침략하려 했습니다. 그런 점에 있어서 미국을 포함한 6개국이 한반도와 동북아의 평화기구를 만든다는 것은 이 지역의 안정과 평화를 위해 중요합니다.

그리고 중요한 것은 미국이 참여한 것입니다. 미국은 한반도나 동북아시아에 영토적 야심이 없습니다. 미국은 또 직접 국경을 접하고 있지 않기 때문에 그런 위험성도 없습니다. 그러한 미국이 6자회담에 참여하고 있다는 것은 세력균형을 위해서 또 안전을 위해서 매우 중요하다고 생각합니다. 그럼 미국은 어떻게 해야 합니까. 미군은 한반도에 계속 남아야 합니다. 우리는 과거에 일본, 중국, 러시아에서 침략을 당했고 침략의 위험을 당한 일이 있기 때문에 미군은 한반도에 계속 있어야 합니다. 그래서 세력균형을 유지하고 안정자 역할을 해야 합니다. 북한의 김정일 위원장도 미군이 북한에 대해서 공격을 목적으로 있어서는 안 된다는 조건만 충족되면 한반도에 주둔하는 것을 적극 지지한다고 얘기했습니다. 그것은 당연하다고 생각합니다.

미군이 한반도에 있는 것은 조금 전 말씀과 같이 평화와 안전을 위해서 중요합니다. 또 미군이 중국과 더불어 세계에서 세력균형을 발전시키는 데 중요한 단계에 들어가고 있는 만큼 미국은 여기 동북아에 큰 이해관계가 있습니다. 태평양 국가로서 또 준아시아 국가로서 미국은 군사적, 경제적, 정치적 여러 가지 이해가 있다고 생각합니다. 그래서 미국이 한반도에 있는 것은 미국의 국익을 위해서도 필요하다고 생각합니다. 이제 제 말씀을 마치고 여러분의 질의응답을 받도록 하겠습니다. 경청해 주셔서 감사합니다.

질의응답

김대중 제가 사실은 보즈워스 학장에게 부탁했습니다. 보즈워스 학장이 말씀하시길 어제 하버드대 케네디스쿨에서 많은 질문이 있었으나 여기에서도 질문이 많을 것이다라고 말씀하셨습니다. 그래서 질문이 많은 건 좋은 데 대답하기 쉬운 것으로 했으면 좋겠다고 했습니다. 그런데 보즈워스 학장이 제 부탁을 승낙하지 않았습니다.(웃음)

질문 햇볕정책은 미국에서 일부 사람들의 비판이 있었습니다. 북한이 반대급부를 주지 않는데 너무 일방적으로 주는 것이 아니냐는 비판이 있었습니다. 그런 비판 때문에 아마도 부시 정부에서 햇볕정책을 비판한 것 같습니다. 남한에서도 그런 비판의 목소리가 있을 것으로 생각됩니다. 햇볕정책을 시작했던 초기에도 반대가 많았을 텐데 이런 반대들을 어떻게 설득하고 극복하시려고 노력하셨나요?

이명박 대통령, 후보 시절 햇볕정책에 공감했다

김대중 부시 정권 들어서 언론의 비판이 있었던 것은 사실이나 조금 전 말씀과 같이 북한과 부시 정권이 주고받는 협상과 대화도 안 한다고 했지만 결국은 6년을 허송세월하고 이제 다시 부시 정권도 북한과 대화해서 모든 것을 평화적으로 한다는 것으로 돌아섰습니다. 다시 말하면 일종의 햇볕정책으로 돌아선 것입니다. 그래서 최근에 미국은 북한에 50만 톤의 식량을 지원한다고 말하고 있습니다. 남한에서도 물론 햇볕정책에 대해 정치적으로 비판한 분들도 상당히 있어 왔습니다. 그러나 남한의 국민들은 많을 때는 80-90퍼센트, 적을 때도 60퍼센트 이상이 햇볕정책을 지지해 왔습니다. 햇볕정책은 북한하고 전쟁하지 않고 서로 대화를 통해서 교류 협력하면서 통일을 지향하자는 것이기 때문에 절대다수의 국민들은 이를 지지하고 있습니다.

이번에 당선된 이명박 대통령은 저와 정치적 입장은 다르지만 대통령 후보 시절 저와 대화했을 때 햇볕정책에 대해서 아주 공감한 말씀을 많이 했습니다. 최근에도 이명박 대통령은 경제적 투자 문제는 조건이 필요하지만 북한의 굶주린 주민들을 돕기 위한 비료나 식량 지원은 인도적 입장에서 조건을 따지지 않겠다고 말씀하고 있습니다. 그리고 "북한과 대화하겠다. 정상회담을 몇 번이고 하겠다"고 말하고 있습니다. 이명박 대통령은 햇볕정책이라는 말만 사용하지 않았지, 사실은 햇볕정책과 거의 상통하는 말씀을 개진하고 있습니다. 다시 강조하지만 햇볕정책은 모든 것을 대화를 통해서 평화적으로 풀어 가고 공동 승리하는, 윈윈의 협상을 해야 한다는 것입니다. 그것만이 성공의 길입니다. 이 점에 있어서는 미국 부시 정권이나 이명박 정부나 저의 의견이 마찬가지라고 생각하고 표현만 다르지 실제로는 같은 길을 가기 시작하고 있다고 생각합니다.

질문 어려울 수도 있고 비외교적인 질문일 수 있는데요, 2002년 1월에 부시 대통령이 북한을 이란, 이라크와 함께 '악의 축'이라고 말했습니다. '악의 축' 발언 이후 국내외 여론에 대해서 어떻게 평가하시는지요?

김대중 '악의 축' 규정은 사태를 상당히 경직시켰습니다. 작년 2·13합의가 이루어질 때까지 경직된 상황 속에서 한 발짝도 진전이 없고 역효과만 났습니다. 부시 대통령은 2002년 1월에 '악의 축' 얘기를 하고 2월에 서울을 방문하셨습니다. 그래서 저와 청와대에서 정상회담을 했는데 제가 그때 부시 대통령에게 말했습니다. "당신이 북한을 '악의 축'이라고 하는데 레이건은 소련을 '악마의 제국'이라고 했지만 대화했다. 미국이 소련과 대화한 결과 헬싱키협정으로 연결됐고 헬싱키협정은 결국 소련과 동유럽을 개방 개혁시켜서 마침내 민주화까지 이끌게 된 것이다. 그렇기 때문에 우리와 의견이 다른 관계일수록 대화를 해서 서로 협상의 여지가 있으면 협상하고, 설득의 여지가 있으면 설득해야 한다." 당시 부시 대통령은 저의 말에 공감하고 저의 말을 받아들였습니다. 그래서 함께 기자회견을 하는 자리에서 부시 대통령은 제가 말했던 "레이건도 소련을 악마의 제국이라 했다"는 말을 본인의 말로 사용하여 말하고, "북한과 대화하겠다. 북한을 공격하지 않겠다. 그리고 북한에 식량 주겠다"고 말했던 것입니다. 이렇게 부시 대통령은 대화를 선언할 일이 있습니다. 그러다가 다시 북·미 관계는 경직 상태로 들어갔는데 결국 작년에 모든 것이 변화를 가져와 북한과 미국이 직접 대화하고 행동 대 행동, 주고받는 협상이 합의되어 지금 6자회담은 크게 보면 순조롭게 진행되고 있다고 말할 수 있습니다.

질문 일본은 납치 문제가 북한과 걸려 있기 때문에 6자회담에서도 일본은 일본인 납치 문제가 우선적으로 해결되어야 한다고 얘기했습니다. 한국에서도 이런 유사한 납치 문제가 있다고 생각하는데 대통령님의 햇볕정책을 어떻게 적용시키면 이런 문제를 해결할 수 있을까요?

일본의 납치 문제는 6자회담과 병행해서 추진하는 것이 좋다

김대중 납치 문제를 일본이 주장한 것은 당연하다고 생각합니다. 그러나 6자회담도 한반도나 동북아시아 평화를 위해서 아주 중요합니다. 그래서 이 두 가지 문제는 서로 상충되는 것이 아니고 병행해서 해결할 수 있는 문제입니다. 일본의 납치 문제는 6자회담과 병행해서 추진하는 것이 좋다고 생각합니다. 그리고 한국에도 남북 관계에 그러한 문제가 있습니다. 그래서 우리도 이 문제를 계속 제기하고 있고 이제까지 1만 6천 명의 이산가족이 상봉했을 때 북으로 납치된 사람들의 가족들도 끼어서 만나고 있습니다. 이 문제를 일시에 북한을 굴복시켜서 해결하기는 어렵지만 설득해서 대화를 통해서 해결하는 과정에 있다고 생각하고 있습니다. 북한을 굴복시켜서 해결하기는 어렵지만 북한이 국제사회에 적극 진출하게 되면 북한은 자기 자신의 이미지를 위해서도 이런 납치 문제를 더 적극적으로 협력해 올 것으로 생각합니다. 감사합니다.

* 미국 보스턴을 방문 중인 김대중 대통령은 4월 23일(현지 시간) 터프츠대 찰스센터 다이닝룸에서 교수, 학생, 외교 전문가 등 약 90여 명과 오찬을 함께하며 햇볕정책과 북한의 변화, 6자 회담 전망, 동북아에서 미국의 역할, 일본인 납치 문제 해법, 이명박 대통령과 대북 정책 전망 등을 주제로 토론을 가졌다.

민족의 혼을 지켜 온 데 대해 경의를 표합니다

대담 심수관
일시 2008년 5월 6일

심수관 1999년 2월 대통령님으로부터 은관문화훈장을 직접 수여받은 후 10년 만에 대통령님을 다시 뵙게 되었습니다. 1999년 4월 훈장을 받은 직후 아내는 영면하였습니다. 아내도 대통령님 내외분과의 당시 만남을 매우 영광스럽게 기억하고 있었습니다. 금번 방한은 남원춘향제에 초청을 받아 방문한 것이며 남원시로부터 명예시민증도 받았습니다. 410년 전 도공으로 체포되어 일본으로 끌려간 조상을 생각할 때 참으로 감회가 새로웠습니다.(심수관 남원 사람) 그간 대통령님께서는 상 중의 상인 노벨상을 수상하시는 등 참으로 값진 인생을 살아오셨습니다. 이에 경의를 표합니다. 대통령님께서 가고시마(규수 근처)에 한번 방문하시면 좋겠습니다. 가고시마는 참으로 아름답고 밝은 마을입니다. 메이지유신의 주역인 사이고 다카모리가 가고시마에서 출생했고, '사쿠라지마'라는 화산섬이 유명한 곳입니다. 사이고 다카모리가 비개화파와 전쟁을 할 때 근처 마을에서 100명 정도가 가담하여 8명이 죽었습니다.

김대중 도요토미 히데요시가 일본 내부의 전쟁 끝에 통일을 한 후 내부 불만을 잠재우기 위해 조선을 침략, 임진왜란을 일으켰습니다. 다카모리도 국내의 여러 반대파들을 제압하고 남아 있는 무사들의 무력의 힘을 다스리기 위해서 정한론을 주장하여 한반도를 병탄하였습니다. 당시 조선은 대원군이 쇄국 정치를 하고 또 민비와의 권력 다툼 등으로 그것을 적절히 대응할 만한 자세를 갖추지 못했습니다. 그 결과로 일본에 병탄을 당하는 역사적 수모를 겪게 되었습니다.

심수관 사이고 다카모리는 당시 중앙정부가 서양의 일방적인 개방 요구에 불평등 조약 같은 것을 체결하게 되자 그런 것을 막기 위해서 또 당당하게 개화시킨다는 명분을 내세워 거병을 하였습니다.

김대중 모든 것이 구실에 불과한 명분이었습니다. 아직도 도자기를 굽고 계시는지요?

심수관 도자기는 현재 15대인 아들이 굽고 있고 저는 이선으로 물러나 있습니다.

김대중 도자기는 수출용인가요, 내수용인가요?

심수관 대부분이 국내용입니다. 현재 도자기는 수제로 하나하나 제조하기 때문에 단가가 매우 높습니다. 대량생산이 아니기 때문에 가격 면에서 수출은 어렵습니다.

김대중 그것은 도예공이라고 하지만 하나의 예술가라고 볼 수 있습니다.

심수관 가고시마는 인구 180만 명 정도의 소현小縣이나, 매우 아름답고 밝은 도시입니다.

김대중 작은 마을임에도 명치유신을 일으킨 역사적인 곳이지요.

심수관 150년 전에도 국세조사(인구조사)를 했던 기록이 있습니다. 5월 1일 한국에 도착하여 남원에서 여러 공식 일정에 참석했습니다. 굉장히 피곤할 정도의 일정이었습니다. 특히 한정식으로 식사를 많이 하였는데, 다리가 불편하여 가는 곳마다 매우 힘들었습니다. 서울에 돌아오니 마음이 매우 편합니다. 춘향제에 참석하고 남원에서 3일을 머물렀습니다.

김대중 남원은 소설 춘향전의 배경이 되는 곳입니다. 춘향전은 민족적 혼이 담겨져 있는 소설로서 한恨이 담겨져 있습니다. 한이라는 것은 피해를 준 상대에 대해서 보복이 아니라 오히려 마음속에 가지고 있는 소망을 스스로 극복하면서 인내를 가지고 지켜내는 것입니다. 춘향이가 이도령이 서울에서 금의환향하는 것을 기다리면서 변사또가 본인의 말을 듣지 않는다며 옥고를 치르게 하더라도, 춘향이는 변사또를 보복하겠다는 생각보다는 이도령과의 만남을 위하여 스스로 한을 간직하면서 극복하는 자기 성찰을 통해서 소망을 달성하고자 하는 것이 한이라고 생각합니다. 이것은 유대인이 가지고 있는 정신과도 차이가 있으며 특히 일본 무사도(사무라이 정신 비슷한 것으로 가슴속의 응어리 같은 것)와도 다른 것입니다.

심수관 일본 학자들에게 한에 대해서 설명하기 어렵고 표현하기 어렵다는 얘기를 들었습니다. 대부분 쉽게 '복수', '한풀이' 등으로 이야기를 많이 하는데 지금 말씀하신 내용을 듣고 보니 매우 가슴에 와 닿습니다. 한의 의미가 이해가 되었습니다. 대통령님의 인생도 그러한 한의 정신이 기저에 깔려 있다는 생각이 듭니다.

김대중 현재 한국의 민주주의에도 보복하지 않고 독재자들을 평화적으로 몰아내고 민주주의를 이룩한 의미에서 한이라는 기본 정신이 깔려 있었습니다. 나도 용서라는 것을 철학으로 간직하고 살아왔습니다. 죽을 고비를 몇 번 넘기고 노벨상을 수상했는데 노벨상 수상 이유에서 남북 간의 화해 협력은 물론 가해자에 대해 용서를 실천한 내용도 매우 중요한 수상 이유가 되어 있습니다. 일본의 식민지 지배에 대해서도 용서를 하였습니다.

심수관 현재 손자가 두 명이고 외손이 일곱 명인데 남자아이가 다섯 명, 여자아이가 네 명입니다. 400여 년 전 선조가 노예처럼 일본에 끌려와 갖은 고난과 고통을 이겨내고 지금까지 한민족의 혈통을 유지하면서 그래도 이렇게 번창하며 살아온 것은 조선의 피가 스며 있기 때문이라고 생각합니다.

김대중 심수관 가계를 보면 그것이 한의 표본이 아닌가 생각됩니다. 유대인이 2천 년 동안 유랑 생활을 하며 자기들의 고국으로 돌아가고자 하는 한을 가슴에 묻고 살아왔듯이 심수관가家가 15대까지 살아온 것은 언젠가 고국으로 돌아가야 된다는 그 한을 성공적으로 극복한 인생이 심수관가의 인생이라고 생각합니다. 유대인은 결국 자기들의 고국으로 돌아왔지만 현재 팔레스타인과 상호 대립하고 공존이 어려운 자기 독선적인 면이 있습니다. 한국의 한은 유대인의 한과는 다릅니다. 한국의 한은 복수를 하지 않고 마음속에 자기 극복을 통한 소망과 꿈을 간직하고 달성해 가는 것입니다. 이 얼마나 훌륭한 정신입니까? 이러한 정신이 없었다면 심수관 선생님의 오늘은 없었을 것입니다.

심수관 일본에서 아이들이 이지메를 당하여 맞고 오면 너희들 뒤에는 4천만의 한국인이 너희 조상으로 있다고 격려를 하였습니다.

김대중 북한까지 합하면 7천만입니다.

심수관 일본으로 돌아가 대통령님의 격려의 말씀을 아이들에게 전하겠습니다. 큰 교훈의 말씀을 듣고 가게 되어 마음이 기쁩니다.

김대중 심수관 일가를 마음속으로 존경하고 같은 민족으로 혼을 지켜 온 심수관 가계에 경의를 표합니다.

심수관 인류 최고의 상인 노벨상을 받으신 대통령님께 훈장도 직접 받고 격려의 말씀까지 해 주셔서 거듭 감사합니다. 가고시마까지 1시간이면 되니 꼭 한번 방문해 주시기 바랍니다.

김대중 우리가 심수관 씨에게 훈장을 준 것은 같은 민족으로서 그동안 14

대에 걸쳐서 민족의 정체성을 유지하고 혼을 지켜 온 것에 대해서 평가하여 훈장을 드린 것입니다.

심수관 훈장에 그러한 깊은 의미가 있었던 것을 오늘 깨닫게 되었습니다. 대통령님의 격려 말씀은 일본에 있는 20-30대 많은 젊은이들에게도 큰 힘이 될 것으로 생각됩니다.

* 이 글은 도예가 심수관 14세와의 접견 대화록이다. 2008년 5월 6일 오후 3시 김대중 대통령의 사저에서 있었다.

남북 경색, 우리가 바뀌면 그들도 바뀔 것

대담 정석구
일시 2008년 5월 13일

　김대중 전 대통령이 이명박 새 정부 들어서 공식적으로는 처음으로 말문을 열었다. 지난 13일 오전 본지(『한겨레』) 창간 20주년을 축하하는 자리로 덕담과 조언을 구하는 자리에서였다. 촛불시위가 거세고 어찌 보면 할 말이 많을 수밖에 없는 때다. 그러나 김 전 대통령은 국내 문제는 말할 때가 아니라고 했다. 남북 관계, 북핵 등 6자회담, 주변 4강과의 관계 등으로 범위를 정하고 얼마 전 미국을 갔다 오는 등 변함없이 할 일을 하고 있는 국가 원로로서의 모습을 보여 주는 김 전 대통령의 얘길 들었다.

　정석구 우선 이명박 대통령이 미국 방문에서 그동안 햇볕정책과 크게 다르지 않은 말을 했다고 하셨는데, 그래도 현재까진 남북한 당국 간 대화가 끊긴 상태이다. 이걸 정권 초기 일시적인 현상으로 봐야 하는지…….

　김대중 정색국면인데, 양쪽이 대응을 잘못하고 있는 것 같다. 남쪽에서 먼저 개성공단 문제라든가 선제공격 문제, 또 비핵·개방·3000, 그리고 무엇보다도 6·15공동선언과 10·4공동선언에 대해 사실상 묵살해 버리고 남북기본합의서만 내세운 것 등등이 모두 경색 원인이 됐다. 거기에 대한 북쪽의 대응이 우리가 봐도 지나치게 강경하다 할까 무리하다 할까 그렇게 보인다. 원인은 거기서 시작되는데, 오래 이렇게 갈 거로 보지는 않는다.

정석구 현 정부가 초기에 그렇게 한 이유가 스스로 과거 정부와 다른 원칙을 관철하려는 의도가 있어서 그런 건가.

김대중 그런 측면도 있고, 북한에 대한 연구나 검토가 부족한 점도 있지 않나, 그런 점도 있다고 본다. 그래서 지금 정부가 상당히 수정하는 태도로 나오고 있다. 북한과 대화하겠다, 연락사무소 같이하자, 6·15나 10·4선언을 무시한 것은 아니다 등등. 또 식량이나 비료 등 인도적인 것은 조건 없이 주겠다는 얘기가 나오고 있다. 현 정부가 북한에 대한 태도에서 근본적 수정인진 모르지만 궤도 수정을 하고 있는 것 같다.

정석구 남쪽 정부 태도가 바뀌면 그 전처럼 남북 관계가 회복될 것으로 보시는가.

6·15와 10·4선언에 대해 이 대통령 스스로 태도를 분명히 해야

김대중 그렇다. 북한도 남한과 관계 개선의 필요성이 있고, 미국과의 관계도 원만히 순조롭게 풀어 가려면 남한 협력도 필요한 거니까. 그런데 적어도 6·15와 10·4선언에 대한 태도를 이 대통령 스스로가 분명히 해서 그걸 존중한다는 틀 속에서, 새 정부니까 수정 보완할 점이 있으면 그건 별도로 하더라도 근본적으로는 수용한다는 태도를 보인다든가, 식량·비료는 인도적 지원이니까, 또 시간이 촉박한 것이니까 조건 없이 줄 테니 만나자고, 국제적 관계를 고려하지 않고 하는 것이 좋다고 본다. 1980년대 전두환 대통령 때도 남쪽이 수재 났을 때 북한이 우리가 달라고 안 해도 지원하겠다고 했다. 2004년 북한 용천역 폭발사건 때도 우리가 자진해서 지원했다. 상대방이 달라고 해서 하는 것보다 자진해서 하는 것이 오히려 도덕적으로 높이 평가받는 문제다. 가까이는 금강산에서 6·15기념행사 한다는데 과거 전례에 따라 재정적 지원 해 준다든가, 북한에게 당신들 오해하는 것과 같은 그런 생각 우리가 갖고 있는 것 아니라고 행동으로 보여 주면 된다고 생각한다.

정석구 북쪽 당국은 계속 강경한 태도로 나오는데, 북쪽도 변화해야 하는 것 아닌가? 북쪽 당국은 어떤 식으로 태도를 바꿔야 경색 국면이 바뀔 것으로 보시는지.

김대중 남쪽이 내가 말하는 식의 태도를 취하면 북쪽이 달라질 것이다. 난 그런 정보도 듣고 있다. 북쪽이 이명박 정부와 5년 동안 대화 안 하는 것은 있을 수 없다. 북도 아쉬운 점 있다. 남쪽이 선의로 나오는데, 북이 끝까지 거부하면 국제사회에서 좋은 소리 못 듣는다. 그러면 미국과의 관계에도 좋은 영향 주지 못한다. 우리가 당당하고 여유 있게, 적극적으로 나가는 것이 좋다고 본다.

'비핵·개방·3000'은 부시 대통령이 6년 동안 하다가 실패한 것

정석구 비핵·개방·3000에 대해선 어떻게 평가하나. 북쪽은 반통일적 선언으로 얘기하면서 이 자체가 남북 관계에 걸림돌이 된 측면도 있는데.

김대중 그것이 핵 포기하고 개방하면 10년간에 국민소득 3천 달러 되게 해 주겠다는 것인데, 이게 조지 부시 대통령이 6년 동안 하다가 실패한 거다. 그래서 부시 대통령도 할 수 없이 직접 대화하고 행동 대 행동하고 있으며, 그래서 핵 문제가 풀려 가게 된 것이다. 난 그것은 북한이 잘 받지 않을 것으로 본다. 옳고 그른 것이 아니고, 10년 후엔 우리는 3만, 4만 달러 되는데 북은 3천 달러. 실제 그렇게 될지는 몰라도 내놓고 얘기하는 것은, 북으로선 굉장히 자존심 상하는 일이 될 것이다. 북한은 그래서 썩 받지 않을 거라고 본다.

정석구 이 대통령이 방미 시 『워싱턴포스트』와 회견에서 얘기한 상설연락대표부를 북이 바로 거부한 것은 어떻게 보시나.

김대중 북한은 6자회담을 우선하겠지만, 남쪽과의 관계에선 말한 대로 6·15와 10·4선언을 어떻게 할 것이냐, 그리고 개성공단이나 그런 것을 약속대로 발전해 나가겠느냐, 심지어는 선제공격 발언 문제에 대해 확실한 설명을 해라, 이런 등등이 있다고 본다. 그리고 말은 안 하지만 식량과 비료 어떻게 할 것이냐가 내심으로 있고, 그런 것이 풀려 가면서 그다음이 될 거로 본다.

정석구 올해 베이징올림픽은 매우 중요한 행사라고 생각되는데, 지난해 정상회담에서 남북응원단 합의가 있었으나 이행이 어려운 상황으로 보이는데 이 문제는 어떻게 보시는가.

김대중 앞의 선행조건이 잘될 때 풀려 갈 문제다. 기차에 응원단 싣고 가는 것은 시간적으로 가능할지가 문제다. 그러나 최소한 국민의정부 때 시드니올림픽에서 했던 공동 입장만은 해야지, 그것까지 안 하면 남북 관계의 후퇴를 상징하는 상황이 돼 버리니까 그것만은 최소한 됐으면 하는데, 물론 그 이상 되면 다행이다. 그것도 북이 남쪽이 모욕, 협박했다 생각하고 있는 데 대해 남쪽에서 본의가 그렇지 않다며 설득해서 새로운 분위기를 조성하는 게 필요하지 않나 싶다.

남북기본합의서와 6·15, 10·4선언이 배치되는 것이 아니다

정석구 6·15, 10·4선언에 대한 이명박 정부의 입장이 명확하지 않은 상황에서 북은 그 문제에 대한 선행적 입장 요구하는 건데, 실용적 관점에서 보더라도 정부가 그에 대해 분명한 태도를 안 밝히는 것은 의문인데…….

김대중 현실 문제는 그것이 해결돼야 한다. 왜 그러냐면, 이 정부에선 남북

기본합의서 중시한다는데, 6·15와 10·4선언이 하나도 배치되는 것이 아니고, 기본합의서 내용이 6·15나 10·4선언에 담겨 있다. 특별한 것은 기본합의서와 달리 이 선언들은 김정일 위원장이 서명했다는 것이다. 북으로선 우리가 상상할 수 없는 특별한 일로 그야말로 존엄성이 있는 것이다. 그것이 무시당했다. 그 약속이 깨졌다고 하면 다른 게 될 수 있겠나. 북의 체제와 사고방식을 생각해 보면 여기서 우리가 생각하는 것보다 훨씬 심각한 문제다. 김정일 위원장이 서명한 것이니까. 그런 것에 대해서 대통령이 직접 말을 해서 남북 관계 풀어 가는 것이 아주 중요하다고 생각한다. 그리고 비료·식량 주는 건 남북 간에 마음을 열게 되는 좋은 방법이 될 것이라고 생각한다.

정석구 식량 지원을 두고 현 정부는 북쪽과 직접 접촉하는 게 아니고 미국 또는 국제기구 통해서 식량 지원 방안 협의하는 방식도 생각하고 하는 것 같다. 북이 저렇게 강경하게 나오는 상황에서 인도적 지원하기는 어렵고 하니 다른 방법을 찾는 것 같은데.

김대중 식량은 우리 식량이고, 우리 비료 주는 거니까 우리가 북한에 직접 주는 게 좋고. 미국이 50만 톤 주는데 북한에서 모니터링 어떻게 할 것인가를 놓고 북한이 좀 더 투명한 모니터링하게 해 주겠다고 협의하는 것은 좋지만, 우리 것 주면서 우리가 생색을 내고 우리가 북한 사람들한테 직접 전달하는 것이 우리 대한민국 권위를 위해서도 좋다. 그래야 북한 사람들도 우리에게 감사하지 않겠는가라고 본다.

우리가 개성공단으로 5-6킬로미터, 동해안 쪽은 10킬로미터 들어갔다

정석구 이 정부 내에선 인도적 지원에 대해선 북도 이산가족 문제 등 상응하는 조처가 필요하다는 시각이 있는 것으로 아는데.

김대중 이 대통령이 미국에서 인도적 지원은 상호주의 안 한다고 했다. 그래도 그렇게 하면 저절로 상호주의가 된다. 국민의정부도 국군 포로 일부 데려왔고, 국민의정부 들어서기 전까지 50년 동안 200명 이산가족 상봉했는데, 국민의정부 들어서 지금까지 1만 8천 명 상봉했다. 그동안 식량 지원 안 했으면 그렇게 됐겠는가 생각해 보라. 말만 상호주의라고 안 하지 상호주의 하고 있는 것이다. 식량 주고 하니까 개성공단 잘되고 관광도 잘된 거다. 그런데 북이 무척 체면 차리는 나라니까, 실리는 우리도 취하고 있는 것이다. 지금 개성공단으로 5-6킬로미터 들어갔고, 동해안 쪽은 10킬로미터 들어갔다. 군부대가 나가고 장전항은 군항이 옮겨 갔다. 거꾸로 북이 문산이나 속초나 양구까지 내려왔다고 생각해 봐라. 그런 게 아무 대가 없이 하는 게 아니다. 그러나 우리가 비료·식량 주면서 개성공단 내주고 갔다 하면 북은 체면상 안 해 버린다. 그 사람들이 체면 때문에 중국, 소련과 싸운 사람들이다. 그 자존심 때문에 지금까지 온 것이다. 난 그 사람들은 밥보다도 자존심 갖고 사는 사람들이라고 본다.

북은 하루라도 빨리 베트남처럼 되고 싶어 한다

정석구 지난 4월 8일 싱가포르 북·미 잠정 합의 이래 6자회담이 빠른 속도로 진전되고 있다. 6자회담 급진전의 원인과 배경은 어떻게 보시는가.

김대중 두 가지다. 하나는 서로의 이해가 맞아떨어지고, 다른 하나는 미국 내 장애 요소 이게 극복됐기 때문이다. 원래 클린턴 미 대통령은 나하고 얘기해서 공개적으로 햇볕정책을 지지했다. 햇볕정책은 대화로 평화적으로 해결한다는 것인데, 그래서 상당히 진전되다가 부시 정부 들어가서 완전히 뒤집어진다. 그래서 그동안 되는 건 없고 손해만 봤다. 북쪽이 핵확산금지조약 탈퇴하고 장거리미사일 발사 유예 조처 깨고 마침내 핵실험까지 했다. 거기 대해서 부시 대통령이 무슨 대응 조처를 취했나. 전쟁하려니 힘이 없고, 경제 제재는 일본과 같이 했는데 효과가 없고, 남은 길은 클린턴 대통령과 내가 하던 대화로 푸는 그 길밖에 없게 됐다. 부시 대통령이 악의 축과는 대화 안 한다고 한 걸 지금 대화했고, 나쁜 일엔 보상 없다고 했는데 지금 행동 대 행동으로 보상하고 있다. 북한은 핵 갖는 게 목적 아니다. 내가 여러 번 얘기하지만 미국은 수천 개 갖고 있는데. 북한이 지금 바라는 것은 테러지원국 해제받고, 적성국 교역금지법 종료하고 미국과 국교 정상화해서 중국, 베트남같이 국제사회에 나와 세계은행 같은 데서 돈도 빌려 쓸 수 있고, 일본과 국교 정상화해서 100억 달러 보상도 받을 수 있고, 투자도 받으려는 것이다. 그런데 그동안은 미국이 상대 안 해 줬다. 겨우 6자회담이 진전되니까 미국 내 강경파들이 방코델타아시아 금융 제재 문제로 1년 끌고, 요새도 시리아 핵 협력 등등 얘기하고 있는데, 부시 대통령이 밀리지 않고 내 임기 안에는 이것만은 한다 하니까 문제가 풀려 나가는 것이다. 미국이 자기들이 원하는 것 다 한다는데 북한이 왜 핵이 필요하겠는가. 북은 하루라도 빨리 나와서, 베트남처럼 되고 싶은 것이다. 그런데 미국에서 자꾸 문제가 생기는 것이다. 다행히 부시 대통령이 마지막에 판단을 잘한 거다. 그런데 지금도 자꾸 미국의 보수 세력들이 발목 잡고 있는데, 아마 부시 대통령은 결심했을 거다. 이번에 북쪽이 1만 8천 쪽 되는 핵 가동 기록 문서를 넘겨준 것은 아주 고무적인 사태 진전이다. 또 테러지원국 해제되면 동시에 냉각탑을 폭파한다는 것인데, 세계에 중계방송되면 얼마나 극적인 이벤트가 될 것인가. 내가 1994년 5월 12일 미국 워싱턴의 내셔널프레스클럽에서 연설할 때부터 말한 것이지만, 주고받기 협상하면 해결된다. 그래야만 북한은 살길이 생기고, 미국은 그럼으로써 북한이 테러국가, 핵 보유국, 미사일 발사국가 등 위험한 일로부터 손 떼게 할 수 있는 거다. 이해가 맞아떨어진 것이다.

미국 내 장애 요소는 제거 안 됐고 호시탐탐 노리고 있다

정석구 북·미의 이해가 일치됐고, 미국 내 장애 요소가 제거됐다는 것인데.

김대중 아직 미국 내 장애 요소는 완전히 제거 안 됐고 여전히 호시탐탐 노리고 있다.

정석구 그런 측면에서 일부에선 회의론도 있는데?

김대중 그런데 미국 내 일부에서 할 때까지 해 봤지만 잘 안 된다.

정석구 북쪽은 핵 폐기 결단을 내렸다고 볼 수 있는 측면이 있는데, 그럼에도 미국 내의 반발이 있고 의혹이 해명 안 됐다며 문제를 제기할 가능성이 있는데 그러면 북이 너무 많이 나갔다며 되돌아갈 우려도 제기되고 있는데.

김대중 그런 점에서 북한은 6자회담에서 보증받는 것 아닌가. 미국이 의혹을 제기하고 문제 삼으면 북한도 합의한 것 파기하고 새로이 핵 개발할 수도 있는 것인데, 북한이 그런 준비 해 두고 양보하는지 안 하는지는 우리는 모른다. 그러나 그런 일은 지금은 거의 불가능하다. 미국은 그렇게 되면 현재로선 북한과 전쟁할 능력도 없고 경제 제재로 굴복시킬 능력도 없다. 거기다 부시 대통령은 중동에서 저렇게 실패했으니 북핵 문제라도 성공하고 나가야 대통령 선거도 도움 되고 자기도 체면이 선다. 북한 문제 해결되면 부시 대통령은 미국에서 가장 잘못한 대통령이라는 오명을 벗을 수가 있을 거다. 부시 대통령이 그걸 깨진 않을 것이다. 깼다간 6자회담에서 고립될 것이다. 거꾸로 북한도 못 한다. 미국이 관계 정상화를 동결시켜 버릴 것이고, 경제 제재 다시 하게 될 것이고 그러니 북한도 할 수가 없다. 북핵 폐기 1, 2단계 끝나고, 3단계 완전 폐기 안 하면 미국은 과거처럼 북한에 제재할 수 있다. 필요성도 있고 안 지켰을 때 상대방 견제할 카드 다 갖고 있다. 중국, 한국, 러시아, 일본이 다 실천을 보장하고 안 했을 때 제재하게 될 거다. 6자가 다 잘돼서 득을 보고, 못되면 다 안 좋으니까, 특히 북한과 미국이 좋으니까, 이 문제는 너무 걱정할 필요가 없다.

정석구 구체적으로 들어가면 폐기 단계에선 북이 경수로를 요구할 텐데 이는 어떻게 보시는가.

김대중 북이 핵을 완전히 포기하면 경수로를 지어 주기로 이미 제네바합의에서 합의한 것 아닌가. 그런데 북이 잘 안 하니까 경수로를 동결했는데, 이번에 완전히 합의하면 다시 못 할 것 없는 것 아닌가. 그 문제는 핵 문제가 완전 해결되면 거기 따라서 해결할 길이 열릴 것으로 본다.

핵 문제가 해결되면 자연히 동북아 안보협력 체제 문제로 진전될 것

정석구 지나친 우려일지 모르지만, 북은 자기들은 돌이킬 수 없는 핵 폐기로 가고, 원하는 것(관계 정상화 등)은 언제든 돌이킬 수 있는 것을 받게 된다면서 불안해하고 문제가 있다고 생각할 수 있는데. 한반도 평화 체제 문제 등 다른 분야에서 진전이 필요한 것은 아닌지…….

김대중 아주 좋은 지적이다. 1994년 내셔널프레스클럽에서 연설할 때부터 동북아 안보 체제를 만들어야 한다고 얘기했다. 중국 가서도 장쩌민 주석에게도 얘기했다. 다행히 9·19공동성명과 2·13합의에서 6자가 동북아 안보 체제를 만든다고 했다. 핵 문제가 해결되면 자연히 동북아 안보협력 체제 문제로 진전될 것이라고 본다. 그것이 아주 큰 소득이다. 내가 1971년, 지금부터 37년 전 대통령 출마할 때 한반도 4대국 평화 보장안 얘기했는데, 그 4대국과 남북한 합하면 6자다. 그것이 실현되고 있는 것이다. 그것은 지정학적으로도 아주 중요하다. 지금 외교는 일극화 내지 단극화에서 다극화되고 있다. 과거 냉전 시대 미·소 양극화에서 소련 붕괴 뒤 미국 일극화였다. 그런데 미국이 자꾸 약해지면서, 중국, 인도가 팽창하면서 다극화하고 있다. 동북아만 해도 미국은 과거 일본과 일극화 안보협력 체제였는데, 이제는 중국과 관계를 발전시키려 노력하고 있다. 일본도 과거 미국 일변도에서 이번에 후진타오 중국 주석이 일본 와서 한 걸 보면 일본이 중국에게 전략적 우호 관계를 하자해서 그렇게 합의했다. 미국도 일본, 중국과 좋게, 일본도 미국, 중국과 좋게 지내겠다는 것이고, 중국은 더 많다. 미국과도, 일본과도, 러시아와도, 인도와도 그러겠다는 것이다. 이렇게 다극화하고 있다. 일시적으로 미, 중이 대결구도로 가는 것 같았는데, 결국에는 협력하는 구도로 가고 있다. 지난달 미국 방문해 하버드대에서 연설하면서도 내가 미국이 일본하고 같이 중국에 너무 압박 가하지 마라, 그러면 중국 내 배타적 민족주의가 일어나고 중국 군부가 세력 갖게 되면 아주 위험한 사태가 오게 된다, 대신 중국의 내정이 복잡하니까 내정에 몰두하도록 도와주면 중국 내에선 중산층이 막 생겨나니까, 민주화로 서서히 갈 가능성이 있다, 그리고 재난을 면할 것이다, 이렇게 얘기했다. 우리도 중국에 현명한 태도를 갖고 대해야 한다.

'1동맹 3우호' 체제가 우리가 나갈 길이다

정석구 한·미정상회담에서 미국과의 전략동맹을 추진하면서 중국과 문제를 야기할 거라는 우려가 있는데?

김대중 그 점에 대해서는 우려하는 사람이 있는 것으로 알고 있고 우리가 관심 가져야 한다고 생각한다. 우리는 미국과 군사동맹 유지하면서 중·러·일과는 우호 관계를 유지해야 한다. '1동맹 3우호' 체제가 우리가 나갈 길이다. 미국과 동맹을 하니까 무조건 중·러와 적대하는 것 이건 냉전 시대 얘기다. 그 둘을 잘 맞춰 가야 한다. 그런 걸 잘하느냐 못하느냐가 우리의 지혜고 외교 역량이다. 또 국민들이 그러한 감각을 가져야 한다. 그런 방향을 국민들이 납득하고 지지해야 한다. 이것은 우리가 사는 데 필수적이다. 중·러 다 우리

를 침략했고 마침내 일본이 병탄하지 않았나? 미국이 일본의 식민지 침략을
지지해 줬는데 만약 미국이 그때 반대했으면 일본이 못 했다. 미국은 그렇게
중요하다. 우리의 지정학적 입장을 보면, 중·러·일 사이에 끼어 있다. 해양
세력이 대륙으로 가는 다리, 대륙 세력이 해양으로 오는 다리다. 그걸 서로
독점하려 했다. 앞으로도 그런 일 없으리란 보장 없다. 그런데 미국이 안정
자, 균형자 역할 해 주면 그 셋에 대한 견제가 된다. 그러니 우리는 미국과의
동맹이 아주 중요하다. 그러나 동시에 이 세 나라와도 관계를 잘 유지해야 한
다. 그래야 우리가 안정이 되는데, 그게 6자가 되면 동북아 안보 체제. 또
우리가 중, 일 큰 경제적 강대국 사이에서 경제가 어려워진다고 하는데, 거기
엔 양면이 있다. 중국같이 큰 시장, 일본 같은 세계 두 번째 부자, 거기에다가
물건 팔아먹을 수 있고 기술협력 등을 받을 수 있다. 경제적인 거래에서 우리
가 제일 가깝다. 문화도 서로 통하고 있고, 우리가 잘못하면 중, 일과의 경쟁
에서 밀리고 잘하면 마치 도랑에 있는 소가 양쪽 언덕의 풀을 뜯어 먹듯이 양
쪽을 할 수가 있다. 두 언덕뿐만 아니라 러시아와 미국 언덕도 있다. 그러니
'4대국' 관계는 한쪽으로는 안전 보장에 중요하지만 다른 한쪽으로는 경제
적 번영에도 중요하다. 우리의 기회다. 한쪽으로만 특별히 가까워서 다른 쪽
을 적대시하느냐, 아니면 1동맹 3우호 체제를 유지해서 모든 국가로부터 안
보협력을 받고, 모든 국가와 경제 협력을 발전시킬 것인가? 그것이 우리의 지
혜라고 생각한다.

정석구 한·미정상회담에서 임기를 얼마 안 남겨 둔 미국 대통령과 전략동
맹 합의하려 한 것이 적절한가에 대한 우려도 있는데.

김대중 부시 정부와 한 것이 우리 국익에 도움에 되느냐 아니냐가 중요하
다. 도움이 되면 해야 한다. 부시 정부도 의회 동의도 받고, 다음 정부 동의도
받아야 하는데, 다음 정부에서 지지받지 못할 일들을 함부로 할 수는 없는 것

아닌가. 미국은 외교는 정부가 바뀌어도 계속하는 전통이 있다. 그건 크게 걱정할 필요 없다. 문제는 국익에 도움 되느냐인데, 내가 보기엔 국익에 도움이 된다.

정부가 더 많이 사전 사후에 국민과 대화해야 한다

정석구 쇠고기 수입 문제에 대한 정부의 조처는 어떻게 보시는가?

김대중 쇠고기 문제는 전문 지식 없어서 단언할 수 없지만, 원칙적으로는 정부가 더 많이 사전 사후에 국민과 대화해야 한다고 생각한다. 정부가 국민이 걱정하는 것이 뭔가를 알아서 충분히 설명하고 국민이 원하는 것이 타당하면 대책을 세우고, 이런 모습을 보이는 것이 정부가 국민 신뢰를 받아 문제를 해결하는 것 아닌가 생각한다. 쇠고기는 싸니까 소비자에 도움이 되고, 광우병 때문에 국민 생명의 안전에 문제가 있는 양면성 있다. 정부가 충분히 설명하고 국회에서 혹은 텔레비전에서 사흘이고 닷새고 안 되면 열흘이고 국민 참여 속에 토론해서 국민들이 진실을 파악할 수 있게 해서 국론을 통일해 가는 게 좋다고 본다.

정석구 쇠고기 문제가 한·미 관계엔 큰 영향 안 끼칠 걸로 보시는가?

김대중 중요한 것은 우리가 미국 쇠고기 안 산다는 게 아니고 안전해야 사 먹겠다는 것 아닌가. 미국도 파는 쪽에서 손님 안전하게 할 책임 있는 것 아닌가. 쉽게 얘기하면 그렇다. 우리가 미국 미워서 안 사겠다는 것도 아니고……

북한과 관계 경색은 6자회담에서 바람직하지 않다

정석구 6자회담 당사자로서 한국이 중심적 역할을 해야 하는데 한국의 입지가 위축된 듯한데.

김대중 6자회담에선 6분의 1발언권이 있으니 제대로 활용하는 것은 우리 역량에 달렸다. 누가 소외시킨다고 그럴 문제는 아니라고 생각한다. 너무 위축될 필요는 없다고 보는데, 다만 북한과 관계가 비틀어지고 경색되는 것은 우리의 국제적 위상으로 보나, 6자회담 발언권으로 보나 바람직하지 않으니 남북 관계에서 빨리 해결의 실마리를 풀어 가는 것이 좋다고 본다. 그것이 6자회담에서 우리 입장을 강화해 줄 것으로 본다.

정석구 이번 6·15 때 특별히 계획하는 일은 있으신지?

김대중 매년 하듯이 기념행사 할 것이다. 지난 10·4선언에서 6·15를 국민적 기념행사로 하기로 했다. 그런데 노무현 정부가 합의를 해 놓고도 기념일로 선포를 하지 않았다. 그렇게 하라고 말했는데 안 했다. 지금은 이 정부가 마땅치 않게 생각하는 점이 있을 텐데 정부 차원에선 그나마 잘 안 될 것 같고, 6·15남쪽본부가 금강산에서 하는 남북 공동행사라도 정부가 지원해서 잘 됐으면 한다.

정석구 금강산 공동행사는 정부에서 지원하겠다고 했다던데.

김대중 아직은 아니다. 백낙청 6·15남쪽본부 상임대표가 찾아왔는데 얘기가 거기까진 아닌 것 같고, 정세현 민화협 상임대표도 북한 다녀와서 김하중 통일부 장관 만났는데, 아직도 정부 쪽에서 확실한 얘기를 안 한다고 한다.

정석구 6·15공동선언에서 해결 안 된 게 답방 문제인데.

김대중 지금으로선 좀 요원하다고 본다. 답방은 참 어렵게 합의를 봤는데 그 후로 올 듯 올 듯하다 안 왔다. 중국을 통해서 오겠다고 하다가 안 왔고, 러시아 연해주 쪽에서 만나자고 한 제안도 러시아가 제안하는 식으로 했는데 내가 안 한다고 했다. 그 사람들은 여기 내려오면 반대 시위가 일어나고, 그렇게 되면 자기들에게는 신 같은 존재인데 반대 시위 등이 보도되고 하면 바람직하지 않다고 생각할 것이다. 또 경우에 따라선 신변 안전도 문제다. 그런 점이 자꾸 주저하는 원인인 것 같다. 김정일 국방위원장도 상당히 검토를 했는데, 어떤 때는 중국을 통해서 언제까지 가겠다. 퇴임 후인데 그때도 대통령을 만나겠다고 얘기가 있었다.

햇볕정책은 한국만 아니라 국제적으로 효력이 입증되었다

정석구 지난 4월 미국 방문에서 했던 하버드대 연설은 평가가 좋았다는 얘기를 들었는데.

김대중 하버드대에서 한 얘기를 요약하면 이렇다. "햇볕정책이 북한에 심리적 변화, 문화적 변화까지 가져와 한국에서도 큰 성공을 거두었다. 그런데 햇볕정책은 한국만이 아니라 국제적으로도 그 효력이 입증되었다. 소련과 동유럽의 민주화를 가져온 것도, 중국이나 베트남의 변화도 결국은 말은 다르지만 유연한 '햇볕정책'의 성과였다. 여러분들이 중국에 관심이 많은데 만약 미국이 일본과 함께 중국에 과도한 군사적 압력을 가하면 중국의 민족주의는 폭발하고 군부가 세력을 장악하게 될 것이다. 그러면 위험한 시대가 올 수 있다. 그러나 미국이 중국이 위협을 느끼지 않을 만큼의 균형 잡힌 군사력만을 유지하고 중국이 내정에 전념하도록 유도한다면, 다시 말해 일종의 햇볕정책을 실시한다면, 중국의 민주화에 대한 희망을 가져 볼 수 있다." 그 대학교수들도 공감한다고 말했다.

내가 하나 더 추가할 것은 남북 관계에서 우리가 10년을 허송세월했다는 얘기가 있는데, 잃어버린 10년 이런 말도 하는데, 6·15 이후로 북이 얼마나 변했나. 북이 과거에 적대시, 의심, 멸시 이런 것들에서부터 우리에게 감사하다며 신뢰감도 보이고 부럽다는 얘기를 하는 등 바뀌었다. 북쪽의 마음이 바뀌니 문화까지 변해서 남쪽 대중가요 부르고, 드라마 영화 등 비공식이지만 보고 있다. 상당히 광범위하다. 마음 바꾸고 문화를 바꿨으면 햇볕정책이 대

성공한 것이다. 북한에 대해서 우리가 북한은 가난하다, 통일은 왜 하나, 우리가 떠안는 것 아니냐 이런 생각 가진 사람들 많다. 그런 생각도 잘못이지만 현실을 잘못 알고 있는 것도 있다. 북은 가난하지만, 경제적 번영에 잠재력이 아주 크다. 우리 경제단체에서 나온 자료를 보면 북한 지하자원이 약 2조 달러, 그러니까 우리 돈으로 2천 조다, 마그네사이트, 텅스텐, 동, 금, 석탄 등이 깔려 있다. 지금 중국은 북한 내 자원을 들여오려고 애쓰고 있는데 북한이 잘 응하지 않고 있다. 유럽에서 영국, 프랑스, 독일, 이탈리아, 오스트리아, 스웨덴 등이 북한에 들어갔다. 관광자원도 아주 풍부하지 않은가. 북한 노동력은 세계에서 가장 우수하다. 고교까지의 의무교육에 군대에서 10년 교육받았고 그러면서 임금은 중국의 반이 안 되고, 이런 것을 활용해야 한다. 북한 지하자원 개발하면 돈이 생기고 그때 철도 개설 등 사회간접자본 시설 갖추면 된다. 잠재력이 있다. 그런데 제일 가까운 데 있는 우리가 지금 딴소리하고 있다. 우리는 문화와 말이 같다. 중소기업들 중국 투자했다가 도로 나오고 있는데, 갈 곳이 북한밖에 없다. 그런데 그것을 일부 국내 언론들이 자꾸 덮고 북한은 우리에게 부담밖에 안 되고 귀찮은 존재로 잘못 보도하고 있다.

또 중요한 것은 우리가 북한을 거쳐야만 중앙아시아에서 유라시아 대륙을 관통한다는 것이다. 남쪽 항구에서 출발한 기차가 그렇게 해서 파리, 런던까지 가는 것이다. 유라시아는 알다시피 기회의 땅이다. 그런데 가려면 배도 안 되고 비행기도 안 된다. 결국 유라시아로 못 가고 있다. 북과 관계 개선해서 결국 철도가 가야 한다. 푸틴 러시아 대통령도 한국 왔을 때 주로 철도 문제를 놓고 같이 얘기했다. 북한도 동의하고 있다. 우리가 바다로도 가고, 하늘로도 가지만, 육지로 가는 길을 열어야 한다. 반도는 육지로 가야 하는데, 육지로 못 가면 반도라 할 수 없는 거 아닌가. 이런 면에서 우리가 눈을 떠야 한다. 북한이 경제적으로도 가치가 있다는 걸 알아야 한다. 그리고 우리 조상들이

1,300년 동안 통일시켜 온 나라, 세계에서 유례 드물 정도로 단일민족을 유지해 온 나라가 본의 아니게 60년 동안 분단됐다. 성급하게 할 필요는 없지만, 꾸준히 화해 협력을 위해 노력하고 평화적 통일을 위해서 노력하는 일을 멈춘다면 민족적 양심에서 보더라도 벌을 받을 일이라고 본다. 북한에 대해서 우리는 미시적 시각에서만이 아니라 큰 시각에서도 봐야 한다. 역사를 볼 때 한편으로는 망원경처럼 멀고 넓게 보고, 한편으로는 현미경처럼 잘고 깊게 봐야한다. 그런 입장에서 남북 문제를, 또 햇볕정책을 판단해야 한다고 본다.

정석구 이명박 정부가 출범 석 달이 다 돼 가는데 남북 관계·외교 문제만이 아니라 국정 전반에 대해서 하시고 싶은 말씀이 있다면.

김대중 전직 대통령이 정치하지 말란 법은 없지만, 국내 정치엔 되도록 개입 안 하는 것이 좋겠다고 생각한다. 지난번 대선 때도 민주당 단일화는 적극 얘기했지만, 누구를 대통령 후보 하라든가 당선시키라 하는 말은 일절 한 적이 없다. 이명박 대통령에 대해서 우리끼리 내부에서 정한 것이 있다. 적어도 반년은 지나고서 평가를 해야지, 당장 한두 달에 평가한다는 것은 내가 해 봤지만 너무 급하다. 이담 기회에 하자.

---

* 이 글은 2008년 5월 19일 자 『한겨레』 창간 20주년 기념 특별 회견 기사 전문이다. 인터뷰는 2008년 5월 13일 오전 김대중 대통령의 서울 동교동 자택에서 1시간 30분간 진행되었다.

국민은 앞으로 나가고 있는데,
지도자는 잃어버린 10년이라며 후퇴

대담 이정희 외

일시 2008년 6월 17일

한국정치학회(회장 이정희 한국외대 교수)는 건국 60주년 기념사업의 일환으로 전직 대통령들의 정치적 소회를 듣는 인터뷰를 기획하여 실행하고 있다. 지난 6월 17일에는 김대중 전 대통령을 만났다. 이정희 회장, 정상화 섭외이사, 서현진 섭외이사, 황지환 섭외위원, 그리고 김유경 섭외간사가 동교동 자택을 예방하여 오전 10시 30분부터 약 1시간 인터뷰를 하였다.

인터뷰는 한국의 민주화 및 재임 시절 추진하였던 정보화 사업과 외환 위기 극복 과정에 대한 회고와 더불어, 햇볕정책과 남북 관계 전망에 대한 의견 그리고 현재 한국이 처한 어려움을 극복하기 위한 제언 등으로 이루어졌다.

이정희 바쁘신 와중에 시간을 내주셔서 대단히 감사합니다. 올해 정부 수립 60주년을 기념하여 섭외위원회에서 전직 대통령들을 만나 뵙고 좋은 말씀을 듣고, 우리가 공부해야 할 방향이라든가 잊고 있었던 것을 찾으려는 기획을 했습니다. 3월에는 김영삼 전 대통령을 찾아뵙고 좋은 말씀을 들었습니다. 6월 말에 발간될 여름 호에 김대중 대통령과 말씀 나눈 것을 실어서 회원들에게 널리 알리려고 합니다.

서현진 섭외위원회에서 준비한 공통 문항을 중심으로 인터뷰에 응해 주시는 모든 분들에게 비슷한 질문을 드리고 있습니다. 김 대통령님의 삶 자체가 우리 민주주의의 산 역사라고 할 수도 있어서 많은 기대를 하고 왔습니다.

이정희 요즘 대학생이나 젊은 학자들이 과거 민주화의 역정에 대해서 충분히 이해하지 못하는 부분이 있는데 이들에게 민족사의 입장에서 꼭 당부하고 싶은 말씀이 있으신지요?

김대중 전후에 독립한 국가들 중에서 한국은 모범적인 국가로 꼽을 수 있고 다른 국가들에서도 한국을 배우려고 합니다. 저는 피를 흘리면서도 우리의 힘으로 민주주의를 이루었다는 점을 가장 중요하게 들고 싶습니다. 민주주의는 공것이 없어서 반드시 희생을 해야 하고 희생을 해야 민주주의를 지켜 나갈 수 있는 주체 세력이 생깁니다. 이번 촛불문화제의 힘도 결국 그것에서 나온 것이라고 봅니다. 수단으로서는 정보화가 뒷받침했지만 정신으로서는 그러한 생각이 뒷받침된 것입니다. 모든 국민들은 내 아들이, 내 친구가 또는 내 선배가 민주주의를 위해 싸웠다는 경험을 가지고 있고 그런 점이 한국 민주주의의 강점이라고 생각합니다.

서현진 당선 직후 국제통화기금(IMF) 문제를 해결해야 하는 경제 위기 극복 과제를 부여받으셨습니다. 금 모으기와 실업 극복 운동을 전개하시고 노사정위원회를 구성하여 개혁과 구조조정을 하여 이를 극복하고자 하셨는데 재임 중 이런 노력에 대해 성공적이었다고 평가하십니까?

특권 경제, 재벌 경제가 외환 위기 초래

김대중 한국 정부가 6·25전쟁 폐허 속에서 만들어졌는데 이후 경제는 발전했지만 노동자, 농민의 희생 속에 특권 경제, 재벌 경제로 왜곡되어 운영되면서 외환 위기가 온 것입니다. 그러한 왜곡을 처음에는 경제 성장으로 덮을 수 있었지만 점차 부패 구조와 빈부 격차가 심해지면서 결과적으로 외환 위기가 오게 된 것이지요. 그래서 제가 정권을 잡았을 때 거의 파산 지경이었습니다. 대통령이 당선된 다음 날부터 정부 일을 보게 되었습니다. 제가 잘해서가 아니라 국민이 도와준 것이라고 생각합니다. 국민들의 금 모으기가 큰 힘이 되었고 세계에 감동을 주었고 다른 국가들에서도 한국 국민들의 의식 때문에 더 많이 도와주었다고 봅니다.

서현진 재임 중에 추진하신 정보화 등 다른 정책 분야에서는 어떤 성과가 있었는지요?

김대중 옥중에서 앨빈 토플러의 『제3의 물결』을 읽고 정보화에 대해 새롭게 인식하게 되었고 대통령이 되자마자 외환 위기를 수습하면서 한편으로는 정보화를 추진했습니다. 놀라운 것은 국민들이 적극적으로 호응을 했는데 이는 우리 국민의 오랜 지적 전통, 교육에 대한 전통, 모험심 때문이라고 생각합니다. 이 모든 것들이 오늘날 우리 민주주의가 온라인과 오프라인이 연결되어서 발전할 수 있었던 요인이라고 봅니다. 또한 여야 정권 교체가 처음으로 된 것인데, 그것으로 그친 것만이 아니라 모든 사람이 민주주의의 혜택을 입었다고 할 수 있습니다. 과거 민주노총의 경우 창당과 기금 모금 등 이들의 권리를 보장해 주었고, 여성부, 국가인권위원회, 과거사진상규명위원회도 만들어 한국 민주주의 발전에 기여하고자 노력했습니다.

재임 중 가장 아쉬운 것은 빈부 격차를 줄이지 못한 것

서현진 말씀하신 것처럼 외환 위기 극복과 정보화 추진뿐 아니라, 햇볕정책 추진 등 많은 업적을 남기셨는데요. 돌아보면 재임 기간에 더 잘할 수 있었는데 아쉽다고 느끼시거나 후회되시는 부분은 없으셨는지요?

김대중 가장 아쉽다고 생각한 것은 빈부 격차를 줄이지 못한 것입니다. 국민연금도 보급하고 기초생활 보장도 확대시키고 했지만 세계화의 근본적인 문제에 맞서지 못했다는 생각이 듭니다. 그리고 대통령 5년 집권 중에 미국 대통령이 바뀌어서 햇볕정책을 추진하는 데 어려움이 있었습니다. 3년을 클린턴 대통령을 상대하고 2년을 부시 대통령을 상대했는데 클린턴 대통령과는 상당히 잘 지냈다고 봅니다. 1998년 6월 미국에서 열린 정상회담에서 햇볕정책에 대한 양국 간 이해와 합의가 있었고 그 결과는 남북정상회담과 공동성명으로 나타났습니다. 그러나 부시 대통령이 집권하면서 상황이 많이 달라졌습니다. 저의 설득에도 불구하고 부시 대통령은 햇볕정책에 부정적이었는데, 결국 6년 동안 북한과의 관계에서 얻은 것 없이 부시 대통령은 우리의 햇볕정책을 따라가는 방향으로 북한과 대화하려는 자세로 돌아설 수밖에 없었지요.

정상화 평양 방문 당시, 김정일 위원장에 대해 받은 인상은 어떠셨는지요?

김대중 매우 우수한 사람이라고 느꼈습니다. 남쪽에서는 부정적 시각으로 이야기하는 경우도 많지만 판단력도 좋고 리더십도 있고 다른 사람 이야기도 잘 들어 주고 빨리 반응하는 편이라고 느꼈습니다. 평양을 방문하면서 큰 성과라고 생각한 것은 통일에 대해서 우리 민족끼리 자체적으로 해결한다는 생각에 합의했다는 것이고 무력 통일, 흡수 통일이나 공산 통일 등의 여러 가지 내용들을 배제하고 단계적으로 통일을 하되 제1단계는 남북연합적인 통일을 한다는 것에 남북 정상이 합의했다는 것에 큰 의미를 두고 있습니다. 힘들었던 부분은 김정일 위원장의 답방 문제였습니다. 답방을 꺼려서 제가 "듣기론 김정일 위원장이 효심이 깊고 윗사람 공경도 잘한다고 들었는데 당신보다 나이 많은 내가 여기까지 왔는데 젊은 당신이 못 오는 게 말이 되느냐"고 했습니다. 그때서야 긍정적으로 다시 한번 생각하는 듯했습니다.

이정희 북·미 관계가 완화되고 6자회담이 잘 진행되고 있다는 것은 종국에 가서는 북핵 문제가 해결된다고 전망하시는 것인데 지금 북핵 문제의 수준에 대한 논의가 많이 있습니다. 지금 현재 핵 시설을 어느 정도 불능화 상태로 놓느냐는 것에 대해서요.

김대중 불능화 상태는 합의가 되었고 핵 프로그램 논의도 보강이 되었고 다음은 불능화된 핵을 어떻게 처리할 것인가가 문제인데 그것은 조금 시간이 걸린다고 봅니다.

정상화 한국에 가장 중요한 것이 북한의 변화일 텐데 어떤 형태로 북한이 변화할 것이라고 생각하십니까?

김대중 앞날은 누구도 예측할 수 없지만 가능성에 대해 얘기하면 미국과 북한의 관계가 좋아지고 동북아시아 안보 체제가 되어서 북한도 보다 안정적이 될 것이고 제2의 중국이 될 수도 있다고 봅니다. 영국이나 프랑스의 혁명, 우리나라 4·19혁명에서도 볼 수 있듯이 중산층은 민주주의의 발전에 중요한 역할을 합니다. 북한의 경우도 경제가 성장하면 중산층이 생기고 정치적으로도 민주화가 올 것이라 봅니다. 또 그렇게 바뀔 수 있도록 우리가 유도해야 하겠지요.

국민 요구를 수렴하는 길을 찾는 것이 실용주의

서현진 실용주의 리더십을 표방하면서 출발한 이명박 정부가 취임 100여 일 만에 최저의 지지율을 기록한 현재 상황에 대해서 어떻게 보시는지, 한국이 우선적으로 추진해야 할 과제는 무엇인지, 그리고 정치 지도자에게 요구되는 리더십이나 자질은 무엇이라고 생각하시는지 듣고 싶습니다. 전직 대통령으로서 우리가 처한 사회 문제를 잘 해결하는 데 필요한 조언을 해 주셨으면 합니다.

김대중 아직 논평하기는 이르다고 봅니다만, 지금 문제는 이명박 대통령이 표방하고 있는 실용주의는 좋은 것이지만 제대로 된 실용주의가 필요하다는 것입니다. 예를 들면 우리 국민들이 촛불문화제를 만들고 참여할 정도로 변화하고 발전했는데 이를 인정하고 그대로 대하는 것이 실용주의라고 할 수 있습니다. 이명박 정부의 최대 문제점은 잃어버린 10년이라는 사고방식을 가지고 있기 때문에 과거를 되찾으려 생각하고 있다는 점입니다. 이미 시대는 김대중, 노무현 시대보다 더 앞으로 나아가려고 하는데 그 이전을 생각하는 것이 문제지요. 바뀐 시대에 가장 적극적으로 대처하고 있는 것이 한국이고 그중에서도 가장 세계가 깜짝 놀랄 일을 하고 있는 것이 촛불문화제에 참여하고 있는 국민들입니다. 지금까지는 정부, 국회, 사법부, 언론의 영향이 강했지만 이제는 평화적인 대중들이 직접민주주의의 중요한 정치 주체가 되었다는 것을 인정하고 국민들의 요구를 수렴할 수 있는 길을 찾는 것이 실용주의의 한 모습이라 봅니다.

그리고 6자회담이 성공적으로 진행되어 가고 북·미 관계가 개선되고 북·일 국교 정상화가 이루어지고 있는 시점에서 북한의 가치를 잘 파악해서 함께 가야 한다고 생각합니다. 우리가 계속 손해만 봤다고 하는데 이미 이익을 본 것도 있고 앞으로 이익을 볼 수 있는 기회도 있어요. 남북 정상이 만나 악수하는 장면이 북한 주민에게 방송되었는데 원수 미제의 앞잡이로 생각했던 사람과 화해의 악수를 한다는 것 자체가 그들에게는 매우 큰 인상을 남겼고, 이후 남쪽에서 식량과 비료 등 실질적인 지원이 이루어진 것도 알게 되면서 남쪽에 대한 공포나 적개심 등이 없어지게 되었지요. 또 우리 드라마나 대중가요가 유행하기도 하는 등 북한 민심과 문화가 변화했습니다. 문화의 변화란 남북 관계의 긴장 완화에 있어 매우 중요하다고 생각합니다.

당장 먹고살기도 힘든데 왜 북한에 경제적 지원을 해 주나 생각할 수도 있지만 북한은 투자할 가치가 있습니다. 무엇보다도 북한은 값싸고 우수한 노동력이 있고 언어와 문화가 같아 기업 하기 좋은 환경을 갖고 있습니다. 또한 북한의 텅스텐이나 마그네사이트와 같은 지하자원들은 상당한 경제적 가치가 있다고 추정됩니다. 중국이나 유럽의 국가들은 이 때문에 북한에 진출하려고 하는 계획을 가지고 있는데 우리는 북한이 가지고 있는 경제적 가치를 너무 인식하지 못하고 있는 듯합니다. 지정학적으로도 우리가 중국, 러시아로 진출하기 위해서는 바다를 통해 가는 것보다는 북한을 경유하는 육로가 훨씬 안전하고 비용이 적게 듭니다. 특히 기차는 많은 지역을 경유할 수 있기 때문에 도처에 무역 거점을 마련할 수 있고 중앙아시아로 진출하여 유럽까지도 갈 수 있습니다. 그러면 우리는 태평양의 물류 거점이 될 수 있지요. 물류가 일어나면 금융, 보험, 문화관광이 일어나게 되고, 그때 한국은 세계에서 5위권의 나라가 될 수 있다고 봅니다. 그런데 우리는 그렇게 유리한 지역을 앞에 놓고도 놓치고 있습니다. 이런 의미에서 북한 문제에 대한 우리 생각의 변화가 중요한데, 특히 남북 문제를 과거의 적대적 인식, 6·15정상회담 이후 퍼주기라는 시각에서 보는 것을 변화시켜야 한다고 생각합니다.

6자회담이 해결되고 있는 중이고 북한과 미국 관계가 개선되고 있고 미국은 중국을 견제하기 위해서 한국보다 북한이 더 필요한 처지입니다. 북한도 러시아, 중국과의 관계에서 미국이 필요하다고 인식하고 있고 부시 대통령도 과거의 자세를 벗어나 대화를 적극 추진하려 하고 있습니다. 이런 환경에서 우리가 민족적, 문화적, 지정학적 이점 등을 살려 북한과의 관계를 제대로 보고 유리한 기회를 살리도록 하는 것이 바로 실용주의라고 생각합니다.

이명박 대통령도 대통령 후보였을 때 만나서 남북 문제에 대해 저의 의견에 대해 얘기했을 때 상당 부분 동의했습니다. 저는 실용주의자라면 현실적 문제가 발생했을 때 그것이 나의 생각과 맞든 맞지 않든 받아들여야만 하는 부분이 있다면 받아들이는 것이라고 봅니다. 그리고 이명박 대통령은 그럴 가능성이 있다고 생각합니다. 지금 어려운 상황에 처해 있다고 보는데 어떻게 하면 촛불문화제에 참여하는 사람들과 대화할 수 있는가, 남북 관계에 있어서도 협력 관계가 이루어질 수 있겠는가, 6자회담에서 주도적인 역할을 할 수 있을 것인가 등에 대해 좀 더 많은 고민이 필요하지 않을까 싶습니다.

지금은 사람의 시대, 머리의 시대

황지환 최근 우리나라 경제가 어려움을 겪고 있다고 많이 이야기하는데 1997년 외환 위기를 2년 만에 극복하셨던 경험으로 어떻게 대처하는 것이 좋을지에 대해 한 말씀 부탁드립니다.

김대중 경제가 어려운 면도 있고 전망이 좋은 면도 있습니다. 특히 지식정보화 시대에 정보력이 앞서고 지적 창의력이 넘치는 한국이 주도적 역할을 할 수도 있다고 봅니다. 첨단 분야뿐만 아니라 이를 활용하는 전통적인 분야도 함께 발전시킬 수 있다고 봅니다. 이제는 사람의 시대, 머리의 시대이기 때문에 상대적으로 한국이 강점을 가지고 있어 경제는 긍정적으로 전망해도 된다고 생각합니다. 단지 서민들의 경제적 문제, 중소기업의 문제가 있는데 중소기업들은 진출하기 어려운 조건의 중국이나 다른 지역보다 우선적으로 북한으로 진출할 수 있는 방법들을 모색해 보는 것도 상당히 도움이 될 수 있다고 봅니다.

이정희 좋은 말씀 많이 해 주셔서 정말 감사드립니다.

오늘의 한국 문제와 남북 관계

대담 박명림
일시 2008년 7월 3일

박명림 김대중 대통령님 안녕하셨습니까. 올해 대한민국이 정부 수립 60주년을 맞았습니다. 역사와 현실에 대해 비판적 정론을 추구해 온 계간 『역사비평』은 대한민국 60년을 어떻게 바라봐야 할지 모색하는 과정에서 이 인터뷰를 준비하게 되었습니다. 먼저 바쁘신 가운데 인터뷰에 응해 주셔서 깊은 감사를 드립니다. 유난히 무더운 여름에 어떻게 지내시는지요? 국민과 『역사비평』 독자들에게 주시는 인사 말씀으로 시작하고자 합니다.

김대중 저는 국민 여러분의 염려와 사랑으로 잘 지내고 있습니다. 다만 최근에 『역사비평』에서 인터뷰를 요청하면서 너무 어려운 질문을 보내와 시험 치르느라 무더위 속에 아주 혼났어요.(웃음) 경제도 어렵고, 에너지, 남북 문제, 국제 관계가 모두 어려워, 국정을 책임졌던 사람으로서 걱정이 아주 큽니다. 최근의 촛불시위도 주목해서 보고 있습니다. 시위의 참여자며 양상이 과거와는 상당히 다른 것 같아요. 박 교수는 이번에 촛불시위를 어떻게 봤습니까?

'잃어버린 10년' 담론: 이명박 정부의 잘못된 출발

박명림 정치학도이자·한 시민으로서 저도 몇 번 시위에 나갔었는데요. 현장에서 보니까 정권 교체 이후 예상보다 너무 급격하게 보수화, 탈공공화가 추진되면서 국민들이 느낀 집합적 삶의 위기감과 두려움이 표출된 것 아닌가 하는 생각을 해 봤습니다. 실질적 삶은 점점 어려워지는데 대통령도 보수 후보가 된 데다가, 국회도 보수 세력이 과대 대표되고 진보 개혁 세력이 과소 대표되었지 않습니까? 자신들의 목소리를 전달하거나 삶을 보호해 줄 이가 없다는 판단에 이르자 국민들이 자신의 요구를 직접 주장하고 표출하는 것 아닌가 싶습니다. 단지 경제 정책뿐만 아니라 남북 관계나 국제 관계, 민주주의 등 모든 게 역전이 되고 있어서, '선진화 원년'이 아니라 마치 '후진화 원년'인 것 같습니다.

김대중 동의합니다. 지금 이명박 정권의 가장 큰 문제는 '잃어버린 10년'이라는 생각에 있는 것 같아요. 김대중·노무현 정권 때, 그 전에 한 걸 잃어버렸으니 다시 옛날을 되찾아야 한다는 생각을 하니까 국민들이 볼 때는 위기의식이 생기거든요. 우리가 떠올리기도 싫은 그런 권위주의 시대가 다시 오는 거 아니냐, 이거 민주주의가 위기 아니냐, 공포정치라든가 재벌 중심 경제, 소외층 도외시, 남북 대립 등이 다시 시작되는 것 아니냐. 그런 데다 대운하 학교, 의료 등의 문제가 크게 대두되었지 않습니까? 쇠고기 문제는 하나의 계기가 된 것뿐이라고 생각합니다.

그런데 이번 촛불시위를 보면, 누가 따로 선동한 것도 아닌데 평범한 국민들이 유모차 끌고 나오기도 하고, 노인도 나오고, 학생들도 나오고 하는 모습이에요. 그 사람들이 생각을 한 방향으로 정리해서 제시하고, 그걸 비폭력적으로 주장하고, 인터넷을 통해 활발히 토론하고 하는 걸 보면 우리 국민이 얼마나 위대한지 깨닫게 됩니다. 앞으로는 정치가 이런 대중들과 비정부기구

(NGO)들이 함께 뭉쳐서 '시민 세력'이라고 할까, 직접민주주의 세력으로 결집하고 이들이 의회정치와 연계하는 그런 방향으로 발전하지 않을까 하는 생각도 듭니다. 우리 민주주의의 미래의 아주 큰 희망을 봅니다.

박명림 남북 관계의 역전을 말씀하시니까 대통령님과 관련해 생각나는 게 있습니다. 2005년 한국이 프랑크푸르트 국제도서전 주빈국일 때인데, 독일 현지에서 양국의 저명한 학자, 문인들을 모시고 한·독국제학술회의를 개최한 적이 있습니다. 그때 저는 이 학술회의의 한국 측 기획위원장으로서 조직 책임을 맡았는데, 독일의 바이체커 대통령과 함께 대통령님을 기조연설자로 초청했었습니다. 공교롭게도 막판에 두 분 모두 건강 때문에 참석을 못 하시게 되어 우리 측은 이홍구 전 총리로, 독일 측은 겐셔 외상으로 바뀌게 되었지만요. 당시 현지에서 겐셔 외상을 만났습니다. 당신은 독일통일의 주역 중한 명인데, 통일 과정에서 가장 중요하게 생각한 것은 무엇인지, 그리고 우리 한국 국민들에게 꼭 해 주고 싶은 말씀은 무엇인지 질문했습니다. 그때 겐셔 외상은, 여러 원인이 있지만 콜 총리가 진보에서 보수로의 정권 교체에도 불구하고 브란트 정부 이래 동방정책의 기본 원칙을 이어받은 것이 독일통일의 근본 원인 중 하나라고 하면서 '정책의 일관성'을 강조하더군요. 결국 국내 내정을 넘어서 온건 포용정책을 일관적으로 추진하느냐 그러지 못하느냐 하는 데 한국의 통일 여부가 달려 있을 것이라고 계속 강조했습니다. 자신들도 준비 부족으로 통일 이후 엄청난 고생을 했는데, 한국은 국제 관계를 포함해 더욱 치밀하게 준비할 필요가 있다는 얘기도 첨언하더군요.

김대중 나도 독일 통일하고 얼마 안 돼서, 그때가 1991년이었던 것으로 기억해요. 바이체커 대통령을 독일에서 만난 적이 있어요. 그때 바이체커 대통령은 내가 말하는 햇볕정책, 3단계 통일론 같은 것들이 아주 어려운 일이라고 했어요. 독일은 결국 거기에 실패했다고 말이죠. 자신들은 불가피한 상황에서 너무 급속하게 원치 않는 통일을 할 수밖에 없었다는 거예요. 시간이 흐르면 주변 국가들이 통일을 반대하게 될지도 모른다는 위기감이 있어서 그럴 수밖에 없었다고 그래요. 그런데 너무 서두르니까 결과적으로 베를린 장벽은 허물어졌어도 마음의 장벽은 그대로라서, 갈등이 심하다는 얘기를 하더라고요. 그러면서 햇볕정책과 3단계 통일론은 반드시 지켜 나가라고 신신당부를 했던 기억이 납니다. 역시 통일 문제는 사전 준비가 중요하다고 생각해요.

정부 수립 60년의 대한민국: 위대한 성취

박명림 그럼 이제 준비한 질문을 차례로 여쭤보겠습니다. 아시다시피 대통령께서는 전직 대통령 중에 박정희 전 대통령과 함께 가장 존경받는 두 분으로 평가받고 있고, 특히 생존해 계시는 대통령 중 국내외적으로 가장 높은 지지를 받고 계시는 걸로 알고 있습니다. 먼저 대한민국 60년을 어떻게 바라보시는지, 대한민국 대통령을 지내신 분으로서 소회와 느낌이 있으실 것 같습니다.

김대중 한마디로 말해 지난 60년은 신라 통일 이래 유례없는 시련이 중첩된 시기였는데, 우리 국민이 끈기와 저력으로 이것을 극복해 냈다고 봅니다. 시련만 극복한 것이 아니라 새로운 발전을 통해 많은 위대한 업적을 낸 60년입니다. 역사상 그 어느 때보다도 우리 국민이 큰 역량과 저력을 발휘해서 세계 무대에서 주목받는 나라를 만들어 냈다고 보고 있습니다.

먼저 1945년 일제 식민통치로부터 해방되자마자 미·소가 이 땅을 분할 점령했고, 곧 좌우 대립이 격화되었으며, 남과 북에 분단정부가 수립되었지요. 분할선 이남에는 이승만 대통령 중심의 대한민국이 수립되었는데, 친일파를 처리하지 못해 거기서부터 많은 문제가 틀어지게 되었어요. 그 뒤 북한의 남침으로 6·25전쟁이 벌어지고 독재가 이어졌지요. 4·19혁명 이후 잠시 민주당 정부가 존재하기는 했지만 곧이어 박정희·전두환의 참혹한 독재가 오래 계속되었어요. 그러다가 끝내 광주학살을 포함한 용납할 수 없는 반인륜적 학살행위로 이어지고……. 당시 정치적으로는 독재체제가 완전히 자리 잡았고, 언론이 어용화되었고, 경제적으로는 농민과 노동자의 희생 위에 재벌이 비대해지고 있었어요. 그런 한편에서는 점차적인 노동운동이나 여권女權운동의 신장도 있었지요. 노동운동이 확산되며 노동자의 정치 참여도 크게 늘었고요. 남북 관계를 보면 냉전 체제가 고착된 가운데 동서 대결 구도를 앞세우는 그런 시대였지요.

독재와 인권 탄압에 대해 젊은 학생들을 포함해 수많은 사람들이 계속 저항하고 목숨을 바치고 투옥·고문당하고, 그러면서도 그치지 않고 계속 투쟁해서 결국 독재자가 굴복했습니다. 경제 발전에 이어 민주화의 위업을 성취해 낸 것이지요. 많은 진척이 있었습니다. 일례를 들면 국가인권위원회가 만들어지고, 또 여성부도 설립되고요. 노동자들에게는 노동조합 설립의 자유가 주어지고, 많은 과거사에 대해서 진상 규명이 시작되어 억울한 이들의 누명이 벗겨지게 되었어요.

이렇게 해서 결국 1998년 국민의정부 출범을 계기로 이제 이 나라에서는 어떠한 독재자도, 어떠한 군부도 민주주의를 뒤집을 수 없는 그런 국민의 힘이 형성됐다고 봅니다. 저는 어려운 상황에서도 민주주의를 성취해 낸 우리 국민들을 정말 자랑스럽게 생각하고 존경합니다. 그런데 최근 이명박 정권 사람들은 '잃어버린 10년'이라는 표현처럼 국민의정부와 참여정부 10년 동안 이루어진 이 엄청난 변화, 크게 성장한 국민의 힘을 잘못된 것이라고 생각하면서 과거로 돌아가려 하고 있어요. 과거로 돌아간다면 결국 권위주의 시절로 돌아간다는 얘기잖아요? 그런 것이 지금 촛불시위 앞에서 저항을 받고 있지 않은가 생각을 합니다.

결론적으로 말해, 대한민국의 지난 60년은 우리 국민이 전무후무한 시련에도 불구하고 이걸 극복하고 이 나라를 세계적인 모범 국가로 세운 시간이에요. 2차대전 이후 독립한 150여 개 신생국가 중에서 민주주의와 시장경제를 모두 성장시키고 사회정의를 어느 정도 확대하고 있는 나라는 한국뿐이에요. 중국도 아직 민주주의 안 하잖아요. 일본도 말하자면 과거 복고주의에서 벗어나지 못하고 있잖아요. 다른 나라들은 말할 것도 없고요. 물론 우리만 잘났다, 우리만 훌륭하다는 뜻은 아니지만, 이렇게 어려운 여건 속에서도 해야 할 일들은 대개 성취해 냈다는 것, 그리고 21세기에 잘하면 더 크게 성공할 것이라는 전망을 가지고 건국 60년을 맞이해야 한다고 봅니다.

오늘의 한국 문제와 남북 관계

박명림 저는 연구자 입장에서 한국 문제를 객관적으로 보기 위해 많은 외국 학자나 언론인들에게 물어보곤 합니다. 해외 방문도 꽤 자주 하는 편이고요. 그런데 그 사람들도 방금 말씀해 주신 것처럼 한국이 이렇게 빠르게 발전하게 된 근본 동력이 무엇이냐, 건국부터 산업화, 민주화, 정보화까지 선진국들도 수 세기에 걸쳐 오랫동안 추구해 온 것들을 한두 세대 안에 단박에 이뤄낸 힘을 정밀하게 분석해야 한다며 함께 심층 연구를 하자고 합니다.

그럼 조금 구체적인 문제를 여쭤보고 싶습니다. 이명박 정부 들어서서 기존의 대북 온건 정책과 한국의 국제 관계가 크게 흔들리면서, 국제사회에서 우리의 발언권이 현저히 약화되고 있다는 평가가 곳곳에서 나오고 있습니다. 우리 내부가 아니라 국제적인 평가인데요. 유럽과 미국의 학자나 언론인들을 만나면, 독일 문제의 근본 성격을 바꾸어 놓은 사람으로 브란트를 꼽으면서 이에 비견되는 '아시아의 브란트'는 김대중이라고 하는 이야기를 자주 들었습니다. 햇볕정책으로 한국 문제의 성격을 바꿔 놓았다는 것이지요. 햇볕정책의 창안자로서 지금 남북 문제나 한국의 국제적 위상 약화 등을 어떻게 진단하고 계시는지, 또 어떻게 헤쳐 나가야 한다고 보시는지요.

김대중 결론부터 말하면, 나는 이명박 대통령이 햇볕정책이라고 말은 안 해도 결국 햇볕정책을 수용할 거라고 봅니다. 그분이 대통령 후보로서 나를 만나러 왔을 때도 햇볕정책의 방향을 적극적으로 지지하는 태도를 보였어요. 또 공교롭게도 지난 4월 15일 이명박 대통령이 나하고 같은 시기에 미국에 갔었습니다. 이명박 대통령이 미국 코리아소사이어티에서 연설을 했는데, 그 자리에 참가했던 보즈워스 전 주한 미대사가 하는 말이, 이명박 대통령이 햇볕정책이라고 말만 안 하지 내용은 똑같은 소리를 하더라는 거예요. 나도 그렇게 봅니다. 그런데 거기에 아직 일관성이 없어요. 자꾸 흔들리는 것 같아요.

지금은 남북 문제를 둘러싼 주변 상황이 아주 급격히 변화하고 있는 시기 아닙니까? 탈냉전 이후 최대의 변화가 일어나고 있습니다. 북·미 관계만 봐도 그렇고요. 이것은 양쪽 다 필요성을 느끼기 때문입니다. 내가 김정일 위원장을 만났을 때, 이런 얘기를 했습니다. 미국하고 할 것은 해라, 당신들 국가 안전을 위해서도 그렇고, 경제 발전을 위해서도 미국과의 관계 형성이 필요하지 않으냐, 그럴 생각만 있으면 내가 클린턴 대통령하고 당신 사이에 중재를 하겠다고요. 그랬더니 김정일 위원장은 심지어 미국도 한반도 통일 이후를 주도해야 한다고까지 합디다. 구한말 우리를 병탄하려 했던 러시아나 중국, 일본을 견제하기 위해서는 미국의 역할이 필요하다는 얘기에요. 미국이 북한을 위협하지만 않는다면 우리는 언제든지 미국하고 손잡을 의향이 있다고 했어요. 그래서 내가 클린턴 대통령한테 얘기해서, 북·미 고위층 교류가 이루어졌습니다. 조명록, 그리고 올브라이트 두 사람이 서로 상대방의 수도를 왔다 갔다 했지요. 그런데 결국 클린턴 임기 내에 매듭을 못 짓고, 부시 정권 시기에 북·미 관계가 완전히 후퇴해 버렸습니다.

부시는 기본적 입장이 에이비시(ABC·Anything But Clinton) 정책 아니었습니까? 클린턴이 한 건 다 안 된다면서 뒤집어 버렸죠. 그렇게 6년을 한 결과가 어땠냐. 참담한 실패였어요. 북한이 핵확산금지조약(NPT)을 탈퇴했습니다. 그리고 국제원자력기구(IAEA) 요원을 추방했어요. 장거리미사일을 발사했어요. 마침내 핵실험까지 했어요. 핵 보유 국가가 되어 버렸어요. 부시가 6년 동안에 북한을 그렇게 키워버린 겁니다. 북한이 핵을 가지고 나니까 부시로서는 결단을 내리지 않을 수 없었는데, 그건 전쟁이죠. 그런데 전쟁할 힘이 없잖아요. 중동에 발이 묶여 가지고. 그러니까 결국 6년 만에 내가 그렇게 부시를 붙잡고 설득하던 그 길로 돌아온 거예요. 참으로 안타깝습니다. 그 길이란 게 뭡니까. 북한과 직접 대화해라. 기브 앤 테이크(Give and Take)로 하라는 거죠. 부시는 그 전까지 나쁜 놈하고는 대화할 수 없다, 악을 행한 자에게 보상을 줄 수 없다고 했거든요. 그러는 동안에 북한이 핵확산금지조약(NPT) 탈퇴하고 국제원자력기구(IAEA) 요원 추방하고 장거리미사일 발사하고, 핵 보유 국가가 되어 핵실험까지 하는 상태까지 오니까 이젠 경제적으로나 군사적으로 달리 길이 없어요. 대화하는 길뿐이잖아요. 대화하고, 줄 건 주고 받을 건 받고, 행동 대 행동, 지금 하고 있지 않습니까.

그리고 다른 한 변수는 중국이에요. 미국은 항상 중국의 위협을 염두에 두고 견제하고 있는데, 만약 북한이 중국 편이 되면 상황이 중국에 아주 유리해집니다. 그런데 북한이 지금 미국 편이 되겠다, '친미 국가'가 되겠다는 거잖아요. 말만 그런 건지는 몰라도, 어쨌든 그렇게 나오고 있거든요. 지리적으로만 보더라도 중국 국경 옆에 있는 북한이 미국에 기울면 그만큼 중국에 대한 견제가 됩니다. 중국이나 러시아가 한반도를 타고 내려와 남한과 일본을 위협하는 걸 막아 줄 수 있죠. 이런 이점들이 있어서 북·미 관계는 급격하게 진전되고 있습니다. 북·미 관계가 좋아지니까 일본하고도 점점 좋아지고, 좀 시간이 걸리겠지만 국교 정상화를 바라보고 있지요.

6·15공동선언, 10·4공동선언의 인정 ─ 올바른 실용주의의 시작

박명림 말씀을 들으며 한반도가 지금 아주 결정적인 상황에 놓여 있다는 느낌을 받습니다.

김대중 그렇습니다. 이렇게 될 수 있도록 우리가 지난 10년 동안 그렇게 노심초사해 가면서 만들어놨는데, 문제는 이게 지금 딱 정체되어 버렸다는 거예요. 빨리 풀어야 합니다. 시간이 없어요. 내가 볼 때, 결국 우리 이 문제는 이게 지금 딱 정체되어 버렸다는 거예요. 빨리 풀어야 합니다. 시간이 없어요. 내가 볼 때, 결국 우리 이명박 대통령이 결단을 내려야 해요. 뭐냐면, 6·15공동선언과 10·4공동선언을 인정해야 한다는 겁니다. 이 두 가지는 북한의 김정일 위원장이 남한에 대해서 직접 서명한 유이한 문서예요. 북한에서 김정일 위원장의 서명이 얼마나 신성한 의미냐는 것은 말할 것도 없잖아요. 그러니까 이 문제가 해결되지 않으면 아무것도 풀릴 수가 없어요. 두 선언을 인정하고, 쌀과 비료를 포함한 인도적 지원은 빨리 재개해야 합니다. 이렇게 두 선언을 인정함으로써 신뢰를 회복하고 쌀과 비료를 주게 되면 북한은 내심 감사하게 생각할 겁니다. 우리가 비료 30만 톤을 보내 주면 북한은 식량을 30만 톤 이상 증산할 수 있어요. 그렇게 중요한 문제입니다. 북한은 내심으로는 간절하게 받고 싶겠죠. 그런데 북한은 죽어도 자존심은 안 버리는 나라 아닙니까? 과거 소련하고 중국하고 싸울 때를 봐도 알 수 있잖아요. 그러니까 문제를 풀려면 지금 거기서부터 시작을 해야 합니다. 빨리해야 해요. 이게 늦으면 미국 식량이 들어갈 거고, 중국에서도 들어갈 겁니다. 러시아도 주고 있고요. 일본이 합의되면 또 몇십만 톤 들어갈 거예요. 그렇게 되면 북한이 우리도 남한 비료 필요 없다는 식으로 나올 수 있어요. 우리만 고립되는 겁니다.

또 중요한 문제가 개성공단입니다. 개성공단에 2차 공장들까지 입주하게 되면 35만 노동자가 일하게 돼요. 엄청난 대공단이 되는데, 지금 우리가 안 들어가니까 북한에서는 불만이 많거든요. 그런데 중국이 자꾸 와서 기웃기웃 한단 말이에요. 북한에서 오케이만 하면 중국은 곧 들어갑니다. 현재는 아직 그럴 가능성이 작지만, 잘못하다간 개성공단을 뺏길 가능성이 있어요. 우리가 북한을 볼 때 흔히 가난한 사촌을 보듯 귀찮게 생각하기 쉬운데, 그건 잘못이에요. 북한이 가난한 건 사실이지만, 엄청난 경제적 잠재력이 있습니다. 텅스텐, 마그네사이트, 우라늄, 금, 동, 석탄, 이런 것들을 대량으로 보유하고 있어요. 지금 거기 눈독을 들여 중국이 덤벼들고 있고, 영국·프랑스·독일·이탈리아·오스트리아·스웨덴 모두 덤비고 있어요. 이미 들어가 있는 곳도 많습니다. 내가 알기로는 미국 기업들도 개별적으로 접촉하고 있다고 해요.

이게 사실은 우리가 제일 좋은 조건이지 않습니까? 요즈음 말로 실용주의, 이거 사실 내가 1960년대부터 반복해서 쓰던 말인데 저작권 내야 할 것 같아요. 다만 진짜 실용주의를 하면 저작권료를 요구할 생각은 없어요.(웃음) 그 실용주의적 관점에서 보아도 이걸 놓쳐서는 안 됩니다. 북한과 거리 가깝죠, 말 통하죠, 같은 민족이죠. 우리가 제일 유리하게 이용할 수 있는데 현실은 어떻습니까. 지금 우리 중소기업들이 중국에 진출했다가 못 견디고 나오고 있는데, 그 사람들이 갈 데가 어디 있어요. 남한에서도 안 되는데. 결국 북한으로 진출해야 하는데 지금 못 가고 있는 거 아니에요. 그 남한의 중소기업들이 북한으로 가야 해요. 그래서 북한도 좋고 우리도 좋은 윈윈의 경제 협력을 해야 해요.

그리고 그 외에도 아주 중요한 것이 하나 있어요. 우리 한국을 '한반도'라고 하잖아요. 반도라면 육지도 가고 바다도 가야죠. 그런데 우리는 바다는 가지만 육지는 못 가요. 그건 반도가 아닙니다. 반도가 아니니까 어떻게 됩니까? 북한을 못 가니까 시베리아, 몽골도 못 가고 중앙아시아도 못 간단 말이에요. 이 지대는 지하자원의 보고예요. 지금 중앙아시아 같은 경우는 한참 자원 개발붐이 일어나고 있어요. 우리가 그곳엘 가야 하는데 못 가고 있는 거예요. 또 있죠. 유라시아 대륙을 거쳐서 파리나 런던까지 기차가 갈 수 있잖아요. 그렇게 하면 물류비와 시간이 각각 30퍼센트 정도 절약돼요. 우리 경제가 도약하기 위해서는 바다를 통한 진출은 한계에 이르렀다고 봅니다. 이제 육지가 중요한데, 그게 북한과의 관계 때문에 안 되고 있어요. 국익의 관점에서도 정말로 실용적 접근이 필요한 겁니다.

지금은 북한이 우선 식량이나 비료를 지원받고 싶어 하는 게 크지만, 조금만 지나면 북한도 더 발전하게 될 겁니다. 북한은 지하자원뿐만 아니라 양질의 노동력이 풍부합니다. 대부분의 노동자들이 고등학교까지 졸업하고 군대에서 6-7년씩 훈련받은 이들이죠. 아주 우수하고 가치 높은 노동력입니다. 여기에 눈독을 들이고 있는 것이 중국이나 유럽 나라들이에요. 우리가 이걸 이용할 수 있어야 합니다.

그리고 여태 우리가 북한에 무조건 퍼주기만 했다 어쨌다 하지만, 지금 남북 관계가 얼마나 평화로워지고 긴장이 완화됐습니까. 예전에는 판문점에서 총소리 한 방만 나도 도망갈 준비를 했는데, 지난번에 보세요. 핵실험을 해도 끄떡도 안 하잖아요. 그렇게 안정이 됐거든요. 북한의 민심도 바뀌었어요. 남쪽을 원수로 생각하고 남쪽 사람들은 인정도 없고 민족도 모른다고 생각했는데, 우리가 비료도 주고 식량도 지원하니까 그 사람들 마음이 바뀔 수밖에 없는 겁니다. 남쪽 사람들이 우리를 미워한 것이 아니라 우리를 동정하고 있구나, 남쪽이 잘살고 있구나, 부럽다, 우리도 그렇게 살고 싶다, 이렇게 마음이 돌고, 마음이 도니까 문화가 돌기 시작하거든요. 비공식적이긴 하지만 북한에 지금 남쪽의 대중가요나 텔레비전 드라마, 영화필름 같은 것들이 돌고 있습니다. 이렇게 볼 때, 그동안 우리가 얻은 것이 얼마나 큽니까.

이산가족 문제도 얘기해 보죠. 인권, 인권 하는데 이산가족 문제보다 큰 인권 문제가 어디 있습니까. 60년 이상 상봉을 못 하고 있는데. 국민의정부 들어서기 전까지는 약 2백 명의 이산가족이 상봉을 했어요. 그런데 그 이후 지금까지 1만 8천 명이 상봉했거든요. 금강산 관광도 계속되었고요. 남북 관계가 개선되면 이것도 기하급수적으로 숫자가 늘어날 거예요. 이런 등등을 볼 때, 국제 정세를 보더라도 그렇고 우리 내부의 상황을 봐도 이제는 우리가 그동안 투자했던 것을 거두어들일 단계가 됐단 겁니다. 우리의 미래는 북한과의 관계 여하에 달려 있다, 물론 안전 보장 차원도 마찬가지지만 실리적인 부분에서도 이 문제가 매우 중요하다고 생각합니다.

박명림 이명박 정부가 내세우고 있는 경제 회생, 자원 외교, 실용주의를 위해서도 그렇지만, 북한과 러시아, 중앙아시아의 자원 획득, 물류 비용 절감을 위해서도 남북 관계 발전이 얼마나 중요하냐는 말씀이 굉장히 인상적으로 들립니다. 현 정부 들어 완전히 대립 관계로만 설명들을 해 왔거든요.

김대중 실용주의란 것은 내가 좋아하건 안 좋아하건 현실을 현실로 인정하고 우리의 이익을 위해 거기에 필요한 대응을 하는 거예요. 그러니까 지금까지 무슨 소리를 해 왔건 바꿀 건 바꿔야 해요. 나는 이 대통령이 결국 바꿀 거라고 보고, 바꾸지 않으면 안 되는 상황이 급박하게 오고 있다고 생각해요.

서생적 문제의식과 상인적 현실감각

박명림 이제 역사나 사상으로 돌아가 여쭤봐야 할 것 같습니다. 아무래도 먼저 대통령님의 여러 가지 사상과 정책, 논리, 구상, 이런 것들에 대해서 질문하고 싶은데요. 저는 개인적으로 그동안의 대통령님의 여러 저작이나 연설을 분석하면서 기독교적 소명 의식, 도덕주의와 정의감, 실용주의, 이 세 가지가 핵심기조 아닌가 생각했습니다. 물론 정치인으로서의 권력 의지 역시 기본 요소의 하나였다고 봅니다. 제일 궁금한 것은 사상과 정책의 형성에 관한 부분입니다. 저는 대통령님을 보면서 정치 혹은 행동 이전에 정책을 구상하고, 정책 제시 이전에 정교한 논리를 먼저 세우는 일련의 사이클을 발견했습니다. 정치 입문 초기인 1950년대의 기록들을 봐도, 대안을 제시하실 때 당시 정치인들이 말하지 않던 노동 문제를 비롯해 평화 문제, 사회경제, 국제 관계 등에 대한 지식이 상당하신 걸 볼 수 있었는데, 당시 이런 문제에 관심을 갖게 된 계기는 무엇이었는지, 또 엄혹한 냉전과 반공주의 시대에 어떤 사상가나 책으로부터 이런 문제의 단초를 얻으셨는지요. 어떤 특별한 계기가 있었습니까?

김대중 1955년이라고 기억하는데, 그때 내가 『사상계』에 노동운동에 대한 원고지 100매 분량의 글을 기고한 적이 있고, 『동아일보』에도 몇 번 칼럼을 쓴 적이 있어요.

박명림 『사상계』 1955년 10월 호의 「한국 노동운동의 진로」라는 글을 말씀하신 듯합니다. 『동아일보』 기고 역시 1955년인데, 9월 14-15일의 「노총 분규와 우리의 관심(상·하)」을 비롯해 여러 편의 노동 문제 관련 글이 있습니다. 외람된 말씀입니다만 지금 읽어도 상당한 수준이라 놀랍습니다.

김대중 그렇게 읽어 주니 고맙습니다. 나는 우리나라의 통일 문제라든가 노동 문제, 경제 문제 등을 볼 때 항상 "서생적 문제의식과 상인적 현실감각의 균형을 지녀야 한다"고 생각했습니다. 순수한 원리 원칙에 입각해서 문제를 한번 보고, 그것이 현실에 어떻게 적용될 수 있는지, 현실에 맞는지 다시 생각합니다. 비슷한 얘기로 늘 내가 강조했던 것이 "망원경처럼 넓고 멀리 보고, 현미경처럼 좁고 깊게 봐야 한다"는 것이었습니다. 대개 학자들은 서생적 문제의식으로 망원경같이 흐름을 멀리 보지요. 정치인들은 상인 정신을 생각하고요. 그 둘이 병행되어야지, 한쪽으로 기울면 실패해요.

1950년대 당시 국제 정세 얘길 하자면, 그때는 공산주의와 극단적으로 대립하던 시기였습니다. 하지만 미국과 소련이 전쟁을 하면 공멸하거든요. 그러니 전쟁은 불가능하고, 평화적으로 사는 길을 찾아야 하지 않느냐 하는 의미에서 데탕트 얘기가 간혹 나오곤 했었죠. 그래서 참혹한 전쟁을 치른 분단 국가로서의 우리 상황을 떠올리며 평화 문제에 깊은 관심을 갖게 되었어요. 전쟁은 더 이상 절대로 안 된다고 본 겁니다. 경제 문제에 있어서도 이런 시대적 상황을 멀리 내다볼 때, 나는 결국 기업가와 노동자가 공생 공영하는 시대가 와야 한다고 생각했습니다. 그래서 내가 했던 말이, 자유 없는 빵도 안 되고 빵 없는 자유도 안 된다. 둘이 같이 있어야 한다는 것이었죠. 그 과정에서 외국 저작 중에는 라인홀드 니버나 갤브레이스, 토인비 등의 책들에서 여러 가지 배우기도 하고 영감을 얻기도 했어요. 그러면서 자기 고민을 안고 조용히 사색하고, 멀리 내다보고, 현실과 맞춰보고, 이렇게 계속하다 보니 앞서 얘기하신 여러 문제에 대한 나름의 생각들이 나오고 정리되더라고요. 지금 내가 1955년에 쓴 글을 다시 봐도 별로 큰 모순은 없어요. 그런 식으로 노동 문제를 포함해 현실 문제를 보고 그랬습니다.

자유도 중요하고 빵도 중요하다

박명림 1960년대 들어가면 평화나 유럽과 동아시아의 국제 관계를 집중적으로 말씀하기 시작하는데, 저는 그 단초가 1950년대 유럽과 일본에서 발전했던 2차대전 이후의 세계 평화 사상과 연결되어 있는 것 아닐까 하는 생각도 해 봤습니다. 그런데 당시는 국내에 이와 관련된 자료들이 거의 없을 때였거든요. 평화에 대한 생각을 그렇게 일찍 할 수 있었던 특별한 계기가 있었습니까?

김대중 별다른 특별한 계기랄 것은 없습니다. 내가 생각을 해 보니, 앞에서 얘기한 것처럼 소련과 미국이 전쟁을 할 수는 없는 거예요. 우리가 한국전쟁을 통해 경험했듯이 전쟁을 하면 둘 다 공멸하니까요. 해방 정국의 좌우 대립과 한국전쟁을 통해 우리가 얼마나 참혹한 피해를 당했습니까? 다시 겪으면 절대로 안 된다고 생각했어요. 우리가 전쟁을 회피하려 끊임없이 노력하면 결국 언젠가는 평화적으로 대화하고 협력하는 시대가 올 것이라고 믿었어요. 이건 아까 말한 비유로 하자면, 망원경처럼 내다보면 보이는 겁니다. 현미경처럼 보면 당장의 대립만 보이겠죠. 하루 이틀에 될 일은 아니지만 결국은 평화의 시대가 온다고 믿었어요. 결국 왔잖아요. 그리고 공산주의와 자본주의가 하나는 자유를 주장하고 하나는 빵을 주장하는데, 그게 서로 모순되는 것이 아니거든요. 자유가 있으면 빵이 있어야 하고, 빵이 있으면 자유가 있어야 합니다. 그래서 서구 사회에서 사회민주당이 등장한 것이고요. 사회민주당은 자유와 빵을 병행하거든요. 자유 없는 빵도 싫고, 빵 없는 자유도 싫고, 둘 다 있어야 한다는 것이 사회민주주의이고 미국의 리버럴한 사람들 생각입니다. 물론 여러 가지 책도 읽었지만 내 자신이 사색을 통해서, 즉 서생적 문제의식을 가지고 앞을 내다보고 상인적인 생각을 가지고 현실을 거기에 맞춰 보니까 이게 맞는 것 같았어요.

또, 그때 이미 나는 무슨 사태가 오거나 시대가 바뀌려고 하면 머리보다 몸에 먼저 느껴지는 기운 같은 것이 있었어요. 그렇게 느낌이 오면 그때부터 이론을 생각하는 경우가 간혹 있었지요. 말하자면 직관으로 느낀 것들을 이론으로 만들어 가는 식이랄까요. 많은 일이 그랬어요. 예를 들어 박정희 대통령 3선개헌 할 때, 그게 1969년인데, 내가 효창공원에서 연설하면서 "이번에 3선개헌 하면 3선으로 끝나는 게 아니라 총통제로 간다." 그랬거든요.

박명림 1969년 7월 19일 효창공원에서 열린 3선개헌 반대 시국 대연설회에서 "3선개헌은 국체國體의 변혁"이라며 "3선개헌 이후에도 영원히 해 먹겠다"는 것이라면서 맹공을 퍼부으셨지요. 기록을 보면 대단한 열기의 집회였던 것 같습니다.

김대중 그랬지요. 그런데 당시 여당에서는 날 보고 미쳤다고, 국체 변혁이 뭐냐, 영구 집권은 꿈도 안 꾼다, 총통이 뭐냐고 했지만 결국은 유신체제를 통해서 그렇게 갔잖아요. 1971년 대통령 선거 때도 계속 그 얘기를 했는데, 박정희 대통령은 "난 총통이 뭔지도 모른다"고 했죠. 그랬지만 결국 그렇게 됐죠. 이런 식으로 나는 현실에 대한 체험과 직관을 굉장히 중요하게 생각해요. 그것은 현실에 대한 깊은 관심과 관찰에서 나온다고 생각해요.

논쟁의 한 중심: 대중경제론에 대하여

박명림 대통령님을 보면 이상과 현실의 긴장과 결합이랄까, 그런 게 늘 느껴졌습니다. 당시에 가장 주목받았던 이론 혹은 정치 노선이라면 대중 주체 민주주의론, 대중경제론이 아닌가 싶습니다. 대통령께서 활동하시기 이전의 한국인 정치인들, 특히 야당의 김성수, 신익희, 조병옥, 장면, 윤보선 등의 지도자들은 정책이나 당론 결정 과정에서 국민을 계도 대상으로 보고 소수의 당내 인사들을 중심으로 '사랑방 정치'라고 할까 '밀실 정치', '사전 결정'이라고 할까, 아무튼 위로부터 결정하는 방식으로 정치를 했는데, 여러 자료들을 보면 대통령님은 일찍부터 '대중', '국민', '시민' 중심의 정치와 경제를 언급하시거든요. 큰 차이인 것 같습니다. 대중 주체 민주주의, 국민 민주혁명 등 구체적인 개념을 제시하기도 합니다.

대중경제론에 대해서도 지금은 여러 경제학자들이 이를 연구하기 시작했는데요. 한국 사상사 쪽으로 보면 임시정부로부터 조소앙의 삼균주의, 건국 헌법으로 이어지는 균등발전론을 계승한 것 같고요. 또 시대적으로 보면, 당시는 박정희 정부가 초기에 내포적 공업화를 주장하다가 급속도로 수출 지향과 개발 독재로 나아가면서 야당 쪽에서 대안을 제출하지 못했던 시기입니다. 그런 시기에 대중경제론이 나오고, 또 학계에서는 내재적 발전론, 민족

경제론이 앞서거니 뒤서거니 비슷한 시기에 나타나는 것을 볼 수 있습니다. 대중경제론은 현실적으로뿐만 아니라 경제 사상사적으로도 중요한 위치를 차지합니다. 그것이 구체적으로 되기까지 당시의 학자들과의 학문적 교류는 없었는지, 또 박정희의 경제 정책을 어떻게 생각하셨는지, 그리고 대중경제론이 나중에 집권하신 이후 민주적 시장경제론의 토대가 되지 않았나 하는 생각도 해 보는데 그게 맞는지도 여쭙고 싶습니다.

김대중 박정희 정권이 들어와서 경제개발 5개년 계획을 이야기하고, 나중엔 새마을운동을 한다고 국민들을 흥분시키고, 경제 발전을 추진하는데, 가만히 속을 들여다보니까 속임수를 쓰고 있더라고요. 결국 실상은 농민들의 곡가를 떨어뜨림으로써 노동자 임금을 낮추는 저곡가―저임금 정책이었어요. 그런 식으로 재벌들이 독점적인 이익을 얻었죠. 그때는 대부분의 재벌 기업들이 수입 금지해서 장사하지 않았습니까. 자동차산업이 대표적이죠. 수입차 가격보다 두 배, 세 배 비싸면서 내수용 차에는 재료도 수출용 상품보다 나쁜 걸 쓰고, 철판도 얇은 것, 부속품도 약한 것을 쓰고 말이죠. 그런 식으로 국민들이 뒤집어썼죠. 이런 예가 한두 가지가 아니었어요. 재벌을 위해 돈을 쓸어 부어 주면서 겉으로는 새마을운동이다, 뭐다 하며 농민을 동원하고, 또 경제가 발전해야 배가 부르니까 노동자는 열심히 일해라, 그렇게 강조하고……

이건 아니라는 생각이 들었습니다. 농민과 노동자 등 일반 국민에게 위기가 온다는 것을 느꼈어요. 이런 식으로 가면 이 나라가 완전히 재벌이 지배하는 나라가 되어서, 민주주의도 없고, 사회정의도 없고, 국민 생활도 파탄 난다고 생각했거든요. 그래서 대중이 참여하고 대중이 공동 운영하고 대중이 같이 분배를 받는 경제가 되어야 한다고 생각하기 시작했습니다. 대중이, 노동자가 주식을 소유하고, 감사도 노동자들이 직접 선출한 사람들이 해서……. 기업회계나 경영도 노동자들이 감시하면 이중장부나 비자금 같은 게 불가능하잖아요. 그때는 이중장부, 비자금 이런 문제들이 아주 심각했습니다. 그렇게 만든 돈으로 정치자금도 막 주고 했었죠. 이런 걸 막아야 한다고 강조했습니다. 그리고 또 하나 내가 강하게 주장했던 것이 이중곡가제였어요. 농민에게는 비싸게 사서 국민들에게 싸게 파는 이중곡가제를 주장했지요.

이런 것들을 포함해서, 결국 당시 내 주장을 한마디로 말하면 '중소기업 중심의 경제체제'라고 할 수 있습니다. 그냥 떠올린 것은 아니고, 대만이 그런 식으로 성공하고 있는 것을 봤거든요. 중산층, 중소기업이 성장해야 고용 효과도 커지고 부도 멀리 퍼져 나갑니다. 결국 민주주의와 시장경제가 성공하려면 중산층이 튼튼하냐 그렇지 못하느냐가 제일 중요해요. 중산층이 튼튼하면 하층의 사람들을 먹여 살려요. 고용 능력이 커지니까요. 민주체제도 튼튼해져요. '대중경제'의 목표는, 말하자면 중산층을 지원하고 그 밑에 계층을 중산층화하는 것이에요. 그렇게 하는 것이 부를 공평하게 분배하는 길이고, 경제의 중심이, 허리가 튼튼해지는 길이다, 그리고 대기업 경쟁에서는 우리가 이기기 힘들어도 중소기업 경쟁에서는 우리 국민의 교육 수준이 높고 임금이 싸니까 이길 수 있다, 이런 등등을 이야기하면서 대중경제론을 발표했죠. 그때, 그 선거 때 『대중경제 백문백답』이라는 책을 냈어요. 그리고 나중에 하버드대학에서 1985년에 『대중참여경제론』(Mass Participatory Economy) 이라는 책이 나왔습니다. 이건 내가 하버드 국제문제연구소에 일 년 있다가 돌아오면서 리포트를 냈는데, 대학 측에서 그걸 출판하고 싶다고 해서 나온 거죠.

앞으로 우리 경제가 번영해 나가려면 무엇보다 중산층이 튼튼해야 한다는 생각은 지금도 변함없어요. 그냥 중산층이 아니라 좀 더 구체적으로 부품·소재산업을 육성하지 않는 것은 정부 정책이 잘못돼 있는 거예요. 내가 대통령이었을 때도 이걸 하려고 했는데 제대로 실현은 못 했고, 다만 부품·소재산업 육성을 위한 법은 만들어놓고 나왔어요. 앞으로도 그런 것이 중요하지 않나 싶어요. 물론 지금 디지털 경제 시대가 되고 하면서 문제가 조금 달라졌다고 볼 수는 있지만.

박명림 학계에서 궁금해하는 것은, 대중경제론이 등장하면서 박정희의 성장 지상주의, 혹은 개발 독재의 대척점에서 사회경제적인 대안으로 주목을 받았는데요. 앞서 말씀드렸듯 당시는 내재적 발전론이나 민족경제론 등이 나오던 때이기도 합니다. 대통령께서는 또 내외문제연구소를 운영하고 계셨고요. 그래서 대중경제론을 만들면서 혹시 젊은 학자들과 한국 경제의 대안 모색을 위한 세미나나 긴밀한 교류를 가지셨던 건 아닌지, 그런 점도 궁금한데요.

김대중 박현채 교수하고는 같이 좀 했어요. 책 내는 것도 도와줬고. 내외문제연구소 할 때는 남덕우 당시 서강대 교수 같은 분들도 초청해서 얘기를 듣기도 했죠. 여러 분야에서 많은 분들의 이야기를 들었지만, 결국 마지막에 틀을 짜고 방향을 잡는 건 제가 했어요. 최종적인 정책 대안을 만들어 내기 위해서는 많은 독서와 토론을 해야 했는데, 그 과정에서 엄청나게 많은 공부가 되었어요. 저는 무엇보다도 정치인은 공부를 하는 만큼 국가에 봉사할 수 있다고 믿고 있습니다.

4대국 안전 보장론과 한반도 평화구상: 1동맹-3우호 체제

박명림 4대국 안정 보장론 역시 대중경제론 못지않게 오랫동안 화제의 중심이자 논란의 초점이 되었지요. 대통령님의 훗날의 평화와 통일 구상에 결정적인 단초를 형성했던 계기이기도 하고요. 분단국가로서 격렬한 남북 대치 상황에 있었고, 또 한·미동맹이 무엇보다 중요했던 상황에서 4대국 안전 보장론을 말씀하시기 쉽지 않았을 텐데요. 엄혹한 냉전 상황에서 어떻게 4대국 안정 보장론을 제안하게 되셨는지, 또 혹시 그 시점에서 미국으로부터의 압력 같은 것은 없었는지요. 사실 노태우 정부 당시의 북방 정책과 관련하여 중국·소련과 국교를 정상화하는 데 기여한 아이디어 중 하나가 대통령님의 4대국 안전 보장 부전조약 제안이라는 얘기도 있는 것으로 알고 있습니다.

김대중 결론부터 말하면 미국의 압력 같은 것은 없었어요. 그리고 나는 한 번도 반미를 한 일이 없거든요. 그때도 그렇고 지금도 내가 얘기하는 것은 '1동맹-3우호 체제'입니다. 미국하고는 군사동맹을 해야 하고, 나머지 중국·러시아·일본하고는 우호 체제를 해야 한다. 우리가 지정학적으로 이 4대국에 둘러싸여 있는 특수한 상황이기 때문에 그렇습니다. 조선왕조 말엽을 생각하면 우리는 이 4대국과 좋은 관계를 유지하면서 서로 견제하게 만들어야 돼요. 그게 외교죠. 우리나라같이 외교 천재가 필요한 나라가 없어요. 우리나라같이 국민이 외교에 관심을 가져야 하는 나라가 없어요.

그런데 유감스럽게도 그게 부족해요. 조선왕조 말엽에 일본은 결국 우리를 병탄했고 러시아와 중국도 그러려고 했잖아요? 그때 미국이 만일 안 된다고 했으면 일본은 못 했어요. 그런데 미국이 동의하고 지지했단 말이에요. 그래서 우리가 쉽게 당한 거예요. 그렇게 외교가 중요해요.

태국 주변 나라들이 미얀마, 말레이시아, 인도네시아, 캄보디아, 라오스, 전부 식민지화됐는데 태국만은 식민지가 되지 않았습니다. 대국끼리의 이해관계 조정도 원인이 되었지만, 이건 태국 자체가 외교를 잘해서 가능했던 거예요. 영국하고 프랑스 사이에서, 그러니까 인도차이나 쪽으로 들어오는 프랑스와 그 외의 지역, 예를 들어 미얀마에 들어오는 영국 사이에서 우리 태국이 완충 역할을 하면서 어느 쪽으로도 붙지 않을 테니까 우리를 가만히 둬라, 우리가 중립을 지키겠다. 이런 것이 먹히더라고요. 외교 덕택으로 식민지가 안 됐다고 볼 수가 있어요. 그런데 우리는 그걸 못했거든요. 역사책을 보면 이런 얘기가 나와요. 청일전쟁에서 일본이 이긴 뒤에 독일공사가 한반도를 중립화하자고 했는데, 일본도 거기 동의를 했어요. 다 동의를 했는데, 그때 우리 정부 대신들 가운데 친청파들이 중국은 우리 상국上國인데 그걸 놔두고 중립을 한다는 게 말이 되냐고 반대를 했다고 해요. 그만큼 우리가 외교에 대해 깜깜했다는 말이에요. 물론 식민지가 된 것이 그 원인만은 아니지만요.

내가 1971년 대통령 선거 때 4대국 한반도 평화 보장을 얘기했는데, 세계에서 소련, 중국, 그때는 중공이죠. 그리고 일본, 미국, 이 4대국에 둘러싸여 있는 나라는 우리나라뿐이에요. 세계에 없어요. 세계에 없는 상황이면 세계에 없는 정책이 나와야 해요. 그런데 역사적으로 볼 때 그중에 제일 중요한 게 미국입니다. 미국은 우리와 거리가 머니까 직접적 이해관계가 좀 약하고, 그래서 우리에 대한 영토적인 야심은 과거는 물론이고 지금도 없어요. 물론 미국이 아무 이유 없이 여기 있는 것은 아니고, 이해관계는 있죠. 말하자면 중국에 대한 견제라든가, 일본을 보호해야 한다는 것. 좀 억울하긴 하지만 미국이 우리나라를 보호하는 데는 일본을 보호하려는 목적이 크게 작용하고 있거든요. 그건 현실이니까 현실대로 인식하는 것이야말로 실용주의죠. 인정하고 해 나가야 돼요.

그래서 내가 가만히 보니까, 미·소전쟁의 시대는 가고 데탕트가 오고 있는데, 그 물결을 타야 하지 않습니까? 물결을 탄다는 것이 뭔가. 그게 4대국의 한반도 평화 보장이었어요. 그런데 그 얘기를 대선 때 대놓고 했다가 아주 혼이 났죠. 나의 주장에 대해 당시 박정희 후보는 "중국과 소련이 우리 적성국인데 그들에게 한반도 평화를 보장하라는 것이 말이 되느냐"고 공격했는데, 나는 "우리의 적성국이니까 평화를 보장하라고 하는 것이지 이미 평화를 보장하고 있는 우방국에 대해서는 얘기할 필요가 없는 것 아니냐"고 반론을 한 적이 있습니다. 나는 일관되게 주장했어요. 적성적인 입장이 있기 때문에 보장하라는 것 아니냐, 우방 국가한테 새삼 보장하라고 할 필요 없지 않으냐, 그렇게 반론을 했는데. 결국 그것이 지금 오늘날 남북 합쳐서 6자회담인 거예요. 그리고 6자회담에서 동북아시아 안보 체제를 하게 되지 않았습니까. 결국 그때 말한 그것이 실현되고 있는 거죠. 우리는 당분간 1동맹-3우호 체제로 나가야 해요.

한반도 문제의 본질, 햇볕정책, 그리고 한·미 관계

박명림 그렇다면 대통령님께서 생각하시는 한반도 문제의 본질, 우리의 대처는 어떠해야 한다고 보십니까? 햇볕정책의 인식적 토대라고 할까, 그런 것을 여쭤보고 싶군요.

김대중 우리 민족은 20세기 초에 독립을 상실했고, 1945년에는 분단이 되었습니다. 이 모든 것이 다 강대국의 영향 때문에 그렇게 된 거예요. 따라서 우리의 독립을 유지하고 민족이 발전해 나가려면 주변에 있는 4대국에 대한 대책이 성공적으로 마련돼야 해요. 평화와 통일도 마찬가지라고 봅니다. 안으로는 남북이 단합하고 밖으로는 4대국과의 관계를 잘 다루어야 합니다. 나는 이 점을 1970년대 초부터 주장했어요.

앞에서도 얘기했는데, 1971년 대통령 선거에 출마할 때 '4대국 한반도 평화 보장론'을 주장했고. 또 내가 대통령에 취임할 당시에 보니까, 미국·일본과의 관계는 냉담했고 러시아와 중국과도 별 진전이 없었어요. 그래서 내가 국제적으로는 4대국을 중시하는 정책을 펴면서 남북 간에는 햇볕정책을 추진했습니다. 햇볕정책은 대립하는 사이에서 문제를 대화를 통해 해결하는 것이고, 그 결과는 양쪽 모두의 공동 승리로 이끄는 것을 말해요. 남북 관계를 이런 햇볕정책으로 끌고 가려는 것을 당시 4대국이 모두 적극적으로 찬성했습니다. 이렇게 해서 취임 후 불과 반년 사이에 엉클어져 있던 4대국 외교를 성공적인 우호 관계로 전환시키고 그 지원을 받을 수가 있었지요.

박명림 '4대국+남북' 방식이라고 할 수 있을 것 같습니다. 그런데 우리의 외교 상대인 '4대국' 축과 '남북' 축의 핵심인 미국과 북한은 우리를 중심으로 적대 관계인데 동맹인 우리가 적대 국가에게 온건 정책으로 나간다고 했을 때 미국과의 긴장이나 충돌은 없었나요? 상세하게 들려주시겠습니까?

김대중 내가 1998년에 대통령 취임하고 6월달에 미국에 국빈 방문을 해서 클린턴 대통령과 정상회담을 했습니다. 거기서 클린턴이 나에게 당신이 말하는 햇볕정책이란 게 뭐냐, 설명을 해 달라고 하더라고요. 그래서 내가 햇볕정책은 모든 분쟁을 대화를 통해 평화적으로 해결하자는 거다, 우리 한국에는 햇볕정책의 3원칙 3단계가 있다, 3원칙은 평화 공존, 평화 교류, 평화 통일이다, 통일의 제1단계는 남북연합, 아주 느슨한 연합이다, 제2단계는 남북연방이고 제3단계가 완전 통일이다, 여기에는 적어도 10-20년이 걸릴 것이다, 그렇게 설명을 했어요. 그랬더니 클린턴 대통령이 앉은자리에서 "당신의 평화와 화해를 통한 공동 승리의 햇볕정책을 미국은 적극 지지하겠다. 당신이 앞장서서 대응해 나가라. 그러면 우리가 뒤에서 밀어주겠다"고 말했습니다. 그리고 그 약속을 임기 말까지 지켰어요. 이 양반이 그때 기자회견에서 김대중 대통령의 햇볕정책을 우리는 지지한다, 우리가 도와준다, 이렇게 선언하더라고요. 그래서 클린턴 대통령 때는 아주 순조롭게 갔는데, 그 양반이 1년만 더 했어도 해결될 것을, 아니면 앨 고어 부통령이 당선되었어도 해결되는 건데, 어떻게 부시 대통령이 당선돼서 이게 아주 달라졌죠. 부시도 6년 동안 하다 하다 안 되니까 다시 우리가 말한 소위 햇볕정책으로 돌아간 거예요.

박명림 우리로서는 크게 안타까웠지만, 클린턴 정부와 부시 정부의 대북 정책은 완전히 정반대였죠.

김대중 방금 말했듯이 내가 취임 후 처음 미국을 국빈 방문했을 때 햇볕정책을 지지한 이후 클린턴 대통령은 그 뒤로도 여러 번 지지를 표했어요. 미국은 올브라이트 국무장관을 북한에 보내 북한과 관계를 개선해 나갔습니다.

클린턴 대통령과 북한 관계가 거의 성공적으로 마무리되어나갈 즈음 미국의 정권이 바뀌어 부시 정부가 출범했는데, 부시 대통령은 취임하자마자 클린턴이 한 정책은 모두 반대하는 정책을 해서 북한과 모처럼 이루어졌던 관계 개선의 전망을 일거에 뒤집어 버렸어요. 그리고 악을 행한 자에게는 보답할 수 없다고 하고.

내가 2002년 부시 대통령 방한했을 때 부시를 붙잡고 얘기했습니다. "대화는 악마하고도 하는 것이다. 레이건 대통령은 소련을 '악마의 제국'이라고 했지만 대화하지 않았느냐. 북한이 핵무기와 미사일을 포기하게 하려면 당신이 거기에 상응하는 대가를 줘야지, 그렇지 않으면 북한은 결코 포기하지 않을 것이다. 그러면 전쟁밖에 없는데 전쟁을 하면 한반도는 잿더미가 된다. 미군의 추계에도 전쟁이 나면 2-3일 만에 수백만 명이 죽는다고 했다. 그런 전쟁을 우리가 어떻게 용납할 수 있나. 우리는 전쟁을 절대 반대한다. 전쟁을 하지 않고도 공산주의와 대화해서 변화시킬 수 있다는 것을 소련과 동유럽이 증명했고 중국과 베트남이 증명하고 있지 않느냐."

그렇게 설득해서 결국 부시 대통령은 공개적으로 "전쟁을 하지 않겠다. 그리고 북한과 대화하겠다. 식량 지원하겠다"고 약속했습니다. 그러나 그 이후에도 여전히 부시는 북한에 대해서 적대적 정책을 계속했어요. 그렇게 6년이 지났습니다. 그 결과는 앞서 말했지요. 북한은 핵확산금지조약(NPT) 탈퇴하고, 국제원자력기구(IAEA) 감시 요원 추방하고, 장거리미사일을 쏘고, 마침내 핵무기를 실험했잖아요. 6년 동안 부시의 대북 강경 정책은 얻은 것은 없고 문제만 더 어렵게 만들었어요. 그렇다고 미국이 북한을 군사적으로 공격할 이유가 있는 것도 아니고, 경제적 제재를 지금까지 해 봤지만 효과를 얻지 못해서, 남아 있는 유일한 길로, 북한과 대화하고 주고받는 '행동 대 행동'의 협상의 길로 돌아섰죠. 6자회담이 성립되고 그 길로 가게 된 거예요. 결국 우리의 4대국 한반도 평화 보장, 햇볕정책이 미국 역대 대통령의 정책을 이끌었고, 세계적 지원을 받게 된 거라고 봅니다.

햇볕정책의 골간 : 모두를 친구로

박명림 말씀에 연결해서 여쭤보고 싶습니다. 독일 사람들이 브란트나 콜을 평가할 때, 서독의 적과 적을 서로 친구로 만드는 놀라운 능력을 보여 줬다는 얘기를 하곤 하는데요. 우리의 경우 대통령님의 시기가 바로 그랬다고 생각합니다. 북한과 미국, 북한과 일본이 그렇게 적대적이었고 일본과 중국도 결코 좋은 사이가 아니었는데요. 어쨌든 당시 클린턴 정부 때 워싱턴이나 도쿄, 베이징을 가 보면 이 사람들이 놀라는 게, 김대중과 남한을 중심으로 적대 국가들이 서로 연결되는 현상이 처음으로 생겼다는 것이었습니다. 굉장히 주목된다는 반응이었습니다. 네 나라가 각각 다 자기 정책을 가지고 일대일로 한반도 문제에 개입해 왔는데, 김대중이 집권을 하고부터는 남한을 중심으로 이루어지고 있다는 얘기를 여러 차례 들었습니다. 이런 측면은 훗날 6자회담이 되면서 참여정부 들어서서 더욱 강화되었지요. 어떤 특별한 외교적 구상이나 기술이 있었던 건지, 그리고 4대국 안전보장론부터 연결되는 한국 문제에 대한 비전이 있으셨던 건지 궁금합니다.

김대중 첫째는 4대국과 북한, 다섯 나라와 우리의 믿음이에요. 예를 들어 일본과는 그 전에 김영삼 정권 때 극도로 관계가 나쁘지 않았어요? 그런데 내가 대통령이 된 뒤에 일본 문화 개방 문제를 놓고 문화인들이 굉장히 반대를 했거든요. 문화 식민지가 된다고 하면서. 그때 내가 이런 얘기를 했어요. "일본 문화 들어온다고 우리가 식민지화될 것 같으면 우리 문화는 없어져도 된다고. 그런 우려는 조상에 대한 모욕이다, 우리 조상은 중국으로부터 유교, 불교 같은 고급문화를 받아들여서, 다른 주변 국가들이 중국화되는 와중에도 우리는 중국화되지 않았다. 조선 말엽부터 서양 문화가 들어왔지만 서양화됐느냐. 그렇지 않았다. 그런데 일본 문화는 우리 문화, 중국 문화, 서양 문화 받아들여 합쳐진 것인데, 왜 우리가 일본 문화에 동화되고 우리 문화가 말살된다는 거냐. 그런 정도의 문화라면 필요가 없는 것이다. 문화라는 것은 국제사회에서 다양하게 접하면서 그중에 좋은 것은 취하고 나쁜 것은 버리면서 살아남고 발전하는 것이다." 그런 얘기를 했어요. 그런데 여기에 대해 일본 사람들이, 말하자면 굉장히 감동을 받았어요. 그것이 일본에 한류가 일어난 하나의 큰 원천이 됐어요. 그리고 일본 국회에서 내가 연설을 했던 것이 지금도 일본 사람들이 얘기할 정도로 큰 인상을 남겼고, 그렇게 해서 일본으로부터 많은 신임, 신뢰를 얻었어요. 신뢰뿐 아니라 존경심도 받았어요.

그리고 중국의 경우, 과거에 대만과 중국이 대립하고 있을 때 우리가 대만과 국교를 맺고 있지 않았습니까? 그때부터 나는 일관되게 국교를 중국으로 옮겨야 한다는 주장을 했거든요. 그런 걸 중국이 잘 알고 있었어요. 그리고 내가 북한과 화해 정책을 하니까 중국이 아주 쌍수를 들어서 나를 지지하더라고요. 러시아도 마찬가지고요. 그리고 미국은 아까 얘기했던 것처럼 클린턴 대통령 만나서 설명하니까 김대중 햇볕정책 지지한다고 했고.

남북 관계, 그리고 2000년 정상회담

박명림 4대국을 한국의 입장에서 이렇게 정리하고…… (웃음) 마지막 남은 관문인 북한을 열었던 것이군요. 분단 이후 역사적인 첫 남북정상회담을 포함해서요.

김대중 그래요. 그러면 남은 건 북한인데, 북한은 처음에 내가 대통령 선거 나올 때 상당히 나를 방해했어요. 기억하겠지만, 그때 북한에서 내가 북한하고 협력을 했느니 하는 소리도 나왔거든요. 그리고 내가 햇볕정책 이야기하니까 그럼 우리 공산주의를 말살한다는 거냐고 반발하고. 그래도 나는 개의치 않고 일관되게 내 진실을 설명했어요. 그러다가 결정적인 계기가 된 것이 2000년 3월에 내가 독일 베를린자유대학에서 했던 연설이에요. 소위 베를린 선언이라고, 북한에 화해와 협력을 제안하고 우리는 흡수 통일을 하지 않는다고 단언한 것이죠. 그때는 독일의 흡수 통일을 우리가 북한에 적용하려고 한다는 우려가 컸거든요. 그래서 우리는 흡수 통일 안 한다, 그럴 능력도 없다, 그렇게 얘기한 것이 북한에게 어느 정도 안도감을 준 것 같아요.

그래서 남북정상회담을 하게 됐는데요. 사실 남북정상회담을 할 때 김정일 위원장이 뭘 이야기하는지 아무것도 모르고 올라갔어요. 사전에 공동성명 초안하자고 해도, 오면 다 잘된다고, 오기만 하라고 해서 그냥 갔어요. 공항에 김정일 위원장이 나온다는 말도 있고 안 나온다는 말도 있고 그랬는데, 비행기에서 내리려고 아래를 보니까 그 양반이 와서 서 있더라고요. 그래서 거기서 인사하고 같이 출발했는데, 지금까지도 사람들이 많이 묻는 게 있어요. 둘이 차를 타고 50만 군중 앞을 한 시간 이상 걸려서 돌았는데, 그때 차 안에서 무슨 얘기를 했냐, 그런데 얘기를 한 것이 아무것도 없어요.(웃음) 얘기를 할 수가 없는 상황인 것이, 첫째 이게 처음 만나고 상대방을 모르니 무슨 속 얘기를 할 수도 없는 것이고, 둘째 더 중요한 것은 군중들이 밖에서 만세 부르고 꽃을 흔들고 하는데 거기 손을 흔들어 줘야 하잖아요. 게다가 차창을 내려놓고 있으니까 환호 소리가 높아서 악을 쓰지 않으면 서로 말을 해도 들리지 않는 상황이에요. 그래서 김정일 위원장한테 "저 모든 사람들이 대통령을 환영하기 위해 나온 사람들입니다." 그 말 한마디 들은 이후엔 말을 못 했어요. 나도 이 양반이 어떤 사람인지 아직 모르니까 말을 할 생각이 없었고.

그때 정식 회담이 시작될 때 내가 모두발언을 했는데, 그것이 상당히 효과가 있었다고 생각해요. 내가 김정일 위원장한테 그랬어요. "누구나 영원히 사는 사람이 없고 권력의 자리에 영원히 있는 사람이 없다. 지금 당신과 나는 남과 북을 통치하고 있는데, 우리가 마음 한번 잘못 먹으면 우리 민족이 공멸한다. 그러나 우리가 마음을 바로 먹고 평화를 이야기하고, 경쟁적으로 풀지 말고, 서둘지 않고 양쪽이 만족할 수 있는 통일을 하면 우리 민족과 후손들이 축복을 받을 것이다. 어느 쪽을 택하겠느냐. 그건 뻔한 게 아니냐. 그런데 이렇게 말만 해서는 안 된다. 첫째, 당신네는 남쪽을 공산화한다는 생각을 꿈에도 버려야 한다. 만일 공산화한다고 하면 전쟁이 날 수밖에 없다. 동시에 우리도 절대 북한을 흡수 통일 안 한다. 그럴 능력도 없다. 우리는 서독이 아니다. 그런 경제력도 없고, 서로 이질적으로 50년을 살아왔는데 갑자기 하나가 되면 정신적 갈등을 견딜 수 있겠냐? 독일을 봐라, 그거 견딜 수가 없다. 그러니까 내가 3단계 통일론 일찍부터 주장하고 있지 않냐." 거기서 김정일 위원장이 우리에 대해서 마음을 놓게 된 거예요.

박명림 북한과 미국이 서로 적대적이고 일본과 중국도 한반도를 놓고 서로 경쟁하는데, 지금 국제 정치 학자들이 주목하는 게, 김대중 정부 때나 노무현 정부 때는 이들에게 어떻게 한반도 문제에 대해 다 호의적인 정책을 갖게 만들었는지 하는 점입니다. 이게 열강의 이해가 격렬하게 대립하는 한반도 역사에서는 매우 드문 사례거든요.

김대중 거기에 대해서는 첫째로, 4대국이 각자 이해가 다르지만 한반도에서 평화가 깨지는 것을 바라지 않는 점에서는 공통되거든요. 그 때문에 내가 북한하고 평화를 추진한다는 것은 다 지지할 수밖에 없어요. 둘째는 우리에 대한 신뢰이지요. 내가 4대국에 대해서 각각 "절대 당신네들 나라에 불리한 짓은 안 한다. 우리는 당신네들과 협력이 필요하다. 그러니까 우리를 믿어라." 이런 설득을 아까 일본에 대해 했듯이 다 했거든요. 내 행동이나 말하는 것을 다 봐도 틀림없으니까, 4대국이 나를 신임하게 되는 거죠. 그리고 셋째로 북한과의 신뢰입니다. 북한이 나를 신뢰하게 되니까 일이 순조롭게 간 것입니다. 그래서 클린턴도 퇴임 이후 여기 우리 사무실에 와서, 자기가 일 년만 더 있었으면 다 해 놓고 나왔을 텐데 아쉽다고 하더라고요.

미국이 제일 중요하다

박명림 언젠가는 상세히 연구해 봐야 할 중요한 과제임이 틀림없습니다. 냉전주의자들, 이념주의자들이 보기에는 한·미동맹을 강화하려 하면 남북 관계가 적대적이 되고, 남북 화해를 하면 한·미동맹이 흔들리고, 한·중이 가까워지면 일본이 견제를 하고, 그런 식으로 늘 제로섬으로만 보거든요.

김대중 아, 그게 그렇지 않아요

박명림 네. 그런데 대통령님 집권 당시에는 그렇지 않았다는 것이죠. 이건 뭔가 중요한 요인이 있을 것 같다고 봅니다. 다섯 모두랑 친했거든요?

김대중 무엇보다도 나는 원칙을 감추지 않았어요. 미국이 제일 중요하다는 것, 한·미동맹이 중요하다는 것, 모두에게 그 원칙을 감추지 않았고, 그러나 그것이 바로 반反중국 반러시아, 반일본은 아니다, 러시아나 중국, 일본도 다 우리에게 중요하다, 물론 역사적으로나 현실적으로나 미국이 제일 중요한 건 사실이다, 다만 미국과의 관계가 여러분들의 이해하고는 상충이 안 된다, 이걸 납득시킨 거죠. 그런데 지금 이것이 흔들리고 있어서 매우 안타깝습니다.

박명림 워낙 중요한 문제라서 국제 관계와 남북 문제를 좀 길게 여쭤봤습니다. 그럼 이제 다음 문제로 넘어가겠습니다. 대통령님의 '삼비三非노선'은 유명한데요. 비반미, 비폭력, 비용공. 그런데 민주화운동을 하실 때 보면, 집권 이후에도 그렇지만 인권과 민주주의가 대통령님의 모든 정치 활동과 정책의 중심인 걸 알 수 있습니다. 민주주의를 해야 빈곤 퇴치와 경제 발전이 가능하고, 민주주의를 해야 통일이 가능하고, 민주주의를 해야 제대로 된 체제 안보와 반공, 자주적인 국제 관계도 가능하다는 주장이셨는데요. 그러면서도 명백하게 이것은 반反독재이지 반反대한민국이 아니라는 점을 강조하셨습니다. 그래서 당시 재야나 일부 망명정부 수립을 말하던 교포들하고도 약간 견해 차이가 있으셨죠. 이걸 일관되게 견지하기가 쉽지 않았을 텐데요. 친親대한민국을 분명히 한가운데서 삼비노선과 민주화운동을 해 오신 것에 대해 여쭙습니다.

김대중 그렇습니다. 인권과 민주주의가 가장 중요해요. 그것은 대한민국을 위해서도 그래요. 민주주의와 대한민국, 둘을 배타적 관계에 놓으면 절대 안 돼요. 나는 독재 시절 해외교포들하고 얘기할 때도 그런 노선이 아니면 나는 안 한다고 분명히 해 두었어요. 미국에서 한민통 할 때 어떤 전직 장군 한 분이 망명정부를 수립하자고 해서 내가 당장에 나가 취소시킨 적도 있습니다. 우리가 대한민국을 반대한 게 아니고 박정희 정권 독재를 반대한 거니까 반독재지 반대한민국이 아니다, 우리는 어디까지나 대한민국 편이다, 북한 편 아니다. 또 일본에서 그 문제를 분명히 하라고 하니까 그 일부가 반대를 해서 내가 틀어 버렸어요. 난 그런 거는 같이 안 한다고. 그 사람들도 나중에는 다들 태도를 바꿨지요.

박명림 그런 면은 오랫동안 받아오신 이념공격과 오해에 비해 그동안 상세히 알려지지 않았었지요. 놀라운 사실의 하나는 대통령님을 포함한 해외의 민주화운동 기록들이 거의 원문 그대로 방대하게 남아 있었다는 점입니다. 이것들을 지금 연세대학교 김대중도서관에서 방대하게 수집·정리하고 있어, 한국 역사의 객관적 기록과 연구·평가를 위해 참으로 다행스러운 일이 아닐 수 없습니다.

기록을 위해 지금 원문 그대로 남아 있는 당시 일차자료를 잠시 말씀드리면, 1973년 7월 6일 미주 한국민주회복통일촉진국민회의(한민통) 결성 당시 대한민국임시정부라는 망명정부 수립을 주장하는 견해에 대해 "이 투쟁 목표는 망명정부 구성이 아니다."라고 단호하게 제지하면서 독재 반대와 대한민국 지지를 분명히 천명하신 것으로 되어 있습니다. 또한 1975년 12월 21일에 일본 한민통에게 "대한민국 '지지'의 입장을 뚜렷이 하고 공산주의와 선을 명백히 그어 가는 자세를 언제나 견지해야 한다"고 표명하고 "이 점은 너무나 중요하다"고 누누이 강조하십니다.

김대중 그런 일차자료들이 지금까지 그대로 남아 있어 다행입니다. 앞으로 박 교수 같은 학자들이 더욱 객관적이고 체계적으로 연구해 주세요. 역사에 대한 객관적 연구와 분석은 꼭 필요한 작업입니다. 사실 위의 문제의 경우 박정희·전두환 군사독재의 날조나 이념 공세와는 달리 역사적 사실이 그랬어요. 저 자료들이 말하는 바 그대로지요. 민주주의와 인권이야말로 가장 소중한 가치였지만 나는 늘 대한민국을 사랑하고 지지했어요. 내가 그 원칙을 확실히 했기 때문에 나중에 한국에 들어와 납치되었을 때도 무사했고, 광주항쟁을 계기로 뒤집어씌우려고 할 때도 무사했어요. 아무리 뒤져 봐도 대한민국을 반대한 게 없거든요. 대한민국을 반대한다는 것은 아무리 박정희 독재 반대라고 해도 국민이 지지하지 않아요. 국민을 떠난 나는 없어요. 그러니까 나는 국민 입장에서 봤던 거죠.

외환 위기와 민주적 시장경제론

박명림 주제를 바꾸어 아무래도 민주화 이후 최대의 국난이었던 외환 위기 문제를 여쭤보지 않을 수 없습니다. 대한민국의 역사에서나 대통령님 집권 시기에 대한 평가 문제에서 빼놓을 수 없기 때문이지요. 1997-1998년 외환 위기 당시 국제 금융기구, 외국 언론과 정부들은 한국이 이토록 위기를 빨리 극복할 줄 몰랐다는 반응이었습니다. 특별히 취임 이후 성장과 복지, 민주주의와 시장경제의 병행 발전을 강조한 민주적 시장경제에 대해 설명을 듣고 싶습니다. 그것을 대중참여경제론의 발전된 버전으로 봐도 될까요? 재벌 개혁을 포함한 경제 구조조정 문제에 대해선 좀 더 적극적이지 못했다며 비판하는 견해가 없지 않은데 어느 정도 성공했다고 보시나요?

김대중 1998년 2월 대통령에 취임한 뒤 정부를 맡아 보니 한국이란 나라의 금고에 외화 달러가 불과 39억 달러밖에 없었습니다. 외화 부채는 수천억 달러로 완전히 파산 직전이었어요. 그래서 나는 당선부터 취임까지 약 2개월 동안 전혀 쉬지 못하고 완전히 현직 대통령과 똑같이 일을 하면서 외환 위기에 대처하지 않으면 안 되었습니다. 내가 당선되고 다음 날 클린턴 대통령으로부터 전화가 왔습니다. "한국의 외환 위기가 한국뿐 아니라 세계적으로도 중요한 문제인데 이 문제를 현명하게 다뤄야 한다"고 굉장히 강조하더라고요. 당시 나는 정부가 외환 관련해서 큰 문제가 없다고 얘기하기도 했고, 세계적으로 그렇게 한국의 경제 위기 문제가 큰 영향이 있다는 것을 잘 모르고 있었습니다. 클린턴 대통령과 통화하고 며칠 뒤 미국 재무차관이 한국을 방문해서 만났어요. 시장경제에 대한 내 소신을 묻고, 노동자에 대해서 구조조정과 해고를 할 수 있는지에 대해서 특히 관심을 갖고 물었습니다. 내가 대답했어요. "나는 대중경제를 주장하고 하지만 결국 그것은 복지가 수행되고 중산층이 지원받는 그러한 투명한 시장경제를 말하는 것이지, 자본가 위주의 경제를 말하는 것은 아니다. 그러나 자본가를 적대하거나 시장경제의 기본적 자유를 침해할 생각은 조금도 없다. 특히 당신이 관심을 갖는 노동자 해고 문제에 대한 내 생각은, 종업원 100명이 근무하는 기업체에서 열 명을 해고해서 회사가 회생하면 90명은 직장을 잃지 않게 된다. 그리고 기업이 다시 경쟁력을 찾으면 해고된 10명도 재고용할 수 있다. 그러나 10명을 해고하지 않으려다 기업이 망하면 100명 전부가 실업자가 되어야 한다. 어느 쪽을 택할 것이냐는 분명한 것 아니냐." 그랬습니다.

당시 내가 주장한 것이 민주적 시장경제예요. 민주적 시장경제가 뭐냐. 그것은 시장경제와 복지가 수레의 두 바퀴처럼 서로 보완하면서 경제가 발전한다는 거예요. 경제가 발전해야 노동자와 서민들이 일자리를 얻고 장사를 하게 돼요. 또 노동자나 서민들이 수입이 있어야 구매력이 생겨서 기업이 성공하게 됩니다. 이것은 상호 보완적이고 필수 불가결한 관계에 있는 거예요. 나는 대중경제의 원칙에 의해서 노동자들의 노동운동의 자유를 보장했어요. 그래서 당시 불법단체였던 전교조와 민주노총을 모두 합법화하여 자유를 줬습니다. 전 정부는 민노총과 전교조가 거리에 나오기만 하면 최루탄으로 제압했습니다. 내가 대통령으로 재임하기 전인 1997년에 최루탄을 연간 13만 3천 발을 쐈어요. 그런데 내가 대통령이 된 후 1998년 3천 발을 쐈고, 그 이후 4년 동안 한 발도 쏘지 않고 노동운동의 자유를 보장하고 안정을 찾게 됐습니다.

대중참여경제론은 어디까지나 정치적 민주주의를 기본으로 하는 겁니다. 민주주의 없는 중산층의 자유는 있을 수 없습니다. 앞에서 얘기한 하버드대학에서 출간한 책, 『대중참여경제론』에 그런 내 생각이 분명히 밝혀져 있어요. 이전 정권에서는 자유경제라는 명목하에 정부와 기업이 야합하고, 권력이 야합해서 부패가 만연했습니다. 기업은 기업 활동을 통해서 부자가 되는 것이 아니라 정부로부터 이권을 얻고, 저리 융자를 받아서 부자가 됐습니다. 나는 취임 후 이 점에 대해서 분명히 정책을 바꿨어요. 주요 기업인들을 초청해서 그들에게 말했습니다. "당신들이 과거에 나의 반대 세력에게 얼마나 많은 정치자금을 줬건, 또 그들을 얼마나 지원했건 나는 상관하지 않는다. 이제 그런 시대는 끝났다. 나는 정치자금을 줘도 받지 않을 것이고 또 받더라도 아무 이득이 없을 것이다. 나는 어떤 기업은 편애해서 발전시키고 어떤 기업은 미워해서 몰락시키는 일은 안 할 것이다. 세계시장에 나가서 국제적 경쟁에서 이기는 기업, 제일 좋고 제일 싼 물건을 만들어 돈 많이 벌어 세금 많이 내는 기업을 나는 애국적인 기업이라고 생각한다. 그러니 여러분들도 이제는 세상이 바뀌었고, 정부의 태도가 바뀌었고, 과거와 같은 정경유착의 시대는 끝났다는 것을 알고 세계 경쟁에서 이겨내도록 해라." 재임 중 나는 이런 원칙을 지켰고, 기업들도 결국 그렇게 됐다고 생각해요.

내가 취임한 뒤 금융·기업·공공·노사 4대 부분의 구조조정을 대대적으로 했습니다. 이건 엄청난 일이었고, 평상시 같으면 꿈도 꾸지 못할 일이었어요. 그러나 외환 위기 상황에서 국제통화기금(IMF) 지원을 받지 않으면 경제는 파탄 날 수밖에 없다는 절체절명의 위기였잖아요. 이것을 역이용해서 기업의 구조조정과 투명한 시장경제를 확립하는 데 활용했고, 큰 성과를 이룩했다고 생각해요. 30대 재벌 중 16개 재벌이 주인이 바뀌거나 세상에서 사라졌습니다. 부실한 기업들은 구조조정을 한 결과 모두 흑자 기업이 되었고. 그리고 주인은 바뀌었지만 비싼 값에 지금 매각되고 있잖아요. 당시 금융기관의 관리체제에 들어갔던 기업들이 대우건설, 현대건설, 대우조선 등인데, 다들 건전기업이 되었고 서로 사려고 하고 있어요. 이미 대우건설은 비싼 값에 매각되었고. 이제 우리나라에서 정경유착은 누구도 꿈꾸지 않고 있습니다. 기업들은 정부의 눈치를 보지 않고 오로지 국제 경쟁에서 이기는 길에 노력하고 있어요. 내 경제 정책이 성공했던 거라고 봐요.

금융기관도 2,100개 중 회생 가능성이 없는 650여 개를 인가 취소하거나 합병 등을 통해 문을 닫게 했습니다. 그 결과 적자로 파산 위기에 있던 은행들이 이제 모두 건전한 기업으로 돌아서서 흑자를 내고 있고, 부실채권 비율도 크게 낮아졌어요. 그리고 4대보험을 개혁해서 국민에게 고루 혜택이 돌아가도록 했고, 기초생활보장법 실시해서 200만 명에 달하는 사람들이 혜택을 보게 됐지요. 중소기업에 대해서는, 내가 해외 순방할 때마다 특히 일일이 전화를 걸어서 중소기업 자금 지원이나 기타 지원책을 챙기며 독려했는데, 큰 성과를 얻지 못한 게 지금도 유감이에요.

노벨평화상 수상에 대해

박명림 좀 색다른 질문 같지만 노벨평화상을 수상하는 영광을 얻었을 때의 소회가 궁금합니다. 대통령님의 노벨상 수상은 강대국들에게 고통받고, 전쟁을 치르고, 분단으로 대립해 온 한국의 역사에서 큰 의미가 있다고 보입니다. 몇몇 비판적 견해도 없지 않았던 것으로 들었습니다만, 개인적으로 노벨상 수상에 대해 어떤 의미를 부여하고 계시는지요?

김대중 노벨상 수상은 내 개인으로서는 다시없는 영광이고 기쁨이죠. 나의 노벨상 수상에는 우리 국민의 민주주의와 통일에 대한 강한 열망과 희생과 헌신이 기초가 되었다고 생각합니다. 그래서 국민들에게 늘 깊은 감사의 마음을 갖고 있습니다. 내가 민주화를 위해서 투쟁할 때 얼마나 많은 국민들이 희생하고 싸웠습니까? 나는 민주화 과정에서 네 번, 그 이전 6·25전쟁 때 공산주의에서 한 번, 모두 다섯 번의 죽을 고비를 넘겼고 6년 반을 감옥에서 살았어요. 또 20년 동안 연금과 감시, 망명 생활을 했어요. 집안에서 얘기할 때도 도청 때문에 말로 하지 못하고 필담으로 하는 세월을 보냈습니다. 그때 우리 국민들이 나를 버리지 않았어요. 내 집을 찾아와서 격려하는 국민이 얼마나 많았던지 참으로 감동적으로 기억하고 있습니다.

나는 개인적으로 세 가지 소원이 있었어요. 하나는 대통령이 되어 나랏일에 봉사하는 것이었고, 두 번째는 노벨평화상을 받는 것이었고, 세 번째는 정식 박사학위를 받는 것이었는데 모두 이루었습니다. 박사학위는 러시아 외교부에 속하는 외교아카데미에 정식으로 논문 내고 구두시험을 통과해서 박사 수준 이상이라는 평가를 받으면서 정치학 박사학위를 받았습니다. 내가 노벨평화상을 받은 주된 이유는 장구한 세월에 걸친 민주화투쟁과 헌신에 대한 평가가 첫 번째고, 그리고 분단국가에서 55년 만에 대화의 길을 열고 평화의 가능성을 발전시킨 남북정상회담에 대한 세계적인 지원과 노벨위원회의 평가가 이유가 됐지요. 또 미얀마의 민주화에 대한 지원과 동티모르 독립운동 지원으로 많은 사람의 목숨을 구하는 데 노력한 점이 있었고.

내가 노벨상을 받으러 노르웨이 갔을 때, 한국 노동조합이 노르웨이 노동조합에 연락해서 내가 노동운동을 탄압한다며 노벨평화상을 주면 안 된다고 건의했다는 얘기를 들었어요. 그래서 내가 노벨위원회 관계자에게 노르웨이 노동자 대표들을 만나게 해 달라고 요청해서 만났습니다. 그때 이런 얘기를 했어요. "한국의 노동조합은 과거에는 불법단체여서 거리에만 나오면 최루탄을 맞고 노동운동가들은 구속되었다. 그런데 나는 취임한 뒤 그 단체들을 모두 합법화시키고 심지어 정당까지 만들어서 자유롭게 정치 활동을 보장해 주었다. 그리고 나는 그들에게 두 가지를 부탁했는데, 하나는 이제 민주화가되었으니 불법은 용납되지 않는다는 것이고, 둘째는 절대 폭력을 사용해서는 안 된다고 부탁했다. 합법적인 방법이 있는데 폭력을 사용한다는 것은 세계 어느 나라에서도 용납되지 않기 때문이다. 그러나 그들은 나의 부탁을 듣지 않고 자동차에 불을 지르고 심지어 경찰청 앞에서 폭력을 사용했다. 그래서 경찰이 그 책임자를 구속했던 것이다. 나는 그들이 앞으로 법을 지키고 폭력을 사용하지 않겠다고 약속해 주면 책임자를 석방하려고 했으나 본인들이 듣지 않아 해 줄 수가 없었다." 나는 노르웨이 노동조합 사람들에게 "당신네 노르웨이는 세계에서 가장 선두에 선 민주국가인데, 법으로 보장된 권리가 있는데도 폭력과 불법 행위를 해도 처벌 안 받느냐"고 물었습니다. 그 사람들이 깜짝 놀라며 "그래서는 안 된다. 우리는 그런 줄 몰랐다. 미안하다"고 했어요. 그 당시 국제노동기구(ILO)에서도 우리나라 노동조합에 법을 지키고 폭력을 사용하면 안 된다고 충고한 줄로 알고 있습니다.

이것은 노벨위원회로부터 들은 이야기인데, 매년 노벨평화상 선정 시 여러 말들이 있는데 내가 선정되었을 때는 세계가 일치해서 지지했고 그러한 예는 거의 없는 경우라고 해요. 나는 지금도 노벨평화상 받은 것을 영광으로 생각 하고, 노벨상 수상자로서 세계 평화를 위해, 한반도 평화를 위해서 노력하겠 다는 생각을 갖고 있습니다. 작년 겨울에도 노벨평화상 수상 기념으로 미얀 마 민주 인사들을 초대해서 '미얀마 민주화의 밤'을 개최했어요. 행사를 성대 하게 해서 아웅산 수지 여사와 미얀마 민주 인사들을 지원한 바 있습니다.

개헌 문제: 권력 구조, 4년 중임 정부통령제로 개헌해야

박명림 시간의 제약 때문에 한국 민주화의 국제연대, 북한 인권 문제, 리콴 유 총리와의 동아시아 인권논쟁 등에 대해 준비한 다른 질문들은 생략해야 할 것 같습니다. 한두 가지만 더 여쭙겠습니다. 지금 국민들은 헌법개혁과 개 헌 문제에 많은 관심을 가지고 있습니다. 정치권에서는 이미 논의가 시작되 었고요. 우리나라에 어떤 권력 구조가 가장 바람직한가, 이 문제에 대해 혹시 대통령 재임 시기나 이후에 구상하신 바가 있으십니까? 국정 최고 책임자의 자리에 있었던 분이 직접 국민들에게 견해를 밝히는 것은 지금의 국면에서 의미가 크다고 생각합니다.

김대중 나는 과거부터 대통령중임제와 정부통령제가 우리에게 맞는다고 생각해 왔습니다. 우리의 경우 과거 3선개헌 전의 박정희 정권하 대통령중임 제와 이승만 정권하의 정부통령제의 결합이 좋다고 생각했어요. 그래서 1987년 6월항쟁 이후 개헌 때 직선제가 부활되고 할 때도, 우리 야당에서는 정부통령제와 4년 중임제를 가지고 나갔습니다. 여당에서는 전두환 씨가 자기가 7년 단임제를 했기 때문에 반드시 단임제를 해야 한다고 주장했어요. 그런데 장기집권 저지가 그때는 아주 금과옥조였어요. 또 전두환의 압력을 무시할 수가 없는 상황이었어요. 여당이 절대 안 된다고 하고, 그러니까 거기서 양보를 할 수밖에 없었어요. 정부통령제를 하게 되면 그때 전라도 경상도가 정부통령 후보를 하나씩 나누면 지역대립이 없어지니까 여당이 전략상 안 되는 거예요. 그래서 그들이 완강하게 반대하여 결국은 쟁취를 못 했어요. 참 안타까웠어요. 나는 지금도 정부통령제와 4년 중임제가 필요하다고 생각하고 있어요. 20년의 실험을 거친 지금은 이제 우리에게 맞는 권력 구조를 위한 개헌이 필요하지 않나 생각합니다.

촛불시위는 직접민주주의의 표현

박명림 지금 경제도, 한·미 관계도, 남북 관계도 모두 어렵습니다. 그래서 마지막으로 모두가 관심을 갖고 있는 촛불시위에 대한 견해를 여쭙고 싶습니다.

김대중 촛불시위에는 일종의 직접민주주의적 경향이 있다고 생각해요. 옛날 그리스 아테네에서 했던 그런 직접민주주의인 것이지요. 촛불시위에서 중요한 것은, 직접민주주의 상황에서도 평화가 유지되었다는 거예요. 그만큼 우리 국민이 자치 능력이 생겼고 의식이 강화됐거든요. 수십만 명이 모여서도 그렇게 질서를 지켜가는 것, 월드컵 때도 그랬는데 우리 국민이 그만큼 성숙했어요. 아주 위대한 국민으로 자랐어요. 이번에도 아주 철없는 몇몇 사람들 하는 짓 빼놓고는 오히려 경찰들보다 낫지 않나 싶어요. 그런데 경찰이건 촛불시위대건, 폭력은 안 돼요. 그리고 하나의 정치적 구호로서는 몰라도 정말로 지금 정부를 몰아내려고 하는 것도 안 돼요. 그것은 국민 뜻에 반하는 일이에요. 작년 12월에 선거해 놓고 다시 대통령 선거를 하고 싶어 하는 국민은 없어요. 국민이 바라지 않는 것을 하면 반드시 실패해요. 그건 민주주의도 아니고.

국민이 바라는 것은 어디까지나 삶의 문제, 권익의 문제와 관련하여 평화적으로 폭력 없이 절제 있는 주장을 하는 겁니다. 거기에는 쇠고기 문제도 들어가지만, 내가 볼 때 이 상황은 단순히 쇠고기만이 원인이라고 볼 수 없어요. 쇠고기가 하나의 동기가 된 것이죠. 지금 정부가 '잃어버린 10년'이라고 하면서 과거로 돌아가려고 하는데, 국민이 볼 때 그 과거에 여러 가지 몸서리쳐지는 일들이 있었잖아요. 독재, 소수만 이익을 얻는 경제, 게다가 인간이 파리처럼 쉽게 죽어 가도 억울함을 풀지 못하는 일들이 많았잖아요. 그런 것에 대해서 국민들은 공포를 느꼈던 것이고, 여기에 대운하나 공기업 민영화, 학교교육 문제, 유류가, 물가 문제처럼, 국민들이 이런 것은 안 된다고 피부로 생생하게 느끼는 문제들이 전부 종합적으로 작용해서 쇠고기를 동기로 일어난 게 아닌가 생각해요.

나는 결국 이것이 폭력화하지 않고, 그렇게 되리라 믿는데, 그렇게 평화적으로 계속 나가면 앞으로 우리 정치에 큰 변화가 생길 것 같아요. 지금까지 정치는 입법·행정·사법 3부가 이끌고 시민단체가 정치에 영향을 줬는데, 이제 이런 촛불문화제에 범국민적으로 자발적으로 참여한 시민들이 정치에 많은 영향을 행사할 거예요. 중요한 것은 이런 목소리를 행정부나 입법부가 잘 받아들여 취사선택해서 국민들이 만족하고 희망을 가질 수 있도록 잘 실천해야 한다는 겁니다.

이번 쇠고기 문제에서도 정부가 제일 부족했던 것은 국민들하고 대화를 안 했다는 거예요. 동장, 면장들까지 다 데려다가 대화를 하면서, 국민들하고, 막상 소비자하고 대화를 하지 않아요. 쇠고기 문제는 국민이 먹는 문제예요. 소비자가 국민이란 말이죠. 미국에서 소비자는 왕이라고 하잖아요? 여기서 미국은 장사하는 사람이고 우리 국민이 사실 손님인데, 이렇게 장사하는 사람과 소비자 사이에서는 두 가지가 중요해요. 하나는 가격이고 하나는 안전성이에요. 그런데 가격은 괜찮거든요. 거기엔 시비할 필요가 없고, 문제는 안전성이지요. 안전성에 관해서는 파는 미국, 그리고 그것을 중재하는 우리 정부 모두 소비자의 의견을 제일 존중해야 해요. 소비자의 의견이 틀렸으면 설명을 해야 돼요. 텔레비전을 통해서 문제점에 대해 성의 있게 대답하면 국민의 의견이 모일 것 아니에요. 그런데 그런 노력은 하지 않고 이거 아무 걱정 없는 건데 왜 그러냐, 안 하면 우리 경제에 타격이 온다, 이런 식으로 국민이 느끼는 문제에 대해 제대로 설명하지 않는 것이 부족한 점 아닌가, 저는 그렇게 봅니다. 지금의 위기를 잘 넘기면 지난 60년 동안 그랬듯이 우리 대한민국은 앞으로도 계속 발전할 수 있을 것으로 봅니다.

박명림 긴 시간 동안 체계적으로 말씀해 주셔서 감사합니다. 정부 수립 60주년 특별 인터뷰가 대통령님의 사상과 정책에 대해 연구하려고 하는 국내외 학자들뿐만 아니라 지금 어려운 상황에 처한 국민들에게도 많은 시사와 희망을 주지 않을까 싶습니다. 오랜 시간 말씀 다시 한번 감사드립니다. 건강히, 안녕히 계십시오.

김대중 감사합니다.

* 이 글은 2008년 7월 3일 오전 10시 30분, 김대중 대통령의 사저에서 당시 『역사비평』 편집위원인 연세대 박명림 교수와 나눈 대담이다. 『역사비평』 2008년 가을 호에 게재되었다.

북한 사람들의 마음에 감동을 주는 것이 중요

대담 스테판 해거드

일시 2008년 7월 15일

해거드 사저를 방문하게 되어 대단히 기쁩니다. 현재 이명박 대통령께서 햇볕정책에 대한 태도를 바꾸신 것으로 봐도 되겠습니까?

김대중 확실치 않아도 변화에 적응하고 있는 것 같고, 그 외에는 택할 길 없습니다.

해거드 그렇습니다. 하지만 우여곡절 끝에 이 대통령께서 아시게 되어 유감입니다.

김대중 저도 그렇습니다. 이제라도 다행이지요.

해거드 지금까지 해 온 일을 말씀드리자면, 놀랜드 교수와 북한의 기근에 대한 책을 썼습니다. 지금은 두 번째 책을 준비하고 있는데 포용정책과 햇볕정책을 둘러싼 여러 이슈를 다룰 예정입니다. 사실 단지 정치적인 부분뿐만 아니라 북한의 경제 문제도 살펴볼 생각입니다.

김대중 말씀 도중이라 미안한데 날씨가 더우니 재킷을 벗고 합시다.

해거드 감사합니다. 일찍이 1971년경부터 대통령님께서는 새로운 북한 전략에 대해 말씀해 오셨습니다. 저는 햇볕정책이라는 아이디어에 대해 궁금합니다. 어디서 착안하셨습니까? 대통령님 재임 당시 도대체 이러한 유형의 포용정책은 애초에 어떻게 생각하시게 되었습니까?

김대중 예전에 미·소 관계를 보면, 냉전 시 미국의 봉쇄 압력이 성공하지 못했습니다. 공산주의는 억압으로는 변화시킬 수 없습니다. 개방시켜서 공산주의 사람들이 바깥세상을 알게 되면 자신들이 천국에 살고 있는 것이 아니고, 바깥이 악마 사는 곳이 아니라는 것을 알게 되는 등, 여러 좋은 점을 알게 되면 자연히 변화가 오게 된다라고 생각했습니다. 그래서 세계적 냉전 상황, 공산정권과의 대결 상황에서 포용정책의 아이디어가 태동했습니다.

해거드 햇볕정책에서 흥미로운 점은 원칙에 순서가 있다는 것입니다. 전쟁 억제가 먼저이고, 흡수 통일 반대, 경제적 역할 이런 순으로 되어 있습니다. 왜 정책의 구성 요소에 이러한 전후 관계를 정하셨습니까?

김대중 앞서 말하고 싶은 것은 햇볕정책은 대립적 상황에서 일방적 승리가 아니라 공동 승리를 가져올 수 있도록 양측에 이익이 되는 것을 찾는 것이 성공의 길이라는 생각이 기조를 이룹니다. 공산주의에 대해서는 햇볕정책만이 유일한 대처법이라는 결론이었습니다. 공산주의 국가는 억압하면 억압할수록, 봉쇄하면 봉쇄할수록 독재가 강해집니다. 결국 손댈 수가 없게 됩니다. 공산주의는 봉쇄해서 어둠의 그늘로 몰아붙이면 박테리아처럼 강해지고, 개방시켜서 찬란한 태양으로 노출시키면 공산주의는 약해진다는 것을 그 당시부터 강조해 왔습니다. 그 후로 유럽안보협력조약이 나왔습니다. 즉 헬싱키협정, 일종의 햇볕정책이죠. 공산권과 서방세계가 같이 서로 안전을 보장하고, 교류 협력하고, 동유럽 영토 보장, 문화 교류 등을 합의했습니다. 그래서 공동의 승리를 이루자라는 것이 헬싱키협정의 근본 취지입니다. 그 결과는 성공적이었습니다. 결국 서방세계를 알게 된 소련 사람들이 "우리가 낙원에 살지 않았다. 우리가 속았다. 서방은 악의 세계가 아니라 사람이 살 수 있는 좋은 사회다."라는 것을 알게 되었고, 이러한 민심의 변화가 고르바초프의 출현으로 이어졌고, 결국 동유럽을 변화시켰다고 생각합니다. 이것이 하나의 햇볕정책이라고 볼 수 있는데 이러한 유연한 공동 이익을 추구하는 협력, 대화 체제가 성공으로 이어졌고 이 또한 북한도 마찬가지일 것이라고 생각하고 추진해 왔습니다.

해거드 포용정책은 경제뿐만이 아니라 다양한 교류 협력을 망라합니다. 하지만 포용정책을 통한 개방 과정에서 경제는 중요한 역할을 하는 것 같습니다. 생각하시기에 어떤 유형의 교류가 가장 효과적일까요? 예를 들어 말씀 드리면 일전에 임동원 전 장관님과 저녁 식사를 하는 자리에서 흥미로운 얘기를 들었습니다. 선경제 후정치, 선민간 부문 후공공 부문이라는 말이었습니다. 포용정책에서 경제적 측면에 대해 어떻게 생각하시는지 궁금합니다.

김대중 포용정책은 경제도 정치도 안보도 공동 승리하자는 것입니다. 다 같이 안심하고 살고 상대방과 협력하는 것이 내게 이익이라고 생각하게 하는 것이 포용정책, 즉 햇볕정책의 근본이고 성공의 요인이라고 생각합니다. 그래서 소련이나 동유럽을 보면 큰 계기가 헬싱키협정인데, 서로 안전을 보장하고, 경제 교류를 증진시키고, 문화 교류에도 중점을 두었습니다. 중국에서는 닉슨이 마오쩌둥을 찾아갔습니다. 당시는 미·중, 미·소 대결 구도에서 중국이 위태로운 상황이었죠. 그런데 미국이 중국에 악수의 손을 내밀자, 미국은 더 이상 중국의 안보 위협자가 아니었습니다. 그래서 중국은 소련과의 관계에 집중할 수 있었습니다. 그 당시는 안보가 제일 중요했습니다. 경제는 덩샤오핑 등장으로 시작되었고요. 결국 경우에 따라 우선순위가 정해지게 되었습니다. 하여튼 안전, 경제, 정치, 문화, 사회 모두 고려되어야 합니다. 베트남은 미국과의 전쟁에서 이겼지만, 경제가 나빴습니다. 보트피플들이 쏟아져 나왔죠. 경제를 살리기 위해 미국에 손을 내밀었고 미국도 그 손을 잡아 주었습니다. 그 결과 교역과 국교 정상화가 되면서 경제가 상당히 발전되었죠. 최근 좀 문제가 있어도 기본적으로 굉장히 나아졌습니다. 공산국가는 국가가 백성을 먹여 살려야 하는 시스템입니다. 그래서 경제가 아주 중요합니다. 경제가 나쁘면 정부 책임인 것입니다. 그렇다고 해서 정치, 사회, 문화적 요소가 등한시된다든가 차순위로 내려갈 필요는 없습니다.

해거드 재임 당시의 경험에 대한 질문을 드리겠습니다. 취임하자마자 한국이 경제 위기를 맞았습니다. 제 생각에는 경제 위기를 극복했다는 그 자체가 김대중 행정부의 주요 업적이라고 생각합니다. 하지만 남북정상회담도 아주 중요한 주요 업적입니다. 그 정상회담 자체가 매우 중요합니다. 명백히 이는 20세기 외교사에 남을 만한 성과입니다. 세부적인 사항은 차치하더라도 현대 기업의 역할이 참 흥미롭습니다. 북한 진입에 대한 현대의 관심은 햇볕전략 개시의 한 부분이었습니다. 민간 부분과 공공 부문의 관계에 대해 말씀해 주시겠습니까?

김대중 결국 북한이 급한 것은 경제의 활로를 찾는 것이었고 거기에 현대가 관심을 가지고 접근을 해 왔고 도울 수 있다는 의사를 표시했습니다. 저는 돕기 위해서는 정부와의 관계를 개선하라고 했습니다. 그래야 우리가 마음 놓고 도울 수 있다고 얘기했습니다. 그 당시 북한이 제일 급한 것은 경제였고 그것이 시작점이 되어야 했습니다. 정부는 사실 여러 규제, 법적 제약이 있어서 전면에 나설 수 없었고, 현대가 나서게 되었습니다. 정부는 지원을 해 줬습니다. 소를 끌고 북한을 가기도 했습니다. 한 천 마리 되지요? 또 관광산업 등 여러 지원을 했습니다. 그 결과 북한도 남한의 선의를 알게 되었습니다. 그런데 사실 북한은 내가 대통령이 되지 못하도록 약간 방해도 했고, 대통령 되고 난 후에도 햇볕정책이라고 하니까 이솝우화에 나오듯이 행인의 망토를 벗긴다는 것이 그들의 체제 붕괴를 시도하기 위한 음모라고 하면서 나를 공격하기도 했습니다. 심지어 속초, 동해안에 북한 잠수정이 우리 영해에 들어오기도 했고 여러 상황이 있었지만 문제를 확대시키지 않고, 꾸준히 북한을 설득했습니다. 심지어 2000년 3월 베를린자유대학 연설에서 "우리는 통일에 있어서 북한과의 전쟁도 반대하고 북한이 두려워하던 흡수 통일도 반대한다. 오로지 대화를 통한 원원의 통일만을 바란다. 그러니 대화하자"고 제안했습니다. 이것이 계기가 되어 북한이 접근을 해 왔습니다. 한편으로는 현대를 통해 경제적 지원을 받았던 것이 상당히 북한을 안심시켜 마음을 움직일 수 있었던 중요한 계기였다고도 생각합니다.

해거드 이런 유형의 포용정책이 보여 주는 큰 차이점이 있습니다. 역시 임동원 장관님이 알려 주신 것인데, '선공후득' 先供後得이라는 개념이었습니다. 대통령님께서 상호주의를 좀 다르게 해 보겠다고 생각하신 적은 없으신지요? 예를 들면 협상에서 유리한 입장을 가지기 위해, 또는 북한으로부터 구체적인 뭔가를 얻어 내기 위해 경제적인 유인책을 사용할 수 있지 않습니까? 예를 들면 어떤 목적을 위해 식량 원조를 중단한다거나 교역을 중단한다거나 말이지요? 항상 선공후득을 견지하셨습니까? 선공후득이라는 생각이 참 흥미롭습니다.

김대중 그 문제에 있어서 중요한 것은 남한에 대해 꽁꽁 언 북한 사람들의 마음에 감동을 주는 것이 중요하다고 생각했습니다. 북한 사람들은 우리가 미 제국주의의 앞잡이여서 기회만 있으면 북한을 공격하려고 하고, 북한을 원수로 생각하며, 화해는 절대 생각하지 않는 것으로 알고 있었습니다. 그런데 말만으로는 안 됩니다. 감동을 주기 위해서는 그들이 절실히 필요한 식량과 식량 증산에 필요한 비료 문제를 해결해 주는 것이 중요하다고 생각했습니다. 그 점에 있어 감동을 주어 마음을 열도록 하기 위해 그런 활동을 했고, 현실적으로는 북한이 우리에 대한 적대감이 줄어들고 호의로 돌아서면 그만큼 안보 긴장과 문제점이 줄어들 것으로 생각했습니다. 중요한 것은 북한인이 남한을 나쁘게만 생각하던 것이 우리의 쌀과 비료 제공을 통해 변화했다는 것입니다. "남한은 우리를 동족으로 생각하니까, 잘사니까 도와주지 않겠는가? 우리도 잘살고 싶다."와 같은 마음의 변화가 조건보다 훨씬 중요하다고 생각했습니다. 나는 문제를 길고 크게 생각했습니다.

해거드 전략에서 이 부분이 가장 중요한 포인트입니다. 상당한 인내가 요구된다는 것이지요. 인내하고 기다리지 않으면 이런 활동에서는 성공을 일궈 낼 수 없다는 말씀이시지요. 아주 중요한 말씀입니다. 질문 하나 더 드리겠습니다. 그래도 어느 순간에는 이 경제적 관계, 협력 관계의 진행 속도를 늦춰야겠다고 생각한 적이 없으셨습니까? 예를 들면 1999년, 2002년 서해교전 같은 사태가 발생했을 때 말이죠. "더 이상 참아 줄 수 없다"고 생각하셨던 적은 없으신지요?

김대중 사물을 볼 때 원칙이 있습니다. 망원경같이 넓고 길게 보고, 현미경같이 짧고 깊게 본다, 이 두 개를 병행해야 한다는 생각이었고, 북한에 대해서도 같은 생각이었습니다. 그래서 북한에 대해서는 당면한 문제 즉, 이산가족 상봉, 금강산 관광, 개성공단에 단기적인 목표를 두었습니다. 그러나 큰 목표는 북한 자체의 변화였습니다. 어떻게 합니까? 북한이 미국과 화해를 하면 국제사회에 나올 수 있습니다. 그러면 북한은 국제통화기금(IMF), 아시아개발은행(ADB)으로부터 국제적 경제 지원을 받을 수 있습니다. 일본과 국교 정상화하면 100억 달러 이상의 보상금도 받을 수 있고, 미국의 견제가 없으니 세계 각국으로부터 투자 지원을 받을 수 있습니다. 그렇게 되면 북한 경제는 발전합니다. 그러면 중산층이 생겨날 테고, 그러면 민주화 요구가 일어납니다. 이 과정은 과거 영국, 프랑스 혁명에서 이미 나타났습니다. 지금 중국도 중산층이 부상하고 있습니다. 단기적으로는 금강산 관광, 개성공단, 이산가족 상봉 등이 초점이지만, 장기적으로는 거기까지 내다보고 있으니까 단기적인 부분에서 좀 기다려야 할 때도 있고, 손해도 감수할 수 있다고 봅니다. 제일 중요한 것은 북한의 민심의 변화였습니다. 이제 변화가 보입니다. 남쪽에 대한 적개심을 벗고, 친구로 생각하며, 도움을 감사하게 생각합니다. 지금 북한에서 남쪽의 대중가요, 드라마, 영화 등을 봅니다. 물론 비공식 루트를 통해서지요. 그런 심리적, 문화적 변화가 진행 중입니다. 나는 이것이 망원경적 관점의 성과라고 봅니다.

해거드 대통령님께서 저희를 만나 주셔서 대단히 감사합니다. 시간이 이미 많이 흘렀는데 가능하면 한 가지만 더 질문드리겠습니다. 그 질문은 제 생각에 한국의 대미 관계가 좀 나빠졌다고 보이는데 거기에 대한 것입니다. 남북정상회담 후 6개월은 많은 진전이 있었습니다. 그런데 부시 대통령이 당선되면서 여러 문제가 발생했습니다. 그렇게 보는 것이 옳은지요?

김대중 그렇습니다. 5년 임기 동안 전반기는 클린턴 대통령과 일하고 후반기는 부시 대통령과 일을 했는데 클린턴 대통령과는 모든 것이 순조로웠습니다. 클린턴 대통령도 퇴임 후 여기 와서 말하기를 자기가 "1년만 더 일했으면 북한 문제는 모두 해결되었다."라고 말할 정도로 잘되었습니다. 저하고도 완전히 맞았죠. 그리고 햇볕정책을 공개적으로 지지했고요. 그러나 부시 대통령이 취임한 후 완전히 일변했습니다. 그런데 부시가 되니까 알다시피 '에이비시'(ABC·Anything But Clinton)를 내세우면서 일이 다 틀어졌지요. 2002년 1월에 부시가 북한, 시리아, 이란을 '악의 축'으로 발표하고 무력 사용도 불사하겠다는 정책을 취했습니다. 그리고 2월 한국에 왔는데 나는 소위 젖 먹던 힘을 다해서 설득했습니다. 그러면 안 된다고, "북한과 직접 대화하고 줄 것 주고, 받을 것 받아라. 북한이 먼저 포기하면 그때 고려하겠다고 하면 전혀 통하지 않으니 시간 낭비다."라고 말했죠. 그런데 부시가 그렇게 하겠다고 발표해 놓고서 나중에 고농축우라늄을 문제 삼아 2002년 10월 이를 뒤집어서 제2차 핵 위기가 발생하게 되었습니다. 그 이후 결국 북한과 승강이를 해서 6년을 소진했습니다. 그동안 북한은 핵확산금지조약(NPT) 탈퇴, 국제원자력기구(IAEA) 사찰 요원 추방, 장거리미사일 발사, 마침내 핵실험까지 했습니다. 부시의 실수로 북한이 핵 보유국이 되었습니다. 플루토늄 보유량도 늘어 났습니다. 클린턴 말기에는 핵무기 두 개 정도 겨우 만들 정도의 양이었는데 지금은 6-7개를 만들 수 있습니다. 그래서 부시 정책은 실패했습니다. 그런데 이제 부시 대통령이 마음을 바꿨습니다. 결국 북한과 직접 대화, 줄 것 주고, 받을 것 받는 정책, 바로 클린턴과 내가 추구했던 그 길로 완전히 돌아섰습니다. 그 점은 이제라도 부시가 잘했다고 생각하고 그가 성공하길 바랍니다.

해거드 문제는 그 실패가 남북 관계에도 영향을 미쳤다는 점에서 유감스 럽습니다. 단순히 미국 정책의 실패가 아니라 2001-2002년 동안 남북 관계의 모멘텀이 상실되었고 정상화하기에도 힘들었습니다.

김대중 여하튼 부시 대통령의 잘못된 정책으로 나의 임기 반 동안 2년 이 상을 아주 고생을 했고, 훨씬 더 많은 일을 할 수 있었는데 하지 못한 피해를 입었습니다. 그러나 나는 결국 부시가 잘못하고 있기 때문에 돌아서거나 실 패자가 되거나, 둘 중 하나 가운데 돌아설 것이라고 예측을 했는데 과연 그렇 게 됐습니다. 제 예측이 맞아떨어졌어요. 그래서 다행이라고 생각합니다.

해거드 우리 민주당원들은 지금이 워싱턴의 정권 교체 시기라고 생각합니 다.(웃음) 대통령님, 이렇게 만나 주셔서 영광입니다. 정말 즐거운 시간이었습 니다. 하버드에 계셨을 때 저는 젊은 교수였고 아주 잠깐 만나 뵌 적이 있습니 다. 당시를 기억합니다. 저희가 이렇게 오게 되어, 특히 사저에 올 수 있어 대 단히 기쁩니다. 연구가 끝나는 대로 결과물과 책을 도서관에 기증하겠습니다.

---

* 이 글은 2008년 7월 15일 오전 10시 30분 김대중 대통령의 사저에서 있었던 스테판 해거드 (Stephan Haggard) 샌디에이고 캘리포니아대학교 교수와의 대화록이다. 국제위기감시기구 다 니엘 핑크스톤(Daniel Pinkston) 박사, 문정인 연세대학교 교수, 하태윤·최경환 비서관이 배석 했다.

잃어버린 10년, 사고가 현 정부 모든 잘못의 시발점

대담 송영승

일시 2008년 7월 29일

이명박 정부 집권 5개월이 지나는 동안 남북 관계를 비롯해 전반적인 대외 관계에 적신호가 들어왔다는 경고가 쏟아지고 있다. 『경향신문』은 29일 한 반도 문제와 독도영유권 문제, 한·미동맹 등 외교·안보 전반을 점검하고 대 안을 모색하기 위해 김대중 전 대통령과 특별 인터뷰를 했다. 김 전 대통령은 "북한은 수십 년간 원수였던 미국과 손잡고 6자회담에서 직접 대화하고, 행 동 대 행동으로 주고받기를 하고 있다"면서 "북한이 뒤바람을 타고 있는데 잘못하면 우리는 역풍을 타게 돼 있다"고 우려했다.

송영승 한반도를 둘러싼 정세에 현 정부가 제대로 대처하지 못하고 있다 는 지적이 많습니다. 지금 금강산 관광객 피격 사망 사건으로 남북 관계가 더 욱 경색되고 있고, 쇠고기 문제로 한·미 관계도 순탄치 않습니다. 또 대미 일 변도 외교를 하다 보니 한·중 관계도 전과 같지 않다고 합니다. 독도 문제로 한·일 관계도 새로운 갈등 국면으로 가고 있습니다. 한국 외교의 총체적 위 기가 아니냐는 걱정이 많습니다. 현 상황을 어떻게 보고 계십니까.

김대중 저는 사물을 볼 때 망원경을 가지고 멀고 넓게 보고 현미경을 가지고 좁고 깊게 봐야 한다는 얘기를 자주 합니다. 두 가지를 병행해야 한다는 겁니다. 망원경으로 보자면 6자회담이 잘되고 있습니다. 그리고 한반도에서 정전 상태가 종식돼 평화협정 시대로 들어갈 겁니다. 동북아에서는 동북아 평화 안보 체제가 이뤄질 것입니다. 물론 북·미 수교도 되고 북·일 수교도 되고, 중국도 미국도 서로 화해 협력하려고 굉장히 본격적으로 하고 있습니다. 이런 것들을 망원경으로 보면 상당히 긍정적으로 볼 수 있습니다. 그런데 우리가 물결을 제대로 타고 있는가 하는 점에서 유의해야 한다고 봅니다. 금강산 관광 문제나 개성 문제는 큰 망원경 문제와는 어떤 의미에서 분리해 현미경으로 봐야 합니다. 큰일은 그르치지 않으면서 작은 일은 기술적으로 잘 처리해 나가는 양면적인 공략이 필요하지 않나 생각합니다. 남북 문제를 망원경과 현미경으로 볼 때, 대한민국이 살기 위해서는 북한과 화해 협력해서 전국적인 통일이 되어야 합니다. 그런데 통일은 공동이 승리하는 통일이 되어야 합니다. 한쪽이 이기고 한쪽이 지는 독일과 같은 통일은 진정한 통일이 아닙니다. 북한이 지금은 가난하지만 경제적 잠재력이 있습니다. 북한에 지하자원이 얼마나 풍부합니까. 중국이나 서구 사회가 이것에 눈독을 들이고 있습니다. 그리고 관광자원이 아직 개방되지 않았습니다. 또 풍부한 노동력이 있습니다. 그런 것들을 망원경으로 내다봐야 하고 현미경으로는 금강산과 개성 문제를 구분해서 다뤄 나가야 한다고 봅니다.

송영승 금강산 관광객 피격 사망 사건이 터져 남북 관계가 더 얼어붙고 있는 것 같습니다. 그런데 문제는 남북 간에 대화 채널이 거의 없는 것으로 알려지고 있습니다. 금강산 문제를 풀려면 어떤 해법으로 가야 할까요.

김대중 두 가지를 얘기하고 싶습니다. 먼저 남북 대화 문제입니다. 남북 대화는 6·15공동선언과 10·4선언을 남쪽에서 인정하지 않으면 쉽게 풀리지 않을 겁니다. 북한에서는 알다시피 '6·15시대'라고 해서 6·15공동선언을 굉장히 중요시합니다. 그간 7·4남북공동성명이나 남북기본합의서가 있었지만 남북 관계에서 정상이 도장을 찍은 것은 6·15공동선언이 처음입니다. 10·4선언도 마찬가지지요. 북한에서 김정일 국방위원장의 도장이 얼마나 중요한지는 우리가 다 알고 있는 거 아닙니까. 그것을 무시하고 나가려고 하면 안 된다고 생각합니다. 둘째는 금강산 문제는 분리해 처리해야 한다는 겁니다. 북한이 도망가는 여자의 등에다 총을 쏜 것은 엄연히 잘못했다고밖에 할 수 없습니다. 하지만 정부가 바로 금강산 관광을 끊는 것보다는 사과와 진상 조사를 요구하면서, 예를 들어 "3일 안에 받아들여라. 그렇지 않으면 금강산 관광을 중단하겠다"는 식으로 순서를 정했어야 하지 않았나 싶습니다. 그런데 금강산 관광을 바로 중단시켜 놓고 "사과하라, 공동 조사하자"고 하다가 일이 더 꼬인 거 아닌가 합니다. 이제는 "사과하고 진상 조사를 하면 금강산 관광을 다시 시작하겠다", 이 정도로 입장을 정리하는 것이 어떤가 생각합니다.

송영승 남북 간 대화 채널이 없어져 정부에서는 금강산 문제를 국제 무대로 가져갔습니다. 한국이 최근 열린 아세안지역안보포럼(ARF)에서 금강산 사건을 의제로 삼고 그걸 성명 문안에 담으려 하다 보니 북한은 10·4선언을 강조했고, 그 과정에서 금강산 문제도 문안에서 빠지는 소동이 벌어졌습니다. 남북 문제를 남북한 간에 해결하지 않고 국제 문제로 가져가는 것에 대해 어떻게 생각하십니까.

김대중 그건 하나의 선전이죠. 금강산 문제는 남북 간에 해결할 문제지만 지금 북한이 반응을 안 하지 않습니까. 그러니 국제 무대에서 한번 얘기해 볼 수도 있는 문제죠. 그것보다 이명박 대통령이 국회에서 이미 6·15공동선언과 10·4선언에 대해 얘기해 보자고 말하지 않았습니까. 그러니까 아세안지역안보포럼(ARF) 성명에서 10·4선언 부분을 빼려고 할 것이 아니라 역으로 "아세안지역안보포럼(ARF)에서도 10·4선언에 대해 이렇게 얘기하니까 우리 대화하자"고 했다면 주도권을 가질 수도 있지 않았나 하는 생각이 듭니다.

송영승 남북 간 대화가 단절됨에 따라 그 돌파구 중 하나로 정치권에서 대북 특사가 거론되고 있습니다. 그것이 유효한 방법일 수 있을까요. 그리고 남북 문제에서 김 전 대통령의 역할을 기대하는 얘기도 있는 것 같습니다.

김대중 지금 『경향신문』과 인터뷰하면서 이런 얘기를 하는 것도 역할을 하고 있는 거라고 봐야죠. 저는 특사보다는 이 대통령 자신이 6·15공동선언과 10·4선언에 대해 어떤 입장인지를 분명히 하는 것이 선결 문제라고 생각합니다. 그러지 않으면 특사는 의미가 없습니다. 특사를 보낸다면 북한에서 "이 사람은 이 대통령을 대신한 사람이다. 앞으로도 이 대통령 옆에서 우리와 얘기한 것을 실천할 책임질 사람"이라고 믿을 수 있는 사람이 가는 것이 좋지 않을까 생각합니다.

송영승 이명박 정부는 대북 정책으로 '비핵·개방·3000'이라는 것을 내놓고 있습니다. 어떻게 평가하십니까.

김대중 '비핵·개방·3000'이라는 것은 '선핵 포기 후지원 정책'인데 이건 조지 부시 미국 대통령이 6년 동안 하다가 실패한 정책입니다. 우리가 병행 전략으로 하자고 클린턴 전 대통령에게 제의해 합의하고, 북한과도 합의됐던 것을 부시 대통령이 "핵을 먼저 포기하면 그때 가서 지원해 주겠다"고 뒤집은 것 아닙니까. 그러면서 6년을 끌었고 북한은 핵확산금지조약(NPT)에서 탈퇴했고, 미사일을 발사하고 마침내는 핵실험까지 했어요. 부시 대통령이 잘못된 정책을 고집하다가 북한은 핵 보유 국가가 돼 버렸어요. 이것은 굉장한 외교의 실패입니다. '비핵·개방·3000'도 바로 그것이거든요. 부시 대통령도 이제는 포기하고 병행 전략으로 직접 대화하고 있어요. 그렇기 때문에 비핵·개방·3000은 성공하기 어려울 겁니다. 저는 이 대통령도 조금씩 조금씩 (입장을) 돌리고 있다는 느낌이 듭니다. 이 대통령이 상당히 실용적인 분인 것은 사실이니까요.

송영승 남북 관계는 단절됐지만 6자회담은 꽤 진전이 있는 것 같습니다. 북한의 테러지원국 해제도 임박해 있습니다. 북·미 관계와 북핵 문제에 대해 어떻게 전망하십니까.

김대중 외교에서 제일 중요한 것은 친한 것이 아니라 이해가 일치하는 거예요. 처음에는 미국이 북한을 말살시키려고 해 봤어요. 그런데 불가능해요. 일이 자꾸 꼬여 들어갔단 말이에요. 그런데 이제 미국은 북한과 이해관계가 맞기 시작했어요. 북한이 핵을 가지고 있는 것을 무력으로 응징할 수도 없고, 일본하고 같이 경제 압박을 해 봤는데 별로 효과가 없었어요. 또 미국 의회에서 민주당이 득세해 부시 행정부에 "강경 정책 안 된다. 대화하라"고 압박하고 있단 말입니다. 북한은 당초 최대 목표가 미국과의 관계 개선이에요. 제가 2000년 평양에 가서 김정일 국방위원장과 얘기하는데 김 위원장이 아예 마음을 터놓고 얘기하더라고요. "우리(북한)만 공격하지 않는다면 한국에 미군이 있어야만 중국·러시아를 견제할 수 있다"는 말까지 했습니다. 압록강 너머가 바로 중국인데 지리적으로 접경인 북한이 친미 국가가 되면 미국에 얼마나 국가적 이익이 되겠습니까. 미국·북한 관계가 개선되지 못할 이유가 없어요. 그래서 6자회담에서 1, 2, 3단계 진전되는 거고 앞으로 다 해결될 겁니다. 이 과정에서 남북이 서로 보조가 맞아야 정전협정을 종전협정으로 바꾸는 문제 등에 대해 협력할 기회가 생기는 겁니다.

송영승 국민적 관심사 중 하나로 독도 문제가 등장했습니다. 국민의정부 때까지만 해도 조용한 외교 방식을 견지했는데 노무현 정부 때부터 거기에 대한 비판이 제기되면서 조용한 외교 원칙이 바뀌었습니다. 독도 문제에 대한 해법을 조언해 주신다면…….

김대중 김영삼 정권, 노무현 정권이 일을 크게 만들어 가더군요. 김영삼 정권 때 독도에 군함을 보내고 비행기를 보내고 난리가 아니었는데 저는 그것에 반대했습니다. 노무현 정권이 그렇게 할 때도 반대했습니다. 이런 것은 정확히 말하면 일본 정부가 아니라 일본 우익에만 좋은 일을 해 준 거예요. 독도는 우리 것입니다. 그런데 우리 것인 걸 두고 자꾸 '우리 것'이라고 얘기하면 일본의 우익만 일거리가 생기는 겁니다. 일본 우익이 이것을 근거로 정부에 압력을 가하는 겁니다. 우리가 할 일은 실효적 지배를 하되, 요란하지 않게 내실 있게 하면서 독도에 대해 철저한 역사적·과학적 검증에 의해 연구하는 것입니다. 이것을 가지고 독도 문제가 뭔지도 모르는 일본 사람들을 비롯해 국제사회를 설득해야 합니다. 캠페인 가지고 될 일이 아닙니다. 착실하게 하나하나 설득해 나가야 됩니다

송영승 미국 지명위원회에서 독도를 한국 땅이라고 표기하다가 분쟁 지역으로 변경했습니다. 미국 쪽에서 독도 문제와 관련해 입장 변화를 취한 것에 배경이 있다고 보십니까.

김대중 제가 볼 때는 일본 외교의 승리죠. 착실하게 근거를 가지고 설득하는 데 일본에 뒤진 것 같습니다. 미국이 한 일은 부당하지만 현실입니다. 상당히 우리에게 타격입니다. 이걸 회복하려면 상당히 힘들 겁니다.

송영승 이명박 정부 들어 지나친 대미 일변도 외교에 대한 여러 비판도 있고, 실제 부작용도 나타나는 것 같습니다. 대미 외교의 바람직한 방향에 대해 말씀해 주시죠.

김대중 대미 외교는 매우 중요해요. 더구나 주한 미군까지 와 있으니, 하나의 균형자라는 의미에서도 미국을 중요시해야 합니다. 나는 항상 '1동맹 3협력 체제'를 주장해 왔습니다. 미국과 동맹 관계를 잘 유지하고 중국·일본·러

시아와는 교우 관계를 잘 유지해야 한다는 겁니다. 우리가 대국 사이에 끼어 있으니까 약한 입장이라고 할 수 있지만 반면에 캐스팅 보트를 쥘 수도 있습니다. 다행히 6자회담에서 동북아 평화 체제가 만들어지게 됐습니다. 남북이 미리미리 손잡아 남북 간 안보 체제를 주도해 나가는 그런 지혜가 필요합니다.

송영승 한·미동맹을 과도하게 강조하다 보니 중국 정부에서 한·미동맹에 대해 폄훼하는 듯한 언급도 있었고요.

김대중 한·미동맹이 우리에게 얼마나 중요한지 중국도 알기 때문에 그건 중국이 시비할 수 없는 거예요. 중국이 그렇게 폄훼하는 발언을 한 것은 한국이 (미국이 주도하는) 미사일방어체제(MD)에 참여한다는 말이 있고, 주한 미군의 전략적 유연성 얘기도 나오다 보니 한국이 미국과 함께 중국에 대해 어떤 해로운 일을 하는 거 아니냐는 경계심에서 나온 것이라고 봅니다. 우리가 참 지혜롭게 해야 돼요. 우리가 미국과 아무리 동맹이라고 하더라도 중국과 적대하는 관계가 되는 것은 우리 안보에 아무런 도움이 안 돼요.

송영승 새 정부 들어서면서 집권 세력에서는 김대중·노무현 정부에 대해 좌파 정권이라고 규정하거나 '잃어버린 10년'이라고들 얘기합니다. 그런 얘기 들으시면 착잡하실 것 같습니다.

김대중 착잡하지 않습니다. 나는 분명히 보수주의자도 아니고 좌파도 아닙니다. 나는 중도 개혁주의자입니다. '중산층과 서민의 정당, 중도 개혁정당', 이것이 민주당의 정체성입니다.

송영승 그럼에도 이명박 정부는 계속 '잃어버린 10년'이라고 말합니다.

김대중 이명박 정부의 사람들이 잃어버린 10년이란 사고방식을 갖고 있는 것이 모든 잘못의 시발점이라고 생각합니다. 반대파라도 "배울 일은 배운다. 계속할 것은 계속한다"고 하는 것이 건전한 삶의 태도이고 건전한 정치의 태도입니다. 어째서 정권 교체해서 민주화한 것을 잃어버린 10년이라고 합니까.

6·25전쟁의 재판이라고 할 정도로 나라가 망하게 된 것을 살린 게 잃어버린 10년입니까. 세계가 놀랄 정도로 정보화를 했습니다. 대 재벌들이 전부 은행 빚으로 운영되고 있었습니다. 30개 재벌 중에서 16개 기업을 해체하거나 구조 조정을 했습니다. 그런 것이 어째서 잃어버린 10년입니까. 적자투성이, 부실 투성이이던 은행을 건전하게 만들어 흑자로 돌아서게 했습니다. 4대보험을 개혁해서, 국민기초생활 보장제도를 도입해서, 의약분업을 해서, 사회에 많은 혜택을 줬습니다. 남북 간 일촉즉발의 상태에서 항상 두려워하고 살던 것을 이제 마음 놓고 살 수 있게 했습니다. 이것이 어째서 잃어버린 10년입니까. 물론 거기에 잘못한 일이 있다면 그것은 고쳐야겠지요. 만일 이 정부가 우리 10년을 그렇게 부인해 버리면 나라의 계속성이란 것이 없게 됩니다. 정권을 맡을 때는 전 정권의 권리와 의무를 다 계승하는 것입니다. 현 정부분들이 좀 더 겸손한 생각을 가지고 있는 대로 인정하고 계승할 것은 계승해야 합니다.

송영승 두 달여간 촛불집회가 계속됐습니다. '거리의 정치'가 그렇게 대규모로, 장기적으로 지속된 데 대해 여러 가지 평가가 나오고 있습니다.

김대중 이번 촛불집회는 참으로 특수한 현상이라고 봅니다. 처음으로 보통 사람들이 정치 일선에 나왔습니다. 그런데 기가 막힌 것은 이번 촛불집회에 나온 사람들은 일정한 계층이 없습니다. 조직도 없습니다. 사무실도 없습니다. 돈도 없습니다. 전혀 새로운 형태입니다. 어떻게 보면 옛날 그리스 아테네에서 있었던 직접민주주의가 되살아난 것이 아닌가 하는 생각도 듭니다. 그런데 이것이 어떻게 가능했느냐? 하나는 우리 국민의 지식 수준이 높아졌다는 것입니다. 국회의원, 엘리트들에게 맡겼던 것들을 스스로 관여할 수 있게 된 것입니다. 두 번째는 수단이 생겼습니다. 인터넷입니다. 지적 성장과 인터넷 정보화 매체를 배경으로 생겼기 때문에 이 사람들이 조직화합니까? 안 합니다. 시청 앞에서 모여 춤추고 주장하고 나서 다 흩어집니다. 전혀 새로운 형태입니다. 좋게 보면 국민이 그만큼 성장한 것입니다. 특히 굉장히 이성적인 움직임이었습니다. 한두 사람이 폭력을 쓰려는 것을 경찰이 때려잡기보다는 시위 군중이 말렸습니다. 한마디로 말해서 이것은 민주주의 발전의 극점이라고 할까, 최고 정점에 도달한 하나의 형태라고 생각합니다. 이것을 탄압하고 없애려고 하면 참 어려운 지경에 부딪힐 것입니다.

송영승 야당이 돌고 돌아 민주당으로 다시 자리를 잡았습니다. 한데 민주당이 의석수가 적어서인지, 지도력이 문제인지, 야당다운 야당이 되지 못하고 있다는 비판이 있습니다. 민주당이 제 역할을 하기 위해 필요한 것이 무엇이라고 보십니까.

김대중 민주당이나 한나라당이나 서로 건전한 양당 구도가 되어야 합니다. 민주주의를 위해선 야당도 강해야 하는데 너무 차이가 나 걱정하고 있습니다. 나 개인으로 보자면 민주당은 반세기를 몸담았고, 제가 이끌었던 정당이라 애정이 없을 수 없습니다. 민주당이 그간 각종 선거에 줄줄이 실패한 것은 한마디로 집토끼를 놓쳤기 때문입니다. 내가 대통령이 될 때 얻은 표를 노무현 대통령이 거의 얻었습니다. 그런데 정동영 후보는 반쯤이나 얻었나요. 거기에 문제가 있습니다. 민주당은 정체성을 확립하고 구체적으로 국민의 피부에 와 닿는 정책을 실천하면서 국민 속으로 들어가야 합니다. 국민 속으로 들어가 스킨십을 나누고, 배우고, 상의해야 합니다.

---

* 이 글은 『경향신문』 2008년 7월 30일 자 특별 인터뷰 기사이다. 2008년 7월 29일 김대중 대통령의 서울 동교동 자택에서 당시 『경향신문』 송영승 편집국장이 인터뷰하였다.

칠전팔기의 잘난 국민

대담 임병걸

일시 2008년 8월 10일

임병걸 김대중 전 대통령님, 안녕하셨습니까?

김대중 안녕하세요?

임병걸 이제 장마가 물러가고 본격적인 불볕더위가 기승을 부리기 시작했는데요. 요즘 건강은 어떠신지요.

김대중 아시는 대로 신장이 좋지 않아서 투석 치료를 받고 있는데 그 이외에는 대체로 괜찮고 이번에 검진을 받았는데 주치의들도 만족할 정도로 좋다고 합니다.

임병걸 불볕더위를 피해서 피서 계획은 있으신지요.

김대중 변산반도에 한 2, 3일 갔다 올까 합니다.

임병걸 대통령님께서도 재직 시절에도 그렇고 책을 많이 읽으시는 다독가로 유명하신데요. 최근에 혹시 관심 깊게 읽으시는 책은 있으신지요.

김대중 요새는 덥고 그래서 어려운 책 읽기가 힘들고 그래서 황석영 씨의 『바리데기』를 읽고 있습니다. 독서 얘기가 나와서 그런데 나는 정치하는 사람들에게 권하곤 합니다. 책 읽는 것도 아주 중요하지만 그와 별도로 신문을 열심히 읽으라고 해요. 그리고 방송의 좋은 교양물을 보라고 합니다. 신문이나 방송은 사회 전체 정보를 고르게 공급해 주거든요. 그러니까 독서와 더불어 그것을 병행하는 것이 좋지 않은가, 그렇게 생각합니다.

임병걸 그렇다면 혹시 최근에 보신 방송물 가운데 인상 깊었던 프로그램이 있으신가요.

김대중 「차마고도」요. 아주 좋은 프로그램이었고 굉장히 감명 깊었다고 생각해요.

망원경같이 멀리 넓게 보고, 현미경같이 가깝고 깊게 보라

임병걸 최근에 날씨도 덥습니다마는 요즘 사회를 보면 쇠고기 수입문제로 촉발된 촛불집회라든가, 또 금강산 피격사건 때문에 일어난 남북 관계 긴장도 그렇고, 일본의 독도영유권 주장도 그렇고 정말 어지럽습니다. 요즘 이렇게 돌아가는 세태를 보시면 어떤 소회가 드시나요.

김대중 내가 볼 때는 항상 하는 말이 "세상을 볼 때는 망원경같이 멀리 넓게 보고, 현미경같이 가깝고 깊게 보라"는 얘기를 하는데 멀리 넓게 보면 우리 주변은 좋아지고 있는 거예요. 왜 그러냐 하면 6자회담이 지금 잘되고 있잖아요. 또 오랫동안 원수로 지내던 미국과 북한 간의 관계가 향상이 되어 가고 있거든요. 그럼 한반도 평화나 동북아시아 전체 안보에 굉장히 플러스가 되는 그런 시대가 오는 겁니다. 또 우리 남북 관계가 요새 좀 원만하지 않지만, 그러나 6·15 이후 남북 관계도 과거에 비하면 많이 달라졌습니다. 그래서 나는 망원경 입장에서 보면 좋게 볼 수 있는데, 현미경 입장에서 보면 금강산 문제라든가 현실 문제를 하나하나 조심스럽게 다뤄 가야 한다, 그래서 장래의 그런 가능성을 해치지 않는 그런 쪽으로 해야 한다고 생각합니다.

임병걸 남북 관계는 추후에 다시 질문드리기로 하겠습니다. 이번 8월 15일

정부 수립 60주년을 맞게 됩니다. 그동안 일제 식민지 수탈도 있었고요. 또 전쟁도 치렀고, 또 아이엠에프(IMF)라는 초유의 외환 위기도 있었습니다마는 그런 우여곡절에도 불구하고 '한강의 기적'이라고 일컬어지는 경제적인 성장도 이뤘고요. 또 정치적인 민주화도 세계가 부러워할 정도가 됐습니다. 대통령님께서는 이러한 우리의 성장의 가장 큰 원동력은 무엇이라고 생각하십니까?

칠전팔기의 '잘난 국민'

김대중 한마디로 말해서 '잘난 국민' 덕택이죠. 우리 국민만큼 교육 수준이 높은 국민, 또 정보화 능력이 강한 국민 그리고 문화 창조력이 강한 국민, 이런 국민이 세계적으로 볼 때 없습니다. 미국 사람들이 여러 가지 많이 발달했지만 미국 시민 중에서는 신문도 못 읽는 사람들이 아마 상당수 있지 않습니까? 그런데 우리는 어떤 사람들이든 그런 문맹은 없거든요. 무식한 국민은 경제 발전을 이룩하기가 어렵거든요. 그래서 경제 발전에 공헌했고 또 무엇보다도 그런 '잘난 국민'이기 때문에 독재자들이 연거푸 패배해서 민주주의가 확립된 것입니다. 그래서 민주주의 하고, 또 부패한 정경유착 경제 시대를 밀어젖히고, 우리가 투명한 시장경제를 거의 확립을 해 가고 있거든요. 외환 위기 때 나라의 '제2의 6·25' 같은 위기에서는 국민의 '금 모으기 운동'도 했고 그리고 여러 가지 고통을 감내하고 협력해서 아주 단시일 내에 외환 위기를 극복해서 세계로부터 격찬을 받지 않았습니까? 그래서 마침내 한국은 (2차대전 후) 세계에서 약 150개의 독립된 국가들이 있는데 그 나라가 하나도 빼지 않고 "한국은 자기들의 모범이다. 민주주의를 하고 시장경제를 하고 사회보장도 상당히 잘하고 있다." 이렇게 지금 부러워하고 우리를 배우려고 하는 그런 나라를 만들었는데 이건 국민들 힘이 없으면 안 되는 일입니다.

임병걸 돌이켜 보면 정말 우리 60년사도 파란만장했었고, 가슴 아픈 일도 많았고 또 즐거운 일, 쾌거도 많았는데요. 대통령께서 회고하시기에 우리 현대사에서 가장 가슴 아팠던 비극적 사건은 어떤 것이었고, 가장 즐거웠고 기뻤던 쾌거는 어떤 것으로 기억하십니까?

김대중 제가 가장 가슴 아팠던 사건은 뭐라고 해도 '5·18민주화운동 사건'이라고 생각합니다. 그 아까운 목숨들이 무고하게 누명을 쓰고 살해당했어요. 그런데 5·18민주화운동이 큰 가치가 있는 것은 그 사람들이 그렇게 학살당하면서도 폭력을 안 썼다는 것입니다. 그리고 대화를 요청하고 그리고 질서를 지켜서 그 난리 통에도 쌀가게라든가 은행이 다 문을 열고 있었습니다. 이건 광주 사람만의 자랑이 아니라 우리 국민의 자랑이라고 생각합니다. 그래서 참 슬프고 가슴 아픈 일이지만, 또 진흙탕에서 꽃이 피듯이 자랑스러운 일이라고 생각합니다.

임병걸 가장 비극적인 사건인 동시에 가장 또 자랑스러운 사건이 광주민주화운동이라는 말씀이시죠.

김대중 역사에 크게 남을 것입니다.

임병걸 흔히 저희가 한 해가 마무리되면 올 한 해를 상징하고 압축적으로 표현하는 고사성어나 한자 단어가 무엇이냐, 이런 것들을 하는데요. 지난 60년 대한민국 정부 수립 이후 우리의 역사를 혹시 한 단어나 한 고사성어로 표현한다면 무엇이라 하면 좋을까요?

김대중 뭐라고 하면 좋겠어요? 내 생각은 '칠전팔기'七顚八起가 합당하다고 생각해요.

임병걸 '칠전팔기'요.

김대중 국토가 분단됐지만 거기에서 그치지 않고 나라를 세웠고, 또 독재정치가 일어났지만 끝내 이것을 국민이 극복해서 민주화를 했고, 6·25전쟁이 있었지만 그걸 막아 냈고, 그리고 파탄된 경제를 다시 일으켰고, 그리고 또 적대적인 남북 관계를 화해 협력의 관계로 돌리는 기틀을 만들었고, 그래서 전부 재난을, 희망찬 미래의 전망을 가질 수 있는 그런 방향으로 돌렸다, 그래서 우리 국민은 어떤 난관에도 굴하지 않고 다시 일어서는 '칠전팔기'의 국민이 아니냐 생각합니다.

민주주의 안 한 경제 발전이 가져온 필연적 비극

임병걸 집권하셨을 때 슬로건이 '국민의정부'였습니다. 새 정부가 들어설 때마다 새로운 정부가 지향하는 비전이랄까, 철학 또 이념적으로 구현하고 싶은 목표를 흔히 압축해서 그런 슬로건을 걸었었는데요. 김영삼 대통령 정부 때는 '문민정부'라고 했고, 김대중 대통령께서는 집권하시던 시대를 '국민의정부'라고 했는데, 그 슬로건이 구현하려고 했던 시대정신이랄까요. 그것은 어떤 것이었고, 그 이전과 어떻게 구별이 되는 것이었습니까?

김대중 '국민의정부'라고 했는데, 우리의 정신은 "국민을 하늘같이 받들고, 국민과 협력해서 나라를 지키고 발전시켜 나간다." 하는 그런 생각에서 우리는 한시라도 국민을 잊지 않고 국민을 받들고 협력했다, 그렇게 생각합니다.

임병걸 저희들 기억에 역시 가장 집권하실 때 어려웠던 점은 초기에 국제통화기금(IMF) 외환 위기를 극복하는 것 아니었습니까? 저희가 이른바 자본 시장의 개방이랄까요, 신자유주의의 물결에서 엄청난 시련을 겪었는데요. 다행히 슬기롭게 잘 리드해 주셔서 극복을 했습니다만, 지금 돌이켜 보실 때 어째서 왔고 이것을 극복한 원동력은 어디에 있었다고 보십니까?

김대중 한마디로 이야기해서 부패한 정권과 부패한 기업에 의한 정경유착, 여기서 온 겁니다. 경제는 발전됐는데 그 이득은 부패한 정권의 지도자들호주머니에 들어가고 혹은 재벌의 오너 호주머니로 들어가고, 그리고 재벌을 운영하는 돈은 은행에서 빌려 쓰고, 은행 금리가 싸니까, 그때는 금리가 시중 금리하고 5퍼센트, 7퍼센트 차이가 있으니까 빌려서 정기예금만 해도 돈 벌게 되는 그런 시대였거든요. 그 돈 빌려다 땅 사고 뭐 하고 그렇게 하니까 은행은 국유니까 정부가 하라는 대로 하고, 그러니까 막 빌려주죠. 돈이 모자라니까 외국에서 외화를 막 빌려왔단 말이에요. 그래서 원화로 바꿔서 빌려주었는데 외국에서 가만히 보니까 저 사람들이 겁 없이 돈 빌려 갔는데 갚을 가능성이 작다 하니까 끊기 시작했거든요. 그러니까 외환 위기가 오기 시작한 거예요. 그래서 결국은 이건 "민주주의 안 한 경제 발전이 가져오는 필연적인 비극"이었다, 이렇게 생각할 수 있습니다.

외환 위기 극복은 한국 정부와 국민들의 영웅적 노력 덕택

임병걸 그 당시에 위기를 극복했던 동력은 뭐라고 보십니까?

김대중 국민들이 그때 '금 모으기'를 하면서 지원해 줬거든요. 전 세계가 감탄을 했어요. 미국 클린턴 대통령, 캐나다의 크레티앵 총리, 중국의 장쩌민 주석, 영국의 블레어 총리, 나를 만난 사람마다 "참 위대한 국민이다. 어떻게 그럴 수가 있느냐. 그것을 누가 생각해 냈느냐"고 물었어요. 그래서 "국민이 자발적으로 한 거다."라고 얘기를 했습니다. 외국 텔레비전에 금을 막 내놓는 것이 나왔어요. 그때 액수로 약 20억 달러 이상이었거든요. 그런 엄청난 양을 만들어 내는 걸 보고 "이런 국민 같으면 도와줘야 한다." 그렇게 생각했습니다. 그리고 또 하나는 정부가 잘했다는 것입니다, 자화자찬이 아닙니다. 그 증거는 그때 미국의 재무장관으로 우리나라 금융 위기 문제를 직접 관장하던 루빈 장관이 한국에 와서 연설하면서도 얘기했고, 책 속에서도 얘기했습니다. 그래서 내가 소개하는데 "한국이 외환 위기를 극복한 것은 미국의 힘도 아니고 국제통화기금(IMF)도 아니고, 한국 정부 사람들의 영웅적인 노력, 한국 국민들의 영웅적인 노력의 덕택이다." 이렇게 말하고 있습니다. 그래서 나는 그 당시 국민과 정부가 일체가 돼서 이것을 해냈다고 생각합니다. 그래서 달러가 39억 달러밖에 없는 것을 제가 나올 때는 1,300억 달러 남겨 놓고 나왔습니다. 외환 위기 극복은 단순히 그것만이 아니라, 우리 경제의 체질을 바꿔 버렸습니다. 그래서 그전에 재벌 하나만 무너져도 정권이 흔들렸는데, 30대 재벌 중에 16개 재벌을 문 닫게 하거나 주인을 바꿔 버렸습니다. 그래서 전부 구조조정을 한 결과 오늘날 그때 그 구조조정당한 기업들, 대우건설이니 대우조선이니 현대건설이니 지금 얼마나 비싼 값에 팔리고 있습니까?

임병걸 또 하나 집권하실 때 기억에 남는 역사적 사건은 역시 남북정상회담이었다고 생각됩니다. 지금 저도 당시 순안비행장에 내리시던 대통령의 모습이 선한데요. 어쨌든 남북정상회담은 대결과 갈등의 역사를 평화와 공존의 역사로 바꿔 놓는 획기적인 일이었습니다. 지금 생각하시기에 남북정상회담이 그 이후 남북 관계에 어떤 역할을 했다고 보시는지요?

김대중 근본적으로는 우리가 냉전 시대의 적대적 관계, 이것에서 화해 협력의 방향으로 돌린 것이죠. 근본적인 의의라고 볼 수 있습니다. 여기에는 우리 남쪽만이 아니라 북쪽에서도 그런 필요성을 느꼈고 또 협력했습니다. 남북정상회담은 누구도 생각지 못한 일을 해냈다고도 볼 수 있습니다. 그것이 전 세계의 찬양과 지지를 받는 그런 결과가 됐다고 생각합니다.

임병걸 당시의 정상회담에 힘입어서 그 이후에 노무현 대통령께서도 정상회담을 하셨고 그래서 10년간 남북 관계는 공존과 평화를 지켜 왔다고 생각하는데요. 최근 이명박 정부 들어서 그런 남북 관계, 두 번의 정상회담의 가치를 인정하지 않는 듯한 이른바 실용주의적 전환을 하면서 지난 10년을 '좌파 정권'이었다, 이런 비판들을 하고 있습니다. 대통령님께서는 이런 '좌파

정권'이었다라고 하는 비판, 또 '잃어버린 10년', '지워야 할 10년'이라는 그런 평가에 대해서는 어떻게 생각하십니까?

'민주적 우파'와 '민주적 좌파'는 양립할 수 있다

김대중 '좌파 정권'이라는 얘기를 하는데 좌파는 어떤 좌파냐 하는가가 문제입니다. '독재적 우파'와 '독재적 좌파', '민주적 좌파'와 '민주적 우파'가 있습니다. 영국의 노동당이라든가, 독일의 사민당이라든가, 미국의 민주당이라든가, 이런 것이 '민주적 좌파'입니다. 그리고 예를 들면 지금 우리나라의 한나라당이라든가, 미국의 공화당이라든가, 일본의 자민당 같은 곳은 '민주적 우파'라고 할 수 있습니다. '민주적 좌파'와 '민주적 우파', 이 사람들이 어떻게 주장했냐 하면 처음에 '민주적 우파'는 '자유'만 주장했습니다. 그런데 '민주적 좌파'는 '빵'만 주장했습니다. 그런데 해 보니까 국민이 '빵'과 '자유'를 다 주어야 만족하지, 하나만 주면 국민의 지지를 받을 수 없어요. 그래서 서로 상대방의 주장, 우파는 '빵'을 받아들이기 시작하고, 좌파는 '자유'를 받아들이기 시작했습니다. 그래서 그것이 사회민주주의, 영국 노동당의 주장이 그렇게 된 것입니다. 이것은 하나도 시비할 것이 없어요. 지금 독일은 사회민주당과 기민당이 연립정부 하고 있지 않습니까? 그래서 지금 그런 말을 가지고 현재 야당을 모함하려고 하거나 혹은 '국민의정부'나 노무현 정권을 모함하려고 하는 것은 그분들 스스로 비극으로 가고 있는 것입니다. 그분들은 민주적인 그런 개혁정당을 동지로서 서로 협력하고 정권 주고받는 것을 자연스럽게 하는 이런 방향에서 협력하지 않고 상대방을 완전히 좌파라는 말로—그 사람들이 말하는 '좌파'는 '빨갱이'다 이거 아닙니까?—그렇게 몰아서는 독재밖에 길이 없지 않습니까? 그런 식으로 한다는 것은 국민도 불행이고, 그렇게 당한 사람도 불행이고, 그렇게 한 사람도 결국은 불행입니다. 그래서 그런 일은 우리가 나라와 민족을 생각하면 양심상으로 해서는 안 된다, 그렇게 생각합니다.

임병걸 또 하나 과거 10년을 좌파로 몰아붙이고, 그렇게 주장하는 분들의 얘기를 들어 보면 경제 정책을 펴는 데 있어서 이른바 성장이냐 분배냐 해서 과거 10년이 분배에 치우쳤기 때문에 좌파적이다, 이런 비판들을 하고 있거든요. 과연 과거에 김대중 대통령님 집권 때나 노무현 정부 때 정말 분배에 그렇게 치중했다고 볼 수 있겠습니까?

김대중 내가 지금 5년 집권에 분배를 더 많이 못 한 것이 가장 국민에게 미안한 일이라고 생각하고 있습니다. 다시 말하면 빈부 양극화로 가는 것을 제대로 막지 못한 것을 내가 여러 군데서 5년 집권의 부족했던 점으로 지적하고 있습니다. 그리고 아까 말씀과 같이 다 망한 기업을 되살려 놨지 않습니까? 다 망한 금융기관을 되살려 놨는데 어째서 이것이 사회주의고, 어떻게 해서 반反자본주의로 그렇게 몰고, 경제를 망쳤다고 할 수가 있습니까? 전 세계가 한국에서 배워라, 심지어 일본이 경제 위기에 빠졌을 때 사람들이 한국 사람들한테 배우라고 했습니다. 역사를 포장해 놓고 딴소리를 하는 것은 안 되는 거라고 생각합니다.

햇볕정책이 승리의 길

임병걸 또 하나 역시 앞에서 잠시 말씀하셨습니다마는 남북 관계에 있어서 포용정책, 이른바 대통령님의 '햇볕정책'을 두고 좌파적이다, 친북적이다, 이런 비판을 했던 것 같습니다. 그래서 최근에 실용주의를 표방하는 이명박 정부의 정책은 상당히 엄격한 상호주의로 돌아서고 있는데요. 북한 관련해서 '햇볕정책'이 최선의 방책이라고 생각하시는지요.

김대중 내가 지난 4월에 하버드대학에 가서 연설을 했는데 제목이 「햇볕정책이 최선의 길이다」였습니다. 그래서 거기 석학들에게 큰 격려를 받았는데 '햇볕정책'이라는 것은 뭐냐, 서로 의견이 다른 처지에서 우리가 싸움을할 것이 아니라 대화를 통해서 평화적으로 해결하자, 그 결과는 너도 좋고 나도 좋은 공동 승리를 찾자, 이것이 '햇볕정책'이라고 했습니다. 그래서 그 구체적인 정책은 평화 공존, 평화 교류, 평화 통일, 이 원칙 밑에서 1단계는 남북연합, 2단계는 남북연방, 3단계는 남북통일, 이렇게 가는 것이다, 남북연방은 오해가 있을 것 같으니까 얘기하는데, 미국과 같은 연방을 하자는 것입니다. 이렇게 해서 '햇볕정책'을 했습니다. 세계에서 공산국가에 대해서 공격만 하고 압박만 해서 성공한 적이 없습니다. 미국이 50년 소련을 공격했지만성공하지 못했습니다. 그래서 할 수 없이 미국이 소련하고 데탕트를 했습니다. 화해를 했습니다. 그 데탕트 결과는 헬싱키협정으로 나타났습니다. 그래서 동서가 서로 안전을 보장하고, 경제, 문화, 체육, 모든 교류를 하게 됐습니다. 여행도 하게 됐습니다. 그렇게 되니까 소련 사람들이 서유럽에 여행을 나왔습니다. 와서 보니까 "서구 사회가 악마의 세계가 아니라 정말 낙원 아니냐. 그렇다면 우리가 낙원에 살았다는 건 속았지 않았느냐." 이렇게 해서 소련 사람들이 각성하기 시작한 겁니다. 동유럽 사람들도 그랬습니다. 그래서내부에서 사람들이 웅성웅성 일어나서 불만을 가지니까 그 물결을 타서 고르바초프가 등장해서 개혁 개방을 한 것입니다. 그런데 그 개혁 개방도 고르바초프는 공산주의를 그대로 유지하려고 했는데 옐친이 일어나서 민주화를시켜 버린 것입니다. 그렇기 때문에 억압과 봉쇄, 이걸로는 성공한 예가 없습니다. 중국도 못 했고 베트남도 못 했습니다. 베트남은 전쟁까지 했지만 못했습니다. 그러나 개혁 개방으로 하면 다 성공했습니다. 중국도 지금 많이 변화하고 있고, 베트남도 많이 변화하고 있습니다. 경제가 발전하면 중산층이생겨납니다. 그 중산층은 영국혁명이나 프랑스혁명에서 보듯이 산업혁명 시대나 오늘날 정보화 시대나 할 것 없이 중산층은 힘을 갖게 되면 자유를 요구하게 됩니다. 민주주의를 요구하게 됩니다. 그래서 중국도 지금 심지어 공산당 당헌을 '3개 대표론'으로 바꾸었습니다. 과거에는 노동자 하나만 공산당 당원이 될 수가 있었는데, 이제는 지식인과 기업인이 될 수 있습니다. 지식인과 기업인은 중산층 아닙니까? '햇볕정책'이라는 것은 하버드에서 얘기했지만 이런 것들입니다. 한반도에서도 그렇고, 어디에서나 그렇습니다. '햇볕정책'만이 공산주의를 극복해 나가는, 공산주의를 평화적으로 변화시키는 길이다. 이런 얘기를 하고 싶습니다.

임병걸 그럼 경색된 남북 관계 때문에 일어났는지 모르겠습니다마는 최근 금강산에서 우리 여성 관광객이 피격되는 불행한 사태가 있었습니다. 이런 부분은 어떻게 해결해 나가는 것이 가장 지혜로운 방법일까요.

김대중 일단은 정부도, 이 대통령도 그렇게 생각하신 것도 같은데, 한반도에서 서로 평화적으로 교류 협력을 강조시켜서 정차 평화적 통일로 가자는 큰 망원경적인 원칙과 부분적으로 일어난 문제를 분리해서 우리가 봐야 한다고 생각합니다. 그래서 어디까지나 금강산 문제는 금강산 문제로 국한시켜서 처리해 나가야 하는데 당분간은 어렵지 않으냐, 그렇게 보는데 결국 세상은 변하기 마련이고 또 그 변화는 6자회담의 발전, 이번 11일 미국이 북한을 테러지원국에서 빼느냐, 이것에 따라서 상당히 상황이 달라질 거란 말이에요. 그런 상황 발전을 기다리면서 이에 역행하는 일들을 우리가 안 하는 게 좋겠다, 그런 생각입니다.

임병걸 또 하나 현재 이명박 정부는 지난 정부의 한·미 관계를 손상된 관계라고 하면서, 그것을 복원한다, 혹은 동맹을 강화하겠다 해서 여러 가지 정책들을 취하고 있는데요. 그러나 쇠고기 문제 때문에 그렇게 한·미 관계도 좋은 것 같지도 않고요. 대통령님께서 생각하시는 바람직한 한·미 관계랄까요. 위상은 어떻게 정립해야 되겠습니까?

1동맹 3우호 체제

김대중 우리는 한·미 관계건 한·일 관계건 모든 것은 우리 국익 중심으로 생각해야 됩니다. 우리가 국익 중심으로 생각한다면, 우리가 살기 위해서는 첫째로 군사적으로 안전해야 합니다. 군사적으로 안전하게 우리를 도와줄 나라는 미국밖에 없습니다. 그렇기 때문에 한·미동맹은 아주 중요하고 우리에게 필요하고 우리에게 이익이 되는 것입니다. 그래서 미국에 대해서 근본적으로 반미 한다는 것은 우리 이익과 배치되는 것이죠. 그러나 미국만 따라가는 건 아닙니다. 우리는 미국하고 동맹 관계를 유지하면서 또 한편으로는 중국, 러시아, 일본하고도 반드시 우호 관계를 유지해야 합니다. 4대국 관계를 잘해야 됩니다. 그래야 우리가 안전할 수 있고 희망이 있습니다. 그래서 '1동맹 3우호 체제', 이것을 당분간 하되 머지않아 6자회담에서 합의된 대로 동북아 안보기구가 생길 겁니다. 그러면 남북이 합친 6자 중심으로 안보기구가 생기면 거기에서 4대국도 같이해서 자기들이 의무로서 한반도와 동북아시아의 평화를 지키는 데 협력할 것입니다. 그런 것을 내다보면서 당분간은 그런 체제가 올 때까지는 미국하고 관계를 소중하게 생각해야 됩니다. 그리고 나머지 세 나라하고도 좋게 지내야 합니다. 절대 나쁘게 지내면 안 됩니다. 그건 우리 국익에 도움이 안 된다, 그렇게 생각합니다.

임병걸 나머지 세 나라 중에서 한 나라가 일본 아니겠습니까? 집권하신 '국민의정부' 시절에 일본과는 정말 좋은 관계를 만드셨는데요. 대중문화 개방으로 교류도 크게 활발했고요. 그러나 최근에 다시 독도 문제로 양국 간의 긴장이 높아지고 있습니다. 이제는 자라나는 아이들에게까지 독도가 자기네 나라 땅이라고 교육을 시키겠다고 나서고 있는데요. 이런 일본과는 어떻게 이 문제를 해결해 가는 것이 가장 지혜롭겠습니까?

김대중 독도 문제부터 얘기하면 나는 독도 문제에 대해서 김영삼 정권 때도 독도 문제가 크게 일어나서 비행기가 가고 할 때 "저래서는 안 된다. 독도는 우리가 실효적으로 지배하고 있는데 가만히 있으면 기정사실화되는데 그렇게 되면 국제법상으로도 우리에게 아주 유리해지는데 왜 우리가 자꾸 떠들어서 분쟁지구로 세계가 인식하게 만드냐." 그런 얘기를 했는데 노무현 정권 때도 그러더라고요. 그러다 이번에 또 그러고 있어요. 그런데 그렇게 떠드는 것은 결국 일본 우익에게 떠들 구실을 주는 것입니다. 그런데 우익이 정치인한테 압력을 넣는데, 일본 국회의원들 중에서 젊은 사람들은 대부분 우익입니다. 아주 우경화됐어요. 그래서 결국 이런 것은 구실을 주는 거니까, 나는 독도 문제는 조용히 그러나 실효적으로 지배하면서, 제일 중요한 것은 독도 문제에 대한 문헌을 최대로 수집해서 역사적으로나 모든 근거로 봐서 우리 거다 하는 것을 의심의 여지없이 설명을 해서 일본 말로 만들어서 일본에 들여보내야 합니다. 지금 일본 사람 중에는 독도가 한국 거라고 하는 사람도 있습니다. 학자들이, 자꾸 그렇게 만들고, 세계를 설득해야 합니다. 영어로도 만들고 불어로도 만들어 우리는 착실하게 기반을 다져야 합니다. 그러면서 한·일 관계, 전체적인 관계에 대해서는 최선을 다해야 합니다. 이것도 분리해야 합니다. 한·일 관계라는 것은 우리가 지금 바로 옆에 있지 않습니까? 이건 누가 짊어지고 딴 데 갈 수 없는 거죠. 조상들도 많이 왕래했습니다. 또 한·일 관계가 중요한 것은 우리 안보에도 중요합니다. 많은 사람들이 6·25 전쟁 때 일본이 우리 덕택으로 우리 희생으로 돈 벌었다 하는데 그것도 사실이지만, 또 한편으로는 일본이라는 바로 인접 기지가 있었기 때문에 미국이 거기서 비행기도 띄우고 보급물도 가져오고 거기서 사람들도, 군인들도 데려오고 한 것입니다. 부산까지 밀려왔던 우리가 큰 도움을 받았습니다. 일본도 우리가 여기서 버텨 주는 것이 일본의 국방에 굉장히 도움이 됩니다. 그래서 이런 점에 있어서 근본적으로는 경제적으로 문화적으로 서로 좋게 발전시키고 협력하고 결국 그런 부분적인 문제는 조용히 처리하고 이렇게 하는 것이 좋지 않은가 생각합니다. 일본하고는 우리가 잘 지내야 하고 친선해야 하고 협력해야 한다고 생각합니다.

상대 말에 귀 기울이고 평화적 대화로 풀어야 한다

임병걸 해방 이후에도 저희들은 극심한 좌우의 이념적 대립과 갈등을 겪었고 결국 전쟁까지 치렀는데요. 대통령님이 집권하실 때 조금 잦아든 듯했던 이른바 국내 진보와 보수의 극한 대결이 최근에 다시 극한적인 양상을 띠고 있는 듯한 우려를 갖게 됩니다. 이런 극단적인 형태의 진보와 보수의 갈등을 치유할 수 있는 방안은 없을까요.

김대중 볼테르란 사람이 한 얘기가 있는데 "나는 네 의견에 반대하지만 네가 그 의견을 주장하는 권리를 위해서 나는 싸우겠다." 이런 말이 있죠. 바로 그겁니다. 민주당이 한나라당의 정책이나 생각에 반대하지만 그러나 한나라당이 그 정책을 주장할 그 권리를 존중한다, 또 한나라당은 민주당에 대해서 그런 권리를 주장한다, 서로 상대방이 애국자요, 상대방이 민주주의 신봉자라고 생각해야 합니다. 거기서 풀어 나가야 한다고 생각합니다. 오늘날 민주당이나, 민주노동당이나 이런 당들은 '민주좌파'고, 한나라당은 '민주우파'다, 이렇게 생각해야 합니다. 아까도 말했다시피 독일에서도 연립을 하고 있습니다. 세계에서 좌파, 우파가 연립하는 것은, 유럽은 대부분 나라가 그렇습니다. 그런 점에 있어서 우리가 근본적으로 원수 대하듯 투쟁하면 안 됩니다. 상대의 말에 귀 기울이고 문제는 평화적인 대화로 풀고 그렇게 해야 한다고 생각합니다.

임병걸 흔히 새 대통령이 취임하면 몇 달 정도는 인기가 괜찮은 편인데요. 유례없이 이번 이명박 대통령의 인기는 20퍼센트 이하로 추락을 했고요. 많은 사람들이 이런저런 문제가 있었습니다마는 맨 처음에 인사에서 문제가 있었는데, 민심과 너무 멀어진 이른바 '고소영 내각'이니 이런 비판들이 있었는데요. 한 나라를 이끌고 가는 대통령으로서 인사 정책을 볼 때 가장 중요한 원칙이랄까요. 어떤 것이어야 됩니까?

김대중 그건 가장 좋은 사람을 써야죠. 그런데 현재 이명박 정부 때 촛불시위가 일어나고 여러 가지 여론 지지가 별로 안 좋은 근본적인 원인은 이 정부 사람들이 '잃어버린 10년'을 이야기한 데서 나온 겁니다. 분명히 국민이 볼 때 지난 '국민의정부'와 '참여정부' 10년 동안에 뭔가 이루어진 일이 있었고, 또 어떻게 보면 우리나라가 아주 잘된 일들이 많았는데 그걸 다 무시하고 잃어버렸다 그러니까, "그것이 안 된다 하면 옛날 유신시대로 돌아간다는 얘기냐." 이런 데서 지금 의심하기 시작한 겁니다. 그래서 국민 중에 상당수 사람들이 "제2의 유신의 전초가 지금 일어나고 있지 않느냐." 이런 두려움을 갖고 있는 것을 제가 여러 번 얘기를 들은 적이 있습니다. 그래서 문제는 거기서 경계심을 갖고 비판이 일어나고, 잘한 일도 자꾸 색안경 끼고 보게 되는 더욱이 앞으로는 또 다른 시대가 옵니다. 벌써 어떻게 보면 직접민주주의적인 움직임이 국내에서 있지 않습니까? 세계는 훨씬 더해서 민족국가, 지역연합, 그리고 세계적인 협력체, 이런 것이 앞으로 발전해 나가는 그런 시대가 오고 있다는 것입니다. 그래서 거기에 대비하기 위해서는 서로 상대방을 인정하고 상대방을 애국자라고 생각하고, 상대방을 민주주의자라고 생각해야 합니다. '잃어버린 10년' 같은 식으로 해서 상대방을 완전히 잘못된 존재로 몰아붙이면 안 되죠. 상대방을 완전히 배척하면 상대방도 극한적으로 가죠. 그러면 정치의 안정은 없는 것입니다.

촛불부대의 뜻을 정치에, 시민운동에 반영시켜야 한다

임병걸 대통령님, 직접민주주의 언급하셨습니다마는 최근에 쇠고기 문제로 촉발됐던 촛불집회는 정말 유례가 없었던 일이었는데요. 이런 일이 왜 일어났고 이것을 우리는 역사적으로 어떻게 평가하고 거기서 어떤 교훈을 얻어야 되겠습니까?

김대중 이제 일반 대중, 심지어 유모차에 탄 어린아이, 아주머니, 노인 할 것 없이, 이렇게 해서 촛불 들고 나왔지 않습니까? 이것은 우리 국민이 이제는 직접민주적인 참여를 할 그런 준비가 돼 있고 그런 의욕이 있다는 것입니다. 왜냐, 우리 국민은 교육 수준이 높습니다. 신문 못 보는 사람이 없지 않습니까? 방송을 시청해서 많은 지식을 얻고 있습니다. 그런 국민들이 그렇게 교육을 받았는데 그 사람들한테 무기가 생겼습니다. 인터넷, 문자메시지 이런 게 생겼습니다. 그것을 통해 (생각을) 서로 주고받고 합니다. 그전에는 일방통행 하던 것이 전부 쌍방통행을 하고 있습니다. 그러니까 시민운동은, 이번 촛불운동을 한 사람들은 사무실도 없고, 조직도 없고, 간부도 없고, 무슨 선전 팸플릿도 없습니다. 그런데 수십만이 모였습니다. 또 끝나고 나면 조직으로 만들지 않고 싹 없어져 버려요. 집에 들어가 버리고 안 나옵니다. 그러니까 언제 또 나올지 모릅니다. 그런 시대가 왔는데 그것에 대응하는 길은 의회민주주의 하는 사람들, 시민운동 하는 사람들이 국민 전체, 범국민 촛불부대의 뜻을 받들어서 정치에 반영시키고 시민운동에 반영시켜야 합니다. 그러면 그 사람들은 집에서 가만히 있을 것입니다. 그러나 그러지 않고 딴 길로 가고 안 되겠다 생각하면 언제 또 나올지 모르는 거죠. 그런데 이번에 시민운동에 대해서 우리가 가장 평가해야 할 것은 '비폭력'으로 했다는 것입니다. 한두 사람이 그렇게 한 것은 불가피한 해프닝이지, 시민운동 자체가 한 건 아닙니다. 그래서 비폭력으로 했다는 것, 그것이 도덕적으로 아주 높이 평가할 일 아닙니까? 그래서 나는 이번 촛불문화제에 참가한 국민—이제는 국민입니다. 시민만이 아니라—그런 국민에 대해서 아주 주목해야 하지 않는가 그런 생각을 하고 있습니다.

임병걸 촛불집회를 보면서 왜 이런 일이 벌어졌는가 생각해 보면 의회민주주의라는 이른바 대의제가 충분히 국민들의 뜻을 소화해 내지 못했다라는 비판이 있었는데요. 그래서 나온 얘기가 이른바 소통의 부재라는 얘기가 나왔었습니다. 이명박 대통령도 스스로 소통에 소홀했다는 반성도 한 적이 있었고요. 집권하실 때를 떠올리시면서 그 당시에 가장 소통이 어려웠던 대상은 어떤 것이었고 누구였고 또 어떻게 이 소통의 문제를 해결하셨습니까?

김대중 내가 할 때는 어려움이 많았지만 언론으로부터 많은 어려움을 겪었고요. 그리고 야당이 도와주지 않았습니다. 그래서 대통령 취임식을 오전에 의사당 앞에서 했는데 오후에 의사당 안에 들어가서 총리를 인준하려니까 인준이 안 돼요. 그때는 야당이 다수니까. 그래서 총리 없이 6개월을 보냈습니다. 그리고 내가 1년 반 내에 외환 위기의 어려움을 극복하겠다 하니까 그때 야당 당수가 "만일 1년 반 내에 외환 위기를 극복하면 내 손에 장을 지지겠다." 이렇게 공언을 하면서 사사건건 공격을 했습니다. 언론하고 같이 연합작전을 하니까 어려움을 겪었지만 그래도 국민을 등에 업고 하니까 내가 볼 때도 상당한 일을 할 수 있지 않았었느냐 생각합니다. 내가 남북정상회담을 위해서 북한을 갔을 때도 김정일 위원장한테 "남측의 야당 당수를 만나 달라. 그 사람 얘기도 들어 달라"고 말해서 (김정일 위원장의) 동의를 얻었습니다. 그리고 돌아와서 "가시오. 당신 상호주의 얘기를 하는데 당신이 가서 직접 얘기하시오."라고 했는데 결국 안 갔습니다. 그때 갔으면 참 좋았을 거라고 생각합니다. 김정일 위원장도 우리하고 다른 의견도 들을 기회가 있고, 또 여기에서 가서 김정일 위원장을 만나 보면 뭔가 생각이 상당히 바뀔 수 있고 할 텐데 안 간 게 유감이었다고 생각합니다.

임병걸 현재 남북 관계 경색을 풀려면 물론 양국 정상이 만나는 게 가장 바람직하겠습니다마는 지금의 여건으로 보면 쉬울 것 같지 않은데요. 그렇다면 대통령님께서 그동안 해 오신 남북 관계에 여러 가지 기여도 있으셨고 또 여전히 하실 일이 많지 않습니까? 어떤 기여를 해야 되지 않겠습니까?

김대중 남북 관계가 풀리려면 내가 볼 때 제일 핵심적인 과제는 이 대통령이 직접 "6·15와 10·4를 인정한다. 그러나 문제점이 있는 것은 나하고 다시 얘기하자." 이런 식으로 기본적으로 인정하고 부분적으로 수정할 것이 있으면,─물론 있겠죠. 더구나 10·4는 여러 가지가 있으니까─그렇게 하는 것만이 이 난국을 풀고 대화로 나가는 길이 되지 않는가 생각합니다. 내 개인적인 생각은 그렇습니다.

민주적이고 투명한 경쟁력 있는 국가

임병걸 이제 시간이 다 되어 가는데 우리 한국이 나아가야 할 길에 대해서 여쭤보겠습니다. 그동안 저희들이 보면 1960년대부터 1980년대까지는 이른바 가난을 극복하는 '산업화'가 우리 지상 과제였었고요. 1990년대부터는 더불어서 '민주화'라고 하는 과제를 저희들이 지상 목표로 해서 뛰어왔습니다. 그렇다면 앞으로 21세기 우리 한국이 내걸어야 할 어떤 국가적 슬로건이랄까 비전은 어떤 것이 돼야 하겠습니까?

김대중 세계를 무시해서는 안 됩니다. 세계 속에서 민주적이고 그리고 투명한 경제체제를 가진 그런 경쟁력 있는 국가로 만들어 나가야 합니다. 세계 경쟁에서 이겨내고 그리고 민주적이고 투명한 경쟁력 있는 국가를 만들어야 합니다. 그러면서 중요한 것은 박정희 정권 초기부터 오늘날까지 경제 발전에 노동계나 농민이나 서민들이 많은 헌신을 했는데, 노동도 해주고, 곡식도 싼값으로 내주고, 물건도 사주고, 장사도 되게 해주고 이렇게 했는데 너무나 보상을 적게 받고 있고 소외당하고 있는 이 문제를 우리가 풀어 나가야 한다, 그렇게 생각합니다.

임병걸 지금 권력 구조와 관련해서 끊임없이 개헌 논의가 나오기 시작했습니다. 신임 국회의장도 자기 임기 중에 개헌 논의를 마무리하겠다, 그런 얘기가 있었습니다. 현재 5년 단임제는 거의 한 20년 정도 지속됐었는데요. 대통령께서는 우리 현재의 상황에서, 정치경제적 상황에서 가장 이상적인 형태의 대통령 체제는 어떤 거라고 생각하십니까?

정부통령제와 4년 중임제

김대중 모든 것은 국민이 바라는 대로 해야 합니다. 국민이 내각책임제를 바라느냐, 대통령중심제를 바라느냐, 이원집정부제를 바라느냐인데, 우리 국민은 1948년 이래 60년 동안 대통령중심제로 일관해 왔습니다. 중간에 장면 정부가 잠깐 1년 정도 내각책임제를 했는데 그건 성공하지 못했습니다. 그래서 지금 국민 여론이나 국민들 마음속에 다른 제도를 별로 생각하지 않습니다. 또 국민이 대통령중심제에 익숙해져 있습니다. 그러니까 미국은 대통령중심제 하고 영국은 내각책임제 하는데 그것은 국민이 바랐기 때문에 그런 겁니다. 우리도 마찬가지입니다. 그런데 내가 볼 때 개헌의 필요성은 있다고 봅니다. 첫째, 정부통령제를 해야 합니다. 정부통령제를 해서 부통령이 있어야 합니다. 한 사람은 보수적인 사람이 나오고 한 사람은 개혁적인 사람이 나와서 정부가 균형을 맞춰야 됩니다. 한 사람은 동쪽에서 나오면 한 사람은 서쪽에서 나와서 균형을 맞춰야 합니다. 미국도 다 그러지 않습니까? 미국 북쪽하고 남쪽 균형을 맞추거든요. 그래서 대통령제 하면서 정부통령제 안 한 나라는 세계에서 거의 없습니다. 그래서 그걸 해야 한다고 생각합니다. 부통령은 더구나 대통령이 많은 의전적 부담이 있는데 부통령이 그 의전적 부담을 덜어 주어야 대통령이 주요 업무에 집중할 수가 있습니다. 그렇게 (부통령은) 중요한 역할입니다. 그리고 만일 대통령이 유고 시에, 병에 든다든가 유고가 있을 때 나라의 국정을 하루도 중단 없이 계승할 수 있는 사람이 있어야 한다, 그렇게 생각합니다. 그래서 1987년 민주항쟁 후에 직선제 개헌을 하지 않았습니까? 그런데 그때 우리 야당에서 가지고 나온 것이 정부통령제하고 4년 중임제였습니다. 이 4년 중임제는 대통령제에서 아무도 이의가 없는 것 같아서 그렇게 했는데, 여당에서 전두환 씨가 단임제를 했으니까 "단임제는 큰 업적이다. 단임제 안 하면 아무것도 안 한다"고 주장해서 중임제를 못 했습니다. 그리고 정부통령제를 하려고 하니까 말은 그렇게 안 했지만 그때 김영삼 총재하고 나하고 둘이 하나씩 나눠서 하면 선거에 이길 수 없다고 생각하니까 그걸 정략적으로 반대한 겁니다. 그래서 못 했어요.

임병걸 그러니까 가장 바람직한 체제는 정부통령제이면서 4년 중임제다, 이런 말씀이시군요.

김대중 그리고 한 가지 첨부할 것은 이건 헌법 문제인지, 법률 문제인지 잘 모르겠는데, 법률 문제로 봅니다. 대통령이 선거운동을 못 하지 않습니까? 국회의원이나 정치인은 자기가 당선된 표가 중요한데 대통령이 가서 표 얻어 주지 않습니까? 그런데 대통령이 못 한단 말이에요. 그러니까 임기 말이 되면 대통령은 완전히 레임덕 됩니다. 국회의원이고 뭐고 돌아가지 않습니다. 그리고 잘못하면 나가라는 소리 하고…… 이건 고쳐야 하지 않느냐 생각합니다. 그리고 도지사나 광역시장 이런 사람들은, 즉 광역자치단체장은 선거운동을 할 자유를 줘야 합니다. 그래야 산하에 있는 기초단체를 통괄할 수 있습니다. 그래서 이런 점에서는 이것도 고칠 때 같이 손보는 것이 좋지 않나, 그런 생각입니다.

국민을 하늘같이 생각하고 그것이 몸에서 배어 나와야

임병걸 최근에 대통령에 대한 국민의 인식을 보면 권위주의의 해체를 넘어서서 대통령이 심지어 조롱의 대상이 되는 불행한 사태가 일고 있습니다. 대통령으로서 갖춰야 될 많은 덕목이 있겠지만 국민들로부터 사랑받고 존경받을 수 있는 대통령으로서의 덕목, 리더십, 어떤 게 중요하다고 보십니까?

김대중 공적으로는 국민을 하늘같이 생각하고 그것이 몸에서 배어 나와야 합니다. 국민을 위해서는 목숨도 바쳐야 됩니다. 우리 야당 시대 독재하고 싸울 때는 실제로 그렇게 했습니다. 내가 사형 선고를 받았을 때 (당시 권력자들이) "우리하고 협력해라. 그러면 살려 주겠다. 안 하면 꼭 죽이겠다." 이렇게 대놓고 얘기했습니다. 그럴 때 나는 그들한테 얘기했습니다. "지금 당신들하고 협력하면 내가 일시적으로 살지만 나는 국민을 배반해서 역사 속에서 영원히 죽는다. 내가 당신들한테 협력 안 하면 나는 지금 죽을 줄 안다. 나도 죽기는 싫다. 그렇지만 내가 당신들한테 협력하면 국민을 배반해서 나는 영원히 국민한테 버림받는다. 나는 그런 일은 못 하겠다." 그러면서 제가 거절했어요. 대통령은 국민을 위해서는 목숨도 내놓을 수 있어야 합니다. 지금은 그런 시대는 아니지만 우리는 그렇게 했습니다. 그 시절에 많은 사람들이 고문당하고 감옥 가고 학교에서 쫓겨나고 직장에서 쫓겨나고 하면서도 하지 않았습니까? 이렇게 국민을 하늘같이 실제로 생각하고 받들어야 합니다. 그래서 나는 이번 쇠고기 파동 때도 건의한 적이 있습니다. 대통령이 앉아서 양쪽에 쇠고기 찬성, 반대파 한 댓 명씩 앉혀 놓고 그래서 둘이 양쪽에서 주고받고 하면서 텔레비전 중계하면서 이렇게 한번 토론을 시켜 보면 대통령도 판단이 들 것이고, 또 찬성, 반대하는 상대방 얘기 들어 보면 그런 점이 있는 것 같다고 그럴 것이고, 그리고 무엇보다도 국민이 그걸 텔레비전으로 시청을 하고 있으면 하루에 안 되면 이틀, 이틀이 안 되면 사흘, 그렇게 하면 국민의 판단도 나왔을 것이고 좋았지 않으냐 생각합니다. 말하자면 소통이라는 말이 무엇인가. 그런 식으로 국민하고 같이 해 나가는 것이 어떠냐 그런 생각입니다.

임병걸 지금 50분에 걸쳐서 말씀을 들어 보면 저희들 성장의 원동력도 국민이고 가장 섬겨야 될 대상도 국민이고 지금 하시는 모든 말씀에 국민이 주인이라는 것 같습니다.

김대중 민주주의가 그거 아닙니까?

임병걸 그런데 지금 정말 국민이 어렵습니다. 끝으로 대통령께서 이 어려운 난관을 극복해 나가기 위해서 국민들께 당부하고 싶은 말씀이 있다면 한 말씀 해 주십시오.

'책임의식을 가지시오', '감시하십시오'.

김대중 국민에 대해서 먼저 "주권자로서 책임의식을 가지시오. 내가 주인이다, 내가 주인이니까 이 나라가 잘되고 못되는 것은 나도 책임이 있다." 이런 생각을 해서 투표 한번 하든지, 말 한번 하든지, 말하자면 "책임의식을 가지시오." 하는 거고, 둘째는 "감시하십시오. 감시하지 않는 그런 국민은 말하자면 권리를 잃게 됩니다. 그런 나라는 안 됩니다." 그런 것을 국민에게 말씀드리고 싶고요.

임병걸 지금 많은 분들이 이러다가 우리가 제2의 국제통화기금(IMF) 외환위기를 맞는 것 아닌가, 여기서 성장이 좌초되는 것은 아닌가 우려가 많습니다. 대통령께서는 우리가 그래도 이 시련을 극복하고 잘 성장을 계속 이어 나갈 수 있을까요, 어떤 비전을 저희들이 가져도 좋겠습니까? 어떻게 보십니까?

김대중 지금은 우리나라가 그렇게 간단하게 흔들리지는 않을 것입니다.

왜 그러냐 하면 국제통화기금(IMF) 외환 위기 이후에 우리 경제 체질이 아주 바뀌었습니다. 그래서 이제는 국제적 경쟁에 이겨낼 수 있는 그런 체질로 바뀌었기 때문에, 그리고 지금 무역에서도 상당히 돈을 벌고 있지 않습니까? 요새 적자도 냈지만, 그건 일시적인 것이고, 그렇기 때문에 그렇게 쉽게 흔들리지는 않겠지만 내가 볼 때 우리나라 경제에서 취약점을 고쳐가야 한다. 취약점이 뭐냐, 허리가 약한 것입니다. 허리가 약한 것은 구체적으로 뭐냐 하면 우리나라의 부품소재 산업이 발달해야 합니다. 지금 우리나라의 조선이라든가 전자 제품 상품에 있어서 한 60-70퍼센트가 수입에 의존하고 있습니다. 우리는 껍데기만 만들다시피 하는 겁니다. 한마디로 그런 경제가 어떻게 해서 건전하게 나가겠습니까? 내가 대통령일 때 부품소재 산업을 일으키는 법까지 만들었지만 이게 경제적으로 제대로 협력이 안 되고, 공무원도 제대로 운영 안 해서 지금까지도 안 되고 있습니다. 그렇게 해서 경제적 허리를 튼튼히 해야 합니다. 둘째는 분배에 대해서 상당히 관심을 가져야 합니다. 성장 성장하지만 분배를 해야 성장이 됩니다. 임금을 제대로 받아야 구매력이 있어서 성장이 되지 않습니까? 서민들에게도 사회복지를 해 줘야 그 돈을 가지고 물건을 사서 성장이 되지 않습니까? 그러니까 성장과 분배는 수레의 양 바퀴입니다. 그런 점에 있어서 분배에 대해서도 단순히 낭비다, 성장에 장애가 된다, 이렇게 생각하지 말고 이것도 성장의 요소다, 경제적 입장에서 볼 때는 물론 사회적으로 말할 것도 없고, 그런 생각을 가지고 대처해 나가야 되지 않느냐, 이렇게 생각합니다. 그래서 총체적으로 정부가 국민하고 항상 마음을 열어놓고 대화하고, 내가 하려고 했던 것도 국민 다수가 반대하면 정부가 그것을 하지 않고, 또 이거는 꼭 해야 하는데 국민이 잘못 생각하고 있다고 생각하면 정부가 줄기차게 설득을 해서 국민 여론을 바꾸어 나가야 합니다. 그런 정부를 국민은 믿을 것이고 그런 정부를 좋아할 것입니다. 우리나라가 21

세기에 잘만 운영해 나가면 적어도 세계 10위권 이내에, 6, 7위권 이내도 올라가는 그런 나라가 될 것이다 하는 것은 틀림없습니다. 정보화해서 해낸 것 보세요. 지금이 정보화 시대인데 정보화에서 1등 한 나라가 어째서 그렇게 못 합니까? 그래서 우리는 희망이 있습니다. 그렇기 때문에 말하자면 언론계나 이런 데서도 국민에게 용기를 주시고 또 국민이 적극적으로 책임의식을 가지고 나랏일에 협력하고 비판하도록 잘 도와주시기 바랍니다.

임병걸 오늘 말씀을 들으면서 '칠전팔기'라는 말이 기억에 남습니다. 저희들이 시련과 역경을 오뚝이처럼 극복하고 일어섰듯이 앞으로도 저희들이 저력과 투혼으로 이런 시련들을 이겨내고 또 성장해 가는 국가가 되기를 기대해 봅니다. 더욱더 대통령님 건강하시고 또 고비고비마다 더 큰 지혜의 등불을 밝혀주시고 미래비전을 제시해 주시기 기대하겠습니다. 오늘 「일요진단」나와 주셔서 대단히 감사합니다.

김대중 수고했습니다.

* 이 글은 2008년 8월 10일 오전 8시에 방영된 한국방송(KBS) 1텔레비전 「일요진단」 녹취록이다.

촛불 국민 언제 또 나올지 모른다

대담 이창섭
일시 2008년 8월 14일

이창섭 내일은 정부 수립 60주년입니다. 우리 현대사를 어떻게 보시는지요?

김대중 모든 민족들을 보면 상승 커브가 있고 정체하거나 하강 커브가 있습니다. 우리의 경우 조선왕조 말엽에는 하강 커브가 강했습니다. 그런데 해방 이후부터는 상승 커브입니다. 정보화 시대에 들어와서는 세계 무대에서 하나의 중심이 되고 있습니다. 우리는 오랜 지적 전통, 교육 전통을 가지고 있습니다. 그리고 우리는 싸워서 민주주의를 해냈습니다. 민주주의 해내고, 지적, 문화적 전통이 있으니까 거기서 한류가 나온 것입니다. 세계에서 2차대전 이후 독립한 나라가 150여 개국인데, 그 나라들이 예외 없이 한국을 모범으로 생각합니다. 우리만 세계 사람들이 얼마나 우리를 높이 평가한다는 것을 잘 모르고 있어요. 앞으로 우리가 잘 해 나가면 우리는 21세기에 큰 나라가 될 거예요.

촛불 국민 언제 또 나올지 모른다

김대중 촛불집회에서도 이러한 것이 엄연히 나타나고 있습니다. 옛날 봉건시대에는 백성이 무지했어요. 그래서 임금이 통치했습니다. 그다음 산업혁명 이후는 중산 계급, 시민 계급 말하자면 부르주아 계급이 통치했어요. 돈 있는 부자들이죠. 조금 내려오다 노동자가 통치에 참가했어요. 영국에서 노동당이 시작해서 유럽 각국이 그렇게 했습니다. 독일에서는 보수당과 사민당이 같이 연립정부를 했습니다. 산업사회 말기에 오면서 시민 계급이 상당히 일어나서 시민사회에 영향을 주었습니다. 그런데 봉건사회의 왕부터 시민사회의 시민 계급은 전부 엘리트입니다. 그런데 이번 촛불시위에는 평범한 시민, 심지어 유모차를 탄 어린애까지 나왔는데 그런 사람들은 아주 평범한 사람들입니다. 그런 사람들이 범국민적인 바탕 위에서 나온 것입니다. 이렇게 된 큰 이유 하나는 우리가 민주주의를 해냈기 때문에 자부심이 있었기 때문입니다. 또 하나는 우리 국민들이 이제 신문을 못 읽거나, 라디오 방송을 들어도 뭔지 모르는 사람들이 없습니다. 그런 사람들이 국민 대부분을 차지하고 있습니다. 오히려 미국보다 그런 수준이 높습니다. 이제 일반 국민이 나랏일에 대해 자신을 갖게 된 거예요. "나도 할 수 있다"고 생각하는 것입니다. 게다가 그들에게 인터넷이나 휴대폰 문자메시지 같은 무기가 생겼습니다. 그런 국민이 각성되어 순식간에 서로 연락하지 않습니까. 시청 앞에 나와서 촛불시위를 하고 또 끝나면 집으로 돌아가 버립니다. 시민단체나 노동조합처럼 리더도 없고, 사무실도 없고, 정강 정책도 없습니다. 이것은 직접민주주의 양상입니다. 그래서 아마 앞으로는 정당이나 정부는 물론이고, 시민단체도 전부 촛불식 국민의 뜻을 상당히 중요시해야 할 겁니다. 지금 대부분 저러고 있지만 언제 또 나올지 몰라요. 그걸 누구도 예측 못 해요.

이창섭 이렇게 국민들이 강한 의지를 보였는데 이명박 대통령은 표출된 민의를 가슴에 안지 못했고, 그러다 보니 혼란이 와서 2달, 3달 동안 국가 에너지를 소진했습니다. 여기에 대해서는 어떤 충고의 말씀을 해 주실 수 있으신지요.

유신시대 오는 것 아니냐는 위기감을 느끼고 있다

김대중 이 대통령이 촛불시위 한참 할 때 뒷산에 올라가서 여러 가지 반성을 하고 국민하고 대화를 많이 해야겠다는 그런 의미로 말씀을 했잖아요. 또 그렇게 해야죠. 그렇게 안 하면 성공할 수가 없어요. 촛불시위에 나온 사람들이 쇠고기를 빙자했다고 할까요. 그걸 명분으로 삼았지만 근본적으로는 이명박 정부 들어서 인사 문제 등 여러 가지 문제, '잃어버린 10년'이라 하면서 김대중, 노무현 정부 시대를 완전히 말살시켜 버리려고 합니다. '잃어버린 10년'이라고 하면 '잃어버린 10년' 이전으로 돌아가야 할 것 아닙니까. 그러니까 국민들이 보기에 다시 유신시대가 온 것 아니냐는 위기감을 느낀 겁니다. 그 위기감에 하나의 촉매제 역할을 한 것이 쇠고기입니다. 쇠고기가 근본 문제가 아닙니다.

이창섭 대통령님께서는 한국 현대사의 산증인이신데 우리 60년에 대한 객관적인 평가를 부탁드립니다.

우리 민족은 오뚝이 같은 칠전팔기의 민족

김대중 제가 지난번에 어디서 우리나라의 현대사를 사자성어로 표현해 보면 뭐라고 말할 수 있냐는 질문을 받고 '칠전팔기'라고 했습니다. 제가 지금 생각해 보면 괜찮은 표현이 된 것 같아요. 상하이임시정부가 1919년 세워진 이래 해방된 그날까지 상하이, 난징, 충칭 등 중국 대륙에서 쫓겨 다니면서 끝까지 간판을 안 내리고 유지했습니다. 그리고 또 만주, 중국 본토 등 중국 대륙으로 뻗어 나가면서 끝까지 무장투쟁을 했단 말이에요. 그런 식민지 국가는 세계에서 별로 없어요. 임시정부는 그냥 간판만 유지한 게 아니라, 윤봉길 의사, 안중근 의사 등이 엄청난 일들을 했습니다. 윤봉길 의사가 상하이에서 폭탄을 던져 일본군을 때렸을 때 중국 사람들, 중국의 장개석도 그렇게 말했어요. "우리 5억 인구가 못할 일을 2천만 한국 사람이 해냈다." 그 후로 중국에서 한국 임시정부를 대접하고 도와준 것이 그 덕택인 겁니다. 우리는 좌절해도 결코 거기서 끝나지 않았어요. 해방 후만 보더라도 국토가 분단됐잖아요. 그런데 좌절하지 않고 어떻게든 정부를 세웠거든요. 정부를 세웠는데 친일파 사람들이 들어와서 이승만 박사 밑에서 독재하자, 그 이 박사하고 줄기차게 싸워서 민주화를 찾아냈단 말이에요. 6·25전쟁 때 파탄 난 경제를 다시 국민들이 박정희 정권 때 일으켜 세웠고, 또다시 외환 위기로 파탄 난 경제를 우리가 살려냈잖아요. 그런 가운데서 정보화까지 해서 우리가 21세기 정보화 시대에 선두에 설 수 있는 그런 일까지 했습니다. "산업화는 뒤졌지만 정보화는 앞장서자"고 그런 칠전팔기를 해냈습니다. 남북 관계도 냉전 시대를 청산하고 화해 협력의 시대로 가는 길을 지금까지 걷고 있습니다. 이렇게 보면 우리 민족은 좌절되면 다시 일어나고 좌절되면 다시 일어나는 오뚝이 같은 칠전팔기의 민족이다, 그런 생각이 듭니다.

이창섭 칠전팔기, 오뚝이 민족이라고 적절한 표현을 하셨는데요. 민주화, 정보화, 냉전 시대 청산, 그리고 경제 성장 외에 큰 그림으로 봤을 때 한국이 60년 동안 이룩한 것 중 다른 업적을 어떤 것일까요?

엎어지면 다시 일어나고 포기하지 않는 것이 우리 국민

김대중 문화를 들 수 있습니다. 한류를 일으켜 일본 천지를 휩쓸다시피 하고, 중국에서 하룻저녁에 1억 명이 한국 드라마를 시청하는 그런 정도까지 됐습니다. 일본이나 중국은 우리에 대해 우월감을 갖는 나라입니다. 그런데 우리 앞에 무릎 꿇었다고 할 수는 없지만, 우리 문화를 좋아하게 만들었다고 할 수 있습니다. 그것이 얼마나 큰 성공입니까. 그래서 동남아시아, 중동까지 한류가 퍼지도록 했습니다. 영국은 외환 위기 극복에 7, 8년이 걸렸는데 우리는 2년 안에 극복했습니다. 그래서 미국의 루빈 당시 재무장관이 책에서, 그리고 여기 와서 연설할 때도 얘기했는데 "한국이 정말 세계에 모범적으로 외환 위기를 극복하게 한 공로는 미국도 아니고 국제통화기금(IMF)도 아니다. 한국 정부의 김대중 대통령과 그 정부 사람들의 영웅적인 노력 덕분이다."라고 말했습니다. 그렇게 세계는 높이 평가하고 있는데 우리 한국 사람들만 그렇게 평가 안 하고 있어요. 지금 조선산업이 세계 1등입니다. 그리고 철강산업도 그렇습니다. 왜 조선이 1등이 됐냐면 디지털 경제, 정보화 기술을 전통산업인 조선에 접목시켜서 가장 좋은 배를 가장 빨리, 가장 싸게 만들었기 때문입니다. 그렇게 하니 다른 나라들이 경쟁이 안 됩니다. 철강도 그렇고 전자산업은 말할 것도 없습니다. 농업까지도 자꾸 개혁을 해 나가고 있습니다. 지금 전자 상거래하는 잘사는 농민들이 상당히 있습니다. 엎어지면 다시 일어나고, 못산다 못산다 하지만 어떻게든 포기하지 않고 노력하는 것이 우리 국민입니다.

이창섭 한국 사람들이 스스로의 장점에 대해서 잘 모르는 것 같습니다. 『옥중서신』에서도 한국인의 장단점에 대해 정리해 놓은 글을 본 적이 있는데, 대통령님이 보시는 한국인의 장점은 무엇이라고 할 수 있는지요?

우리의 큰 장점은 지적 전통과 높은 교육열

김대중 한국 사람의 최대 장점은 좌절을 모르고 계속 앞으로 나가는 진취성, 그리고 새로운 것은 쉽게 받아들이는 용감한 자세라 할 수 있습니다. 그것은 일본이나 유럽 나라 국민들에 비하면 특별한 특성입니다. 앨빈 토플러 씨도 그런 말을 했습니다. 그리고 무엇보다 큰 장점은 교육열입니다. 유럽 국가들은 봉건제도를 했습니다. 영주나 귀족들이 모두 세습을 했습니다. 그런데 우리나라는 봉건시대에도 그런 세습 제도를 하지 않았습니다. 그래서 영의정의 아들도 과거에 합격 못 하면 벼슬을 얻을 수 없었습니다. 벼슬을 얻기 위해서는 과거에 합격해야 하고 그래서 공부를 해야 했습니다. 그래서 교육열이 높아진 것입니다. 우리나라는 일본과 같이 사무라이가 나라를 지배하는 것이 아니고 선비가 나라를 지배했습니다. 지배 계층이 교육열이 높으니까 일반 국민도 교육에 대한 열의가 생겼습니다. 그래서 농촌에서도 20, 30호 정도 있으면 전부 서당 만들어서 선생 모셔다 교육했습니다. 소 팔고, 논 팔아서 자식들 교육시키고, 누님, 형님이 험한 노동하면서 동생 공부시키고 이렇게 교육을 시켜 왔습니다. 지금 벤처기업 하는 것 보면 얼마나 우수한 제품들이 만들어집니까. 세계 속에서 뛰어난 영화도 만들고 있습니다. 우리에게 자랑스러운 지적 전통과 교육열이 있기 때문입니다. 교육열이 높은 민족이 오늘날 세계화 시대에 도전해 나가고 있다고 할 수 있습니다.

이창섭 외국인이 볼 때는 한국 사람들이 내셔널리즘이 강하고, 고유의 행동을 하니까 국제적 시각에서는 좀 안 맞는다는 말들이 있습니다. 한국이 고쳐야 할 점은 무엇입니까?

의인義人을 버리지 말고, 악인惡人을 돕지 말아야 한다

김대중 고쳐야 할 점보다 노력해야 할 점은 의롭게 노력한 사람, 가령 민주화 위해서 투쟁한 사람을 도와주고 격려해 주어야 합니다. 그런 사람들은 국민의 격려 없이는 유지할 수가 없어요. 그리고 악한 사람과 싸우지는 못 하더라도 지지하거나 돕지 말아야 합니다. 그러니까 의인을 버리지 말고 악인을 돕지 말아야 합니다. 그것은 손해 안 보고도 할 수 있는 일이죠. 그렇게만 하면 바른 일을 하려는 사람은 용기백배하고, 옳지 않은 일을 하려는 사람은 이래서는 안 되겠다는 반성을 하게 되거든요. 그 점이 우리가 부족합니다.

우리는 오랜 독재정권에 시달리면서 빈부 격차가 심하고 분배가 부족한 정치를 하고 있습니다. 최근에 "생산이 있어야 분배할 것 아니냐"는 얘기를 하는데 그건 아닙니다. 분배가 있어야 소비가 있고, 소비가 있어야 생산이 됩니다. 그래서 생산과 분배는 수레의 양 바퀴입니다. 현재 우리나라의 800만 명 이상의 노동자가 임시직입니다. 이런 노동자들은 외식할 여유도 없고, 바캉스에 갈 여유도 없습니다. 그러니까 식당이 잘 안 되고, 바캉스 산업이 잘 안 되고, 의류산업이 잘 안 됩니다. 왜냐하면 임시직 월급 받아서는 겨우 입에 풀칠하는 것 외는 다른 일을 할 수 없기 때문입니다. 월급으로 자식들 교육비 대고 나면 그것도 모자라죠. '국민의정부'에서 그걸 시작했기 때문에 저도 지금 그때 판단을 잘했느냐 하는 반성이 있습니다. 그러나 그 후로 상상도 못 하게 너무 많이 임시직이 늘어나 버렸어요. 그때는 외환 위기 상황으로 아주 어려울 때니까 기업을 살리려면 어느 정도 정리를 할 수밖에 없는 상황이었기 때문에 그것을 구실로 했는데 그때 생각했던 것보다 엄청나게 늘어 이제 임시직이 정규직보다 숫자가 많아졌습니다. 같은 일하고 월급은 반도 못 받고 그걸 누가 받아들이겠습니까. 이런 문제는 고쳐야 합니다. 임시직에 대해서 교훈이 하나 있습니다. 최근에 일본 정부가 백서를 발표했는데 임시직을 많이 늘이다 보니 결국에는 기업에 대한 충성심이 약해지고, 충성심이 약해지니 좋은 물건을 만드는 힘이 약해지고, 열심히 일 안 하고, 항상 불안해, 좋은 것만은 아니라는 겁니다. 그래서 일본이 오래 하던 평생고용, 그리고 임시직을 정규직화하는 문제를 다시 한번 진지하게 검토해야겠다는 말을 하고 있습니다. 우리도 이런 문제에 대해서 대책을 세워야 하지 않겠는가 생각합니다. 여하튼 이만한 부자가 된 나라가, 세계에서 경제적으로 12, 13위하는 나라가 노동하면서 밥도 못 먹고, 자식들 교육도 잘 못 시키고, 건강도 제대로 유지 못 하고, 그런 사람이 노동자들의 반수 이상이 된다고 하면 그것이 어떻게 건전한 발전이 될 수 있겠습니까.

외국인 노동자, 외국인 유학생은 우리에게 도움 된다

김대중 그리고 최근 외국 불법 노동자들을 단속하는데 과거 로마가 크게 성장할 수 있었던 것은 지중해 주변 일대를 점령하여 그 사람들을 모두 포용하고 그중에서 우수한 사람은 로마 시민권을 주고 자치를 하도록 허용했기 때문입니다. 말하자면 외부 사람, 즉 이방인을 수용하는 데서 로마가 제국이 될 수 있었던 것입니다. 미국이 저렇게 대국이 된 것도 그야말로 이방인이 와서 미국을 키운 것 아닙니까. 캐나다는 그것을 수용 안 해서 미국에 뒤지게 된 것입니다. 지금 우리나라에 외국 노동자가 없다면 3D 산업을 할 수 없을 것입니다. 또 하나 중요한 것은 외국 학자는 외국 유학생을 많이 끌어들여야 합니다. 그 사람들은 우리의 지적 풍토에 많은 자극을 주고 여기서 공부하고 나오면 우리에게 보탬이 됩니다. 미국이 그래서 성공한 것입니다. 프랑스나 영국에서 대학 나오고도 거기에서는 학벌 차별하니까 미국으로 건너와 버렸습니다. 미국은 유럽에서 교육시킨 사람을 공짓으로 데려다가 쓴 것입니다. 드골 시대에 장 자크 세르방 슈레베르(Jean-Jacques Servan-Schreiber)라는 사람이, 당시 국회의원도 한 사람인데『미국의 도전』(The American Challenge)이라는 책을 썼는데 "프랑스에서는 소르본대학 안 나오면 출세 못 하고, 영국에서는 옥스퍼드나 케임브리지 안 나오면 출세 못 하니까, 지방대학 나온 사람은 아무 희망이 없어 모두 미국으로 가 버렸다. 그래서 우리가 지적 재산을 유출하는 바보 같은 짓을 하고 있다"고 했습니다. 그래서 유럽에서 굉장히 문제가 되고 드골에 대한 공격이 되고 그런 일이 있었습니다. 우리가 지금 외국 유학생들이 아르바이트해서 공부한다고 단속하는데 그럴 일이 아닙니다. 그 사람들이 일하면서 공부하면 얼마나 좋습니까. 그 사람들이 공부를 마친 후 여기 남으면 좋고 또 돌아가면 돌아간 대로 우리와 끈이 생기는 것 아닙니까. 우리가 원해서라도 할 일입니다. 그런 점에서 우리가 21세기에 살아남으려면 그런 배타적인 생각은 버려야 하고 타

민족을 수용하는 자세가 필요하다고 생각합니다. 그러므로 부의 생산만이 중요한 것이 아니라 공정한 분배도 좋다는 것을 각성하고 시정해 나가야 한다고 생각합니다.

이창섭 화제를 돌려 독도 문제 해법과 한·일 관계에 대해 말씀해 주십시오.

독도, 일본 우익들이 애국운동의 미끼로 활용해

김대중 일본과 우리는 지리적 관계로 보나, 경제적 관계, 안보상의 상호 의존성으로 보나 반드시 좋은 관계를 유지해야 합니다. 그런데 두 가지를 경계해야 합니다. 하나는 일본이 보수화해서 민주주의가 약해져 가는 경향이 있습니다. 또 하나는 일본이 한국에 와서 시혜를 베풀었다는 등 과거를 미화하기 시작한 것입니다. 이것은 그대로 놔두면 일본이 무슨 일을 할지 모릅니다. 일본은 독일과는 정반대입니다. 독일은 과거에 대해서 철저히 반성하고 보상하고 교육하고 있는데 일본은 그걸 안 한다는 것입니다. 그 점을 경계해야 합니다. 그러나 기본적으로 좋은 관계를 유지하고 서로 협력해야 합니다. 그것이 양국에게 공동의 이익이 된다는 것입니다. 그리고 독도 문제는 별도로 떼어 내서 얘기해야 합니다. 나는 대통령 5년 재임 중 독도 소리 한 번도 하지 않았습니다. 나는 그렇게 하는 걸 반대했습니다. 김영삼 정권이나 노무현 정권이나 독도 문제로 떠드는 것 반대했습니다. 지금도 반대합니다. 독도는 지금 우리가 실효적 지배를 하고 있습니다. 이것이 우리의 최대의 강점입니다. 그리고 사실 독도는 일본 정부나 국민들의 관심이 없었는데 우리가 떠들어서 일본 사람이 "독도가 저런 거냐. 우리 것인지도 모르겠다." 이렇게 만들어 버린 것입니다. 그리고 일본의 우익들이 이것을 이용하고 하나의 애국운동의 미끼로 잡아서 활용하고 있습니다. 그래서 우리가 쓸데없이 자극되어 버린 것입니다.

일본은 어떤 일이 있어도 독도가 자기네 거라는 말은 포기 안 합니다.

1965년 한·일협정 때도 독도 문제 가지고 긴장이 일어났지만 안 됐습니다. 그런데 일본으로서는 만일 독도가 우리 거라고 하면 러시아와는 북방 4도 문제가 있고, 남쪽에서는 센카쿠 열도 문제가 중국하고 있기 때문에, 그런 문제에도 영향이 있다고 생각하기 때문에 독도가 우리 것이라고 못하는 겁니다. 거기다가 일본의 우익 세력이 너무도 크기 때문에 감히 우리 것이라는 말을 못 하는 겁니다. 그러나 학자들 중에는 독도가 한국 거라고 하는 사람이 있습니다. 그래서 우리는 크게 한·일 관계, 우호 관계는 유지해야 합니다. 그리고 일본의 잘못된 점을 경계해야 합니다. 이 문제와 분리해서 우리가 실효적 지배를 하고 있기 때문에 조용히 해야 합니다. 왜 군함 보내고 비행기 보냅니까. 조용히 해야지. 그렇지 않으면 일본 우익 세력만 좋아하게 되어 있습니다. 지금 그렇게 되고 있어요.

일본은 그렇다면 국제사법재판소로 가면 된다고 말하고 있습니다. 사법재판소로 가는 것에 대해 일본은 상당한 집념과 자신을 가지고 있습니다. 우리가 "우리는 안 간다. 우리 건데 왜 사법재판소가 가느냐."라고 하면, 일본은 우리보고 "네 것이면 가만히 있지, 왜 자꾸 내 것이라고 떠드냐. 네 것이면서 왜 일본보고 내 것이라고 하라고 하느냐"고 할 것입니다. 그러니까 독도 문제는 떠들면 떠들수록 일본 우익 좋게 하고, 떠들면 떠들수록 국제 분쟁 지역이 되어 버립니다. 독도 문제는 일본의 국회의원 중 우익 세력이 많은데 그런 사람들이 뭐라고 하건 "우리는 그렇게 생각 않는다. 독도는 우리 거다." 이런 정도로만 대응하고 꾸준히 실효 지배를 강화시켜 나가면 됩니다. 그리고 이것에 대해 할 일은 역사적 문헌 등을 연구해서 일본의 주장과 우리의 주장을 대비해서 우리가 옳다는 것을 정리해서 만들어야 합니다. 그래서 일본어로 만들어서 일본의 뜻있는 사람들, 양식 있는 사람들에게 돌려야 합니다. 이렇게 홍보를 제대로 하면서 겉으로는 독도 문제를 키우지 않도록 노력해야 합니다. 독도 문제를 키우는 것은 일본 우익 좋은 일만 하고 국제분쟁으로 가는 길만 열어 준다는 것을 잘 알아야 합니다. 분통한 마음은 알지만, 외교란 것은 아무리 분해도 참을 땐 참는 것이 외교지 분하다고 떠들면 그것은 국익이 안 될 때가 있거든요.

이창섭 다음 주제로 넘어가겠습니다. 지역감정이 망국적인 병이라고 했는데 요즘 보수, 진보의 이념 갈등을 보면, 지역감정은 낭만적이라고 할 정도로 심합니다. 이것을 조화롭게 이룰 수 있는 방법은 무엇일까요?

좌파, 빨갱이라고 하면 어떻게 대화가 되겠는가

김대중 그것은 선진국에서 배워야 합니다. 영국의 노동당과 보수당, 우리나라로 말하면 한나라당과 민주당이죠, 그리고 독일 기민당과 사민당이 그런 사상 논쟁, 이념 논쟁 한 일이 없고, 서로 정권 교체 잘 해 나가고 있습니다. "나도 민주주의자지만 너도 민주주의자다. 너도 국민을 위하지만 나도 국민을 위한다"는 그런 생각을 서로 갖고 있습니다. 볼테르가 "나는 네 생각에 동의하지 않지만, 네 생각을 주장할 권리를 옹호하기 위해 싸우겠다." 이런 말을 했는데, 그런 여유와 정치적 관용이 있어야 합니다. 무턱대고 상대방이 틀렸다, 그것도 그냥 틀린 정도가 아니라 좌파다, 좌파란 것은 빨갱이란 건데, 멀쩡한 사람보고 그렇게 하는데 어떻게 대화가 되겠습니까. 다행히 국민이 현명해서 두 번, 세 번 정권 교체가 평화적으로 됐습니다. 내가 처음으로 여야 정권 교체 이룬 후 민주주의가 한국에 제대로 됐는데, 나는 개혁 세력이 한 10년 했으니까 이번에 보수 세력이 하는 것도 나쁘지 않겠다고 처음부터 그렇게 생각했습니다. 그리고 또 개혁 세력이 너무 오래 하면 거기에서 문제점이 자꾸 생깁니다.

그런데 보수 세력이 정권을 잡았더라도 민주주의 한 이상 새로 등장한 정권은 과거 정권을 계승하는 것 아닙니까. 그런데 잘한 일도 얼마든지 있는데, 계승은 제대로 안 하고 '잃어버린 10년'이다, 다 못 쓸 거다 이렇게 하면 안 되죠. 물론 잘못한 일은 따라갈 필요 없습니다. 외환 위기 극복한 것이 잘못입니까. 정보화한 것이 잘못입니까. 적자투성이 기업과 은행 모두 흑자 내는 좋은 기업과 은행으로 바꾼 것이 잘못입니까. 과거 해체되었던 기업들 대우건설, 대우조선, 현대건설 등이 지금 비싼 값에 팔리고 있잖아요. 39억 달러밖에 없던 외환 보유고가 2,200억 달러 되었는데 이것이 '잃어버린 10년'이라고 할 수 있습니까? 남북 관계를 50년 계속하던 냉전으로부터 화해 협력의 방향으로 돌린 것이 왜 '잃어버린 10년'입니까?

국민들이 깨어 있으면 나랏일을 그르치지 않는다

이창섭 '국민의정부'에서는 외교 문제로 비판받은 적이 별로 없었던 것 같습니다. 그런데 현 정부에서는 미국 가서도 잘 해 보려고 했는데 좋은 소리 못 듣고, 중국도 가서 그렇게 좋은 대접 받은 것 같지도 않고, 러시아는 아직 방문 못 하고 있고, 일본과도 저런 상태인데, 외교 문제는 여야가 같고 진보 보수가 없는데 앞으로 한국이 잘되려면 외교를 어떻게 해야 할까요?

김대중 그 문제에 대답하기에 앞서서 몇 말씀 드리겠습니다. 제가 대통령 되고 보니까 여러분도 기억하시겠지만 미국과 관계가 좋지 않았습니다. 중국, 러시아 관계도 별 진전이 없었습니다. 그런데 제가 4강 외교를 했습니다. 그리고 햇볕정책을 내걸고, 단숨에 4개국을 모두 우호 관계로 바꾸었습니다. 그리고 5년 동안 유지했습니다. 제가 클린턴 대통령을 만났을 때 클린턴 대통령이 저에게 "당신이 말한 햇볕정책이 뭐냐"고 설명을 요청했습니다. 제가 "햇볕정책이란 서로 대립된 의견을 갖고 있는 사람이 평화적으로 대화를 통해서 결론을 내리는 것이다. 그리고 그 결과는 공동의 이익이 되는 결과를 얻는 것이다."라고 말했더니 클린턴 대통령이 그 자리에서 "나는 당신의 정책을 지지한다. 당신이 앞장서서 해라."라고 말했습니다.

나는 (1998년) 일본 갔을 때도 그냥 "과거를 묻지 않겠다. 미래지향이다." 이렇게 말하지 않았습니다. 일본에 대해서 과거에 대해서 확실히 사죄를 요구했습니다. 그래서 일본의 오부치 총리가 한·일 역사상 처음으로, 과거에 무라야마 담화에도 아시아에서 어쨌다고 했지, 한국을 지적하지 않았는데, 그때 처음으로 "한국민에 대해서 다대한 피해를 끼친 데 대해서 진심으로 사죄한다"고 했습니다. 저는 그렇게까지 분명하게 답을 받았습니다. 저는 답례로 "일본은 전후에 민주화를 하고 또 공적개발원조(ODA) 같은 계획을 가지고 세계 후진국을 어느 나라보다 많이 돕고 있는 것을 평가하고 앞으로 미래지향적으로 나가자" 고 화답했습니다. 일본 국회에서도 연설했습니다. 나는 이번에 이명박 대통령이 일본에 대해서 아무 조건 없이 "과거는 말할 필요 없다. 미래지향이다." 이렇게 한 것은 좀 성급했다고 생각합니다. 외교라는 것은 상대방에 대해서 쥐고 있는 끈은 쥐고서 조금씩 변화시켜야지 내가 쥐고 있는 끈을 놔주면서 상대방보고 나한테 하라고 하면 잘 안 하는 경우가 많습니다. 그리고 특히 정부에 대해서 얘기하고 싶은 것은 일본과의 관계에서 반드시 좋게 해야 합니다. 최근 하나 놀란 것은 주일대사가 여기 와서 연설하면서 일본 비난하는 것을 보고 참 놀랐습니다. 어떻게 저런 일을 하나, 그리고 어떻게 저런 일을 말리지 않는가. 그렇게 생각했습니다. 그래 가지고는 외교가 되지 않습니다.

그리고 미국에 대해서는 지금 부시가 잘못된 정책을 바꿔서 내가 말한 대로 북한과 직접 대화하고 줄 것 주고받는 6자회담을 하고 있습니다. 그러니까 미국과 그 문제는 적극 협력하고 쇠고기 문제 등 다른 무역 문제는 별도로 처리하고 미국과는 좋은 관계를 해 나가야 합니다. '국민의정부' 때 중국 장쩌민 주석이 대놓고 지지했습니다. 그런데 이번에 중국이 이 대통령이 가는 그 자리에서 한·미방위조약을 비판하고 그러지 않았어요? 물론 중국이 그렇게 한 것은 실례라고 생각하지만 우리 외교도 부족한 것이 아닌가 생각합니다. 뭔가 중국이 마음속에 품고 있는 것을 얘기한 것 같습니다. 구체적으로 말하면 "한국이 너무 미국 일변도다. 미국과 손잡고 한·미방위조약의 유연성 얘기하면서 주한 미군이 중국도 공격하는 데 사용하는 이런 방향으로 가는 것 아니냐. 한국이 미사일방어체제(MD)도 받는 쪽으로 가는 것 아니냐"는 생각이 중국에 있는 것 같습니다. 그 문제에 대해서 나는 정부가 중국과 진지한 대화를 해야 하다고 생각합니다. 러시아는 현재 대통령이 방문도 하지 않고 있지 않습니까? 그래서 지금 내가 볼 때 제대로 좋은 나라가 별로 없는 것 같습니다. 부시와의 관계는 좋지만 그것이 꼭 미국과 관계가 좋다고 말할 수 없습니다. 그런데 내가 내 자랑한 것이 아니라 4대국 관계가 나빴던 것을 집권해서 반년 이내에 우호 관계로 바꾼 것을 '잃어버린 10년'이라고 생각하지 말고 왜 그렇게 될 수밖에 없었나 그런 점을 연구할 필요가 있지 않나 생각합니다.

이창섭 이번에 중국에서 올림픽도 열리고 있는데 세계 정세로 봐서 힘의 추錘가 미국이냐, 아니면 미국 쪽에서 중국으로 가는 것이냐, 아니면 가는 과정에 있는지 어떻게 보고 계십니까?

중국이 배타적 민족주의로 가면 많은 재난이 올 것

김대중 지금은 한마디로 얘기해서 전후 상당 기간 미·소 양극 시대, 소련 붕괴 후 미국 일극 시대, 그러다 지금 미국 일극 시대가 약화되고 다극화 시대로 가고 있습니다. 미국, 일본, 중국, 인도, 러시아, 유럽연합(EU), 브라질 등 다극화 시대로 가고 있습니다. 중국이 과거에 한번 세계 1등 한 일이 있습니다. 1820년 당시 세계 국내총생산(GDP)을 보면 중국이 27퍼센트, 인도가 14퍼센트, 영국이 5퍼센트, 미국이 1퍼센트였습니다. 그런데 산업혁명의 물결을 타고 제국주의가 발전해 가면서 서구 사회가 급격히 변화했습니다. 산업혁명에 뒤진 중국은 결국 아편전쟁으로 몰락하고 결국 반半식민지 상태가 되었습니다. 그래서 중국 사람에게 '중화사상'은 뿌리 깊게 있습니다. '중화'라는 것이 중국이 세계 중심이 된다는 말입니다. 중국은 중국을 세계의 중심이 되는 그런 나라로 만들겠다는 배타적 민족주의로 갈 가능성이 상당히 있습니다. 중국은 문제점이 바로 그것입니다. 그렇게 되면 많은 재난이 올 것입니다. 요즘 티베트나 신장자치구 사람들에게 중국이 하는 것 보면 그런 조짐이 보이거든요.

그래서 그런 점에 있어서 중국에 대해서는 여러 가지 전망이 있을 수 있습니다. 그리고 중국은 경제는 지역에 따라서, 계층에 따라서 편향이 아주 심합니다. 그리고 중국의 대기업과 금융기관이 대부분 부실을 안고 있습니다. 그리고 부패가 심합니다. 이런 것은 중국이 극복해야 합니다. 요즘 중국 각지에서 여러 가지 분열이 일어나고 때로는 수만 명까지 동원한 시위도 있는데 당연한 일입니다. 경제가 발전하면 중산층이 생깁니다. 중산층이 생기면 자유를 요구합니다. 영국도 그렇습니다. 영국은 귀족들이 순수하게 부르주아지에게 자리를 주어 평화적으로 민주화가 되었습니다. 프랑스에서는 귀족들이 안 주다가 왕과 귀족이 모두 몰살되었습니다. 최근 중국에 중산층이 5천만 명 이상이 되었다고 합니다. 그러니까 그 사람들의 힘이 엄청나게 퍼져 지금 어지간하면 잡혀가는 것 두려워하지 않고 할 말 한다고 합니다. 신문이나 방송이 많이 늘어났습니다. 이제는 정부가 기존의 감시 기능 가지고는 통제 불능한 상태가 되고 있습니다. 그래서 경제 발전하면 반드시 민주화로 가지 않으면 문제가 생깁니다. 민주화로 갔을 때 승리로 발전합니다. 그래서 중국이 경제 발전한 것을 두려워하고 걱정만 할 것이 아니라 잘 이용해서 중국에서 돈 벌고, 한편으로는 중국이 민주화 방향으로 가도록 국제적으로 연대해야 합니다.

　지난번 하버드대에서 연설하고, 또 여러 곳에서 얘기했는데 "당신들이 중국에 대해서 봉쇄하고 밀어붙이면 중국 사람들의 민족주의가 아주 강한데 그것을 군부가 이용해서 군부가 중국을 지배하게 될 것이다. 그렇게 되면 아주 나쁜 상태가 온다. 중국에 대해서 다른 잘못된 무력을 사용하지 않을 정도로 견제적인 무력을 준비만 하고 중국의 현 지도층들이 안심하고 개혁할 수 있도록 해 주어라"고 얘기했습니다. 현재 중국에서 일어나고 있는 재미있는 현실은 현재 중국 정부 내에서 좌파, 우파가 다투고 있다는 것입니다. 좌파는 마오쩌둥주의를 주장하는데, "우리가 지금 빈부 격차가 심하고 부패가 심한 것은 개혁 개방 때문이다. 그러니 다시 옛날로 돌아가야 한다"고 주장합니다. 거기에 대해서 우파는 "그건 아니다. 지금 우리가 빈부 격차가 심하고 부패가 심한 것은 민주주의를 안 해서 감시 기능이 부족하기 때문에 그렇다. 스웨덴 같은 나라를 봐라. 얼마나 잘하고 있느냐. 우리는 장차 스웨덴을 목표로 나가자"고 말하고 있습니다. 그런데 이런 우파의 말을 후진타오(胡錦濤) 주석이 상당히 지지하고 있습니다.

　그래서 중국에 대해서 여러 가지 전망이 있는데 우리가 이웃 나라로서 중국과 관계를 잘 유지해야 합니다. 한류가 중국에 얼마나 큰 영향을 주었는지 계산할 수 없습니다. 중국 사람들이 "어떻게 해서 한류가 나올 수 있었느냐"고 묻습니다. "우리 중국에서도 드라마를 만드는데 그렇게 국민들이 열광하지 않는데 한국은 어떻게 그렇게 만드느냐"고 묻습니다. 우리가 거기에 대해 답변하기가 어렵습니다만, 우리나라는 창작의 자유가 있기 때문에 아무도 정부를 두려워하지 않고, '국민의정부' 이래 국가보안법 적용 이런 것이 없어지고, 정부가 지원만 하고 간섭 안 하는데, 너희들은 툭하면 가위질하고 옛날에 우리가 하듯이 감시하고 "이렇게는 안 된다. 빼라"고 원고 삭제시키고 그러면 좋은 것이 나올 수 없지 않으냐 말하고 싶은 것입니다. 그런데 한류가 적은 것 같아도 중국에 큰 영향을 주고 있습니다.

얼마 전에 한국의 재벌 총수가 "우리는 한쪽에는 중국, 한쪽에는 일본 사이에 끼어서 위태롭다"고 얘기했는데 그럴 수도 있습니다. 그러나 우리는 양쪽에서 돈벌이할 수 있습니다. 마치 도랑에 든 소가 양쪽의 풀 뜯어 먹듯이. 그러니까 우리 지혜에 달려 있고 우리의 노력에 달려 있습니다. 그러니까 모든 것에 양면이 있습니다. 마이너스, 플러스가 있습니다. 지혜로운 나라는 어떻게 하면 마이너스를 최대로 줄이면서 어떻게 하면 플러스를 최대로 살리느냐 그것을 생각합니다. 중국이 지금 세계 최대의 시장인데 시장이 가장 가까운 우리가, 또 같은 한자 문화권 나라인 우리가 가장 유리한 입장에 있다고 봐야 합니다. 그래서 그런 점에 있어서 지혜롭게 대처해야 합니다.

외교하는 국민이 되자

김대중 그리고 이제는 우리 국민들이 '외교하는 국민'이 되어야 합니다. 언론에서도 국민에게 외교 분야를 많이 보도해 주어야 합니다. 이제는 세계화 시대이고, 더구나 우리가 약소국가이고, 4대국에 둘러싸여 있으며, 외교를 잘해야 합니다. 조선왕조 말엽에 외교를 잘했다면 안 망했을 것입니다. 당시 독일 공사가 일·청전쟁 후 조선반도를 중립지대로 하자고 하자 그때는 일본도 러시아를 두려워할 때여서 그 주장에 일본도 동의했습니다. 그런데 우리 정부의 대신들이 "중국이 우리의 상국上國인데 어떻게 우리가 중립을 하느냐"고 했습니다. 미얀마가 영국 식민지가 되고, 남쪽의 말레이시아, 동쪽의 인도네시아는 프랑스 식민지가 되었을 때, 태국은 가운데 있으면서도 살아났습니다. 태국이 프랑스, 영국 양국에 외교를 하는데 "당신네가 지금 이렇게 양쪽에 식민지 가지고 있는데 접경을 하면 부딪치지 않느냐. 그래서 우리가 가운데서 중립을 하면 완충지대가 되니까 제발 우리를 이대로 놔두라. 그래서 우리 독립을 허용하면 우리는 책임지고 중립을 지키겠다." 이렇게 외교를 잘해서 독립을 유지한 것입니다. 다 먹혔는데 태국은 안 먹혔습니다. 그렇게 된 것입니다.

그래서 앞으로 우리는 무엇보다 국민이 외교를 중요시해야 합니다. 더구나 남북통일 과정에서는 남북 관계의 외교, 또 국제적 지원을 받아야 할 외교, 엄청나게 많습니다. 지금 6자회담이 잘되어 북핵 문제가 해결되면 6자회담의 합의에 의해서 동북아 안보 체제를 만들어야 합니다. 그러면 제가 1971년 말했던 '4대국 한반도 평화 보장', 다시 말하면 4대국에 남북을 합친 것이 6자회담이 된 것입니다. 그것만 잘하면 우리 한국은 상당히 안정되고 4대국을 견제하면서 때로는 중심적 역할도 할 수 있다고 생각합니다.

이창섭 중국의 개혁 개방에 대해서 말씀하셨는데 김정일 체제에서 북한의 개혁과 개방이 가능할 것으로 보십니까?

유럽 나라들이 벌써 북한 들어가기 시작했다

김대중 북한이 개방하려고 하고 있고, 미국이 과거 정책을 바꿔서 북한과 대화하지 않았습니까? 김정일 위원장은 미국과 관계 개선을 원하고 심지어 친미 국가가 되겠다고 말하고 있지 않습니까? 개혁 개방하겠다는 거죠. 경제 발전시키겠다는 거죠. 북한은 엄청난 지하자원이 있습니다. 텅스텐, 마그네사이트, 금, 동, 석탄 등을 가지고 있습니다. 유럽나라들이 벌써 북한 들어가기 시작했습니다. 그 이유는 첫째는 지하자원, 둘째는 관광자원입니다. 관광자원은 그동안 폐쇄되어 있었기 때문에 세계의 관광들이 아프리카까지 다 갔지만 북한은 못 갔습니다. 그래서 열리기만 하면 엄청나게 들어갈 것입니다. 셋째는 북한의 높은 교육을 받고 군대 훈련을 받은 우수한 노동력, 중국보다 노임이 반밖에 안 된 노동력을 활용하자는 것입니다. 넷째는 북한은 앞으로 일본과 국교 정상화해서 100억 달러 이상 받고, 국제통화기금(IMF)에서 돈 빌리고 외국 투자 들어오면 사회간접자본(SOC)을 크게 발전시키고자 하고 있습니다. 그러면 그 공사에 뛰어들자는 것입니다. 다섯째는 북한을 무역 상대로 상품을 팔아먹자는 것입니다. 이 다섯 가지를 유럽 사람들이 얘기하고 있습니다.

그리고 북한은 이미 개혁 조치를 취한 이후로 조금씩 시장경제를 받아들이고 있습니다. 지금 북한에 남대문시장과 같은 재래시장이 390여 개가 있다고 합니다. 그래서 북한도 그런 것 안 하고 싶고, 공산주의의 원리대로 하고 싶지만 그렇게는 안 되고, 그렇게 하면 망하고, 의지할 데가 없고, 세계에서 공산주의는 북한 혼자 하게 되고, 백성은 굶어 죽고 병들어도 못 고쳐 주고, 이제 살길은 개혁 개방밖에 없습니다. 미국과 협력해서 족쇄를 풀고 국제적 지원을 받자는 것이 북한의 목적입니다.

이창섭 우리는 그것에서 지렛대 역할을 해야 하는데 현 정부는 적대적입니다. 우리는 어떻게 해야 할까요.

김대중 우리도 결국은 북한과 관계를 개선할 것입니다. 미국과 북한이 관계 개선을 하는데 우리만 안 하면 어떻게 합니까? 그리고 앞으로 동북아 안보 체제에 6개국이 참여해 만드는데, 거기에 우리가 안 나가겠습니까? 동북아 안보 체제라는 것은 너희들 남북의 안전을 보장해 줄 테니 같이 사이좋게 지내라는 것 아닙니까? 그리고 당장의 이해관계를 보더라도 우리가 북한으로 가면 거리가 가깝고, 문화가 같고, 말이 통하고, 같은 민족이라 북한에 가서 노다지를 캘 수 있습니다. 우리가 가장 유리합니다. 우리 중소기업들 북한에 안 가면 살아날 수가 없습니다. 지금 중국에서 밀려나오고 있지 않습니까? 그러니까 이해관계를 보더라도 우리가 북한에 쌀 좀 주고 비료 조금 준 것 보고

'퍼주기'라고 했는데 이제 '퍼오기'가 될 수 있습니다. 물론 북한과 공동 이익을 추구해야 합니다. 지금 개성공단에 진출한 기업들이 이익을 보고 있습니다. 그래서 우리에게도 이익이 되는 것입니다. 그러니까 이 정부가 끝까지 그렇게 버틸 수 없습니다. 그래서 이명박 대통령이나 정부 사람들의 말에 조금씩 변화가 엿보이고 있습니다. 결국은 다른 길이 없습니다. 국가 문제에서 가장 중요한 것은 국가의 안전과 국익입니다. 그런데 북한과 하는 것은 국익이 됩니다.

대한민국이 앞으로 살길은 북한과 관계를 개선하는 일

김대중 그렇게 되면 남쪽을 출발한 기차가 북한을 관통해서 유라시아 대륙으로 나가게 됩니다. 우리는 반도라고 하지만 반도는 육지로도 가고 바다로도 가야 반도인데 우리는 육지로 가지 못합니다. 북한과 관계가 개선되어 기차가 가면 시베리아, 몽골, 중앙아시아로 갈 수 있습니다. 중앙아시아는 지금 노다지판입니다. 시베리아, 몽골은 없는 자원이 없습니다. 우리가 가서 참가할 수 있어야 합니다. 커다란 국익이 거기서 일어납니다. 지금 세계 구석구석 다니면서 많이 했는데 이제는 거기가 미개척 지역입니다. 그리고 우리 기차가 파리, 런던까지 가는데 그렇게 되면 배로 가는 것보다 시간은 30퍼센트, 임금은 20, 30퍼센트 절약됩니다. 그러면 우리는 태평양 지역의 물류 거점이 됩니다. 물류가 일어나면 산업, 금융, 보험이 일어납니다. 문화, 관광산업이 일어납니다. 그러면 우리가 세계의 4, 5위 국가가 될 수 있습니다. 대한민국이 앞으로 살길은 북한과 관계를 개선하는 일입니다. 안 하면 어렵습니다.

그리고 도대체 주위에 중국은 13억, 일본은 1억이 넘는 세계 1, 2위 경제 대국 사이에 끼어 7천만 명밖에 안 되는 민족이 200만 명에 달하는 대군이 대치하고 매일 군비 증강하고 이래 가지고 우리가 살아남겠습니까? 물론 나는 지금은 '1동맹 3우호 체제'를 해야 한다고 생각합니다. 미국과 동맹하고, 중국, 러시아, 일본과 우호 체제를 해야 합니다. 첫째는 1동맹, 둘째는 3 우호 체제, 셋째는 유럽연합(EU)과 관계 발전, 넷째는 기타 개발도상국가와 협력을 지향하는 것이 우리 외교에 대해서 좋다고 생각합니다.

이창섭 개헌에 꼭 고려해야 할 사항은 무엇이라고 생각하시는지요?

정부통령제, 4년 중임제 개헌 필요

김대중 지금 체제 문제는 대통령중심제냐 내각책임제냐인데, 그 문제는 국민이 어느 쪽을 좋아하느냐가 문제입니다. 국민이 좋아하니까 영국, 독일은 내각책임제하고, 국민이 좋아하니까 미국은 대통령중심제 합니다. 내가 알기로 우리 국민은 약 60년 동안 대통령중심제에 익숙하고 선호하는 것으로 알고 있습니다. 그러면 대통령중심제 하면 이대로 좋으냐인데, 그건 고쳐야 합니다. 1987년 6월항쟁 때 직선제 할 때 야당 쪽에서 내세운 것은 정부통령제와 4년 중임제였습니다. 그런데 4년 중임제는 전두환 씨가 단임제를 큰 자랑으로 생각하고 중임제는 안 된다고 해서 못 했습니다. 그때는 개헌의 주도권이 여당에게 있었어요. 그리고 정부통령제는 당시 야당에 김대중, 김영삼 2명이 있었는데 잘못하면 이 사람들이 하나씩 맡아서 하면 선거 못 이긴다, 이래서 여당이 안 들었어요. 그것은 지금 한번 생각해 볼 문제가 있다고 생각해요.

그리고 저번에도 내가 얘기했지만 대통령과 도지사는 선거운동을 하게 해 줘야 해요. 그래야 대통령이 마지막 나가는 날까지도 여당을 장악할 수 있고 도지사가 지자체장들을 장악할 수 있습니다. 선거에 내일모레 나갈 사람들은 표가 제일 중요한데 대통령이 와서 지원 연설도 못 해 주는데 그런 사람을 누가 따르겠어요. 미국을 보십시오. 부시 대통령이 국회의원들에게 돌아다니면서 얼마나 많이 연설해 주고 모금 파티에 참가해 주고 그럽니까? 그러니까 대통령을 존중하는 거죠. 대통령이 아무것도 못 해 주니까 대통령을 당에서 나가라고 쫓아내다시피 하지 않습니까. 그래서는 정치 안정이 안 되고 정치 발전도 안 돼요. 그것은 제고할 필요가 있다고 생각합니다.

* 이 글은 『코리아타임스』 인터뷰 녹취록 전문이다. 2008년 8월 14일에 인터뷰하여 8월 15일에 보도되었다. 당시 『코리아타임스』 이창섭 국장, 오영진 부국장이 인터뷰하였다.

21세기는 아시아의 시대

대담 장 벨리보

일시 2008년 8월 26일

장 벨리보 대통령님도 오래 걸어오셨고, 모험을 거치셨죠?

김대중 그리 말씀해 주셔서 감사합니다.

장 벨리보 2000년 8월 캐나다를 떠나 8년을 걸어 53개국을 다녔습니다. 모험이었죠. 대통령님 같은 분들이 세계의 많은 사람들에게 영감을 주셨죠. 감사드립니다. 아동의 평화를 위해 걷습니다. 21세기가 시작될 때 노벨평화상 수상자들과 아동을 위한 새천년 선언에 서명해 주신 점에 대해 감사드립니다.

김대중 나도 장 벨리보 씨께서 평화와 어린이를 위해, 길다는 말로 표현하기 힘든 긴 여정을 시작하신 데 대해 진심으로 감사합니다. 장 벨리보 씨의 그런 노력은 세계 사람들에게 많은 감동과 영감을 줬을 것으로 생각합니다.

장 벨리보 한국, 역사, 대통령님의 업적 등에 대해 배우고 있습니다. 저는 아시겠지만, 아동학대 방지와 평화를 위해 걷습니다. 북한의 아동학대 상황은 어떻다고 보십니까?

김대중 북한은 영양실조, 굶주림, 병 치료를 제대로 못 받아요. 영양실조로 발육이 나빠, 성인이 되어도 제대로 활동할 수 있을지 걱정하고 있습니다. 북한은 폐쇄된 사회라 우리가 마음먹은 만큼 못 하고 있고, 현재 남북 관계가 어려워서 지원이 쉽지 않습니다. 하지만 정부 차원뿐만 아니라 민간 차원에서도 계속 지원했고, 하고 있고, 앞으로도 계속할 것입니다.

장 벨리보 아시아와 한국의 미래는 어떻습니까? 현재 신세대들이 잘해 나갈 수 있겠습니까?

김대중 21세기는 아시아의 세기라고 합니다. 중국, 인도가 크게 일어나고 있고, 일본은 이미 발전이 성숙했고, 한국도 빠르게 발전하고 있습니다. 아시아는 유럽연합, 나프타와 같이 아시아만의 블록을 형성하여 아시아, 미주, 유럽 등 지역 블록들과 서로 협력해서 세계 평화에 기여할 것이라고 봅니다.

장 벨리보 유럽연합처럼 아시아연합을 구상하십니까?

김대중 유럽연합(EU)처럼 되는 것은 먼 미래이겠지만 지금은 느슨한 협력 체제를 형성하고, 민주화를 위한 공동의 노력을 통해 진행될 것입니다.

장 벨리보 아시아 일부 지역의 민주주의는 취약합니다. 그런 곳에서도 민주주의가 확보되겠죠?

아시아의 대세는 민주주의, 희망적인 전망 가능하다

김대중 차츰 아시아도 민주화로 가고 있습니다. 유럽은 민주화에 100년 이상 걸렸는데 아시아는 그렇게 걸리지는 않을 것입니다. 아시아의 과반수는 민주적 선거체제를 가지고 있습니다. 아직 인권, 개인의 자유 쪽에서는 개선의 여지가 있습니다. 그건 시간문제지요. 주목할 것은 10억의 인구를 가진 인도가 민주주의를 하고 있고, 인도네시아, 일본, 한국 등이 민주주의를 하고 있고, 그래서 아시아의 대세는 민주주의입니다. 그렇게 걸어왔고 앞으로도 걸어갈 것입니다. 아시아의 민주화에 대한 신념은 아시아인의 정치적 의식이 성숙했고, 또 하나는 경제 발전을 통해 기업이 또는 지식인 등 중산층이 생겼다는 거죠. 역사적으로 중산층이 생기면 영국, 프랑스에서 보듯, 민주주의로 이어집니다. 그런 점에 있어서는 희망적인 전망이 가능합니다.

장 벨리보 마지막 질문입니다. 환경 문제입니다. 글로벌화된 개발 때문에 기후 온난화 같은 문제가 발생했습니다. 작은 지구에 너무 많은 개발이 이루어지는 데 대해 어떤 의견이신지요?

김대중 그 어느 것보다 긴급하고 위험스러운 문제입니다. 시간이 많이 없어요. 환경 문제는 세계가 서둘러서 대처하지 않으면 파멸로 이어질지 몰라요.

지난번 일본 주요 8개국(G8)회의에서 2050년까지 이산화탄소 배출을 반으로 줄인다고 하는데 그렇게 긴 스케줄로는 안 돼요. 2020년에는 뭐 하고 2030년에는 뭘 할지 정해서 진전 상황을 챙겨야 합니다. 그리고 교토의정서를 지켜야 합니다. 미국이 탈퇴했는데 다시 협력해야 합니다. 미국은 그럴 의무가 있습니다. 왜냐면 가장 이산화탄소를 많이 배출하는 나라니까요. 감사합니다.

* 이 글은 평화 도보 운동가 장 벨리보(Jean Beliveau)와 김대중 대통령의 대담이다. 2008년 8월 26일 오후 3시, 김대중 대통령의 사저에서 진행됐다. 백강종 목사, 한국방송(KBS) 「사미인곡」 팀, 하태윤 비서관, 최경환 비서관이 함께 자리했다.

걱정은 하지만 비관하지 않는다

대담 노르베르트 람머트
일시 2008년 8월 28일

김대중 한국에 오신 것을 환영하고 제 사무실에 와 주셔서 감사합니다.

람머트 이렇게 방문을 허락해 주셔서 감사합니다. 코쉬 회장은 한국을 자주 방문하시지만 저는 두 번째 방문입니다. 또 의회 대표로서 공식 방문하기는 이번이 처음입니다. 이번에 제가 온 목적은 한국과 독일 국회 간의 우호 관계 증진입니다.

김대중 다시 한번 한국을 방문해 주셔서 감사합니다. 우호 관계 발전에 많은 노력을 부탁합니다. 한국인들은 독일에 관심이 많습니다. 분단의 역사를 공유하고 있고, 한국이 독재 치하에 있을 때 독일은 정치계, 사회 전반, 종교계에서 많은 지원을 해 주었습니다. 그리고 한국의 민주화와 인권 향상 노력에 많은 성원을 보내 주었습니다. 개인적으로도 제가 어려운 시기에 독일 정계, 사회 각계각층의 지원을 받았고, 특히 사형 선고를 받았을 때 여야를 막론하고 국회에서 저의 구명 활동을 해 주었습니다. 폰 바이체커 대통령, 브란트 총리, 겐셔 외무 장관의 지원을 감사히 여기고 있습니다.

람머트 제 경험을 통해 볼 때 독일에서는 대통령님만큼 인지도가 있는 인물이 없습니다. 한국의 발전을 이끌어 오셨고, 여러 민주화 활동으로도 이름이 있으시고, 대통령으로서뿐만 아니라 그 이전 활동으로, 한국의 정치 시스템의 변화를 이끄신 분으로 알려져 있습니다. 이렇게 만나 뵙게 되어 대단히 기쁩니다. 독일의 정치인들과 동료들이 안부를 전합니다. 먼저 한국의 분단 상황에 관련한 질문을 드리고 싶습니다. 독일에서 보면 현재 남북 관계는 교착상태에 빠져 있습니다. 합의까지는 아니더라도 정기적인 접촉은 있어야 하는데 그렇지 못합니다. 현재 핵 문제를 둘러싼 상황을 어떻게 보십니까?

북핵 협상, 파탄 나지는 않을 것

김대중 저에 대해 그렇게 말씀해 주시니 감사합니다. 기본적으로 핵 문제는 6자회담 틀에서 대화와 협상으로 해결되어 나갈 것입니다. 그렇게 확신하는 이유는 미국이 대화를 통해 주고받는 협상을 하고 있기 때문입니다. 미국은 군사력을 사용할 여력이 없고, 경제 제재 조치도 효과가 없음을 경험했습니다. 북한도 대미 관계를 개선하고자 합니다. 그렇지 않으면 국제사회에 나갈 수도 없고, 파탄 난 경제도 회복시킬 수 없습니다. 이 양자의 이해가 일치하기 때문에 핵 문제는 반드시 해결될 것입니다.

문제는 부시 정권하에서 해결될 것인지, 차기 정권으로 넘어갈 것인지 하는 것입니다. 6자회담 합의에 따르면 10월 말까지 기한이 있습니다. 하지만 현재 진행이 원활하지 못해 교착상태에 빠져 있습니다. 북한 외무성은 미국이 북한을 테러지원국 명단에서 삭제하지 않으면 핵 불능화를 다시 원상 복구할 가능성이 있다고 했는데, 이는 미국의 민주당과 공화당 양쪽에 보내는 메시지라고 봅니다. 부시 정권에게는 만약 약속을 이행하지 않으면 차기 정권으로 사안을 넘기겠다는 메시지를 보낸 것입니다. 오바마에게는 북한이 미국의 새로운 지도자와 정상회담을 할 수 있다는 메시지를 준 것입니다. 9월, 10월이 남았는데 사태 해결 가능성은 50퍼센트 이상으로 봅니다. 그렇게 되지 않는다 해도 다음 정권으로 협상이 넘어가게 되지, 파탄은 나지 않을 것입니다.

람머트 전망하시는 의견에 타당성이 있습니다. 북한 핵 시설은 이 지역뿐만 아니라 전 세계 여러 국가에도 위험이 됩니다. 하지만 제가 보기에는 핵 문제와 한국의 중요 이슈인 통일 문제와는 직접적인 연관성이 없어 보입니다. 즉, 남북한 문제는 아닌 것으로 보입니다. 핵 문제가 남북한 관계의 전제 조건이 된다고 보십니까?

김대중 북·미 문제이지 남북 문제로 보기는 어렵습니다. 저는 1998년부터 2003년 2월까지 5년간 대통령 재임 기간 동안 반은 클린턴 대통령과, 반은 부시 대통령과 일했습니다. 클린턴 대통령 때는 북·미는 직접 대화하고 주고받는 협상을 했습니다. 클린턴 대통령이 1년 또는 1년 반이라도 더 대통령 임기에 있었다면 북한 문제는 거의 대부분 해결되었을 것입니다. 하지만 그러지 못하고 임기가 끝나 버렸습니다.

한국 정부, 남북 관계 해결책 찾는 의지 안 보여

람머트 미국 행정부 수반이 누구냐에 따라 상황이 달라진다는 것을 이해합니다. 일단 북·미 간 핵 문제를 떠나서 남북 관계만 보면, 밖에서 보기에는 상황 이해를 잘 못 할 수 있을 것 같습니다. 대통령님 재임 시절에는 어떤 상황에서든 일종의 합의를 이끌어 낼 수 있었지만, 현재 한국 정부는 그런 해결책을 찾고자 하는 의지가 많이 없어 보입니다. 외부자 관점으로는 그렇습니다.

김대중 잘 보셨습니다. 현 정부는 저와 노무현 정부를 '잃어버린 10년'으로 봅니다. 전 정권의 정책을 계승하겠다는 선언을 하지 않고 있습니다. 그 때문에 북한과 대화가 안 되는 것입니다. 그렇다고 정부가 다른 뾰족한 대안이 있는 것도 아니고, 암초에 걸려 있습니다. 당분간은 남북 대화는 단절 상태로 갈 것이고 대치적 상황으로 갈 것입니다. 하지만 큰 흐름에서 보면 이명박 대통령이 북한과 대화하겠다고 하고 있고, 6자회담이 잘되면 남북 관계에도 긍정적으로 영향을 미칠 것입니다. 현재는 걱정스럽지만 기본적으로는 비판적이지 않습니다. 또 북한이 북·미 관계 개선, 북·일 관계 개선을 위한 움직임을 보이고 있습니다. 그런 가운데 한국이 남북 관계 개선을 노력하지 않으면 우리만 소외될 위험성이 있습니다. 한국 정부가 가만히 손 놓고 있지는 않을 것입니다.

람머트 인생을 보면 무슨 일이든 혼자서는 할 수 없습니다. 일을 도모할 때는 어느 정도의 이해관계가 있는 파트너가 반드시 필요합니다. 그렇지 않으면 상황은 어려워지고 실패로 끝나기도 합니다. 독일의 경험을 보면 통일 전 서독은 최소한 국민들이 동독을 여행할 수는 있어야 하고, 친지들을 만날 수는 있어야 하겠다는 의지가 있었습니다. 동독은 그런 관심은 아니었지만 돈이 필요하다는 경제적인 이해관계가 있었습니다. 그래서 완전히 다른 것이었지만 이해관계가 있었기 때문에 좋은 결과로 이어질 수 있었습니다. 그래서 남북 관계와 비교해 볼 때 한국 정부는 민간 차원 교류, 이산가족 상봉 등을 통해 상황을 개선시키겠다는 어떤 열망이 덜 한 것 같습니다. 북한에는 정말 중요한 이해관계가 있을까요? 경제 회복을 위한 돈은 필요할 텐데요.

김대중 동서독과 비슷합니다. 북한은 우리의 도움이 절실합니다. 재임 시절 저는 매년 쌀 40만 톤과 비료 30만 톤을 북한에 제공하여 도움을 주었습니다. 남북정상회담 후 저는 이산가족 상봉을 추진하여 분단 후 50년 동안 200가족 정도만 상봉을 했던 것이 18,000가족으로 늘어났습니다. 그리고 이산가족 상봉을 정례화하는 장소로 금강산에 큰 건물 두 곳을 지었습니다. 지금은 남북 관계가 소원하여 운영이 안 되고 있습니다. 그런 과정에서 북한 사람들이 많이 변했습니다. 과거에는 우리를 원수로 봤었는데 그게 아니라는 것도 알게 되었고, 도와주는 걸 보면서 남한이 잘산다는 것을 알게 되었고, 남한을 부러워하게 되었습니다. 북한이 낙원이 아니라는 것도 알게 되었지요. 이는 마치 동독이 서독을 부러워하던 것과 같습니다. 그리고 한국의 가요, 드라마, 영화를 비공식적이지만 즐기고 있습니다. 북한에 내면적 변화가 왔습니다. 북한은 우리의 경제적 도움이 절실히 필요합니다. 그래서 반발하는 것도 한계가 있을 것입니다. 저는 이 대통령이 좀 더 적극적인 태도를 보였으면 좋겠습니다. 저와 노무현 대통령의 공동선언에 대한 입장을 분명히 하면 남북 관계는 개선될 것입니다.

람머트 독일과 유사한 점을 보신다는 것이 흥미롭습니다. 물론 차이점도 있겠지요. 다음은 한국을 벗어나 아시아 지역에 관한 질문을 드리겠습니다. 대통령님께서 유럽연합(EU)의 발전 과정을 보셨을 것입니다. 이제 27개국이 회원국으로 가입되어 있습니다. 그 과정이 정치 및 경제통합 과정이었음도 알고 계실 것입니다. 그런 과정이 가능했던 이유는 동기가 있었기 때문인데, 즉 어떤 유럽 국가도 단독으로는 20세기 세계 무대에 나서지 못할 것이라는 것입니다. 그래서 서로 뭉쳐 유럽 대륙의 힘으로 세계에 나서야 한다는 동의가 있었습니다. 이와 유사한 전개 과정이 아시아 지역에서도 일어나고 있는지요? 개념적으로라도 말입니다. 그렇다면 어떤 모습이어야 할까요?

6자회담이 지역안보 체제로 전환하면 평화에 크게 기여할 것

김대중 상상력이 필요한 질문이군요. 세계적인 추세는 단일국가에서 지역협력 체제로 가는 것이고, 아시아가 이 경향에서 뒤져 있다는 것은 사실입니다. 동남아시아 국가들이 동남아시아국가연합(ASEAN)이라는 경제협력기구를 창설하였고, 한·중·일 3개국이 동남아시아국가연합(ASEAN)과는 분리된 멤버로서 참여하는 아세안+3(ASEAN+3)이라는 체계가 있습니다. 저는 1998년 베트남에서 열린 아세안+3(ASEAN+3) 정상회의에서 유럽연합(EU) 같은 지역연합체를 만들자는 제안을 했고 받아들여졌습니다. 그래서 동아시아정상회의가 정기적으로 열린 지가 2-3년이 됩니다. 여기에는 동남아 국가, 동북아 국가뿐만 아니라 호주, 인도까지 포함됩니다. 아직 시작에 불과합니다. 어떤 모습일지는 아직 논의되지 않았습니다만 장기적으로는 유럽연합적인 성격이 될 것입니다. 하지만 당장은 가능한 부분부터 협력을 해 보자는 노력을 하고 있습니다.

람머트 유럽은 오랫동안 동남아 국가들과 접촉해 오면서 벌써 30년 전부터 공동의 협의 체계를 운영해 오고 있습니다. 처음에는 12-15개 회원국에 불과했지만 이제는 회원국이 두 배로 늘었습니다. 이는 정치적인 구조일 뿐만 아니라 시장 통합적인 구조이기도 합니다. 대통령님께서 지적하신 대로 아시아 전체는 이런 통합 추세에서 뒤지고 있다는 것은 옳으신 말씀입니다.

김대중 또 하나 말씀드릴 것은 6자회담이 성공하면 동북아에 남북한, 미국, 일본, 중국, 러시아가 참여하는 지역안보 체제로 전환될 것으로 예상됩니다. 그러면 지역 평화에도 크게 기여할 것입니다.

람머트 대통령님, 감사합니다. 대표단을 대신하여 이렇게 만나 주셔서 대단히 감사드립니다. 또한 현안에 대한 개인적인 의견까지 주셔서 새로이 알게 된 것도 있고 또 향후 한국에서의 일정을 소화하는 데 많은 도움이 될 것 같습니다. 감사합니다. 다음에는 베를린이나 서울에서 또 뵙기를 희망합니다.

---

* 이 글은 김대중 대통령과 노르베르트 람머트(Norbert Lammert) 독일 국회의장 방한단의 면담록이다. 2008년 8월 28일 오후 4시 30분, 김대중도서관 5층 집무실에서 진행됐다. 하르트무트 코쉭(Hartmut Koschyk) 독·한국회의원친선협회 회장과 노르베르트 바스(Norbert Baas) 주한 독일 대사 등이 함께했다.

근본은 민족과 국민에 대한 사랑

대담 정세현
일시 2008년 9월 1일

'칠전팔기'의 국민적 저력을 보여 준 60년

정세현 올해는 정부 수립 60년이 되는 해입니다. 우리는 지난 60년 동안 많은 성장을 하고 발전을 이루었습니다. 그러나 한국전쟁과 분단이라는 뼈아픈 경험을 하기도 했는데요, 분단 체제하에서 정부 수립 60주년이 가지는 가치와 의미는 무엇이라고 보십니까?

김대중 세계에서 식민지가 되었던 나라들은 많지만, 망명 초기부터 임시정부를 수립해서 해방된 그날까지 간판을 지킨 나라는 우리밖에 없습니다. '대한민국'이라는 이름은 임시정부가 일제의 탄압을 피해 상하이, 항저우, 광둥, 충칭 등으로 이동하면서 지켜낸 귀중한 역사를 지니고 있습니다. 비록 1,300년 동안 통일된 나라가 둘로 분단되는 비극을 겪으면서 정부 수립이 이루어졌지만, 우리는 '대한민국'이라는 이름을 지켰고, 우리 헌법에서도 임시정부 법통을 계승한다고 명시되어 있습니다.

정부 수립 60년 동안 많은 어려움이 있었지만, 그때마다 우리 국민은 다시 일어섰습니다. 민족 간의 전쟁으로 국토가 폐허가 되기도 하고, 군사독재가 장기간 계속되기도 했습니다. 그리고 수많은 사람들이 피 흘리고 희생하면서 민주주의를 세웠습니다. 외환 위기 때는 온 국민이 힘을 모아 금 모으기를 하면서 파탄된 경제를 일으켰습니다. 이와 같이 엎어지면 일어나고, 또 엎어지면 다시 일어나면서 마침내 세계에서 경제적으로 11번째 나라요, 베이징 올림픽에서 7위를 하는 나라가 됐습니다. 대한민국 정부 수립 60년은 칠전팔기의 국민적 저력을 보여 준 60년이라고 생각합니다.

정세현 남북 문제와 관련해서 보수 정권이 가지는 의미는 무엇이라고 보십니까? 남북 화해와 민족의 통일이라는 큰 틀에서 봤을 때, 현 정부는 어떤 역할을 해야 한다고 생각하십니까?

김대중 남북 간의 관계는 "서로 전쟁하지 말자. 서로 화해 협력해서 공동 번영으로 나가자. 그리고 때가 되어 우리가 이만하면 되겠다고 했을 때 통일하자"는 것이 원칙입니다. 이것에 대해서는 보수든 진보든 반대할 이유가 없을 것입니다. 독일의 경우 빌리 브란트 총리가 동방정책을 실시할 때 처음에는 보수당인 기민당이 반대를 했습니다. 그런데 나중에는 지지하고 개선해서 마침내 기민당하에서 독일통일이 이루어졌습니다. 이렇듯 민족과 국가의 이익 앞에서는 보수와 진보가 다를 수 없다고 생각합니다.

한반도 문제도 민족의 장래를 위해서 남북이 공동으로 협력해 나가야 합니다. 앞으로 6자회담을 통해 동북아 안보 체제가 마련되어 나갈 텐데, 거기에서 우리가 주도적으로 안을 내고 이끌어 나가고자 한다면, 서로 대화하고 협력하지 못할 이유가 없을 것입니다.

'민주적 보수'와 '민주적 좌파'는 양립할 수 있다

정세현 지난 10년을 "잃어버린 세월이다. 좌파 정권 시대였다"고 비판하는 사람들이 있습니다. 이러한 평가에 대해서는 어떻게 생각하십니까?

김대중 '잃어버린 10년'이라고 하면, 지난 10년이 잘못됐으니 과거로 돌아가자는 것인데, 이것에 대한 국민들의 위기의식이 있다고 생각합니다. "다시 권위주의 시대가 오는 것 아니냐, 민주주의의 위기가 오는 것 아니냐." 하는 걱정스러운 부분들이 있는 것입니다.

10년 전 국민의정부는 외환 위기를 맞은 나라를 인수해서, 그 위기를 극복했습니다. 세계에서 외환 위기를 극복한 모범 국가가 됐습니다. 2년 내에 국제통화기금(IMF) 외환 위기를 극복하겠다고 약속했는데, 결국은 이루어 냈습니다. 캉드쉬 국제통화기금(IMF) 총재는 세계를 돌아다니면서 가장 성공한 모범이 한국이라고 홍보했습니다. 그리고 우리나라의 금융 위기를 관장하던 루빈 미국 재무장관은 한국에 와서 연설할 때 "한국이 외환 위기를 극복한 것은 한국 정부 사람들의 노력과 국민들의 영웅적 노력의 덕택이다."라는 말을 했습니다. 우리의 노력을 세계가 인정한 것입니다. 그리고 정치적으로도 완전한 민주주의를 이루었습니다. 처음으로 평화적인 여야 정권 교체를 이루었고, 인권위원회와 여성부 설립, 민주노총 합법화 등 많은 민주적인 일들을 이루어 냈습니다.

또한 경제도 활성화되었습니다. 1998년 외환 위기 초기에는 어려웠지만 이후 국민의정부 4년 동안 평균 7퍼센트, 심지어 10퍼센트가 넘는 성장을 하기도 했습니다. 그래서 경제가 안정되었습니다. 그리고 아시다시피 북한과 대화해서 50년 적대적인 냉전 체제를 화해 협력과 평화의 방향으로 새롭게 출발시켰습니다. 무엇보다 국민들이 과거와 같은 두려움 없이 살게 되었습니다. 국내적으로 권력투쟁이 없이 살고, 국제적으로는 북한의 남침에 대한 두려움이 없었습니다. 예전에는 판문점에서 총소리가 나면 보따리 싸고 도망갈 궁리를 했었는데, 북한이 핵실험을 했어도 사회가 흔들리지 않습니다. 그만큼 긴장이 완화된 것입니다. 그런데 이것이 어떻게 잃어버린 10년이겠습니까?

잃어버린 10년이라는 표현은 다시 옛날로 돌아가고자 한다는 오해를 받을 수 있습니다. 이번에 촛불시위에 많은 대중이 참여한 것도 쇠고기가 계기는 됐지만, 과거의 시대로 돌아갈 것 같은 두려움에 대한 잠재의식이 표출된 것이라고 생각합니다. 모든 정부는 잘한 것과 못한 것이 있습니다. 후임 정부는 선임 정부의 잘한 것을 인수하고 못한 것은 고쳐 나가야 합니다. 선임 정부의 잘한 것도 부정한다면 나라가 어떻게 되겠습니까?

정세현 우리 사회의 좌파, 우파 논쟁은 어떻게 보십니까?

김대중 지금 독일은 좌파인 사민당과 우파인 기민당이 연립정부를 하고 있습니다. 많은 나라들에서 좌우파가 연립하고 있습니다. 좌파에는 '독재적 좌파'가 있고 '민주적 좌파'가 있습니다. 독재적 좌파는 공산주의로 결국은 몰락하고 있고 민주적 좌파는 건재합니다. 영국의 노동당과 독일의 사민당, 미국의 민주당을 민주적 좌파라고 볼 수 있을 것입니다.

그리고 보수에도 '독재적 보수'가 있고, '민주적 보수'가 있습니다. 독재적 보수는 몰락했지만, 민주적 보수는 건재합니다. 민주적 보수는 독일의 기민당과 일본의 자민당, 미국의 공화당이 아닙니까.

이렇게 같이 있는 것이 자연스러운 것입니다. 상대를 인정하지 않고, 좌파를 공산주의로 몰아세우고, 국법에 의해 처벌하려 한다면 그것은 일당 독재를 하자는 것입니다. 그런 자세를 가지고 어떻게 정치의식이 성장한 국민들을 설득해 나갈 수 있겠습니까. 위대한 국민 앞에서 이런 식으로 정치를 이분법적으로 접근해선 안 됩니다. 경쟁이 아닌, 적대로 끌고 가는 일은 하지 말아야 한다고 생각합니다.

정세현 민화협은 결성 이후 남남 대화를 통해 보수, 진보의 갈등 해소를 위해 노력해 왔습니다. 그러나 민족 문제를 둘러싼 양 진영의 갈등은 여전히 해소되지 않고 있는데요. 해결 방안은 무엇이라고 생각하십니까?

김대중 남남갈등 해소를 위해서는 첫째로 나도 애국자지만, 너도 애국자라는 것을 인정해야 합니다. 야당의 권리도 6:4 정도로 인정하는 자세가 필요합니다. 그리고 다음 선거에서 국민이 상대를 지지하면 기꺼이 받아들이겠다는 자세가 필요합니다. 그래야 넘겨주었다가 다시 돌려받을 수도 있는 것입니다. 볼테르라는 사람이 "내가 너의 의견에는 반대하지만, 당신의 말할 수 있는 권리를 위해 싸우겠다"는 말을 했습니다. 나는 무엇보다도 현 정부 사람들이 야당을 좌익시하고, 애국심이 부족한 사람으로 몰려 하는 태도를 바꿔야 한다고 생각합니다. 상대를 인정하지 않고 상대의 권리를 봉쇄하려고 해선 안 됩니다.

우리나라에서 독재적 좌파는 발붙이기 힘듭니다. 그렇기 때문에 4·19혁명과 6·10항쟁 같은 수많은 위기가 닥치고, 나라가 혼란스러웠을 때도 공산주의가 영향을 미치지 못했습니다. 우리나라 정치가 다른 민주국가같이 순조롭고 서로 화목하게 발전하고 국민의 의사에 따라 정권 교체가 평화적으로 이루어지려면, 야당도 애국자이고 우리와 같은 민주주의자들이고 국민을 똑같이 존중하고 공산주의를 절대로 반대하는 사람이라는 인식을 갖는 것이 필요합니다.

6·15와 10·4합의를 인정하고, 남북정상회담을 추진해야

정세현 새 정부 들어와서 남북 관계가 많이 어려워졌습니다. 정부가 6·15선언과 10·4선언에 대한 입장을 명확하게 하지 않은 상황에서 금강산 사건까지 터지면서, 남북 관계가 개선의 실마리를 찾지 못하고 있습니다. 이러한 불편하고 불안한 상황이 오래갈 것 같은데요, 현재의 남북 관계를 풀어 나갈 해법은 없겠습니까?

김대중 이 문제는 아주 간단합니다. 과거 국민의정부, 참여정부가 남북정상회담을 통해 합의한 6·15공동선언과 10·4선언을 현 정부가 인정하고, 그 실천 과정에서 문제점이 있는 것은 보완한다는 태도를 취하면 됩니다. 정부

정책의 연속성이라는 측면에서 볼 때, 전 정권에서 한 것을 다음 정권에서 인정하지 않는다면, 누가 우리나라를 신임하겠습니까? 앞으로 정체된 남북 관계를 풀고 나아가 더 좋은 관계를 만들기 위해서는 남북정상회담이 필요합니다. 기존에 합의한 두 선언을 인정하고 이 실천을 협의하기 위해서 만나면, 이를 통해 제3의 합의도 이루어 낼 수 있다고 생각합니다. 북한에서는 김정일 위원장이 신과 같은 존재인데, 그 사람이 직접 서명한 것을 휴지화하려는 인상을 주어서는 문제를 해결할 수 없습니다.

남북 관계는 부시 정부의 정책을 교훈 삼아야 합니다. 부시의 정책은 "나쁜 자하고는 대화할 수 없다. 핵을 포기하면 보상하지만, 미리 보상할 수 없다"는 것이었는데 6년 동안 결과가 무엇이었습니까? 북한이 핵확산금지조약(NPT)을 탈퇴하고, 국제원자력기구(IAEA) 감시 요원을 추방하고, 장거리미사일을 발사하고, 결국은 핵 보유 국가가 되었습니다. 그리고 미국은 북한을 공격하기도 힘들고 경제 봉쇄도 한계가 있으니, '행동 대 행동'의 직접 대화 정책으로 바꾸었습니다. 실패한 정책을 따르려고 해서는 안 됩니다.

'1동맹 3친선' 관계를 유지해야

정세현 남북 관계와 한·미 관계를 배타적 관계로 인식하는 경향이 있습니다. 화해 협력 정책을 펼친 지난 10년 동안 한·미 관계는 어떻게 변화되었다고 보십니까? 남북 관계와 한·미 관계가 선순환 구조로 발전하기 위한 방안은 무엇이라고 보십니까?

김대중 저는 임기를 시작하면서 한·미 관계와 남북 관계가 적대적 관계가 되어서는 안 되고 한국, 북한, 미국 3자가 순기능을 하면서 공동 이익을 추구하는 관계가 되어야 한다는 인식을 가지고 있었습니다.

1998년 6월 미국 클린턴 대통령과 정상회담을 하는데, 클린턴이 햇볕정책이 뭐냐고 묻더군요. 그래서 "이해관계가 대립된 사람들끼리 전쟁이나 냉전으로 문제를 푸는 것이 아니라, 대화를 통해 평화적으로 문제를 해결하고 공동의 이익을 만들어 내는 것이 햇볕정책이다."라고 설명했습니다. 그리고 구체적으로 평화 공존, 평화 교류, 평화 통일의 원칙 아래, 1단계 남북연합, 2단계 남북연방, 3단계 완전 통일을 이루는 것이 목표이고, 전쟁에 의한 통일이나 흡수 통일은 바라지 않는다고 말했습니다. 그랬더니 클린턴은 "우리는 당신의 햇볕정책을 전면적으로 지지하겠다. 당신이 앞장서면 우리가 돕겠다"고 했습니다. 그때는 남북 관계와 한·미 관계, 북·미 관계가 순기능으로 발전했습니다. 클린턴이 반년만 더 했어도 북·미 관계는 크게 진전되었을 것입니다.

3자가 선순환 구조로 발전하기 위해서는 남북 간에 좋은 것이 북·미 간에도 좋아야 하고, 북·미 간에 좋은 것이 남북 간에도 좋아야 합니다. 3자가 모두 좋아야 합니다. 그래서 남북이 한반도 평화와 통일, 동북아 안보 체제를 마련하는 데 미국과 같은 목소리를 낼 수 있어야 합니다. 미국은 우리에게 절대적으로 중요한 나라입니다. 중국, 러시아, 일본은 우리나라를 침략했으나 미국은 그런 적이 없습니다. 멀리 있기 때문에 영토적 야욕을 가질 이유가 없는 것입니다. 군사적으로 안전하게 우리를 도와줄 나라는 미국입니다. 그렇기 때문에 한·미동맹은 아주 중요하고 우리에게 이익이 되는 것입니다. 한반도 평화와 우리의 이익을 위해서 한국과 북한, 미국 3자가 상호 이익이 되는 협력 체계를 만들어 가야 합니다.

저는 항상 우리가 통일을 내다볼 때 "망원경처럼 멀고 넓게 보고, 현미경처럼 가깝고 깊게 봐야 하며, 이 둘이 연결되어야 한다"고 주장합니다. 그런 의미에서 이후 동북아 안보 체제와 통일 문제를 다룰 때 남, 북, 미 3자 협력 체제가 잘되는 것이 절대적으로 필요합니다. 그러나 미국과의 동맹 관계를 강화하면서 한편으로 중국, 러시아, 일본과도 친선관계를 유지해야 합니다.

6자회담에서 합의한 동북아 안보기구가 구성되어 한반도가 안정적으로 될 때까지는 '1동맹 3친선 관계'로 가야 한다고 생각합니다.

정세현 북핵 문제가 해결의 순서를 밟으면서 북·미 관계가 개선되고 있고, 북·중 관계도 더욱 밀접해지고 있습니다. 남북 관계가 소원한 가운데, 북한이 국제사회와 밀접해지면서 한국 정부만 소외되는 것 아니냐는 우려가 있는데요, 북핵 문제 해결 과정에서 한국은 어떤 역할을 해야 한다고 생각하십니까?

김대중 제가 1971년 대통령 선거 때부터 일관되게 주장해 온 것이 '4대국 한반도 평화 보장'입니다. 4대국에 남북을 합친 것이 지금의 6자회담입니다. 주변국과의 관계를 잘 풀어 나가는 것은 한반도 평화를 위해 매우 중요합니다. 북핵 문제 해결을 위해서는 6자회담이 성공하도록 성실히 돕는 게 최선의 길이고, 그 과정에서 우리가 소외되지 않으려면 우선적으로 남북 관계가 좋아야 하고, 한·미동맹 관계도 확고해야 합니다.

무엇보다 중요한 것은 6자회담을 통해 북핵 문제가 해결되면서 남북 관계가 발전하고, 이것이 동북아 안보 체제로 발전해 나가야 한다는 것입니다. 이를 통해 남북을 잇는 철도가 북한을 거쳐 중국, 시베리아, 중앙아시아, 유럽까지 들어가야 합니다.

우리는 지금 분단으로 인해 바다로만 가고 육지로는 못 갑니다. 그러나 육지로 뻗어 나가면 파리, 런던까지 갈 수 있습니다. 이렇게 되면 물류비가 바다보다 20-30퍼센트 싸지고 시간도 절약됩니다. 미래 경제 발전의 엄청난 가능성을 가지고 있는 것입니다. 한반도가 유라시아 대륙을 관통해서 태평양과 대서양을 연결하는 동쪽의 거점이 되는 것입니다. 새로운 물류의 흐름이 한국을 중심으로 일어납니다. 물류가 일어나면 산업이 일어나고 금융이 일어납니다. 관광이나 문화산업도 일어납니다. 그때가 되면 한국은 세계의 5대 선진국 대열에 들어갈 수 있을 정도로 발전할 것입니다.

1820년에 영국은 세계 총 국내총생산(GDP)의 5퍼센트, 미국은 1퍼센트밖에 되지 못했습니다. 당시 중국이 세계 총 국내총생산(GDP)의 27퍼센트, 인도 14퍼센트를 차지하고 있을 때입니다. 그러던 영국과 미국이 오늘날의 세계를 주도하고 있습니다. 조건을 잘 활용하면 우리라고 그렇게 부상하지 못할 이유가 없습니다. 우리도 잘 대응하면 크게 부상할 것입니다.

통일되면 유라시아 관통하는 중추 국가 될 것

정세현 젊은 세대들의 통일이나 민족 문제에 대한 관심이 상당히 부족합니다. 제대로 된 통일 교육이 이루어지지 않고 있는 것도 문제이고, 입시 위주 교육 때문인지, 개인주의 성향 때문인지도 좀 더 따져 봐야 할 것 같은데요. 젊은 세대들이 통일에 대한 관심을 갖고 통일 문제에 주체가 되도록 하기 위해 필요한 것은 무엇이라고 보십니까?

김대중 무엇보다 통일이 왜 필요한지에 대한 교육을 해야 한다고 생각합니다. 첫째, 통일이 되면 젊은 사람들이 군대를 안 갑니다. 얼마나 좋습니까? 또 부산이나 목포에서 평양, 신의주, 백두산까지 마음대로 갈 수 있습니다. 기차를 타고 북한을 거쳐 중앙아시아까지 무전여행을 갈 수도 있습니다. 그만큼 평화스러운 것입니다. 평화가 얼마나 소중하고 감사한 것입니까? 전쟁이 나면 전쟁터에 나가서 목숨을 바쳐야 하는 젊은이들이 맘껏 자유를 누릴 수 있는데 이들에게 이것보다 중요한 것이 무엇이 있겠습니까?

둘째, 통일을 하면 손해냐, 이익이냐를 따져 볼 필요가 있습니다. 오늘날 중국은 엄청나게 커졌고 일본은 강국이 되었습니다. 그 사이에 우리가 끼어 있습니다. 7천만밖에 안 되는 인구가 둘로 갈라져 200만 군대를 가지고 엄청난 군사비를 쓰면서 살고 있습니다. 이런 상황인데 우리가 강대국의 틈바구니에서 제대로 살아갈 수 있겠습니까? 현재 한국의 경제는 매우 어렵습니다. 특히 중소기업이 그렇습니다. 싼 노동력 때문에 중국이나 베트남으로 진출했던 기업들이 되돌아오고 있습니다. 이제 우리가 갈 길은 북한뿐입니다. 개성공단에 들어간 기업들도 잘되고 있습니다. 북한은 거리가 가깝고 말이 통하고 문화가 같습니다. 노동력은 7년 동안 군대에서 훈련받아 아주 우수하고 임금도 중국의 반밖에 되지 않습니다. 우리가 노다지판을 옆에 두고 있는 것입니다. 뿐만 아니라 북한은 마그네사이트, 텅스텐, 금, 동, 석탄, 우라늄 등 풍부한 지하자원을 가지고 있습니다. 이미 중국을 비롯한 영국, 프랑스, 이탈리아, 스웨덴 같은 유럽의 여러 국가들이 이러한 북한의 경제적 잠재력을 보고 진출해 있습니다.

통일이 되면, 안전하고 당당한 독립국가가 될 수 있고 유라시아 국가를 관통하는 중추 국가로 큰 경제적 이익을 가질 것입니다. 관광지원, 지하자원, 노동력이 풍부한 북한이 북·미 관계 개선과 북·일 관계 정상화를 통해 일본으로부터 100억 달러에 달하는 전쟁 배상금을 받고 이를 통해 철도, 항만 등 사회간접자본(SOC)을 개발하면, 북한은 아주 매력적인 시장으로 부상할 것입니다. 이렇듯 평화는 귀찮고 우리 것만 뺏는 것이 아닙니다. 우리에게도 더 큰 이익과 새로운 기회를 주는 것입니다. 우리가 이런 것을 젊은 사람들에게 널리 알려야 합니다.

정세현 북한을 돕는 것이 오히려 북한 체제를 강화시킨다고 비판하는 사람들도 있는데요.

김대중 독일의 사례를 보면, 서독은 매년 민간, 정부 합쳐 30억 달러 이상을 동독에 주었습니다. 우리는 매년 교류협력 기금으로 5억 달러 정도로 지원했으니, 우리보다 훨씬 많은 금액입니다. 서독이 그렇게 동독을 지원해서 공산당이 강해졌다면 동독은 망하지 않았어야 합니다. 그러나 많이 주면 줄수록 망했습니다. 교류가 많아지고 접촉이 많아지니까 잘사는 서독과 합치고 싶은 마음이 동독 주민들에게 생겼고 결국은 동독이 원해서 통일이 된 것입니다.

우리가 쌀과 비료를 북한에 지원할 때, 포대에 '대한민국', '대한적십자사' 라는 이름이 그대로 붙어서 지원됩니다. 이를 통해 북한 사람들은 남에서 지원해 줬다는 것을 압니다. 깨달음이 있을 것입니다. 남쪽이 우리를 미워하지 않고, 돕고 있고, 전쟁을 하지 않으려 한다고 생각할 것입니다. 우리도 남쪽처럼 잘살았으면 좋겠다는 마음이 생길 것입니다. 이러한 심리적 변화가 문화적 변화를 이끌어 내는 것입니다. 북한에도 한류가 있다고 합니다. 바로 마음이 변하고 있는 것입니다.

정세현 오는 9월 3일, 민화협 결성 10주년을 맞이합니다. 지난 10년간 민화협의 역할을 어떻게 평가하십니까?

김대중 나는 민화협의 역할이 아주 중요하다고 생각합니다. 남북 관계가 잘되려면 정부 관계도 잘되어야 하지만, 민간도 잘되어야 합니다. 민간 차원에서도 협력하고 신뢰를 쌓아야 하고, 그런 역할을 민화협이 해 왔다고 생각합니다. 정부에 통일부가 있다면, 민간에는 민화협이 있었다고 생각합니다. 앞으로 더 큰 역할을 해 나가길 기대합니다.

가장 근본 철학은 민족과 국민에 대한 사랑

정세현 대통령님은 6·15남북정상회담으로 남북 화해 협력의 새로운 시대를 여셨습니다. 민족 문제에 대한 강한 소신과 결단이 없었으면 불가능했을 텐데요. 통일 문제와 남북 관계를 다루는 데 있어 가장 중요한 철학과 원칙에 대해 말씀해 주십시오.

김대중 나는 6·25전쟁 때 부산으로 피란 가서 두 가지 문제에 대해 참으로 절실한 생각을 가졌고 그것이 행동에 많은 영향을 미쳤습니다.

하나는 이승만 대통령이 자유를 위해 공산당과 싸운다고 하면서 독재를 하는 것을 보고 민주주의가 아니면 국민이 결코 행복할 수 없고 정치가 발전할 수도 없고 공산당을 이길 수도 없다는 생각을 했습니다. 자유가 있기 때문에 공산당보다 우월하다고 하면서 그런 자유를 뺏는 것을 보고 민주주의가 필요하겠다는 생각을 한 것입니다.

두 번째는 같은 동족이 전쟁을 일으켜 수많은 죄 없는 백성들이 죽는 것을 보고 남북이 서로 화해하고 협력해서 통일로 나가야 하고, 다시는 전쟁을 해서는 안 된다는 생각을 했습니다. 그것이 내가 정치에 투신하게 된 원인이기도 하고 그 이후로도 이 두 가지 축으로 일관되게 정치를 해 왔습니다.

그래서 1971년 처음 대통령 선거에 출마했을 때, 독재에 대해 강하게 비판하면서 남북 간에 평화적 교류를 해야 하고 4대국이 한반도 평화 보장을 해야 한다는 주장을 하게 된 것입니다. 그것만이 우리 민족이 살길이라고 생각했습니다. 망원경과 현미경 두 가지로 민족 문제를 보니까 그렇게 보이더군요.

나는 이상만을 좇아 무모한 행동을 하지도 않았고 현실만을 좇아 적당히 타협하고 굴복하지도 않았습니다. 현실과 이상의 두 축을 조화시키면서 일해 왔다고 생각합니다. 그것이 기본적으로는 민족에 대한 사랑, 국민에 대한 사랑, 우리의 운명에 대한 걱정과 미래에 대한 비전이었습니다. 그러나 무엇보다 가장 근본적인 철학은 민족과 국민에 대한 사랑이었다고 생각합니다.

---

* 이 글은 민족화해협력범국민협의회 10주년 특별 대담으로 『민족화해』 34호(2008년 9-10월 호)에 게재되었다.

1동맹 3우호 관계를 만들어 가야

대담 알렉산더 버시바우
일시 2008년 9월 2일

버시바우 한국에서 3년 임기를 마치고 2주 뒤면 떠나게 되는데 그 전에 이렇게 마지막 방문을 할 수 있어 대단히 기쁩니다. 더욱이 내주 대통령님께서 노르웨이행 비행기를 타시기 전에 이렇게 뵐 수 있어 다행입니다. 3년간 한국 관련 질문, 남북 관계, 동북아 문제, 한·미 관계 등에 대해 많은 지혜와 혜안을 나누어 주신 데 감사드립니다. 지난 3년간 한·미 양국 관계에서 많은 것을 성취했고 그래서 기쁜 마음입니다. 정권이 바뀌기도 했지만 한·미 방위, 통상, 남북 등 여러 분야에 진전이 있었습니다.

지난 몇 달은 부침이 좀 있었던 것도 사실이고 한국이나 미국의 국내 정치가 양국 관계에 영향을 미치는 것을 보면 아직 양국 관계가 취약한 부분이 있는 것도 사실입니다. 하지만 그러한 어려움도 극복할 수 있을 것입니다. 남북 관계의 현재 상태에 대해서 해 주실 말씀이 있으신지요?

김대중 남북 문제 답하기 전에 먼저 버시바우 대사는 역대 어느 대사들도 그랬지만 더 활발한 역할을 해 주었고 한국민들에게 다가가고 많은 말씀도 나서서 해 주었습니다. 그러한 노력이 상호 이해 증진에 기여했다고 봅니다. 한국 국민들도 대사의 귀임을 서운해할 것이고 앞날을 축복해 주실 것입니다.

개인적으로는 저에게 항상 친절히 대해 주셨고 많은 대화도 나눴고, 그러면서 저도 대사한테 배운 것이 많습니다. 제가 대사를 생각할 때마다 항상 좋은 추억이 떠오를 것입니다. 앞으로도 좋은 관계를 이어 나가길 바랍니다.

버시바우 좋은 말씀 감사합니다. 저에게도 한국 공관 생활은 항상 좋은 기억이었습니다. 훌륭한 정치인들뿐만 아니라 많은 젊은이들을 만나서 대화한 것이 참 좋았고 유익한 경험이었습니다.

김대중 남북 문제로 들어가면, 이명박 정부가 들어선 이후에 남북 관계가 경색되어 국민들이 긴장하고 걱정이 많습니다. 그러나 남북, 어느 쪽도 파국으로 치닫기를 원하지 않고 있습니다. 중요한 것이 두 가지가 있는데 그 첫째는 6자회담의 결과에 따라 북·미 간 핵 검증이 부시 대통령 임기 내에 해결될지 여부입니다. 그 결과에 따라 남북 관계가 영향을 받을 것입니다. 하지만 개인적으로는 부시 정부 내에서 해결이 되기를 바라고 다음 정부에서 누가 정권을 잡더라도 6자회담에서 합의된 노선을 대신할 대안은 없을 것입니다. 또 하나는 이명박 대통령의 태도입니다. 이 대통령이 제가 사인한 6·15공동선언과 노무현 정부가 선언한 또 하나의 공동선언을 수용하고 대화하겠다 하면 남북은 대화의 길로 들어설 것입니다.

버시바우 감사합니다. 저도 6자회담에서 검증 문제에 대한 해결안이 나와서 2단계를 마무리 짓고 차기 정부에서 3단계를 시작할 수 있으면 좋겠습니다. 그리고 풀리지 않은 문제가 있다 하더라도 누가 다음 대통령이 되어도 북핵 문제에 대해서는 계속해서 6자회담의 틀 속에서 해결안을 모색할 것입니다. 이를 대신할 수 있는 대안은 없습니다. 현재 북한이 문제를 좀 질질 끌어오고 있다는 게 매우 유감스럽습니다. 원안대로라면 지금쯤이면 3단계인 핵 포기 과정을 위한 협상이 시작되었어야 합니다. 김정일 위원장이 부시 대통령의 시간을 소진하려는 듯 보입니다. 남북 대화에 대해 말씀하신 생각은 저도 동감입니다. 현재 남북 대화가 중단되어 있는데 남북한 양쪽에 좋은 일이 아닙니다. 저희도 북한이 다시 대화로 나올 수 있도록 촉구하고 있습니다. 민주당도 그랬고, 한국에서도 민주국가로서 5년마다 정권이 바뀌는데 이제는 북한이 거기에 좀 익숙해져야 합니다.

김대중 북한 테러지원국 해제와 관련해선데요. 미국은 그동안 1단계 끝내고 2단계에서 핵 불능화와 핵 프로그램 보고가 되면 테러지원국 지정을 해제할 수 있다고 했습니다. 북한이 보고서를 냈고, 어느 정도 검토했는지 모르겠지만 부시 대통령이 의회에 북한을 테러지원국 지정을 해제하겠다고 통고를 했습니다. 그리고 의회에서도 40일 동안 아무 이의 제기 없이 그 기간을 보냈습니다. 그래서 모두가 지난달 11일 북한이 해제된 거 아니냐는 관심을 가졌는데 이제는 북한의 핵 검증을 마쳐야만 테러지원국에서 해제하겠다고 합니다. 우리 생각으로는 검증은 3단계 가서 해야 하는 것 아니냐는 생각인데 대사 생각은 어떻습니까?

버시바우 대통령님, 사실 북한은 신고서 제출 이전부터 전체 패키지의 일부로서 핵 검증 체제와 검증 절차가 필요하다는 것을 이해하고 있었습니다. 하지만 북한이 말하고 있는 내용들은 그러한 협상의 기록과는 일치하지 않습니다. 문제는 북한이 제출한 신고서가 완전하지 않습니다. 특히 우라늄 농축 같은 것은 별도의 문서로 왔고……

그래서 검증은 신고서의 불완전성을 보완하는 차원에서 더 강조되었습니다. 지난 6자회담에서 의장이 검증 프로토콜이 필요하다는 성명서를 발표한 바 있습니다. 협상은 아직 진행 중입니다.

성김 국무부 한국과장은 지난주 뉴욕에서 북한은 아직 미국과 중국의 양보가 담긴 제안을 기대한다고 말했습니다. 아마 돌파구를 찾아낼 수 있겠지요.

김대중 잘되기를 바랍니다. 김정일 위원장도 직접 만나 봤고 그 이후 여러 가지 북한 사정을 알아보면 김정일 위원장은 미국과의 관계 개선을 열망하고 있어요. 그건 틀림없습니다. 그건 그들이 살길은 그것밖에 없다고 생각하기 때문이지요. 저도 김정일 위원장한테 그렇게 말했지만, 이 세상에서 북한의 안전을 보장해 줄 수 있는 나라는 미국밖에 없고, 경제적 활로를 열어 줄 것도 미국뿐이다. 그러니 미국과 잘 지내라고 했지요. 그랬더니 그도 호응을 해 주었고 클린턴 대통령과의 대화에 나서게 되었습니다. 미국이 이라크나 아프가니스탄에서 어려움을 겪고 있지만 북한의 이러한 생각을 잘 이용해서 북한 문제를 성공적으로 잘 해결해 보라고 말하고 싶어요. 그러면 미국 외교의 큰 성공이 될 것이고 부담도 줄어들 것이며 또 남북한 관계 개선에서 기여할 것입니다.

첨가할 것은 요새 현 정부가 한·미 관계를 복원한다, 좋지 않았던 관계를 복원한다고 하는데 저는 그렇게 생각하지 않습니다. 솔직히 말해서 한국의 지도자들 중에 좀 비외교적이고 감정적인 발언을 해서 나쁜 위기를 만든 경우도 있지만, 노무현 정권도 이라크, 아프가니스탄 파병, 전방의 미 2사단의 후방 이동, 미 8군 사령부의 평택 이동, 이때는 항의하는 시민을 경찰이 제압까지 하면서 도왔고 경제적인 부담도 합의가 되었고, 그래서 저는 언어 사용에 있어서는 문제가 있었지만 저의 국민의정부도 그렇고 노무현 정부도 한·미 관계는 좋았다고 생각합니다. 두 여학생이 미군 전차에 치여 죽었을 때 촛불집회에서도 미군 철수하라는 주장은 없었습니다. "한·미협정 개정하라", "부시 대통령 직접 사과하라"는 주장은 있었지만, 미군 철수하라는 주장은 없었습니다. 세상에 미군 있어 달라는 나라가 어딨습니까? 이런 걸 볼 때 저는 현 정부의 생각에 동의할 수 없습니다.

버시바우 같은 생각입니다. 실질적인 성과를 놓고 본다면 국민의정부나 노무현 정부나 많은 성과가 있었습니다. 약간의 유감스러운 사건이 있기는 했지만요. 처음에 말씀드렸다시피 한·미 관계는 공고합니다. 많은 정치적 곤란을 이겨냈습니다. 최근의 쇠고기 사건도 한 예입니다.

같은 맥락에서 말씀드리면 그래도 부시 대통령과 이 대통령이 노 대통령보다는 가까운 관계를 가지고 있습니다. 미국은 한국을 전체적으로 대해야 합니다. 한국의 민주주의가 활발합니다. 진보가 됐든, 보수가 됐든 미국과의 외교 관계, 북한과의 관계에서 전체적인 합의를 이루어 내야 되겠습니다. 전체적으로 한·미 관계는 보다 건강해졌는데 그 이유는 한국 민주주의가 활발하기 때문입니다.

김대중 한국 사람들은 미국과의 관계가 나빠지기를 원하지 않습니다. 미군 철수를 원하지도 않고요. 근자에 저는 1동맹 3우호 관계를 말했습니다. 동맹은 미국과의 군사동맹을 말하는 것이고 3우호 관계는 중국, 러시아, 일본을 말합니다. 그렇게 4대 강국과 좋은 관계를 만들어 가야 하는데 여기서 '한·미 군사동맹'이 가장 중요하다고 말했습니다. 여기에 네티즌들이 댓글을 단 것을 보면 반대나 비난이 없습니다. 많은 지지를 받고요. 우리 국민들은 이렇게 한·미 관계를 중요시 여깁니다. 우리가 그렇고 다 계속 좋은 관계를 유지하도록 노력해야 합니다. 그것이 양국의 공동의 이익을 만드는 길입니다.

버시바우 전적으로 동의합니다. 제가 3년 동안 이곳에서 일하면서 한국인들의 그러한 태도는 이미 확인했습니다. 좋은 관계를 원할 뿐 아니라 동맹 관계가 안보 유지의 기본 토대라고 보고 있습니다. 지난 몇 년 동안 동맹 관계에서 동등한 동반자 관계로 한·미 관계가 성숙했고, 이 때문에 향후 안보도 보장된다고 생각합니다.

김대중 재미있는 이야기를 하나 하면 미국의 민주당 대선 후보로 흑인인 오바마가 지명되었습니다. 저뿐만이 아니라 모두들 미국은 대단한 나라다,

그 어떤 나라도 저렇게는 못 할 것이다라고 말했습니다. 그래서 미국이 밉다가도 그런 것을 보면 다시 존경하고 좋아하게 된다고들 합니다. 참 재밌는 이야기라고 생각합니다.

버시바우 아마 이번 대선이 오랜만에 보는 재미난 선거가 될 것입니다. 공화당, 민주당 모두 역사를 만들어 가고 있습니다. 한편은 흑인이 대선 후보로 나와 있고, 또 한편은 최초로 여성 부통령 후보가 지명되었습니다. 이를 보면 미국은 계속 쇄신해 나갈 수 있는 능력을 증명한다고 생각합니다. 결과가 나오기 전이지만 이런 과정들이 긍정적인 메시지를 한국에 전달한다는 생각도 듭니다.

김대중 나도 그렇게 생각합니다.

버시바우 다시 뵙게 되어 기쁩니다. 남북 관계 관련해서 말씀해 주신 내용을 명심하겠습니다. 부시 대통령도 북핵 문제와 관련해서는 긍정적인 결과를 가지고 임기를 마무리하시고 싶어 할 것입니다. 저도 그가 현재의 어려움을 타개해 나갈 돌파구도 찾고 내년을 위한 발판을 마련할 수 있는 준비도 해 두실 수 있기를 바랍니다. 한국은 6자회담의 핵심 당사국입니다. 앞으로도 지속적으로 협력하면서 핵 포기와 남북 관계 개선을 위해 노력해야 할 것입니다. 저도 퇴임하더라도 노력을 보탤 수 있도록 최선을 다할 것입니다. 한국에 있으면서 저는 한국의 팬이 되었습니다. 언젠가 한국을 둘러싼 고착된 문제들이 완전히 일소되는 날을 보고 싶습니다.

김대중 그렇게 말씀해 주셔서 감사합니다. 미국을 돌아가시더라도 이곳에서의 경험을 토대로 남북 관계, 6자회담이 성공할 수 있도록 도움을 주시기 바랍니다. 그리고 앞날에 큰 발전이 있으시길 기원하고 건강하십시오. 부인께도 저의 간곡한 안부를 전해 주시기 바랍니다. 찾아와 주셔서 감사합니다.

버시바우 저의 안부를 여사님께도 전해 주시기 바라며 대통령님의 건강을 기원합니다. 한·미 양국에 있어 지혜와 경험의 도움을 받아서 북핵 관련해서 모두가 원하는 돌파구를 찾을 수 있을 것입니다.

* 이 글은 2008년 9월 2일 오전 10시 김대중 대통령의 사저에서 있었던 알렉산더 버시바우 (Alexander Vershbow) 주한 미국 대사와의 면담록이다. 스테판 해거드(Stephan Haggard) 샌디에이고 캘리포니아대학교 교수가 함께 참석했다.

변화의 촉매, 아시아의 전설적인 리더와의 대화

강연 아시아 지역 13개국 150명의 청년 학생
일시 2008년 9월 30일

피터 스티븐슨(사회) 안녕하십니까? 한국개발연구원(KDI)국제정책대학원에 오신 것을 환영합니다. 이곳에서 「변화의 촉매」 시리즈로 아시아의 전설적인 리더와의 대화를 가집니다. 이들은 아시아 지역의 번영을 가져왔고, 오늘날의 아시아를 가능하게 해 준 훌륭한 지도자들입니다. 이들의 과감한 의사결정 덕분에 여러 고난과 역경을 성공적으로 거치면서 지금 현재 2008년의 아시아의 모습을 갖추게 되었습니다. 오늘은 한국의 위대한 지도자 중의 한 분이신 김대중 전 대통령을 모시게 되었습니다. 김 전 대통령이 취임했을 당시 한국은 심각한 경제난에 직면해 있었습니다. 그리고 그러한 위기가 지금 전 세계를 위협하고 있습니다.

지금 13개 지역과 화상으로 연결되어 있는데요. 호주, 피지, 인도네시아, 일본의 두 곳, 한국, 라오스, 몽골, 파푸아뉴기니, 싱가포르, 스리랑카, 태국, 하노이, 호찌민 등입니다. 오늘 진행은 이미 정해 둔 순서대로 각 지역에서 하나의 질문을 받겠습니다. 그리고 인터넷으로 따로 질문을 받겠습니다.

그러면 유종일 교수님께서 대통령님 소개를 해 주시겠습니다.

유종일(사회) 김대중 전 대통령님을 소개해 드리게 되어 대단히 기쁘며 영광입니다. 김 대통령은 일생을 인권과 민주주의에 헌신하셨습니다. 그리고 엄청난 정치적 박해를 받으셨습니다. 암살 기도도 여러 번 있었고, 가택 연금, 투옥, 그리고 망명 등을 견디셨고, 마침내 15대 한국 대통령으로 선출되셨습니다. 당선 후 임기를 시작하기도 전에 침몰 직전의 한국 경제를 구하기 위해 나섰습니다. 피터 대변인이 언급했다시피, 미국을 비롯한 많은 나라에서 현재 경제 위기를 겪고 있습니다. 이에 대해 대통령님의 도움이 필요할지도 모르겠습니다. 2000년에는 아시아의 인권, 민주주의 발전 노력, 한반도 화해와 협력을 이끌어 낸 공로를 인정받아 노벨평화상을 수상하셨습니다. 김 대통령은 퇴임 후에도 이러한 가치를 지속적으로 주창하고 이를 위한 노력을 멈추지 않고 있습니다. 이제 자랑스러운 김대중 전 한국 대통령을 여러분께 소개합니다.

피터 감사합니다. 먼저 방금 유 교수님이 말씀하신 데서부터 질문을 드리겠습니다. 대통령님은 여러 번 대선에 출마하셨고, 마침내 당선이 되셨습니다만 당시는 최악의 경제난이 한국뿐만 아니라 아시아를 휩쓸고 있었습니다. 우선순위를 어떻게 정하셨으며, 위기 극복을 위한 국민합의를 어떻게 이끌어 내셨습니까?

외환 위기, 국민의 지지와 국제적 지원으로 극복

김대중 유 교수님 소개 말씀 감사드립니다. 지금은 가장 심각한 시기이고, 오늘 이 대화가 매우 알맞은 시기에 진행되고 있다고 생각합니다. 미국발 금융 위기가 어떻게 발전할지 아무도 모르고 있고 다 걱정하고 있습니다. 모쪼록 미국 금융 위기가 잘 수습되기를 바랍니다. 한 가지 소망을 말씀드리자면 1998년에 한국은 이미 외환 위기를 겪었습니다. 그래서 우리는 이번 위기를 겪지 않고 잘 넘어갔으면 좋겠다고 생각합니다.

피터 야당은 초기에 그다지 협력적이지 않았습니다. 또한 40퍼센트가 약간 넘는 지지표로 당선이 되셨습니다. 어려운 시기에 어떻게 분열된 의견을 결집하셨습니까?

김대중 저는 소수의 여당이었습니다. 그래서 아주 힘들었습니다. 또한 야당이 별로 협력을 하지 않아 더욱 힘들었습니다. 그러나 저는 국민이 지지해 주고 국제통화기금(IMF)이나 세계은행 등 국제기구나 다른 나라들이 지원해 주면 능히 극복할 수 있다는 점을 국민들에게 말했습니다. 제가 다행히 국회에 있으면서 30년 이상 주로 경제 분야에서 봉사했기 때문에 국민이 저를 믿어 줬다고 생각합니다.

피터 개인적 차원에서 모두에게 힘든 때였습니다. 자산 매각에 대한 우려, 생활 수준의 하락에 대한 걱정도 많았습니다. 그렇게 어려운 시기에 나라를 이끌어야 한다는 압박을 개인적으로 어떻게 관리하셨습니까? 자신의 삶에서 제대로 나라를 이끌 수 있도록 어떤 일을 하셨습니까?

김대중 저는 정치 생활을 하면서 고생을 많이 했습니다. 감옥살이도 하고, 납치도 당하고, 죽음의 위기에서 탈출하기도 했습니다. 그리고 군법회의에서 사형 선고도 받았습니다. 그런 일을 겪었기 때문에 훈련이 많이 되어서 어지간한 일에는 그다지 놀라지 않습니다. "내가 국민의 지지를 받고 세계의 협력을 받는 한, 난 성공할 수 있다. 그리고 내가 일생을 정치하면서 언제나 정책에 몰두하고 연구를 했기 때문에 그것도 도움이 될 것이다."라고 생각했습니다. 그렇게 생각을 하니 상당히 긴장이 해소도 되고 자신감이 생겼습니다. 그리고 무엇보다도 국민들이 20억 달러어치의 금을 가지고 나와서 내놓고, 외환 위기를 극복하자고 했습니다. 그때 우리는 39억 달러밖에 없었는데, 그런 국민의 도움에 큰 용기를 얻었습니다.

비전을 성공시킬 포부 설명으로 국민의 지지를 얻다

피터 하신 말씀 중에 유명한 것이 "한국이 외환 위기를 극복하는 데 1년 반이면 된다."라고 생각하신다는 말씀을 하셨습니다. 그때를 돌아보면, 실제로 그것이 가능하다는 확신을 정말 하셨습니까?

김대중 저는 제가 겪은 여러 경제적인 경험과 지식, 정치인으로서의 영감(inspiration)을 가지고 판단할 때 "내가 해낼 수 있다."라고 생각했습니다. "1년 반이면 이 국난을 일단 해결할 수 있겠다. 나는 국민 지지를 얻을 수 있고, 세계의 경제기구들의 지지를 얻을 수 있기 때문에 우리 정부만 잘하면 할 수 있다. 그런데 잘하기 위해서는 국민의 신임을 얻어야 한다. 모든 것을 투명하게 해야 하고, 과거와 같은 정경유착이나 부패 등이 없어지면 국민의 신임을 얻게 되고, 국민의 신임과 국제기구의 지지를 받으면 못할 일이 없다"고 생각했습니다. 물론 두렵기도 했고 걱정도 했지만, 저는 자신감을 갖고, 할 수 있다는 생각을 가지고 임했습니다. 경제는 심리가 중요한데, 국민들한테 확실한 비전을 제시하고 그것을 실천해서 성공시킬 포부와 그 내용을 설명해서 국민의 지지를 얻었기 때문에 두려움 없이 추진했습니다.

피터 마지막 질문입니다. 북한과의 대화와 햇볕정책은 한반도의 화해의 길을 열었습니다. 그런 노력과 정책이 한국을 통치하는 전체적인 활동에 얼마나 관련되어 있습니까? 그런 정책들은 한국을 세계로 이끄는 정책의 일부로 포함된 것입니까?

김대중 물론 세계에 알리고 또 세계의 지지를 받는 데 노력을 했습니다. 미국을 국빈 방문했을 때 클린턴 대통령에게 햇볕정책을 설명했습니다. "평화적으로 공존하고, 평화적으로 교류 협력하고, 평화적으로 통일한다. 반드시 평화적으로 한다. 그러기 위해서는 대화가 필요하고, 주고받는 협상이 필요하다, 공동 이익이 필요하다. 이런 방향으로 나가겠다"고 했습니다. 그랬더니 클린턴 대통령이 "당신이 앞장서서 해라. 내가 당신을 도와주겠다"고 말했습니다. 그리고 기자회견에서도 공식적으로 그렇게 말했습니다.

6·15정상회담, 50년 냉전을 화해와 협력의 방향으로

김대중 저는 북한에 대해서 "북한은 무엇이 필요한가, 우리는 무엇이 필요한가." 하는 문제를 분명히 했습니다. 2000년 6월 15일 정상회담을 할 때 김정일 위원장한테 말했습니다. "우리가 평화적으로 대화하자는데 말로만 해서는 안 된다. 구체적 합의가 되어야 한다. 당신네는 대한민국을 공산화하려는 생각을 꿈에라도 버려야 한다. 그런 생각 가지고 있으면 전쟁밖에 없다. 그리고 우리는 북한을 흡수 통일하겠다는 생각을 갖지 않는다. 아니 갖지 않는 게 아니라 우리는 그런 능력이 없다. 우리는 서독이 아니다. 설사 능력이 있다 하더라도 50년 동안 적대하고, 전쟁 치르고, 냉전도 치르고 했는데 갑자기 통일을 하면 국민적으로 융합, 화합이 되지 않는다. 많은 어려움이 닥친다. 그건 독일의 사례에서 본 바 아니냐. 그러니 우리는 흡수 통일할 생각이 없다. 그래서 통일은 공산 통일도 안 되고, 흡수 통일도 안 되고, 어디까지나 민주주의 원칙에 의해서 통일을 해 나가야 한다"고 이야기했습니다.

그때는 북한 지도자들은 우리가 혹시 자기들을 흡수 통일하지 않을까 상당히 두려움도 있었고, 언젠가 공격해 오지 않을까 하는 두려움도 있었는데 우리가 그런 점에 대해 북한이 안심할 수 있도록 확신을 줬고, 동시에 우리도 안심할 수 있도록 북한의 태도를 다짐받고 해서 6·15정상회담은 상당히 성공적으로 됐습니다. 그것을 통해서 50년간의 냉전을 화해와 협력의 방향으로 바꿔 놨습니다. 그 후로 북한과 미국이 핵 문제로 사이가 나빠져 많은 지장을 받았지만, 어쨌든 지금 6자회담까지 진전했습니다. 크게 볼 때 결국은 남북 간은 다시 화해 협력하고 6자회담은 성공해서 한반도와 동북아 평화 안보 문제가 발전되지 않겠나 생각합니다.

6자회담은 반드시 성공해야

김대중 한 가지 첨언할 것은 우리가 북한에 화해를 주창해서 내가 북한에 가고, 북한에 쌀도 주고, 비료도 주고, 의약품도 주고 한 결과 북한 사람들의 마음이 크게 바뀌었습니다. 그래서 북한 사람들은 우리가 자기를 말살하려 한다는 데 그것이 아니지 않으냐, 우리가 자기를 미워한다는데 미우면 왜 식량을 주겠느냐, 그리고 식량과 비료를 주는 것을 보니 남한이 잘사는 것 같다고 생각하게 된 것입니다. 이렇게 해서 북한 사람들이 "남한이 부럽다. 잘 지내고 싶다"고 생각하게 되었습니다. 그래서 과거에는 북한 사람 만나면 원수처럼 대했는데, 이제는 이웃사촌 대하듯이 하고 있습니다. 북한 사회에서 문화도 많이 바뀌었습니다. 남한에서 유행하는 대중가요라든가, 비디오, 영화 필름 등이 북한에서 비공식적이나마 상영되고 있습니다.

문제는 우리는 1,300년 통일한 민족입니다. 불과 60년 분단 때문에 통일을 포기할 수는 없는 것입니다. 통일은 반드시 될 것입니다. 그 과정은 평화적이어야 합니다. 평화적으로 되기 위해서는 공동의 이익이 보장되어야 합니다. 한쪽이 독차지하고, 한쪽은 빈손으로 남으면 절대로 평화적으로 될 수 없습니다. 그래서 6·15는 그런 방향으로 맥락이 닿아 있고, 의의가 큽니다. 6·15는 긴장 완화에 크게 공헌을 했고, 북한을 도와줄 기회를 만들었고, 북한 사람들의 민심이 크게 바뀌었고, 그뿐만 아니라 우리의 통일을 전쟁도 아니고, 흡수도 아니고, 평화적으로 상호주의적으로 해서 양쪽이 다 같이 득을 보는 통일을 해야 한다는 데 합의한 것입니다. 제1단계는 평화적 공존입니다. 이는 연합체제입니다. 이는 6·15선언문에도 들어 있습니다. 그다음에는 미국과 같은 중앙정부가 외교, 군사권을 갖고, 내정은 지방정부한테 맡기는 연방제, 그리고 마지막에는 완전한 통일로 나아갑니다. 북한과는 그런 방향에 대해서는 구체적으로 합의도 되었고, 서로 암묵적으로 이해하는 점도 있어 지금 일시 경색되고 있지만 남북 관계는 반드시 풀려서 좋은 방향으로 나갈 것입니다. 그러기 위해서는 6자회담이 반드시 성공해야 한다고 생각합니다.

피터 대통령님, 대단히 감사합니다. 연결된 각 지역에서 지금쯤이면 많은 생각과 질문을 가지게 되었으리라 짐작합니다. 지금부터 10분 휴식을 갖겠습니다. 그동안 각 지역에서는 질문을 모아서 지역별로 대통령님께 드릴 하나의 질문을 준비해 주시기 바랍니다. (휴식) 이제 순서대로 세 곳에서 먼저 질문을 받겠습니다. 먼저 호주 캔버라입니다.

햇볕정책의 대전제는 공동 이익

호주 햇볕정책이 현재의 남북 관계에 어떤 영향을 끼쳤다고 생각하십니까? 한반도 통일의 시한을 어떻게 잡고 계십니까?

김대중 햇볕정책은 양측이 대등한 입장에서 대화를 해서 모든 것을 평화적으로 해결하자는 겁니다. 어느 한쪽이 이기고, 어느 한쪽은 징벌받는, 소외되어서는 안 됩니다. 그래서 햇볕정책의 대전제는 공동 이익, 앞에서 말했듯이, 제1단계는 남북연합, 제2단계는 남북연방, 마지막은 통일인데, 시간이 걸려도 착실하게 양쪽이 완전 합의될 때 진행해 나가는 것이 햇볕정책입니다. 지금 북한에 대해서 "우리가 흡수합병하지 않겠다. 해치지 않겠다. 그 대신 북한도 우리와 평화적으로 지내자. 공산화 같은 생각은 하지 마라." 등 이런 것들이 합의가 되어서 지난 2000년 정상회담 이후 남북 관계는 과거의 냉전 체제로부터 화해 협력의 체제로 시작되었습니다.

피터 감사합니다. 라오스 질문입니다.

과감한 구조조정이 금융 위기를 극복하게 하다

라오스 동아시아 지역은 현재의 세계적인 경제 위기를 극복하는 데 도움을 주거나 피해를 입지 않도록 어떻게 준비하면 되겠습니까?

김대중 한국은 외환 위기 당시 외환 보유고는 39억 달러밖에 없었습니다. 거의 비어 있다시피 했지요. 하지만 5년 임기를 마치고 퇴임할 당시 보유고는 1,300억 달러까지 남겼습니다. 그 당시 우리는 세계 4대 외환 보유 국가가 되었습니다. 오늘날 미국의 금융 위기는 우리의 위기 극복 경험이 많은 참고가 될 것으로 봅니다. 우리는 외환 위기에 있어서 과감한 구조조정을 단행했습니다. 30대 재벌 중 16개가 문을 닫거나 주인이 바뀌었습니다. 은행을 대폭 합병시키는 구조조정을 했습니다. 그 당시 모든 기업, 재벌, 금융기관들이 적자투성이였습니다. 그리고 금융기관은 부실대출이 아주 많았습니다. 그래서 정부가 자산관리공사를 설립해서 국채를 팔아 돈을 만들어서 은행의 받지 못한 채권을 인수했습니다. 그래서 은행이 부실로부터 해방되어 건전 운영을 하도록 했습니다. 여기에는 국민의 지지와 국제적 지원의 영향이 아주 컸습니다. 마침내 한국 기업들은 적자를 떨고 흑자 전환하였고, 구조조정을 통해 주인이 바뀌어 정부 소유로 되었던 것이 이제 비싼 값으로 팔리고 있습니다. 그리고 은행도 회수 불능 부채가 1퍼센트 내외가 될 정도로 줄었습니다. 이렇게 해서 우리는 금융 위기를 극복했는데 이것은 취임 후 불과 1년 반 만에 달성한 결과였습니다.

이러한 성과에는 세 가지 중요한 요인이 있습니다. 첫 번째는 국민이 정부를 믿고 지지한 것, 둘째는 국제통화기금(IMF), 세계은행, 미국, 유럽 등 경제 기구 및 세계 다른 나라들이 지지해 준 것, 그리고 셋째는 정부가 제대로 리더십을 발휘해서 국민과 손잡고 국민의 믿음 속에, 세계의 신뢰 속에 정부가 사태를 이끌어 가는 세 가지 조건이 있었습니다. 거기에 대해서는 그 당시 미국의 재무장관이었던 루빈 씨가 그의 저서에서 "한국이 외환 위기를 성공적으로 극복할 수 있었던 것은 미국의 공도 아니고, 국제통화기금(IMF)의 공도 아니고, 한국 정부의 탁월한 리더십 때문이었다"고 적고 있습니다.

피터 감사합니다. 하노이 질문입니다.

인재는 밖으로도 보내고 안으로도 받아들여야

베트남 인재 정책을 어떻게 쓰셨습니까? 인재 유출을 막기 위해, 그리고 인재 양성을 위해 어떤 정책을 쓰셨습니까?

김대중 저는 인재 유출은 과하면 막아야 하겠지만 우리는 인재를 밖으로도 내보내고, 안으로도 받아들여야 한다고 생각합니다. 그렇게 해서 서로 다른 환경, 다른 종교, 다른 정책을 가진 사람들이 뒤섞임으로써 경제 정책이나 문화 모든 면이 발전해 나갈 수 있다고 생각합니다. 그런 의미에서 과거 로마가 식민지와 빈번히 교류하고, 식민지 사람 중에서 우수한 사람들은 로마 시민권을 주어서 활용했습니다. 오늘날의 우리도 그래야 한다고 생각합니다. 미국이 저렇게 강대해진 것은 결국 외국에서 들어온 이민자들이 열심히 일하고 자식들 교육시켜서 우수한 대학을 졸업하게 하였습니다. 처음에는 노동력으로 미국 경제 발전을 시켰지만 이제는 지식과 기술로써 발전시켰습니다. 물론 과도한 인재 유출은 안 좋지만 억지로 하는 것은 성공하지 못합니다. 인재가 안심하고 기쁜 마음으로 자기 나라에 남을 수 있도록 조건을 충족시켜야 하고, 인재가 다른 사정이 있어 해외로 나가면 그건 그것대로 자유를 주는 동시에 또 외국의 인재를 끌어들이는 즉, 대학에서 교육도 시키고 여러 가지 편의도 봐주고 하는 등 그런 활동도 필요할 것입니다.

피터 감사합니다. 제가 한마디 하자면, 한국만큼 세계은행의 지식을 잘 활용한 나라는 없습니다. 아주 좋은 질문이었습니다. 다음은 인도네시아, 파푸아뉴기니, 싱가포르로 질문을 이어 가겠습니다.

문화적 쇄국주의는 안 된다

인도네시아 신뢰 쌓기와 그를 위한 행동이 중요하다는 말씀 잘 들었습니다. 대통령님이 집권하셨을 당시를 전후로 한국인의 해외여행이 급격히 증가하였습니다. 그를 위한 특별한 정책을 쓰셨습니까? 당시는 금융 위기로 한국이 어려웠던 시절인데요.

김대중 옛날에는 외국에서 한국으로 사람들이 많이 와서 외화 수입에 도움을 주었습니다. 지금은 완전히 역전되어서 한국 사람들이 외국으로 나가 큰돈을 쓰고 있습니다. 제가 말하고 싶은 것은 관광을 가든, 쇼핑을 가든, 사람들이 외국에 많이 나가는 것은 좋은 일이라고 생각합니다. 외국 가서 우리와 다른 생활, 문화, 사고방식에 접촉하고, 또 학문도 접하고 이런 것들이 앞으로 우리가 세계화 시대를 살아 나가는 데 큰 자원이 될 것입니다. 또 우리들이 새로운 문화적 감각을 가지고 이끌어 나가는 길이 될 것입니다. 보다시피 해외에서 한류가 일어나고 있는데 그것도 재임 시절 일본 문화를 개방한 것이 계기가 되어 한류가 일어난 것입니다. 이런 이유에서 문화적 쇄국주의는 안 되는 것이고 관광은 손해를 보든 득을 보든 그것을 둘째 문제이고, 외국을 많이 안다는 것이 중요합니다. 갔다 오면 벌써 몸의 감각부터 달라집니다. 그래서 뭔가 발전하는 방향으로 생각하고 행동하게 됩니다. 그런 의미에서 관광은 물론, 유학, 시찰 등 자주 교류하는 것이 중요하다고 생각합니다.

파푸아뉴기니 반부패 전략은 무엇이었으며 국가와 이 지역의 결집과 안정화에 어떤 노력이 필요하다고 보십니까?

김대중 반부패 전략은 국민과 지도자가 같이 노력해야 합니다. 더 중요한 것은 국민입니다. 부패를 국민이 용납하지 않고 어떤 부패를 경험했을 때는 과감하게 고발하는 등 국민의 감시가 필요합니다. 동시에 집권자인 대통령이 철저한 모범을 보여야 합니다. 이 두 가지, 국민과 정부가 서로 협력하면 반부패의 성과를 올릴 수 있다고 생각합니다.

아시아 경제가 일어서려면 국민들 지적 소질이 향상되어야

싱가포르 아시아의 미래에 대한 견해를 듣고 싶습니다. 과거 아시아 경제
는 한국을 포함한 네 마리 용이 이끌었습니다. 하지만 오늘날 아시아는 중국
과 인도가 두드러져 보입니다. 아시아의 미래에 과거 아시아의 용들의 역할
은 무엇이라고 생각하십니까?

김대중 아시아 경제는 앞으로 세계에서 가장 강력한 경제권이 될 것이라
고 많은 사람들이 말하고 있습니다. 미국 민주당 부통령 후보 바이든 씨도 그
런 말을 하는 것을 봤습니다. 그런데 이것은 새삼스러운 것이 아닙니다. 1820
년경 그 당시 기록을 기반으로 전문가들이 계산한 것을 보면 세계 국내총생
산(GDP)에서 중국이 차지하는 비중은 27퍼센트, 인도 14퍼센트, 영국 5퍼센
트, 미국은 1퍼센트였습니다. 그런데 중국과 인도는 근대화에 뒤처졌고, 식
민지 내지는 반식민지나 다름없는 상태로 낙오하였습니다. 하지만 계속해서
영국과 미국은 근대화를 추진하였고, 제국주의적 영향도 없잖아 있기는 했
습니다만, 이를 통해 전 세계 경제를 지배하게 되었습니다.

아시아가 다시 강자로 나설 것임은 의심의 여지가 없습니다. 문제는 아시
아 경제가 일어서기 위해서는 국민들의 지적 소질이 향상되어야 합니다. 봉
건주의를 겪고, 농업사회를 거치고, 산업혁명을 거쳐 이제 지식기반 경제로
들어서고 있습니다. 사람 수가 많은 것도 중요하지만 지식이 있는 우수 인재
가 얼마나 많은지가 나라의 운명을 좌우하게 되어 있습니다. 자꾸 우리나라
이야기를 해서 죄송합니다만, 우리는 1997년 외환 위기를 겪고 1998년 제가
대통령이 되었습니다. 외환 위기 극복 과정에 지식기반 경제를 이루기 위해
정보화를 추진하였습니다. 이 때문에 한국이 여러 분야에서 세계 선두로 나

서게 되었습니다. 조선업의 예를 들면 그렇습니다. 정보화를 활용한 한국 조선 회사는 수주를 받으면 다른 나라보다 배를 더 빨리 만듭니다. 더 좋게 만듭니다. 더 싼 가격에 만들어 줍니다. 경쟁에서 이길 수밖에 없습니다.

아시아는 농업 경제에서 산업 경제로도 계속 유지 발전해야겠지만 세계적인 경쟁 속에서 아시아가 주도적인 역할을 하려면 지식기반 경제를 발전시켜야 하지 않나 생각합니다. 아시아는 유구한 역사가 있고, 종교나 학문을 통해 심오한 기반을 가지고 있습니다. 각국이 모두 지식과 교육 강국이 되도록, 그래서 경제적인 선두국가가 되어야 합니다. 제가 볼 때는 아시아가 비단 중국, 인도뿐 아니라 여러 나라들이 세계 속에서 선두의 자리에서 경제를 발전시키고 그 실력을 과시하지 않을까 생각합니다.

피터 감사합니다. 다음은 몽골입니다. 질문해 주실까요?

몽골 대통령님은 신지식인 프로그램을 통해 한국을 정보 강국으로 이끄신 업적이 큽니다. 이 신지식 프로그램의 개념은 어떻게 생각하셨으며, 아시아의 발전에 어떻게 활용할 수 있겠습니까?

지식경제 시대, 우수한 지식인들이 많이 배출되어야

김대중 대통령으로 있을 때 외환 위기로 참 어려움을 겪었습니다. 그러면서 한쪽으로는 정보화를 추진했고 우리 국민들이 급속히 받아들여서 정보화에 있어서 세계 선두 자리를 갖게 되었습니다. 정보화가 그렇게 발전할 수 있었던 것은 우리 국민의 지적 수준과 교육 수준이 높았기 때문입니다. 21세기 지식기반 경제 시대에는 우수한 지식인들이 많이 배출되어야 한다고 생각해서 '신지식인 운동'을 정부가 지원하고 민간운동으로 추진했습니다. 많은 사람들이 기업을 일으켜 성공한 사람도 있고 대기업에 가서 일한 사람도 있습니다. 여하튼 이러한 신지식인들이 많이 배출되면 그 나라 경제는 발전되고 문화와 학문적 수준도 향상되지 않겠나 생각했고, 21세기 새 시대에서는 신지식인 양성이 핵심이라고 생각했습니다.

피터 한국 질문입니다. 유종일 교수님, 영어로 질문해 주시면 시간을 절약하겠습니다.

한국 민감한 질문일 수 있습니다. 퇴임 후 노무현 대통령이 정권을 잇고 대통령님의 햇볕정책을 계승하였습니다. 하지만 현 정부는 대북 정책 노선이 다릅니다. 남북 관계는 어려워졌습니다. 현황을 어떻게 보시며 어떤 노력이 필요할까요?

김대중 햇볕정책은 제가 주장했다고 해서가 아니라 전 세계가 정당성을 인정하고 있습니다. 우리가 햇볕정책을 해서, 남북 화해 협력을 통해 공동으로 승리하는 길로 가자는 것입니다. 마치 태양이 모든 사람들에게 고르게 햇볕의 혜택을 주듯이 하자는 것인데 햇볕정책이 아니고는 무슨 길이 있겠습니까? 북한에 대해 말해 보면 그동안 미국이나 기타 나라들이 북한에 대해 많은 압박을 가했습니다. 제재를 가했습니다. 그러나 변화를 못 시켰습니다. 나는 미국 대통령 중에 클린턴 대통령과 부시 대통령과 각각 2년 반씩 양분해서 일했습니다.

클린턴 대통령은 햇볕정책을 전면적으로 지지했습니다. 공개적으로 김대중의 햇볕정책을 지지한다고 선언했는데 부시 대통령은 완전히 달라졌습니다. 햇볕정책을 반대하고 북한에 대해 강압적으로 나가기 시작했습니다. 그래서 결국 부시가 6년 해 본 결과 남은 것은 무엇이겠습니까? 북한이 핵확산금지조약(NPT)을 탈퇴하고, 국제원자력기구(IAEA) 요원들이 추방되었고, 그리고 모라토리엄 중이었던 장거리미사일을 발사하였고, 마침내는 재작년 10월에 핵실험을 해서 북한이 지금 어떤 의미로는 핵 보유국이 되어 버렸습니다. 그래서 나는 재임 시절에도 부시 대통령에게 "북한과 대화하시오. 당신이 나뻔 놈하고는 대화 못 하겠다. 악을 행하는 자에게 보상을 못 하겠다고 하지만 당신네 나라 대통령 중에서 당신들이 존경하는 레이건 대통령은 소련을 악마의 제국이라 해 놓고서는 대화하지 않았느냐. 결국 냉전 가지고는 성공 못 했는데 대화를 통해서 헬싱키협정을 맺고 소련과 동유럽을 바꾸어 놓지 않았느냐. 6·25전쟁 때 아이젠하워 대통령은 전쟁 중에 적과 협상해서 주고받는 협상을 하지 않았느냐. 그러니 그렇게 하는 게 좋겠다"고 해서 부시 대통령 본인이 일단 승인하고 공개적으로 북한과 대화하겠다고 선언했습니다. 그러나 그것이 잘 이행되지 않았는데 여하튼 부시 대통령이 늦게나마 이제 태도를 바꾸어서 북한과 직접 대화하고 주고받는 협상을 하고, 소위 행동 대 행동을 하고 있습니다. 이것은 부시 대통령이 늦었지만 잘 판단한 것입니다.

'공동 이익의 대화'는 종교, 빈곤, 종족 문제를 해결하는 햇볕정책의 원칙

김대중 햇볕정책은 단순히 우리나라뿐만 아닙니다. 아까도 말했지만 소련과 동유럽을 50년 냉전으로는, 압박으로는 변화를 못 시켰는데, 대화를 통해서 서로 안전을 보장해 주고, 경제 교류하고, 문화 교류함으로써 변화가 되었습니다. 소련 사람들이 자신들이 살고 있는 곳이 낙원이 아니라는 것을 알게 되었습니다. 소련 사람들은 서유럽의 제도가 나쁜 것이 아니라 매력적인 제도라는 것을 알게 되었습니다. 그것이 결국 그들을 변화시켰습니다. 중국이나 베트남도 결국 소련과 동유럽의 전례를 따라 많은 변화가 있을 것으로 봅니다. 그래서 평화를 통해 이런 나라들도 결국 크게 보면 민주화로 나아갈 수밖에 없고 지금 이미 상당한 변화가 있습니다. 중국에서는 장쩌민(江澤民) 주석 말기에 공산당 당헌을 고쳐서—공산당 당헌은 알다시피 헌법보다 더 위에 있습니다.—이제는 공산당원이 될 자격을 노동자 하나에서 중산층인 기업인과 지식인에게도 주고 있습니다. 그 이유는 이들이 경제를 발전시키니까 시장경제를 하니까 기업인과 지식인 즉, 부르주아, 중산층이 생겨나게 되었습니다. 그 압력에 의해서 점진적으로 개방하고 당헌까지 고치게 된 것이 아닌가 생각합니다. 나는 우리나라뿐만 아니라 세계 전체에서도 "대화를 통해서 문제를 풀되 그 전제는 공동 이익이다."라고 하는 것이, 햇볕정책이, 종교, 빈곤, 종족 문제 등 여러 분야에서 하나의 원칙이 될 수 있다고 봅니다.

피터 감사합니다. 일본, 스리랑카, 베트남 순으로 받겠습니다. 시간 관계상 각 지역에서 한 건씩 질문을 하면 대통령께서 한꺼번에 답변을 하시도록 하겠습니다.

일본 재벌 개혁을 어떻게 추진하셨습니까?

스리랑카 세계적인 경제 위기를 맞아 미국의 부시 대통령이나 중앙은행 총재한테 드리고 싶은 말씀이 있으신지요?

호찌민 재벌 개혁을 추진하셨는데 그 정책이 제대로 실현하기가 어려운 경우 대안으로 생각하신 계획은 무엇입니까?

재벌 개혁의 성공은 국민과 세계의 강력한 개혁 요구 덕분

김대중 나는 질문이 진행될수록 부드럽고 쉬운 것이 나올 것으로 생각했는데 아주 어려운 질문이 나왔습니다.(웃음) 아까도 말이 나왔습니다만, 30개 재벌 중에 16개 회사가 주인이 바뀌었습니다. 대부분이 정부 소유가 되었습니다. 은행에 빌려준 돈을 대신 주고 주식을 샀으니까, 또는 회사를 분할하여 오너가 바뀐 일도 있었습니다. 우리나라에서 재벌 하나만 부도가 나도 나라 경제가 휘청거린다고 할 땐데, 16개 재벌 또 많은 준재벌도 수술을 받았습니다. 제가 그렇게 할 수 있었던 것은 제 능력도 다소는 있었겠지만, 그보다는 국민들이 재벌들의 정경유착으로 국가 경제가 거덜 나고 재벌들이 경제적 활동으로 돈 버는 것이 아니라 정부하고 결탁해서 돈을 버는 등의 이권 경영에 국민들이 분노하고 있었기 때문에 재벌들도 개혁에 저항할 수가 없었습니다.

그뿐 아니라 국제통화기금(IMF), 세계은행 등 세계가 재벌에 대한 과감한 개혁을 하지 않으면 투자도 않고 돈도 빌려주지 않겠다고 단호한 태도로 나와서 그런 면도 제가 재벌 개혁을 추진하는 데 도움이 되었습니다. 그렇다고 제가 재벌들하고 싸움한 것은 아닙니다. 설득을 통해 문제를 해결했습니다. "오늘날 이 꼴이 된 데는 당신들도 책임이 있지 않으냐. 이대로는 나라가 안되지 않느냐. 그러니 과거의 권력과 결탁해서 돈 버는 시대를 버리고 이제는 투명한 방향으로 나가야 한다." 저는 이렇게 표현했습니다. "이제는 세계화시댄데 세계에 나가서 제일 좋고 제일 싼 물건을 가지고 나가서 돈 벌어라. 돈 많이 벌어서 세금을 많이 내라. 그럼 애국자다. 난 그렇게 취급하겠다. 과거에 날 도와줬건 도와주지 않았건—과거에 정부 여당만 돈(정치자금) 주고 나는 안 주고 그런 일이 많았습니다.—난 그런 것을 전혀 상관하지 않겠다. 나는 5년 동안 이대로 하겠다. 확실한 시장경제 원리에 따를 것이고 정부가 특정 재벌과 결탁하는 일은 절대 없을 것이다. 오직 자기 힘으로 성장해 나가는 재벌만 지원하겠다. 이런 것을 5년 동안 할 테니까 두고 봐라."라고 말했습니다. 5년 후 재벌 구조가 많이 바뀌었습니다. 살아남은 재벌들은 "김대중 대통령이 한 일이 지나고 보니 도움이 되었다. 과거와 같이 권력만 바라보는 것이 아니고 세계시장에서 돈 벌고 경쟁해서 이기고 그런 노력을 한 결과 경영 체질이 좋아졌다"고 했습니다. 재벌들이 우리 정부에 대해서 잘못했다고 생각하지는 않고 당연히 할 일을 했다라고 평가하는 것으로 알고 있습니다.

다음에는 미국에 대한 조언인데, 이것은 나에게는 좀 가당치 않은 말입니다. 미국에는 세계적인 경제학자들, 노벨경제학상 받은 사람도 많습니다. 그런 데다 대고 제가 경제를 강의하는 것은 한국 속담에, 공자님 앞에서 논어 강의한다는 것과 마찬가집니다. 다만 나도 거의 같은 경험을 한 사람으로서

—물론 우리는 규모가 작았지만 그 본질적인 면과 상황에 있어서 상통되는 면이 있습니다.—그런 의미에서 말씀드리겠습니다. 한국에서 외환 위기를 겪었고, 외환 위기를 극복한 그런 점을 많이 참고할 수 있을 것입니다.

시장경제가 잘못된 것은 아니지만 너무 시장 방임주의로 나간 것은 기업을 부패시키고 경제를 왜곡시키게 됩니다. 이 점에 있어서는 반성이 필요합니다. 시장경제를 보호하면서도 정부가 언제나 관리하고 감시하는 기능이 중요합니다. 기업인은 다 성인군자가 아니고 이익을 위해서는 모든 일을 할 수 있는 체질을 가지고 있습니다. 그렇기 때문에 기업인들의 자유로운 기업 활동은 도와주되 그 도를 넘어서 소비자에게 피해를 준다든가 국가의 건전성에 해를 준다든가 하는 일이 없도록 정부가 설사 이번 위기가 넘어간다 하더라도 그 기능을 회복해야 하지 않겠나 생각합니다. 그런 의미에서 케인스가 한 얘기가 상당히 도움이 되지 않겠는가 생각합니다.

정책은 반대하지만, 사람은 미워하지 않는다

유종일 여러 질문들이 인터넷으로 들어왔습니다. 시간이 없으므로 한 질문만 드리겠습니다. 일본 참여자의 질문입니다. 질문자는 정치적 박해를 가한 박정희 대통령을 용서한 것에 감동을 받았다고 합니다. 용서는 정치적 철학인지 아니면 종교적 신념인지 궁금합니다.

김대중 저는 일생에 참 많은 박해를 받았습니다. 권력에 의해 네 번 죽을 고비를 넘겼고, 한 번은 납치에서 구사일생으로 살았고, 한 번은 사형 선고를 받았습니다. 6년 반을 감옥에서 살았고 근 20년을 감시와 미행 속에서 살았습니다. 그래서 정치적 박해라는 것이 얼마나 못할 짓인가, 그것을 받는 사람은 얼마나 고통스러운가를 알 수 있습니다. 심지어 집에서 아내와 대화할 때도 도청을 하니까 말로 못 하고 필담을 통해 대화했습니다. 그래서 야당 때 항상 결심하기를 내가 만약 여당이 되면 절대로 정치보복을 하지 않겠다고 생각했습니다. 박정희 대통령은 저를 몇 번 죽이려고 하고, 감옥에 처넣었지만 나는 그 사람은 미워하지 않고, 그 정책에 대해서는 반대했습니다. 독재에 반대하고 재벌 경제에 반대했습니다. 정책은 반대하지만 박정희 대통령이라는 사람은 미워하지 않는다는 것이 내 신념이고 가톨릭에서 우리에게 가르쳐 준 것입니다. 또 나한테 직접 사형 선고를 내렸던 전두환, 노태우 이 분들도 재판받고 전과자가 되어 있던 것을 사면 복권해 주었습니다. 그렇게 살아온 것을 아주 감사히 생각합니다. 제가 꼭 한 사람 나에게 억울한 말도 많이 하고 선거 때 지나친 비방을 하고 루머를 퍼뜨린 사람이 있었는데 참 용서하기가 어려웠지만 결국은 용서했습니다.

제가 그런 생활을 한 데 대해서 노벨평화상을 받을 때 민주주의와 남북 관계의 발전에 공헌한 것도 있지만 정적에 대한 관용도 평가를 받았습니다. 그러나 저는 사람에 대해서 관용한 것이지 나쁜 정책에 대해서는 절대 관용을 하지 않았습니다. 지금도 그렇게 하지 않습니다. 그냥 좋은 것이 좋다고 다 하지는 않습니다. 다만 사람은 누구든지 잘못을 저지를 수 있고, 잘못을 했다가 잘할 수도 있습니다. 그것이 인간입니다. 우리 마음속에는 천사와 악마가 같이 있습니다. 나도 그런 약점을 가진 인간으로서 사람에 대해서는 용서를 했습니다. 그러나 잘못된 정책에 대해서는 용서하지 않았습니다. 그리고 앞으로도 그럴 것입니다.

피터 좋습니다. 이번 세션을 마무리할 때가 된 것 같습니다. 대통령님, 세계은행(World Bank), 동남아시아국가연합(ASEAN) 측 준비하신 분들, 한국개발연구원(KDI)분들 등 준비하신 분들에게 감사의 말씀을 드립니다. 마치기 전에 한 가지 수정할 것이 있습니다. 대통령님께서 공자 앞에서 논어 강의하는 것이 아니라고 하셨는데 영어에도 비슷한 말이 있습니다. "Those who can't do, teach!"(실천할 수 없는 사람이 가르친다.) 제가 볼 때는 금융 위기에 대해서는 가르칠 수 있는 사람과 실제로 실천한 사람은 구별될 수 있습니다. 이 대화에 참여하신 모든 분들께서는 돌아가셔서 1997년과 1998년 신문 분석 기사를 찾아보십시오. 1998년이라는 특이했던 시절을 되돌아보십시오. 국민의 삶과 국가의 미래를 정하는 중요한 결정들을 보십시오. 그 당시 취해진 조치들과 취한 방법들은 오늘날 우리의 현실에 시사하는 바가 매우 큽니다. 오늘 우리는 그 당시 가장 위대한 역할을 한 분으로부터 열정적으로 또 감정을 이입하여 하신 말씀을 들었습니다. 세계은행을 대신하여 귀한 시간을 내주신 데 다시 한번 감사의 말씀을 드립니다. 이희호 여사님, 참여자 여러분 대단히 감사합니다. 유 교수님도 마무리해 주시죠.

유종일 굉장히 좋은 깨달음의 시간이었습니다. 대통령님께서 지혜와 혜안을 나누어 주셔서 대단히 감사합니다.

* 이 글은 2008년 9월 30일 오후 3시 한국 한국개발연구원(KDI)국제정책대학원 3층 화상 회의실에서 열린 세계은행(World Bank)·동남아시아국가연합(ASEAN) 주최 「변화의 촉매」 '아시아의 전설적인 리더와의 대화' 시리즈다. 이날 초청된 김대중 대통령은 아시아 지역 13개국 150명의 청년 학생들과 화상 연결로 대화를 나누었다. 이희호 여사, 피터 스티븐슨 세계은행(World Bank) 대변인(사회), 현정택 한국개발연구원(KDI) 원장, 함상문 한국개발연구원(KDI) 대학원장, 유종일 한국개발연구원(KDI) 교수 등이 함께 자리했다.

북한 김정일 위원장에 대한 속마음 토로한 김대중 전 대통령

대담 김연광·김남성
일시 2008년 10월 1일

설득할 것인가, 압박을 가할 것인가? 핵 문제 해결을 우선할 것인가, 남북 관계의 유지에 우위를 둘 것인가? 모험적인 조기 해결을 시도할 것인가, 시간이 걸리더라도 상황의 안정적 관리에 중점을 둘 것인가? 북한의 핵 무장을 절대 용인하지 않겠다는 원칙을 우선시할 것인가, 아니면 평화적 해결 원칙을 우선시할 것인가?

북한의 핵확산금지조약(NPT) 탈퇴 선언(1993년 3월 12일) 이후 한국 외교는 이 선택지를 앞에 놓고 고민해 왔다. 2008년 9월 현재의 상황은 1993년 3월의 원점으로 되돌아간 모습이다. 그때나 지금이나 북한의 미국의 핵 사찰 요구를 거부하면서 궤도 이탈을 협박하고 있다. 고민은 현재진행형이다.

북한을 핵 보유국으로 인정할 수 있을 것인가, 인정하지 못한다면 대안은 무엇인가? 북한은 천신만고 끝에 확보한 핵무기를 포기할 것인가, 군사적 우위를 확보하기 위해 어떤 경우에도 이를 보유할 것인가? 햇볕정책은 북한과의 접촉면을 넓혀서 북한을 개혁 개방으로 유도하는 데 기여했는가, 아니면 북한이 핵 무장할 시간과 돈을 갖다 바쳤나?

이 물음들에 대한 김대중 전 대통령의 이야기를 듣기 위해 지난 9월 2일 서울 동교동 사저를 찾았다. 그가 대통령에 취임하기 전 『월간조선』은 여러 차례 야당 정치인 김대중과 인터뷰를 했다. 그게 마지막이었다.

햇볕정책 이후 10년 『월간조선』은 햇볕정책의 가장 강한 비판자가 되는 길을 택했다.

15년 만에 찾은 동교동 사저의 뜰은 그대로였다. 키 작은 꽃들이 빙 둘러싼 대여섯 평 정도의 작은 잔디밭에 동교동의 참새들이 떼로 몰려와 놀고 있었다. 인터뷰에 배석한 박지원 의원(민주당)은 "대통령께서 여전히 꽃 가꾸기를 즐기신다"며 "나도 감옥에 있을 때 화분 세 개를 가꿨는데 마음을 가라앉히는 데 그만이었다"고 했다.

김대중 전 대통령은 9월 9일부터 14일까지의 노르웨이 방문을 앞두고 분주했다. 노르웨이 스타방에르에서 열리는 '노벨평화상 수상자 정상회의'에 참석해 '공동의 이익을 목표로 하는 상호주의 대화'를 주제로 강연을 한다고 했다. 80대가 감당하기 어려운 긴 비행 여정이다. 노 정치인의 건강이 궁금했다.

김대중 나이가 나이인데 건강이 좋다고야 할 수 있겠습니까. 신장이 나빠서 계속 투석 치료를 받고 있습니다. 거기 가서도 투석을 받아야 합니다. 의사들이 신장 말고 다른 데는 괜찮다고 합니다.

박지원 퇴임하고 나서 2003년에 한 번, 2005년에 두 번 입원을 하셨습니다. 올해는 투석 치료 외에 병원에 입원하신 적이 없습니다. 이희호 여사도 건강이 좋습니다. 대통령께서는 고관절 때문에 걷는 데 좀 불편이 있습니다. 책을 예전처럼 많이 읽지는 못하시지만 얼마 전 클린턴 대통령의 두 권짜리 자서전 『마이라이프』를 독파했습니다.

왜 햇볕정책이 얻은 게 없습니까

김연광·김남성 이명박 대통령이 최근 "따뜻하면 옷을 벗어야 하는데 옷을 벗기려는 사람이 옷을 벗었다"고 했습니다. 햇볕정책에 대해 "북한과 화합하고 개방하겠다는 취지는 좋지만 결과가 우리가 생각하는 방향으로 나오지 않았다"고 평가했는데요.

김대중 이명박 대통령이 햇볕정책을 공부 안 해서 그런 말을 한 거예요. 햇볕정책은 북한의 옷을 벗기자는 게 아닙니다. 따뜻한 태양 아래에 같이 햇볕을 받으면서 대화로 문제를 풀어 가자는 겁니다. 공동 이익의 기반 위에서 합의에 도달하자, 너도 좋고 나도 좋고, '윈윈'(win-win)하자는 게 햇볕정책입니다. 북한의 김정일 위원장도 오해를 해서, "이솝우화의 옷 벗기자는 얘기다."라고 반발한 적이 있어요. 그로부터 10년이 넘었는데 이명박 대통령이 똑같은 오해를 하고 있어요.

김연광·김남성 이명박 대통령이 "햇볕정책이 북한의 변화를 유발시키지 못했고, 햇볕정책을 통해 얻어 낸 게 없다"는 이야기를 한 것 아닐까요?

김대중 개성공단이 어디에 있습니까. 북한 땅 아닙니까. 그것도 서울을 공격하는 전초기지입니다. 거기에 있던 군부대와 군사시설을 철수시키고 공단을 지었습니다. 개성공단이 완성되면 35만 명의 노동자를 쓰게 됩니다. 엄청난 사업입니다. 금강산에 관광단지를 만들었는데 그곳에 북한의 해군기지가 있었습니다. 해군기지를 딴 데로 보내고 그 땅을 우리에게 내줬습니다. 왜 얻은 게 없습니까. 왜 바뀐 게 없습니까?

김 전 대통령의 목소리 톤이 높아졌다. 그는 "몇 가지 더 얘기를 하겠다"고 했다.

김대중 이산가족 상봉보다 더한 인도적인 문제가 어디 있습니까? 내가 대통령이 되기 전 50년 동안 불과 200명의 이산가족이 상봉했습니다. 지금까지 1만 8000명이 만났습니다. 금강산에 면회소 두 개를 크게 지어 상시면회를 추진했는데 중단 상태입니다. 건설을 다 해 놓고 낙성식을 못 하고 있습니다.

북한 사람들이 과거에 우리를 원수로 생각했습니다. "미 제국주의의 앞잡이다."라고요. 남북정상회담을 하고 나서 쌀과 비료를 주면서, 그 포대에도 대한민국이라고 적었습니다. 북한 사람들 사이에서 "남한이 잘산다. 도와주니까 고맙다. 우리도 잘살아야겠다"는 생각이 퍼졌습니다. 북한에 391개의 재래시장이 있습니다. 우리를 적대하던 북한 젊은이들이 한류에 젖어 있습니다. 이게 얼마나 큰 변화입니까?

김연광·김남성 북한에 지원한 쌀이 군부대로 갔다, 금강산 관광에서 나온 돈이 핵무기 개발에 전용됐다, 지원의 투명성에 대한 문제 제기가 이어졌죠.

김대중 우리가 지원한 돈으로 북한이 무기를 만들었다고 하는 사람들이 있어요. 서독은 정부와 민간이 매년 30억 달러 정도를 지원했습니다. 우리는 매년 5억 달러 정도를 줬습니다. 많이 주면 줄수록 동독은 서독으로 기울어졌습니다. 마침내 동독이 자진해서 "서독과 합치겠다, 안 합치면 베를린 장벽을 부수고 들어가겠다"고 했어요. 그래서 통일이 이뤄졌습니다. 서독은 점진적으로 해야 한다는 입장이었지만 그렇게 됐어요. 나라가 오늘만 있고 내일은 없는 겁니까? 100년 앞을 생각해야죠.

우리 중소기업과 대기업이 개성공단에 들어가 경제 협력하고, 경의선이 연결돼 우리 철도가 유럽으로 이어진다는 생각을 하면 북한과의 관계 개선이 얼마나 소중합니까? 우리가 북한을 버리면 중국이 북한에 들어옵니다. 개성공단에 중국 기업이 이미 두 개 들어와 있습니다. 우리가 안 하고 포기하면 중국 기업이 확 들어올 겁니다.

햇볕정책에도 악화된 북핵

김연광·김남성 햇볕정책에도 불구하고 악화된 것 두 가지만 말씀드리겠습니다. 첫째, 북한 핵 문제입니다. 북한은 2006년 10월 9일의 핵실험으로 핵 보유국이 됐습니다. 핵무기는 재래식 군사력으로는 억제할 수 없는 비대칭적인 전략무기입니다. 평화가 가까워진 게 아니라 안보 불안이 더 커졌습니다.

둘째, 북한 체제가 본질적으로 변하지 않았습니다. 북한은 고난의 행군 시기(1994-1996년) 수백만 명의 주민이 굶어 죽었습니다. 북한과의 접촉면을 넓히고 교류 협력을 했지만, 북한에서 굶어 죽는 사람이 끊이지 않고 있습니다. 세계식량계획(WFP)이 며칠 전 "680만 명의 북한 주민이 기아에 직면해 있다. 5억 달러의 긴급 식량 지원이 필요하다"고 발표했습니다. 햇볕정책에도 불구하고 북한이 조금도 변하지 않았다는 징표 아닐까요?

김대중 그렇게 말하는 것은 섣달 그믐날 시집온 며느리에게 정월 초하룻날 "왜 시집온 지 2년이 됐는데 아들을 못 낳느냐"고 따지는 것과 마찬가지입니다. 우리가 햇볕정책을 추진했지만 안에서는 국회 과반 의석을 차지한 야당이 강력히 반대했습니다. 계속 견제했죠. 밖에서는 부시 정권이 북한과 대립했습니다. 그런 상황에서 개성공단, 금강산 관광의 명맥을 유지한 것만도 참 힘든 일이었습니다.

부시 대통령이 취임해서 내가 권고한 대로 북한과 주고받는 대화를 했으면 북한이 왜 핵실험을 하고 핵 보유로 달려가겠습니까. 부시가 실기失機한 겁니다. 북한 내부에서 굉장한 변화가 진행 중입니다. 미국과 북한이 국교 정상화하고, 미국이 북한의 안전을 보장하고 개혁 개방하도록 도와줄 때 북한은 진짜 변할 거예요.

부시의 '레짐 체인지'가 남북 관계 악화시켜

김연광·김남성 부시 행정부가 '레짐 체인지'(정권 교체)로 북한을 압박했습니다. 하지만 북한 역시 제네바핵합의에 따른 '핵 폐기'가 부담스러워 미국의 '레짐 체인지'를 구실로 핵 무장의 길로 들어섰다는 관측이 있습니다.

김대중 미국이 북한의 안전을 보장해 주고, 미국과 무역한다면 북한이 왜 핵무기가 필요합니까? 북한이 핵으로 미국을 위협한다고 하지만, 북한의 핵은 미국의 수천 기 핵무기 앞에서는 어린애 장난감도 안 됩니다.

김연광·김남성 남북 관계 악화의 책임을 전부 부시 행정부에만 묻는 것은 곤란하지 않겠습니까?

김대중 부시 대통령이 햇볕정책에 반대하면서 '에이비시(ABC) 정책'(Anything But Clinton, 클린턴이 결정한 정책은 모두 재검토하겠다는 뜻)을 폈습니다. 레짐 체인지가 김정일 정권을 이라크나 아프가니스탄처럼 때려 부수겠다는 것 아닙니까?

부시 행정부가 그렇게 6년 하고 나니까, 북한이 핵확산금지조약(NPT) 탈퇴하고, 모라토리엄을 깨고 장거리미사일 발사하고, 국제원자력기구(IAEA) 요원 추방하고 마침내 핵실험까지 했잖습니까. 미국이 손해만 봤어요. 중국과 러시아 때문에 무력 제재는 할 수 없어요. 미국이 일본하고 대북 경제 제재를 했지만 아무 효과가 없었습니다. 부시 행정부가 '레짐 체인지'를 접고 이제 직접 대화를 하고 있습니다.

김연광·김남성 부시 대통령이 당선된 직후 워싱턴에서 부시 대통령을 만나서 대북 정책에 대한 조언을 했다가, 설득에 실패하셨죠.

김대중 제가 부시 대통령에게 누누이 얘기를 했습니다. 당신이 "나쁜 놈하고 대화 안 한다고 얘기했지만, 대화는 나쁘고 좋고의 문제가 아니라, 필요하냐 않으냐에 달려 있다. 당신네 레이건 대통령이 소련을 악의 제국이라고 했지만 대화를 했다. 아이젠하워 대통령은 북한하고 대화해서 휴전협정을 맺었다." 왜 그런 소리를 하느냐, 부시 행정부는 손해만 봤어요. 지금은 클린턴과 내가 했던 대로 하고 있습니다. 다만 햇볕정책이라는 표현만 안 쓸 뿐이죠.

멀리 넓게 보면 답이 나온다

김연광·김남성 6자회담이 지난 6월 북한의 핵 신고 이후 '검증' 방법을 놓고 미국과 북한이 정면충돌하고 있습니다. 미국은 확실한 핵 사찰을 보장해 줘야 테러지원국 리스트에서 삭제해 주겠다는 입장입니다. 북한은 검증은 나중에 협의하고 당초 약속대로 테러지원국에서 삭제해 달라는 입장입니다.

김대중 검증 방법에 합의한다고 모든 게 끝나는 게 아니잖아요. 핵무기 제거 같은 일들이 더 남아 있어요. 미국이 북한에 "살길을 열어 주겠다", "국교 정상화하겠다", "테러지원국 리스트에서 해제하고, 북한이 국제 금융기관에서 돈 빌리게 해 주겠다"고 안심시켰죠. 그 대신 "미국이 다 해 주니까, 핵 시설이고 핵물질이고 다 넘겨라. 우리가 완전히 믿게 해 달라"고 해야 합니다. 미국이 대국답게 통 크게 북한과 대담하게 주고받았으면 좋겠어요. 내가 미국 친구들에게 "한번 통 크게 주고받는 협상을 해 봐라. 북한이 받아만 놓고 약속을 안 지키면 얼마든지 제재할 방법이 있지 않으냐. 북한이 뭐가 겁나냐"고 했어요.

김연광·김남성 검증을 둘러싼 미국과 북한의 교착상태가 곧 풀릴 걸로 생각하십니까?

김대중 다른 방법이 없잖아요. 무슨 방법이 있겠어요? 미국이 북한을 안으면 동북아에 북한이라는 아주 든든한 기지가 생기잖아요. 미국 국익에 맞고 북한 국익에도 맞고. 북한과 문제가 풀려야 동북아 6자 안보 체제를 만들 수 있습니다. 문제를 길게 봐야 합니다. 망원경을 들고 멀리 넓게 보고, 현미경을 갖고 좁고 깊게 봐야죠. 현재 상황을 현미경으로 들여다보면 갑갑하죠. 하지만 멀리 넓게 보면 답이 나옵니다.

김연광·김남성 김 전 대통령께서는 정밀한 북한 핵 사찰 방식이 도출되지 않더라도, 미국이 테러지원국 리스트에서 북한을 삭제해 줘야 한다는 쪽입니까?

김대중 북한이 오매불망 바라는 것이 테러지원국 리스트 해제예요. 북한이 6자회담에서 약속한 대로 2단계 실천, 즉 영변 핵 시설 불능화 조치를 했고, 핵 프로그램을 보고했단 말이에요. 미국이 8월 11일 해제하겠다고 북한에 약속을 했잖아요. 북한의 핵 프로그램 보고서 속에 검증 방법까지 포함돼야 했다면, 부시 대통령이 왜 미리 미국 의회에 테러지원국 해제를 통보했습니까? 앞뒤가 안 맞죠.

김연광·김남성 북한의 입장에서 보자면, 미국이 6자회담에서 합의한 약속을 안 지킨 거죠.

김대중 북한은 그것만 기다렸는데, 북한이 그것에 묶여서 사방팔방 고통을 보고 있어요. 북한은 그것만 풀리면 여러 가지 할 일이 있습니다. 서로 완전히 믿을 수 있게 모든 걸 털어놓고, 검증 절차까지 얘기하면서 북한 핵 문제를 매듭지어야 합니다.

김연광·김남성 1993년 이후 지금까지 북한의 핵 프로그램을 놓고 "미국과의 협상에 쓰려는 협상용 칩이다."라는 관측이 있었고, "북한에게 핵은 체제 보장용 무기다. 절대 포기하지 않는다"는 관측이 있었습니다. 북한이 핵실험까지 한 상황에서 후자의 시각이 더 현실적인 것으로 보입니다.

김대중 아니, 북한이 핵탄두 몇 개 가지고 뭘 하겠습니까? 핵무기로 주민 밥을 먹이겠습니까? 지금도 북한 주민이 굶어 죽는다고 하잖아요. 언제까지 북한 주민이 참겠습니까? 아무리 독재자라고 하더라도 자기 주민 굶어 죽는 걸 얼마나 방치할 수 있겠습니까? 주민들 밥을 못 먹어 영양실조 걸리게 하고, 병들어 병원에 가서 치료를 못 받고, 이런 상황을 북한 주민들이 언제까지 참나요? 김정일 위원장이 자기도 걱정이 되는 거예요. 북한은 진심으로 미국하고 한국하고 관계 개선하려는 겁니다. 왜? 자기네가 살기 위해서.

노무현 정권은 말로 미국과 말썽을 만들어

김연광·김남성 대통령께서는 "줄 것 주고, 받을 것 받으라"고 하시는데. 지금 북한은 플루토늄 핵무기를 보유했고, 우라늄 농축 능력까지 확보했습니다. 북한이 핵 포기의 대가로 받아 내겠다는 선물 보따리가 엄청나게 커지지 않겠습니까?

김대중 한남 신포에 짓다 만 경수로를 지어 달라고 하겠죠. 그리고 하나쯤 딴 걸 더 달라고 할지 몰라요. 우리가 중국에 가서 투자하고, 전쟁한 베트남에 가서 투자하고 도와주잖아요. 북한에만 못 할 것 뭐 있어요? 북한이 미국과 관계 개선하고 협력한다면, 우리가 중국이나 베트남처럼 북한을 대하면 됩니다.

김연광·김남성 북한이 핵을 완전히 포기하고 중국과 베트남식의 개혁 개방 노선으로 갈 것으로 믿으십니까?

김대중 물론이죠. 핵이 밥 먹여 줍니까? 미국이 북한의 안전 보장을 해 주면 북한은 핵이 필요 없습니다.

김연광·김남성 북한 핵 문제 해결과 남북 경협을 놓고 부시 정부와 노무현 정부 사이에 큰 마찰이 있었습니다. 미국은 핵 문제 진전과 경협이 연계돼야 한다는 입장이었고, 노무현 정부는 핵 문제와 관계없이 경협을 계속하겠다는 입장을 고수했습니다.

김대중 노무현 정권이 한·미 관계를 잘못했으니 복원해야 한다는 것은 지나친 얘기입니다. 노무현 정권이 미국에 해 준 게 얼마나 많습니까. 이라크,

아프가니스탄 파병, 한·미자유무역협정(FTA) 체결, 미 2사단 후방 배치, 미군 사령부 평택 이전, 노무현 정권이 반미 한 것처럼 얘기하는 것은 조금 떳떳지 못합니다.

김연광·김남성 "한·미동맹에 큰 파열이 생겼다"고 우려하는 미국 쪽 인사들이 적지 않습니다.

김대중 노무현 정권 사람들이 같은 말을 함부로 해서 오해받았어요. 외교적 발언을 안 하고, 우리끼리 하던 대로 막 얘기를 해서 미국 사람들 감정을 상하게 한 것은 사실이에요. 하지만 내가 미국 사람들에게 "노무현 정권이 이렇게 미국에 협력을 하는데 어째서 반미냐"고 얘기하면, "반미라고 하는 사람이 잘못이다."라고 해요. 노무현 정권이 말 가지고 말썽이 생겼지만, 한·미 관계가 심각하게 나빠졌다고 생각하지 않습니다.

김연광·김남성 이명박 정부의 대북 정책이 '비핵·개방·3000' 입니다. 북한이 핵 문제를 해결하면 북한이 국민소득 3000달러에 이르도록 지원하겠다는 내용입니다. 하지만 관광객 피격 사망으로 금강산 관광이 중단됐고, 개성공단은 계획대로 진전되지 않고 있습니다. 남북 대화가 전면 중단된 경색 국면입니다.

김대중 이명박 대통령이 무엇보다 6·15남북공동선언과 10·4합의를 인정해야 합니다. 법적으로 보더라도 후임 대통령은 전임 대통령이 한 일을 인수인계할 책임이 있습니다. 정책에 문제가 있으면 손보자고 얘기하면 됩니다. 이명박 대통령이 두 가지 합의에 대해 불투명한 자세입니다. 북한이 그래서 불신하는 겁니다. 그게 먼저 해결이 안 되면 다른 것은 풀리지 않습니다. 북한에서 김정일 위원장은 신과 같은 존재인데 그 사람이 사인한 문서를 외면하면, 그 사람들이 남북 대화에 나서겠습니까? 지금 남북의 정상끼리 풀어야 할 문제가 산적해 있습니다. 이명박 대통령과 김정일 위원장 두 사람은 성격이 솔직하고 담대한 게 비슷합니다. 만나야죠.

'남북기본합의서를 방기했다' 는 시각에 대해

김연광·김남성 임동원 전 통일부 장관이 쓴 회고록 『피스메이커』를 읽었습니다. 당시 야당 총재였던 김대중 대통령이 임동원 씨에게 "3단계 통일 방안을 정교화해 달라"고 부탁하면서 "남북기본합의서가 바탕이 돼야 한다"고 얘기하는 대목이 나오더군요. 남북기본합의서를 강조한 게 저로서는 의외였습니다.

김대중 나는 대통령 취임사에서도 남북기본합의서 이행을 강조했어요.

김연광·김남성 그런데 햇볕정책 이후 남북기본합의서가 도외시되고, 6·15공동선언, 10·4합의만 부각된 것 아닌가요?

김대중 나는 남북기본합의서를 도외시하지 않았습니다. 남북기본합의서는 남북기본합의서를 만든 노태우 대통령부터 도외시했습니다. 김영삼 대통령이 도외시했습니다. 남북기본합의서의 약속 중 한 건이라도 실천하기 위해 노력한 게 있습니까? 북한하고 대치만 했지 않습니까? 저는 임동원 장관한테 그렇게 얘기했고, 대통령 취임사에서 남북기본합의서가 중요하다고 했으며, 북한에 가서 김정일 위원장을 만나서 그렇게 얘기했습니다. 지금도 그렇게 생각합니다.

남북기본합의서에는 남북이 다뤄야 할 중요한 문제가 망라돼 있습니다. 중요한 장전章典입니다. 실천만 하면 됩니다. 그런데 그렇게 안 됐습니다. 남북기본합의서는 총리급에서 합의했지만, 6·15합의와 10·4합의는 남북 정상 간에 합의된 겁니다. 이어받아야죠.

박지원 이명박 정부에서 남북기본합의서를 내세우는데, 6·15정상회담을 위한 4·8합의에 "남북기본합의서 정신에 따라서 한다"고 명문화돼 있습니다. 햇볕정책도 마찬가지입니다. 마치 우리가 남북기본합의서를 버린 것으로 말하는데 그 사람들이 공부가 부족한 겁니다.

김연광·김남성 2000년의 남북정상회담 이후 통일의 방식을 규정한 6·15 선언 제2항이 논란과 의혹이 초점이 됐습니다. "통일을 위한 남측의 연합제안과 북측의 낮은 단계의 연방제안이 서로 공통성이 있다고 인정하고 앞으로 이 방향에서 통일을 지향시켜 나가기로 했다"는 제2항이 모호하다, 헌법 위반이라는 문제 제기가 있었습니다.

김대중 우리의 남북연합제는 '1민족 2체제 2독립정부'입니다. 남한체제와 북한 체제를 그대로 두고, 양 정부를 다 인정하면서, 정례적 정상회의, 각료 회의, 국회회의를 통해 협력할 것은 협력하는 겁니다. 모든 것은 만장일치로 가야죠. 합의 안 된 것을 밀어붙여서는 안 되니까. 북한은 연방제를 주장해 왔습니다. 우리가 "연방제는 비현실적이다. 지금 어떻게 군대를 하나로 합치느냐. 외교를 하나로 합칠 수 있나"고 공격하니까 북한이 태도를 바꿨어요. 북한이 오랫동안 신주 모시듯이 한 연방제를 바꿀 수는 없으니까, '낮은 단계의 연방제'를 가지고 나왔어요. 내가 못을 박았어요. "낮은 단계의 연방제는 우리의 연합제와 공통성이 있다. 같은 내용이다." 거기에 이의가 없었어요.

남북연합제는 지금 당장 가능

김연광·김남성 김 전 대통령께서 말씀하시는 연합제는 '김대중의 3단계 통일론'에 나오는 연합제이니까. 우리의 공식 통일 방안이 '한반도 공동체 통일 방안'에서 규정한 그 연합제입니까?

김대중 노태우 정권이 마련한 연합제와 비슷해요. 노태우 정권 때 연합제를 주장한 거예요. 똑같은 문구는 아니지만 "연합제와 화해 협력을 거쳐서 통일한다", 이 점은 같아요. 우선 연합제를 해서 교류 왕래하고 협력하고, 같은 민족끼리 화해하고, 그리고 10년쯤 해서 "한 단계 더 가자"고 하면 미국과 같은 연방제로 가자는 거죠.

내가 말한 3단계 통일은 1단계 남북연합, 2단계 남북연방, 3단계 완전 통일입니다. "1단계 남북연합이 북한의 낮은 단계의 연방제와 똑같다"고 남북이 합의한 겁니다. 흡수 통일 안 하고, 북한이 공산 통일 안 하고, 단계적으로 협력하면서 통일한다, 민주적 절차에 의해서 한다는 합의입니다. 자꾸 색안경으로 보는 사람들이 있어서 억지로 때려 붙이는데, 내가 하면 로맨스고 남이 하면 불륜이라고. 그건 민족을 위한 일도 아니고, 바르게 나랏일을 다루는 것이 아닙니다.

김연광·김남성 통일의 1단계인 연합제에는 어떻게 돌입하게 됩니까? 그동안 "어떻게 정치적인 선언만으로 남과 북이 연합제에 진입할 수 있느냐"는 문제 제기가 끊이지 않았습니다. 교류 협력이 많이 진전된 후 연합제가 오고, 좀 더 질이 높은 교류 협력이 이어져야 하는 게 정상적인 과정 아닐까요.

김대중 지금 이 순간에 연합제를 시작할 수 있습니다. 왜냐하면 남북이 서로 간섭하지 않고, 서로 왕래하고 경협하고 있잖아요. 그걸 연합제라는 이름으로 좀 체계 있게 하자는 것뿐이에요. '1민족 2체제 2독립정부'니까 간섭할 여지가 없고, 위험이 없는 겁니다.

김연광·김남성 연합제를 위해 '통일의회'를 둔다든가 하는 조치는 필요 없나요.

김대중 없죠. 남북 의회가 합동회의를 한다든가 할 수 있지만, 통일의회를 할 수는 없습니다. 그러려면 헌법을 고쳐야 하니까. 그건 안 되죠.

김연광·김남성 5억 달러 대북 송금 사건에 대해 질문을 드리겠습니다. 2000년 봄 싱가포르에 있었던 남북정상회담 예비회담 때 일본인 요시다 다케시와 민간인 김영완 씨가 참석했습니다. 민족의 문제가 걸린 회담에 외국

인이 참석했고, 이후 남북정상회담 협상에 현대의 대북사업이 뒤섞여 논의
됐습니다. 이것이 대북 송금 특검으로 가는 단초가 된 것 아닙니까?

임동원 전 장관의 회고록 『피스메이커』를 보면, 대통령께서 "예비회담에
서 현대의 대북사업 독점에 대한 대가로 7억 달러를 주기로 논의됐다"는 보
고를 받고 화를 냈다는 부분이 있습니다. 대통령께서 이렇게 얘기한 걸로 회
고록에 적혀 있습니다.

김대중 현대가 정상회담 개최를 이용해서 북한과 미리 합의해 놓고 정부
를 물고 들어가려는 것 아닙니까? 현대 측의 처사는 대통령과 국민에 대한 예
의가 아니지 않습니까. 정상회담 후에 순리에 따라 국민과 세계의 축복을 받
아 가며 당당하게 추진할 수도 있는 일을 가지고 왜 북한에 끌려다니며 굳이
정상회담 전에 합의하려고 서두는 것입니까?

김연광·김남성 대통령의 이런 질책에도 불구하고 계속 정상회담 협상과
현대의 대북사업 협상이 뒤죽박죽 뒤얽혀 진행된 이유는 뭔가요.

김대중 그건 임동원 장관이 회고록에 적어 놓은 그대로입니다.

김연광·김남성 6·15공동선언문에 명문화하려고 애썼던 게 국군 포로와
남북 어부 송환 문제입니다. 북한은 비전향 장기수 문제를 공동선언에 명문
화했고, 비전향 장기수 63명을 받아 갔습니다. 우리는 단 한 명의 국군 포로,
남북 어부도 돌려받지 못했습니다.

김대중 그 후로 논의를 계속해 왔지만 북한에서는 "그런 사람 없다"는 입
장이었습니다. 북·미 관계 악화 등으로 국군 포로와 납북 어부 귀환을 성사
시키지 못했지만 엄청난 규모의 이산가족 상봉을 이뤘습니다. 그 과정에 납
북 어부가 몇 분이 포함돼 가족 상봉을 했습니다. 끝까지 포기하지 않고 국군
포로, 납북 어부를 구출해 내야죠.

북한의 고자세는 약자의 강박관념

김연광 · 김남성 국군 포로, 납북 어부 귀환이 성사되지 않은 데 아쉬움이 남습니까?

김대중 그렇죠. 문제는 제기했지만 시간적인 여유가 없었어요. 정상회담 하고 곧바로 '레짐 체인지' 하겠다는 부시 행정부가 등장했으니까요. 당시는 이산가족 상봉이 가장 중요한 의제였습니다. 단계적으로 국군 포로, 납북 어부 문제에 접근하려고 했습니다.

김연광 · 김남성 "김대중, 노무현 정권이 북한과의 협상, 북한 인권 문제에서 지나치게 저자세였다"는 지적에 대해서는 어떻게 생각합니까?

김대중 지금 세상에서 제일 고자세인 게 북한입니다. 북한이 저런 것은 강해서 그런 게 아닙니다. 그걸 똑바로 알아야 합니다.

김연광 · 김남성 약함의 표현이라는 말입니까.

김대중 약자의 강박관념이죠. 북한이 고자세 해서 얻은 게, 남은 게 뭐가 있습니까? 우리나라 사람들이 둘이 싸우다가 막판에 머리를 처박고 "너 죽고 나 죽자"고 하잖아요. 북한이 그 심정이에요. 그것을 같이 다투면 상처밖에 없습니다. 상대가 강해서 그러면 증오할 수 있지만, 그런다면 달래서 끌고 가야죠. 북한을 달래서 개혁 개방시키고 국제사회에 나오도록 하면 우리가 제일 득을 보잖아요. 안심하고 살 수 있고. 북한이 간혹 말을 험악하게 하지만 우리가 똑같이 대응을 안 할 뿐이죠. 안 한다고 저자세는 아니죠. 요즈음 북한이 이명박 대통령을 '역도'라고 하지만 대응을 안 하잖아요. 우리가 저자세가 아니라 그렇게 해 봐야 상황을 나쁘게 만드니까 참는 겁니다.

"김정일 위원장이 미군 주둔을 원한다"는 발언

김연광 · 김남성 대통령께서 1993년 8월 24일 『월간조선』과의 인터뷰에서

"통일 한국은 자유민주주의와 시장경제를 두 축으로 하는 사회체제다."라고 분명한 입장을 밝혔습니다. 그 이전까지는 "통일 한국이 궁극적으로 어떤 사회여야 하는가?"라는 물음에 "통일을 이룰 그 세대가 선택할 문제"라며 유보적인 입장을 취했습니다. 통일 한국의 정체政體에 대해서는 지금도 입장이 분명하신 거죠?

김대중 물론이죠. 민주적 기반에서 통일을 해야죠. 통일 한국이 민주주의를 안 하면 뭣 때문에 우리가 수십 년간 민주주의를 위해 싸웠습니까? 어림도 없는 얘기죠. 북한 역시 살기 위해서 시장경제를 할 수밖에 없어요.

김연광·김남성 대통령께서 "평양회담에서 김정일 위원장이 통일 후에도 미군 주둔을 희망한다고 말했다"고 밝혔습니다. 배석했던 임동원 전 통일부 장관은 "김정일 위원장이 말한 주한 미군은 지금의 미군이 아니라 북한에 대해서 적대적이지 않은 일종의 평화유지군 같은 성격을 가진 미군"이라고 증언했습니다.

김대중 김정일 위원장을 딱 만나 보고 얘기하니까, 미국과 관계 개선하겠다는 결의가 강해요. 나한테만 그런 게 아니라 스웨덴 페르손 총리, 올브라이트 미국 국무장관에게 그런 얘기를 했어요. 만나 보면 북한이 중국을 얼마나 경계하는지 알 수 있어요. 김정일 위원장보고 내가 '러시아 청국 일본이 우리나라를 침탈했다. 미국하고 관계 개선이 한반도 안전에 중요하다. 미국과 관계 개선을 안 하면 국제통화기금(IMF), 아시아개발은행(ADB)에서 돈을 못 빌린다. 북한의 안전도 경제도 미국이 길을 열어 줄 수 있다'고 했어요. 김정일 위원장이 손가락을 올리더니 "우리 주위에는 러시아·중국·일본이 있습니다. 다 과거 우리를 침략했습니다. 앞으로 우리가 경계해야 합니다. 미군은 지금뿐 아니라 통일 이후까지 한반도에 있어야 합니다. 다만 주한 미군은 양쪽을 견제하면서 전쟁 억제하는 역할을 해 줘야 합니다."라고 했어요.

김연광·김남성 개성공단과 관련해서 이런 지적이 있습니다. "북한이 개발의 주체가 되고 우리가 옆에서 도와주는 방식이 돼야 했다, 우리가 개발의 주체가 되고 북한이 끌려오는 방식의 문제다." 지금 우리 기업들이 공장을 늘리려고 하는데 북한이 노동자 공급에 엉거주춤 소극적이라고 합니다.

김대중 북한이 개발의 주체가 되고 우리가 도와주는 방식으로 했으면, '퍼주기'라고 야당에게 얼마나 혼이 났겠습니까. 그렇게 하면 우리가 우리의 경제적 이익을 제대로 챙기기 어렵습니다. 그리고 북한이 자본과 기술이 없는데 어떻게 주체가 됩니까? 북한이 속이 쓰리지만 할 수 없이 이런 개발 방식을 받아들인 거예요.

북한은 노무현 정권과 협상할 때 "왜 약속대로 개성공단 개발을 안 해 주느냐"고 항의를 많이 했습니다. 미국의 견제로 대기업이 못 들어가고 있습니다. 개성공단은 제대로 확장이 되면 35만 명의 노동자가 필요합니다. 개성공단이 커지지 않는 것은 우리 책임이 더 큽니다. 북한은 "노동자가 부족하면 군인들 제대시켜 보내겠다"고 했어요. 개성공단은 지금 성공하고 있고, 더 크게 성공할 거예요. 개성공단이 잘되려면 남북 관계가 개선돼야 하고, 그러려면 남북 정상이 만나야 합니다.

노무현 대통령이 정말 그런 말을 했습니까

김연광·김남성 노무현 정부가 임기 말에 이르러 "개혁 개방은 북한이 알아서 할 일이다. 개혁 개방 표현을 쓰지 않겠다"고 했습니다. 중국의 지도부까지 김정일 위원장에 개혁 개방을 압박하고 있습니다. 그런데 노무현 정부가 "교류와 협력을 통해 북한의 변화를 유도한다"는 원칙을 포기했습니다. 북한과의 대화에 집착하는 바람에 지향점을 잃어버렸습니다. 그래서 햇볕정책에 대한 국민들의 반감이 커졌다는 게 아닌가 싶습니다.

김대중 노무현 대통령이 정말 그런 말을 했습니까?

김연광·김남성 네.

김대중 왜 그랬는지 나는 모르겠습니다. 북한이 지금 자신이 개혁 개방하려고 하지 않습니까? 미국하고 관계 개선해서. 북한은 개혁 개방 안 하고서는 살길이 없습니다. 결국 하는 거예요. 그러니까 그런 작은 일 가지고 걱정하지 말고, 일희일비할 필요가 없습니다.

노무현 대통령은 2007년 2월 7일 인터넷매체들과의 합동 인터뷰에서 "북한이 개혁 개방으로 나갈 것으로 보는가?"라는 물음에 이렇게 대답했다. "북한은 개혁 개방할 거라고 믿는다. 왜냐하면 북한도 제정신을 가지고 국가를 운영하는 사람들이라면 그 이외 아무런 길이 없기 때문이다. 개혁 개방하면 성공할 수 있다고 생각한다. 속도의 문제다."

노무현 대통령은 2007년 10월 3일 김정일 위원장과 오찬 회동이 끝난 뒤 이렇게 말했다. "개혁 개방은 북한이 알아서 할 일이고, 서울에 가면 적어도 정부는 그런 말을 쓰면 안 되겠다고 생각한다." 노 대통령의 이 같은 뜻에 통일부는 홈페이지에서 개혁 개방이라는 용어를 삭제했다.

김연광·김남성 최근 "'잃어버린 10년'이라는 표현은 부당하다. 정치적인 공격이다."라는 얘기를 하셨더군요.

김대중 그건 말이 안 되는 소리입니다. 현재 여당이 집권하고 있을 때 국제통화기금(IMF) 외환 위기를 초래해 나라가 부도에 몰렸습니다. 나라 경제가 파탄 난 걸 살려서 극복했는데 어째서 '잃어버린 10년'인가요? 부채투성이 기업과 금융기관을 싹 살렸는데 왜 그런 말을 합니까? 내가 "외환 위기를 2년 안에 극복하겠다"고 했을 때 한나라당 사람들이 "그러면 손에 장을 지지겠다"고 했어요. 우리가 성공시켰잖아요. 환란 속에 정보화를 추진해 아이티 (IT) 강국이 됐습니다. 기초생활 보장, 사회보장, 의약분업, 국민연금 건전성 확보에서 성과를 냈습니다. 남북 관계를 냉전 체제에서 화해 협력 체제로 전환시켰습니다. 내가 정권을 맡고 외환 보유고가 39억 달러뿐이었는데 나올 때 1,300억 달러로 만들어 놨어요. 이게 왜 잃어버린 10년입니까?

김연광·김남성 '잃어버린 10년'이라는 얘기에 많이 섭섭하셨던 모양입니다.

김대중 대통령에 당선되고 이틀 지나서 클린턴 미국 대통령이 전화를 했어요. 당선을 축하하면서 "한국의 외환 위기가 세계적으로 파급될 우려가 있다"고 걱정을 해요. 클린턴 대통령이 긴급 금융지원을 하기 전에 저를 테스트하려고 재무부 차관을 보내지 않았습니까?

김연광·김남성 어떤 시험을 보셨습니까.

김대중 미국 재무부 차관 립튼이 왔는데, 내가 생각하는 것이 자기들과 맞으면 돕고, 다르면 한국을 부도내겠다는 심산이었어요. 시험문제는 두 개였어요. "당신이 정말 시장경제를 신봉하느냐", "구조조정을 하려면 노동자를 감원해야 하는데 당신은 노동자 편에 서 있다고 들었다. 노동자 감원을 할 수 있겠느냐." 시장경제는 내 소신이니까 그대로 얘기를 했어요. 구조조정에 대해서는 "100명의 노동자 중에 10명을 감원해서 회사를 살릴 수 있으면 90명은 직장을 잃지 않는다. 10명을 자르지 않으려고 하면 기업이 부도나서 나머지 90명까지 직장을 잃게 된다. 그렇게 할 수는 없다"고 했어요. 립튼 차관이 나와 헤어지고 엘리베이터를 타면서 "그래 됐다"고 해요. 가자마자 미국이 우리를 지원하겠다고 선언했죠.

김연광·김남성 은행들이 문을 닫고, 실업자가 쏟아져 나오면서 사회안전망 구축을 병행하느라 일이 복잡했죠.

김대중 일하는 분은 일하고, 일이 없어서 생활이 어려운 사람들을 먹고살게는 해야 했으니까요. 재벌 하나만 무너져도 나라가 흔들린다고 불안해하던 때였습니다. 30대 재벌 가운데 16개가 주인이 바뀌니까 문을 닫거나 했습니다. 그렇게 되니까 경쟁력 있는 기업만 살아남았죠. 금융기관이 적자투성이였고 회수 불가능한 부실채권이 10퍼센트를 넘었습니다. 공적 자금을 투입해 모두 해결했습니다. 회생 가능성 없는 기관들은 통합하거나 문을 닫았죠. 요사이 은행들이 모두 흑자예요. 과거에는 적자 안 내는 은행이 없었는데 지금은 흑자 안 내는 은행이 없어요.

김연광·김남성 "야당을 애국심이 없는 사람으로 매도하지 말라"고도 하셨던데.

김대중 여야가 상대방을 애국자로 생각해야 합니다. 야당에게 "너는 좌파다" 하고 꼬리표를 붙입니다. 우리나라에서 좌파라고 하면 빨갱이라는 얘기 아닙니까? 지금 우리나라에서 정신 제대로 박힌 사람 치고 공산주의 지지하는 사람이 누가 있습니까? 공산주의는 이미 역사의 무덤 속으로 들어갔습니다. 일부가 남아 있지만 시간이 지나면 없어집니다. 지금 독일에서는 기독교민주당과 사회민주당이 연립정부를 구성하고 있습니다. 이제는 민주적 좌파와 민주적 우파가 상부상조하면서 경쟁하는 시대입니다.

김연광·김남성 김형오 국회의장이 국회에 개헌특위를 설치하고, 18대 국회 전반기에 개헌을 끝내겠다고 밝혔습니다. 김 의장은 4년 중임제 외에 내각제까지 폭넓게 검토해 보자는 입장입니다. 5년 단임 대통령제를 바꿔야 할 필요성에 공감하십니까?

김대중 5년 단임제는 처음부터 잘못됐습니다. 1987년 개헌할 때 야당안은 대통령직선제, 4년 중임제, 정부통령제 세 가지였습니다. 여당이 직선제만 받았어요. 그때 전두환 대통령은 한 번 하고 물러난다는 것을 큰 업적으로 여겼습니다. 여당이 중임제를 안 받았습니다. 정부통령제를 하자니까 "김영삼 김대중이 대통령과 부통령을 하나씩 맡으면 선거에 이길 수 없다"고 생각하고 반대했어요. 저는 그때 야당이 주장했던 세 가지를 다 해야 한다는 생각입니다.

정부통령제는 지역 화합에 도움이 됩니다. 그뿐 아니라 부통령이 대통령의 의전적인 일을 대신 할 수 있습니다. 의전적인 일이 많아서 대통령이 국정에 전념할 시간이 부족합니다. 또 대통령에 유고가 발생할 때 부통령이 곧 계승할 수 있죠. 이승만 대통령도 부통령제를 두었는데 왜 우리가 못 합니까?

김대중의 '대화론'

김연광·김남성 권력 구조 외에 손봐야 할 부분은 어떤 게 있습니까.

김대중 대통령과 광역자치단체장이 선거운동을 할 수 있어야 합니다. 그래야 레임덕이 안 됩니다. 대통령이라는 사람이 국회의원 선거자금 모금을 지원할 수 없습니다. 미국 대통령들은 하원의원들의 선거자금 모금에 일일이 참석합니다. 우리 대통령은 선거 때 연설을 못 하니까 표도 못 얻어 줍니다. 누가 대통령을 두려워하겠습니까? 광역자치단체장도 마찬가지입니다. 기초자치단체를 이끌고 효율적인 지방행정을 하려면 선거 지원만이라도 해줄 수 있어야 합니다. 선진국은 다 하고 있지 않습니까?

김연광·김남성 최근 들어 현안에 대해 끊임없이 의견을 표명하고 계십니다. 다른 취미는 없으십니까.

김대중 책 읽고 신문 읽는 일이죠.

김연광·김남성 신문은 하루에 몇 종이나 읽습니까.

김대중 사무실에서 국내 주요 언론 보도를 스크랩해서 올립니다. 전 신문을 읽는 셈이죠. 일본의 『아사히신문』은 정기 구독합니다. 다른 영자지들은 보좌진들이 번역해서 올려 줍니다.

김대중 전 대통령은 지난 10여 년 『월간조선』과 껄끄러운 감정의 앙금이 없지 않았을 텐데 조갑제 전 편집장과의 인터뷰들을 즐거운 기억으로 떠올렸다. 그러면서 그는 "대화는 적과도 해야 하는 것"이라고 강조했다.

김대중 조갑제 편집장의 생각이 나하고는 안 맞지만 둘이 얘기해 보면 참 재미있어요. 야, 저런 생각을 할 수도 있구나, 아, 저런 이론도 있구나, 알게 됐어요. 내게 도움이 됐죠. 자기하고 다른 의견을 들어야 공부가 되고 발전이 있어요.

* 이 글은 『월간조선』 김연광·김남성 기자가 인터뷰하여 『월간조선』 2008년 10월 호에 게재되었다. 박지원 의원이 배석했다.

한·일, 동북아 그리고 동아시아

연설 '신한일 관계 파트너십 선언' 10주년 기념 심포지엄
일시 2008년 10월 8일

김대중 존경하는 이기수 총장, 최관 소장, 존경하는 가토 고이치 의원, 시게이에 도시노리 주한 일본대사, 오코노기 마사오 학장 그리고 이 자리에 모이신 내외 귀빈과 참석자 여러분!

먼저 '신한일 관계 파트너십 선언 10주년'을 맞이하여 오부치 전 총리의 명복을 빌면서 저를 이 자리에 초청해 주신 데 대해서 감사를 드립니다.

존경하는 여러분!

한·일 양국은 1965년 국교를 정상화했습니다. 그러나 과거 역사를 둘러싸고 양국의 갈등은 계속 심각했습니다. 이러한 가운데 저는 1998년 2월 대통령에 취임하고 그해 10월 일본을 국빈 방문했습니다. 그리고 오부치 총리와 더불어 한·일 신시대를 여는 정상회담을 가졌습니다. 정상회담은 한·일 관계 역사에서 일찍이 보지 못한 성공을 거두었습니다. 그 가장 큰 공로자는 오부치 총리였습니다. 오부치 총리는 일본의 역대 총리가 주저하고 꺼리던 한국에 대한 과거사 문제에 대해서 "통절한 반성과 사죄의 뜻"을 표시하는 용기와 결단을 보여 주었습니다. 그것은 참으로 획기적인 사건이었습니다. 한

국은 물론 아시아 각국과 세계가 감명을 받았습니다. 저도 여기에 호응해서 한·일 간 과거를 청산하고 미래지향의 신시대를 열 것을 선언했습니다. 그리고 국내의 강력한 반대를 무릅쓰고 일본 문화에 대한 개방을 단행했습니다. 이러한 결과는 한·일 양국의 역사에서 처음으로 진실되고 열린 마음으로 하나가 되는 계기를 만들었습니다. 그러나 오부치 총리의 너무도 빠른 서거로 한·일 양국 관계의 개선은 타격을 면치 못했습니다. 특히 그 후의 계속되는 일본 내에서의 역사 왜곡의 언동은 사태를 다시 역행시키는 조짐조차 보여 왔습니다.

저는 강조하고자 합니다. 일본은 독일의 선례에서 영감을 얻어야 한다고 생각합니다. 독일은 2차대전의 피해 국가에 대해서 과거를 분명히 사과·보상하고 역사를 똑바로 기록하고 국민을 교육시켰습니다. 그리하여 주변 국가는 물론 세계의 신뢰를 얻어 오늘날 유럽의 중심 국가가 되었습니다. 일본도 과거사에 대해서 오부치 총리의 정신과 용단을 헛되게 해서는 안 될 것입니다. 오부치 정신을 실천했을 때야말로 일본은 아시아 각국의 두터운 신뢰를 받고 세계 무대에서 더한층의 역할을 하게 될 것입니다.

한·일 양국은 어느 나라보다 가까운 지리적 위치에 있습니다. 그리고 2000년에 걸친 교류의 역사도 가지고 있습니다. 인종이나 문화도 많은 관계가 있습니다. 우리가 평화롭게 살고 안정된 발전을 이룩하기 위해서는 양국의 우호친선과 협력은 숙명과 같은 것입니다.

6자회담을 성공시켜 한반도 비핵화를 실현해야

김대중 존경하는 신사 숙녀 여러분!

우리는 동북아의 평화와 공동 발전을 위한 열망을 가지고 있습니다. 이러한 열망의 실현을 위해서는 우선 6자회담을 성공시켜 한반도 비핵화를 실현해야 합니다. 저는 1998년 2월부터 5년간 대통령 재임 시 미국의 클린턴 대통령과 부시 대통령을 상대해서 한반도 평화와 북한 핵 문제의 해결을 논의한 바 있습니다. 저는 북핵 문제 해결의 원칙으로서 '햇볕정책'을 제시했습니다. '햇볕정책'은 따뜻한 태양의 빛이 지상의 모든 것을 감싸듯이 남과 북을 다 같이 화해 협력의 길로 유도하여 공동의 이익을 얻도록 하자는 것입니다. 저는 미국이 공산국가인 중국이나 베트남에 대해서 화해 협력하고 국교를 정상화했듯이 북한에 대해서도 같은 조치를 취해야 한다고 주장했습니다. 한편 북한은 의문의 여지 없게 핵무기 개발과 관련된 모든 무기와 자료를 공개하고 포기해야 한다고 주장했습니다. 클린턴 대통령은 저의 '햇볕정책'을 수용하고 북한과 대화를 시작했습니다. 핵, 미사일 문제 해결이 거의 성공의 단계에까지 이르렀으나 마무리 짓기 전에 클린턴 대통령의 임기가 끝나버렸습니다.

클린턴 대통령에 이어서 집권한 부시 대통령은 클린턴의 정책을 정면으로 거부하고 "악을 행한 자와는 대화도, 보상도 있을 수 없다"고 선언했습니다. 그리하여 부시 대통령의 6년 동안 북핵 문제는 경색 상태에서 한 발짝도 나가지 못했습니다. 이러한 가운데 북한은 핵확산금지조약(NPT)을 탈퇴하고, 북한 핵을 감시하는 국제원자력기구(IAEA) 요원을 추방시켰습니다. 장거리미사일에 대한 모라토리엄을 깨고 이를 발사했으며 마침내 2006년 10월 핵무기 실험까지 강행하기에 이르렀습니다. 이러한 막다른 길목에서 부시 대통령은 북한과 전쟁을 할 수도 없고, 그동안 추진해 온 경제 봉쇄도 별 효과가 없다는 것을 뼈저리게 느끼게 되었습니다. 그리하여 지금 우리가 보고 있는 6자회담이 구성되어 북한과 대화하고 주고받는 협상이 시작되었습니다. 바로 클린턴 대통령과 제가 추진하던 그 길인 것입니다. 저는 늦었지만 부시 대통령이 현실을 직시하고 새로운 정책 방향으로 선회한 것을 잘한 일이라고 생각하고 있습니다. 그리고 6자회담은 꼭 성공시켜야 한다고 생각합니다.

저는 2000년 6월에 북한을 방문해서 김정일 국방위원장과 장시간 대화를 나누었습니다. 김정일 위원장은 미국과의 관계 개선을 열망하고 있었습니다. 북한이 안전을 보장받고 경제의 활로를 여는 길은 미국과의 관계 개선뿐이라는 저의 주장에 그는 동의했습니다. 제가 일본과도 국교 정상화를 해야 한다고 타진했을 때도 그는 긍정적인 태도를 보였고 일본에 대한 비난은 일절 하지 않았습니다. 저는 6자회담의 테두리 안에서 북한 핵 문제는 해결 가능하다고 믿습니다. 북한은 핵을 완전히 포기하고 철저한 검증을 받아야 합니다. 일본인 납치 문제에 대해서도 더한층 성실한 태도로 임해야 합니다. 반대로 미국이나 일본은 북한의 안전을 보장하고 국제사회의 일원으로 받아들여야 합니다.

북한 핵 문제의 해결과 6자회담의 성공이야말로 동북아의 평화와 안정을 위한 필수조건입니다. 6자회담 합의문에는 6개국 중심으로 동북아 안정 보장 체제를 구성할 것을 명시하고 있습니다. 이는 매우 중요한 합의라고 생각합니다. 저는 1971년 대통령 출마 당시 "미·일·중·소의 4대국 한반도 평화 보장"을 주장한 바 있습니다. 지금의 6자회담은 여기에 남북이 참가하고 있는 것입니다. 한반도의 평화, 동북아의 안전 보장이 있어야 비로소 동아시아와 세계의 평화는 더욱 튼튼해질 것입니다.

동아시아 공동체 위해 인내심과 창조적 지혜를 가지고 노력해야

김대중 존경하는 여러분!

저는 1998년 베트남 하노이에서 있었던 '동남아시아국가연합(ASEAN)+한·일·중정상회의'에서 동아시아 지역공동체를 향한 노력을 제안했습니다. 저의 제안은 채택되어 수년간의 준비와 연구 끝에 마침내 2005년 동아시아정상회의(EAS)가 말레이시아에서 열렸습니다. 그러나 동북아시아와 동남아시아의 비중에는 큰 차이가 있습니다. 동북아시아의 한·일·중 3국의 국내총생산(GDP)이 7조 9천억 달러인 데 비해서 동남아시아는 1조 1천억 달러입니다. 동북아시아의 인구가 15억 4천만 명인 데 비해 동남아시아는 6억 2천만 명입니다. 이런 격차로 봐서 동아시아가 균형 있는 지역공동체로서 성공적으로 발전하기 위해서는 동남아시아국가연합(ASEAN) 각국이 안심할 수 있는 한·일·중 3국의 성의 있는 조처가 매우 중요하다고 생각합니다.

세계는 과거 국민국가 시대에서 이제 유럽연합(EU)과 같은 지역공동체 시대를 지향하고 있습니다. 그리고 먼 장래에는 세계적 규모의 연합정부의 출현도 내다보게 됩니다. 동아시아는 지역공동체를 형성하는 데 큰 장애가 없다고 생각합니다. 그 이유는 비록 상이한 문화, 종교, 역사 문제 등을 가지고 있음에도 불구하고 2차대전 이후 60년이 넘도록 세계 도처에서 유행하고 있는 갈등과 대립이 동아시아에는 거의 존재하지 않고 국가 간 협력을 성공적으로 유지하고 있기 때문입니다. 동아시아 공동체의 성공을 위해서는 동북아시아에서의 북핵 문제 해결과 지역적 협력이 선행되어야 합니다. 한·일 양국은 이러한 때를 맞이하여 '신한일 관계 파트너십 선언'의 정신을 되새기고 이의 실현에 합심 협력해야 합니다. 동아시아 공동체의 성공을 위해서는 모든 관계 국가가 인내심과 창조적 지혜를 가지고 꾸준한 노력을 계속해 가야 합니다.

존경하는 여러분!

망원경과 같은 시야를 가지고 멀고 넓게 우리의 미래를 내다봅시다. 그리고 현미경과 같이 좁고 깊이 보는 안목을 가지고 당면한 문제를 해결해 나갑시다. 다시 한번 강조합니다. 10년 전 오부치·김대중 공동합의에 의한 '신한일 관계 파트너십 선언'의 정신에 입각해서 과거를 반성하고 미래지향의 신시대를 여는 데 일어섭시다.

감사합니다.

질의응답

질문 최근 북·일 관계를 보면 북한의 핵, 미사일 개발 그리고 납치 문제 등으로 인해서 1990년대 초부터 진행되었던 북·일 국교 정상화 교섭이 정체된 상태에 있습니다. 얼마 전 취임한 아소 신내각에 조언을 하신다면 향후 일본 정부가 취해야 할 것은 어떤 것이 되어야 한다고 생각하시는지요?

김대중 아소 총리의 취임을 환영하면서 간곡히 부탁하고 싶은 것은 오부치 총리의 위대한 정신과 위대한 결단으로 돌아가서 성공적으로 한·일 관계와 동아시아 관계를 발전시켜 나가기를 바란다는 것입니다. 솔직히 말해서 아소 총리의 취임으로 과거 그분의 여러 가지 언동으로 봐서 걱정스러운 면이 없는 것은 아닙니다. 그러나 정권을 맡은 수반일 때와 국정을 맡지 않고 장관이나 기타 당 간부로 있을 때는 입장이 다른 것입니다. 그런 의미에서 나는 아소 총리가 한·일 관계를 둘러싼 여러 가지 상황을 특히 오부치 총리의 정신을 깊이 참작해서 새로운 관계 발전에 노력해 줄 것을 바라 마지않습니다.

아소 총리, 오부치 총리의 위대한 정신과 결단으로 돌아와야

김대중 북·일 관계는 무엇보다 6자회담이 성공해야 합니다. 남한과 북한 관계도 그렇고, 북한과 일본 관계도 북한 핵 문제가 해결이 안 된 상태에서 북·일 관계가 좋아질 수 없습니다. 동시에 북한 핵 문제의 해결은 북한에도 이롭고 한국, 일본, 미국에도 이로운 것입니다. 그렇기 때문에 성공할 요소가 있는 것입니다. 그런 의미에서 새로운 총리의 등장으로서 많은 사람들이 북·일 관계에 대해서 걱정을 하는데 나는 오히려 결단할 수 있다고 생각합니다.

과거 중·미 관계에서도 공화당의 닉슨이 중국을 방문해서 마오쩌둥(毛澤東)을 만나서 일거에 미·중 관계를 해결했습니다. 당시 많은 사람들이 닉슨은 철저한 반공주의자이고, 중국에 대해서 거부감을 표시하던 사람으로서 중국을 방문했기 때문에 오히려 국내에서 오해나 비난이 적었다고 평가한 것을 지금도 기억하고 있습니다. 나는 그런 의미에서도 아소 총리가 새로운 결단을 해서 북한과 관계를 개선하기를 바랍니다. 나는 6자회담이 성공의 길로 나가도록 일본이 적극적으로 협력해야 하고 그런 과정에서 일본의 납치 문제는 해결될 것이라고 생각합니다. 김정일 위원장을 만나 본 한 사람으로서 확실히 느끼고 있습니다.

질문 일본의 동향을 보았을 때 민주주의, 미국과의 동맹, 인권, 시장경제 등의 가치들을 중국과 북한 쪽으로 확장시키려고 하고 있고, 이에 내정간섭이다, 혹은 정권 전복 시도다라는 우려의 목소리도 들리고 있습니다. 또 일본이 우경화되어 가고 한국과 일본이 같은 민주주의 국가라고 하지만 다소 차이가 있는 것으로 생각됩니다. 이런 점을 모두 포함하여 한·일 양국이 동아시아 공동체를 위하여 어떤 입장을 취하고 어떤 비전을 가져야 할까요?

김대중 민주주의는 남이 주어서 되는 것이 아니라 자국민이 필요에 의해서, 그야말로 민주주의를 위해서는 피를 흘려서 싸워서 쟁취해야 합니다. 우리 한국이 그랬습니다. 이승만 독재, 박정희 독재, 전두환 독재 3대 독재를 쓰러뜨리는 데 수백만 명이 죽었습니다. 그리고 많은 사람이 감옥 가고, 고문 당했습니다. 저도 사형 선고를 받고 감옥 생활을 6년 반 동안 하고 망명과 감시 생활을 20년 했습니다. 집에서 아내와 얘기할 때도 말을 하면 도청이 되니까 종이와 연필로 필담을 할 정도였습니다. 이렇게 민주주의는 대가를 요구합니다. 따라서 민주주의를 이룩하기 위해서는 국민이 대가를 지불해야 합니다. 그러고 난 후 밖에서 도와주어야 합니다. 밖에서 도와준 것은 진짜 민주주의가 아닙니다. 그런 의미에서 북한, 중국의 민주화는 안에서 일어나지 않으면 제대로 된 것이 아니라고 생각합니다.

시장경제를 하면 중산층이 생기고 민주주의를 요구하게 된다

김대중 그런데 하나 중요한 점은 중국이나 북한이 모두 시장경제를 지향하고 있습니다. 중국은 시장경제를 하고 있고 북한은 부분적으로 지향하고 있습니다. 시장경제를 하면 반드시 중산층이 생겨납니다. 기업인이나, 지식인 등 중산층이 생겨나면 반드시 자유를 요구하고 투표권을 요구하고, 민주주의를 요구합니다. 그것이 이제까지 역사의 교훈입니다. 영국에서 산업혁명이 일어나 부르주아지가 생겨났습니다. 그들이 중산층입니다. 그들은 돈을 가지고 있었는데 민주주의를 하자고 주장했습니다. 그때 영국의 귀족들은 현명하게 받아들여 부르주아지에게 투표권을 주었습니다. 나아가 19세기 말에는 노동자들에게도 투표권을 주었습니다. 그래서 영국은 평화적으로 민주주의가 되었습니다. 그러나 프랑스는 귀족이나 왕이 부르주아지 요구에 대해 투표권을 주지 않았습니다. 그래서 결과는 프랑스 대혁명이 일어나 귀족이나 왕들을 모조리 죽여 버렸습니다. 결국 이 두 가지 예를 보더라도, 또 한국도 예를 보더라도 중산층이 생겨나고 지식인이 생겨나면 민주주의를 안하고는 안 되는 것입니다.

그런데 지금 중국에 중산층, 지식인이 생겨나고 있습니다. 적어도 1억 명 내외가 중산층이라고 볼 수 있습니다. 보도가 안 되고 있지만 매일같이 중국 도처에서는 소규모 혹은 대규모 시위가 일어나고 있습니다. 어떤 경우는 정부가 시위대의 요구를 받아들이기도 합니다. 최말단 행정기관인 향鄕이라는 단위에서는 선거도 하고 있습니다. 물론 우리가 말하는 민주주의와는 아직도 멀었지만 그런 전망이 있는 것입니다.

지금 중국 집권층 내부에서는 현재대로 가야 하느냐, 그렇지 않아야 하느냐는 논란이 있습니다. 강경파는 "빈부 격차와 부패가 심해진 원인은 과거 마오쩌둥 시대처럼 계획경제를 하지 않고 시장경제를 했기 때문이니 과거로 돌아가야 한다"고 말하고 있습니다. 그러나 온건파는 "그렇지 않다. 빈부 격차가 생기고 부패가 일어난 것은 민주주의를 안 하기 때문에 감시와 비판도 안 되고 그래서 투명한 시장경제가 안 된다"고 논쟁하고 있습니다. 양쪽 모두 정부 집권층 내에서 일어나고 있는 일입니다. 그런데 그 보도를 보면 후진타오 주석이 온건파의 의견에 대해서 상당히 공감했다고 합니다. 온건파가 내세우는 미래 중국의 모델은 스웨덴입니다. 이렇게 중산층이 일어나면 안 바뀔 수가 없습니다. 중국 정부가 바뀌었다는 증거로는 장쩌민 주석 말기에 중국의 헌법보다 중요한 공산당 당헌을 고쳤습니다. 공산당 당원이 될 자격이 과거에는 프롤레타리아, 노동자·농민만 있었는데, 이제는 기업인, 지식인을 첨가하며 '3개 대표론'이라고 합니다. 이렇게 우리가 볼 때 겉으로는 여전한 것 같지만 내부적으로는 쉬지 않고 변화가 일어나 있습니다. 그런데 그 변화를 일으키고 밀어주는 것이 중산층입니다.

북한을 한국, 일본, 미국 등이 베트남과 중국처럼 국제사회로 끌어내서 국교도 정상화해 주어야 합니다. 그 대신 핵은 포기시켜야 합니다. 북한도 자기들의 목적이 달성되면 핵은 필요 없는 것입니다. 북한 핵이 많아 봤자 5, 6개인데 그것은 미국의 수천 개의 핵 앞에서는 어린애 장난감도 아닌 것입니다. 그래서 북한은 미국과 관계 개선을 열망하고 있고 일본과 국교 정상화도 열망하고 있습니다. 북한이 돈을 벌게 만들고 돈을 벌면 중산층이 생기고 중산층이 생기면 민주화를 요구하게 됩니다. 그러면 외부에서 도와주는 것이 힘이 됩니다. 안에서 변화가 없는데 밖에서 아무리 도와줘 봤자 안 됩니다.

유감스럽지만 지금 미얀마의 사태가 그렇습니다. 밖에서는 과거의 어느 독재 받던 나라, 예를 들면 과거 한국보다도 더 많이 세계가 지원하고 있습니다. 저도 작년 12월에 서울에서 '미얀마 민주화의 밤' 등 여러 가지 지원하는 행사를 했습니다. 그러나 아직 미얀마 국민들이 너무도 많이 지치고 힘이 빠져서 국민적 궐기는 못 하고 있습니다. 지난번에 승려들이 하기는 했지만, 미얀마도 민주화되려면 국민이 특히 중산층이 일어서야 하고 그것을 외부에서 지원해야 합니다. 이런 입장에서 중국, 북한의 민주화에 대해서는 여러분께서 이렇게 보시는 것이 좋다고 생각합니다.

질문 6자회담이 난항을 겪고 있습니다. 궁극적으로 북한이 핵을 포기하지 않을 경우 한국과 일본이 핵을 가질 수밖에 없는 상황이 되지 않겠습니까?

북핵 문제, 해결될 문제가 해결 안 되고 있다

김대중 북핵 문제에 대해서는 저는 오래전부터 해결될 문제가 해결 안 되고 있다고 생각하고 있습니다. 저는 지금부터 14년 전인 1994년 미국 내셔널프레스클럽 연설에서 "미국은 북한에 대해서 안전을 보장하고 경제 제재를 해제하고 북한을 국제사회로 받아들여야 한다. 공산국가인 중국과 베트남은 받아들이고, 왜 북한만 받아들이지 못하냐. 그 대신 북한은 의문의 여지없이 대량살상무기인 핵과 미사일 문제를 투명하게 해결하고 완전 포기해야 한다"고 말했습니다. 당시 저의 연설은 그해 내셔널프레스클럽의 3대 유명 연설에 들어갔습니다.

제 연설은 텔레비전을 통해 미국 전역에 방송되었습니다. 그때까지 카터 대통령이 북한에 간다는 것을 미 국무부가 막았는데 제 연설 후 미국의 여론이 "한번 가 보게 하자. 김대중 말도 일리가 있지 않으냐"고 해서 국무부가 태도를 바꿔서 카터 대통령이 북한을 가게 되었습니다. 그 연설 전날 카터 대통령은 북한에 갈 때 성공할 것인지 굉장히 걱정을 했는데 저는 카터 대통령에게 말했습니다. "크게 성공할지 적게 성공할지는 모르나 성공은 한다. 왜냐하면 북한이 맨손으로 보내려면 초청하지 않았을 것이다. 초청해서 빈손으로 보내면 더 큰 국제적 비난과 증오심을 받게 되는데 왜 그렇게 하겠느냐. 그리고 북한이 핵을 가지고 근본적으로 문제를 해결하려는 것이 아니고 핵을 미끼로 해서 미국과의 관계를 개선하려 하는 것이다. 그러니까 상당히 자신을 가지고 하는 것이 좋겠다." 이렇게 미국대사를 통해서 말했습니다. 결과는 여러분이 아시는 바와 같이 성공적이었습니다.

저는 지금도 똑같은 생각입니다. 북한은 핵을 갖는 것이 목적이 아닙니다. 소련도 없어지고 동유럽도 없어지고 혈혈단신이다시피 했는데 미국이 압박을 하니까 살기 위해서 저렇게 하고 있는 것입니다. 그것을 알기 때문에 클린턴 대통령은 북한과 대화했고 거의 국교 정상화까지 이를 정도로 성공적으로 갔던 것입니다. 나는 6자회담은 성공할 것이라고 생각합니다. 6자회담을 성공 안 시키면 어떻게 합니까? 미국이 군사적으로 침공할 수 있습니까? 그럴 능력이 없습니다. 경제 제재도 중국이 도와주고 있는 상황에서 결정적으로 성공할 수 없습니다. 핵무기가 주민들 밥 먹여 줍니까? 북핵은 미국 앞에서는 어린아이 장난감과 같은 것입니다. 흔히 한국 사람들 싸움하는 방법 중 도저히 못 해볼 것 같으면 "너 죽고 나 죽자." 하는 심정으로 하듯이 지금 북한이 그렇게 하고 있는 것입니다.

저는 확실히 얘기합니다. 미국이나 일본도 6자회담을 성공시키는 것 외에는 대안이 없고 북한도 6자회담을 성공시켜 활로를 여는 길 외에는 대안이 없습니다. 그것은 대안이 아니라 살길입니다. 북한의 생존권을 보장해 주고 한반도 비핵화를 하자는 것입니다. 한반도 비핵화는 의심의 여지없이 양쪽 모두 다 보여 주자는 것으로 합의가 되어 있습니다. 그렇게 하면 북핵 문제 해결됩니다. 그러면 일본의 납치 문제도 따라서 해결될 것입니다. 그렇게 되면 북한이 중국이나 베트남과 다를 것 없는 같은 공산권 국가인데 북한만 계속 억압할 필요도 없지 않습니까?

그렇게 해서 북한 핵을 포기시켜야지 그것을 빌미로 일본이나 한국이 핵보유 국가로 간다는 것은 위험에다 더 큰 위험을 첨가하는 것입니다. 그런 방향으로 정치를 끌고 간다면 일본이나 한국의 지도자들은 역사 앞에서 큰 과오를 범하게 될 것이라고 생각합니다.

* 이 글은 2008년 10월 8일 서울프라자호텔에서 있었던 '신한일 관계 파트너십 선언' 10주년 심포지엄 특별 연설문과 질의응답 내용이다.

남북 관계 발전과 동북아시아의 평화

강연 한신대학교 '평화와공공성센터' 창립 기념
일시 2008년 10월 16일

김대중 존경하는 서재일 기장 총회장, 나홍균 이사장, 윤웅진 총장, 채수일 소장, 그리고 교수, 학생과 내빈 여러분!

오늘 한신대의 '평화와공공성센터' 창립을 축하하는 자리에서 몇 말씀 드리게 된 것을 매우 뜻깊게 생각합니다.

한신대는 창립 이래 일관되게 예수님의 가르침을 충실히 수행해 왔습니다. "가난한 이들에게 복음을, 묶인 사람들에게는 해방을, 눈먼 사람들을 보게 하고, 억눌린 자들에게는 자유를 주라"는 예수님의 말씀을 실천하는 데 헌신했습니다. 즉, 한신대는 단순히 개인적 구원만이 아니라 사회적 구원에도 적극 나섬으로써 가장 모범적인 '예수님의 대학'의 길을 걸어왔습니다. 한신대는 자유와 정의의 실천을 위해서 온갖 희생을 무릅쓰고 싸우고 노력해 왔습니다. 한신대를 졸업한 수많은 인재들은 사회, 정치 등 여러 분야에 참여해서 현실 개혁에 몸 바쳐 힘쓴 것입니다. 그 과정에서 많은 사람이 희생되고 고통을 받아야 했습니다. 이 나라 도처에서 자유를 부르짖는 곳에 한신대가 있었고, 정의에 목말라 하는 곳에 한신대가 있었습니다.

저는 확실히 믿습니다. 한신대는 이 나라에서 가장 큰 대학은 아닙니다. 그러나 이 나라에서 가장 훌륭한 대학 중의 하나라는 것을 확신해 마지않습니다.

북한 테러지원국 해제는 만시지탄 이지만 매우 잘된 일

김대중 존경하는 여러분!

저는 북핵 문제 해결을 위해서 1994년 미국 내셔널프레스클럽에서 연설한 이래 일관되게 미국은 북한과 직접 대화하고 줄 것은 주고, 받을 것은 받으라고 권고해 왔습니다. 공동 이익을 실현하는 '햇볕정책'입니다. 대통령에 취임한 후에도 이러한 정책을 일관해서 추진했습니다. 대통령 재임 중 전반기에 상대했던 클린턴 대통령은 저의 '햇볕정책'을 두고 이를 전폭적으로 지지하고 지원해 주었습니다. 그러나 2001년 대통령에 취임한 부시 대통령은 이를 전면적으로 거부하고 북한에 대한 대화와 협상을 반대했습니다. "악을 행한 자와는 대화할 수 없고, 어떠한 보상도 줄 수 없다"는 것이었습니다.

그렇게 6년이 지나는 동안 부시 대통령의 정책은 너무도 큰 실수를 저질렀다는 것이 판명되었습니다. 북한은 핵확산금지조약(NPT)을 탈퇴하고 국제원자력기구(IAEA) 감시 요원을 추방했습니다. 또 미사일 모라토리엄을 깨고 장거리미사일을 발사했습니다. 마침내 2006년 10월에는 핵실험까지 하게 되었습니다. 그러나 부시 정권은 전쟁으로 북한을 응징할 능력이 없었습니다. 또 일본과 함께 추진한 경제 제재도 중국이 북한을 지원하는 한 결정적인 효과를 얻지 못했습니다.

결국 부시 대통령은 클린턴 대통령과 제가 합의한 북한과 직접 대화를 시작하고 주고받는 협상을 하게 된 것입니다. 늦게나마 바른 방향으로 정책을 바꾼 것은 잘된 일입니다. 그러나 처음부터 부시 대통령이 지금과 같은 정책을 취했더라면 북핵 문제는 진작 해결되었을 것입니다. 물론 북한이 핵 보유 국가라고 주장할 수 없게 되었을 것입니다. 참으로 아쉬운 일입니다.

이번에 미국이 북한을 테러지원국 명단에서 해제한 것은 만시지탄이 있지만 매우 잘된 것입니다. 이제 북한은 다음의 제3단계 협상을 통해서 핵에 대해서 일호의 의문의 여지없이 모든 것을 공개하고 완전히 포기해야 합니다. 그리고 국제사회에 나와서 중국이나 베트남과 같이 평화의 대열에 참여하면서 스스로의 발전에 전력을 다해야 할 것입니다.

이제 남북 관계도 큰 진전이 이루어질 수 있을 것으로 봅니다. 지금 정부는 남북 대화를 열지 못해서 국제적 흐름에서 소외된 처지에 놓여 있습니다. 남북 대화는 시급하게 재개되어야 합니다. 그렇지 않으면 고립과 손실을 면치 못할 것입니다.

이명박 대통령이 결단해야 한다

김대중 이명박 대통령이 취해야 할 결단은 첫째, 6·15남북공동선언과 10·4선언을 인정해야 합니다. 이 문제의 인정 없이는 남북 관계의 정상적인 추진을 기대하기 어렵습니다.

둘째, 지금 굶주림 속에 목숨을 잃어 가고 있는 북한 동포를 위해서 쌀의 인도적 지원을 조속히 재개해야 합니다.

셋째, 개성공단의 노동자 숙소를 약속대로 지어 줘야 합니다. 지금 개성공단에 입주한 기업들은 노동력이 부족해서 아우성인데 개성지구의 노동자는 이미 모두 고용했고 이제는 외지에서 데려와야 합니다. 그러기 위해서는 그들을 수용할 수 있는 숙소가 필수 불가결합니다.

넷째, 금강산 관광을 재개해야 합니다. 금강산 관광은 남북 교류 협력의 시발이고 북한 영토 내에 있는 우리의 기지인 것입니다. 또한 금강산 관광을 통해서 193만 명의 국민이 북한을 직접 경험해서 북한에 대한 큰 자신을 얻게 되고 통일에 대한 더 많은 관심을 갖게 되었습니다.

다섯째, 이상과 같은 사항들을 실천하면서 북한에 남북정상회담을 제안해야 합니다. 정상회담만이 새로운 신뢰 속에 한반도 평화와 남북의 화해 협력 그리고 동북아의 평화 안보 체제 구현에 성공적인 합의를 이루어 낼 수 있을 것입니다.

국익의 입장에서도 남북 관계 개선을 서둘러야 한다

김대중 존경하는 여러분!

6·15정상회담 이후 북한의 민심이 크게 변했습니다. 그들은 우리가 쌀을 주고 비료를 주는 것을 보고 생각이 바뀌었습니다. "남쪽이 우리를 미워한다는데 그것이 아니지 않으냐. 이것이 남쪽의 우리에 대한 동포애가 아니고 무엇이냐. 남쪽은 잘살고 있다. 우리도 그렇게 살았으면 좋겠다. 통일을 하루속히 했으면 좋겠다"는 심리적 변화가 일어난 것입니다.

이러한 심리적 변화는 문화적 변화까지 일으켜서 지금 북한 내에서 남한의 대중가요, 텔레비전 드라마, 영화 등이 비공식적으로 광범위하게 유행하고 있습니다. 6·15정상회담 이후 8년간 우리는 북한을 이만큼 변화시켜 놓은 것입니다. 어찌 이를 '퍼주기'라 할 수 있으며, '잃어버린 10년'이라 할 수 있겠습니까! 저는 그러한 견해를 단호히 반대합니다.

뿐만 아니라 우리가 현재의 경제난국을 타개할 획기적인 방법은 북한으로의 진출입니다. 북한은 세계적인 지하자원의 보고입니다. 텅스텐, 마그네사이트, 금, 동, 석탄 등이 널려 있습니다. 또한 세계가 아직 가 보지 못한 미개척 관광지들이 많습니다. 금강산, 묘향산, 백두산, 평양, 개성 등은 아주 매력적인 관광자원입니다. 북한의 노동력은 가장 우수하고 임금은 중국의 절반

수준입니다.

더욱 중요한 것은 한국을 출발한 기차가 북한을 거쳐서 시베리아, 중앙아시아, 유럽까지 갈 수 있다는 사실입니다. 그렇게 되면 시간과 비용이 30퍼센트 정도 절감이 됩니다. 한국은 일거에 태평양 지역의 물류 거점이 될 것입니다. 물류가 일어나면 산업과 금융과 보험업이 일어나고 문화관광 산업이 일어납니다. 우리에게 엄청난 경제적 발전을 가져오게 될 것입니다. 북한도 큰 이득을 보게 될 것입니다. 지금 세계 각국이 북한에 관심을 보이고 있습니다. 우리는 국익의 입장에서도 남북 관계 개선을 서둘러야 한다는 것을 강조하고 싶습니다.

우리는 무력 통일도, 흡수 통일도 반대해야 한다

김대중 존경하는 여러분!

저는 지금부터 37년 전인 1971년 대통령 선거에 출마해서 '미·일·중·소 4대국에 의한 한반도 평화 보장'을 주장했습니다. 지금의 6자회담은 이 4대국에 남북한이 합쳐진 것입니다. 2007년 2월 13일 합의된 6자회담에서는 '동북아 평화 안보 체제'를 구성할 것을 합의한 바 있습니다. 이것은 크게 보면 북핵 문제 못지않게 중요한 합의인 것입니다. 동북아 평화 안보 체제의 최대 수혜자는 한국입니다.

우리는 역사적으로 주변 강대국에 의해서 엄청난 압박을 받아왔고 때로는 국권까지 상실했습니다. 한반도에서의 세력균형만이 우리가 평화와 안전을 누릴 수 있는 길입니다. 이를 위해서 우리는 우선 미국과의 동맹을 굳건히 유지해 나가야 합니다. 미국만이 한반도에서 세력균형의 중심이 될 수 있기 때문입니다. 동시에 중국, 일본, 러시아의 3국과도 밀접한 협력 관계를 유지해 나가야 합니다. 즉, '1동맹 3협력 체제'를 견지해 나가는 것만이 강대국 사이에서 우리의 자주성과 이익을 지켜내는 길이라고 생각합니다. 4대국이 상호 견제하면서 한반도 평화에 협력하면 우리의 안전은 더욱 공고해질 것이고, 우리 또한 4대국과의 순조로운 경제 협력을 통해서 큰 혜택도 보게 될 것입니다.

저는 그동안 일관되게 "6자회담은 성공할 것이다. 그 외에 대안이 없다. 평화적으로 대화를 통해서 문제를 풀고 공동 이익을 추구하는 햇볕정책만이 해결의 길이다."라고 주장해 왔습니다. 이 모든 것이 이제 실현되어 가고 있습니다. 우리는 국민적 합의 속에 남북 관계를 평화 공존, 평화 교류, 평화 통일의 3원칙 밑에 발전시켜서 남과 북이 다 같이 평화를 향유하고 경제적 발전을 실현시키는 공동 이익의 방향으로 노력해야겠습니다.

북한이 경제 발전을 하게 되면 북한 내에 중국과 같이 중산층이 생기게 될 것입니다. 경제인과 지식인과 같은 중산층이 생기면 그들은 자기들이 가지고 있는 재력 등 실력으로 북한을 민주화의 방향으로 밀고 나갈 것입니다. 과거에 영국과 프랑스에서 중산층인 부르주아지들이 정치를 봉건체제에서 민주체제로 변화시켰습니다. 지금 중국에서도 날로 늘어나고 있는 5천만 명 이상의 중산층이 서서히 그러나 착실히 민주화를 유구하기 시작했습니다. 중국공산당은 이미 당헌에 당원이 될 수 있는 자격을 종래와 같은 노농 계급만이 아니라 기업인과 지식인까지 포함한 '3개의 대표론'을 규정해서 중산층을 지배층에 영입하고 있습니다.

우리는 통일을 해야 합니다. 그러나 무력 통일도 반대해야 하고 흡수 통일도 반대해야 합니다. 무력 통일은 민족 공멸의 길입니다. 흡수 통일은 엄청난 경제적 부담을 안게 되고 또 수십 년 동안 적대 관계에 있었던 결과로 정신적 갈등을 면할 수 없습니다. 독일의 경우가 좋은 예입니다. 그러므로 우리는 단계적이고 평화적으로 통일을 지향해야 합니다. 그리하여 승자와 패자로 구별된 통일이 아닌 공동 승리의 통일을 이룩해야 할 것입니다. 이것만이 우리와 우리의 후손들이 평화롭고 행복하게 사는 길이라는 것을 강조하고 싶습니다.

우리 국민은 과거보다 훨씬 더 현명하고 강해졌다

김대중 존경하는 한신대 관계자 여러분!

지금 일부에서는 과거로의 역주행이라는 말이 빈번히 나오고 있습니다. 참으로 우려스러운 현상입니다. 그러나 저는 확실히 믿습니다. 이승만 독재도, 박정희 독재도, 전두환 독재도 국민의 힘 앞에서는 무너졌습니다. 이제 우리 국민은 과거보다 훨씬 더 현명하고 강해졌습니다. 저는 우리 국민이 피와 눈물로 쟁취한 우리의 민주주의를 앞으로도 굳건히 지켜낼 것이라고 확신해 마지않습니다.

여러분들이 한신대의 창학정신과 한신대 출신 선배들의 자랑스러운 전통을 견지해서 다시 한번 이 나라 민주주의와 정의와 평화적 통일을 추진하는 선봉장이 되어줄 것을 부탁드립니다. '평화와공공성센터'의 창설을 다시 한번 축하하고 무궁한 발전을 빌어 마지않습니다.

감사합니다.

질의응답

질문 오늘 아침 언론에서 북한 『노동신문』 기사를 인용하면서 향후 남측이 북측에 계속 적대적 관계를 펼칠 경우 북측에서는 남북 관계와 대화를 단절할 수도 있다는 기사 보도를 보았습니다. 김 대통령께서는 6·15남북정상회담을 통해 분단 체제를 종식하고 평화 체제로 전환하는 계기를 마련했습니다. 현재 이명박 정부 출범 후 남북 관계가 경색되었고, 북한도 김정일 위원장 건강 이상설 등 이상 징후들이 있는데 한반도 평화를 위해서 어떠한 노력이 필요한지요?

김대중 저도 신문을 보았습니다. 상당히 우려스러운 생각을 갖고 있습니다. 그러나 기본적으로 말씀드리는 것은 6자회담은 성공할 것입니다. 미국과 북한과 직접 대화해서 주고받는 협상을 하라고 제가 오래전부터 얘기했지만 이제 그렇게 되고 있습니다. 그 외에는 다른 길이 없기 때문입니다. 그리고 6자회담이 성공하면 미국도 이익이고, 북한도 이익이고, 물론 한국도 이익입니다. 6자 모두에게 이익입니다. 그러니까 안 하면 다 손해 보고, 하면 이익이 되는 일인데 왜 안 되겠습니까? 다만 그 사이에 북쪽이나 미국 내에서 이러한 진전을 원하지 않는 사람들이 여러 가지 방해를 했습니다. 특히 미국의 네오콘이 심했습니다. 이렇게 시간을 끌기는 했지만 그 길 외에는 길이 없는 거예요. 그러니까 다시 머리 맞대고 양보하고 주고받고 하는 것입니다.

동북아 안보 체제가 만들어지면 평화는 반석 위에 오를 것

김대중 저는 6자회담의 장래에 대해서 희망을 가지고 있습니다. 그리고 6자회담은 동북아 평화와 안보 체제를 만들 것입니다. 그렇게 되면 한반도의 안전과 평화는 아주 튼튼한 반석 위에 오를 것입니다. 문제는 우리입니다. 지난 10년 동안 남북 관계를 개척하고 북한에 많은 변화가 일어났습니다. '퍼주기'라고 하지만 독일은 20년 동안 매년 32억 달러를 동독에 주었습니다. 우리는 북한에 매년 5억 달러도 제대로 주지 못하고 있습니다. 많이 주면 많이 줄수록 동독이 빨리 망했습니다. 왜냐하면 바깥세상을 알게 되었기 때문입니다. 자기들이 속고 살고 있고 노예적인 생활을 하고 있다는 것을 알게 되고 바깥세상이 악마의 세상이 아니라 매력적인 사회라는 것을 알게 되었기 때문에 변화가 있었습니다. 우리도 북한을 많이 변화시켰습니다.

저는 우리의 통일은 공동 승리의 통일이 되어야 한다는 것을 거듭 말씀드리고 싶습니다. 한쪽은 이기고 한쪽은 처벌당하는 그런 통일을 누가 하려고 하겠습니까. 그런 통일을 억지로 하면 나중에 갈등이 심해집니다. 독일의 예가 그렇습니다.

북한과 갈등하면 우리가 국제적 고립을 면할 수 없게 된다

김대중 남북 관계는 과거 10년 동안 상당한 진전이 있었으나 현 정부 들어 정체 상태에 있습니다. 저는 이래서는 안 된다고 생각합니다. 그리고 저는 확실히 판단하고 있습니다. 이명박 대통령도 결국 북한과 대화할 것입니다. 그래서 주고받는 협상을 할 것입니다. 6·15공동선언 10·4선언을 인정 안 할 수 없는 것입니다. 만일 북한과 미국이 급속히 가까워지고, 머지않아 국교까지 할 것인데, 우리만 북한과 갈등하고 살면 어떻게 우리가 국제적 고립을 면할 수 있겠습니까? 지금 6자회담도 그렇습니다. 그동안 남북 관계가 좋을 때는 6자회담에서 우리가 북한 김계관 대표와 단독으로 얘기해서 미국에 전해 주고 또 미국 부탁받아서 그것을 북한에 전해 주고 이런 역할까지 했습니다. 이 내용은 거기에 참가했던 대표에게 직접 들은 얘기입니다. 그러므로 현재의 상황에 일희일비하지 말고 6자회담은 성공하는 것이고, 한반도 평화 체제는 이루어지는 것이고, 또 현 정부가 어떤 생각을 갖고 있더라도 결국은 국제적 대세, 국민의 여론에 따라 북과 대화할 것입니다. 그렇게 되면 남북 관계는 평화와 협력으로 나갈 것이고 또 그렇게 되도록 해야 한다고 생각합니다.

질문 김 전 대통령은 한·미 관계를 남북 관계보다 더 우선순위에 두시고 설득력 있게 미국을 설득해 왔습니다. 그런데 최근 신정부는 한·미동맹을 최고 가치로 두고 있는 것 같습니다. 남북 관계를 볼 때 한·미 관계를 어떻게 해 나가는 것이 바람직하다고 생각하시는지요?

한·미동맹을 굳건히 유지해야 한다

김대중 남북 관계와 한·미 관계 중 어느 것이 더 중요하냐고 물어보면 둘다 중요하다고 말할 수 있습니다. 사실 둘 다 중요한 것입니다. 제가 연설에서 말씀드렸다시피 미국은 우리의 이익을 위해서 절대로 필요합니다. 조선왕조 말엽 일본이 우리를 침략하고 러시아가 우리를 먹으려고 하고 중국이 우리를 지배하고 있을 때, 그때 미국만 제대로 붙잡았다면 국권을 상실하지 않았을 것입니다. 미국을 붙들지 못한 실수 때문에 미국이 일본과 손잡아 이렇게 된 것입니다. 우리는 과거 제국주의 시대는 아니지만 주변의 러시아, 중국, 일본과 친선하면서도 또 여러 가지 경계를 해야 합니다. 그런데 우리는 이 3국에 비하면 힘이 약합니다. 이것을 보완해 줄 세력이 필요한데 그것이 미국입니다. 미국이 여기에 와서 군대를 가지고 있으면 여기에서 전쟁을 일으킬 수도 없고 북한도 못 일으킵니다. 그리고 다른 나라도 어떻게 할 수 없습니다. 그런 가운데 동북아시아에 대해서는 6자회담에서 합의한 대로 평화와 안보 체제가 반석 위에 오르게 되면 그때는 한·미동맹도 변화할 수 있게 될 것입니다. 그러나 그것이 완전히 이루어질 때까지는 한·미동맹을 굳건히 유지해야 합니다.

그리고 우리 민족이 통일하지 않으면 우리는 언제까지 안심하고 살 수 없습니다. 언제 전쟁이 터질지 모릅니다. 그러나 통일을 하면 아까 말과 같이 큰 이득을 보게 됩니다. 북한은 지금 가난한 나라입니다. 그러나 풍부한 잠재력을 가지고 있는 나라입니다. 우리는 북한과 거리가 가깝고, 말이 통하고, 문화, 인종이 같습니다. 지금 유럽 나라들이 북한에 진출하고 있습니다. 영국, 프랑스, 독일, 이탈리아, 스웨덴 등이 북한의 지하자원과 관광자원을 보고 진출하고, 심지어 북한이 건설할 것을 내다보고 사회간접자본(SOC) 분야도 관심을 가지고 있습니다. 중국은 이미 상당히 들어왔고 개성공단에도 벌써 들어오고 있습니다. 앞으로 남한에서는 큰 발전의 여지가 없습니다. 지금 세계 도처는 경제가 어려운 상태입니다. 북한만이 우리가 개척할 수 있는 미개발의 지역입니다. 북한과 관계가 개선되어 철도가 북한을 거쳐 유럽까지 가면 우리는 일본이나 미국, 동남아시아가 상당 부분 와서 태평양 쪽의 물류기지가 될 수 있습니다. 남쪽의 철도를 통해 중앙아시아, 유럽까지 진출할 수 있습니다. 지금 바닷길은 해적 때문에 상당히 위험합니다, 믈라카 해협, 소말리아 등. 그래서 우리는 북한과 관계를 개선하는 것만이 경색 상태에 있는 경제를 살릴 수 있는 길입니다. 그때는 '퍼주기'가 아니라 '퍼오기'가 될 것입니다. 이런 것을 내다보고 살아야 합니다.

제가 말씀드리고 싶은 것은 사람은 문제를 판단할 때 망원경과 같이 멀고 넓게 봐야 합니다. 동시에 현미경과 같이 좁고 깊게 봐야 합니다. 이 둘이 연결되어야 합니다. 이런 의미에서 우리의 자손들을 위해서 미래를 개척하는 길이 중요하고, 그것이 북한으로 가는 유일한 중요한 길인데 왜 우리가 이것을 소홀히 해야 합니까? 이런 의미에서 미국도 중요하고 북한도 중요합니다. 그러나 근본적으로 중요한 것은 물론 북한이 같은 동포이기 때문에 중요한 것은 사실이나 현 단계에서는 둘 다 중요하다고 이렇게 말씀드리고 싶습니다.

질문 최근 전 세계적으로 미국발 금융 위기 때문에 그동안 미국이 주장한 신자유주의적인 세계질서에 대해서 상당히 반성이 나타나기 시작했습니다. 1997년 국제통화기금(IMF) 외환 위기를 극복한 경험에 비추었을 때 우리 국민과 정부에 해 주고 싶은 말씀은 무엇입니까?

미국이 시장경제 한 것은 잘했지만 시장을 너무 방임했다

김대중 미국이 경제적으로 위기 상태에 있습니다. 이제 세계가 미국의 유일 강대국 시대는 가고 있다고 생각합니다. 그런데 지금까지 30년 동안 신자유주의, 말하자면 시장에 모든 걸 맡기고 정부는 간섭을 안 하고 규제를 해제하고 세금을 낮추었습니다. 결국 부자들 위주의 정책을 유지했습니다. 그래서 상당히 호황을 누렸습니다. 그러나 사람은 하느님이 아닙니다. 자유롭게 놔두니까 거기서 부패가 생기고 여러 가지 모럴 해저드(moral hazard)가 일어난 것입니다. 그래서 지금 미국의 상황은 금융기관들이 무리한 대출을 해서 발생한 것입니다. 우리나라는 은행에서 대출할 때는 대개 (담보의) 50퍼센트 이내로 대출해 줍니다. 그러나 미국은 80퍼센트, 90퍼센트까지 대출해서 10퍼센트만 다운페이를 가지고 있으면 집을 살 수 있었습니다. 그런데 집값이 내려가니까 은행들이 망하게 된 것입니다. 그런데 은행들은 견실하게 운영해야 할 것을 불건전하게 운영하고 기업들에 무리한 대출을 해 주어서 기업들은 호황을 누리고 엄청난 보너스를 받았습니다. 동시에 지불담보 채권을 담보로 해서 또다시 돈을 빌리고, 돈을 빌린 기업은 두 번째 담보로 세 번째 빚을 얻고 그것이 국제적으로 퍼지게 된 것입니다. 지금 상태는 뭐가 어떻게 된 것인지 가닥을 잡을 수 없습니다. 어느 것이 안전하고 어느 것이 부실한지 알 수가 없습니다. 미국이 시장경제 한 것은 물론 잘했지만 시장을 너무 방임하다 그렇게 된 것입니다. 어떤 언론에서는 미국 경제 위기와 관련 "한국에서 배워라."라고 하기도 했습니다.

경제는 기대다, 국민이 정부를 신뢰해야 성공할 수 있다

김대중 시카고 대학 노벨경제학상을 받은 루카스라는 사람은 경제에서 가장 중요한 것은 '심리'라고 말했습니다. 경제는 기대입니다. 잘된다고 기대하면 잘되고 못된다고 기대하면 못되는 것입니다. 잘된다고 생각하면 열심히 일하고 돈 받아서 물건도 사고 외식도 하고 이렇게 되면 경제가 호황됩니다. 못된다고 생각하면 돈 안 쓰고 새로 투자하려고 안 합니다. 문제는 국민이 정부를 신뢰해서 따라오면 성공할 수 있습니다.

저는 대통령에 취임한 후 국민에게 얘기했습니다. "과거와 같이 정경유착해서 부정 비리 않고 투명하게 하겠다. 그리고 모든 것을 시장에서 하고 정부가 관여할 것은 관여하겠다." 제가 대기업 대표들에게 얘기했습니다. "당신들이 과거 어느 당에 돈을 주었고, 누구와 가까운 것은 상관하지 않겠다. 앞으로 분명한 것은 나는 그런 일 안 한다. 나한테 그런 돈 가져올 필요도 없고, 가져와도 받지 않는다. 돈 안 받았다고 차별하지 않고 돈 주었다고 봐주는 것도 없다. 당신들은 앞으로 정부와 결탁해서 이권 얻어 돈 벌려고 하지 말고 세계시장에서 경쟁해서 이겨서 돈 많이 벌어라. 그래서 세금 많이 내면 애국자로 생각하겠다." 저는 5년 동안 그렇게 했습니다. 국민이 믿고, 기업이 믿고 5년 하니까 외환 위기 극복에 함께 하자고 '금 모으기 운동'에 나섰습니다. '금 모으기 운동'은 어떤 사람은 제가 주장했다고 하는데 국민들이 자발적으로 한 것입니다. 이것을 보고 세계가 놀랐습니다. "저런 국민은 도와주자." 이렇게 해서 세계가 우리에게 돈을 빌려주기 시작했습니다.

제가 대통령직을 맡았을 때 외환 보유고는 37억 달러, 부채는 1,500억 달러였습니다. 곧 1년 내에 갚아야 할 단기외채가 650억 달러였습니다. 완전히 파산 나게 된 것입니다. 그것을 세계가 도와준 것입니다. 세계가 도와준 것은 국민들이 일어서서 정부를 믿고 지지한 것을 보고 도와준 것입니다. 그때 저는 외환 위기 1년 반 만에 극복한다고 얘기했는데, 야당의 어느 지도자는 "만일 정부가 1년 반 안에 극복한다면 내 손에 장을 지지겠다"고 했습니다. 그런데 1년 반 만에 해냈습니다. 그런데 그 분 장 안 지졌습니다.(웃음) 아마 지금은 말을 경솔하게 했다고 생각할 거예요. 앞으로도 제일 중요한 것은 국민의 신뢰를 얻는 것입니다. 국민의 신뢰를 얻으려면 무엇보다 대통령과 경제팀이 국민에게 신뢰를 받아야 합니다. 그렇게 해서 나가면 국민이 해 나갈 수 있습니다. 37억 달러 때도 해 나갔는데 지금은 외환 보유고가 2,600억 달러입니다. 한 200억 달러, 요새 까먹어서 2,400억 달러 되었지만 그렇게 된 것입니다. 못해 나갈 것이 없습니다. 세계에서 우리 국민만큼 자랑스럽고 애국적이고 똑똑한 국민이 없습니다.

질문 최근 동북아를 보면 경제사회나 시민사회 교류는 활발한 반면에 정치적 협력은 국가적 틀에 갇혀 있다는 생각이 듭니다. 일본의 우경화, 중국의 패권주의 등이 그런데요. 그렇다면 정치적 차원에서 동북아 평화를 가능하게 할 수 있는 조건과 구상이 무엇이 있을까요?

김대중 그건 아까 말씀과 같이 동북아 평화는 6자회담을 성공시켜 거기에서 합의된 대로 동북아의 평화와 안전 보장을 실현해야 합니다. 여기에는 미국, 일본, 중국, 러시아가 들어옵니다. 우리 주변의 강대국이 모두 들어옵니다. 6자회담에서 강대국과 합의해서 동북아 평화, 한반도 평화를 공동으로 보증하게 됩니다. 제가 1971년에 얘기한 것같이 4대국에 한반도 평화 보장을 하라고 하듯 그런 평화 보장을 하면 우리는 동북아에서 안전과 평화를 유지해 나갈 것입니다.

동시에 북한과의 관계에서 인내심을 가지고 나가야 합니다. 북한이 때로는 과격한 소리를 하고 곧 큰일 낼 것같이 하는데 그것은 북한이 강해서 그런 것이 아닙니다. 북한은 자기의 약점을 너무도 잘 알고 있습니다. 북한에서 가장 큰소리를 하고 있는 곳은 군대인데, 군인의 수는 우리보다 많으나 북한의 군 장비들은 20, 30년 전 것입니다. 전투기는 약 3천 대가 있으나 절반은 쓸모가 없습니다. 그러나 우리는 최신 무기를 가지고 있습니다. 그러면 북한을 두려워할 필요가 없고, 막 해도 되지 않느냐고 하지만 북한이 우리를 이길 능력은 없지만 우리에게 치명타를 줄 능력은 있습니다. 미사일이 있고 핵무기가 있습니다. 장거리포를 쏘면 서울까지 오고, 미사일은 한반도 전체, 일본까지 가지 않습니까? 우리의 원자력발전소만 하더라도 약 20개 정도가 있는데 그중 한두 개만 파괴해도 그 피해가 얼마나 크겠습니까? 그러므로 전쟁해서는 안 되고 할 수 없는 것입니다. 물론 북한도 그렇게 하면 우리가 공격하고 미국이 공격해서 재가 될 것입니다.

6자회담 성공시키고 남북 관계를 개선해야 한다

김대중 이런 상황이니까 한편으로는 6자회담을 구성해서 평화 체제를 만들고 한편으로는 인내심을 가져야 합니다. 우리 한국 사람이 싸울 때 마지막에서 "너 죽고 나 죽자"고 하듯이 북한은 강해서가 아니라 약해서 허세를 부리는 것입니다. 우리에게 치명타를 줄 능력은 있으면서 허세를 부리는 것이므로 우리가 함부로 해서는 안 됩니다. 우리가 이기더라도 많은 사람들이 죽고, 많은 부분이 파괴되면 무슨 소용입니까? 이런 의미에서 두 가지 즉 6자회담을 꼭 성공시켜 동북아 평화 안보 체제를 갖추고, 남북 관계를 어떻게든 개선해야 합니다. 미·북 관계가 개선되고 중국, 일본, 러시아 모두 평화를 지지하는데 북한 혼자 다른 소리 할 수 없고 우리도 다른 소리 할 수 없습니다. 그렇게 되면 우리만 고립됩니다. 이 두 가지를 병행하면 동북아시아와 한반도에서 평화를 이룩할 수 있다고 생각합니다. 여러분도 그런 방향으로 노력하고 여론을 조성하시기 바랍니다.

* 이 글은 2008년 10월 16일 한국기독교연합회관 대강당에서 있었던 한신대학교 '평화와공공성센터' 창립 기념 강연문과 질의응답이다.

중요한 것은 국민의 신뢰다

대담 김미화
일시 2008년 10월 23일

김미화 앞서 말씀드린 대로 오늘 이 시간에는 「세계는 그리고 우리는」 방송 5주년 기념 특별 대담, 김대중 대통령과의 대화를 마련했습니다. 반갑습니다.

김대중 예, 반갑습니다.

김미화 요즘 어떻게 지내세요. 건강은 괜찮으시고요?

김대중 집에 오는 사람들도 만나고 간혹 외국도 나가고 책을 주로 읽고 있습니다.

김미화 그러시군요. 오늘도 일찍 와서 제가 말씀을 들어 보니까 해외 일정이 굉장히 많으셨는데 아주 건강하게 잘 소화해 내고 계신다, 놀랍다, 이렇게들 얘기하시던데.

김대중 신장이 나쁜데 다행히 그것 빼면 다른 데는 다 괜찮으니까 거의 지장 없이 다니고 있어요.

임동원 『피스메이커』, 역사에 남을 책

김미화 아까 책 얘기를 하셨는데 요즘에는 어떤 책을 읽으세요?

김대중 요새는 임동원 전 통일부 장관이 쓴 『피스메이커』 그걸 읽고 있고 또 그 외에 다른 것도 읽고.

김미화 『피스메이커』는 어떤 책인가요?

김대중 남북 관계 평화를 어떻게 추진했냐 하는 것을 노태우 정권 때하고 우리 정권 때하고 두루두루 분야별로 이야기하고 있습니다. 아주 좋은 책이에요. 아마 역사에 남을 거예요. 그 책은.

김미화 꼭 읽어 봐야 되겠네요. 김대중 대통령을 만나 뵐 때 가장 듣고 싶은 말씀이 역시 남북 관계인데요. 북·미 관계는 진전되고 있는데 남북 관계는 경색 국면을 벗어나지 못하고 있거든요. 특히 최근에 북한이 남북 관계 전면 차단, 이런 걸 언급을 했는데 이러다가 남북 관계가 더 악화되지 않을까 걱정하는 시선들이 많이 있어서요.

김대중 상당히 우려됩니다. 지금 북·미 관계는 진전하고 있는데 우리만 이렇게 되면 결국 잘못하면 따돌림을 당할 수 있고, 이미 당하고 있는 면도 있습니다. 그런데 문제는 서로 불신이에요. 북한은 이명박 정권이 '비핵·개방·3000', 그건 핵을 포기하고 개방하면 도와주겠다는 얘긴데 그건 부시가 하던 소리거든요. 부시가 그래서 실패했어요. 부시는 나하고 클린턴 대통령이 하던 대로 북한하고 직접 대화하고, 줄 거 주고 받을 거 받고 협상하던 것을 하지 않았습니다. 그래서 북한이 안 받아들인 거죠.

이제 북한이 볼 때는 북한이 아주 중요하게 생각하는 6·15선언이라든가 10·4선언을 이명박 대통령이 안 지켜 나간다 하는 이런 생각도 있어서 상당히 반발을 강하게 하고 있어요. 또 거기에다가 개성공단에 노동자들이 지금 약 4만 명이 있는데 앞으로 굉장히 많이 최고로는 35만 명이 일하게 됩니다. 개성에 있는 노동자는 거의 다 썼고, 이제 더 사람이 없는 상황에서 외부에서 사람이 들어와야 되는데 그러려면 숙소를 만들어 줘야 돼요. 우리 한국 측에서 숙소를 만들어 주겠다고 약속을 했어요. 그런데 이제 이명박 정부 들어와서 그걸 안 해 주고 있거든요.

그리고 금강산에 여성 관광객 피살 문제가 일어난 후 바로 관광을 중단시켜 버린 문제, 이런 등등이 있고, 거기에다 최근에 풍선, '삐라'가 날아가지 않았어요? 삐라가 날아가니까 그쪽서는 거기에 김정일 위원장에 대한 비난도 있고 사생활도 있고 뭣도 있고 하니까 엄청난 충격을 거기다 준 것 같아요. 이번에 북쪽에서 그렇게 막 나온 것은 이것이 제일 큰 직접적 원인이 아닌가 그렇게 생각합니다.

우리 정부로서는 "북한은 믿을 수 없다. 핵을 포기해야 얘기가 된다"고 하면서 북한이 제일 핵심적으로 요구하는 6·15선언과 10·4선언에 대해서는 정부가 딱 떨어지게 지킨다는 말을 안 하고 있거든요. 북한은 김정일 위원장이 직접 사인한 것은 그것뿐이에요. 그걸 확실히 안 하니까 문제가 안 풀리고 있는 거예요. 문제는 그 문제에 기본적으로 걸렸는데 최근에 풍선으로 삐라를 돌린 것이 아마 상당히 직접적인 자극이 된 것 같아요.

김미화 발화점이 된 거네요. 북핵 문제 얘기하셨는데 북핵 문제에 대해서 우리 정부가 조금 소극적이다, 역할이 부족하다, 이런 얘기에 대해선 어떻게 동의하시나요?

남북 관계 안 좋으면 우리 입장이 어려워진다

김대중 최근에 내가 노르웨이를 갔다 오는 동안에 외국에 있는 대사를 만난 일이 있는데 그 사람이 6자회담 대표를 하다가 대사가 됐어요. 얘기하는데 그때는 남북 관계가 괜찮을 때니까 북한하고 제일 가까이 대화한 것이 우리 한국이었대요. 그래 가지고 말이 통하니까 안 되는 건 안 된다, 되는 건 된다, 그런 소리 어림도 없다, 이런 얘기를 함부로 하고 그랬답니다. 그리고 북한 생각을 미국이나 일본에 알려 주고 또 미국이나 일본이 알아봐 달라는 거 알려 주고 그래서 제일 발언권이, 말하자면 역할이 있었는데 지금 그게 딱 막혀 버렸거든 요. 북한하고. 그래서 지금 대화가 어디서도 전혀 안 통하고 있단 말이에요.

그런데 내가 클린턴 대통령하고 같이 협력해서 소위 햇볕정책을 해서 북 한하고 직접 대화해 가지고 줄 것 주고 받을 것 받는 거 해서 거의 성공 단계 에 있었습니다. 그러다가 클린턴이 이제 물러나고 부시가 들어와서 에이비 시(ABC), 말하자면 'Anything But Clinton', "클린턴이 한 것은 다 안 된다"고 해서 압박을 가했거든요. 그래서 부시 8년 중의 6년을 그렇게 했는데 결국 나 온 것은 뭐가 있느냐, 말하자면 북한이 핵확산금지조약(NPT) 탈퇴하고, 국제 원자력기구(IAEA) 사찰기관 요원들 추방시켜 버리고, 장거리미사일 발사하고 마침내 2006년 10월 핵실험까지 했단 말이에요. 그래서 이제 핵실험까지 했 으니까 부시로서는 최후 결단을 내려야 하는데 무력 침공하자니 할 능력이 없고, 지금 중동에 발 묶여 있으니까, 경제 제재를 일본하고 같이해 봤는데 중국이 지원하고 있으니까 안 돼요. 결국에는 뭔가 업적을 남겨야 하는데 도 리가 없으니까 우리가 그렇게 하려고 했던 것 즉, 직접 대화하고 줄 거 주고 받을 거 받는 것을 하고 있는 겁니다. 그래서 현재 6자회담이 진행되고 있는 거예요. 그래서 이런 점으로 봐서 남북 관계도 지금 북·미 관계가 좋아지고 있는데 남북 관계만 좋지 않은 관계에 있다는 것은 우리 입장이 아주 어려워 진다는 것을 이미 알 수 있어요.

이명박 대통령이 태도를 분명히 해야 한다

김대중 그래서 나는 이 대통령이 태도를 분명히 해야 한다고 생각해요. 6· 15선언과 10·4선언을 지키면 지키겠다든지 안 지키면 안 지키겠다든지 얘기 를 해야지, 애매하게, 말하자면 말이 이랬다저랬다 하는 그런 식의 인상을 주는 그런 것이 지금 사태를 하나도 발전 못 시키고 있다고 생각합니다. 그리고 아마 북한이 볼 때 굉장히 서운하게 생각하는 것은 쌀을 안 주고 있는 거예요. 예산이 있는데 안 주는 거거든요. 지금 북한이 식량을 얼마나 목마르게 기다리고 있는 건지 다 아는 거 아닙니까? 그런데 미국은 50만 톤 주고 있는데 우리는 안 주고 있단 말이에요. 그러니까 굉장히 원망을 하고 있을 거예요. 그런데 우리가 비료 10만 톤 주면 농사가 10만 톤이 더 증산이 돼요.

우리가 쌀 주고 비료 주는 얘기인데, 거기 포대에 전부 남한의 상호가 쓰여 있습니다. '남해화학'이니 뭐니, 북한 사람들이 그거 보고 다 안단 말이에요. 그러니까 "남쪽이 이렇게 보내 준 거 보니까 우리를 미워한다더니 사실 아니지 않으냐. 남한은 잘사는구나. 우리를 위해서 보내는 것 보니 우리에 대해서 동족애를 가지고 있지 않느냐. 우리도 빨리 통일해서 이렇게 잘살았으면 좋겠다." 이런 생각의 변화가 일어났어요.

금강산·평양 가서 보고, 북한에 여유와 자신 생겼다

김대중 북한에 그런 변화가 일어나니까 남한에 대한 호의가 일어나 문화 변화가 일어났어요. 남쪽의 대중가요를 부르고 남쪽의 텔레비전 드라마라든가 영화필름 같은 것을 비공식적으로 광범위하게 보고 있어요. 그래서 결국에서는 우리가 쌀 좀 주고 비료도 좀 줬지만 북한을 그만큼 엄청나게 바꿔 놓은 거예요. 우리한테 적개심을 가지고 그냥 막 기회만 있으면 "너희 한번 깨부수겠다." 이런 생각 가진 사람들이 "당신네하고 잘 지내자. 당신네하고 좋게 지내야겠다"는 생각을 하게 된 거예요. 이것은 돈 갖고 바꿀 수 없는 엄청난 소득이고, 그리고 또 실제 그것이 긴장 완화를 시킴으로써 지금 과거에는 뭔가 판문점에서 총소리 한 번 나도 도망가자고 보따리 싸고 그러지 않았어요. 그런데 지금은 핵실험해도 누구 도망간단 사람 없거든요. 그만큼 긴장이 완화가 된 거예요. 또 금강산 관광만 해도 183만 명이 갔다 오고, 또 평양도 매년 한 10만 명 민간인이 갔는데 가서도 "아, 북한 그렇게 두려워할 것도 아니다. 또 여기도 사람 사는 데다. 이 사람들만이 강한 것 아니다." 이런 것을 느끼게 돼서 상당히 국민들이 여유와 자신이 생겼어요.

이명박 대통령과 김정일 위원장 맞붙어서 얘기하면 통할 것

김대중 그래서 이런 등등으로 해서 나는 이명박 대통령이 해야 할 일은 6·15선언과 10·4선언을 인정하는 것, 그리고 인도적 입장에서 쌀을 빨리 주는 것, 그리고 개성공단에 노동자 숙소 지어 주기로 한 약속을 지키는 것, 그리고 금강산 관광에서 여성 관광객이 피살된 사건이 나서 대통령께서 관광을 중단했는데 그것을 재개하는 것, 이런 일을 사전에 성의를 표시하고 나서 남북정상회담을 해야 한다고 생각해요. 그래서 이명박 대통령하고 김정일 위원장이 맞붙어서 얘기를 하면 얘기가 통할 거예요.

그리고 지금 북한도 우리하고 잘 지내면 이익이고, 못 지내면 손해입니다. 우리만 아쉬운 거 아니에요. 그리고 우리하고 관계가 안 좋은데 미국하고 관계만 어디까지나 좋아질 수 없어요. 한계가 있어요. 그러니까 북한도 아쉬운 점이 있어요. 또 우리도 북한하고 관계가 나쁘면 우리는 국제사회에서 발언권이 아주 약해지고 또 어려운 문제가 생겨요. 그래서 난 지금 우리 정부가 그러한 결단을 내려야 하는 것 아닌가 생각합니다.

김미화 말씀을 들으면서 누가 먼저 이제 마음을 여느냐, 이게 가장 중요할 것 같은데 최근에 김정일 국방위원장의 건강 이상설 문제로 사실 의견들이 많은데요. 우리 정부하고 국민들은 이런 상황에 어떻게 대처를 해야 될까요?

김대중 우리가 볼 때 미국과 일본은 그 문제에 대해서 아주 말을 아끼고 신중하게 했거든요. 그런데 우리는 너무 많이 얘기했단 말이에요. 그래서 북한이 기분이 나빴는데 거기다가 이제 풍선 띄워 삐라까지 살포하니까 더 문제가 됐는데, 우리가 여기서 할 것은 우리는 북한하고 대화해서 어떻게 하든지 관계를 개선해서 장차 통일해야 된단 말이에요. 그러면 북한에 어떤 지도자가 있느냐, 그것이 중요해요. 그런데 김정일 위원장은 지금 미국하고 관계 개선을 열망하고 있거든요. 우리하고는 6·15선언 하고 10·4선언 한 것 봐도 잘하자는 거거든요.

김정일 위원장에게 만일 유고가 생기면 북한 사태는 참 예측할 수 없어요. 어떻게 보면 김정일 위원장 아들 하나를 내세우고 그걸 명분으로 해서 군부와 당이 같이할 수도 있고, 군부와 당만이 연립할 수도 있고, 내분이 일어날 수도 있고 여러 가지예요. 그런데 우리가 볼 때는 그런 사태가 오면 북한에서 피난민이 엄청나게, 수백만 명이 밀려 내려올 수 있어요. 예측이 그렇게 돼 있어요. 그러면 남한이 얼마나 혼란되겠어요? 그걸 어떻게 감당하겠어요? 그런 데다가 또 그렇게 되면 내부 단속하기 위해서 우리한테 군사 도발할 수도 있어요.

그러니까 제일 좋은 건 현재 6자회담 성공해 가지고 북한을 국제사회로 끌어내서 국제적인 여러 가지 질서를 지키도록 하고 북한도 돈벌이를 시켜야 돼요. 돈을 벌면 화를 안 내요, 사람은. 그래서 북한의 경제가 좋아져야 돼요. 경제가 좋아지면 어떻게 되느냐, 중국이나 베트남같이 돼요. 경제가 좋아지면 자연히 평화를 바라게 되고 안정을 바라게 되고 국제적 협력을 바라게 돼요. 그런 데다가 경제가 발전되면 중산층이 일어나요. 중산층이 일어나면 민주주의를 요구하게 돼요. 영국이 산업혁명 이후에 중산층이 일어나니까 그 사람들이 민주주의 요구해서 결국 민주화했어요. 프랑스는 민주주의 요구하는데 안 들으니까 대혁명 일으켜서 귀족과 왕까지 다 죽여 버리고 민주주의 했어요. 그런데 중국도 지금 약 5천만 명 이상의 중산층이 일어나고 있어요.

중국 내에서는 민주화운동이 상당히 일어나고 있어요. 그리고 정부도 민주화를 하려고 하고 있고.

그래서 우리도 북한으로 하여금 안심하고 경제 발전할 수 있도록, 우리가 통일하더라도 서로 그만그만한 그런 관계 돼서 먹고사는 데 우리가 걱정 안 해도 북한 자신이 할 수 있게 그렇게 만들어야 돼요. 또 북한도 그렇게 되면 마음도 안정이 되고 정치적 안정이 돼요. 그래서 이만하면 우리가 같이 살아도 되겠다 싶을 때 통일하면 돼요. 지금 당장 통일하면 경제 문제뿐 아니라 과거 60년 동안 서로 원수, 원수 하고 싸우고 살았기 때문에 쉽게 갈등이 해소될 수가 없어요. 동서독 봤잖아요? 현재 그걸 서두르지 말고 어떻게든지 북한을 평화적으로 같이 공존하고 공영하도록 하고, 도와줄 거 도와주고 받을 거 받고, 이러면서 해 나가다가 어느 때, 20년 후든지 30년 후든지 서로 통일하는 그걸 내다보면서 해야 돼요.

그리고 한마디 내가 여기서 강조할 것은 공산주의는 이미 끝났어요. 공산주의 종주국인 소련이 무너졌잖아요? 동유럽이 무너졌어요. 중국도 변하고 있잖아요? 공산주의는 끝난 거예요. 우리가 공산주의 그렇게 두려워할 일이 아니에요. 그건 과거 냉전 때의 얘기예요. 우리는 북한에 대해서 자신을 가져야 돼요. 그러나 아무리 약자라고 하더라도 "너 죽고 나 죽자." 할 힘은 있어요. 핵무기도 있고, 쓸 수 있는지 모르지만, 미사일도 있잖아요. 미사일은 한반도 어디든지 가고 일본까지 간단 말이에요. 그리고 휴전선 일대에 아주 엄청나게 장거리포가 배치됐어요. 그래서 전쟁 나면 국제연합(UN)군에서 예측했던 것은 불과 2, 3일 사이에 남한에서 150만 명의 사람이 죽는다는 얘기가 있어요. 그런 길로 가서 되겠어요? 그러니까 우리는 강자고 여유가 있으니까 우리가 쓰다듬으면서 끌고 가야 돼요. 그래 가지고 북한이 개방하면 그때는 되는 거예요. 개방하면 국제적 룰을 지켜야 되는 거예요. 핵무기 가지고 개방할 수는 없어요. 그럴 때 문제가 해결돼요. 그래 가지고 북한이 자꾸 변화시키는데 변화 안 할 수가 없죠. 지금도 많이 변화했는데.

김미화 좀 전에 6자회담 성공해서 북한을 국제사회로 이끌어 내야 한다, 이런 말씀하셨는데 2000년 6월 15일 남북정상회담 당시 김정일 국방위원장을 만나셨는데 기억을 좀 떠올리신다면 그때 어떤 점이 가장 인상적이셨는지?

김대중 여기서 그때까지 생각할 때는 그 사람은 머리가 모자라고 나쁘게만 얘기하지 않았어요? 그런데 가서 만나 보면요. 사람이 됐어요. 그리고…….

김미화 됐다는 말씀은?

김대중 말하자면 예의도 바르고, 남 말도 잘 경청하고, 그 말이 옳으면 곧 받아들여요. 내가 김정일 위원장하고 다른 것이 합의되고 서울 방문 얘기했더니 안 오려고 그래요. "당신은 남한의 국가원수지만 우리는 내가 아니고 김영남이니까 김영남 위원장이 가면 가도 나는 못 간다." 이렇게 얘기해요. 아주 굉장히 안 들어요. 그래서 1시간 이상 그것 때문에 끌었어요. 그래 가지고 내가 마지막에 "김 위원장, 당신보다 나이가 훨씬 많은 내가 남쪽에서 여기까지 오는데 당신이 서울로 답방 안 한다는 것이 윗사람에 대한 예의냐?" 하고 내가 얘기했어요. 그랬더니 그때 이제 달라지더라고요. 그러면서 나보고 "김 대통령은 전라도 사람이니까 그렇게 고집이 셉니까?" 그러더라고요. 그래서 내가 있다가 "내가 왜 전라도 사람이요? 나는 김해김씨니까 경상도 사람이지. 당신이야말로 전주김씨니까 전라도 사람 아니냐." 그래서 웃고 그랬는데 그렇게 해서 결국 해결됐어요.

단계적 통일, 공동 승리하는 통일, 합의됐다

김대중 그리고 내가 처음에 모두발언으로 김정일 위원장한테 이 얘기를 했어요.

"사람은 누구나 영원히 사는 사람이 없고 또 높은 자리에 있어도 영원히 그 자리에 있는 사람 없다. 그러니 당신과 나도 살아 있는 동안에, 높은 자리에 있는 동안에 우리가 민족을 위해서 할 일을 해야 한다. 그런데 그건 어떻게 하면 되느냐. 우리가 서로 상대방에 대해서 해선 안 될 일은 안 하고 할 일 해야 한다. 예를 들면 당신네가 남쪽을 공산화한다면 그건 전쟁밖에 없다. 전쟁하면 우리 민족 공멸한다. 그 생각 아예 버려야 한다. 그 대신 당신네는 독일 보고, 그때 독일 통일한 지 얼마 안 됐으니까 우리가 당신네 흡수 통일한다고 하는데 우리는 흡수 통일 안 한다. 안 하는 게 아니라 못한다. 우리 경제력은 서독과 다르다. 당신네 맡아 가지고 우리가 다 할 능력이 없다. 그리고 경제적으로 설사 할 수 있다고 하더라도 우리가 그동안 50년 이상 동안 전쟁하고 냉전하고 온갖 말하자면 적대적으로 하고 했는데 당장 나라를 합쳐 가지고 어떻게 화해하고 사냐. 화해 기간이 필요하다. 그래서 단계적으로 통일하자."

그래서 내가 3단계 통일 방안을 쭉 얘기했어요. 그런 얘기를 했는데 결국 그것이 받아들여졌어요. 그래서 우리 통일은 단계적으로 한다는 것이 합의가 됐어요. 그러니까 그 사람들도 우리를 공산화하는 거 아니고, 우리도 북한을 흡수 통일하는 거 아니고 서로 좋게 지내다가 화해 협력하다가 이만하면 서로 공동 승리하는 통일을, 안심하고 사는 통일을 하자, 그게 합의가 됐어요. 그래서 아주 좋은 회담을 했습니다. (두 손을 들며) 내가 김정일 위원장하고 이렇게 한 사진 있잖아요.

김미화 어떻게 하신…….

김대중 손잡고 둘이서 찍은 사진 말입니다. 만찬을 하고 있는데 실무진들이 회담 정리해서 합의문을 만들었는데 합의문이 다 끝났다고 보고하더라고요. 그래서 내가 김정일 위원장 손을 잡고 일어서서 제가 앉아 있는 사람들한테 "합의문이 완전히 됐답니다. 여러분 한번 축하해 달라"고 손을 올렸어요. 그랬더니 김정일 위원장도 같이 올리고 그렇게 했는데요. 그런데 나중에 조금 있으니까 우리 대변인이 와서 귀에다 대고 얘기했어요. "아까 그 손들고 한 것을 신문기자들이 없어서 사진을 못 찍었습니다. 그러니까 한 번 더해 주십시오." 하는 거예요. 그래서 내가 할 수 없어서 김정일 위원장보고 "아까 그거 사진 못 찍었으니까 다시 한번 합시다." 그래 가지고 한 일도 있어요.

김미화 그래서 다시 찍은 사진이?

김대중 (응접실에 걸린 사진을 가리키며) 바로 그거요.

김미화 그때 추억이 새록새록 떠오르시겠어요. 미국이 북한을 테러지원국 명단에서 이제 삭제를 하겠다, 이렇게 얘기를 했는데 그 이후에 그렇다면 북·미 관계는 어떻게 전망을 하세요?

김대중 크게 보면 북·미 관계는 잘 풀려 갈 겁니다. 왜냐하면 그 외에 딴방법이 없어요. 아까도 얘기한 대로 전쟁할 능력도 없고, 경제 제재해도 안되고, 그리고 이 관계가 해결되면 평화적으로 해결되면 북한도 좋고 미국도 좋은 거예요. 왜 그러냐 하면 한반도가 굉장히 중요하거든요. 동북아시아가 세계적으로 경제 중심권이 돼 버리고 그러니까 중국이란 거대 국가가 있고 하니까 미국이 여기 와서 안정된 지위를 가지고 있는 게 중요하거든요. 그런데 북한하고 관계가 좋으면 미국의 영향이 북한까지 미쳐서 갈 수 있지 않습니까? 그러니까 경제적으로도 좋고 안보 면에서 좋은 거예요. 그래서 미국도 이익이고 북한은 두말할 것도 없고요.

그래서 내가 김정일 위원장보고 얘기했는데 "당신네가 지금 중요한 것은 두 가지 아니냐. 하나는 안정 보장받는 것이고, 하나는 경제 살리는 거다. 그런데 이 세상에서 그거 해 줄 나라는 미국밖에 없다. 그러니 미국하고 관계를 개선하시오. 당신이 그렇게 하겠다면 내가 클린턴 대통령한테 연락해 가지고 서로 말하자면 얘기가 되도록 하겠소." 그래서 그렇게 진행된 겁니다. 올브라이트 국무장관이 북한 가고 조명록 국방위원회 부위원장이 미국 가고, 클린턴 대통령이 북한 가려다가 못 가고 임기가 끝나 버렸어요.

동북아 평화 안보 기구 만들어지면 우리는 발 뻗고 살 수 있게 된다

김대중 그래서 미국으로나 북한으로나 서로 대립하고 있으면 손해밖에 없습니다. 서로 협조하면 이익밖에 없고. 이건 되게 돼 있는 거예요. 그래서 이제 6자회담에서 원칙이 다 합의가 됐잖아요? 그렇게 되면 그다음은 뭘 하느냐 하면 동북아시아의 평화와 안보의 기구를 만들어요. 이 여섯 나라들, 남북한과 미국, 일본, 중국, 러시아, 아마 몽골도 들어갈 거예요. 내가 1971년 지금부터 37년 전에 대통령 후보였을 때 얘기한 대로 4대국에 한반도 평화 보장하라 했는데 평화 보장이 되는 거예요. 그렇게 되면 우리는 이제 발 뻗고 살게 돼요. 그것만이 아니라 아까같이 북한으로도 진출하지만 주변 4대국 다 부자들 아니에요. 그런 나라들한테 우리가 경제적으로 크게 진출할 수 있는 거예요. 그래서 안보상으로도 좋고, 경제적으로도 좋습니다. 그래서 항상 그걸 비유할 때 "도랑에 든 소가 양쪽 언덕 풀 뜯어 먹는다"고 그러는데 우리가 이렇게 둘러싸여 있는 것이 불리한 면도 있지만 어떤 면으로 또 경제적으로 갖는 거리가 가깝고 문화가 많이 상통하기 때문에 좋은 점도 있어요.

김미화 그러니까 긍정적으로 표현하시네요. 어떤 분은 샌드위치다, 이렇게 표현을 하시는 분도 계시는데, 도랑에 들어간 소다, 그래서 양쪽 풀을 뜯어 먹을 수 있다고.

미국과 동맹하고 중국, 일본, 러시아와 사이좋게 지내야

김대중 나도 잘못하면 샌드위치 된다는 말을 부인한 거 아니에요. 조선왕조 말엽에 우리가 망했잖아요? 중국, 일본, 러시아가 다 우리를 병탄하려고 하고 결국 마지막에 일본이 우리를 병탄했단 말이에요. 그런데 그때 미국이 우리만 도와줬으면 그렇게 못 했는데 우리 정부가 미국에 대한 외교를 제대로 못 하고 그래서 결국 미국이 일본을 도와줬거든요. 그래서 우리를 병탄했단 말이에요. 미국에서 역사가들이 "그때 미국이 과오를 범했다. 그렇게 해서 일본을 키워 놓으니까 나중에 대륙 침략을 했다." 그런 말 지금 하는데, 그때 경우를 보더라도 미국이 얼마나 중요한지 우리가 알 수 있어요.

그래서 내가 항상 하는 말이 "1동맹 3친선체제다, 미국하고는 군사동맹을 견고히 유지하고 나머지 중국, 일본, 러시아하고는 친선체제를 유지해야 한다, 4대국하고 다 좋게 지내고 다만 미국하고는 군사동맹, 이런 체제로 가야 한다." 그런 얘기예요.

김미화 좀 전에 클린턴 대통령이 북한을 방문을 하려고 하다가 임기가 끝나 가지고 못 갔다, 그런 말씀하셨는데, 그냥 이건 제 개인적으로 문득 궁금해져서, 지금 미국이 대선이 임박해 있는데 공화당이 이기는 게 우리에게 유리할까요. 아니면 민주당이 이기는 게 우리에게 유리한 건가요?

김대중 민주당의 오바마가 이기면 북한하고 관계는 아주 개선이 더 빨라질 겁니다. 오바마 자신도 자기가 당선되면 북한 지도자하고 만나겠다, 이런 얘기 벌써 하고 있고 그리고 민주당 정책이 클린턴 때부터 북한하고는 말하자면 대화해서 모든 걸 풀어 가고 화해 협력하고 줄 것 주고 받을 거 받는다, 그런 거니까 그렇게 할 것이고, 매케인이 만약에 대통령 된다면 약간 까다롭겠지만 딴 길이 없으니까 결국은 부시가 하던 6자회담을 계속해서 할 겁니다.

가장 중요한 것은 국민의 신뢰다

김미화 1997년 국제통화기금(IMF) 외환 위기를 극복한 경험에 비춰서 현재 어려운 경제 상황을 극복하기 위해서 우리 정부는 어떤 노력들을 해야 될까요?

김대중 제일 중요한 것은 국민의 신뢰예요. 나는 1997년 12월에 당선돼 가지고 바로 그다음 날부터 대통령 집무를 시작했어요. 그때 완전히 정부가 어려워서, 국가가 파산 위기에 있었으니까. 이틀인가 있으니까 클린턴 대통령한테서 전화가 와서 "한국 경제가 지금 중대 문제니까, 세계적 관심사이니까 사람 보내겠으니 협의해 달라"해서 한 이틀 있으니까 재무차관이 왔더라고요. 그래서 재무차관이 와서 얘기해 가지고 그 사람이 내 말을 듣고 납득이 돼서 돌아가서 미국이 본격적으로 지지하고 국제통화기금(IMF)이 지지했어요.

그런데 그때 제일 중요한 것은 내가 "국제통화기금(IMF) 외환 위기를 극복하겠다. 이 나라 구하겠다. 그 계획은 이러이런 거다."라고 이렇게 하니까 국민이 믿었어요. 국민이 믿어 가지고 "우리도 도와주자"고 해서 금 모으기를 한 거예요. 그래서 그게 결국 얼마가 나왔느냐 하면 21억 달러어치가 나왔어요. 그때 우리 외환 보유고가 총액이 37억 달러예요. 그러니까 이것이 얼마나 많이 나왔는지 알 수 있잖아요.

그런데 그 액수가 문제가 아니라 세계 사람들이 그 광경을 텔레비전으로 보고 "저런 놀라운 일이 있냐, 국민들이 정부를 비판은커녕 저렇게 하니 이런 국민 같으면 우리가 도와주자"고 했어요. 내가 여러 사람들한테 들었어요. 장쩌민 주석한테도 듣고 클린턴한테도 듣고 캐나다의 크레티앵 총리한테도 듣고 유럽 나라 총리한테도 듣고 다 그랬어요. 그래서 우리가 생각한 이상으로 그때 금 모으기가 세계에 감동을 줬어요. 그러니까 세계가 도와준 거예요. 국제통화기금(IMF)이 도와준 거예요.

그리고 또 그다음에 내가 우리 경제인들, 지도자들 모아 놓고 얘기했어요.

"이번 선거에 당신들이 나보다 다른 데 돈 많이 준 거 내가 잘 안다. 그런데 나한테 돈을 적게 줬건 안 줬건 누구 많이 줬건 난 전혀 관계 안 한다. 진짜로 관계 안 한다. 문제는 이제부터다. 과거와 같이 정경유착에서, 장사해서 돈 버는 것보다는 정부하고 권력 결탁해서 이권 가지고 돈 버는 짓 하는 것은 이제 절대 안 된다. 당신들이 이제부터 세계를 뛰어라. 뛰어서 열심히 해서 돈 벌어라. 제일 좋고 제일 싼 물건 만들어서 돈 벌어라. 그래서 돈 많이 벌어 가지고 세금 많이 내면 내가 당신네 애국자로 취급하겠다. 내가 5년 동안 똑같이 이렇게 할 테니까 그런 줄 알고 당신들이 날 지켜봐라. 내가 이 약속 어기면 언제나 와서 항의해도 된다." 그렇게 하니까 기업들도 이제 협력을 하더라고요.

금융기업 구조조정, 투명하고 깨끗하게 했다

김대중 그런데 그때 구조조정을 하는데 다 못쓰고 망할 기업들 있잖아요. 과거에는 재벌 하나만 무너져도 나라가 흔들린다고 했는데 30대 재벌 중에 16개가 문을 닫았거나 해체됐어요. 그리고 금융기관도 2천6백 개 중에서 한 5백 개가 문을 닫았어요. 합병하고. 이렇게 했는데 단 1건도 정부가 누구 재벌을 봐줬다든가 정부가 누구한테 돈 먹었다든가 이런 말이 지금까지 없어요. 10년이 넘도록. 그렇게 깨끗하게 했어요. 투명하게. 그리고 나는 원칙만 얘기해 주고 일절 개입 안 했어요. 전문가들이 알아서 하고. 그때 내가 재무장관이나 금융위원장을 아주 잘 만나서 그 사람들이 잘했어요. 그렇게 해 가지고 말하자면 경제를 살린 거예요.

김미화 인복이 있으세요.

김대중 저는 좋은 사람 만났어요. 그래서 내가 1년 반이면 국제통화기금 (IMF) 외환 위기 해결하겠다고 했어요. 그런데 영국이 8년 걸렸거든요, 국제통화기금(IMF) 지원을 떠난 지가. 내가 얘기하니까 누구도 믿지 않았어요. 5년 내에만 하면 다행이다 모두 그랬어요. 야당의 어떤 지도자는 만일 1년 반 내에 한다면 자기 손에 장을 지지겠다고 그랬어요. 그래서 아마 그 양반 지금 그 말한 거 후회할 거예요. 그런데 1년 반 뒤에 했어요.

그래 가지고 37억 달러밖에 없던 국고를 내가 노무현 대통령한테 넘길 때 1천4백억 달러, 노무현 대통령이 다시 또 이명박 대통령한테 넘길 때 2천6백억 달러, 이렇게 둘이서 1천3백억 달러씩 벌어 가지고 넘겨줬어요. 그런데 요새 지금 외환 위기가 오는데 정부가 2백억 달러 쓰고 3백억 달러 쓰고 이렇게 마음대로 쓰는 것은 우리가 벌어다 준 거예요. 그게. 우리가 벌어 주고 국민이 도와서 그렇게 성공한 거예요. 그래서 세계의 모범이 됐어요. 일본이 그때 장기 불황에 있었는데 외국 언론들도 한국서 배우라고. 요새 미국도 금융 위기가 왔잖아요. 어떤 언론 보면 한국서 배우라는 말 하고 있어요. 그런데 좌우간 나는 분명히 그때 국민의 덕택으로 우리가 성공했고 또 우리가 국민의 힘을 잘 활용했다고 생각해요. 그래서 그렇게 성공한 거예요.

현재도 정부에서 가장 중요한 것은 국민의 믿음입니다. 국민이 믿으면 자발적으로 달러 가지고 나오기 시작할 것입니다. 그런데 믿으려면 난 두 가지를 해야 한다고 생각해요. 하나는 지금 여러 부처로 헷갈려 있는 경제 관계 기능을 조정 통할할 부총리제도를 다시 해야 돼요. 그렇게 해 놓은 걸 지금 이명박 정부 들어와서 없애 버렸거든요. 또 하나는 현재 국민들이 불신하는 그런 경제 관료들을 갈아야 돼요. 그거 안 갈면 아무리 좋은 일해도 국민이 믿질 않아요. 불안해하고, 그러니까 경제가 성공하려면 국민이 지지해야 하는데 국민이 지지하게 하려면 경제 관료들이 국민이 믿는 사람을 세워야 한단 말이에요. 그리고 나머지는 아까 내가 말한 내가 국제통화기금(IMF) 외환 위기 경험, 그런 것도 참고하면 될 수가 있다고 생각해요.

김미화 오늘 장시간 긴 말씀 정말 감사드리고 제가 코미디언인 건 알고 계시죠?

김대중 몰랐는데 가르쳐 주니까.(웃음)

김미화 (웃음) 시사 프로그램으로 5년이 됐습니다. 한 말씀 좀.

김대중 나는 여기서 대놓고 하는 말이 아니라 김미화 씨를 좋아하는데 여러 가지 시련도 있었던 얘기도 듣고 또 코미디언 하다가 시사자키, 시사평론가로, 참 어려운 일인데 그것을 잘 해낸다는 데 대해서 참 놀랐어요. 앞으로도 더 크게 대성해 가지고 우리 방송사상, 언론사상 남는 그러한 훌륭한 언론인으로서 잘 역할해 주길 바랍니다.

김미화 고맙습니다. 건강하시고요. 감사드립니다.

김대중 고맙습니다.

김미화 지금까지 김대중 대통령을 모시고 「세계는 그리고 우리는」 5주년 특별 대담을 나눴습니다.

* 김대중 대통령은 2008년 10월 23일 오전 11시, 동교동 사저에서 문화방송(MBC) 라디오 「김미화의 세계는 그리고 우리는」 방송 5주년 기념 특별 대담을 가졌다. 이 대담 내용은 10월 23일 오후 6시 20분부터 약 30분간 방송되었다.

북이 원하는 것은 핵도 미사일도 아닌 백성 먹여 살리는 것

대담 이준희
일시 2008년 11월 13일

김대중 전 대통령은 13일 동교동 자택에서 본보(『한국일보』) 이준희 편집국장과 특별 회견을 가졌다. 바로 전날 북한이 육로 통행 제한, 남북 직통전화 단절, 북핵 시료 채취 거부 등 대남 강경 조치를 쏟아 낸 이날 회견은 시의적절하고 의미가 있었다. 김 전 대통령은 남북 관계뿐만 아니라 이명박 정부의 대북 정책, 버락 오바마 미 대통령 당선자의 북·미 관계 해법 등에 대한 조언을 아끼지 않았고 한·미자유무역협정(FTA) 비준 논란에 대해서도 명쾌한 해법을 내놓았다.

김 전 대통령은 특히 "지금 남북 관계는 파국으로 치닫느냐, 대화와 화해로 나가느냐는 중대한 기로에 서 있다"며 "6·15, 10·4선언과 개성공단 기숙사 건설, 금강산 관광 재개, 대북 전단 살포 문제 등에 대해 정부가 태도를 분명히 해야 한다"고 말했다.

대북 삐라 중단해야 한다

이준희 남북 관계가 꽉 막혀 있습니다. 북한은 12일 육로 통행 차단 경고,

북핵 시료 채취 거부, 남북 직통전화 단절 등의 조치를 취했습니다. 현 국면을 어떻게 보시는지요.

김대중 어제 상황을 보고 상당히 걱정하고 있습니다. 사태가 급박하게 돌아가고 있습니다. 이 흐름에 제동을 걸려면 풍선 날리는 것(대북 전단 살포)을 그만둬야 합니다. 그건 우리 생각 이상으로 북한에 충격과 혼란을 주고 있습니다. 북에서 김정일 국방위원장은 신과 같은 존재인데 모욕적인 말을 풍선으로 날려 보내면 북한 사회에 얼마나 충격이 크겠어요? 이건 감정 문제인 만큼 상황을 악화시키지 않으려면 중단시켜야 합니다. 상호 비방 금지를 남북 당국 간 합의했으면 민간도 지켜야 합니다. 정부가 고압가스 관리법 등으로 통제할 권한이 있습니다. 이게 남북 관계를 악화시키느냐, 아니냐는 시금석입니다.

이준희 6·15선언, 10·4선언의 이행 문제도 현안으로 부각됐습니다.

김대중 어느 정권이든 전 정권의 조약을 지키는 것 아닙니까? 두 선언은 남북 정상이 처음으로 서명한 선언입니다. 정권을 인수해 놓고 이것만 인수하지 않으려 하면 안 되지요. 북한은 6·15선언과 10·4선언을 인정하면 대화를 하겠다는 것인데 정부는 대답을 안 하더군요. 7·4공동성명, 남북기본합의서 등과 함께 존중한다는 식으로 얼버무리려 합니다. 문제는 6·15선언과 10·4선언을 지키겠느냐 아니냐 하는 것입니다. 말을 분명히 해야 합니다.

이준희 개성공단 사업도 위기에 처했는데 대책은 없을까요?

김대중 개성공단에 필요한 노동자는 장차 35만 명에 이를 것으로 보입니다. 그런데 지금 입주한 한 공장에 북측 노동자 900명이 필요한데 250명밖에 배정받지 못하고 있다 합니다. 개성 주변의 노동자가 대부분 고용돼 통근할 사람이 없기 때문에 이제 개성공단에 기숙사가 있어야 하는데 우리가 이미 합의한 기숙사 건설 약속을 지키지 않고 있어요. 정부가 6·15와 10·4선언,

개성공단 기숙사 문제, 금강산 관광 재개 문제, 그리고 풍선 문제에 대해 태도를 분명히 해야 해요.

북이 너무 거칠게 문제를 다루고 있다

이준희 북한도 잘못된 전략을 쓰고 있는 측면이 있지 않습니까?

김대중 북측이 이명박 대통령에게 입에 담지 못할 욕을 한 것은 잘못입니다. 김정일 위원장이 중요한 줄 알면 남쪽 대통령도 중요한 줄 알아야 합니다. 북이 너무 거칠게 문제를 다루고 있어요. 보도까지도 일일이 시비를 거는데 남한에서는 정부가 신문을 통제할 수 없다는 걸 알 때가 지났는데도 문제 삼는 것은 잘못됐지요.

이준희 북한은 한국을 배제하고 미국과 대화를 하는 식으로 게임을 하려는 것은 아닌지요?

김대중 그게 가능하겠어요? 오바마 당선자가 그럴 생각이 전혀 없다고 봅니다. 나도 그쪽 사람들을 조금 아는데 북핵을 해결해야 국교 정상화를 하겠다는 것입니다. 남한을 배제하겠다는 게 아니라 그럴수록 한국과 협력하겠다는 게 오바마 당선자 측 얘기입니다. 북한이 통미봉남通美封南을 해 봤자 전혀 통하지 않을 겁니다. 그렇다고 가만히 있으면 안 되지요. 과거 쓰라린 경험이 있지 않습니까? 1994년 김영삼 정부는 "핵을 가진 자와는 손을 잡지 않겠다"고 했고, 북은 "좋다, 손잡지 말자"고 맞섰지요. 우리는 북·미 제네바협상이 진행되는 동안 뒷자리에도 앉지 못하는 상황에서 경수로 제공 합의가 이뤄졌고, 총 43억 달러의 비용 중 70퍼센트를 부담하게 됐어요. 말 한마디도 못 하면서 돈은 대고, 특히 돈은 모두 미국을 줘서 미국이 관리했습니다.

북·미 관계는 북·미 관계로 끝나는 게 아니고 동북아 평화 안보 체제로 이어지게 돼 있습니다. 북한을 외면하면 우리만 외톨이가 될 가능성도 있어요.

강경노선이 우리 생각대로 이익을 가져온 게 아니에요. 우리가 6자회담에서 말발이 통하려면 북한과 말발이 통해야 합니다. 현 상황은 참 잘못된 것입니다.

'비핵·개방·3000' 은 부시 대통령이 6년이나 썼던 정책

이준희 이명박 정부의 '비핵·개방·3000' 을 어떻게 평가하십니까?

김대중 포기할 줄 알았는데 포기를 안 하더군요. '비핵·개방·3000' 은 북한이 핵을 포기하고 개방하면 도와주겠다는 것인데 그건 조지 W. 부시 미 대통령이 6년이나 썼던 정책입니다. 악을 행한 자와는 대화도 안 하고 보상도 없고, 대신 핵을 포기하면 보상도 하고 대화를 하겠다고 했는데 결국 실패했습니다. 그 결과 북한이 핵확산금지조약(NPT)에서 탈퇴하고, 국제원자력기구(NPT) 요원들을 추방하고, 클린턴 행정부 시절 중지 선언을 한 장거리미사일을 다시 발사하고, 핵실험까지 했어요. 그러니 부시 대통령도 결단을 내리지 않을 수 없었습니다. 전쟁을 하자니 전쟁할 능력은 없고, 경제 봉쇄도 힘들고 그러다 보니 결국 대화로 주고받는 협상에 나선 것입니다. 진작 그렇게 했으면 북한이 핵실험도 하지 않았을 것 아닙니까? 3000이라는 표현도 그래요. 같은 말이면 경제 지원이라고 해야지, 10년 후에 우리는 3만 달러도 넘을 텐데 3,000달러가 되도록 한다니 북이 모욕을 느끼지 않겠어요? 외교에서는 아 다르고, 어 다릅니다.

이준희 지금 남북 관계에서 김 전 대통령의 지혜와 경륜이 필요하다는 여론도 있습니다. 정부가 요청한다면 특사로 방북할 의사는 있으신지요.

김대중 이렇게 여러분에게 말하고 정부에 권고하는 선이 내가 할 일입니다. 정치적 뿌리가 다르지만 이 정부가 잘하기를 정말 바라고 있습니다. 세계가 무슨 빅뱅이 일어날지 모를 상태이니 걱정이 됩니다. 이 대통령이 잘하기를 진심으로 바랍니다. 중요한 것은 대통령이 민족 문제, 통일 문제를 어떻게 하겠다, 김 위원장과는 어떻게 하겠다는 큰 아이디어가 있어야 합니다. 때론 망원경과 같이 멀리 넓게 내다보고 때론 현미경처럼 가까이 깊게 들여다봐야 합니다. 이명박 5년이 문제가 아니라 앞으로 어떻게 살 것이냐, 4대 강국 속에서 어떻게 살 것이냐, 동북아 평화와 안보협력에서 어떤 주도적 역할을 할 것이냐 하는 아이디어를 가져야 합니다. 이런 점을 개성공단 문제와 연결해서 풀어 가야 합니다. 앞으로의 문제만 생각하는 것도 안 되고 오늘 문제만 생각해서도 안 됩니다. 어떻게 북한과 잘 지낼 것이냐, 북한도 잘되고 우리도 잘되는 길은 없나, 미국을 어떻게 달래 남북한과 미국 관계를 잘 운영해 나가느냐 같은 큰 생각을 가져야 하고, 세부적으로는 당장에 풍선 날리기를 중지시켜야 합니다. 여기서 파탄이 나면 회복에 몇 년이 더 걸릴지 모릅니다.

한 가지 더 이야기하고 싶은 게 있어요. 그동안 남쪽에서 퍼주기, 퍼주기 하는데 어째서 퍼주기인가요? 북에 쌀 주고 비료를 준 것은 사실인데, 그건 김영삼 정부 때도 했어요. 한번 생각해 봅시다. 개성은 이북 땅이고 서울을 공격하는 축선 상에 있는 최전방 지역입니다. 김 위원장은 세 개 여단과 장사포를 다 밀어내고 개성공단에 내주었습니다. 우리가 만약 문산을 내줬다면 어떻게 되겠습니까. 금강산 관광도 장전항 해군기지가 있던 곳에 북한 해군의 반대를 누르고 우리에게 내준 것입니다. 그런데도 퍼주기라고 할 수 있나요?

북한은 가난하지만 경제적 잠재력은 아주 크다

김대중 앞으로도 북한과 경제 협력을 하지 않으면 안 됩니다. 북한은 가난하지만 경제적 잠재력은 아주 큽니다. 북의 지하자원은 중석, 마그네사이트, 동, 금, 석탄 등 엄청납니다. 세계가 군침을 흘리고 있어요. 세계 관광객들이 아프리카 오지까지 가 보았지만 북한은 못 가 봤기 때문에 관광자원도 많습니다. 금강산, 묘향산, 백두산, 평양, 개성이 있어요. 우리가 손잡고 지하자원을 개발하면 얼마나 덕을 봅니까?

노무현 대통령 때도 (10·4선언으로) 해주니 원산이니 얼마나 많이 얻어 왔습니까. 북한이 다 주지 않았습니까? 퍼주기가 아니라 퍼온 것입니다. 그런 것을 뒤집어씌워 마치 김대중, 노무현 정권이 공산당과 무슨 특별한 인연이 있어 퍼준 것이라고 하는데 현실과 맞지 않는 얘기입니다. 북한은 내놓을 것을 내놓았어요. 그러니 우리도 약속대로 개성공단에 기숙사를 지어 주고, 금강산 관광 다시 부활시키고, 풍선 날리기를 그만둬야 합니다. 미국이 준 쌀을 우리가 주지 않는 게 말이 됩니까. 쌀 주고 비료 줘서 우리가 북한을 얼마나 변화시켰어요? 북한 사람들이 우리를 원수로 알았지만 남쪽의 군 통수권자가 가서 화해 협력 발언을 하고, 남쪽의 쌀 포대와 비료 포대가 가니 북한 사람들의 생각이 바뀌었어요. 남쪽에 대한 증오심, 기회만 있으면 삼키겠다는 게 바뀌고 그래서 이만큼 긴장이 완화됐어요. 과거 판문점에서 총만 쏘면 문제가 됐는데 이제는 핵실험을 해도 가만히 있을 정도가 됐습니다. 금강산에 183만 명이나 가니 북한에 대한 면역성도 생겼어요. 이렇게 된 것을 두고 퍼주기라고 하면 되겠습니까?

이준희 김정일 위원장의 건강 이상설을 어떻게 보시는지요? 북한의 급변 상태가 마냥 멀리 있는 상황만은 아닌 듯한데 어떻게 대처해야 하는지요?

김대중 김 위원장 건강 상황은 정확히 모릅니다. 다만 좋지 않은 것만은 틀림없고, 일을 못 할 정도는 아닐 것 같다는 생각을 합니다. 통치가 흔들리고 있다고 보지 않습니다. 이 대목에서 생각할 점이 있어요. 과거에 우리는 김일성 주석만 죽으면 통일된다고 얼마나 노래를 불렀습니까? 그러나 김 주석이 죽고도 통일은 되지 않았잖아요? 북한은 1990년대 고난의 행군 시절을 겪으면서도 유지됐어요. 북한의 힘을 과소평가한 것입니다. 북한의 행정부, 입법부, 군대, 당까지 한 사람도 빼놓지 않고 김 주석, 김 위원장이 키운 사람입니다. 따라서 김 위원장이 어떻게 됐다고 들고일어날 가능성은 없다고 봅니다.

김 위원장이 지금까지 남북정상회담도 2번이나 하고 북한 땅도 내놓고 많은 것을 하지 않았습니까? 김 위원장이 있는 게 군부독재가 들어서는 것보다 낫습니다. 그가 미국과의 관계 개선을 얼마나 간절히 열망하는지 제 눈으로 보고 귀로 들었습니다. (급변사태가 일어나) 군부가 쿠데타를 해서 중국에 붙고, 북한 사회를 폐쇄하고, 지금까지 하던 것을 다 포기한다고 나오면 좋은 게 없습니다. 김 위원장이 그대로 가는 게 남북 관계나 6자회담, 동북아를 위해 누가 나올지 모르는 상태보다는 낫다는 것입니다.

동시에 급변사태가 생기면 불가피하게 대응해야 하는 만큼 내부적으로 준비는 해야 합니다. 그러나 마치 (김 위원장이) 내일 죽을 것처럼 떠들면서 대안, 대안 하는 것은 바람직하지도 않고 예의도 아닙니다.

핵무기로 백성 밥 먹일 수 없다, 미사일로 집 지어 줄 수 없다

이준희 오바마 당선자는 북과 직접 대화를 강조하면서도 북한이 북핵 관련 합의를 이행하지 않으면 더 엄격한 제재를 받을 수 있다고 했습니다. 북한이 시료 채취 거부 같은 문제로 오바마 정부를 테스트할 가능성은 없을까요?

김대중 그것(시료 채취 논란)은 소소한 문제입니다. 오바마 당선자는 "북한과 관계 개선에 나서 중국 베트남과 같은 대우를 하고, 국교 정상화를 하겠다. 한반도 종전 선언과 평화협정을 하겠다, 대사도 교환하겠다. 국제통화기금(IMF), 아시아개발은행(ADB)에서 돈을 빌릴 수 있도록 하겠다"고 할 겁니다. 그러면서 북한에 "당신네는 핵을 내놓고 장거리미사일 다 파괴하고 휴전선의 장사포를 후방으로 보내고 수를 줄여라, 그러면 안전을 보장해 주겠다"고 할 겁니다. 나는 1994년 미국 내셔널프레스센터 연설 이후 계속 "직접 주고

받는 협상을 하라"고 했습니다.

북한이 왜 핵을, 장거리미사일을 가진 줄 아는가요? 북한의 재래식 무기는 30년 이상 노후화해 작동이 안 되는 것도 많습니다. 비행기도 반 이상이 안 뜹니다. 남쪽은 계속 교체를 하니 북은 굉장히 위협을 느끼는데 돈이 없어요. 그렇다고 이대로 죽을 수는 없다며 핵을 만들고 있는 것입니다. 핵무기를 갖고 "너 죽고 나 죽자"고 위협하는 것입니다.

지금 북한의 관심은 미국과 관계 개선을 해서 국제사회에 나오고 배고픈 주민을 먹여 살리는 겁니다. 핵무기로 백성들 밥을 먹이겠어요? 미사일로 집을 지어 주겠어요? 그것도 미국에 대면 아무것도 아닙니다. 북이 때때로 말썽 부리는 것은 적개심 측면도 있지만 겁이 나니까 그러는 측면도 있어요. 그럼에도 굴복은 죽어도 못 하겠다는 겁니다.

길은 하나밖에 없어요. 전쟁의 경우 24시간 내 한국 민간인과 군인 150만 명이 죽고 미군 5만 명이 죽는다는 조사가 있습니다. 남한에 원자력발전소가 얼마나 많아요? 그런 데를 때리면 피해가 얼마나 큽니까? 전쟁하자는 것은 정신 나간 사람들입니다.

이준희 오바마 당선자에게 북·미 대화를 언제, 어떻게 해야 하는지를 조언하신다면.

김대중 미 차기 정부에 북한이 원하는 것은 핵도, 미사일도 아니고 백성을 먹여 살리는 거라고 얘기해 주고 싶습니다. 북한이 백성을 먹여 살리려면 첫째 안전 보장이 돼 군비를 축소해 생산으로 돌릴 수 있어야 합니다. 국제적으로 진출, 국제통화기금(IMF), 아시아개발은행(ADB) 돈도 빌리고, 일본 배상금도 받고, 그렇게 해서 북한 지하자원을 개발하면 자력으로 살아갈 길이 생기는데 그것을 미국이 보장해 주면, 미국이 원하는 것을 북한도 하겠다는 것입니다.

상대방이 필요로 하는 정당한 요구인 국교 정상화는 들어주고 핵미사일 장사포 화학무기의 포기 등 받을 것은 받아야 합니다. 그래서 합의가 되면 종전 선언, 한반도 평화협정으로 들어가고 6자회담에서 합의한 동북아 평화 안보 체제를 추진해야 합니다. 그런 성과를 올리면 동북아에서 미국의 위상은 훨씬 더 강화될 겁니다.

오바마만의 승리가 아니라 미국 전 국민의 위대한 승리

이준희 미 대선으로 화제를 돌려 보겠습니다. 오바마의 당선이 갖는 의미를 어떻게 보십니까?

김대중 미국의 3대 혁명을 거론하라면 독립전쟁, 노예 해방 그리고 이번 오바마 후보의 당선이라고 하겠습니다. 3억 미국인의 64퍼센트가 백인입니다. 나머지 아프리카계, 히스패닉계, 아시아계는 주류에는 들어가지 못했어요. 그런데 이번에 처음으로 들어간 겁니다. 중요한 것은 오바마 당선자를 주류로 끌어들인 사람들이 흑인뿐만이 아니라 백인들도 있었다는 점입니다. 단순히 오바마만의 승리가 아니라 미국 전 국민의 위대한 승리입니다. 어느 나라가 이런 일을 하겠습니까? 백인만이 이끌던 미국은 3억 전체가 끌면서 더 많은 발전, 더 큰 힘을 발휘할 것입니다.

이준희 경제적 측면에서는 보신다면.

김대중 레이건 행정부 이래 미국은 신자유주의니 세계화니 해서 규제를 없애고, 감세를 해 왔는데 이런 것들이 30년 만에 한계가 왔습니다. 금융 중심으로 미국 경제가 성장했는데 금융계가 모럴 해저드에 빠져 불건전 경영을 경쟁적으로 했어요. 경영자들은 돈 잔치를 했습니다. 파생상품이 국제적으로 퍼져 나가 어디가 잘못인지 모르는 상황이 됐습니다. 정부가 적절한 규제를 하고 감시를 해야 하는데 그렇지 않아 문제가 생긴 겁니다. 아마 오바마 당선자는 그와 정반대로 할 것이라고 봅니다.

한·미자유무역협정(FTA) 근본 문제는 우리 농민과 미국 자동차 문제 해결

이준희 한·미자유무역협정(FTA) 비준을 놓고 논란이 많습니다. 조기 비준으로 미국을 압박해야 한다거나, 재협상으로 독소 조항을 없애야 한다는 주장도 나옵니다.

김대중 한·미자유무역협정(FTA)의 근본적인 문제는 두 가지입니다. 하나는 우리 농민들 희생을 어떻게 막느냐, 다른 하나는 미국 자동차 문제를 어떻게 하느냐입니다. 농민 문제는 우리가 해결해야 합니다. 자동차 문제는 오바마 당선자가 대선 중에도, 대선 후에도 얘기했습니다. 그런 이야기를 하는 것은 소신인 측면도 있지만 미국 자동차 3사가 다 쓰러질 상황이라는 점 때문입니다. 3사가 쓰러지면 500만 명 이상의 실업자가 나옵니다. 사활의 문제지요. 그래서 쉽게 물러날 수 없는 겁니다. 자동차는 재협상을 하든, 귓속말로 하든 합의를 해야지 우리가 밀어붙여 통과시킬 문제가 아닙니다. 특히 미국 의회가 비준권을 쥐고 있는데 그쪽에서 안 한다고 하면 어떻게 할 것입니까? 방법이야 어떻든 해결을 하고 가야 합니다.

* 이 글은 『한국일보』 2008년 11월 14일 자 기사로, 2008년 11월 13일 김대중 대통령의 자택에서 이준희 편집국장, 이영성 부국장 겸 정치부장이 인터뷰한 것이다.

직접민주주의 시대가 오고 있다

대담 올가 마살코바
일시 2008년 11월 18일

김대중 러시아 신문과는 인터뷰를 해 봤는데 러시아 텔레비전 매체 인터뷰는 이번이 처음입니다.

올가 그렇습니까? 영광입니다.

김대중 나도 아주 기쁩니다.

올가 이번이 저의 첫 한국 방문입니다. 한국이 매우 인상적입니다. 선진국이라는 이야기를 듣고 왔습니다. 여러 변화를 빨리 겪었다는 사실에 매우 놀랐습니다. 새 건물, 건설 현장도 많고 마치 뉴욕에 와 있는 것 같습니다. 뉴욕을 가 봤거든요.

김대중 내가 알기로는 모스크바도 매우 많이 발전한 것으로 알고 있습니다.

올가 네. 새로 글로벌비즈니스센터가 들어서고 있고 고층 건물도 많아졌습니다. 이러한 변화에 대해 모스크바 사람들도 좋아하고 있습니다. 많은 사람들이 국제사회에서 모스크바의 발언권이 약해졌다고 말합니다만…….

김대중 발언권이 약해진 것은 미국도 마찬가지입니다. 지금은 다극화 시대니까 과거 미국과 소련 주도의 일방주의 시대와는 다르지요.

올가 한국인들이 외국인뿐 아니라 낯선 사람에게 매우 친절하고 다정합니다. 그런 점이 매우 좋습니다. 러시아에서는 정중하지 않은 것은 아니지만 보다 직선적이지요. 그래서 한국인들이 말하는 방식이 저는 더 좋습니다.

김대중 다 각자의 방식이 있으니까…….

올가 그렇습니다.

김대중 러시아 문학을 보면 좀 그런 거친 면, 러시아 국민성이 드러나기도 합니다. 레르몬토프의 『현대의 영웅』 같은 것을 보면 잘 드러납니다.

올가 식견이 대단하시다는 것은 알고 있었지만 정말 놀랍습니다.

김대중 그렇지 않습니다. 고맙습니다.

올가 서울에 있는 궁궐도 필름에 담았는데 여기저기가 너무나도 아름다워 도저히 카메라를 중단시킬 수가 없었습니다. 이 녹차도 처음 마시는데 너무 좋습니다. 현미가 들어간 거 맞요? 저한테는 모든 것이 새롭습니다.

김대중 그렇게 좋게 봐 주시니 감사합니다.

올가 진심으로 그렇게 생각합니다.

김대중 나도 올가 씨가 한국을 좋아하는 것만큼 러시아를 좋아합니다.

올가 감사합니다. 한 가지 어려운 점은 언어입니다.

김대중 제가 생각한 것은 에스페란토 같은 세계어와 민족어, 딱 두 가지를 가르쳐서 사용하면 참 좋겠는데 어렵습니다. 민족주의적 생각이 강해서 그런 주장하는 사람이 별로 없어요.

에스페란토 채택은 어려울 것입니다. 동양 사람들이 에스페란토는 서양어에 기초를 둔 것이라고 생각하기 때문에 좋아하지 않습니다. 동양이나 서양이나 모두 좋아할 수 있는 언어가 나와야겠지요.

올가 너무 어렵죠. 네. 대통령님의 의견이 어떠신지 여쭙고 싶은 여러 토픽을 준비해 왔습니다. 그중 질문을 드리면, 노벨평화상 수상은 대통령님의 남북 관계 발전을 인정받은 것입니다. 지금 되돌아보시면 그 핵심인 햇볕정책은 성공한 정책으로 보시는지요?

김대중 나는 상당한 성공을 거뒀다고 생각합니다. 우리는 분단돼서 50년 이상을 적대했습니다. 그것은 남북 냉전을 종식시키고 화해 협력 시대를 열었다는 점에서 의미가 있고, 그런 평화의 노력을 격려해 준 노벨위원회의 결정에 대해서도 감사를 드립니다. 그런데 저와 저 다음 노무현 대통령 10년 동안은 북한과의 관계가 잘 발전되었는데 이번 이명박 대통령이 들어서면서 상당히 갈등이 일어나고 있습니다. 그러나 나는 궁극적으로는 남북 관계가 좋아질 것으로 생각합니다. 남북 관계가 좋아지면 양쪽 다 좋고, 나빠지면 양쪽 다 나쁩니다. 우리는 1300년 통일 민족의 염원은 화해와 평화를 통해 장차 통일을 이루자는 것이니까 결국 노벨평화상을 준 목적은 달성될 것이라는 생각입니다. 이번에 미국에서 오바마가 대통령이 되었는데 그는 부시와는 달리 대결주의가 아니라 직접 북한의 지도자를 만나서 모든 것을 대화 속에서 풀어 나가겠다는 것이니까 그런 의미에서 한반도의 앞날은 대단히 희망적이고 노벨평화상의 가치는 또 한 번 잘 발휘될 것으로 생각합니다.

올가 국제사회가 북한을 옳은 방향으로 다루고 있다고 생각하십니까? 지금을 전환점으로 본다면 북한에 대해서는 유화, 양보적인 태도와 강경한 대화 중 어떤 쪽이 바람직할까요?

김대중 북한에 대해서 국제사회는 한국, 러시아, 북한, 미국, 일본, 중국이 참여하는 6자회담을 통해 공동 보조를 맞추어 대하고 있습니다. 미국 내의 강경파의 반대로 상당히 6자회담의 발전이 지연되었고 북한의 고집으로 어려운 점도 있었지만, 한발 한발 발전되어 왔습니다. 오바마 대통령이 취임하면 훨씬 더 북한과의 관계가 개선될 것으로 봅니다. 모든 것은 대화로 해결되어야 하고, 강압으로는 해결이 안 된다는 것은 역사가 증명합니다. 과거 미국이 소련을 봉쇄하고 냉전 했지만 변화시키지 못했습니다. 결국 대화로, 데탕트, 헬싱키협정을 통해서 변화가 있었습니다. 북한도 마찬가지입니다. 대화를 통해서 줄 것 주고 받을 것 받아 공동의 이익을 위해 협상을 하면 북한도 기꺼이 국제사회에 협조할 것이라고 봅니다. 공동의 이익과 주고받기가 원칙이 되어야 합니다.

올가 러시아가 북한의 비핵화를 위해 어떤 활동을 해야 할까요?

김대중 그 역할이 매우 큽니다. 6자회담에서도 러시아가 중요한 역할을 하고 있고, 앞으로 동북아 평화 체제를 만드는 데 러시아가 아시아 국가로서 참여할 것입니다. 러시아는 자원이 많기 때문에 한국이나 북한을 지원할 수 있을 것입니다. 지금 북한 핵 문제를 해결하는 데 지금까지 정확히 1/6만큼의 역할을 해 왔고 더 많은 상호 이익이 되는 교류가 있을 것입니다.

올가 러시아가 아시아 국가라고 하셨습니까?

김대중 러시아는 유럽 국가도 되고 아시아 국가도 됩니다. 러시아는 반농담인데 국가라기보다 대륙입니다.

올가 1998년 취임 당시 한국은 경제 위기 상황이었습니다. 지금 세계 경제는 위기를 맞았습니다. 어떤 조치가 취해져야 한다고 생각하십니까? 그리고 한국의 현재 경제 상황에서 어떤 조치가 취해져야 한다고 생각하십니까? 국내적인 해결안과 국제적인 해결안을 질문드리는 것입니다.

김대중 그런 엄청난 문제는 세계적 석학들도 못 풀고 있는데 나보고 풀라고 하면 어떡합니까? 두 가지만 말씀드리겠습니다. 하나는 정부가 자유방임주의를 추구한 결과 기업들의 모럴 해저드, 부의 불균형 등 이런 부작용을 막기 위해서라도 지나친 시장경제보다는 투명한 시장경제, 질서 있는 시장경제를 위해서 개입해야 한다는 것입니다. 그래서 앞으로는 주식 시장도 규제를 받아야 합니다. 은행도 규제를 받아야 합니다. 그래서 정부의 역할이 커져야 한다고 생각합니다.

올가 말씀에서 정부라고 하신 것은 한국 정부를 말씀하시는 겁니까?

김대중 한국 정부가 과거 그렇게 했고, 현재 위기에 처해 있는 세계 각국의 정부도 그래야 한다고 생각합니다. 지금 세계적으로는 한국의 위기 극복 성공 사례를 본받자는 움직임도 있습니다. 지금까지는 한국도 그랬고 미국이나 세계적으로도 그랬고 즉 지나친 시장경제를 추구하여 규제를 하지 않고, 세금을 감소해 주었습니다. 그러면 강자의 손으로 부가 흘러들어 갑니다. 부자는 더 부자가 되고 가난한 자는 더욱 가난해지고, 그것은 정치적으로도 사회적으로도 불건전하지만 경제적으로도 불건전합니다. 경제란 것은 경기가 좋아야 하는데 돈이 부자의 손에만 들어가면 일반적인 소비는 안 됩니다. (부자도) 양복 한 벌 우리랑 똑같이 입고, 하루 밥 세끼 똑같이 먹고…… 그러니까 소비가 퍼지지 않습니다.

그러니까 돈이 밑으로 흐르면 경제 하단에 있는 수많은 사람들이 소비를 합니다. 그렇게 되면 경기가 좋아집니다. 적절한 임금 지급, 사회보장을 통해 생계 수단 지원, 실업 수당 지원, 중소기업 지원을 통해 돈이 밑으로 퍼질 수 있습니다. 이렇게 대중적 소비가 일어나면 경기가 좋아집니다. 그러면 물건 파는 가게가 잘됩니다. 장사가 잘되면 물건을 공급하는 공장이나 기업이 잘됩니다. 공장이나 기업이 더 많은 고용을 하고 임금도 잘 줍니다. 그러면 대중들이 소비를 하게 됩니다. 선순환이 이루어지는 겁니다. 지금까지는 방만한 시장경제 속에서 빈부 격차가 더 커졌습니다. 미국에도 가난한 사람들이 굉장히 많습니다.

올가 경제 위기를 말씀하셨는데 정부 차원에서 곤란에 처한 은행이나 기업을 구제해야 할까요?

김대중 방만한 경영자 모럴 해저드의 책임이 있는 사람을 도와서는 안 되고 기업은 구제하되, 무책임한 주주, 임원 등은 교체시켜야죠. 건전한 경영자로 교체시켜야죠. 정부는 부실기업의 주식을 일단 인수했다가 나중에 되팔아서 돈을 회수하고 기업은 사유화하고 그래야죠. 나는 기업인은 도태해도 기업은 살린다고 믿습니다. 나는 일단 실패한 기업을 인수받아 전부 살렸습니다. 30개 재벌 중에 16개 재벌의 오너가 쫓겨났습니다. 지금은 이 기업들이 전부 비싼 값에 팔리고 있습니다. 적자투성이 기업들이 흑자를 내고 있고, 적자 은행들도 합병시키거나, 물론 경영을 잘못한 경영자들은 도태되었죠. 그래서 한국 은행들은 세계 어느 은행보다 건전합니다. 흑자 내고 있고 튼튼합니다. 저는 그렇게 해서 성공했습니다.

올가 국내 문제로 돌아가서, 이명박 정부는 시위 제압을 위해 경찰을 동원했다고 하고 앰네스티인터내셔널의 보고에 따르면 인권 침해가 있다고 합니다. 정부가 언론을 장악하려 한다는 말도 있습니다. 지금 현황을 볼 때 한국의 민주주의 현황을 어떠하다고 보시는지요?

김대중 우리나라에서는 여러 번 독재가 일어났다가 실패했습니다. 이승만, 박정희, 전두환 전부 국민의 힘에 의해 실패했습니다. 이 나라에서 국민을 이길 수 있는 힘은 없습니다. 요새 그런 잘못된 방향으로 국민의 권리를 규제하는 방향으로 가고 있다고 하는데 정말 그렇게 가다가는 실패할 것입니다. 최근 촛불데모에서 알 수 있는 것이 있습니다. 인류 역사를 보면 인간이 10,000년 전에 농경 생활로 정착을 했는데 지배층은 지식인이었습니다. 산업화 시대에는 기업인과 인텔리겐차 등 부르주아가 지배했습니다. 지식이 있었지요. 19세기 말이 되면서 지식인이 노동조합에 들어가서 간부 노릇을 하기 시작했습니다. 그러자 노동조합도 보수 집단과 교대로 정권을 가지는 현상이 영국이나 독일에서 일어났습니다. 그런데 지금 현재는 모든 사람이 지식인이 되었습니다. 교육뿐 아니라 인터넷과 핸드폰 덕분에 지식은 세계

도처에서 얻을 수 있고 내 의견을 보낼 수 있습니다. 그래서 이제는 옛날처럼 왕, 지식인, 부르주아 같은 게 문제가 아니라 전 인류가 지식인화 되어 가고 있습니다. 이제 지식이 있으니까, 아니까, 그리고 인터넷이 있으니까 이를 통해 의견이 있으면 표현하고, 연락하고, 모이자, 시위 한번 하자, 그만두고 돌아가자 하면서 활동합니다.

이제는 결국 그리스식 직접민주주의와 유사한 직접 민주주의 시대가 오고 있습니다. 유엔 보고서를 봐도 지식을 가진 소수의 똑똑한 사람이 지배한다고 되어 있었습니다. 과거에는 말만 다수이지, 실제는 지식 가진 소수에게 권리를 주어 국회의원 선거다 뭐다 했지만, 이제는 다수가 직접 하고 국회 같은 것은 하나의 서비스 기관에 불과하고 정보도 다수의 지식 가진 사람들을 속일 수도 없고 적당히 무마할 수도 없고, 결국 그 의사를 존중하는 시대가 왔습니다. 세계에서 가장 정보화가 앞서고, 가장 민주주의를 위해 피 흘리고 싸운 이 땅에서 민주주의 억압 정책이 나온다는 것은 말도 안 되는 것입니다.

올가 김정일 위원장의 건강이 안 좋다고 합니다. 보시기에 김정일 위원장 유고 후에는 북한이 좀 부드러워질까요?

김대중 오늘도 정보에 정통한 사람에게 들었는데 김정일 위원장은 왼쪽 팔과 왼쪽 다리에 중풍이 왔었는데 상당히 좋아져서 쾌유되고 있다고 들었습니다.

올가 하지만 김정일 위원장이 영원히 집권할 수는 없을 것입니다. 그가 사라지면 북한 정권은 좀 유화적으로 변할까요?

김대중 현재 김정일 위원장 체제하에서 남쪽과 정상회담도 하고, 화해와 협력을 위한 노력도 하고, 또 북한 땅의 개성과 금강산을 비워 주면서 와서 공단도 만들고 관광사업도 하라고 했습니다. 그리고 이산가족 상봉도 하고 있습니다. 동시에 김정일 위원장은 대외적으로도 건설적인 정책을 취하고 있습니다. 6자회담에 참가해서 북핵 문제 해결에 동참하고 있습니다. 그동안 6자회담으로 빨리 해결 못 한 것은 북한 책임이 크다기보다는 미국 내의 네오콘, 강경파들의 방해 때문입니다. 김정일 위원장은 내가 직접 만나서 아는데 그는 미국과의 관계 개선을 열망하고 있습니다. 대미 관계가 개선돼야만 안전이 보장되고 국제 경제에 진출할 수 있기 때문에 그것만이 살길이기 때문에…… 핵폭탄 가지고 있다고 그걸로 백성 밥 먹여 줍니까? 미사일 가지고 있다고 그걸로 백성 집 지어 줍니까? 결국 국제사회에 나가서 돈 벌어야 삽니다. 그런데 돈 버는 길이 막혀 있습니다. 북한은 그 길만 열어 주면, 미국이 국교 정상화하고, 안전 보장해 주고, 국제통화기금(IMF)이나 아시아개발은행(ADB)에서 돈 빌려 올 수 있게 해 주면 북한은 핵을 포기할 용의를 가지고 있습니다. 그래서 현재로 봐서는 김정일 위원장이 없는 것보다는 있는 것이 낫습니다. 그런 리더십을 가지고 할 수 있는 유일한 사람입니다. 김정일이 위원장이 없어지면 무슨 사태가 올지 모릅니다. 자기들끼리 권력 다툼이 일어날지, 중국이 개입할지 무슨 일이 일어날지 모릅니다.

올가 질문 하나만 더 드리겠습니다.

김대중 아니 그렇게 많이 질문하고 모자란 게 있단 말입니까?

올가 질문이 아주 많습니다. 그리고 답변이 너무 흥미로워서 어쩔 수가 없습니다. 대통령님이 재직하셨을 때부터 매년 이산가족 상봉이 적십자 주관으로 성사되었습니다. 올해는 상봉이 이루어지지 않았습니다. 그 이유가 이명박 대통령의 강경 대북 정책 때문인가요? 다른 이유가 있을까요?

김대중 이명박 정부의 출현 이후 중단되었습니다. 이산가족 상봉은 제가 1998년 대통령 될 때까지 50년 동안 200명만 일가친척을 만났습니다. 수백만의 이산가족이 있습니다. 제가 대통령이 된 이후로 지금까지 18,000명이 만났습니다. 본격 상봉을 위해 금강산 부지에 면회소 아파트를 2개나 크게 지었습니다. 그런데 이명박 정부의 출현으로 북한과의 관계가 나빠지게 되어 상봉이 중단되어 버렸습니다.

올가 남북 관계의 향방에 대한 전망을 질문드리고 싶습니다.

김대중 결국 오바마 대통령이 김정일 위원장을 만나겠다고 했습니다. 둘이 만나면, 핵 문제뿐만 아니라, 미사일, 종전 선언, 평화협정, 국교 정상화 등의 이슈가 풀리고 해결 실마리가 잡힐 것입니다. 이럴 때 한국만 북한과 관계가 나쁠 수는 없습니다. 그래서 결국 남한도 북한과의 관계를 개선하지 않을 수 없습니다. 북한은 과거 김대중 대통령이 서명한 6·15공동선언, 노무현 대통령이 선언한 10·4선언, 이 모두 김정일 위원장과 서명한 것이고 국제적으로 효력이 있는 합의 내용인데 이를 지킨다고 이명박 대통령이 하면 대화하겠다고 합니다. 그래서 남쪽의 이명박 대통령이 자신의 전임자들이 해 놓은 국제적인 선언을 지키느냐에 따라 상황이 달라질 것입니다. 나는 결국에는 문제도 해결돼서 남북 간이 좋은 관계를 해 나갈 것으로 봅니다. 북·미 관계만 좋아지고 남북 관계는 나쁜 채로 가게 되는 일은 없을 것이고 있어도 안 됩니다.

올가 이렇게 시간을 내주셔서 너무나도 감사합니다.

김대중 질문자가 아주 핵심을 찌르는 질문을 너무 잘해서 내 답변이 질문에 맞는지 모르겠습니다.

올가 감사합니다. 흥미로운 관점을 보여 주셨고 흥미로운 정보도 많이 얻었습니다. 감사합니다.

* 이 글은 러시아 공영방송인 러시아투데이 텔레비전(Russia Today TV) 인터뷰를 녹취한 것이다. 2008년 11월 18일 오후 3시 30분, 동교동 사저에서 올가 마살코바(Olga Masalkova) 기자가 인터뷰하였다.

지금 우리 앞에 놓인 문제는 세 가지다

대담 강기갑 · 이영순

일시 2008년 11월 27일

강기갑 남북 관계가 칠흑 같은 밤 속을 걸어가는 형국입니다. 이 파국을 어떻게 헤쳐 나가야 될 것인지 고견을 듣고자 찾아뵙게 됐습니다. 김 전 대통령께서 개성의 철조망을 걷어 내고 남북 경제 교류의 막힌 통로를 뚫고 긴장과 갈등의 남북 관계를 화해, 협력하는 장, 분단이 통일로 가는 역사의 장을 열어 주셨습니다. 6·15공동선언과 10·4선언으로 남북 관계가 대결국면에서 상생국면으로 발전했습니다. 그런데 이명박 정부 들어 세계 속의 냉전탑은 무너졌는데 남북 관계는 첩첩산중으로 얼어붙었습니다. 평양을 방문해 북측 인사들을 만나 보니 더 절박하고 심각했습니다. 북측의 결단이 느껴졌습니다. 이래서는 안 되겠구나 하는 엄중한 분위기를 느꼈고 언론 등을 통해 전달했습니다. 그런데 이명박 정부가 귀를 닫고 있는 것 같습니다. 제 정당 사회단체연석회의 등을 열어 이명박 정부가 대북 정책의 기조를 바꾸도록 움직이고 있습니다. 김 전 대통령을 찾아뵙고 남북 관계가 낭떠러지로 굴러떨어지지 않도록, 현상 유지라도 해야 한다는 생각에서 고견을 들어야겠다는 간절함으로 찾아뵙게 됐습니다.

이영순 야당들이 뜻을 모아야겠다는 생각에 민주당과 협의 중에 있습니다. 정치권이 뜻을 모으고 있고 시민사회 진영도 시국선언 등을 준비하고 있습니다.

김대중 지금 흐름을 보면 대세가 10년 전의 시대로 전체 흐름이 역전되는 과정입니다. 우리 앞에 놓인 문제는 크게 세 가지입니다. 첫째는 민주주의 위기, 둘째는 경제 위기와 서민의 고통, 셋째는 남북 관계 경색 문제입니다.

민주주의의 위기

김대중 민주주의에 대해서는 걱정은 하지만 절망하지 않고 있습니다. 우리 국민은 이미 이승만 독재, 박정희 독재, 전두환 독재 등 세 독재정권을 좌절시켰습니다. 앞으로 그 누구도 독재에 성공할 수 없습니다. 지난 촛불시위의 의미가 아주 큽니다. 누가 선동하거나, 조직하거나, 권유한 것이 아닌데도 자발적으로 수십만 명이 거리로 나왔습니다. 우리 국민들은 그만큼 성장했습니다.

지난 역사를 살펴보면 1만 년 전 농경사회에는 왕과 귀족이 지식을 가지고 통치했습니다. 지식을 갖지 못한 농민들은 통치에 참여하지 못했습니다. 산업혁명 이후 부르주아지가 생겨, 기업인, 지식인 등 중산층이 통치했습니다. 19세기 말에는 노동자들이 지식을 갖게 되고 20세기에 들어오면 영국이나 독일에서 노동자들이 통치에 참여했습니다. 이렇게 역사는 지식을 누가 가지고 어떻게 확대했느냐에 따라 권력이 바뀌었습니다. 그러나 21세기 들어와 정보화가 이루어지고 지식이 크게 보급되었습니다. 정보화 시대에 들어와 인터넷 매체 등을 통해 국민들은 매일같이 공부하고 있습니다. 스스로 정부, 정당, 전 세계의 정보를 찾아보고 있고, 더욱이 쌍방향으로 주고받고 있습니다. 국민 전체가 지식인이 됐다는 말입니다.

이런 국민 앞에서 민주주의 안 하고는 불가능합니다. 이런 국민 앞에서 어떻게 독재가 있을 수 있겠습니까? 일시적 반동은 있겠지만 절대 후퇴는 없습니다. 그런데 앞장서서 외치는 사람이 필요합니다. 길을 가르쳐 줄 사람이 필요합니다. 자유당, 공화당 시절, 과거에는 그 역할을 정당이 했습니다. 이에 학생, 시민이 호응해 4·19혁명, 6월항쟁 등이 일어났습니다.

민주노동당과 민주당이 굳건하게 손을 잡고 시민사회단체 등과 광범위한 민주연합을 결성해 역주행을 저지하는 투쟁을 한다면 반드시 성공한다고 봅니다. 앞장서서 길만 열어 주면 됩니다. 비관할 필요 없습니다. 국민을 이기고 독재할 사람은 누구도 없습니다.

경제 문제

김대중 부시 정부의 실패는 레이건 대통령 이래 신자유주의 정책, 감세, 규제 해제로 시장 조절에 실패한 데 있습니다. 오바마 대통령 당선자는 아래층(서민층)에 혜택을 주는 정치를 시작할 것으로 봅니다. 긴말이 필요 없을 것 같습니다. 중요한 것은 경기회복, 돈이 돌게 하는 것입니다. 재정 건전성이 문제가 아니라 돈을 풀어야 한다는 지적도 있습니다.

돈을 푸는 것이 중요한데 문제는 그 돈이 가진 자들의 손으로 가느냐, 밑으로 가느냐입니다. 비정규직 고용문제, 기초생활 보장 등으로 들어가야 합니다. 국민을 먹여 살려야 합니다. 재정 적자를 걱정할 때가 아닙니다. 저축도 중요하지만 소비도 미덕입니다. 소비가 늘어야 합니다. 대중이 소비하면 장사가 잘되고 공장이 잘되고 임금이 오르고 구매력이 높아지는 선순환이 됩니다. 지금은 경기 진작이 제일 중요합니다. 지금처럼 수출이 어려운 조건에서 내수가 중요합니다. 돈이 위(부유층)에 가는 게 아니라 밑(서민층)으로 가야 합니다.

남북 관계

김대중 남북 관계는 (이명박 정부가) 의도적으로 파탄 내려고 하는데 성공 못합니다. 다음 달 6자회담이 재개되면 핵 문제 2단계가 끝이 나고 3단계로 접어들게 됩니다. 한반도를 둘러싼 대세가 오바마 대통령의 등장으로 (이명박 정부의) 역행에 동조하지 않는, 순항으로 가게 됩니다. 부시 정부는 지난 6년 동안 엄청난 실수를 했습니다. 북한이 핵확산금지조약(NPT)을 탈퇴하고 국제원자력기구(IAEA) 요원을 추방하고 미사일 모라토리엄도 파기하고 끝내 핵실험까지 하게 되었습니다. 결국 부시는 입장을 바꾸어 6자회담을 통한 해결로 돌아왔습니다.

정부가 말하는 '비핵·개방·3000' 정책은 부시 정부의 실패한 정책입니다. 핵을 포기하면 도와주겠다고 하는데 이는 부시 대통령과 똑같은 소리입니다. 부시 대통령도 성공하지 못했습니다. 군사적으로도 할 여력이 없었고, 경제 제재도 효과가 없었습니다. 결국 6자회담이 진행됐고 이번에 민주당이 집권하게 됐습니다.

클린턴 전 대통령은 햇볕정책을 전면적으로 지지했습니다. 햇볕정책은 평화적 대화를 통해 쌍방이 서로 윈윈하는 정책입니다. 남북에 따뜻한 햇볕을 비춰 주자는 것입니다. 클린턴 대통령 때 거의 다 해결되는 분위기였는데 부시 대통령이 파탄시켰습니다. 아까운 6년을 허송세월했습니다.

클린턴 정부 시절의 인사들이 오바마 당선자 주변에 등장하고 있습니다. 바이든 부통령 등 클린턴 정부의 인사들과 얘기를 많이 나눠 봤는데 우리와 생각이 같습니다. 북한은 핵 포기하고 장거리미사일 문제도 해결하고, 휴전선 일대의 장사정포도 후방으로 이동해야 합니다. 생화학무기 문제도 처리해야 합니다. 미국은 북을 중국이나 베트남과 똑같이 대해야 합니다. (미·북은) 이렇게 모개흥정을 하려고 할 것입니다.

북한은 자신들의 말로 '친미 국가'가 되고 싶다고 했습니다. 2000년 김정일 국방위원장을 만났을 때 내가 이야기했습니다. "당신들한테는 두 가지가 중요한데, 첫째는 안전 보장, 둘째는 경제 살리기 아니냐. 이것을 보장해 줄 수 있는 나라는 미국밖에 없다"고 말했습니다. 그리고 "미국과 관계를 정상화해야 한다. 그런 생각이 있다면 미국에 특사를 보내라고 전하겠다"고 말했습니다. 이후에 조명록 차수와 올브라이트 국무장관의 상호 방문이 진행됐습니다. 북한의 최대 소원은 미국과 관계 개선입니다. 핵이 밥을 먹여 주겠습니까? 미사일로 집을 지어 주겠습니까?

미국과 관계 개선을 받아 줄 오바마 정권이 나왔습니다. 이명박 정부는 무슨 수로도 역행하지 못합니다. 만약 역행한다면 김영삼 정부 시절의 통미봉남 사태를 맞이할 수 있습니다. 그때 우리는 회담장 문턱에도 가지 못하고 경수로 건설비용 46억 달러 중 70퍼센트를 부담하기로 해서 7-8억 달러를 지불했습니다. 대화에는 끼지도 못한 채, 비용만 부담했습니다. 그것도 김영삼 정부는 북한에 직접 주지 못하고 미국에 줘서 미국이 이를 북한에 지불했습니다.

북·미 관계가 정상화되고 6자회담에서 합의한 동북아 평화 안보 체제가 이루어져 가는데 어떻게 이명박 정부가 북한과 다투고 있겠습니까?

민주주의와 남북 문제는 결국은 잘되게 돼 있습니다. 경제 문제는 돈이 밑으로 내려가야 경제가 삽니다.

이영순 이명박 정부가 김영삼 정부 시절의 경험을 모르지 않을 텐데 고집하는 이유가 무엇인지 모르겠습니다.

김대중 강권 정치를 하는 사람은 자신은 실패하지 않을 것이라고 생각합니다. 그때와 다르다는 착각도 가집니다.

국민들이 야당을 걱정하고 있습니다. 야당이 뭉치고 힘을 합쳐야 합니다. 국민들이 도와줄 것입니다. 민주연합으로 단결해야 합니다. 숨을 길게 쉬어야 합니다. 망원경같이 넓고 멀리 보고 현미경처럼 깊고 좁게 보아야 합니다.

우리가 살길은 북측으로 가는 것입니다. 지하자원, 관광, 노동력 등에서 북한은 '노다지'와 같습니다. 북·미 관계가 개선되면 우리가 덕을 봅니다. 북한은 일본으로부터 배상도 받게 됩니다. 북한에 퍼주기라고 하는데 '퍼오기'가 됩니다. 북이 서울을 공격하는 축선 상에 있는 개성공단을 열었습니다. 북한이 우리 측에 있는 문산이나 파주로 들어와 있다면 어떻게 됐겠습니까? 한두 가지가 아닙니다. 이산가족 상봉도 대통령이 되기 전에는 불과 200명이었습니다. 지금은 18,000명에 이릅니다. 얼마나 큰 인권 문제이며 소중한 문제입니까? 북한 또한 과거에는 우리를 냉정하게 대했는데 이제는 남측을 좋게 보고 이웃사촌처럼 대하지 않습니까?

푸틴 러시아 대통령이 대륙 간 철도가 연결되면 물류 비용과 시간이 30퍼센트 절약될 것이라고 했습니다. 그렇게 되면 우리나라는 태평양의 물류 거점이 됩니다. 물류가 일어나면 관광, 경제, 문화가 모두 일어나게 됩니다. 이런 것은 북한과 협력하지 않으면 안 됩니다. 유라시아 대륙이 노다지판과 같습니다. 길게 보면 이렇게 경제를 살려야 하고 짧게는 밑(서민층)으로 돈이 돌게 해야 합니다.

우리는 우리 갈 길을 가야 합니다. 폭을 넓혀야 합니다. 이명박 정부는 근본적으로 생각을 잘못하고 있습니다. 강경 기조로 가는 것이 통치하는데 쉽다고 생각하는 것 같습니다. 미국이 북한과 마무리를 지으려고 하는데 이명박 정부가 어떻게 계속 (강경 기조를) 할 수 있겠습니까? 이명박 정부가 태도를 바꾸기를 기대하기는 어렵다고 봅니다. 우리 할 일을 제대로 해서 지지율이 올라가야 정부의 대북 정책도 바꿀 수 있습니다.

강기갑 개성공단 기업 업주들의 고통이 심각합니다.

김대중 김정일 국방위원장은 우리 측이 "개성공단이 완공되면 35만 명의 인원이 필요한데, 개성 인구 규모로 어렵지 않겠느냐"고 우려하자, 김정일 국방위원장은 "그때 가면 남북 관계가 확 달라져 있을 것이다. 군인들 제대시켜서라도 노동자를 대 줄 것이다."라고까지 했습니다. 그래서 우리가 숙소를 지어 주기로 하게 된 것입니다.

(삐라 문제에 대해) 상호 비방을 하지 않기로 남북이 약속했습니다. 그런데 우리가 약속을 안 지킨 것입니다. 정부는 (비방을) 안 하고 민간은 (비방을) 해도 된다는 게 합의입니까? 사람 우롱하는 얘기와 같습니다.

강기갑 속에서 천불이 날 정도로 답답한 심정입니다. 국민의 고통을 봐야 한다는 게 괴로운 심정입니다.

김대중 옛날 고문당하고 감옥에 가고 할 때 비하면 지금 고통은 아무것도 아닙니다. 오늘 참으면 내일 이길 수 있습니다. 느긋하지만 치열하게 준비해야 합니다. 뭉쳐야 합니다. 그러면 국민이 용기를 내고 나설 것입니다. 우리가 초조할 것이 있습니까? 우리는 역사의 길, 정도를 가는 사람들입니다. 과거 사형 선고를 받았을 때 회유를 받은 적이 있습니다. 당시 내가 지금 협력한다면 일시적으로 살지만 역사와 국민 속에서 사라질 것이라 생각했습니다. 역사 속에 영원히 살길을 택한다고 했습니다.

우리는 국민을 위해 성공해야 합니다. 역사 속에 억울하게 죽은 사람을 어찌하겠습니까? 성공해야 합니다. 국민들은 역사마다 독재정권을 좌절시켰고 우리들은 매번 이겼습니다. 우리가 왜 자신을 못 갖습니까? 국민을 위해 정도를 가는 것인데 시간문제일 뿐입니다. 결국 성공합니다.

강기갑 차분하게 해 나가야겠습니다. 긴장을 풀지 않고 열심히 하겠습니다.

* 이 글은 2008년 11월 27일 오전, 김대중 대통령이 사저에서 강기갑 민주노동당 대표, 이영순 최고위원과 두 시간가량 가진 면담 내용이다.

오바마 정권과 한반도

강연 서울외신기자클럽
일시 2009년 1월 15일

김대중 존경하는 임연숙 회장과 서울외신기자클럽 회원 여러분, 그리고 신사 숙녀 여러분!

오늘 저를 이 자리에 서게 해 주셔서 감사합니다. 저는 오늘까지 약 11회에 걸쳐 이 서울외신기자클럽에서 연설을 했습니다. 그동안의 성원에 대해서 다시 한번 감사를 드립니다.

존경하는 여러분!

오늘은 「오바마 정권과 한반도」라는 제목으로 몇 말씀 드리고자 합니다. 오바마 정권 출현이 세계에 미친 영향에 대해서 생각해 보고 싶습니다. 오바마 정권하에서는 세계가 종래의 일방주의적 미국의 독주 시대에서 다국적 협력주의 시대로 나아갈 것입니다. 오바마의 당선은 아프리카인을 위시해서 소외당했던 국가와 시민들에게 큰 흥분과 희망을 주고 있습니다. 세계는 새로운 희망 속에 평화의 전면적 협력 시대에 대한 꿈을 갖게 되었습니다.

오바마 정권은 한반도 정책에 있어서 부시 정권의 대북 강경 정책과는 다른 자세를 취할 것으로 믿습니다. 오히려 클린턴 대통령이 추진했던 직접 대화와 일괄 타결의 방향을 취할 가능성이 크다고 봅니다. 선거 중 이미 오바마 대통령 당선자는 "당선되면 북한 지도자와 직접 만나서 핵 문제 등 한반도 문제를 논의하겠다"고 말한 바 있습니다.

존경하는 여러분!

저는 이제 오바마 대통령 당선자, 김정일 국방위원장, 이명박 대통령 세 분과 우리 국민에게 몇 말씀 드리고자 합니다.

첫째, 오바마 당선자는 취임하면 북한과의 핵 문제 해결을 우선시할 것을 권고합니다. 북한 문제는 그동안 6자회담을 통해서 많은 진전을 봤습니다. 따라서 이란 문제보다 해결하기가 쉽다고 생각합니다. 북한 문제가 해결되면 그 모멘텀을 타고 이란 등에서의 비핵화 문제도 해결이 쉬워질 것으로 믿습니다. 북핵 문제의 해결에 있어서 오바마 대통령은 대담한 일괄 타결의 모개홍정을 하는 것이 좋습니다. 6자회담과 협력하면서 한꺼번에 줄 것은 주고, 받을 것은 받자는 것입니다. 그것이 북한과 같은 1인 지배의 통제된 국가와의 협상에는 유리합니다.

미국은 북한에 대해서 안전 보장과 국제 경제에의 진출을 보장하고 국교 정상화를 확약할 필요가 있습니다. 반면, 북한으로부터는 핵의 완전 포기를 통한 한반도 비핵화, 장거리미사일 폐기, 한반도에서의 공고한 평화 체제의 확립, 즉 종전 선언, 군축과 평화협정 등에 대해서 합의를 받아 내야 할 것입니다. 북한이 바라는 것을 주고 우리가 받을 것을 확실히 받자는 것입니다.

김정일 국방위원장이 미국과의 관계 개선을 열망하고 있는 것은 틀림없는 사실입니다. 저도 이를 확인한 바 있습니다. 김 위원장은 통 큰 협상을 선호합니다. 따라서 주고받는 협상을 하면서 상호 신뢰를 확립해 나간다면 북한 핵 문제와 그와 관련된 현안이 성공적으로 해결될 것이 틀림없다고 믿습니다. 우리의 목표는 북한을 제2의 중국, 제2의 베트남식의 개방 개혁으로 유도

하는 것입니다.

둘째로 김정일 위원장에게 바라고 싶습니다. 먼저 북한은 남한 정부, 특히 이명박 대통령에 대한 비방을 중지해야 할 것입니다. 서로 화해 협력해 나가자는 6·15공동선언과 10·4선언의 준수를 강조하는 북한이 그에 역행하는 비난을 일삼는 것은 지나친 일이라고 생각합니다. 또한 남한의 국민도 그러한 비방을 용인하고 있지 않다는 것을 말하고 싶습니다. 김정일 위원장은 남한 정부가 대북 대화 재개를 위한 기본적인 조치를 취하면 적극적으로 이를 수용해서 대화 재개에 나서기를 바랍니다. 남북은 6자회담이나 앞으로 있을 동북아 평화와 안보 체제 구축 과정에 있어서 하나의 목소리를 내도록 노력해야 합니다. 그래야만 우리 민족의 주체성을 지키면서 평화와 번영과 통일의 길로 나아갈 수 있습니다.

조선왕조 말엽에 친청파, 친러파, 친일파 등으로 사분오열돼 역사의 비극을 초래한 쓰라린 교훈을 되새겨야 할 것입니다. 지금 우리는 같은 민족으로서 한목소리를 내서 주변 강대국과 대처해 나가지 못한 현실에서 통한의 교훈을 배워야 할 것입니다. '통미봉남'이라는 말이 있는데 그런 일은 있어서도 안 되고 가능하지도 않을 것입니다. 오히려 북한은 남북 간의 화해 협력 속에 대미 협상에 있어서 남한의 지원을 받는 그러한 자세를 취하는 것이 현명하다고 생각합니다.

셋째로 이명박 대통령에게 말씀드리고 싶습니다. 이 대통령이 대통령 후보 시절 저를 찾아오셔서 한반도 문제를 논의한 적이 있습니다. 그때 이 대통령은 제가 말한 햇볕정책 등 대북 화해 협력 정책에 대해서 전적으로 공감한다는 말을 여러 차례 되풀이한 바 있습니다. 저는 지금도 이 대통령의 그런 생각에 변함이 없다고 믿고 싶습니다.

이명박 대통령은 오바마 정권이 출범한 이후 북·미 관계가 급진전할 가능성이 있다는 것을 간과해서는 안 됩니다. 그것은 클린턴 정권 시대의 북·미 관계의 빠른 진전을 생각해 봐도 알 수 있습니다. 이때 우리가 지금과 같이 남북 대립의 상태 속에 있다면 우리는 아무 역할도 못 하고 소외만 당할 것입니다. 1994년 제네바핵협정 당시 한국 정부가 "핵을 가진 자와는 악수할 수 없다"고 선언했다가 철저히 소외되고 그야말로 '통미봉남'의 상태에 빠진 쓰라린 역사가 있습니다. 우리는 이번에 미국이 북한 테러지원국 해제를 결정할 때, 일본의 맹렬한 반대에도 불구하고 해제를 단행한 사실에서도 교훈을 얻어야 합니다.

저는 이명박 대통령이 북한과의 대화의 길을 열기 위해서는 두 가지를 선행해야 한다고 생각합니다. 하나는 풍선을 이용한 대북 삐라 살포를 중지시켜야 합니다. 이것이 얼마나 북한을 자극하고 남북 관계를 악화시키고 있는지 모릅니다. 다음에 이 대통령은 6·15공동선언과 10·4선언을 인정해야 합니다. 현직 대통령이 전임 대통령들의 중요한 국제적 공식 약속을 존중하는 것은 당연한 의무입니다. 그리고 이러한 두 개의 선언에 대한 조치 없이는 남북 대화는 쉽게 열리지 않을 것입니다. 이 대통령은 이 두 가지 선언을 인정·수용하고 그 실천 과정에서, 즉 경제적 프로젝트 등에 문제가 있으면 3차 정상회담 등을 통해서 보완하면 되는 것입니다. 저는 이 대통령이 이 두 가지 선언을 거부한다고 공식으로 선언한 일이 없다는 것을 주목하고 있습니다.

마지막으로 제가 존경하고 사랑하는 국민 여러분께 호소의 말씀을 드리고자 합니다. 남북은 과거 반세기 동안 적대 관계 속에서 두려움과 긴장으로부터 하루도 해방된 날이 없었습니다. 그러나 2000년 6·15남북정상회담 이후로 우리는 상호 불신과 대결의 시대에 종지부를 찍고 새로운 화해 협력의 길을 열었습니다. 이 10년 동안 우리가 얼마나 긴장을 풀고 마음 편히 살아왔습니까? 그리고 원수같이 생각하고 우리와 다른 인종처럼 생각했던 북한 사람들이 바로 우리와 말과 문화와 피가 통하는 동족이라는 것을 확인하게 되었습니다. 그동안 남북의 국민 관계는 급속히 호전되었습니다.

우리가 협력해 나가면 남북이 다 같이 평화를 얻고 경제적 번영을 얻을 것입니다. 동북아 정치의 장에 있어서 우리 민족의 주체성을 확보하게 될 것입니다. 그러나 우리가 협력하지 못하면 이 모든 문제에 있어서 우리는 정반대의 비참한 상황에 떨어지게 될 것입니다. 늦기 전에 바로잡아야 합니다. 오늘의 남북 간 경색은 시간이 가면 갈수록 불리하고 불행할 것입니다.

국민 여러분!

남북 문제에 있어서 과거 저에게 베풀어 주신 성원을 이명박 대통령에게도 보내 주시고, 이 대통령에 대해서 제가 이미 앞에서 건의한 그런 방향으로 정부가 나아갈 수 있도록 감시하고, 성원하고, 편달해 주시기 바랍니다.

새해 국민 여러분의 만복을 빕니다.

경청해 주셔서 감사합니다.

질의응답

질문 지금 집권자들이 말하는 '잃어버린 10년' 동안에 저희 외신기자들도 잃어버린 것이 있습니다. 가스 마스크와 헬멧입니다. 거리 시위 취재 때 필수품이었던 이것들을 지금 치웠는데 금년 봄에는 다시 찾아야 되지 않을까 하는 불길한 예감이 들고 있는 시점입니다. 김 전 대통령께서는 신년 인사회 때 3대 위기를 거론하면서 이명박 정부가 불행해지기를 원치 않는다고 했습니다. 이 말씀은 이미 불행한 길에 들어섰다는 해석도 가능하고, 일각에서는 선동하는 말이라고도 합니다. 김대중 전 대통령께서 이런 비난을 무릅쓰고 3대 위기로 진단한 이유는 무엇인지요?

김대중 제가 이미 말씀한 대로 우리나라는 지금 민주주의 위기, 경제 위기,

남북 문제의 위기, 세 개의 위기에 처해 있습니다. 이 중에서 가장 중요한 것은 민주주의입니다. 민주주의 없이는 투명하고 건전한 경제가 이뤄질 수 없습니다. 또 서민을 위한 경제도 이뤄질 수 없습니다. 남북 관계도 민주정부만이 국민의 지지를 받고 그리고 부당한 반대파들을 설득해 가면서 발전시킬 수 있습니다. 우리는 민주주의를 얻기 위해서 50년 동안 수많은 사람들이 죽고, 고문당하고, 피 흘리고, 가산을 탕진하고, 직장에서 쫓겨 가면서 얻었습니다. 그러나 유감스럽게도 최근 상황은 민주주의가 상당히 역주행하는 현상이 보입니다. 이 점에서 저는 매우 우려하고 있다는 것을 말씀드립니다. 우리 국민은 이승만 정권, 박정희 정권, 전두환 정권 등 독재정권을 국민의 힘으로 모두 종식시켰습니다. 앞으로 어떤 사람도 국민을 무시하고 민주주의를 훼손시키는 일은 결코 성공하지 못할 것이라고 말씀드립니다.

질문 미네르바 구속에 대한 견해는 무엇인지요?

김대중 나는 미네르바가 누구고 무슨 말을 했는지 잘 모릅니다. 그러나 내 상식적인 생각으로는 미네르바가 그런 예측을 한 일은 언론도 하고 있고 학자들도 하고 있지 않느냐는 생각입니다. 그리고 그 문제를 가지고 그렇게 구속하고 그럴 정도는 아니라고 생각합니다. 아마 국민 다수도 조금 의아하게 생각할 것입니다. 오늘 오후에 구속적부심이 있는데 재판부가 현명하게 판단해서 불구속으로 사건을 처리하기를 바랍니다. 그것이 국민 일반의 바람이라고 생각합니다.

질문 세 가지 질문을 드리겠습니다. 첫 번째 질문은 김대중 전 대통령께서 대통령을 했을 때 햇볕정책을 추진한 입장에서 이번 오바마 정책의 대북 정책에서 무엇을 기대하고 있는지요? 그리고 이명박 정권의 대북 정책을 어떻게 평가하고 있는지, 현재 남북 관계 진전이 없는 상태인데 특사로 돌파구를 내기 위해 방문해 달라는 요청이 있으면 받을 생각이 있으신지? 세 번째는 일본의 납치 문제와 관련해서 일본의 대북 정책은 6자회담에서 완전히 소외되었다고 생각하시는지요?

김대중 대통령 재임 때인 1998년 미국을 국빈 방문했습니다. 그때 클린턴 대통령이 "당신이 말한 햇볕정책을 설명해 달라"고 해서 설명했습니다. 즉, 평화적으로 대화를 통해서 서로 주고받는 그런 일괄 타결의 협상을 하는 것이 좋겠다, 그래서 원원의 협상이 됐으면 좋겠다고 말했습니다. 그러자 클린턴 대통령은 앉은자리에서 "전적으로 당신의 햇볕정책을 지지하겠다. 당신이 마차에 올라서 고삐를 쥐고 나가면 나는 조수석에 앉아서 돕겠다"는 말까지 했습니다. 그 후 클린턴 대통령은 일관되게 그런 방향으로 해서 북한과 국교 정상화 단계까지 갈 정도로 핵 문제, 미사일 문제 다 해결하고 갈 정도로 했습니다. 그런데 정권 교체가 되어 완성하지 못한 것은 참 애석합니다. 재작년 클린턴 대통령이 저의 사무실에 왔을 때 "1년만 더 재임했으면 완전히 해결했는데 아쉽다"고 그런 말을 했습니다.

오바마 당선자가 자기의 대북 정책은 부시의 방향이 아니라 클린턴의 방향이라고 말한 적이 있습니다. 그리고 또 클린턴 대통령의 하는 일을 옆에서 보았던 힐러리 여사가 국무장관이 되게 되었습니다. 그래서 나는 오바마 정권이 클린턴의 대북 정책을 계승해 나갈 것이고 상당히 큰 템포로 문제를 추진해 나가지 않을까 생각합니다. 북한은 이 기회에 오바마 정권하고 북·미 관계를 완전히 해결하고 싶다는 입장에 있다고 저는 알고 있습니다. 그래서 오바마 대통령의 앞으로 정책 방향은 클린턴 정책을 우리가 참고를 하면 예측이 되지 않을까 생각합니다. 또 그렇게 하면 북한과 미국 관계는 급속히 해결의 방향으로 가지 않을까 생각합니다.

그리고 이 대통령에 대해서는 연설문 속에 상세히 제가 말씀드렸습니다. 특사문제는 나는 항상 말하지만 특사는 대통령이 가장 신임하고 의기투합하고 정책이 일치한 사람이 가야 한다고 생각합니다. 특사가 북한과 만났을 때 "이건 바로 이명박 대통령이다."라고 생각할 사람이 가야 한다고 생각합니다. 그리고 돌아와서도 계속 남북 문제에 있어서 이 대통령을 보좌할 사람이 가야 한다고 생각하고 나는 적임자가 아니라고 생각합니다.

일본인 납치 문제를 저는 공개적으로 얘기했지만, 납치를 한 것은 북한이 물론 잘못입니다. 일부 돌려보낸 것은 평가할 만하지만 그러나 이 문제는 피해자가 완전히 납득할 수 있을 때까지 북한이 완전히 협조해서 진실을 밝혀서 문제를 해결해야 한다고 생각합니다. 그러나 이것이 6자회담에서 주 의제가 된다는 것은 조금 문제가 있지 않나 생각합니다. 6자회담은 북한의 핵 문제로 열린 것이고, 또 북한 핵 문제가 해결되어 북·미가 국교 정상화 단계로 갈 때 북한은 필연적으로 일본과도 관계 개선하고 국교 정상화를 하려 할 것입니다. 그러므로 국교 정상화를 하려면 납치 문제를 완전히 해명해야 할 것입니다. 일본 국민들을 납득시키지 않고는 일본 국민의 여론을 봐서 안 되는 일입니다. 그래서 저는 6자회담이 진전되는 것이 납치 문제 해결에도 촉진제가 된다고 생각하고 있고 납치 문제는 결국 해결될 것이라고 생각합니다.

질문 2000년 정상회담 이후 김정일 국방위원장이 서울 답방을 약속했지만 이뤄지지 못했습니다. 왜 이뤄지지 못했다고 생각하시는지요? 북한이 약속을 지키지 않은 상태에서 우리가 어떻게 북한을 신뢰할 수 있나요? 그리고 김정일 위원장의 건강 상태는 어떤지, 그의 역량이 어떤지에 대해서도 말씀해 주십시오. 건강에 문제가 있다면 실질적인 지도자는 누구라고 생각하십니까?

김대중 사실은 김정일 국방위원장이 6·15남북정상회담에서 나하고 협상할 당시에 제일 오래 시간을 끌고 어려웠던 문제가 남쪽 방문이었습니다. 제가 마지막에는 "당신이 아버지에게 효도하고 노인들 공경한다고 듣고 있는데, 당신보다 나이가 훨씬 많은 내가 여기까지 왔는데 못 오겠다는 것이 당신이 말한 동양 도덕이고 어른에 대한 대접이냐"고 그렇게까지 얘기했습니다. 그랬더니 김 위원장이 웃으면서 "김 대통령은 전라도 사람이기 때문에 그렇게 고집이 셉니까"라고 해서 나는 "내가 왜 전라도 사람이냐. 나는 김해김씨니까 경상도 사람이다. 당신이야말로 전주김씨니까 전라도 사람 아니냐." 하면서 그야말로 집요하게 설득해서 얻었던 것입니다. 그때부터 상당히 남쪽 오는 것을 주저하고 있었습니다. 그런데 그 후로 (서울 답방을) 이행하라고 독촉하니까 러시아의 이르쿠츠크에서 하면 어떠냐고 러시아 측에서 우리한테 물어 왔습니다. 그래서 푸틴 대통령도 같이 참석하면 좋겠다고 해서 저는 거절했습니다. 하다못해 휴전선 바로 이남의 장소에서 만나더라도 남쪽으로 와야지. 나는 평양 갔는데 북쪽은 오지 않고 외국에 가서 만나면 그걸 우리 국민이 납득하겠습니까? 한번은 제가 중국에 가서 장쩌민 주석을 만났는데 그 자리에 있던 어떤 고위층 사람이 "지난번 김 위원장이 왔다 갔는데 금년 내에 남한에 방문하겠다. 그래서 김대중 대통령도 만나겠다. 이 말을 전해 주면 좋겠다"고 한 일도 있었어요. 북한이 제일 주저하는 것은 남쪽에 왔을 때 신변 안전이었던 것 같습니다. 남한 내에서 반대 세력이 강하니까. 여하튼 북한이 약속을 안 지킨 것은 사실인데 결국 제 임기 끝날 때까지 실천하지 못하고 말았습니다.

(김 위원장) 건강에 대해서는 여러분이 아는 정도로 나도 알고 있습니다. 그러나 이번 3월 8일, 북한이 인민대회를 소집했습니다. 여기에서는 국방위원장을 선출하는 것이 가장 큰 목표입니다. 그렇기에 필연적으로 거기에는 김 위원장이 나와야 합니다. 작년 11월로 기억하는데, 그때 인민대회 정기 개최 일자가 다가왔는데 연기시켰고 이번에 임시로 정한 것은 김 위원장의 건강이 상당히 좋아진 것 아니냐 그렇게 생각합니다. 그것은 김 위원장이 반드시

나와야 하기에 그렇습니다.

후계자 문제는 잘 모릅니다. 다만 북한은 아시다시피 당과 군과 행정부 모든 간부가 김정일 위원장이 키운 사람들입니다. 그 사람들은 김정일 위원장 덕으로 모두 출세했습니다. 그래서 그들은 모두 김정일 위원장의 사람들입니다. 후계자 문제는 김 위원장의 의지가 제일 중요합니다. 그렇기 때문에 후계자 때문에 큰 싸움이 벌어질 것이라는 일부 추측은 있기 어려운 일이라고 생각합니다. 그리고 결국 후계자를 한다면 완전히 내 개인적 생각으로는 아들 중에 하나는 상징적으로 내세우고 당과 행정부 군부 특히, 군부가 일종의 연립내각 형식으로 공동 협력하는 체제가 되지 않겠느냐고 추측합니다.

질문 햇볕정책 결과물 중에 가장 큰 성과는 금강산하고 개성일 것 같은데. 북한이 프로젝트를 닫은 것에 대해 김 전 대통령은 어떻게 느꼈는지, 아직도 신뢰할 만한 협상 파트너로 생각하시는지요?

김대중 햇볕정책의 성과물로 물론 개성과 금강산이 중요하지만, 가장 큰 성과는 남북 간 50년 동안 계속된 냉전 체제에 종지부를 찍고 새로운 민족 화해 협력의 단초를 열었다는 것입니다. 남쪽이나 북쪽 사람들이 서로 상대방을 보는 시각이 조금 전 연설에서도 말씀드렸다시피 상당히 달라졌습니다. 동족으로서 따뜻한 정을 느끼게 된 것이 상당한 성과라고 생각합니다. 금강산 관광은 여러분도 아시다시피 한 여성의 불행한 사고에 대해서 우리가 북한에게 공동 조사를 요청해 놓고 그 답도 오기 전에 금강산 관광을 중단시켰습니다. 나는 그것은 성급한 일이었다고 생각합니다. 그리고 빨리 재개되기를 바랍니다. 개성은 아시다시피 우리 중소기업이 나가서 상당한 성과를 올리고 있고, 앞으로 더 큰 성과를 올리게 됩니다. 그런데 개성공단에 진출해 있는 사람들이 공장을 건설했는데 예를 들어 1천 명의 종업원이 필요한데 배당된 인원은 400명 정도밖에 안 된다고 합니다. 그것은 개성에서의 노동력은 다 고갈됐고, 외지에서 데려와야 하는데 한국이 약속한 기숙사를 지어 주지 못해서 그렇습니다. 거기에도 북한이 성급한 여러 가지 제한 조치 즉, 통행금지 조치 등을 한 것도 대단히 불필요한 일, 해서는 안 될 일을 했다고 생각하지만, 우리 자신도 약속한 기숙사를 지어 주면서 해 나가야 한다고 생각합니다. 개성공단이 제대로 본격 가동되면 35만 명의 노동자가 있는 거대 공단이 됩니다. 중소기업들이 남한에서 어려운 지경에 있는데 북한으로 가면 굉장히 큰 성과를 올릴 것입니다. 우리는 북한과 거리가 가깝고, 말이 통하고, 문화가 비슷하고, 민족이 같고, 북한의 노동력은 중국 노동자 임금의 절반밖에 안 됩니다. 개성공단이야말로 그리고 앞으로 있을 제2, 제3의 개성공단이야말로 우리가 경제적으로 소득을 볼 것인데 이렇게 된 것은 매우 유감이라고 생각합니다. 빨리 기숙사 지어 주고 개성공단이 활발히 움직일 수 있도록 해서 투자한 사람들이 노동력 부족 때문에 적자를 겪는 어려움을 해결해 줘야 합니다.

질문 연설에서 주고받는(Give and Take) 전략을 말씀하셨습니다. 햇볕정책을 진행한 이후 북한을 살펴보면, 가져가는 것은 많은데 내놓은 것은 많지 않습니다. 김정일 위원장에 대해서도 신뢰가 부족하지 않나요? 북한에 정말 핵 포기 의사가 있다고 보십니까? 아니면 앞으로도 가진 것을 활용해서 국제사회나 한국에서 받아 챙기는 식이 될 것으로 보십니까?

김대중 북한에 대해서 소위 남한에서 '퍼주기'란 말이 있지만, 나는 그렇게 생각하지 않습니다. 독일은 20년 동안 평균 32억 달러를 매년 지원했습니다. 우리는 13년 동안 매년 1억 5천만 달러를 줬습니다. 그래서 1인당 연 5천 원으로 북한을 도운 것입니다. 그 대가로 가장 크게 얻은 것은 냉전 체제를 종식시키고 화해 협력의 시대가 왔다는 것입니다. 한반도 긴장이 일거에 완화되어 우리가 지금까지 10년 동안 발 뻗고 산 것이 가장 큰 것이라고 생각합니다. 우리는 앞으로 준 것 이상 받을 수 있는 여러 가지, 개성공단뿐만 아니라 여러 가지 개발할 수 있는 것을 10·4선언으로 해서 얻어 냈습니다. 이것은 장기간을 두고 구상해야지 당장에 성급하게 할 문제는 아니라고 생각합니다.

그리고 김정일 위원장에 대한 신뢰 문제는, 협상이란 것은 신뢰하는 사람과도 하지만 신뢰하지 않는 사람과도 하는 것입니다. 미국은 소련을 '악마의 제국'이라고 했지만 소련과 협상해서 헬싱키협정을 만들고 데탕트 해서 소련과 동유럽이 민주화되게 만들었습니다. 중국을 전쟁범죄로 몰았던 미국이 닉슨 대통령이 중국에서 마오쩌둥을 만나 화해 협력했습니다. 또 베트남하고 전쟁까지 했는데 화해 협력했습니다. 필요하고 이익이 되면 협상을 하는 것입니다. 이런 점에서 김정일 위원장을 믿을 수 없다고 생각하는 사람이 많은 줄 알지만, 김 위원장과 협상해서 핵 문제를 푸는 것이 필요하기에 협상을 해야 합니다. 내가 알기에는 북한에서 그래도 김정일 위원장이 가장 개방적인 생각을 가지고 있고 미국과의 관계 개선을 열망하고 있기 때문에 앞으로 대화하고, 오바마 정권이 점차로 그런 협상의 과정을 밟는다면 신뢰도 조성할 수 있지 않나 생각합니다.

* 이 글은 2009년 1월 15일 한국프레스센터에서 있었던 서울외신기자클럽 강연문과 일문일답이다.

핵 포기 조건으로 국교 정상화를 해야

대담 힐러리 클린턴
일시 2009년 2월 20일

김대중 전 대통령은 2월 20일 저녁 7시 방한 중인 힐러리 클린턴(Hillary Rodham Clinton) 미 국무장관으로부터 전화를 받고 10여 분 동안 통화했다. 다음은 대화 요지이다.

김대중 바쁘신 가운데 전화를 주시고 선물까지 보내 주서서 감사합니다. 클린턴 전 대통령은 안녕하신가요?

힐러리 말씀에 매우 감사드립니다. 클린턴 전 대통령께서 안부를 전해 달라고 했습니다. 저와 남편도 대통령님과 함께 일을 했던 시절에 대해 좋고 따뜻한 추억(positive and fond memories)을 간직하고 있습니다.

김대중 이번 클린턴 장관의 아시아 방문의 성공을 축하하고, 특히 한국과 대화가 잘된 것을 축하합니다. 한국 사람들은 클린턴 대통령과 클린턴 장관 내외를 매우 좋아합니다. 대통령 재임 중 클린턴 대통령과 함께 협력해서 북한 미사일과 핵 문제가 진전이 잘 됐는데, (클린턴 대통령의) 임기가 끝나 마무리를 하지 못해 매우 아쉬웠습니다. 이번에 클린턴 장관이 국무장관에 임명되어 한반도와 북한 문제를 맡게 되어 대단히 다행이라고 생각했습니다. 이번에는 반드시 성공할 것으로 확신합니다.

나는 장관께서 (미국을) 출국하면서 북한이 핵을 완전히 포기하는 조건으로 북한과 국교 정상화를 하겠다고 하셨는데, 이는 2005년 9월 합의 사항으로, 북한도 지지하고 있습니다. 장관께서도 그런 말씀을 하셨기 때문에 해결의 전망이 좋고 나도 그렇게 되기를 바랍니다.

남은 여정인 중국에서도 큰 성과가 있을 것으로 믿습니다. 다시 한번 바쁘신데 전화 주신 것을 감사드립니다.

힐러리 1990년대 금융 위기와 북한과의 관계와 관련하여 대통령께서 보여 주신 지도력을 기억하고 있습니다. 저는 오바마 대통령을 대신해서 중요한 사안들을 진전시킬 수 있기를 희망합니다. 대통령께서 보여 주신 본보기 (example)와 지도력에 감사드립니다.

김대중 그렇게 말씀해 주시니 감사합니다. 클린턴 전 대통령께도 안부를 전해 주십시오. 존경하고 친애하는 마음을 보냅니다. 5월에 클린턴 전 대통령께서 한국을 방문하시면 만나 뵐 수 있기를 기대합니다.

힐러리 제가 다음에 방문하면 꼭 만나 뵙기를 바랍니다. 남편도 대통령님을 만나기를 고대하고 있습니다. 대통령님의 안부를 전하겠습니다. 감사합니다.

인내심과 지혜를 가지고 현명하게 대처해야

대담 스티븐 보즈워스
일시 2009년 3월 10일

김대중 전 대통령은 10일 오전 9시 20분 방한 중인 스티븐 보즈워스(Stephen Bosworth) 대북 정책 대표의 전화를 받고 15분간 통화했다. 보즈워스 대표는 김대중 대통령 재임 중 주한 미대사를 역임하면서 2000년 남북정상회담에 협력한 바 있으며, 김대중 전 대통령은 2008년 4월 미국 보스턴 방문 중 보즈워스 플레처스쿨 학장의 초청으로 이 대학에서 연설을 하고 환담을 나눈 바 있다. 다음은 전화 통화 요지다.

김대중 한반도 문제 관련 중책을 맡게 되신 것을 축하드리고 큰 성과를 올리기를 기대합니다.

보즈워스 책임감이 무겁습니다.

김대중 나뿐만 아니라 많은 한국민들이 대표께서 대북 정책 대표로 임명된 것을 환영하고, 이번에 일을 잘 해낼 것이라 기대하고 있습니다.

보즈워스 기대에 부응하도록 노력하겠습니다. 한국뿐만 아니라 6자회담 당사국들의 공조가 있으면 도움이 될 것입니다. 현재 북한 상황이 어렵습니다.

김대중 저도 그렇게 생각하고 걱정하고 있습니다. 북한이 무리한 일을 하고 있습니다. 그러나 북한은 변함없이 미국과의 관계 개선을 외교의 최고 목표로 하고 있습니다. 미국이 인내심과 지혜를 가지고 현명하게 대처하면 클린턴 대통령 때 성공했던 것처럼 그런 상황을 만들 수 있을 것입니다. 오바마 대통령과 클린턴 국무장관도 그렇게 생각하고 있다고 생각합니다. 대표께서도 자신감과 용기를 가지고 북한을 슬기롭게 잘 다루어 나가시길 바랍니다.

보즈워스 최선을 다하겠습니다. 인내심과 지혜를 가지라는 대통령님 말씀이 옳습니다. 북한 움직임에 과잉 반응(overreact)을 해서는 안 됩니다.

김대중 얼마 전 클린턴 국무장관의 동북아 방문은 성공적이었고, 특히 인도네시아 방문은 아주 멋진 결정이었습니다. 보즈워스 대표의 인격, 능력, 자제심, 지혜를 볼 때 (한반도 문제의) 성공을 역사에 기록할 수 있을 것입니다. 오바마 대통령은 부시 대통령의 대북 정책이 아니라 클린턴 대통령의 대북 정책을 참고하겠다고 말했습니다. 이제 오바마 대통령, 클린턴 국무장관과 함께 대사께서 소신껏 일해서 꼭 성공할 것으로 믿습니다.

보즈워스 말씀 감사합니다. 다음 방문 때는 만나 뵐 수 있기를 바랍니다. 제 아내의 안부를 전해 드립니다.

김대중 제 아내의 안부도 전합니다. 다시 한번 말씀드리고 싶은 말씀은 북한은 미국과의 관계 정상화를 최대 목표로 삼고 있다는 것입니다. 미국이 인내심과 지혜를 발휘하면 북한 문제는 분명히 해결할 수 있고, 대표께서도 큰 성과를 거둘 것입니다. 다시 한번 전화해 주신 데 감사드립니다.

보즈워스 감사합니다. 자주 통화하도록 하겠습니다.

6·15선언, 10·4선언 이행한다는 전제하에
총리 특사 보내야

대담 김당

일시 2009년 3월 22일

김대중 전 대통령은 남북 관계와 관련 "이제는 이명박 대통령이 두(6·15, 10·4) 선언에 대해서 입장을 분명히 밝히고, 두 선언을 이행한다는 전제하에 국무총리를 북한에 특사로 보내서 이 대통령의 진의를 이야기하고 정상회담을 요청해야 한다"면서 "두 사람(이 대통령과 김정일 국방위원장)이 정상적으로 만나면 풀릴 것"이라고 밝혔다.

그는 "이제는 소소한 일로는 해결 안 되고, 이 대통령이 김정일 위원장과 머리 맞대서 해결해야 하는데, 그 전에 두 선언에 대한 태도를 선명하게 한 뒤에 총리를 북한에 보내서 진의를 설명하고 성공적인 정상회담이 되도록 해야 한다"고 덧붙였다.

그는 "(국무총리 특사 제안은) 정부 간에 공식적으로 풀어야 한다는 취지인가?"라고 묻자 "북한은 두 공동선언을 인정하지 않는 이상은 대화를 안 한다"면서 "이 대통령이 '행정부 2인자를 특사로 보내니까 상의하고 그다음에 나하고 직접 만나서 마무리 짓자', 그렇게 하라는 것"이라고 거듭 강조했다.

김 전 대통령이 국무총리를 대북 특사로 보낼 것을 구체적으로 제안한 것은 이번이 처음이다. 이는 그만큼 현재의 남북 관계 상황에 대한 그의 진단이 엄중함을 의미하는 것이다. 그는 "상황은 긴박해지고, 앞으로 서해 연평도 꽃게잡이 철도 오는데, 상당히 불길한 생각이 든다."고도 했다.

상황이 너무 악화돼 있어 소소한 일로는 진척이 없게 돼 있다

김 전 대통령은 22일 오후 서울 동교동 김대중도서관 5층 집무실에서 『오마이뉴스』와 70분 동안 가진 인터뷰에서 "남북한 사이에 군사적 긴장 관계가 지속되고 있는데 어디에서부터 실마리를 풀어야 하나"라고 묻자 "지금은 상황이 너무 악화돼 있기 때문에, 소소한 일로는 진척이 없게 돼 있다"면서 이같이 말했다.

그는 이어 "이런 긴장 상태가 계속되면, 사람이나 모든 것이 다 생물이기 때문에 무슨 일이 생겨날지 모른다. 북한이 연평 꽃게잡이 철에 서해 북방한계선(NLL) 인정 안 한다고 했기 때문에 사태가 커질 수 있다"면서 "이제 이 대통령이 결단을 내려서 통 크게 문제를 풀어 나가야 한다"고 거듭 이 대통령의 결단을 촉구했다.

김 전 대통령은 특히 "대화는 마음이 통하는 사람과 하는 게 아니라 필요한 사람과 하는 것"이라며 "대화는 필승의 요체다."라고 대화를 거듭 강조했다.

그는 "북한이 지금 저렇게(강하게) 하는 것은 약자가 최후로 '너 죽고 나 죽자' 하는 것"이라며 "그런데 우리가 자꾸 북한을 자극하고 대화를 게을리하는 것은 김정일 위원장이 국민들 통제하는 것을 도와주는 것과 마찬가지다."라고 말했다.

그는 "1994년 (북·미)제네바회담 때 그렇게 하다가 우리가 얼마나 소외되고 손해 봤나?"라고 반문하면서 "이번에는 그렇게 하면 안 된다. 무엇보다도 남북 정상이 서로 만나 대화를 함으로써, 국민에게 안도감을 줘야 한다"고 이 대통령의 통 큰 결단을 거듭 촉구했다.

대량살상무기 확산방지구상(PSI) 참여하면 자칫 전쟁으로 갈 수 있다

그는 대량살상무기 확산방지구상(PSI) 참여 문제에 대해서도 "지금은 대량살상무기 확산방지구상(PSI)이 필요한 게 아니다."라며 반대 의사를 분명히 밝혔다. 그는 "대량살상무기 확산방지구상(PSI)을 하면 전략물자 싣고 가는 선박을 검문하게 될 텐데, 북한이 반발할 것"이라며 "총격전이 벌어지면 해전이 되고 해안포대까지 가세하면 전쟁으로 갈 수 있다"고 우려했다.

한편 김 전 대통령은 "북·미 관계는 이미 클린턴 대통령 시절에 문제가 해결이 돼 있었다"면서 "이제 그 길로 다시 가는 것"이라고 북·미 대화를 낙관했다.

그는 2002년 클린턴 행정부 시절의 북·미 대화와 관련 "그때 미국이 평양에 대사관 부지를 물색하는 정도까지 갔고, 북한은 돈이 드니까 유엔 본부에 있는 공간을 같이 이용하겠다고 하고 그랬다"고 비화를 밝히기도 했다.

그는 "클린턴 국무장관이 한국을 떠나는 비행기에서 '당신이 대통령 시절에 남편과 내가 함께 협력한 것은 즐거운 추억으로 남아 있다. 당신의 외환위기 극복과 대북 정책에 대해 항상 감사하고 있다'고 말했다"면서 "그때 (클린턴과 내가) 잘했다는 것 아니냐"고 반문했다.

김 전 대통령은 오바마의 대통령 당선은 미국 독립, 링컨의 노예 해방과 더불어 3대 혁명적인 사건이라며 "오바마는 정치·경제·외교 면에서 세계사적으로 중요한 역할을 맡고 있다"고 의미를 부여해 관심을 끌었다.

그는 오바마의 등장으로 인한 정치 개혁과 경제 개혁, 그리고 다극주의 외교 등을 예로 들어 "미국이 앞으로 정치적으로 일대 부흥기를 맞이해 다시 강력한 존재로 부상할 것"이라고 전망했다.

다음은 일문일답 전문이다.

요새 돌아가는 것 보면 상당히 걱정스럽다

김당 북한이 남북 간의 핫라인을 단절하고, 장거리발사체 실험을 예고한 가운데 이명박 정부는 대량살상무기 확산방지구상(PSI) 전면 참여 검토 의사를 밝히는 등 군사적 긴장 관계가 지속되고 있다. 어디에서부터 실마리를 풀어야 하나?

김대중 결론부터 이야기하면 이 문제는 이명박 대통령과 김정일 위원장이 풀어야 한다. 요새 돌아가는 것 보면 상당히 걱정스럽다. 북한에 대해 "기다리는 것도 전략"이라고 하는데, 이번에 개성공단에서 사람 붙들어 놓고, 동해안에 항공로를 제한해도 속수무책이 아닌가. 상황은 긴박해지고, 앞으로 서해 연평도 꽃게잡이 철도 오는데, 상당히 불길한 생각이 든다.

나는 이명박 대통령이 상당한 결심을 해야 한다고 생각한다. 본인도 6·15선언과 10·4선언을 존중한다고 했는데, 존중한다는 것은 실천한다는 뜻도 되니까 여기서 한 발 더 나가면 상당한 진전이 있을 것으로 본다. 북한은 계속 이 두 선언을 계승해서 실천하겠다고 했지 않았나?

지금은 상황이 너무 악화돼 있기 때문에, 소소한 일로는 진척이 없게 돼 있다. 이제는 그(두 선언) 점에 대해서 입장을 분명히 하고, 이 대통령이 대화를 해야 한다고 생각한다. (두 공동선언을) 이행한다는 전제하에 국무총리를 북한에 특사로 보내서 이 대통령의 진의를 이야기하고 정상회담을 요청해야 한다. 정상적으로 만나면 풀릴 것이다.

이명박 대통령이 후보 시절에 여기 오셨었다. 그래서 내가 대북 정책과 햇볕정책에 대해 이야기를 하니까 네 번 다섯 번 동의한다고 했다. 이 대통령은 미국 아시아협회에서도 그런 이야기를 해서, 최근에 한국에 왔다 간 (미국의 대북 정책 특별대표) 보즈워스 씨도 지난해에 만났더니 "이 대통령 연설을 들어보니 당신 생각하고 똑같더라"고 했다.

이명박 대통령도 생각이 상당히 있는 것은 사실인 것 같다. 이제 이 대통령이 결단을 내려서 통 크게 문제를 풀어 나가야 한다.

그래도 북한이 응하지 않으면 어떻게 할 거냐? 그건 두려워할 필요가 없다. 우리가 그렇게 양보할 것은 다 하고 대화를 요청했는데도, 북한이 안 나서면 우리 국민이 봐도, 국제적으로 봐도 북한이 나쁜 것이다. 또 북한이 두 공동선언을 인정하면 대화하겠다고 해 놓고, 대화에 응하지 않으면 그건 말이 안 된다.

이제는 소소한 일로는 해결 안 되고, 이 대통령이 김정일 위원장과 머리 맞대서 해결해야 하는데, 그 전에 두 선언에 대한 태도를 선명하게 한 뒤에 총리를 북한에 보내서 진의를 설명하고 성공적인 정상회담이 되도록 해야 한다.

그렇게 하지 않으면 우리 입장이 어려워진다. 미국은 북한과 다시 대화하려고 하지 않나? 6자회담이나 혹은 직접 회담을 통해서 북·미 관계는 상당히 풀려 갈 것이다. 이번에 인공위성이든 미사일이든 발사에도 불구하고 벌써 그런 태도가 나오고 있다. 어차피 우리도 그런 상황에서는 6자회담과 같이 가야 하기 때문에, 우리만 외톨이가 돼서는 안 된다.

1994년 (북·미)제네바회담 때 그렇게 하다가 우리가 얼마나 소외되고 손해 봤나. 이번에는 그렇게 하면 안 된다. 무엇보다도 남북 정상이 서로 만나 대화를 함으로써, 국민에게 안도감을 줘야 한다.

내가 6·15남북정상회담 때 김정일 위원장 만나고, 노무현 대통령이 10·4 정상회담 때 만났는데 그 10년 동안 우리 국민이 얼마나 마음 놓고 살았나? 과거에는 판문점에서 총소리 하나만 나도 피난 갈 준비를 했는데, 이제는 장

673

거리미사일 쏜다고 하고 심지어 핵실험을 해도 국민들이 끄떡 안 하지 않나? 그만큼 한반도에서 긴장이 완화됐던 것인데, 이제 다시 긴장이 높아지면서 국민들이 걱정하기 시작했다.

지금 다른 사람은 못 한다. 이명박 대통령이 결단을 내려서 정상회담을 해야 한다.

지금 다른 사람은 못 한다…… 이명박 대통령이 결단해야

김당 그동안에는 이명박 대통령의 흉중을 잘 아는 핵심 측근이 특사로 가서 정상회담을 제안해야 한다고 했는데, 오늘은 예를 든 것이기는 하지만 국무총리를 보내야 한다고 하셨다. 정부 간에 공식적으로 풀어야 한다는 취지인가?

김대중 국무총리는 행정부 2인자 아닌가? 이 대통령이 "행정부 2인자를 특사로 보내니까 상의하고 그다음에 나하고 직접 만나서 마무리 짓자", 그렇게 하라는 것이다. 북한은 두 공동선언을 인정하지 않는 이상은 대화를 안 한다. 우리가 볼 때는 틀림없다.

이런 긴장 상태가 계속되면, 사람이나 모든 것이 다 생물이기 때문에 무슨 일이 생겨날지 모른다. 북한이 연평 꽃게잡이 철에 서해 북방한계선(NLL) 인정 안 한다고 했기 때문에 사태가 커질 수 있다. 국민도 정부도 경각심을 갖고, 긴장을 강화시킬 수 있는 일, 예를 들면 삐라도 보내지 말고, 말도 조심해야 한다. 이건 약한 게 아니고 포용하는 것이다.

이렇게 유연성 있게 하지 않으면, 개성공단에서 사람들 억류해도 어떻게 할 수가 없지 않았나? 내가 부시 대통령에게도 말했지만, 대화는 마음이 통하는 사이에서도 하는 것이지만, 의심하는 사이에서 오히려 대화하는 것이다. 미국은 소련을 악마라고 했지만 대화했다. 대화는 마음이 통하는 사람과 하는 게 아니라 필요한 사람과 하는 것이다. 북한과 산적한 문제가 있는데, 대화가 아니면 무엇으로 풀 것인가?

지난 1994년 제네바협정을 맺은 미국의 갈루치는 "북한이 긴장 고조를 해도 참고 대화를 하면 결국 문제가 풀릴 것"이라고 했다. 보즈워스 대북 특별대표가 전화를 해 왔을 때도 내가 "인내와 지혜를 갖고 하면 이 문제를 풀 수 있다"고 했더니, "동의한다. 긴장을 강화시키는 일은 해서는 안 된다"고 했다.

그런 점에 있어서 우리가 미국과 보조를 맞춰야 한다. 왜냐하면 뭐라 해도 한반도 문제의 주역은 미국이다. 6자회담도 미국이 중국에 요청해서 시작한 것이고, 한반도 문제도 6자회담과 직접적으로는 북·미 회담을 통해 풀게 될 것이다.

김당 이런 상황에서 우리 정부는 어떤 스탠스를 취해야 한다고 보나.

김대중 우리가 적극 참여해야 한다. 노무현 정부 때 6자회담 대표를 했던 사람에게 들었는데, 남북 관계 좋으니까 북한 김계관 수석대표에게 귓속말도 하고, "당신들 그것은 어림없는 소리"라고 충고도 하고, 그리고 북한 대표가 한 말을 미국 대표에게 전해 줬다고 한다.

그렇게 되면서 미국 대표가 우리 대표에게 북한 태도를 알아봐 달라고 하고, 북한도 미국 생각을 알아봐 달라고 하면서 우리가 한몫을 했다. 그런데 지금 이 상태 같으면 완전히 아웃사이더가 된다.

이 대통령이 지금처럼 긴장을 고조시키는 북한에 대해 장이야 멍이야 하는 식으로 하지 말아야 한다. 우리가 북한에 대해 강자 아닌가. 북한이 지금 저렇게 하는 것은 약자가 최후로 "너 죽고 나 죽자" 하는 것이다. 북한으로서는 백성들 밥도 못 먹이고, 세계에서는 고립돼 있고, 재래식 무기에는 남측이 압도적으로 우세하고, 그동안 부시 정권에서는 자기네 정권을 뒤집으려고 하니까 잔뜩 긴장하고 겁먹은 것이다.

그리고 북한은 미국과 남한에 대한 적개심 갖고 국민들을 단결시키고 나라를 끌어온 것이다. 우리가 여기에 같이 대응하고 긴장시키는 것은 북한의 수에 넘어간 것이다. 대화 쪽으로 가야 한다. 대화는 필승의 요체다.

미국이 소련을 악마의 제국이라고 하면서 냉전 50년을 했지만, 대화를 했다. 헬싱키협정을 하지 않았나? 그렇게 화해하고 왕래하면서, 동쪽(동유럽) 사람들이 서방(서유럽) 와서 보고 "악마가 아니다, 어떻게 보면 낙원 아니냐." 라고 생각하게 되고 그렇게 민심이 동요한 것이 고르바초프의 개혁 개방으로, 동유럽의 민주화로 나타난 것이다.

강압으로는 공산주의를 바꾼 예가 없고, 또 대화로 공산주의를 바꾸지 못한 사례가 없다. 그런데 왜 우리가 필패의 길을, 절대 성공하지 못하는 길을 가나? 북한이 개방 못 하는 것은 두려움 때문이다. 북한 사람들이 세계를 알고, 자신들이 얼마나 비참한 것인지를 알면 정부 말을 듣지 않을 것을 두려워하는 것이다.

그런데 우리가 자꾸 북한을 자극하고 대화를 게을리하는 것은 김정일 위원장이 국민들 통제하는 것을 도와주는 것과 마찬가지다.

미국, 평양에 대사관 부지 물색했었다

김당 미국과 보조를 맞춰야 한다는 취지의 말씀인데, 미국은 6자회담과 함께 대량살상무기 확산방지구상(PSI)으로 압박하는, 강온 양면책을 쓰고 있다. 대량살상무기 확산방지구상(PSI) 참여 문제는 어떻게 보나?

김대중 대량살상무기 확산방지구상(PSI)을 하면 전략물자 싣고 가는 선박을 검문하게 될 텐데, 북한이 반발할 것이다. 총격전이 벌어지면 해전이 되고 해안포대까지 가세하면 전쟁으로 갈 수 있다.

지금은 대량살상무기 확산방지구상(PSI)이 필요한 게 아니다. 지금 북한과 미국은 클린턴 대통령 때처럼 화해 협력으로 가고 있다. 오바마 대통령은 당선된 뒤에 대북 정책에 대해서 "내 방식은 부시 대통령식이 아니다. 클린턴 대통령이 한 것을 보면 내 정책을 잘 알 것"이라고 했다.

힐러리 클린턴 미 국무장관이 한국에 오기 전에 아시아소사이어티에서 연설하면서 "북한이 핵을 완전히 포기하고 철저한 검증을 허용하면 국교를 정상화할 용의가 있다"고 했다. 이것은 중요한 이야기다. 2005년 9·19공동성명에 "북한은 핵을 검증 가능하게 완전히 포기한다. 미국은 북한과 국교 정상화한다. 북한에 대해 식량과 에너지를 지원한다. 동북아 평화 체제에 대해 논의한다"고 돼 있다. 북한은 아직도 이것을 지지하고 있는데, 클린턴 장관이 말한 것이 바로 그것이다. 거의 합의가 돼 있는 것이다.

과거 부시 대통령이 네오콘한테 휘둘려서 제대로 가다가도 뒤집고 뒤집고 하면서 상황이 이렇게 돼 버린 것이다.

내가 평양 갔을 때 김정일 위원장에게 "당신네한테 제일 중요한 것이 체제 안전과 경제 발전인데 그것을 해 줄 사람은 미국밖에 없다. 당신이 원하면 내가 클린턴과 대화하도록 중개를 해 주겠다"고 했다. 김 위원장에게 동의를 얻다시피 해서 내가 클린턴 대통령에게 말했고, 그 뒤에 올브라이트 미 국무장관이 평양에 갔고, 조명록 차수가 미국에 갔다.

그때 미국이 평양에 대사관 부지를 물색하는 정도까지 갔고, 북한은 돈이 드니까 유엔 본부에 있는 공간을 같이 이용하겠다고 하고 그랬다. 그런데 부시 대통령으로 정권이 바뀌면서 에이비시(ABC·Anything But Clinton) 정책을 썼는데, 그 5, 6년 동안 남은 것이 뭔가? 북한은 핵확산금지조약(NPT) 탈퇴했고, 국제원자력기구(IAEA)의 핵 감시 요원을 추방했다. 그리고 대포동 장거리미사일을 발사했고, 핵실험까지 했다.

그때 클린턴 대통령이 한 것처럼 했으면, 핵 문제는 제네바협정으로 다 끝난 것이었다. 그때는 주로 장거리미사일이 문제였다. 북한이 사정거리 500킬로미터 이상 미사일은 포기하는 조건에 합의를 했고, 정식 문서화는 클린턴 대통령이 미국 가서 하기로 했는데, 결국은 그렇게 못 됐다. 그래서 클린턴 대통령이 아쉽다고 했었다.

북·미 관계는 이미 클린턴 대통령 시절에 문제가 해결이 돼 있었다. 이제 그 길로 다시 가는 것이다. 클린턴 국무장관이 한국 떠나는 비행기에서 나에게 전화했을 때 의미심장한 말을 했다. "당신 대통령 시절에 남편과 내가 함께 협력한 것은 즐거운 추억으로 남아 있다. 당신의 외환 위기 극복과 대북 정책에 대해 항상 감사하고 있다"고 했다. 그때 잘했다는 것 아니냐?

이번에 보즈워스 특별대표도 전화를 해 왔을 때 "긴장을 촉진시켜서는 안 된다"고 했다. 이번에 미사일 발사하고 나면 유엔 안보리에서 의장 성명쯤이 나올 것이다. 그것이 지나고 나면 6자회담 국면으로 갈 것인데, 우리만 뒤처지면 안 된다. 결국 우리도 6자회담 참가해야 하고, 미국과 공조해 나가야 하기 때문이다.

김당 북한이 경제난에도 불구하고 최근에 미국의 추가 식량 지원까지 거부한 것을 어떻게 봐야 하는지?

김대중 나도 잘 모르겠다. 그런데 북한은 병적일 정도로 자존심을 강조하는 특성이 있다. 오바마 정권 들어오니까 그런 강경한 태도를 보이면서 큰 승부를 벌이려는 일환으로 그렇게 한 게 아닌가 그런 생각이 든다.

지난번 한·미 합동 군사훈련도 그런 성격이 있다. 우리가 북한에 대해서 당신들이 섣불리 하면 우리에게 이런 힘이 있다 과시한 것인데, 북한도 그런 과시를 한 것으로 본다.

정부는 개성공단 통행 차단 사태에서 아무 대응도 못 했다

김당 북한이 키리졸브 훈련 기간 동안에 3회에 걸쳐 개성공단 통행을 차단했는데, 이 상황에 대한 우리 정부의 대응은 어떻게 보나?

김대중 아무 대응도 안 했고, 아무 대응도 못 한 상태 아닌가? 우리 국민 수백 명이 볼모로 억류돼 있는데 쳐들어갈 수가 있나? 돈 주고 산다고 할 수가 있나? 그래서 그런 일이 없도록 북한과의 관계를 개선하라는 것이다. 그런 일은 또 있을 수 있다.

북한에게는 압박이나 군사적 위협으로는 문제 해결이 안 된다. 북한은 압력을 가할수록 반박하는 나라다. 우리에게뿐만 아니라 미국에도, 냉전 시절의 소련에게도, 중국에게도 그랬다. 북한 특성을 잘 알아야 한다. 북한은 코너에 몰린 쥐처럼 겁을 내고 있는 것이다. 미국이 이라크 쳐들어간 것을 보고 북한의 그런 태도가 더욱 강화됐다.

그렇기 때문에 우리가 먼저 대화 제의하면 체면 상한다고 생각하지 말고, 6·15공동선언과 10·4선언에 대한 태도를 분명히 하고, 대통령을 대신할 수 있는 총리가 북한에 가서 문제를 풀어야 한다. 그렇게 하면 북한도 한국이 태도를 바꿨다는 것을 인정할 것이다. 여기서 한 발 더 분위기를 개선하려면 개성과 금강산 관광을 풀어야 한다.

이 대통령께서 포용하는 입장에서 북한에 대해 어른스럽게 대하고, 북한과의 관계를 악화시키는 일은 자제해야 한다. 삐라는 한마디로 김정일 위원장을 중상하는 것인데, 북한 사회에서 김정일 위원장이 어떤 존재인가? 그러니까 북한이 발칵 뒤집혀서 화를 내는 것이다.

정부는 법률상 이것을 막을 수 없다고 하는데, 6·15공동선언 이후에 남북 간에 상호 비방을 하지 않기로 합의하지 않았나? 또 정부는 안 되고 민간은 가능하다면 그게 무슨 합의인가? 그리고 북한 입장에서는 정부가 이것을 못

막는다는 것은 상상도 못 하는 것이기 때문에, 정부가 뒤로 시키는 것으로 생각하는 것이다. 대통령이 (대북 삐라를 막는 법이 없으면) 법을 만드는 한이 있더라도, 또 직접 삐라 날리는 사람들을 설득하는 노력을 보여야 한다.

김당 지난 연말에 「한반도 평화를 위한 대강연회」에서 "이명박 대통령이 원한다면 함께 무릎을 맞대고 남북 문제를 논의할 용의가 있다"고 하셨는데, 혹시 이에 대해 청와대에서 어떤 반응이 있었나?

김대중 못 만났으니까 오늘 『오마이뉴스』 통해서 이 대통령이 좀 들으시라고 이렇게 얘기하는 것 아닌가.(웃음)

나는 대북 특사 적임자 아니다

김당 박지원 의원이 지난 1월 라디오 인터뷰에서 "김대중 전 대통령은 북한의 초청과 우리 정부의 요청이 있으면 방북할 의사가 있는 것으로 알고 있다"고 했는데, 남북 관계 타개를 위해 직접 나설 계획은 없나?

김대중 정부가 6·15공동선언과 10·4선언을 이행한다고 하면 고려해 볼 수 있는 일이라는 것이었다. 그런데 나보다는 이명박 대통령과 동일인 같은 입장에 있는 사람, 그러니까 총리나 총리 같은 사람이 가는 게 효과가 있고, 또 그 사람이 계속 이 대통령 곁에서 북한과의 합의를 지키는 것이 중요하다고 본다. 나는 "갈 생각이 있다, 없다"가 아니라 적임자가 아니다.

김당 북한은 최근 최고인민회의 대의원 선거를 실시해 후계 체제 문제에 관심을 끌었다. 향후 북한의 후계 체제 구도를 어떻게 전망하시는지?

김대중 그건 내가 잘 모른다. 일반적 입장에서 이야기하면 북한은 김 위원장이 아버지 때부터 수십 년 동안 권력을 장악한 가운데 군부, 당, 행정 분야의 각 요직에 자기 사람을 심었다. 이번 대의원 선거에서도 40퍼센트 넘게 교체해서 친정 체제를 더 강화했다. 북한의 지도자들은 전부 다 김 위원장의 편이기 때문에 김 위원장의 뜻이 그대로 관철될 것이라고 봐야 한다.

완전히 추측이지만, 김정일 위원장이 자기 아들 중 하나를 내세우고, 당과 군부, 행정부 사람들 중에서 영향력 있는 사람들을 일종의 연립내각 식으로 그 뒤에 포진하는 방식으로 가지 않을까 싶다. 그런데 지금 김 위원장이 건강이 좋아졌다고 하니까 그렇게 서두르지는 않을 것 같다.

오바마는 전 세계적으로 '모개흥정' 중, 미국은 그의 당선으로 다시 부상할 것

김당 지난 1월 15일 서울외신기자클럽 초청 기자 간담회에서, 오바마 대통령에게 "한꺼번에 줄 것은 주고, 받을 것은 받는 대담한 일괄 타결의 '모개흥정'을 하는 게 좋다"고 조언했는데, 구체적으로 어떤 프로세스를 염두에 두고 한 말씀인가?

김대중 우선 오바마 대통령에 대해 얘기를 좀 하겠다. 나는 지금 오바마 대통령이 세계에 중요한 일을 하고 있다고 본다. 아프리카계가 미국 대통령에 선출된 것은 미국으로 보면 미국 독립, 링컨의 노예 해방과 더불어 3대의 큰 혁명적인 일이다. 지금까지 3억 인구 중에 1억 6천만 명의 백인이 통치해 왔고 나머지는 아웃사이더였다는데, 이번에 아웃사이더 중에서 대통령이 나왔기 때문에 나머지 1억 4천만 명도 의욕적으로 참여할 것이다. 그리고 이번에 중요한 것이 백인들이 오바마 당선에 앞장선 것이다. 그래서 미국이 앞으로 정치적으로 일대 부흥기를 맞이할 것이고, 그래서 미국이 다시 강력한 존재로 부상할 것이라고 본다.

두 번째로 오바마 대통령이 경제에서 하는 것을 보면 공화당 정권과 반대로 하고 있다. 신자유주의는 부자 감세를 통해 투자와 일자리를 만들어 낸다는 것인데 그 결과 미국의 빈부 격차가 아주 심해졌다. 공화당 정권은 감세와 시장 자유화, 정부 간섭 일체 배제 정책을 쓰면서 우리가 보는 것처럼 주택 문제, 기업 부패, 모럴 해저드까지 나와도 정부가 방임했다.

이게 경제가 망가지는 원인이 됐는데 오바마 대통령은 중산층 중심으로 경제를 운영하려고 하고 의료보험 등 소외된 사람들을 위한 사회 개혁 정책을 하고 있다. 공화당 정권은 돈이 위에서 아래로 가는 방식이었는데, 오바마는 밑에서 위로 가는 것인데 이렇게 하면 성공한다. 우리도 돈이 위에서 밑으로 가게 하려는 경향이 있는데, 밑에서 위로 가는 식으로 바꾸지 않으면 우리도 공화당 정권 때처럼 실패할 우려가 있다.

세 번째로 오바마 대통령이 미국의 유일주의, 일극주의를 버리고 다극주의로 가면서 세계의 분위기를 바꾸고 있다. 오랫동안 미국의 숙제였던 이스라엘·팔레스타인 문제와 관련해, 기존의 이스라엘 지지에서 양자가 모두 독립국가로 공존해야 한다는 방향으로 가고 있다.

숙적이라고 할 수 있는 이란과도 대화하겠다고 하고, 이란도 응하겠다고 한다. 러시아와도 동유럽 미사일방어체제(MD) 문제로 신냉전 분위기까지 갔는데, 이걸 바꿔서 협력 분위기로 가고 있다.

그리고 인도네시아가 단일국가로는 세계 최대 이슬람 국가인데, 힐러리 클린턴 장관이 찾아간 것을 봐라. 아주 기가 막힌 외교적 제스처다. 이슬람하고도 관계 개선하겠다는 것이고, 한반도에서는 북한과 대화해서 해결하겠다, 6자회담 통해 해결하겠다는 것이다.

세계의 모든 분쟁을 한 번에 포괄해서 해결하겠다는 것인데, 그 기조는 일방주의가 아니라 상호주의, 일극주의가 아니라 다극주의와 공동 승리주의로 가고 있기 때문에 세계 분위기가 바뀌고 있는 것이다.

이 세 가지 점에서 오바마 대통령은 역사적으로 큰 역할을 시작한 것이고, 한반도에서뿐 아니라 전 세계적으로 모개흥정을 하고 있는 것이다.

한국에서의 모개홍정은, 아까도 말했던 것처럼 힐러리 장관의 아시아소사이어티에 연설에 나와 있다. "북한이 핵을 포기하고 철저한 검증에 동의한다면 북한과 국교를 맺을 용의가 있다"고 했는데, 이것은 오바마 정부의 대북정책 선언이다.

김당 힐러리 클린턴 국무장관이 방한해 유명환 장관 등과 회담하면서 통미봉남은 안 통한다고 강조했는데.

김대중 통미봉남을 않겠다는 것은 당연하다. 미국이 아무리 힘이 세도 한반도 문제를 한국의 협력을 받지 않고 해결하겠다는 것은 상상할 수 없는 일이고, 우리도 용납할 수 없는 것이다.

그런데 1994년에 그런 일이 실제 있지 않았나? 미국 국무부에서 "한국과 말하는 것이 북한과 말하는 것보다 어렵다"고 한탄하지 않았나? 미국이 통미봉남을 용납하지 않는다고 보지만, 상황에 따라서는 제네바회담 때처럼 돼버린다.

우리만 당한 게 아니고 일본도 당했었다. 일본이 그렇게 북한이 납치 문제 해결하지 않으면 테러지원국 해제는 안 된다고 그렇게 매달렸는데, 결국 미국이 해제하지 않았나? 국제 관계에서는 이해가 갈리면 항상 우리말을 듣는 것은 아니라는 것을 알아야 한다.

클린턴 장관의 전화, 한국 정부에도 북한에도 메시지

김당 클린턴 장관이 떠나면서 비행기에서 전화를 해와서 10분 정도 통화를 하셨는데, 언론에 공개되지 않은 게 있나.

김대중 클린턴 내외와 우리 내외의 사이가 좋다. 내가 1998년 6월에 미국에 가서 햇볕정책 설명할 때 클린턴 대통령은 그 자리에서 "전적으로 지지한다. 당신이 말고삐를 잡아라, 나는 조수석에서 돕겠다"고 했다. 그리고 그것을 철저히 지켰다.

그리고 우리도 평양에 정상회담 갈 때 미국에 자세하게 설명했다. 내가 "미국에 숨소리까지 알려 주라"고 했다.

클린턴 장관이 "당신의 외환 위기 극복과 북한과의 정상회담에 대해 감사하고 있다"는 것은 한국 정부에도 메시지가 되는 것이지만, 북한에도 메시지가 되는 것이다. 김대중 대통령과 같이 했던 것을 지금 다시 하겠다는 것이다.

김당 당시 1998년 6월에 백악관에서 초청자들을 접견할 때 비디오 아티스트 백남준 씨의 바지가 벗겨지는 일이 있었는데, 그걸 일종의 행위예술로 보셨는지, 어떻게 봤나?

김대중 아직도 모른다. 퍼포먼스인지 무엇이었는지……. 그런데 이 양반이 '빤스'를 안 입었더라.(웃음) 우리 내외와 클린턴 대통령 내외와 나란히 있었는데, (바지가) 확 내려갔다. 같은 한국 사람이라 당황해서 그걸 안 보고 클린턴 대통령 얼굴을 봤는데, 클린턴 대통령이 아주 재밌다는 얼굴로 웃고 있었다. 그래서 안심했는데 지금도 왜 그랬는지 모르겠다.

* 이 글은 『오마이뉴스』 회견문으로 2009년 3월 22일에 인터뷰하여 23일에 보도되었다. 『오마이뉴스』 김당 기자가 인터뷰하고 황방열 기자가 정리하였다.

자기 신념, 자기 철학에 충실해 성공하기를

강연 하버드대학교 케네디스쿨 학생들
일시 2009년 3월 24일

   김대중 전 대통령은 2009년 3월 24일 오후 4시, 연세대김대중도서관 컨벤션홀에서 미국 하버드대 케네디스쿨 행정대학원 학생 40여 명과 80여 분 동안 대화의 시간을 가졌다. 미국, 호주, 세네갈, 중국, 파키스탄 등 6개국 출신으로 구성된 방문단은 김대중 전 대통령과 한반도 문제, 글로벌 경제 위기, 리더십 등에 대해 대화를 나누었다. 이들 케네디스쿨의 방문은 2006년 3월 처음 방문한 이후 이번이 세 번째다. 다음은 대화 내용이다.

   학생 대표 대통령님, 이렇게 만나 뵙게 되어 대단히 영광입니다. 대통령님께서는 어려운 상황에서도 집념과 용기를 가지고 공공의 선을 위해 투쟁해오신 분으로서 한국의 정신을 살리신 저희의 본보기이십니다. 대통령님은 평화와 포용의 정책으로 한국의 통일을 위해 헌신하셨는데 이것은 저희에게 미래에 대한 희망입니다. 대통령님께서 국민의 뜻 속에서 삶을 이어오심으로써 본보기가 되셨듯이, 저희도 그렇게 할 수 있도록 최선의 노력을 다하겠습니다. 대단히 감사합니다.

김대중 여러분은 장차 세계 도처에서 지도자의 역할을 맡을 분들입니다. 그런 케네디스쿨의 젊은 인재 여러분을 볼 수 있어 대단히 영광입니다. 저는 오늘 두 가지 분야에 대해 말씀드리겠습니다. 첫째는 오바마 대통령의 출현 의미와 그것이 전 세계에 어떤 변화를 가져올지에 대한 개인적인 견해입니다. 또 하나는 아시다시피 지금 한반도에는 북핵 위기로 긴장이 고조되고 있습니다. 과연 이것이 평화적으로 해결될 수 있을지에 대한 말씀도 드리겠습니다.

오바마의 출현, 미국 앞날에 큰 희망 있다

김대중 오바마 대통령의 출현은 정치적으로는 가히 혁명적인 사건이라 할 수 있습니다. 아프리카계가 대통령이 되었다는 것이죠. 지금까지는 3억의 미국 인구 중 백인 1억 6천만 명 중심으로 국정이 운영되었는데 이번에는 아프리카계 미국인이 미국을 대표하게 되었습니다. 더욱 놀라운 것은 백인들이 앞장서서 오바마를 당선시켰다는 것입니다. 이는 참으로 감동적인 일입니다. 미국은 이제 백인과 유색인종, 즉 피부 색깔과 상관없이 3억이 하나로 뭉쳐서 새로운 미국을 건설해 갈 것으로 봅니다. 그런 의미에서 미국의 앞날에는 큰 희망이 있다고 생각합니다.

저는 오바마 대통령의 출현은 조지 워싱턴의 미국 건국, 링컨의 노예 해방과 더불어 미국 역사의 3대 사건 중 하나라고 생각합니다. 오바마 대통령의 출현은 미국 사람들뿐만 아니라 세계 사람들에게도 의의가 큽니다. 아프리카인 등 세계에서 소외되었던 사람들이 오바마의 당선을 보고 희망을 갖게 되었고, 감동을 가지고 새로운 시대의 도래를 기대하는 등 변화의 분위기가 조성되었다고 생각합니다. 따라서 오바마 대통령 시대에는 세계의 모든 민족들, 선진국이나 소외된 사람이나 구별 없이 모든 민족들이 서로 사랑하고 존경하는 분위기가 일어날 것으로 기대하고 있습니다.

오바마 대통령, 미국 경제를 든든하게 재건할 것

김대중 두 번째, 경제적으로 보면 미국은 큰 경제적 난관에 처해 있습니다. 이는 그동안 부자를 위한 감세 정책, 기업의 규제 완화로 인한 모럴 해저드의 심화, 비능률 등 신자유주의를 추진한 결과로 인해 발생한 것입니다. 마침내 이번과 같이 빈부의 격차가 커지고, 금융기관의 부실한 대출, 주택모기지 등 이 문제를 드러내면서 전반적인 경제 위기가 도래하였습니다. 그러나 이제 오바마 대통령은 새로운 정책을 수용해서 시장경제는 유지하지만 돈을 많이 가진 자는 세금을 많이 내게 하여 빈부 격차를 줄이고, 기업들의 자유로운 경영은 보장하지만 잘못된 경영과 도덕적 해이 등에는 정부가 개입하겠다는 태도를 취하고 있습니다. 특히 의료보험을 획기적으로 개선하여 3억의 미국 인구가 다 함께 지지하는 가운데 서민과 중산층을 위한 정책을 취하면서 미국 경제는 큰 발전을 할 것으로 봅니다. 돈을 아래로 내려가게 하여 거기에서 구매력이 생겨 소비가 발생하고, 상점의 물건이 팔리고, 그러면 기업의 공장들이 돌아가서 경제가 살아나는 정책을 추진하는 움직임을 보이고 있으므로 오바마 대통령이 경제를 든든하게 재건할 것입니다.

오바마 대통령, 세계 모든 나라와 협력, 세계 평화에 공헌

김대중 세 번째로는 국제 문제입니다. 미국은 과거 오랫동안 일방주의 외교 때문에 세계와의 협력은 좀 부족한 경향이 있었습니다. 부시 대통령의 안하무인격인 이라크 침공 때문에 세계적으로 미국의 이미지가 크게 손상되는 경우도 있었습니다. 그런데 이제 오바마 대통령이 들어서면서 일극주의에서 다극주의, 즉 세계 모든 나라들과 협력하는 움직임을 보이고 있습니다. 오바마 대통령은 중동에서 과거 미국의 이스라엘 중심 정책에서 이스라엘과 팔레스타인 양자 모두 독립국으로 공존하고 협력할 수 있는 정책을 추진하고 있는 것으로 압니다. 이는 매우 획기적인 변화입니다. 그리고 그동안 적대적 관계였던 이란, 시리아와도 대화를 하겠다고 하고, 이란과 시리아도 긍정적인 신호를 보내고 있는데 이는 매우 중대하게 세계 평화에 공헌할 것으로 봅니다. 그리고 러시아와 동유럽 미사일방어체제(MD) 배치 문제로 새로운 냉전 기류가 형성될 뻔했는데 이 역시 새로운 해결책을 모색 중입니다. 잘 해결되어 나갈 징조가 보이고 있습니다.

최근 클린턴 국무장관이 아시아를 순방했을 때 인도네시아를 방문했는데 인도네시아는 세계 최대의 이슬람 국가입니다. 이는 아주 멋진 행동이었습니다. 이 방문을 통해 이슬람과 서구 사회, 기독교 문명이 서로 화해하고 협력해 나가는 방향이 설정되고 있음을 느낄 수 있는데, 이것이 실현되면 전 세계적으로 화해 무드가 조성될 것이라고 생각합니다. 이렇게 되면 세계 모든 나라가 화목하게 살 수 있을 뿐만 아니라 전쟁 없는 세계의 실현이라는 우리의 꿈에 한발 한발 다가갈 수 있다고 생각합니다.

이렇게 볼 때 저는 미국은 정치적으로, 경제적으로, 국제 문제에서 새로운 길을 가고 있고, 희망이 있으며, 미국 국민뿐만 아니라 세계인으로부터 지지를 받을 것이라고 봅니다. 너무 낙관적으로 들릴지 모르겠지만 그런 희망의 조짐을 찾을 수 있다는 것은 어려운 시기에 하나의 구원이 되고 힘이 된다고 생각합니다.

북한 미사일, 6자회담과 북·미 대화에서 문제 푸는 계기 될 것

김대중 다음은 한반도, 북한 핵 문제를 중심으로 말씀드리겠습니다. 잘 아시다시피 북한은 4월 초에 그들이 말하는 인공위성, 일부에서 말하는 미사일을 발사하게 되어 있습니다. 그러나 저는 이 문제로 인해 무력 충돌과 긴장이 고조되는 방향이 아니라, 이것을 계기로 6자회담을 중심으로 미국과 북한이 직접 나서서 문제를 풀어 가는 계기가 될 수 있다고 생각합니다. 여러분이 아시다시피, 오바마 대통령은 당선 후 북핵 문제, 한반도 정책 질문에 대해 "내 정책은 부시의 정책이 아니라 클린턴의 정책을 보면 알 수 있다"고 말한 바 있습니다. 클린턴 대통령은 북한과 제네바회담을 하여 북한이 핵을 포기하는 대신 경수로를 제공하기로 했는데 부시 대통령이 나중에 중단시켜 버렸습니다. 또 클린턴 대통령은 북한에 대해서 "핵을 포기하면 미·북 관계를 정상화시키겠다. 그 대가로 북한은 장거리미사일을 포기하라"고 했고, 대체로 합의가 되었습니다. 당시 미국은 평양에 미국대사관 부지를 물색할 정도까지 북·미 관계가 진전이 되었습니다.

이것은 2000년 얘기인데 이런 북·미 협상에 앞서 저는 6월에 북한을 방문해서 남북 간 긴장 완화, 화해 협력에 대해 합의를 했습니다. 그리고 미국 문제에 대해 김정일 위원장에게 "당신에게 제일 중요한 문제는 안전과 경제 문제인데 미국이 이를 해 줄 수 있는 유일한 나라다. 그러니 미국과 대화를 해서 풀어 가는 게 좋겠다."라고 권유했고, 김정일 위원장도 공감을 표시했습니다. 서울로 돌아와서 저는 클린턴 대통령에게 전화를 해서 상황을 보고하고 북한과 잘 협의하도록 부탁했습니다. 그래서 거의 문제가 해결되었는데 클린턴 대통령 임기가 끝나서 부시 정권으로 넘어가면서 부시 대통령은 아시겠지만 에이비시(ABC·Anything but Clinton) 태도를 취하면서 북한 문제를 어렵게 만들었습니다. 몇 년 전 이 사무실에 클린턴 대통령이 오셔서 "임기가 1년만 더 있었다면 모든 것을 해결할 수 있었는데 그러지 못해 아쉽다."라고 말했습니다.

오바마 대통령, 클린턴 정책을 참고할 것

김대중 오바마 대통령이 "클린턴 정책을 참고하겠다. 거기에 내 정책이 있다."라고 기자에게 말한 것을 보면, 북한과 직접 대화하고, 줄 것 주고 받을 것 받는 일괄 타결로 모든 것을 해결하겠다는 것을 오바마 대통령이 염두에 두고 있는 것으로 해석됩니다.

최근에 클린턴 국무장관의 아시아 순방 전 미국의 아시아협회에서 연설을 했습니다. 거기에서 클린턴 장관은 "북한이 완전히 핵을 검증 가능하게 포기하면 북한과 관계를 정상화하겠다"고 했습니다. 이것이 바로 오바마 대통령의 대북 정책이라고 생각합니다. 이번에 미사일 사태가 지나고 나면 6자회담을 진행시키기로 미국과 중국 사이에서 이야기가 진행되고 있는 것 같습니다. 6자회담이 재개되면 이는 오바마 정권 출범 후 첫 협상인데 조금 전 말씀드린 클린턴 장관의 말대로 북한은 핵을 포기하고, 우리는 북한과 외교하고, 한반도 평화 정착은 실천 단계로 들어가게 됩니다. 물론 그 사이 여러 우여곡절이 있을 것이고 북한이 다루기 매우 힘든 나라임에는 틀림없지만 큰 흐름으로 보면 그렇게 가지 않겠나 짐작합니다.

어떤 일 있어도 전쟁은 막아야 한다

김대중 우리는 어떤 일이 있어도 전쟁은 막아야 합니다. 유엔 사령부 추산에 따르면 한반도에서 전쟁 발생 시 서울 지역만 하루에 150만 명의 사상자가 발생한다고 합니다. 전국이면 그 수치가 얼마나 되겠습니까? 물론 북한도 철저히 파괴될 것입니다. 우리 민족이 없어질 수도 있고, 동아시아 지역에도 직간접적인 영향을 미칠 것입니다. 그러므로 반드시 우리는 모든 것을 대화를 통해 평화적으로 해결해야 합니다. 조금 전 말씀드린 오바마 대통령의 정책이 그렇고, 클린턴 장관의 발언도 있고, 북한도 핵 포기와 국교 정상화에 대해서는 이미 동의했습니다. 이는 2005년 9월 19일 발표된 6자회담 공동선언에 들어 있는 내용입니다. 모든 것이 사실상 합의되어 있으므로 실천의 문제인 것입니다. 저는 오바마 대통령과 클린턴 국무장관이 이 문제를 실천할 의지가 있다고 생각하고 여기에 대해 마음으로부터 한반도 평화가 합의되기를 기대하고 있습니다. 제 말씀은 여기서 마치고, 여러분에게 참고가 되고 도움이 되길 바랍니다.

질의응답

질문 북핵에 대한 말씀도 하셨고 현재 상황에 대한 말씀도 하셨는데 과연 한국에 평화와 통일이 가능할까요? 우리가 살아 있는 동안에 이루어질 수 있을까요?

우리의 통일은 필연이다

김대중 저는 한반도 통일은 가능하다고 생각하고 있습니다. 그 이유는 두 가지입니다. 첫째 우리는 1,300년 통일 민족입니다. 그 사이 두 번 분열되었지만 다시 통일됐습니다. 우리는 긴 세월 통일국가, 단일민족, 단일문화, 단일언어를 사용했기 때문에 따로 살아야 할 이유가 없을 뿐 아니라 우리의 분단은 2차대전 이후 미국과 소련의 편의에 의해 발생한 것이지 우리가 스스로 초래한 것은 아닙니다. 그런 의미에서 우리의 통일은 필연적이라고 생각합니다.

두 번째는 독일통일은 성공을 보고 있는데, 이는 빌리 브란트의 동방정책의 산물입니다. 동방정책은 전쟁을 피하고 동독과 평화적으로 살면서 화해 협력하고, 서로 돕고, 교류하자는 것입니다. 이 정책은 성공하여 통일로 이어졌습니다. 독일통일은 서독이 강요한 것이 아니고 동독 사람들이 스스로 통일을 하자고 베를린 장벽을 뚫고 들어온 것입니다. 그것은 서독이 동독에 선의를 가지고 지원해 온 결과입니다. 서독은 동독에 20년 동안 약 600억 달러를 지원했습니다. 이는 동독 사람들이 서독을 동경하고 서독과 통일하고 싶다는 마음을 가지게 했습니다. 우리의 정책도 그와 같습니다.

우리 한국에서도 제가 햇볕정책을 주장했습니다. 평화적으로 공존하고 교류 협력하다가 양쪽이 이만하면 통일해도 되겠다는 때 하자는 것인데 이 3원칙 즉, 평화 공존, 평화 교류, 평화 통일은 빌리 브란트의 정책과 일맥상통하는 것입니다. 제가 2000년 김정일 위원장에게 이 원칙을 얘기하고 합의를 봤습니다. 그래서 저는 독일이 성공한 통일을 우리도 해낼 수 있다고 생각합니다. 남북 모두 통일하면 서로에게 좋고, 안 하면 좋지 않습니다. 특히 전쟁은 양자에 엄청난 일이고 그래서 통일이 안 될 이유가 없다고 생각합니다.

그러나 독일통일은 성공은 했지만 통일 후 동서독 사람들의 정신적 갈등은 매우 컸습니다. 지금도 계속되고 있습니다. 제가 1993년 독일 본으로 폰 바이체커 대통령을 뵈러 갔을 때, 당시 폰 바이체커 대통령은 "베를린 장벽은 무너졌어도 마음의 장벽은 무너지지 않았다. 어떤 의미에서 통일은 실패다."라고 한탄하는 것을 들은 바 있습니다. 동서독 간의 마음의 장벽이 무너지지 않았던 것은 서독이 동독을 흡수 통일하고, 많은 동독인들을 숙청하고, 서독인들이 동독으로 가서 지배했기 때문이라고 생각합니다. 우리는 독일의 평화와 협력을 통한 통일 준비에는 동의하지만 갑작스럽게 흡수 통일하지 않을 것입니다. 남북이 통일된 후에는 미국의 연방제처럼 중앙정부가 외교와 국방권을 갖지만 북한은 지역 정부로 해서 자신들의 문제를 관리할 수 있게 하고 우리는 필요하면 도와주는 식이 좋지 않을까 생각합니다.

질문 많은 탈북자들이 한국에 살면서 차별도 받고 이등 시민 취급을 받는 것으로 알고 있습니다. 한국 정부에서 이들을 더 잘 적응시킬 수 있도록 어떤 일을 할 수 있습니까?

김대중 지금 한국에는 18,000명의 탈북자가 있습니다. 여기에 대해 정부는 최선의 노력을 하고 있습니다. 그들에게 주택을 알선하고 있고, 정착금을 주어서 생활할 수 있도록 지원하고 있습니다. 그리고 직업 훈련을 시키고 있습니다. 그래서 상당수는 안정을 찾고 있습니다. 우리는 과거 6·25전쟁 때 수십만의 북한 피란민이 내려왔습니다. 당시 정부는 뭘 해 줄 능력이 없었습니다. 하지만 북한 출신들이 강한 생활력을 가지고 난관을 극복해서 정착에 성공하는 것을 봤습니다. 이번에는 정부가 지원도 해 주니 더 잘 정착하지 않나 짐작합니다.

질문 10년 전 한국은 외환 위기를 겪었고 대통령님의 리더십으로 잘 극복했습니다. 상황은 많이 다르지만 미국의 경제 위기 극복을 위한 조언을 해 주시겠습니까?

경제를 살리는 것은 국민과 세계의 협력

김대중 아주 어려운 질문입니다. 내가 그런 질문에 답변할 충분한 지식은 없습니다. 그러나 경험을 통해 보면 국민이 지지하고 세계가 협력하면 위기는 극복할 수 있습니다. 제가 외환 위기를 그렇게 단기간에 극복한 것은 국민의 적극적인 협력 때문입니다. 당시 국민은 금 모으기 운동을 했습니다. 제가 대통령에 취임할 당시 달러는 38억 달러밖에 없었는데 금 모으기 운동을 통해 21억 달러나 모아 주었습니다. 그리고 미국, 유럽, 국제통화기금(IMF)이 지원해 주어 극복할 수 있었습니다. 중요한 것은 경제를 살리는 것은 국민의 협력, 세계와의 경제 협력입니다. 구체적인 것은 조금 전 오바마 대통령의 경제 정책을 말씀드릴 때 했으니 생략하겠습니다. 참고로 제가 퇴임할 때 달러는 38억 달러에서 1,600억 달러로 늘어나서 세계 4위 외환 보유고를 가지게 되었습니다.

질문 저희 대부분은 각각 속한 나라의 리더 또는 비정부기구(NGO) 활동을 하고 있습니다. 아직 어리기 때문에 경험은 많이 없습니다. 그래서 드리는 질문인데요. 저희가 본받고자 하는 선배들의 경험과 지식을 어떻게 성공적으로 잘 활용할 수 있을까요? 좀 추상적인 질문입니다만, 대통령님의 경력에 비추어 조언을 부탁드립니다.

자기의 신념, 자기의 철학에 충실하라

김대중 생각지도 않은 질문이어서 약간 당황스럽습니다. 제 경험에 의하면 인생을 살아가는 데 한번 목표를 세우면 포기하지 않고 밀고 나가야 합니다. 저는 국회의원에 네 번 떨어지고 다섯 번째에 당선되었지만 그것도 군사쿠데타에 의해 못 했습니다. 대통령 세 번 떨어지고 네 번 만에 간신히 당선되었습니다. 저는 또 5-6년을 감옥에 있었고, 2년을 망명했고, 그리고 20년 가까이 연금 생활을 하는 고통을 받았습니다. 하지만 저는 한 번도 제 신념에 의심을 가져 본 일이 없고, 한 번도 우리 국민이 독재를 물리치고 민주주의를 이룰 것이라는 신념을 버린 적이 없었습니다. 항상 내 양심에 바르게 사는 것이, 설사 좋은 결과를 못 보더라도, 그것 자체가 값진 인생을 산 것이므로 아깝지 않다고 생각했습니다. 제가 사형 선고를 받았을 때, 군부 지도부에서 "우리한테 협력하면 살려 주겠다. 그렇지 않으면 죽이겠다"고 했습니다. 저는 "나도 죽기는 싫지만, 당신들과 협력하면 일시적으로는 살지만 역사와 국민 속에 영원히 죽고, 그렇지 않으면 지금 죽어도 역사와 국민 속에 영원히 살 것이니 영원한 삶을 택하겠다."라고 말했습니다. 여러분께 드리고 싶은 말씀은 자기의 신념, 자기의 철학에 충실하고, 중도에 그만두지 말고 열심히 그 길을 추구하면 성공의 길을 볼 것이라는 것입니다. 혹시 성공하지 못하더라도, 노력한 그 자체가 성공이니까 그것으로 값있는 인생이고 그 의미에서 또 성공이라고 생각합니다. 그 당시 저의 사형 선고 문제는 전 세계에 폭풍과 같은 반발을 일으켰습니다. 그래도 군사정부는 완강하게 사형을 집행하겠다고 했는데 그때 저를 결정적으로 살린 것은 미국의 카터 대통령과 그의 후임인 레이건 대통령 두 분의 노력입니다. 이 두 분에게 항상 감사하고 있습니다.

질문 한국은 분단이라는 상황에서도 경제적, 기술적으로 눈부신 발전을 이루었습니다. 향후 한국의 역할은 무엇입니까?

김대중 한국은 4대 열강인 미국, 일본, 중국, 일본에 둘러싸여 있습니다. 우리의 운명은 4대국의 영향을 받았습니다. 그러므로 우리는 앞으로 이 4대국과 긴밀한 관계를 맺고 협력하면서 안정과 발전을 추구하여야 합니다. 아까 말씀드린 6자회담의 2005년 9월 19일 성명에는 6자회담 당사국이 동북아의 평화와 안정 구축을 위해 노력한다는 내용이 포함되어 있습니다. 저는 이런 움직임을 전폭적으로 환영하고, 6자가 서로 안정과 평화뿐만 아니라 경제적, 문화적 협력도 이루어 나간다면 동북아에는 확고한 평화와 상호 협력이 이룩될 것으로 믿습니다.

학생 대표 대통령님, 연설과 말씀을 듣고 배울 기회가 있어 큰 영광으로 생각합니다. 저희 모두는 이 순간을 절대 잊지 못할 것입니다. 대통령님의 의지, 용기에 경의를 표하며 감사드립니다. 작은 선물로 감사의 마음을 전해 드리면서 저희를 꼭 기억해 주십사 하는 부탁도 함께 드립니다.

김대중 진정한 영재들이 모인 자리에서 테스트를 받은 기분인데 오늘 낙제나 안 했으면 좋겠습니다.(웃음) 다시 한번 와 주셔서 대단히 감사합니다.

일본은 평화헌법을 지키고 세계 평화에 기여해야

대담 와카미야 요시부미

일시 2009년 4월 22일

북한의 미사일 발사가 유엔 안보리의 의장 성명으로 비난받고, 이에 반발한 북한이 6자회담에서 이탈했다. 한편, 오바마·미국 대통령은 '핵 폐기'를 목표로 하는 획기적인 연설을 했다. 일관되게 북한에 대한 '햇볕정책'(태양정책)을 주장해 온 한국의 김대중 전 대통령은 지금 무엇을 생각하는지 서울에서 들어 보았다.

북한의 안전을 보장하고 달래며 가야 한다

와카미야 북한이 미사일 발사를 강행했습니다. 어떻게 보십니까?

김대중 북한의 재래식 무기는 한국과 비교해 훨씬 성능이 떨어지고, 전차나 비행기는 낡고 연료도 부족해 훈련도 충분히 할 수 없습니다. 그래서 핵이나 미사일을 개발해 "너 죽고, 나 죽자"는 벼랑 끝 전술을 하고 있는 것입니다. 그러나 핵으로 국민을 먹일 수는 없고, 북한의 핵은 미국의 핵과 비교하면 매우 빈약합니다. 북한은 미국이나 일본과 국교를 체결해 안전을 보장받고, 굶주림에 고생하는 국민의 생활을 지키고 싶어 합니다. 협상을 하고 싶어

하는 것입니다.

　오바마 대통령은 선거 중, "대통령이 되면 북한에 가서 직접 대화할 용의가 있다"고 했습니다. 힐러리 클린턴 국무장관도 아시아 순방에 앞서 "북쪽이 핵을 완전히 포기하면 국교를 맺고 평화협정에 협력할 용의가 있다"고 연설했습니다. 나는 많이 기대하고 있습니다.

　와카미야 그런 오바마 정권이 등장했는데도 왜 강경책을 펼까요?.

　김대중 협상의 가격을 끌어올리고 싶은 거지요.

　와카미야 유엔 안보리 비난에 반발한 북한은 6자회담을 이탈했습니다.

　김대중 이런 상태가 몇 개월간 계속될 것입니다. 미국은 북한과 물밑에서 접촉하고, 모든 문제를 일괄 타결하는 방향으로 갈 수밖에 없을 것이며, 그렇게 될 것으로 예측하고 있습니다. 그러한 전망이 서면 오바마 대통령이나 클린턴 국무장관도 북한을 방문할 가능성이 대단히 큽니다. 북·미의 합의안이 6자회담에서 추인되고 각국에서 적극적으로 협력을 얻으면 큰 성과를 얻을 수 있습니다.

　와카미야 북한이 정말로 핵이나 미사일을 포기할 가능성이 있을까요?

　김대중 클린턴 정권 시절인 1994년에 제네바에서 포괄 합의를 해서 북한은 핵을 포기하고, 대가로 북한에 경수로를 지어 주기로 했습니다. 2000년 6월에는 내가 북쪽에 가서 남북정상회담을 한 결과, 북·미 간 대화가 이루어져 북한은 미사일 발사를 동결하는 데도 응했습니다.

　와카미야 김정일 위원장은 진심이었습니까?

　김대중 나는 "이 세상에서 북한의 안전을 해결할 수 있는 나라는 미국밖에 없다. 미국과 관계를 개선하라"고 설득했습니다. 김정일 위원장은 "북·미 관계가 정상화하면 미군이 한반도에 영구히 주둔해도 좋다"고 말했습니다. 그는 "조선왕조 말기에 중국, 일본, 러시아로부터 얼마나 괴롭힘을 당했는가?

우리를 공격하지 않는다는 보장이 있다면, 동아시아의 안정을 위해 미군은 필요하다"고 말했습니다. 그는 솔직한 사람으로, 머리도 좋습니다.

와카미야 중국을 경계하고 있다는 말씀이네요.

김대중 그렇습니다. (중국에 대해) 심한 말도 했습니다.

와카미야 그래서 당시에 북·미 관계에 진전이 있었습니까?

김대중 클린턴 대통령은 햇볕정책을 완전히 이해해 주었습니다. 북한과 대화가 진행되고, 미국은 평양에 대사관 부지까지 물색했습니다. 그런데 부시 정권이 들어와 북한을 '악의 축'이라 하며 제거하려고 하자 관계는 악화일로를 걸었습니다. 북한은 미국의 이라크 침공(2003년)을 보고 자기들도 침공당하는 것이 아닐까, 굶어 죽게 하려는 것은 아닐까 걱정하고, 또 핵을 만드는 쪽으로 나아갔습니다.

와카미야 2002년 가을 방북한 켈리 특사는 "우라늄 농축형 핵을 개발하고 있다"고 주장했고, 북한도 이를 인정했다고 알려지고 있습니다. (우리가) 속고 있었던 것은 아닐까요?

김대중 켈리 특사의 압박에 대해 북한은 "우리들을 괴롭히면 우라늄 농축형 그 이상의 것도 가질 수 있다"고 대답한 것으로 알고 있습니다. 실제로 미국은 그 후 북한에 우라늄 농축형이 있다는 것을 증명할 수 없었습니다. 켈리 발언은 네오콘들이 일으킨 것입니다. 그러한 강경한 태도로 누가 손해를 보았습니까? 북한은 핵확산금지조약(NPT)을 탈퇴하고, 국제원자력기구(IAEA) 감시단을 추방하고, 장거리미사일을 발사하고, 끝내는 핵실험까지 했습니다. 부시 정권이 그렇게 하도록 한 것과 마찬가지입니다. (부시 임기) 마지막에는 유연해졌습니다만……

와카미야 북·미가 다시 합의하는 길은 없습니까?

김대중 2005년 9월 6자회담에서 합의한 공동성명이 있습니다. "북한은 핵을 완전히 포기하고, 미국은 북한과 국교를 정상화하고, 북·미는 협력해서 (한반도) 평화 체제를 만들고, 미국은 북한에 식량과 연료를 지급한다"는 것입니다. 그리고 이 모두를 "행동 대 행동으로 한다"고 되어 있습니다. 이 선언으로 되돌아가는 것입니다.

와카미야 경제난 속에 있는 북한은 핵이나 미사일의 본격적인 수출을 노리고 있다는 견해도 있습니다.

김대중 그것은 쉽지 않을 뿐 아니라 하게 되면 징벌을 받게 됩니다. 돈을 벌고 싶다면 동북아시아의 평화에 참가하고 미국 등 모든 나라와 국교를 체결해서 국제통화기금(IMF)이나 세계은행, 아시아개발은행 등의 지원을 받고, 일본과 국교 정상화해서 식민지 지배의 배상을 받는 편이 더 좋습니다. 북한은 지금은 가난하지만 잠재력은 매우 큽니다. 풍부한 지하자원과 관광자원, 대단히 우수하고 싼 노동력이 있기 때문입니다. 이것들을 잘 활용하면 발전할 수 있습니다.

중국도 북한이 핵 보유국이 되는 것은 절대 반대입니다. 이전에 장쩌민 국가주석을 만났는데, 그는 주위를 신경 쓰지 않는 큰소리로 북쪽의 핵 보유에 반대했습니다. 북한이 핵을 가지면 한국도 핵을 갖겠다고 말을 꺼내고, 일본에서도 그러한 여론이 높아질 것입니다. 중국은 일본의 핵은 절대로 바라지 않기 때문에 북한의 핵에 대해서도 단호히 반대합니다. 이런 중국의 말을 듣지 않아서, 중국까지 함께 북한을 경제 봉쇄하면 어떻게 북한이 버틸 수 있겠습니까?

중요한 것은 북한이 안심하고 사는 길을 열어 주면서 달래며 가는 것입니다. 북한에서는 인민이 굶어 죽어도 체제 유지와는 바꿀 수 없습니다. 잔인한 것 같지만 정말입니다. 그리고 체면을 병적으로 중요시하고, 냉전 시대에는 소련과도, 중국과도 대결했습니다. 그것을 잘 분별하지 않으면 안 됩니다.

와카미야 그렇다면 햇볕정책(태양정책)은 어떠합니까?

김대중 남북정상회담 이후 이산가족 상봉은 비약적으로 늘어났습니다. 북한은 서울 공격의 최전방인 개성의 군대를 이동시켜 군사 기지를 우리들의 공업단지로 내줬습니다. 금강산에서는 최전선 군항을 관광용으로 내주고 후퇴했습니다. 북한은 양보할 때는 양보하고, 개방할 때는 개방합니다. 북한의 특성을 잘 생각하면서 하면 성공합니다.

와카미야 그러나, 작년 여성 관광객 사살 사건을 계기로 금강산 관광이 중단되고, 개성공업단지도 어려운 상태입니다.

김대중 근본적으로는 이명박 정권의 강경 자세에 북한의 불만이 있었지만, 이 대통령의 발언에도 변화가 나타나고 있습니다. 오바마 정권이 북한과 대화하고, 6자회담이 재개되면, 오히려 이번 미사일 발사가 전환점이 될 수 있습니다.

와카미야 한국은 북한에 거액의 자금도 보냈지만, 돌아오는 것은 부족하다는 비판도 있습니다.

김대중 북한에 보낸 비료나 식량의 포대에는 한국 이름이 적혀 있습니다. 질이 좋아 쇼핑 가방 등으로 사용되고 있습니다. 북한 사람들은 (한국의 식량과 비료 지원에) "남한이 우리들을 멸망시킨다든가 가난하다든가 들어왔는데 사실이 틀리지 않은가. 우리들도 남한처럼 살고 싶다." 이런 생각을 하게 되었습니다. 그래서 문화의 변화도 나타나고 있습니다. 지금 남쪽의 대중가요를 부르고, 남쪽의 드라마나 영화를 보고 있습니다. 민심에 큰 영향을 주고, 긴장이 줄어들었습니다. 그리고 10년 가까이 평화를 향유해 오지 않았습니까?

와카미야 낙관적으로 생각하시는군요.

김대중 공산국가를 봉쇄해서 성공한 예는 역사에 없습니다. 소련이나 동유럽도 헬싱키선언(1975년)으로 영토는 보장했지만 문화나 사람의 교류를 허용하자 동요가 일어났습니다. 그래서 결국 고르바초프가 나와 개혁 개방을 하게 되었고, 나아가 민주화로 진행한 것입니다. 북한도 국민이 밖을 보면 변합니다. 북한은 의식주를 전부 정부에 의존하고 정부가 말하는 것만 쭉 들어온 사회입니다. 봉쇄한다고 해서 절대로 변하지 않습니다. 국교를 열면, 대사관도 상사나 문화시설도 들어갑니다. 물론 대단히 다루기 어려운 나라입니다. 그래서 인내가 필요합니다.

와카미야 개방을 하면 소련이나 동유럽과 같이 붕괴될까 봐 걱정하는 것이 북한의 딜레마입니다.

김대중 그렇습니다. 그래서 일당 독재를 유지하는 중국이나 베트남같이 하고 싶어 합니다. 중국은 닉슨의 중국 방문 이후 변화했고, 개혁 개방을 해서 얼마만큼 성공하지 않았습니까?

오바마 대통령의 핵 개발 포기 선언으로 설득력이 생겨났다

와카미야 북한이 미사일을 발사한 5일에 오바마 대통령은 프라하 연설에서 핵 폐기를 목표로 하는 선언을 했습니다.

김대중 정말로 위대한 선언입니다. 5대 핵 보유국이 핵을 포기하는 것이야말로 '핵 없는 세계'가 실현될 수 있고, 다른 나라에게 핵을 갖지 말라고 말할 수 있는 정당성을 가질 수 있기 때문입니다. 이스라엘이나 인도, 파키스탄 등의 핵은 묵인하고, 다른 나라에는 핵을 갖지 말라고 하는 것은 설득력이 없습니다. 따라서 오바마 대통령의 선언은 세계의 모든 사람들에게 받아들여질 것입니다. 그 실천을 기원하고 있습니다.

와카미야 북한을 설득하는 일도 쉽지 않은데요, 오바마 대통령의 선언이 한반도의 비핵화 구상에도 영향이 있을까요?

김대중 큰 영향을 줄 것입니다. 북한이 핵실험을 했기 때문에 한국이나 일본에서 "우리도 하자."라는 주장이 나오고 있습니다. 세계 여러 곳에서도 같은 움직임이 있지만, 그러한 생각을 포기시키기 위한 대의명분을 준다고 생각합니다.

와카미야 오바마 대통령은 '핵을 사용한 유일한 나라'의 책무에 대해 언급했습니다. 유일한 피폭국인 일본으로서는 어떻게 하는 것이 좋다고 보십니까?

김대중 원폭이 얼마만큼 잔혹한 것인지 가장 절실하게 경험한 일본이야말로 '핵 없는 세계'의 실현에 선두에 서야 할 것입니다. 다행히 오바마의 선언이 나왔기 때문에 일본이 자신의 비참한 경험을 호소하며 노력하면 세계로부터 존경과 지지를 받게 될 것입니다. 일본이 평화헌법을 지키고, 군비 축소를 주장하면, 자신의 안전은 물론 세계 평화에도 기여하고, 일본의 과거 이미지를 일신하는 데도 많은 도움이 될 것입니다.

와카미야 일본은 납치 문제가 있고, 북한의 핵이나 미사일에도 민감합니다.

김대중 북한이 일본을 미사일로 공격하면 미국도 가만히 있지 않을 것이고, 그러면 북한은 폐허가 됩니다. 미국에 있어 일본은 얼마나 귀중한 동맹국입니까? 미국은 일본이 열심인 납치 문제를 모른 척하고 북한과 대화를 진척하지는 않습니다. 그러므로 일본은 더욱 적극적으로 주위 나라를 움직이도록 하고, 특히 미국을 설득해서 핵과 함께 해결하도록 하는 것이 좋습니다.

와카미야 이명박 대통령에게는 무엇을 기대합니까?

김대중 김정일 위원장과 만나면 좋겠습니다. 사이가 좋지 않은 상대일수록 만나야 합니다. 만나면 서로의 오해도 풀리게 되고, 무언가 결실을 맺으려는 생각을 갖게 됩니다.

한반도 평화 체제에 대해 건설적인 역할을

대담 탕자쉬안 외

일시 2009년 5월 5일

탕자쉬안 오늘 이렇게 김대중 전 대통령 내외의 건강한 모습을 보니 매우 기쁩니다. 이렇게 또다시 중국을 방문하신 것을 환영하는 바입니다. 본인은 김대중 대통령 임기 중에 여러 번 대통령을 만날 기회가 있었고, 그 기회에서 여러 가지 대통령님의 고견을 들었습니다.

한국 국내에 여러 가지 다른 의견들이 있지만, 당시 햇볕정책을 포함한 대통령님의 일련의 정책은 옳은 정책이라고 생각합니다.

금번 체류 기간이 길지 않지만, 협화병원에서 진료도 받으시는 걸로 알고 있습니다. 우리 병원 의료진은 최선을 다해 진료를 할 것입니다. 우리 협화병원은 국내 최고 수준의 종합병원입니다.

방금 시진핑 부주석과 면담한 것을 알고 있습니다. 금일 저녁 본인은 각하의 친구로서, 그리고 외교학회 고급고문으로 이렇게 만찬을 주최하게 되었는바, 가벼운 분위기에서 만찬을 하시길 바랍니다.

금일 이 자리에는 외교학회 회장 및 부회장 외에도, 외교부에서 한반도 사무를 담당하고 있는 후정위에(胡正躍) 부장조리와 우장하오(吳江皓) 아주사 부사장도 있습니다.

우리 중국 측 동료들은 대통령님을 오랜 기간 존경해 왔습니다. 중국 국민들은 대통령께서 한·중 양국 관계 발전에 크게 기여를 했다는 것을 잘 알고 있습니다. 대통령께서는 21세기를 향한 협력 동반자 관계 수립을 명확하게 주장하여, 중국 지도자들과의 적극적인 협상을 통해 동반자 관계를 수립하여 한·중 관계 발전의 새로운 장을 열어 주었습니다.

북한 문제와 관련해서는 많은 장애를 극복하고, 남북 화해 협력 정책을 추진하였는바, 동 정책은 장기적으로 볼 때, 매우 옳은 정책이었다고 할 수 있겠습니다.

현재 국제 및 지역 정세가 복잡하고 다변하는 상황에서도 한·중 양국 관계는 가일층 발전하였습니다. 작년 한·중 양국 지도자가 상호 방문을 성공적으로 마쳤고, 양국 관계를 전략적 협력 동반자 관계로 격상시켰습니다. 이러한 부단한 관계 격상은 양국 국민들의 바람인 동시에 양국의 근본 이익에 부합하는 것이며, 우리 동북아 지역의 평화와 안정에도 유리한 것입니다.

중국 사람들은 역사 발전 과정 중 한·중 양국 관계의 발전을 위해 기여한 인사들을 잊지 않는 것을 중히 여기고 있습니다. 우리 젊은 학생들도 김 전 대통령의 전설적인 인생을 잘 알고 있으며, 한국의 위대한 정치인으로 현명한 정책을 펼쳤고, 한·중 관계, 한반도 및 역내 평화와 안정을 위해 기여한 것을 잘 알고 있습니다. 우리는 김 전 대통령의 존함을 잊지 않을 것입니다.

김대중 세계 많은 곳을 다니면서 친구들을 많이 얻었습니다. 중국에서도 마찬가지인데, 탕자쉬안 전 국무위원은 본인이 특별히 존경하고 사랑하는 친구라고 생각하고 있습니다. 건강한 모습을 보아 기쁩니다.

탕자쉬안 전 국무위원은 과거 한·중 양국이 국교를 맺는 데 있어서 결정적인 역할을 해 주었고, 그것이 오늘날 이러한 성공적인 결실을 맺었으며, 그 과정에서 큰 기여를 해 온바, 이에 감사합니다.

본인은 최근 한·중 관계를 보면서 매우 기쁩니다. 본인은 중화인민공화국 수립부터 갖은 비난을 받으면서도 중화인민공화국을 중국을 대표하는 정부로 인정해야 한다고, 야당 총재로 있으면서 일관되게 주장하였습니다. 오늘날 양국 관계가 돈독해지고, 중국이 이렇게 발전하고 세계에 우뚝 서는 것을 보니, 그런 생각을 갖고 있었던 것이 참으로 다행이었다는 생각이 듭니다.

중국이 6자회담의 의장국으로서 역할을 발휘하여 6자회담이 상당한 진전을 보였는바, 중국의 역할에 감사합니다. 2005년 9·19공동성명은 6자회담 각 측이 합의한 것입니다. 이 성명은 북한 핵 문제 및 북·미 문제를 해결하는 데 기초가 될 것이라고 봅니다. 중국이 6자회담 의장국으로서 한 노력과 공로를 높이 평가하고, 감사를 표하는 바입니다.

북핵 문제 해결과 관련하여 북·미는 이미 2005년 9·19공동성명에서 북한은 완전하게 핵을 포기하고, 미국은 북한과 관계 정상화하며, 관계 국가들이 평화 체제를 수립하고, 미국은 북한에 대해 식량과 에너지 원조를 제공하며, 모든 것은 '행동 대 행동' 원칙에 따라 한다고 합의한 바 있습니다. 얼마 전 북한은 이 원칙을 지지한다고 표명한 바 있습니다. 북한으로부터 다른 목소리들이 나오고 있는데, 본인은 이것이 북한의 본뜻이 아니라고 봅니다.

오바마 대통령이 출범했는바, 미국의 정책도 많이 달라지고 있습니다. 오바마는 대통령 당선 후, 대북 정책을 제정하는 데 있어서 부시 정부가 아닌 클린턴 정부의 정책을 참고할 것이라고 한 바 있습니다. 그리고 클린턴 전 대통령의 부인인 힐러리 클린턴을 국무장관에 임명하였습니다. 이러한 의미에서 본인은 문제 해결에 대해서 희망을 가지고 있습니다.

클린턴 국무장관은 북한이 핵을 완전히 포기한다면, 미국은 북한과의 관계를 정상화할 용의가 있고, 한반도 평화 체제에 대해 논의할 용의가 있다고 하였습니다. 이 시점까지 오는데 중국의 노력이 컸다고 생각하고, 이를 기초로 앞으로 한반도 비핵화, 북·미 관계 정상화, 북한이 국제사회의 일원으로 참여해 모두가 윈윈(win-win)할 수 있는 관계가 되길 진심으로 바라고, 이것만이 해결책이라고 생각하며, 중국이 이러한 측면에서 지속적인 노력과 건설적인 역할을 해 주길 희망합니다.

우리 국민은 대부분 중국을 긍정적으로 생각하고, 양국 관계가 가일층 심화되기를 바라고 있습니다.

중국은 6자회담 의장국으로서 6자회담을 성공적으로 이끌어 왔는데, 계속해 이러한 방향으로 노력해 주시고, 한반도에서 핵이 완전하게 제거되도록 역할을 발휘해 주길 바랍니다.

나는 2004년 당시 장쩌민 주석을 탕자쉬안 국무위원과 같이 만나 이러한 이야기를 하였습니다. 6자회담이 성공한 후, 이를 해산할 것이 아니라 동북아 안전 체제로 발전시키면 좋겠다고 했는데, 탕자쉬안 선생이 당일 저녁에 중국 정부도 이를 지지하겠다고 표명하였습니다. 이제 6자회담에서 이것이 합의가 되었습니다. 즉, 동북아의 평화와 안정을 위해 동북아 안보협력 체제 구축을 모색하겠다고 하였습니다. 앞으로 북핵 문제가 해결된 이후, 동북아 안보협력 체제가 구축되는 데 있어서 중국이 다시 한번 주도적인 역할을 해 주길 바랍니다.

연락이 가능하시면, 장쩌민 주석, 주룽지 총리 및 리펑 위원장에게 본인의 간곡한 안부를 전달해 주길 바랍니다.

탕자쉬안 안부를 전달하겠습니다. 대통령님의 이야기를 들으니, 예전에 대통령님과 장쩌민 주석이 함께 여러 가지 일들에 대해 논의하던 모습이 떠오릅니다. 양자 범주에서뿐만 아니라 다자 협력에 대해서도 많이 논의하였습니다.

한반도 정세 발전을 관심 있게 보고, 참여해 온 사람으로서 나는 정세에 기복(時起時伏), 즉 긴장과 완화가 반복된다는 느낌을 가지고 있습니다.

현재 북한이 강경한 태도를 취하고 있는 것이 객관적인 사실인바, 6자회담 프로세스가 이러한 영향을 받아, 냉각기에 진입하였고, 이러한 기간이 앞으로 한동안 계속될 것이라고 생각됩니다.

그러나, 나는 여전히 6자회담이 중요하고 효과적인 플랫폼이라고 생각합니다. 만일 관련 각 측이 모두 엄격하게 9·19공동성명을 이행한다면, 대통령께서 말씀하신 대로 한반도 비핵화 실현 및 동북아 지역 안보협력 체제를 수립할 수 있을 것입니다.

현재 필요한 것은 자신감, 인내심 그리고 항심恒心(변함없는 마음)이고, 6자회담 관련 각 측은 대국적인 견지에서 착안하고 장기적인 견지에서 고려해야 한다고 생각합니다.

나는 북·미 양자 접촉이 이루어지도록 장려해야 한다고 보고 있고, 만일 현재 회의를 개최하는 것이 어렵다면, 방식을 바꾸어 6자 틀 내에서 양자 또는 소규모의 활동을 진행하는 것도 좋지 않겠느냐는 생각입니다.

현재 미국의 한반도 및 6자회담 담당 특별대표인 보즈워스 특사는 과거 주한대사였습니다. 보즈워스 특사가 현재 러시아, 중국, 한국 및 일본을 방문할 예정인바, 한국이 미국 측을 설득하여 북한과 다차원적으로 접촉하도록 장려할 수 있다고 생각합니다. 한국은 이러한 측면에서 자주적이고 독특한 역할을 발휘해야 한다고 생각합니다. 일본으로부터의 부정적인 영향을 받지 말아야 할 것입니다.

나는 남북 화해가 추진되길 바랍니다. 비록 현재 북한이 매우 강경한 입장을 취하고 있으나, 본인은 북한이 한국 측과의 대화를 바라고 있다고 생각합니다.

한반도 문제, 한반도 비핵화 문제에 있어서, 한국의 발언권이 가장 큽니다. 한국과 북한은 동포이며 형제로, 같은 언어를 사용하고 있는바, 무슨 일이든 하기가 가장 용이한 국가입니다.

그러므로 비록 어려움에 직면해 있지만, 이러한 때일수록 자신감, 인내심 그리고 항심을 유지하면서 관련 업무를 추진해 나가야 한다고 생각합니다.

현재 국제 정세 아래, 한반도 정세가 어렵고 복잡하며 기복이 있지만, 나는 평화, 안정, 발전 및 협력(要和平, 求穩定, 途發展, 謀合作)을 추구하는 것이 하나의 큰 흐름이며, 우리가 나아가야 하는 방향이라고 봅니다.

우리는 처음부터 북한에 대한 설득을 하면서, 우리의 명확한 입장과 주장을 표명하였습니다. 우리는 대국적인 견지 및 장기적인 안목에서 착안하여 북한에 대한 설득을 하고 있습니다.

얼마 전, 김영일 북한 총리가 중국을 방문하였고, 후진타오 주석과 원자바오 총리는 김영일 북한 총리와 깊은 대화를 나누었고, 오랜 시간을 들여 설득을 하였습니다.

우리 외교부 직원들도 이를 위해 매우 수고를 하고 있습니다. 외교부 실무 직원들도 북한을 설득하고 있습니다. 본인은 이러한 노력과 수고들이 헛수고가 되지 않을 것이라고 생각합니다.

현재는 그 어느 때보다 당사국들이 냉정함과 자제력을 유지하면서 자신감, 인내심 및 항심을 가지고 나아가야 하는바, 중도에 포기하지 말아야 합니다. 우리는 이러한 문제들에 있어서 한국과의 의사소통과 조율 및 협력을 더 많이 할 것입니다.

김대중 올 2월, 클린턴 국무장관 방한 시, 나는 전화 통화를 한 바 있습니다. 클린턴 국무장관은 과거 클린턴 대통령과 자기 자신 그리고 본인 세 사람이 매우 의미 있는 일들을 많이 한 것을 기억하고 있다고 말하였고, 나는 한반도 문제가 평화적으로 해결되도록 인내심을 가지고 해 달라고 하였습니다.

곧이어 보즈워스 특사가 방한하였고, 나는 그와의 전화 통화에서 그에게 미국이 인내심과 지혜를 가지고 해 나가야 한다고, 핵 문제는 해결이 가능한 것이니 노력을 해 달라고 했습니다. 이에 보즈워스는 본인의 말에 공감하며 이 일을 성급하게 해서는 안 된다고 하였습니다.

본인은 북핵 문제가 반드시 해결될 것으로 생각하고 있습니다. 이 문제가 해결되지 않는 것은 북한과 미국 그리고 6자회담 관련 각국에도 불리한 것입니다. 북한이 핵을 보유하고 있다고 해서 그걸로 국민들에게 밥을 주거나 집을 지어 주는 것이 아닙니다.

나는 북한이 미국에 실망을 해서 현재 여러 가지 행동을 취하고 있는 것이라고 봅니다. 향후 오바마 정권이 확실한 정책을 내놓으면 북한도 상당히 변하지 않겠는가 예측하고 있고, 미국은 이제 북핵 문제를 '대화'로써 해결하려 하고 있다고 봅니다.

탕자쉬안 오바마 정부가 출범한 지 100일이 지났습니다. 미국은 현재 자신의 정책을 회고하고 있고, 중국학자들도 미국의 지난 100일간의 정책을 회고 총결산하고 있습니다. 중국 학자들이 공감하고 있는 것은, 금번 미국 정부가 '소통과 대화'를 강조하고 이를 실천하고 있다는 것입니다.

한반도 관련 정책에 있어서도 미국은 현재 내부에서 총괄적으로 토론, 검토하고 있습니다. 한국은 미국의 동맹국으로서 이 문제 해결과 관련하여 미국을 많이 설득해 주길 바랍니다.

일본의 노골적인 태도는 이 문제 해결에 방해가 되고 있습니다. 일본 우익 세력은 금번 기회를 통해 군사 장비를 확충하려 하고 있고, 일부는 일본의 핵무기 발전을 주장하고 있습니다.

김대중 일본 문제는 일본이 과거에 범한 전쟁범죄 행위에 대한 반성이 부족한 것입니다. 심지어 이를 합리화시키고 있습니다. 그 원인은 교육을 하지 않기 때문입니다. 독일은 역사적 과오까지도 후세들에게 알리고, 유적을 그대로 남겨 두었지만, 일본은 역사를 왜곡하고 합리화시키고 있습니다. 그래서 일본 국민들이 보수화되고 있고, 제국주의가 되살아나고 있는바, 정치인들은 이를 또 이용하고 있습니다.

그래서 나는 일본 친구들을 만나면, "일본은 독일한테 배워야 한다. 독일처럼 철저하게 반성하고, 사죄하며, 후세들을 교육시켜야 한다. 독일은 이렇게 해서 주변 국가들로부터 신뢰를 얻었고, 통일 시 지지를 받았는바, 일본은 이를 본받아야 한다"고 이야기합니다. 그런데 이러한 이야기가 별 효과를 얻지 못하고 있는 것 같습니다

탕자쉬안안 효과가 있을 것입니다. 일본의 잘못된 행동에 대해 우리는 적당하게 두드려 줘야 할 것입니다. 최근 두 가지 사건이 중국 대중들의 강력한 불만을 야기하고 있습니다. 첫 번째는 우익 교과서이고, 두 번째는 일본 총리가 야스쿠니신사에 헌화한 일입니다. 오늘 이 자리에 있는 후정위에(胡正躍) 외교부 부장조리와, 우장하오(吳江皓) 아주사 부사장, 그리고 주도쿄 대사는 일본 정부 측에 엄중한 항의를 제기하였습니다. 아소 다로 총리 방중 기간, 중국 지도자도 회담 중에 이 문제를 제기하였습니다.

우리 양 회장은 경력이 풍부한 외교관입니다. 싱가포르 대사를 지냈고, 홍콩주재 관공서 특파원, 외교부 부부장을 역임하였습니다. 현재는 외교학회 회장으로서 민간외교를 위해 많은 일을 하고 있습니다.

김대중 일본은 이제 강력한 민족주의 정당도 없고, 여당이나 야당이나 거의 비슷하고, 국민들의 방향이 복고주의적으로 가고 있습니다. 얼마 전에는 일본 총리가 야스쿠니신사에 헌화하고, 교과서에 중국의 남경대학살 및 위

안부 부분을 삭제하였습니다. 이러한 일본이 걱정됩니다. 이 문제에 있어서 우리 한국과 중국이 함께 일본을 감시하고, 일본의 이러한 복고주의적 잘못을 저지르지 않도록 견제해야 한다고 생각합니다.

탕자쉬안 우리는 대화를 많이 나누어야 합니다.

김대중 북핵 문제가 해결되면, 6자회담에서 합의한 동북아 평화 안정 체제를 수립하는 방향으로 나아가는 것이 중요하다고 보고, 일본은 이 과정에서 견제도 받을 것이고, 달라질 것이라고 생각됩니다.

탕자쉬안 옳으신 말씀입니다. 지난 기간, 우리는 이러한 방향으로 노력해 왔습니다.

김대중 정부 각료를 지낸 정세현 전 통일부 장관이 이 자리에 있는바, 남북 관계에 대해 한마디 하도록 하겠습니다.

정세현 대통령께서 세세한 내용까지 말씀하셨는데, 보탤 것이 있을지 모르겠으나, 국무위원께서 말씀하셨듯이, 핵 문제와 관련해서 우리 한국도 자주적이고 특별한 역할을 해야 한다는 의미가 있는 이야기를 해 주셨습니다.

사실, 핵 문제는 6자회담 참가국들이 모두 노력을 하고 있지만, 기본적으로 북한과 미국 사이의 문제라는 특성이 있기 때문에 미국과 북한이 결심을 해 줘야 합니다.

탕자쉬안 국무위원께서 한국과 미국 간 긴밀한 협력에 대해서도 지적해 주셨지만, 역시 세계에서 북핵 문제에 있어서 전향적이고 합리적인 그런 선택을 하라고 북한에 권고하고 필요에 따라 압력을 행사할 수 있는 나라는 중국밖에 없지 않나 하는 생각입니다. 물론, 중국은 북한에 대해 그런 정도의 영향력을 가지고 있지 않다고 겸손한 말씀을 하시지만, 북한에 대해 영향력을 가장 많이 발휘할 수 있는 나라는 중국이라고 다들 생각하고 있습니다. 그런 만큼 북한이 9·19공동성명으로 다시 돌아올 수 있도록 중국이 역할을 발휘해 주기 바랍니다.

　한 가지 보충하자면, 부시 정부 말기에 일본이 2·13합의 원칙에 입각해서 북한 측에 제공하기로 한 중유를 제공하지 않고, 납치 문제를 가지고 북한을 압박할 때, 북한은 6자회담에 일본은 나오지 말라는 이야기를 했었습니다. 최근 다시 이러한 이야기가 북한에서 나오고 있습니다. 일본이 북한으로부터 비난과 공격을 받을 만한 근거는 있으나, 그래도, 9·19공동성명으로 돌아가기 위해서는 일본을 6자회담에 참가시킬 수 있는 분위기를 조성해야 합니다. 이러한 방면에서 6자회담 의장국인 중국이 역할을 발휘할 필요가 있다고 봅니다.

　탕자쉬안 우리는 일본에 적당한 압력과 동시에 설득을 하고 있습니다. 9·19 공동성명이라는 올바른 궤도로 돌아가는 것은 중요하고 옳은 말입니다. 6자회담 프로세스에서 북한은 당사국인 동시에 중요하고 관건적인 역할을 하고 있습니다. 과거에도 모든 방법을 동원에서 북한을 협상 테이블로 돌아오게 설득해야 한다고 많은 이들이 이야기하였습니다.

　현재 이러한 정세에서는 '냉각기'가 있을 수밖에 없습니다. 냉각기라고 해서 설득하지 않는다는 것이 아닙니다. 나는 이러한 측면에서 한국이 큰 역할을 할 수 있다고 생각합니다.

　북한의 경제는 전체적으로 좋지 않고, 어려움이 많습니다. 중국이 비록 핵 문제에 있어서 북한과 이견이 있다고 해도, 중·북 간의 정상적인 관계에 따라, 북한 측에 정상적인 원조를 제공하고 있습니다. 나는 한국 측도 마찬가지라고 생각합니다. 현재 중요한 것은 북한의 안정입니다. 북한이 불안정하거나 혼란이 발생하면 한반도 및 동북아의 평화에도 큰 영향을 미치게 될 것입니다.

　그러므로 본인은 김 전 대통령께서 말씀하신, 인내심과 지혜를 가지고 각

측을 설득해야 한다는 말씀에 공감합니다.

김대중 박지원 의원은 2000년 남북정상회담 전에 특사로서 북한 사람을 만나고, 남쪽에서 김정일 위원장과 가장 가까운 사람이며, 최근에도 방북 초청을 받은 사람입니다.

탕자쉬안 북한 측과 통하는 중요한 인맥입니다.

박지원 베이징에 오니, 9년 1개월 전에 그러니까 2000년 6·15남북정상회담 관련 북한 특사와 합의했던 것이 기억납니다. 나는 대한민국 국회의원으로서 매주 2, 3일씩 신문 언론과 인터뷰를 해서 한국 정부의 대량살상무기 확산방지구상(PSI) 가입을 반대하고, 미사일방어체제(MD) 가입 반대를 주장하고 있습니다.

나는 20여 년간 대통령님의 대변인과 비서실장을 맡아 왔는바, 대통령님과 회담하신 모든 분들을 잘 알고 있습니다.

2년 전 그리고 작년에 우리 대통령님은 미국을 방문하시고, 키신저, 올브라이트, 파월, 루빈 등 전 장관들 및 파우스트 하버드대 총장 등과 회담하면서, 미국이 중국에 대해 어떤 일들을 해야 하는지 강조하였습니다. 미 측 인사들은 이러한 우리 대통령님의 대중국관을 높이 평가하였습니다.

오바마 정부 출범 이후, 미국의 대북 정책이 진전되는 것을 보고, 나는 혼자서 김 대통령님의 설득에 미국 정부가 이제 시작하는구나라고 생각하였습니다.

대통령님은 야당 총재 시절부터 '하나의 중국', 중화인민공화국과의 외교 관계 수립을 강조해 왔습니다. 작년에 대만 기관에서 평화상을 제정하고 상장과 상금을 대통령께 수여하겠다고 했는데, 우리 대통령은 이를 모두 거절하면서 여전히 '하나의 중국' 원칙을 견지하고 있습니다.

우리 대통령께서 일생 동안 추진하신 남북 문제가 평화롭게 잘 종결이 되도록 중국 지도자 및 정부에서 많은 협력을 해 주시기 바랍니다.

탕자쉬안 여러 해 동안 하루도 빠짐없이 '하나의 중국' 원칙을 견지해 주신 것에 대해 감사와 경의를 표하는 바입니다.

현재 양안 관계가 크게 개선되어 평화적인 추세입니다. 얼마 전, 중국은 대만 민중들의 복지를 위해 협상을 통해 대만이 옵서버 자격으로 매년 세계보건기구(WHO) 총회에 참석하는 데 동의하였습니다. 그러나, 여기에는 원칙과 전제가 있는바, '하나의 중국' 원칙으로 대만이 '중화타이페이' 명칭으로 회의에 참석하는 것입니다.

이렇듯 양안 정세가 크게 발전하고 변화되었지만, 우리는 여전히 대만 독립을 반대하고, 두 개의 중국 및 '하나의 중국, 하나의 대만'을 반대하고 있습니다. 이러한 우리의 입장에는 변화가 없는 것입니다.

후정위에 북한은 국제사회와의 교류가 많지 않지만, 중국과는 많은 교류를 하고 있습니다. 올해는 중·북 우호의 해입니다. 6자회담이 중요하긴 하지만, 우리는 6자회담과 양국 관계를 분리시켜 보고 있습니다. 우리가 이렇게 하는 이유는 이러한 노력을 통해 되도록이면 북한이 국제적으로 고립되어 있다고 느끼지 않도록 하기 위한 것입니다. 우리는 최대한의 노력을 하면서 관련 각 측의 생각, 태도를 북한 측에 전달하고 있습니다.

우리는 북한 측과 비교적 접촉을 많이 하고 있는데, 현재 북한 정권의 자체적인 운영이 정상적이고, 경제가 어렵긴 하지만 과거보다는 다소 개선되었다는 것이 전체적인 느낌입니다. 국제사회에서 발생한 사건에 대한 정보도 즉각적으로 접하고 있습니다.

북한이 현재 강경한 태도를 취하고는 있지만, 퇴로를 완전히 막아 놓지는 않았습니다. 북한은 북·미 관계 개선에 기대를 걸고 있습니다.

나는 6자회담 재개는 시간문제라고 생각합니다. 당사국들이 희망을 포기하지 말아야 할 것입니다. 관련 각 측이 적극적으로 노력하여 조건을 창출해 내야 합니다.

현 상황에서 각 측은 북한을 자극하는 일을 최대한 하지 말아야 할 것입니다. 가능한 대화 채널을 최대한 유지해야 합니다. 중·미 간에는 대화 채널이 존재합니다. 중·북 간에도 대화 채널이 있는바, 박의춘 북한 외무상이 얼마 전 해외 순방을 하면서 중국(동북)을 경유하였고, 귀국하는 길에도 경유할 것입니다. 우리 대표단들도 지속적으로 방북하고 있습니다.

방금 박지원 의원께서 방북 초청을 받으셨다고 했는데, 의미 있는 일이라고 생각합니다.

작년부터 남북 관계에 대한 북한의 입장이 변하고 있습니다. 첫째, 한국 신정부 출범 전에는 한국 신정부에게 기대하는 바가 있었습니다. 둘째, 한국 신정부 출범 이후 한동안 한국의 입장을 관찰하였습니다. 셋째, 이후 한국의 대북 정책에 대해 실망하였습니다. 넷째, 현재는 한국에 대해 반감을 갖고 있습니다. 현재 양측은 관련 채널을 통해 대화와 접촉을 할 필요가 있습니다.

우리 외교부는 신정승 대사와 북한 문제를 포함한 여러 가지 문제에 있어서 긴밀한 소통과 접촉을 유지하고 있고, 앞으로도 이러한 긴밀한 관계를 지속적으로 유지해 나갈 것입니다.

중국과 한국은 한반도 문제에 있어서 직접적인 당사국인바, 한반도의 정세는 우리의 이익과 밀접한 관계가 있습니다. 어떤 측면에서 우리는 같은 배를 탄 사람들이라고 할 수 있습니다. 우리는 예전과 다름없이 한국과의 소통과 조율 및 협력을 계속할 것입니다. 각 측이 함께 노력하면 현 국면이 좋은 방향으로 발전될 것이라고 생각합니다.

김대중 북핵 문제가 잘되고, 남북 관계가 잘되도록 중국이 도와주길 바랍니다.

우장하오 나는 중국 외교부 국장급 인사로 북한 외교부의 국장급 인사 및 주중 북한대사관 참사관과 접촉하고 있습니다. 그들은 현재 이해할 수 없다, 우려된다고 말합니다.

이해할 수 없다는 것은, 세계 모든 나라가 위성을 발사할 수 있는데, 왜 북한은 안 된다고 하는 것에 대해 이해할 수 없다는 것입니다. 모두 6자회담 참가국들인데 왜 자신을 평등한 위치에 두지 않느냐는 것입니다. 그리고 다른 나라는 다 되는데, 자신들은 안 된다고 사전에 정해 놓은 것에 대해 이해할 수 없다는 것입니다. 이러한 이해할 수 없다는 것이 분노가 되었고, 강경한 태도를 취하게 된 것입니다.

우려는 자신의 안보 측면의 우려입니다. 북한은 핵을 포기하면 모든 것을 잃게 될 것이라고 생각하고 있습니다. 나는 많은 노력을 통해 북한을 6자회담 협상 테이블로 돌아오도록 만들고, 비핵화 실현 과정에서 북한의 우려를 고려해야 한다고 생각합니다. 이를 위해서는 시간이 필요하고, 지속적인 접촉과 교류가 필요할 것입니다.

탕자쉬안 우리 중국 외교부 한반도 업무 담당자들이 이렇게 북한과 자주 접촉하면서 느낀 바와 상황을 솔직하게 소개해 드렸는바, 참고하시기 바랍니다.

오늘 김대중 전 대통령과 한국 측 친구들께서 좋은 의견을 제시해 주셨습니다. 우리에게 시사하는 바가 많습니다.

나는 한반도 사무에 있어서 우리가 대국적인 견지와 장기적인 안목에서 착안해야 하고, 한반도 정세의 기복과 변화무쌍함에 주의해야 한다고 생각합니다.

현재 우리가 주의해야 할 점이 세 가지가 있습니다. 첫째, 정세 안정을 유지하고 정세가 악화되는 것을 방지해야 합니다. 특히, 악순환이 되지 않도록 해야 합니다. 둘째, 적극적으로 설득 작업을 전개해야 합니다. 특히, 북한을 대상으로 한 설득을 해야 합니다. 앞서 북한이 이해하지 못하는 것과 우려에 대해 이야기했는데, 이러한 북한의 우려를 고려하면서 북한을 대상으로 설득해 나가야 합니다. 셋째, 우리는 반드시 냉정함을 유지하고 실무적으로, 그리고 자신감, 인내심, 항심을 갖고 노력을 통해 이 문제와 관련된 모든 일을 잘 해 나가야 합니다.

우리는 정세가 완화되도록 노력하면서 이와 동시에 또다시 정세가 긴장될 수 있다는 것에 대해 마음의 준비를 하고 있어야 합니다.

다시 강조할 것은 각국이 대국적인 견지와 장기적인 안목에서 착안해야 한다는 것입니다.

* 이 글은 김대중 전 대통령 내외 초청 탕자쉬안(唐家璇) 전 국무위원 주최 만찬 때의 대화문으로 2009년 5월 5일 저녁 6시부터 베이징 댜오위타이(釣魚臺) 양위안자이(養源齋)에서 진행되었다. 정세현 부이사장, 박지원 실장, 장석일 주치의, 김선홍·윤철구·최경환 비서관, 신정승 대사, 허승재 과장, 양원창(楊文昌) 회장, 차이진뱌오(蔡金彪) 부회장, 후정위에(胡正躍) 외교부 부장조리, 우장하오(吳江皓) 외교부 아주사 부사장, 장샤오밍(蔣曉茗) 외교학회 아시아부 부주임, 지에시보(解世波) 외교학회 부처장, 왕지에(王潔) 외교학회 아시아부 직원 등이 함께했다.

6·15선언 이행 여부 결단할 때

대담 성한용·김종철
일시 2009년 5월 12일

『한겨레』는 창간 21돌(2009년 5월 15일)을 맞아 김대중 전 대통령을 만나 난기류에 휩싸여 있는 한반도 정세와 관련해, 남북 관계와 북핵 문제, 북·미 관계 등을 어떻게 풀어가야 하는지 물었다. 또 국내 정치 및 사회·경제 현안에 대한 김 전 대통령의 의견도 들었다. 성한용 『한겨레』 편집국장과 김종철 정치 부문 편집장이 진행한 인터뷰는 김 전 대통령이 중국 방문을 마친 직후인 12일 오전 서울 마포구 동교동 김 전 대통령 자택에서 이뤄졌다.

김 전 대통령은 『한겨레』 창간 때 영등포 문래동 사옥을 찾았던 기억을 떠올리며 "한겨레가 없었다면 우리가 그동안 얼마나 많은 후퇴가 더 있었고, 전진이 가로막히고, 국민들 특히 젊은 사람들이 방향을 잡지 못했을 것이냐. 여러분께 감사하고 더욱 건재하기를 바란다"는 덕담을 건넸다. 김 전 대통령의 음색은 인터뷰가 진행될수록 또렷하고 분명해졌다. 특히 한반도 문제 해결 과정에서 한국의 역할을 강조할 때나 비정규직 노동자 차별 문제를 얘기할 때는 몸을 앞으로 기울이며 목소리를 높이기도 했다. 다음은 인터뷰 전문이다.

성한용·김종철 중국 잘 다녀오셨냐. 바쁘신데 시간 내줘서 고맙다. 5월 15 일이면 『한겨레』 창간 21년이 된다.

김대중 창간을 영등포에서 했나. 그때 간 일이 있다. 그동안 애 많이 쓰고 많은 공로를 세웠다. 『한겨레』가 없었다는 것을 생각하면 얼마나 우리가 힘 들었겠나 생각한다. 여러분께 감사하고 더욱 건재하기를 바란다.

성한용·김종철 저희가 감사하다. 저희가 『한겨레』에 있지만 『한겨레』가 어떤 가치가 있는지 스스로 궁금해하기도 하고 그랬는데, 그 전에 대통령께 서 창간 10주년 행사 때 오셔서 "그건 간단하다. 『한겨레』 신문이 없었다고 생각해 보면 『한겨레』의 존재 가치는 큰 것이다." 이렇게 말씀해 주시니까 귀가 번쩍 뜨이더라.

김대중 『한겨레』가 없었다면 우리가 그동안 얼마나 많은 후퇴가 더 있었 고, 전진이 가로막아졌고, 국민들, 특히 젊은 사람들이 방향을 잡지 못했을 것이냐. 21세기에 『한겨레』가 선도자 역할을 하고 있다고 봐야 한다.

성한용·김종철 중국 다녀오신 건 어땠나. 심정이나 소회 같은 것은 어떠셨 는지?

김대중 중국은 북한도 중요시하지만 남한도 중요시한다. 남북 관계가 좋 아지는 것을 싫어하지 않는다. 중국이 걱정하는 것은 우리가 너무 일본에 접 근하는 것이다. 일본이 아주 옳지 않은 길을 가고 있는데, 야스쿠니신사에 뭐 보내고 그러지 않냐. 중국은 다만 북한에 대해서는 핵을 갖는 것은 나쁘다, 그건 절대 용납할 수 없다는 입장인 건 분명하다. 중국이 그 자세를 갖고 있 는 한 북한이 핵 가지기 어려울 것이다.

성한용·김종철 시진핑 국가 부주석은 다음에 주석 가능성이 큰가?

김대중 가능성이 많다. 『타임』에서 100대 인물 뽑았는데 중국이 두 명, 시 진핑과 부총리 한 명이 들어갔다.

남북 관계가 나빠지는 근본적인 이유

성한용·김종철 이명박 정부 출범 이후 남북 관계가 진통을 겪을 것이라고 예상했지만, 예상했던 것보다 훨씬 심각한 상황으로 가고 있는데, 남북 관계가 풀리지 않고 나빠지는 근본적인 이유와 큰 틀에서 어떤 자세로 풀어가야 한다고 보시는지?

김대중 결국 남북 관계의 근본적 원인은 상호 불신인데, 남쪽에서는 북한을 보기를 옛날 냉전 시대 보듯이 보고, 그래서 대결주의적 자세를 취하고 있다. 구체적으로 나타난 것이 '비핵·개방·3000'이다. 그건 부시가 핵 포기하면 도와주겠다고 한 것과 똑같은 소리다. 부시가 6년 동안 해서 실패해 바꾼 정책을 우리가 지금 내놓은 것이다.

구체적으로 남북이 하려면 6·15공동선언과 10·4정상선언을 이행해야 하는데, 여기서(남쪽이) 그런 태도가 없다. 한다는 것도 아니고 안 한다는 것도 아니고, 북한으로선 상당히 모욕적인 태도를 취하고 있다. 그리고 또 시간이 약이라든가 그런 식으로 얘기하고, 가장 감정을 돋운 것은 풍선(삐라) 보내는 것인데, 자기 지도자에 대해 그렇게 모욕하고 하는 것은 도저히 참을 수 없는 일이다. 그런 일들을 한 것이 경색된 원인이 됐다. 북한은 '비핵·개방·3000'이 부시랑 똑같다고 비난하기 시작했다. 그래서 북한이 내놓은 것이 "6·15선언과 10·4선언을 지킨다고 하라. 그러면 하겠다"고 하는데, 우리가 어차피 태도 표명을 해야 하니까 "한다", "안 한다", "하더라도 어떤 부분은 논의를 더 해야 한다."든지 시원한 답을 줘야 한다. 그러니까 북쪽에서 자꾸 비방이 나오고 입에 담지 못할 얘기가 나오고 그러는 것 아니냐.

그래서 근본 문제는 정부가 북한과 같이 잘 살아갈 것인가이다. 4대국에 둘러싸인 우리가 북한과 손잡지 않으면 우리는 주변국에 이리저리 휘둘려 살길이 없다. 이런 반성 속에서 통일은 서서히 하더라도 서로 여러 가지 교류 왕래라든가 경제 협력 등을 상호 이익이 되게 해 나간다면 되는 것이다.

일단 북한은 우리한테 문을 열었다. 그런데 그 열린 문이 닫히고 있지 않나. 예를 들어 금강산 관광 같은 거는 왜 우리가 폐쇄 선언을 하나. 금강산 관광은 계속하는 게 남북 관계에 상징적이고 여러 가지 중요한 의미가 있다. 지금도 3-4만 명이 가겠다고 대기하고 있다. 금강산은 이산가족 상봉도 하는 곳이고, 중요한 의미가 있다.

그래서 내가 볼 때 정부가 결심을 할 필요가 있다. 6·15선언과 10·4선언을 어떻게 하겠다는 것을 이명박 대통령 입으로 설명해야 한다. 나는 이 대통령에 대해 기대가 있는데, 대통령 후보 돼서 여기 인사 왔을 때, 햇볕정책에 대해 내가 설명하니 네 번, 다섯 번 동감한다고 했다. 그리고 요즘 신문 보니 초선 국회의원 때도 상당히 유연한 범정부적인 제안도 하고 그랬다.

그래서 이 대통령 주위에 너무도 과거 냉전적인 사고방식에 젖고, 거기에 참여했던 사람들이 둘러싸고 있는 게 아닌가, 그런 생각이 든다. 그래서 이제는 이 대통령이 결심해야 한다. 아무도 할 수 없다. 6·15선언과 10·4선언을 지킨다든가, 특사를 보내겠다든가, 금강산 관광을 우리가 일방적으로 폐쇄했으니 우리가 일방적으로 폐쇄를 해제하겠다든가, 개성에 대해서도 기숙사 지어 주기로 약속한 것을 이제라도 실시하겠다든가 하면 그것은 우선 분위기를 바꾸는 의미가 있다. 저쪽에서 기숙사라든가 금강산 관광을 반대할 이유가 없다. 그래서 북한이 반대한다면 이명박 정부로서 손해 볼 것이 하나도 없다. 지금은 이 대통령이 좌우간 결단을 할 때가 왔다.

성한용·김종철 남북 간 접촉을 하고 있는데 아무튼 대화를 시작했으니까 잘될 것이다라는 낙관론이 있고. 개성공단 직원이 억류돼 있고, 개성공단이 닫힐 것이다라는 비관론도 있다. 남북 관계의 전망을 어떻게 보는지?

김대중 지금 북한이 남한에 대해 감정이 극도로 나쁘다. 그리고 지금 북한은 로켓 발사 이후 기고만장하는 태도를 취하고 있다. 그래서 남쪽과 소소한 일 갖고는 잘 풀릴 것 같지 않다. 근본적으로 위에서 (대통령이) 길을 열어 놔야 나머지 문제가 풀려 가지 않을까 그렇게 생각한다.

성한용·김종철 이명박 정부에서 대량파괴무기 확산방지구상(PSI)에 전면 참여하겠다 선언해 놓고 있는 상태다. 그런데 이게 남북 관계가 나빠질까 봐 발표를 유보하고 있는 상황이다. 그전의 김 전 대통령이나 노무현 정부 때와 다른 태도인데, 정부가 대량파괴무기 확산방지구상(PSI) 문제에 대해 어떻게 해야 한다고 생각하나?

김대중 그것은 우리가 남북해운합의서가 있으니까 대량파괴무기 확산방지구상(PSI)을 대충 할 수도 있고, 근본적으로는 서로 적대를 강화시키는 선전포고를 의미한다고까지 (북한이) 떠드는 그런 문제를 우리가 한다는 것은 싸움하자는 것밖에 더 되겠나. 그리고 지금 우리가 선박을 검색한다, 북한이 거부한다, 세워서 강제 검색한다, 북한이 해안포를 쏜다 그러면 전쟁으로 발전되는 것 아니냐. 그리고 북한이 전략 물자를 (운반하다) 세계적으로 발각된 것이 한 건인가, 두 건밖에 안 된다. 지금은 그런 대량파괴무기 확산방지구상(PSI)으로 해결할 일이 아니고, 근본적으로 미국과 북한이 해결할 일이다. 그래서 문제를 바닥부터 풀어야 한다. 문제는 핵 문제 아니냐. 그리고 미사일 아니냐. 북한은 핵을 한번 포기했다. 제네바협정으로 포기하지 않았나. 그래서 그 대가로 경수로 지어 준다고 했고, (미국과) 국교 정상화한다고 한 것 아니냐. 북한이 핵을 포기했는데 부시 정부 들어서 다 뒤집어져서 핵 문제가 다시 등장한 것이다.

그리고 북한은 핵 문제에서 다시 한번 포기를 합의했다. 2005년 9·19공동성명이 그것이다. 북한은 핵을 포기한다, 미국은 북한과 국교를 연다, 그리고 서로 협력해서 한반도에서 평화협정을 맺는다, 그리고 미국은 북한에 대해 경제 원조를 한다, 모든 것은 행동 대 행동으로 한다, 그런 얘기가 된 것 아니냐. 북한은 지금도 9·19공동성명 지지한다고 몇 달 전에 얘기했다. 힐러리 클린턴 미 국무장관이 지난 2월에 한국 오기 전에 아시아소사이어티협회에서 연설을 했는데, 같은 얘기를 했다. 북한이 핵 포기하면 국교 맺겠다, 그리고 평화협정 하겠다고. 그렇게 다 돼 있다. 그런데 여러 가지 방해하는 자들, 또 불신, 이런 것 때문에 안 되고 있다.

북한이 핵을 가진다, 장거리 미사일을 갖는다, 중국에 가서도 말했지만 그런 것을 북한이 갖는 것은 우리는 절대 반대다. 그런데 어찌 보면 그런 것을 미국의 부시 대통령이 만들어 준 것이다. 부시 대통령이 북한을 악의 축이다, 체제를 바꿔야 한다, 이런 식으로 하니까 이라크 하는 것 보면 겁날 것 아니냐. 그런데 북한의 재래식 무기는 우리한테 비하면 월등하게 노후화돼 있다. 그래서 단번에 어떻게 해보겠다고 찾은 게 핵무기다. 그리고 미국과 어떻게 해보겠다는 게 미사일 개발이다. 클린턴 대통령 때 내가 북한 갔다 온 뒤로 조명록(국방위원회 제1부위원장)과 매들린 올브라이트(당시 미 국무장관)가 왕래하지 않았나. 그런데 그땐 미사일이 문제였다. 핵은 이미 (제네바 협정으로) 끝났으니까 그때는 문제가 안 됐다. 북한이 500킬로미터 이상 미사일은 갖지 않기로 대체적으로 합의했다. 거기에 대해 여러 보상이 있었고. 북한도 미국과 관계 개선을 계속하려는 것이다. 그런데 미국에서 네오콘들이 뒤집어엎고, 방코델타아시아(BDA) 문제 등으로 1년 걸리지 않았나.

그래서 버락 오바마 미 대통령이 결단해야 한다. 9·19공동성명을 실천하자는 결단을 해야 한다. 다른 것 얘기하면 또 시끄러워지니까. 미국이 공산국가인 중국도 인정하고 베트남도 인정하는데, 북한을 인정해서 나쁠 게 뭐가 있냐. 그리고 (북한이) 핵을 완전히 포기하는데. 지금 오바마 대통령이 핵 없는 세계라는 혁명적 얘기를 했는데, 여기(북한)부터 성공시켜야 하는 것 아니냐.

내가 볼 때는 북한은 핵 포기를 두 번이나 합의했고, 영변 5메가와트 원자로를 해체하면서 실질적으로 포기했다. 그래서 북한도 본심은 내 안전만 보장되고 국제사회 나가서 활동할 수 있게만 해 주면, 미국과 관계를 좋게 만들겠다는 것이다. 또 그것만이 북한이 살길이라는 것도 잘 알고 있다. 핵이 밥 먹여 주는 것도 아니고, 미사일이 집 지어 주는 것 아니다.

말기엔 부시가 태도를 바꿨지만, 북한은 미국이 이 일을 끄는 것에 대해 북한이 짜증을 많이 냈지 않았냐. 오바마는 선거 때 "김정일과 만날 용의가 있다"고 했고, 또 기자들이 물으니 "나는 대북 정책에서 부시 스타일이 아니라 클린턴 스타일로 할 것이다." 이런 얘기를 했다. 그래서 북한은 기대가 부풀었는데, 몇 달이 가도 말이 없으니까 이러다가 또 엉뚱하게 가는 것 아니냐는 초조감이 있는 것이다. 그래서 북한이 요새 얘기하는 것은 초조하니까 빨리 문서화해라, 왜 진작 그렇게 말해 놓고 그것에 따라 안 하느냐, 나는 이게 북한이 말하는 본질이라고 생각한다. 북한이 핵 부자가 되려는 것도 아니고, 미사일로 세상을 지배하려는 것도 아니다. 너희가 나를 말살하려 하니 나도 살기 위해 그야말로 너 죽고 나 죽자 심정으로 이렇게 한 것이다라는 게 북한 입장이다.

우리가 공산당을 알아야 하는 게, 역사상 공산당한테 전쟁이나 압박과 냉전으로 이긴 예가 없다. 미국이 베트남에서까지 지지 않았냐. 소련에도 지지 않았냐. 또 미국이 전후의 50년 동안 소련과 동유럽 등 공산권과 냉전을 했는데 못 이겼잖냐. 그런데 어떤 때 이겼냐. 서로 데탕트를 해서, 서로 영토를 보장하고, 경제 교류하고, 인적 왕래, 특히 인적 왕래가 중요시됐는데, 문화 교류를 했다. 그러니까 소련 사람들은 소련이 세계에서 낙원인 줄 알다가 서구에서 살아 보니까 지옥이란 것을 알고, 그래서 내부에서 불평이 많으니까 고르바초프가 할 수 없이 개혁·개방을 할 수밖에 없었고, 개혁·개방도 공산당이니까 옐친이 나서서 민주화를 한 것이다. 50년 냉전으로 안 되던 것이 불과 10년 만에 됐다. 중국도 그렇다. 긴 세월 대결을 했는데 닉슨이 마오쩌둥 찾아가서 유엔 가입하라, 국교 정상화하자 이래서 합의해서 덩샤오핑이 등장할 기회를 만든 것 아니냐. 베트남과는 전쟁하고도 지금 관계가 정상화됐다. 북한과도 못 할 게 없다. 그래서 우리는 그런 방향으로 가도록 자꾸 미국을 지원하고, 중국에 대해서도 하고, 일본에 대해선 너무 지나쳐서는 안 된다며 견제를 하고, 이런 게 우리가 해야 할 역할이 아니냐 생각한다.

성한용·김종철 이 대통령이 결심해야 한다는 말씀을 했는데, 이 대통령 개인은 실용주의를 생각하고 있는지 모르지만, 집권 세력과 이명박 대통령을 둘러싸고 있는 정책을 맡고 있는 사람들은 국내 보수층 의식을 많이 하는 것 같다. 대북 정책을 유연하게 하면 보수층한테 욕을 먹는 게 아니냐는 두려움도 있는 것 같고, 그것 때문에 대북 정책도 유연하게 못 하고 있는 것 같은데, 그런 부분에 대해 이명박 대통령이나 주위 사람들한테 한 말씀 해 주신다면?

김대중 나도 정부 요직에 있는 사람한테 들었는데, 이 대통령 생각은 그렇지 않은데, 주위에서 그렇다고 하더라. 그런데 천생 그건 리더가 해결해야 한다. 리더가 결단하고 설득해야 한다. 지금 시대가 어느 때인데, 지금 미국이 세계 문제를 풀어 가는 데 우리가 방해 역할을 하냐. 일본이 6자회담에서 방해 많이 했다. 그래서 미국의 북한에 대한 테러지원국 해제에 대해 결사적으로 안 된다고 미국 붙잡고 했다. 미국 입장에선 일본이 우리보다 훨씬 중요한 동맹이다. 그런데 미국이 일본 말 안 듣고 그냥 해제했다. 우리가 자꾸 역기능을 하지 말고, 순기능을 하라는 것이다.

과거 6자회담 때 내가 우리 쪽 6자회담 대표한테 직접 들었다. 김계관 북한 대표와 점심 먹으면서 "당신네 이런 소리 하는 데 그건 안 된다. 그 대신 이런 방향으로 간다면 내가 미국한테 얘기하겠다." 이렇게 미국에 가서 얘기하고,

미국은 북한한테 이것 좀 알아봐달라고 해서 우리가 상당한 역할을 했다. 그런데 지금은 누구도 우리를 돌아보지 않는다. 세계는 냉전 시대로부터 그리고 미국 유일주의로부터 다원주의와 모든 사람들의 화해 협력으로 나아가는 분위기 속에서 우리가 거기에 역행하는 것을 하고, 더구나 동료(민족)끼리 대립하며 일본과 공조하고 있다는 인상을 다른 나라한테 주는 것은 바람직하지 않다.

성한용·김종철 대북 특사 보내자는 의견 있었는데, 필요성이 있다고 보나? 특사를 보낸다면 어떤 사람이 적당한가.

김대중 북에서 특사를 받지 않을 것이다. 6·15선언과 10·4선언에 대해 태도 표명하지 않는 한 특사를 받지 않을 것이다.

성한용·김종철 특사가 가서 그 문제를 협의한다고 해도 안 받겠냐.

김대중 두 선언은 남북 간에 일단 합의한 것이다. 대통령이 합의를 해 온 것이고, 북에서도 보통 중요하게 생각하는 것이 아니다. 이명박 대통령이 선언을 해야 한다. "이행한다. 다만 경제적 분야에서 기술적으로 문제점이 있는 것은 다시 협의하자." 그러면서 "그런 문제를 얘기하기 위해 특사를 보내겠다." 이렇게 해야 한다. 달랑 특사만 보내서 되겠냐.

성한용·김종철 북한이 세게 나오는 것, 이해할 바는 있지만 북이 잘못하고 있는 점에 대해 조언을 한다면?

김대중 북한이 말하자면 '막가는 전술'을 쓰는 것이다. 그러니 그 말이 얼마나 험하냐, 억지소리도 많이 하고. 우리가 보기엔 잘못이다. 하지만 상대방으로선 핵 문제 합의해 놓고 뒤집었고, 미사일 문제도 양해해 놓고 뒤집었고, 정권 뒤집는다고 하고, 악의 축이라고 하고, 미국 새 정부가 들어서도 뚜렷한 전환점 얘기를 하지 않고 있고, 한국은 일본과 짜고 대량살상무기 확산방지 구상(PSI)이니 뭐니 북한을 봉쇄하려고 하고 있다. 그러니 북한으로선 거기에 대해 배신감을 느끼고 분노하고 있다고 봐야 한다.

그런데 북한은 자기들 스타일로 사는 것이다. 같은 독재국가도 공산독재와 일반독재는 다르다. 일반독재는 사유재산이다. 내가 먹고사는 것이다. 장사도 하고 무역도 하고 아무리 독재라도 그렇다. 그런데 공산독재는 의식주를 정부가 전부 장악하고 있어 딸싹 못 하는 것이다. 정부가 주고 싶어도 못 하는 것이다. 이런 상황에서 백성들을 끌고 가려면 하나는 미사일이나 핵 같은 것 발사해서 강성 대국 자랑을 해야 하고, 하나는 외세가 우리를 죽이려고 하니 고난의 행군을 해서 이겨 나가자 이렇게 가는 것이다. 그러니까 공산주의가 마땅치 않고, 북한이 하는 것이 지나치다는 것은 얘기할 필요가 없다. 다만 그것을 어떻게 푸느냐는 것이다. 그런데 전제가 있어야 한다. 소련, 동유럽 푸는 얘기 했잖냐, 중국도 얘기했잖냐. 북한도 반은 풀었다. 왜 그대로 안 하나. 북한한테 나쁘다, 나쁘다고 해 봤자 북한이 받아들이냐. 북한이라는 나라는 곧 죽어도 자존심은 안 잃는다. 자존심이 병적이다. 과거에 북한이 중국이나 소련과도 막 싸우지 않았나. 지금도 이번에 가서 여러 얘기 해 봤지만 중국이 마음대로 못 건드린다.

그러니 상대를 알아야 한다. 상대의 강점과 단점은 무엇이냐. 공산주의 국가의 약점은 어떻게든 대화를 해서 국제사회로 끌어들여 개혁·개방시키는 것 그것이 약점이다. 그런데 공산주의는 그걸 안 할 수 없다. 경제가 망하니까 백성을 못 먹이니까 자기네 체제만 보장하고 안전만 지켜 나간다면 개방은 서서히 하겠다는 것이다. 중국이나 베트남이 하고 있는 것 아니냐. 북한도 그렇게 시켜 줘야 한다. 그렇게 시키면 어떻게 되느냐. 개혁·개방하면 시장경제가 들어오고, 시장경제가 들어오면 중산층과 지식인이 생긴다. 그러면 민주주의가 된다. 영국 산업혁명, 프랑스 대혁명 때도 중산층, 즉 부르주아와 인텔리겐차, 이런 사람들이 했다. 영국은 귀족들이 곱게 정권을 내놓으니까 평화혁명이 됐고, 프랑스는 안 내놓으니까 유혈혁명이 난 것이다. 러시아나 동유럽도 개혁·개방을 시킨 것이 정책에 성공한 것이다. 북한에 대해 성공한 정책은 쓰지 않고 실패한 정책만을 쓰려고 하냐. 국내적으로 자기 목적이 없는 한은 뻔히 알면서 왜 그러냐.

미 오바마 정부 관심, 한반도로 잡아당겨야

성한용·김종철 미국에서 오바마 행정부가 바빠서 그런지 북한 문제를 대외 정책의 우선순위에서 뒤로 미뤄 놓은 듯 보이고, 북한도 이에 불만을 가진 것 같다. 미국의 대외정책 우선순위에서 북한 문제를 앞당겨야 한다고 생각하신다면 그 이유는?

김대중 미국은 아프가니스탄과 파키스탄 문제로 급하다. 이라크 전례에 비춰 볼 때 잘하고 있는지 못하고 있는지 모르겠다. 미국 사람들 정신이 그쪽에 빠져 있다. 그리고 이스라엘과 팔레스타인 문제의 화해, 그래서 서로 대등한 독립국가로 인정하라고 이스라엘을 설득하고 있다. 러시아와 그동안 미사일방어체제(MD) 기지 문제로 거의 냉전 수준으로 되돌아갔는데 지금 풀어가고 있다. 이슬람 쪽과 화해하려고 하고 있고. 그래서 힐러리가 지난번에 여기 왔을 때 인도네시아에도 일부러 간 거 아니냐. 멋있는 스타일 보여 주고 그랬잖냐. 그런데 한국, 여기는 당장에 뭐 일어나거나 그렇지는 않으니, 그러니까 (그 정도면) 된다, 이런 생각인 것 같고, 여기 책임자인 동북아 차관보가 인준도 못 받고 있다. 그렇다고 놀고 있는 것도 아니다. 지금 우리로서도 그렇고 북한도 그렇고 왜 이쪽 문제를 왜 빨리하지 않냐, 많이 진전돼 있는데 왜 빨리하지 않냐 이런 (미국을 설득하는) 노력도 해야 한다. 나도 지금 그런 노력을 하고 있다. 어떤 의미에선 오바마의 관심을 딴 쪽으로 가려는 것을 잡아당기는 운동을 해야 한다.

그러나 크게 보면 결국은 북한은 핵을 포기하고, 안 하면 중국이 참지 않는다. 북한은 핵을 포기하고 국제사회에 나와야 하고, 미국은 북한과 국교 정상화하면서 경제적인 활로를 열어 주고, 그래서 베트남이나 이런 나라들이 미국과 맞서다 지금처럼 변하듯이 그렇게 북한을 만들어야 한다. 북한도 내가 김정일 위원장과 얘기해 보니, 주변 국가들을 상당히 경계하더라. 미국은 우리(북한)만 괴롭히지 않으면 통일 후까지도 있어야 한다고 얘기하더라. 그래서 상당히 머리가 좋고, 생각이 깊다. 나를 앞에 놓고 중국이나 러시아를 비판도 하고, 미국에 대해선 탁 내놓고 얘기하고. 거의 잘 되어 가다가 클린턴 임기 말 때문에 그렇게 된 것이다. 클린턴이 몇 년 전에 여기 와서 그때 1년만 시간이 더 있었으면 우리가 다 했을 텐데 아쉽다는 말을 하더라. 부시가 잘못해서 북한이 핵확산금지조약(NPT) 탈퇴하고, 국제원자력기구(IAEA) 요원 추방하고, 장거리 미사일 발사하고, 그리고 마침내 핵실험까지 했다. 그러고 나서 할 수 없으니까 부시가 정책을 바꿨다. 바꿔 놓고 보니까 네오콘들이 자꾸 반대를 하고, 일이 잘 진척이 안 되고 있다. 이 대목에서 북한 핵의 검증과 역할 문제가 걸려있는데, 그런 매듭만 하나 풀면 큰 진전을 할 수 있을 것이다.

　그리고 이번에는 하나 더 해야 한다. 예를 들어 북한이 핵 포기하면 경수로 해 주기로 했으니까 다시 시작해서 해 줘야 한다. 그래서 북한이 망하지 않고 살 수 있고 국제사회 나갈 수 있다는 생각을 갖게 해줘야 한다. 굳이 핵무기와 미사일 없이 살 수 있다는 생각을 하게 해줘야 한다. "폴란드나 스위스도 핵무기 없이 사는데, 북한이라고 핵무기 있어야 사냐. 그리고 북한에는 중국이나 러시아 같은 믿음직한 우방도 있지 않냐"는 생각을 갖게 만들어야 한다. 그리고 한반도 문제에선 미국과 중국이 가장 협력해서 주도해 나가야 한다. 이번에 내가 중국 가서 얘기한 것도 많은데, 이 문제는 해결됐던 문제고, 해결될 수 있는 문제고, 해결되면 양쪽이 이익이고, 해결되지 않으면 양쪽이

다 손해다. 그 사이에서 한국이 처신을 잘해야 한다고 생각한다.

성한용·김종철 푸는 과정에서 중국의 역할이 중요한 것은 알겠고, 대통령도 중국의 역할이 중요하다고 여러 번 얘기했는데, 북한에 대한 중국의 영향력은 어느 정도로 보는지?

김대중 중국분들과 얘기해 보면 자기네 영향력은 한계가 있다고 하고 북한이 하는 것도 마땅치 않다고 한다. 그런데 북한이 하는 것보다 미국과 한국이 하는 게 더 마땅치 않은 일을 하고 있다고 한다. 예를 들면 어느 고관은 얘기하면서 "핵은 가지면 안 되지만, 로켓은 누구나 가지는 것 아니냐. 왜 다른 나라가 가지면 되고 북한이 가지면 안 되냐. 그런 무리한 소리를 하니까 일이 안 되는 것이다."라는 말을 한다. 중국도 북한에 대해 짜증 내기도 하고 애를 먹기도 하지만, 그러나 북한을 포기하지 않는다. 또 중국은 북한과 미국 양쪽을 놓고 보면 미국이 지나쳤다고 보고 있다. 중국으로선 북한이 안전을 위협하는 것은 찬성하지 않는다. 다만 경제적 지원은 살 수 있게 계속해 줘야 한다는 생각을 갖고 있다.

그런데 북한이 해선 절대로 안 되는 것은 핵이다. 북한이 핵을 가지면 남한도 가지려고 하고 일본도 가지려는 상태가 오니까 동북아시아가 핵의 지뢰밭이 되는 것이다. 일본이 핵 갖는 것은 중국한테는 악몽이다. 그렇게 핵이 퍼지는 것은 미국도 반대한다. 이것은 미국과 중국의 이해가 일치한다. 크게 보면 문제가 풀릴 전망이 있다. 그런데 가까이 보면 꽉 막혀 있다. 그래서 사물을 볼 때 망원경으로 멀리 넓게 보고, 현미경으로 가까이 깊게 봐야 한다. 둘이 연결돼야 한다. 길게 보면 해결될 문제다. 이미 해결될 소지가 많이 생겨났다. 그런데 가까이 보면 개성공단의 토지 임대료 문제가 어떻고 이런 것이 잘못되면 큰 전망까지 깰 수 있다. 그래서 둘을 맞춰서 해 나가야 한다.

그런데 나는 현 정부에 새로운 흐름에 잘 적응하고 컨트롤할 수 있는 대북 지도자, 전문가가 부족한 게 아닌가 한다. 대부분의 생각은 과거 냉전 시대 생각이고, 정적들이나 국민들 탄압하려는 유혹을 자꾸 받고 있는 사람들이 있다고 생각한다. 이미 시대는 달라졌다. 그런 식으로는 성공 못 한다.

핵 문제는 미·중 협력이 중요, 그 사이서 한국이 처신 잘해야

성한용·김종철 6자회담으로 풀어야 한다는 사람도 있고, 6자회담으로는 어렵기 때문에 북·미 양자 대화로 해야 한다는 관점도 있는데 둘의 관계를 어떻게 설정해야 하나.

김대중 둘 다 해야 한다. 북·미가 서로 대화해서 골격을 짜고 합의해서 6자회담으로 가져가서 지지하고 추인하고, 또 6자회담에서 논의해 북·미에 아이디어를 주는 방법 등 자유자재로 할 수 있다. 그런데 6자회담이 중요하다는 것은 중국이 협력해야 일이 되니까 그렇고, 또 6자회담에 어떤 문제가 합의돼 있냐 하면 앞으로 동북아 평화와 안전을 위한 기구를 만들게 돼 있다. 그게 굉장히 중요한 것이다. 나는 2004년 중국 갔을 때 장쩌민 주석한테 그 안을 냈다. 그랬더니 탕자쉬안(唐家璇) 국무위원이 "우리는 당신 안을 지지한다"고 말했다. 이번에도 가서 그 안을 다시 얘기했는데, 아무튼 그게 마지막 보류다. 그렇게 되면 남북 관계도 좋아지고, 일본도 무리한 일 못 하고, 미국이나 중국도 안심하고 동북아 사회에서 협력할 수 있다.

지금 다행인 것은 미국과 중국의 사이가 아주 좋아지고 있다. 과거 부시 시대까지는 미국이 세계를 주도한다는 미국 일방주의였는데, 지금은 최근엔 중국과 같이 해 나가야 하고 그리고 다자주의, 세계 모든 나라와 협력해 나가야 한다는 것, 그리고 미국 말 들으면 선, 미국 말 듣지 않으면 악이라는 이분법도 더이상 안 통하게 됐다. 오바마가 나왔다는 것은 미국으로서도 유색인이 대통령이 됐다는 것, 노예가 대통령이 됐다는 것으로 엄청난 사건이다. 나는 미국 역사에서 3대 혁명이 있다면 조지 워싱턴의 독립전쟁, 링컨의 노예 해방, 그리고 오바마 대통령 당선이라고 생각한다.

미국 인구가 약 3억 명이다. 1억 6천 명이 백인이고, 나머지가 유색인종이다. 지금까지는 1억 6천 명이 미국을 끌고 가는 주류 세력이었고 1억 4천 명은 소외돼 있었다. 그런데 이번에 오바마가 대통령이 되고 나서 1억 4천 명이 일거에 주류가 됐다. 흑인만이 주류가 된 것이 아니라 백인들이 오바마를 지지했다. 미국은 대단한 나라다. 나는 미국이 경제적으로 한 번 크게 일어날 것으로 본다. 1억 6천 명이 하던 경제를 1억 4천 명이 더 달려들어 3억 명이 할 수 있으니, 미국 경제가 더 잘되지 않겠냐.

하지만, 미국 혼자 세계를 끌고 갈 수는 없다. 그런 것은 성공도 못 한다. 왜냐하면 과거에는 강대국이라 하면 식민지 갖고 착취하고 억압하고 그것이 강대국의 당연한 권리고 모습이었다. 그런데 지금은 강대국이 그걸 못 하지 않냐. 2차대전 계기로 다 식민지 내놓고, 장사해서 좀 해 먹었다고 하지만 강대국이 일방적으로 못 한다. 지금은 세계화가 됐다. 코소보에서 문제가 생기면 강대국들이 다 관심 가지지 않냐. 이제는 식민지 착취하고 나만 잘 산다는 식으로 안 된다. 전에는 강대국이 특권주의 입장이었지만 이제는 의무라고 할까, 책임이 강대국의 문제가 됐다. 그래서 아프리카 사람들, 중남미 사람들, 아시아 사람들, 질병과 가난에 시달리는 사람들, 환경 문제 이런 거 전부 돌봐줘야 한다. 돌봐주지 않으면 그 사람들이 다 잘사는 나라로 밀고 들어오니까 안 할 수도 없다. 이제는 세상이 달라졌다. 강대국은 있지만 강대국이 특권을 누리는 게 아니라 책임을 지는 시대다. 그런 방향으로 미국이 선회하기 시작한 것이다.

이번에 중국에 가서도 그런 말 많이 했다. 당신네들은 천하태평이라는 말 많이 하는데, 임금의 최고의 이상이 천하태평이라고 했는데, 전에는 중국 대류이 천하였지만 지금은 온 지구가 천하다. 당신네는 강해지고 능력 있는 만큼 온 지구를 맡아서 해야 할 책임 있는 천하태평이란 얘기를 했다. 오바마가 나와서 과거 적대시하던 시리아와 이란과 대화하고 이스라엘, 팔레스타인 문제 풀려고 하고, 러시아와 문제도 그렇고, 인도네시아도 찾아가서 이슬람교도와 화해하려고 힐러리 클린턴이 가고, 어떻게 보면 미국으로서는 한반도 문제는 결국 해결될 문제라고 보는 것이다. 제일 문제가 아프간, 파키스탄 문제다. 오바마 대통령의 다른 외교 정책은 찬성하는데 아프간 파키스탄 문제가 저렇게 해서 되는가, 나도 대안은 없지만 그런 걱정을 하고 있다.

성한용·김종철 한·미 간 아프간 파병 문제가 오가고 있는데?

김대중 파병 얘기 아직 오지 않았는데, 지금 그런 얘기를 할 수 없고 나도 사실관계를 잘 모르겠다. 아프간에서 가능성이 있냐, 파키스탄은 어떻게 되는 거냐. 오사마 빈 라덴이 문제인데 몇 년간 못 잡았는데, 그 문제는 어떻게 할 거냐 그런 안이 없지 않으냐, 매번 실패만 하고. 내가 집에 앉아서 뭘 알겠냐.

모든 국민이 굶어 죽지 않게 제대로 보장해 주는 것

성한용·김종철 정치적 사안 몇 가지 물어보겠다.

김대중 나는 정치 얘기는 하지 않기로 했는데.

성한용·김종철 편하게 그냥 말씀하시면 된다. 우선 이명박 정부의 민주주의 후퇴는 연초에도 얘기하시고 그랬는데, 그거 말고 경제 정책의 큰 방향, 복지 정책에서의 큰 방향 이런 부분에 대해 여론조사를 해 보면 국민들이 잘 사는 사람을 위한 정권이 아니냐, 불신이 있다. 정책 노선을 이렇게 바꿨으면 좋겠다, 잘했으면 좋겠다고 하는 게 있다면 어떤 것이 있을까?

김대중 정치 문제는 내가 관여할 게 아니고, 경제에 대해서 말하면 경제는 두 가지 방법이 있다. 우선 레이거노믹스(Reaganomics), 고소득층의 세금을 감해 줘서 돈 벌게 만들고 시장 마음대로 하라고 하면서, 말하자면 약육강식 승자독식, 이렇게 막 가고, 최고경영자(CEO)들이 엄청난 보너스를 받으며 부패가 구조화되고, 은행이 주택에 80퍼센트, 90퍼센트 대출해 부실 만들고, 그런 식으로 해서 한때는 재미를 봤는데, 그게 결국 고름이 터져 나온 것이다. 그래서 그게 이제는 안 되는 일이다. 오바마는 고소득층에 세금 중과해서 중하층, 특히 국민의료보험을 하겠다고 하고, 중소기업에 집중 투자하겠다고 하는데, 우리도 과거 레이거노믹스식으로 해온 점이 있다고 생각한다.

그런데 지금 제일 중요한 문제는 일자리가 없는 문제고, 먹을 것이 없는 문제다. 일자리가 없는 문제와 더불어 비정규직 문제가 있다. 정규직이 700만 명, 비정규직이 800만 명이라고 하지 않냐. 이젠 노동자가 비정규직인 세상이 됐다. 그 사람들 수입이 한 달에 100만 원 내외 아니냐. 그걸로 자식들 교육시키고 집세 내고 식료품 사고 할 수가 없다. 그렇게 코너에 몰려 있는 것이다. 비정규직에 대해선 정규직에 가깝게 대우를 바꿔야 한다고 생각한다. 임기도 보장해 주고. 일반 노동자와 같은 노동을 하는데 어떻게 차별을 하냐. 그게 어떻게 정당하냐. 국민들이 그만큼 깨쳤다. 그리고 백성들 중에 직장이 없거나 장애가 있으면 먹여 살려야 한다. 내가 그런 일을 많이 했지만 기초생활보장법 효과도 보고 있고, 4대보험도 개혁해서 환자들이 병원에 쉽게 가지 않냐. 요컨대 굶지는 않게 해 줘야 한다.

그러면 뭐로 (재원을) 감당하냐, 그렇게 하면 세금이 더 들어온다. 비정규직이 돈이 들어오면 가족들과 외식도 하고 물건도 사고, 소비가 일어나서 경기가 발달한다. 그게 묘미고 순기능이 되는 것이다. 밑으로 돈을 뿌려 주면 그게 돌아서 위로 올라가서 기업들의 물품을 사 주면 기업이 잘되고, 기업이 돈 벌면 재투자하고 그 돈이 다시 밑으로 내려가고. 이것이 역기능이 돼선 안 된다. 나는 경제 전문가가 아니지만 그거부터 해야 한다고 생각한다. 지금 소소한 것 일일이 비판할 것도 없고, 그렇게 해도 해결 안 된다. 근본 문제는 모든 국민이 굶어 죽지 않게 제대로 보장해 주는 것이다. 보장해 주면 그 수입으로 국민이 물건을 살 것이고, 내수가 일어나고, 기업이 잘된다. 기업이 잘되면 밑으로 돈이 들어간다. 선순환한다.

성한용·김종철 경제 정책이 반대로 가고 있는데

김대중 잘하고 있는 거 같지 않다.

성한용·김종철 국민 입장에서 여야가 균형을 이루고 견제해야 나라 전체가 잘되는 것인데, 민주당, 야당에 다음 대통령 후보로 나올 사람이 없다고 생각하는데, 인물 부재의 상황을 어떻게 해결해야 한다고 생각하나.

김대중 대통령이 아직도 3년이 있잖나.

성한용·김종철 그래도 희망의 싹이 보여야 할 텐데 답답하니까.

김대중 필요한 데 반드시 필요한 물건이 나온다. 민주당이 지금 그런 인재를 필요로 하면 당내건 당외건 그런 인재가 일어선다. 3년이 있으니까 그동안에 크면 된다.

성한용·김종철 3년이면 너무 짧은 거 아닌가.

김대중 이명박 대통령은 사업만 하고 서울시장 하다가 (대통령) 됐잖나. 문제는 대통령감은 제일 중요한 것은 건전한 상식이다. 사물을 공정하게 보는 눈, 사람을 바르게 보는 눈, 이게 건전한 상식이다. 내가 볼 때 현 정부가 인사 문제에서 너무 지나치게 편중하는 일을 하고 있는데, 저거 절대 도움이 되지 않는다. 나도 대통령 때 내가 아는 사람 임명도 해 봤지만, 그렇다고 그 사람이 나한테 도움 준 것도 없고, 정권에 도움 준 것도 없었다. 딴 사람과 똑같았다. 왜 그런 짓들을 하나. 지역을 차별한다든가. 이런 것은 하나를 차별하면 반대쪽에선 원한을 갖게 된다. 하나도 도움이 안 된다. 대통령 두 번 한다면 세력이라도 만든다고 하지만, 대통령 한 번 하는데 뭐 때문에 그런 일을 하느냐. 그런데 지금 이게 심하지 않냐. 시민단체들 지원금, 일거에 뒤집어 버리지 않냐. 그건 지각 있는 사람들이 하는 짓인가 하는 생각이 든다.

대통령감 중요한 덕목은 건전한 상식

성한용·김종철 좀 심하다.

김대중 심하다. 그런 짓을 한다는 것은 상식에도 어긋나지만 민주주의 원리에도 어긋난다. 민주주의는 너도 살고 나도 살자는 것 아니냐. "나는 너를 반대하지만 네가 반대할 권리를 위해 나는 싸우겠다." 그렇게 말한 문호도 있지 않냐. 내 자랑 같지만 대통령 돼서 한 사람도 정치보복하지 않았다. 나한테 그렇게 모질게 대했지만. 나쁜 제도는 바꿨지만 사람은 다 용서했다. 그리고 경제 문제에서도 과거의 여당에 대해서 정경유착 등 제도는 싹 구조조정해서 바꾸지 않았나. 내가 정권 잡았을 때 기업 부채 비율이 400퍼센트였는데, 지금 100퍼센트 아니냐. 그때 은행들 부실대출률이 13퍼센트였는데 지금은 1퍼센트 아니냐. 그때 국고에 달러가 37억 달러였는데 내가 나올 때 1400억 달러 남기지 않았냐. 가장 큰 이유 중 하나는 내가 사람에 대해 보복하지 않고, 오직 나라의 제도, 운영을 고민해 국민들의 지지를 얻었다고 생각한다. 그래서 금 모으기가 나오고, 지금도 세계 사람들이 금 모으기 얘기를 한다. 국제적 신임을 얻고, 외람된 말이지만 리더십이 서 있었다고 생각한다.

그래서 우리가 정치란 여당으로 갔다, 야당으로 갔다 하는 것이니까 여당은 야당에 대해 살아갈 자유를 주고, 또 야당은 여당에 대해 어느 한계선까지는 협력을 하고, 국민의 이해를 받고 하는 거 아니냐. 그런 정치적 풍토가 아직도 되지 않았다. 우리가 경제와 과학, 문화도 많이 발전했는데 정치만 발전하지 않고 있다. 그 분야가 잘 됐으면 좋겠다.

성한용·김종철 대통령이 민주당을 다 키워 오셨는데, 민주당이 어려운 처지에 처해 있다. 정동영 전 장관 출마로 시끄러웠다가 지금은 복당 문제로 시끄럽다. 어떻게 풀어 가야 한다고 생각하는지. 또 사회적 이슈와 관련해 미디어법이 임시국회 때 큰 논란이 될 것 같다. 정부에선 국가 경쟁력, 미디어 경쟁력을 위해 방송을 신문에 줘야 한다고 얘기하고 반대로 어떤 학자들은 여론 시장이 독과점으로 흘러 문제가 있다고 주장하고 있다.

김대중 민주당 문제는 자기들이 알아서 해야 한다. 남이 훈수해서 잘하는 것보다 자기네가 해서 보통밖에 못하더라도 그게 더 낫다. 나는 그것에 대해 의식적으로 관심 갖지 않고 있다.

미디어 문제는 미디어를 능률화하고 개혁하면 좋다. 그런데 정연주 한국방송(KBS) 사장을 임기 전에 쫓아내는데 그것이 미디어 개혁이 되겠냐. 지금 와이티엔(YTN)이나 문화방송(MBC), 얼마나 당하고 있나. 그런 짓 하면서 미디어 개혁이 필요하다고 하면 누가 믿겠나. 근본 문제로 누가 봐도 자기네 정치적 이익을 위해 미디어를 장악하려 한다, 그리고 조금이라도 잘못하면 잡아간다, 이런 것이 오늘날 일반적인 관측 아닌가. 그러니까 다른 기술적인 면에서 좋은 점이 있다고 하더라도 근본이 나쁜 방향으로 가는데 누가 그걸 지지하겠나. 문제는 거기에 있다고 생각한다.

성한용·김종철 근본이 미디어법에 잘못됐기 때문에 신문의 방송 진출은 문제 있다고 보는 것이냐.

김대중 여하튼 나는 미디어법을 하든 안 하든, 언론 자유가 정상적으로 보장돼야 한다, 그걸 해치는 어떤 입법도 찬성할 수 없다고 생각한다.

성한용·김종철 얼굴이 건강해 보이신다.

김대중 음, 괜찮다.

9·19공동성명을 이행하면 북핵 문제는 해결

대담 빌 클린턴
일시 2009년 5월 18일

  김대중 전 대통령은 5월 18일(월) 저녁 시내 하얏트호텔 식당에서 방한 중인 빌 클린턴 미국 전 대통령을 만나 만찬을 가졌다. 이날 만찬은 빌 클린턴 대통령의 요청으로 이루어졌다. 빌 클린턴 전 대통령은 재임 시절 김대중 전 대통령의 햇볕정책을 적극 지지하는 등 대북 정책에서 긴밀하게 공조를 한 바 있다.

  두 대통령은 퇴임 후에도 세 차례 만나 상호 우정과 신뢰를 확인하고 한반도 문제에 대해 의견을 교환해 왔다. 2003년 11월에는 클린턴 대통령이 새로 개관한 연세대김대중도서관을 방문해 김대중 전 대통령을 만났고, 2005년 2월에는 김대중 전 대통령이 클린턴 대통령의 자서전 『마이 라이프』(MY LIFE) 한국어판 출판기념회에 참석해 축사를 했다. 그리고 2007년 9월에는 김대중 전 대통령이 뉴욕을 방문, 클린턴글로벌이니셔티브(Clinton Global Initiative·CGI) 연례회의 개막식에 참석한 후 클린턴 대통령과 대화를 나누었다. 이번 만남은 퇴임 이후 네 번째이다.

  다음은 만찬이 끝난 후 만찬에 배석한 박지원 비서실장이 기자들에게 전한 대화 요지이다.

김대중 전 대통령과 클린턴 전 대통령은 1시간 20분 동안 만찬을 가졌다. 20여 분간 건강 문제, 한국의 민주주의, 세계 금융 위기, 김 대통령의 중국 방문 등에 대해 환담을 나누었다. 나머지 시간에는 주로 북핵 문제, 6자회담에 대해 의견을 교환했다.

빌 클린턴 오바마 대통령과 힐러리 국무장관, 보즈워스 (대북 정책) 대표에게 김대중 대통령과 내가 했던 대북 정책을 참고하면 북핵 문제는 해결될 것이라고 이야기하고 있다. 오바마 대통령도 그런 방향으로 노력하고 있다.

김대중 북한은 두 차례 핵을 이미 포기한 적이 있다. 하나는 클린턴 대통령 시절인 1994년 제네바협정에서 핵을 포기하기로 했다. 그러나 부시 대통령이 에이비시(ABC·Anything But Clinton) 정책을 해서 북한은 핵확산금지조약(NPT)을 탈퇴하고, 국제원자력기구(IAEA) 감시 요원을 추방하고, 미사일 모라토리엄을 파기하고, 핵실험까지 했다. 클린턴-김대중 정책을 쓰지 않고 강경 정책을 사용한 결과이다. 한편, 부시 대통령도 임기 말기에 2005년 6자회담에서 9·19공동성명에 합의했다.

빌 클린턴 그렇다. 결국 부시 대통령도 임기 말기에 6자회담을 시작했다.

김대중 오바마 대통령은 대선 캠페인을 하면서 김정일 위원장을 만나겠다고 했고, 내 정책은 부시 대통령의 정책이 아니라, 클린턴 대통령의 정책이라고 했다. 북한은 오바마 정권의 출범에 상당한 기대를 걸었는데 미국이 아프가니스탄과 파키스탄 문제에 집중하고 있어 북한으로서는 초조해하고 있다. 오바마 대통령이 9·19공동성명을 이행하겠다고 선언하면 북핵 문제는 해결될 것이다. 9·19성명은 "첫째 북한은 핵을 포기한다. 둘째 미국은 북한과 국교를 정상화한다. 셋째 6자가 협력해 한반도 평화 체제를 구축한다. 넷째 북한에 식량과 에너지를 제공한다. 다섯째 모든 것은 행동 대 행동으로 한다"는 것이다. 9·19성명대로 한다면 북한도 거부할 이유가 없다.

빌 클린턴 옳은 정책이다. 미국에 돌아가면 대통령께서 말씀하신 내용을 클린턴 장관에게도 설명해서 잘 진전되도록 하겠다.

김대중 최근 중국을 방문해 시진핑 부주석과 많은 학자들도 만났는데, 중국은 북한의 핵 보유를 용납하지 않으며, 미국이 나서 주기를 바라고 있으며, 그러면 지지할 것이라고 말했다.

빌 클린턴 중국이 미국에 협조할 것 같은가?

김대중 중국은 어떤 경우에도 북한이 핵을 갖는 것을 용납하지 않겠다는 것이다. 북한이 핵을 갖게 되어 한국도 일본도 핵을 갖겠다고 나서게 되는 상황을 중국은 결코 원치 않는다. 특히 일본이 핵을 갖는 것은 악몽이라고 생각한다. 중국은 북한이 인접 국가로서 경제적 지원은 계속하겠지만 미국이 (핵 문제 해결에) 나서 주면 적극 협조하겠다는 것이다. 그리고 한국 정부가 북한과 대화하지 않고 일본과 공동 보조를 취하는 것에 대해 크게 염려했다.

빌 클린턴 미국 정부도 북한과 정상화, 관계 개선에 관심을 갖고 노력하고 있다.

김대중 대통령과 힐러리 장관께서 올해 초에 보내 주신 아프리카 르완다 여성들이 만든 공예품을 응접실에 놓고 보고 있다. 귀한 선물에 감사한다.

빌 클린턴 그 공예품은 르완다 부족 분쟁에서 살아남은 르완다 여성들이 생산한 공예품이다. 그것을 보고 대통령님의 민주주의를 위한 생애, 민족 화해 노력이 생각이 나서 대통령님께 보냈다. 9월 초 뉴욕 클린턴글로벌이니셔티브(CGI) 회의에서 만나기를 바란다.

김대중 초청에 감사하고 꼭 가겠다.

김대중 전 대통령은 "평화平和"라고 쓴 크리스털 시계를 선물했고, 빌 클린턴 대통령은 유리그릇을 선물했다. 빌 클린턴 대통령은 만찬을 마치고 휠체어 오른 김 전 대통령에게 "대통령님께서 다리가 불편하신 것은 '명예의 상징'이다. 얼마 전 남아공의 만델라 대통령을 만났는데 그분도 2-30년간 좁은 감옥 생활에서 다리 근육이 약해져서 크게 불편한 모습이었다"고 말했다.

빌리 브란트와 나, '동방정책'과 '햇볕정책'

강연 한국외국어대학교
일시 2009년 5월 21일

김대중 존경하는 박철 총장, 정현백 교수, 바스 주한 독일대사, 맥도널드 주한 유럽연합(EU) 대사, 호펜슈테트 빌리브란트재단 사무총장, 노명환 교수, 그리고 교수, 학생, 내빈 여러분!

오늘 제가 여러분 앞에서 「빌리 브란트와 나, 동방정책과 햇볕정책」을 주제로 몇 말씀 드리게 된 것을 큰 영광으로 생각합니다.

빌리 브란트 총리는 20세기 우리 시대가 낳은 가장 위대한 인물 중의 한 분이었습니다. 인류 역사에 대한 심오한 철학, 자유를 지키기 위한 용감한 투쟁, 적대 관계에 있는 동족과의 화해, 대담한 정책적 결단과 뛰어난 실천력, 그리고 따뜻한 인류애와 정의감을 가진 사람이었습니다. 우리는 우리 시대에 이러한 위대한 인물을 갖게 된 것을 단순히 그 조국인 독일만의 영광이 아니라 전 세계의 행운이자 자랑이라고 생각합니다.

존경하는 여러분!

빌리 브란트 총리와 저는 서로 진심으로 존경하고 이해하는 친구였습니다. 우리 두 사람은 모두 독재와 싸웠고, 공산주의와 싸웠고, 분단과 싸웠습니다. 그리고 민주주의에 대한 철저한 신봉과 정의에 대한 열정에 있어서 서로 같았습니다. 무엇보다도 분단된 민족의 통일을 위한 신념과 열정을 함께 하는 가운데 서로의 신뢰와 우정은 깊어 갔습니다.

존경하는 여러분!

저는 1971년 대통령 선거에 출마했을 때, 미국을 방문하여 워싱턴 내셔널 프레스클럽에서 기자회견을 했는데, 그 자리에서 "빌리 브란트 총리의 동방 정책을 지지하고 공감한다"는 말을 했습니다. 그리고 저는 대통령 선거 기간 중 남북 간의 화해와 협력의 '햇볕정책'을 주장했습니다. 그 당시는 냉전이 극심했던 때로 저의 '햇볕정책'은 군사정권에 의해 용공으로 몰려 많은 시련을 겪어야 했습니다.

1980년 제가 군사정권에 의해서 사형 선고를 받았을 때, 빌리 브란트 총리는 한국의 군사정권 지도자 전두환 장군에게 친서를 보내서 강력히 항의하고 사형 선고 취소를 요구했습니다.

1983년 제가 미국에 망명 중일 때 빌리 브란트 전 총리는 저를 독일로 초청했습니다. 그러나 군사정권의 여권 발급 거부로 저의 독일 방문은 이루어지지 못했습니다.

1987년 브란트 총리와 전체 사민당 의원들은 저를 노벨평화상 후보로 추천해 주었습니다.

1989년 10월 26일 저는 브란트 총리를 한국에 초청하여 만찬연을 베풀었습니다. 그런데 바로 그때 베를린 장벽이 무너지고 있다는 소식이 만찬장에 전해졌습니다. 브란트 총리께서는 예상외의 빠른 사태에 당혹해하면서 바로 귀국 길에 올랐습니다.

1991년 10월 저는 독일을 방문하여 빌리 브란트 총리를 그의 집무실에서 만났습니다. 우리는 세계의 현실에 대한 의견과 미래에 대한 전망 등에 대해서 대화를 나누었습니다. 그리고 무엇보다도 독일통일로부터 한국이 무엇을 배울 것인가에 대해 논의를 집중했습니다. 빌리 브란트 총리는 저에게 "우리는 동독으로부터 일어난 불의의 사태로 인해서 조속한 흡수 통일을 했지만 한국은 반드시 평화적이고 점진적인 통일을 추진하시오."라고 충고해 주었습니다. 그리고 "지금 독일은 베를린 장벽은 무너졌지만 마음의 장벽은 무너지지 않았다"며 엄청난 후유증에 대해서 말했습니다.

1992년 10월 브란트 총리가 서거했을 때 저는 아내와 자식을 독일에 보내 장례식에 참석하게 했습니다. 당시 저도 장례식에 참석하고 싶었지만 14대 대통령 선거로 시간을 낼 수 없었습니다.

1993년 2월 제가 베를린을 방문했을 때 브란트 총리의 묘소를 참배했습니다. 저는 그 자리에서 다시 한번 제 생애에 두터운 우정을 나누었던 위대한 친구를 회상하며 명복을 빌었습니다. 지금도 간혹 브란트 총리를 생각하면 그리운 심정이 사무칩니다.

존경하는 여러분!

'동방정책'과 '햇볕정책'은 그 철학이나 정책, 실천 방법에 있어서 상통하는 점이 많습니다.

첫째, 두 정책 모두 민족의 영원한 분단을 거부하고 반드시 통일을 이룩하자, 그 통일은 무력이나 강제에 의한 것이 아니라 평화적이고 단계적인 것이어야 한다는 것입니다.

둘째, 브란트 총리는 오랜 '할슈타인 원칙'을 폐지하고 동독과의 교류 협력에 주력하는 현실적인 정책을 추진했습니다. 그리고 서독은 20년 동안 매년 평균 32억 달러씩, 총 600억 달러의 거액을 동독에 지원하고, 동서독 간의 교류를 왕성하게 했습니다. 그리하여 동독인의 민심이 크게 동요했습니다. 그동안 공산독재 치하에서 동독은 낙원이요, 서독은 지옥이라는 식으로 세뇌를 받아온 그들은 서독의 지원과 활발해진 동서독 간의 왕래를 통해서 서독이야말로 낙원이요, 동독은 지옥에 불과하다는 것을 알게 되었습니다. 이것이 동독 내부에서의 민심의 동요와 폭발이 일어나게 하여 동독인이 자진해서 서독에 의한 흡수 통일을 요구하게 되었던 것입니다.

셋째, 한국에서도 규모와 기간은 짧지만 '햇볕정책'을 통해서 독일의 '동방정책'과 유사한 정책을 추진해서 짧은 기간 내에 북한의 민심과 사회에 많은 영향을 주었습니다. '햇볕정책'은 태양이 동서남북 고르게 따뜻한 햇볕을 보내듯이 남북한 양쪽도 냉전의 강풍을 잠재우고 평화 공존, 평화 교류, 평화 통일의 공동 승리의 성과를, 발전을 이룩하자는 것입니다.

남북은 2000년 6·15남북정상회담을 통해서 민족의 운명을 자주적으로 해결할 것과 통일은 점진적으로 추진할 것을 합의했습니다. 그리고 남북 간 교류 협력을 모든 분야에서 왕성히 할 것을 합의했습니다. 제가 2000년에 북한을 방문해서 남북정상회담을 한 이래 남한은 북한에 식량, 비료, 의약품 등 매년 1억 5천만 달러 정도를 지원해 주었습니다. 이러한 우리의 지원은 그동안 남쪽에 대한 악의적인 선전만 들어온 북한 사람들을 동요시켰습니다. "남쪽이 잘살지 않느냐. 우리에 대해서 동포애를 갖고 있지 않느냐. 우리도 남쪽처럼 잘살았으면 좋겠다. 통일이 빨리 되면 좋겠다." 이러한 심정을 갖게 했습니다.

그리고 이러한 심리적 변화는 문화적 변화까지 가져왔습니다. 북한에서 남한의 대중가요를 부르고, 남한의 텔레비전 드라마, 영화 등을 비공식적으로 보는 사태가 광범위하게 벌어졌습니다. 마치 서독이 '동방정책'을 통해서 동독 사람들의 마음에 변화를 가져왔듯이, 우리도 '햇볕정책'을 통해 북한 사람들의 마음의 변화와 우정을 얻기 시작했습니다. 그리고 상당한 규모의 경제 협력과 문화·체육 교류 등이 이루어졌던 것입니다. 이러한 상황에서 국민은 긴장 완화 속에 평화를 누렸고, 한반도의 냉전 시대는 영원히 끝나는 것 같이 보였습니다.

그러나 현 정부가 출범한 이래 남북 관계는 급속히 경색되고 날로 악화되고 있습니다. 이러한 현실을 보고 많은 사람들이 큰 우려를 금치 못하고 있습니다. 그러나 저는 이것은 일시적인 현상이라고 믿습니다. 남과 북 모두가 대결하고 다투면 서로 손해를 보고 위험에 처하게 되지만, 화해 협력하면 모두 안정과 번영을 이룰 수 있기 때문입니다. 그리고 우리 국민들도 지난 2000년도 이래 이룩된 남북 간의 화해 협력의 시대를 다시 회복하고자 강력히 바라고 있습니다.

저는 '동방정책'이 동서독 간의 평화와 우호 협력을 증진시켜 마침내 평화적 통일을 이룩하게 했듯이 우리나라에서도 '햇볕정책'이 다시 힘을 얻어서 한반도 평화와 남북의 공동 번영이 이룩될 날이 머지않아 올 것이라고 확신하고 있습니다. 그것은 남북 7천만 민족이 다 함께 열망하는 길이기 때문입니다.

존경하는 여러분!

지금까지의 말씀으로 독일과 한국은 얼마나 같은 운명의 길을 걸어왔고, '동방정책'과 '햇볕정책'은 얼마나 큰 상통점이 있는지 알 수 있었습니다. '동방정책'은 한발 앞서 성공했습니다. 이제는 '햇볕정책'이 성공할 차례입니다. 먼저 성공한 독일은 우리의 '햇볕정책'이 성공하도록 많은 지원을 주실 것을 바라 마지않습니다. 그리고 국민 여러분도 다시는 민족이 피를 흘리고 싸우거나 적개심 속에서 증오하고 대결하는 시대가 와서는 안 된다는 자각 속에 우리의 유일한 대안이자 성공한 '동방정책'과도 상통하는 '햇볕정책'을 적극 지지해 주시기 바랍니다.

마지막으로 빌리 브란트 총리를 다시 한번 다 같이 추모하면서 한·독 양국이 더한층의 우호 협력 관계를 증진시킬 것을 바라 마지않습니다.

감사합니다.

질의응답

한국외국어대학교 학생 중국 시진핑 주석과 빌 클린턴 대통령을 만나신 것으로 안다. 혹시 북한 관련 대화도 나누셨는지, 어떤 대화가 오갔는지 궁금하다.

김대중 여기 와서 축사만 하면 될 줄 알았다. 연설은 읽으면 되지만 질의응답은 어렵다. 오늘도 잘못 왔구나 하는 생각이 들지만 이왕 왔으니 성의껏 답변하겠다.(청중 웃음)

지난 4일부터 8일까지 중국 시진핑 국가 부주석과 지도자들을 만났다. 그들은 북한 핵은 절대 용납할 수 없지만 우리는 북한이 인방鄰邦(가까운 이웃 국가)이기 때문에 경제적으로는 도운다고 말했다. 북한은 지금 초조해한다. 미국(새 정부)에서 반가운 소리가 나오기를 기다렸는데 나오지 않으니 그런 것이다. (중국 지도자들이) 당신이 미국에 잘 얘기해서 빨리 희망적인 메시지를 (북한에) 보내도록 하라는 이야기를 들었다. 중국은 남북한을 똑같이 중시한다고 되풀이해 말했다. 그리고 일본이 6자회담에 걸림돌이 되고 있다며 불만을 표출했다. 중국은 6자회담이 시간은 걸리지만 반드시 성공하고, 한반도 핵 문제를 해결해야 된다는 태도를 가지고 있었다.

요새 미국 친구들과 자주 연락이 돼서 보즈워스 특별대표, 클린턴 대통령과 만났다. 클린턴 대통령과는 재임 시 손잡고 일했던 사이이고 가장 좋아하고 존경하는 친구다. 그는 자신(클린턴)과 제(김대중)가 했던 대로 참고해서 일하라고 힐러리 장관과 오바마 대통령에게 말했다고 했다. 아시다시피 클린턴은 제네바협상을 통해서 북한이 핵을 포기하게 만들었다. 그리고 내가

(2000년) 평양 다녀온 후 올브라이트와 조명록이 교차 방문하면서 당시 문제였던 미사일 문제에—당시 핵은 해결이 되었다—완전 합의는 아니어도 사정거리 500킬로미터 이상은 안 하기로 합의됐다.

그러나 클린턴의 임기가 끝나고 부시 대통령이 들어와서 모든 것을 뒤집었다. 에이비시(ABC·Anything but Clinton) 정책을 취했다. 여기에 북한이 반발해서 핵확산금지조약(NPT)을 탈퇴하고, 국제원자력기구(IAEA) 요원도 추방하고, 장거리미사일을 발사하고, 핵실험을 감행했다. 북한이 제일 바라는 것은 미국과의 국교 정상화, 국제사회 진출이다. 그것만 되면 북한은 핵을 포기하겠다는 것이다. 핵 포기는 제네바협정에서뿐만 아니라 2005년 9·19성명을 통해서도 "북한은 핵을 포기한다. 미국은 북한과의 국교를 정상화한다. (북한에) 경제원조를 한다. 그리고 한반도 평화협정을 맺는다." 등에 합의가 돼 있다.

중국 가서도 얘기하고 클린턴 대통령에게도 얘기했는데 그것(9·19성명)만 실천하면 된다. 그런데 북한이 그 실천을 의심하고 있다. 우리 쪽은 북한이 너무 심하게 나온다고 생각하고 있다. 외교는 인내심과 상호 이해를 필요로 하는 것이다. 중국이나 미국도 그런 쪽으로 가지 않을까 생각한다.

이선우(한국외국어대학교 교수) 대통령 임기 동안, 그리고 그 전후로 김 대통령은 통일 정책 등 여러 면에서 성공하셨다. 그럼에도 불구하고, 북은 핵에 굉장히 의존한다. 북이 핵 보유국이라는 보도도 있는데 그렇게 되면 통일 과정에 어떤 영향을 가질 것인가, 혹 영구 분단이 되지 않을까 하는 걱정이 든다. 우리의 통일은 언제 되는가?

김대중 세상을 볼 때 한편으로는 망원경을 가지고 저 멀리 넓게 보고, 한편으로는 현미경으로 좁고 깊게 봐야 한다. 망원경으로 멀리 넓게 보면 북한 핵 문제는 해결된다. 중국도 (북한 핵은) 절대 용납 안 한다. 미국도 그렇다. 북한도 근본 목적은 핵 보유가 아니다. 자신의 안정과 경제적 활로만 열어 주면 핵은 안 가져도 좋다고 얘기하고 있다. 이미 제네바협정에서 핵을 포기했다. 그 대가로 경수로 지어 주고 국교를 정상화하기로 했는데, 부시 정부 들어와서 모두 끊겼다. 그럼에도 불구하고 부시가 6자회담 만들어서 협상한 결과 9·19선언이 합의됐다. 즉, 북한은 핵을 포기한다, 미국은 북한과 국교를 정상화한다, 6자 협력하에 한반도 평화협정을 맺는다, 미국은 북한에 대해 경제 지원한다고 합의했다. 중요한 것은 핵 문제가 해결된 후에도 6자회담은 해산하지 않고 동북아 평화 안보 체제를 만들겠다고 합의한 것이다. 이게 중요하다. 핵 문제를 해결하고 동북아의 평화와 안전을 위한 기구를 만들게 되면 관계국들이 모두 득을 보고, 깨지면 모두 고통과 어려움을 겪는다.

부시 정권과 달리 오바마 대통령은 "나의 대북 정책은 부시 정책이 아니라 클린턴의 정책을 중시하겠다"고 했다. 그리고 클린턴 대통령의 부인이 국무장관 아닌가? 그런데 미국은 동북아 담당 정책 스태프가 완성되지 않아 정책 스터디가 완성되지 않았다. 그래서 북한이 급한 것이다. 내가 이번에 중국과 미국 지도자를 만나 보니, (6자회담은) 깨진 것이 아니고, 깨져서도 안 된다고 했다. 북핵 문제는 해결 안 됐지만 북한을 살도록 해 줘야 한다는 점에서 일치한 의견을 가지고 있다. 북한에 대해 성급하기보다 느긋하게 기다리면 변화가 있을 것으로 본다. 월요일 저녁 클린턴 대통령과 여러 가지 얘기를 했는데 돌아가면 클린턴 국무장관과 오바마 대통령께 이야기하겠다고 말했다.

김기현(KBS 기자) 연설 중에 "남북 경색 국면이 그다지 오래가지 않을 것이다라고 믿는다"고 하셨는데 그 근거는 무엇인지?

김대중 그 근거는 북한도 미국을 비난하기는 하지만 미국과의 관계 개선을 제1의 목표로 하고 있고, 미국도 북한을 과거처럼 '악의 축'으로 보거나 제거해야 한다는 입장이 아니라는 점이다. 이제는 생존권을 보장하겠다, 국교도 하겠다, 핵만 포기하라는 입장이다. 북한도 생존이 보장되면 핵을 포기하겠다는 원칙이 이미 합의돼 있다. 이미 북한은 제네바협정과 9·19선언에서 핵 포기에 합의했다. 그래서 이 문제는 오바마 정권이 자리를 제대로 잡으면 금년 가을부터는 북한과 본격 대화를 시작할 것이다.

김기현 하지만 남북 관계 경색을 볼 때, 한국의 이명박 대통령이 취하고 있는 정책, 그리고 개성 등 북한에서 취하는 대남 정책이 점차 심각해지는 상황이라는 것이 대체적인 의견이다.

김대중 제일 큰 흐름은 한국, 일본, 러시아가 아니라 중국과 미국이다. 중국과 미국은 말씀드렸다시피 북한이 핵을 포기만 하면 살게 해 주겠다는 입장이다. 북한은 살게만 해 주면 핵을 포기하겠다고 했다. 그러면 된 거 아닌가? 6자회담에서 9·19선언 통해 북한이 핵을 포기하면 북·미 간 국교 정상화하고 경제적으로 도와주겠다는 데에 한국도 사인해 놓고 이제 와서 안 하겠다고 할 수 없지 않겠나? 나는 일본이 무리를 하고 있다고 본다. 일본은 6자회담에서 사인해 놓고, 납치 문제가 해결 안 되면 아무것도 못 하겠다고, (6자회담에서) 배당된 20만 톤(중유)을 안 주면서 북한에 대해 압박만 가하고 있다. 이 점에 대해서는 중국 지도자들도 상당히 불만인 것으로 안다.

베른트 로터(Bernd Rother·빌리브란트재단 부대표) 동방정책과 지속적인 평화회의 체제가 지나고 보니 유럽 통합에 굉장히 큰 도움이 됐다. 이 지역의 중요 국가들, 즉 미국, 중국 등이 참여하는 안정과 안보회의 구조가 이 지역의 장기적인 평화와 안보에도 도움이 될 것으로 보시는가?

김대중 6자회담 합의 사항은 북한 핵 문제가 해결되면 6자가 동북아의 평화와 안정을 위해 노력하는 기구를 창설한다고 되어 있다. 나는 6자회담이 동북아의 안정을 위한 체제가 될 것이 틀림없다고 생각한다. 중국, 일본, 미국 누구도 동북아의 긴장 고조를 원하지 않는다. 또한 그 누구도 북한이 핵을 포기하면 받아들이는 것을 반대하지 않는다. (그러므로 북핵 문제는) 어렵다면 어렵지만 사실 쉬운 문제일 수 있다. 나는 1994년 미국 내셔널프레스클럽 (NPC) 연설 때부터 얘기해 왔다. "한꺼번에 모개흥정하라. 줄 것 주고 받을 것 받아라. 공동 승리하시오. 그래야 해결된다." 이렇게 주장해 왔다.

중요한 것은 우리는 북한에 대해 경제력에서도 우월하고, 핵을 빼면 군사력도 자신이 있다. 북한 군사력은 노후화돼 있다. 북한은 지금 초조하다. 미국과의 관계도 그렇다. 초조한 나머지 북한은 이왕 죽을 바에는 할 것 다하고 죽자는 심정이다. "너 죽고 나 죽자"는 심정이다. 클린턴 대통령도 말했지만 강자는 약자의 입장을 생각하는 도량을 가져야 한다. 나는 그런 입장에서 북한을 대해야 한다고 생각한다. 김대중 정부, 노무현 정부에서 최고 지도자들이 북한과 합의한 6·15공동선언과 10·4선언 (인정과 실천 문제)을 해결해야 한다. 북한은 그것을 수용 안 하고 실천 안 하면 남쪽과 대화 안 하겠다고 한다.

북한과의 관계 개선을 위해서는 우리가 풀 것은 풀어야 한다. 금강산 관광을 재개해야 한다. 총격 사건 이후 북한과의 협상 과정을 끝내지도 않고 사과해라, 공동 조사해라, 말만 하고 관광을 중단시켜 버렸다. 그런 점에서 다시 관광을 풀겠다 제안하고 북한이 안 받겠다 하면 어쩔 수 없다. 개성도 35만 명이 일하는 대공단을 만들기로 합의했는데 지금 불과 4만여 명이다. 제일 큰 이유는 기숙사가 없다는 것이다. 개성 사람은 다 고용됐고, 멀리 함경도나 평안도에서 와야 하는데 그들이 잘 데가 없다. 이 사람들 재울 기숙사를 우리 정부가 짓겠다고 약속했다. 그런데 지키지 않아 공단이 크질 못한다. 우리가 책임질 문제는 우리가 풀겠다고 나서야 한다. 그렇게 가면 누가 봐도 우리가 잘한다고 할 것이다. 그렇게 해서 북한이 받으면 좋고, 안 받으면 우리의 선의는 인정을 받을 것이고 분위기도 좋아질 것이다.

결국은 이명박 대통령도 6자회담을 성공시키고 남북 관계를 화해로 이끄는 그 길을 벗어날 수 없다. 대안이 없기 때문이다. 독일에서 동방정책만이 성공했듯이, 햇볕정책만이 한반도의 성공의 길이다. 햇볕을 다 같이 받자. 너도 이기고 나도 이기자는 공동 승리의 정책 외에 무엇이 있겠는가?

* 이 글은 2009년 5월 21일 한국외국어대학교 조명덕홀에서 진행된 「동아시아 공동의 역사 인식, 그리고 평화와 민주주의 번영을 위한 국제학술회의」 기조 강연문과 질의응답 내용이다.

김대중 연보

1924 1월 8일, 전남 무안군(현 신안군) 하의면 후광리 97번지에서 부친 김운식金云式, 모친 장수금張守錦의 사이에서 태어났다. 부친이 1924년 1월 16일자로 출생 등록을 하였으나, 1943년경 일제의 징병을 피하기 위해 1925년 12월 3일로 정정하여 이 내용이 김대중의 공식적인 생년월일이 되었다.

1933 초암草庵 김연金鍊으로부터 서당에서 한학 교육을 받았다.

1934 5월 12일, 4년제인 하의공립보통학교에 2학년으로 편입하였다.

1936 9월 2일, 상급 학교 진학을 위해 목포로 이사하여 목포제일공립보통학교(목포 북교공립심상소학교)로 전학하였다.

1939 4월 5일, 목포공립상업학교(5년제, 현 전남제일고등학교의 전신)에 수석으로 입학 하였다.

1943 12월 23일, 목포공립상업학교를 졸업하였다. 원래는 1944년 초에 졸업하기 로 되어 있었으나 전시특별조치로 인하여 졸업날이 앞당겨졌다.

1944 5월, 목포상고 졸업과 함께 목포상선회사에 취업하였다. 이후 회사 관리인으 로 회사를 경영하는 등 청년 사업가로 활동하였다.

1945 4월 9일, 차용애車容愛 여사와 결혼하여, 슬하에 홍일, 홍업 두 아들이 태어났다. 8월 19일, 8·15 해방이 되자 몽양 여운형 선생이 이끄는 건준(건국준비위원회) 에 참여하였다.

1946 2월, 목포 신민당 지부에 참여하였으나 좌경화 움직임이 보여 탈퇴하였다.

1947 2월, 50톤급 선박 1척을 구입하여 '목포해운공사'라는 회사명으로 연안 해운 업을 시작하였다.

1948 이해 후반기에 상호를 '동양해운'으로 변경하였다. 사업이 번창하여 한국전 쟁 직전에는 70톤급 2척, 50톤급 1척 등 3척의 선박을 보유하였다.

1950 6월 25일, 사업 관계로 서울 출장 중에 6·25를 맞았다. 걸어서 8월 10일경에 목포로 귀가하였다.
9월 28일, 공산군에게 체포되어 목포형무소에서 총살당하기 직전에 탈출하였다.

10월, 선박 2척을 수리하면서 사업 재개를 준비하였다. 또한 '목포일보'를 인수하여 1952년 3월까지 사장으로 재임하였다.

11월, 해상방위대 전남 지구대 부대장으로 임명되어 1951년 10월까지 활동하였다. 주로 한국군의 군수 물자를 해상으로 운송하는 업무를 수행하였다.

1951 3월, '동양해운'을 '목포상선주식회사'로 상호 변경을 하였다.

1952 5월 25일, 부산정치파동이 발생하였다. 이 사건을 계기로 반독재 미주화를 위하여 정계 진출을 결심하였다.

7월, 해운회사를 부산으로 옮기고 '흥국해운주식회사'로 상호를 변경하였다. 일본에서 중고 선박 3척을 추가로 도입하여 사업을 확장하였다.

1954 5월 20일, 제3대 민의원 선거에서 무소속으로 목포에서 출마해 낙선하였다.

1955 4월, 상경하였다. 이후 한국노동문제연구소 주간으로 활동하는 등 다양한 사회 활동을 전개하였다.

10월 1일, 『사상계思想界』 10월 호에 「한국 노동 운동의 진로」를 기고하였다.

1956 6월 2일, 명동성당 노기남 대주교실에서 길철규 신부의 집전으로 영세를 받았다. 대부는 장면 박사이며, 세례명은 '토머스 모어'이다.

9월 25일, 민주당에 입당하였다. 장면 박사의 지도 아래 민주당 신파로 활동하였다.

1958 4월 8일, 강원도 인제 선거구의 민주당 민의원 후보로 등록하였다. 그러나 자유당의 방해 공작으로 등록이 무효되어 선거에 출마하지 못하였다.

1959 3월 11일, 민의원 선거 등록 무효와 관련하여, 대법원에 제소한 '선거 무효 및 당선 무효 확인 소송'에서 승소함에 따라, 인제 지역구의 민의원 선거 결과가 무효로 결정되었다.

6월 5일, 제4대 민의원 선출을 위한 강원도 인제 재선거에 출마해 낙선하였다.

8월 28일, 부인 차용애 여사가 병사하였다.

1960 9월, 민주당 대변인으로 임명되어 8개월 동안 활동하였다.

1961 5월 13일, 강원도 인제에서 5대 민의원 보궐선거에 출마해 당선되었다. 네 번째 도전에 성공하였으나 5·16군사쿠데타로 국회의원 선서조차 하지 못하였다.

1962 5월 10일, 이희호李姬鎬 여사와 재혼하여, 그 후에 홍걸이 태어났다.

1963 7월 18일, 민주당 재건에 참여, 대변인이 되었다.

      11월 26일, 제6대 국회의원 선거에서 목포에 출마해 당선되었다.

1964 4월 20일, 국회 본회의에서 김준연 의원에 대한 구속동의안 상정 지연을 위
해 5시간 19분 동안 의사 진행 발언을 하였다.

1965 5월 3일, 민중당이 창당되었다. 민중당에서 대변인과 정책심의위원회 의장
으로 활동하였다.

      2월 7일, 신민당이 창당되어 대변인으로 활동하였다.

1967 5월 15일, 첫 번째 저서 『분노의 메아리』를 출간하였다.

      6월 8일, 제7대 국회의원 선거에서 박정희 정권의 집중적인 '김대중 낙선 전
략'에도 불구하고 목포에서 당선되었다.

1969 7월 19일, 효창운동장에서 열린 3선개헌 반대 시국 대연설회에서 「3선개헌
은 국체國體의 변혁이다」를 제목으로 연설하였다.

1970 1월 24일, 신민당 제7대 대통령 후보 지명전에 출마를 선언하였다.

      9월 18일, 『내가 걷는 70년대』를 출간하였다.

      9월 29일, 신민당 전당대회 후보 경선에서 제7대 대통령 후보로 선출되었다.

      10월 16일, 대통령 후보 기자회견을 통해 '한반도 평화정착을 위한 미·소·
중·일 4대국 보장, 비정치적 남북 교류 허용, 평화통일론, 예비군 폐지'를 제
창하였다.

1971 2월 3일, 미국 방문 중 워싱턴 내셔널프레스클럽에서 기자회견을 갖고 3단계
통일 방안을 제시하였다.

      3월 13일, 『김대중 씨의 대중경제 100문 100답』을 출간하였다.

      4월 18일, 장충단 공원에서 대통령 선거 유세를 개최하였다.

      4월 27일, 제7대 대통령 선거에서 낙선하였다.(46퍼센트 득표) "투표에서 이기
고 개표에서 졌다"는 말이 회자되었다.

      5월 6일, '유진산 파동'이 일어났다.

      5월 24일, 8대 국회의원 선거 신민당 후보 지원 유세차 지방 순회 중 전라남
도 무안 국도 상에서 의문의 교통사고를 당하였다.

5월 25일, 8대 국회의원(전국구)에 당선되었다.

1972 5월 10일, 어머니 장수금 여사가 사망하였다.

1972 7월 13일, 7·4남북공동성명 발표 후 외신 기자 회견에서 남북한 유엔 동시가입을 제창하였다.

10월 18일, 신병 치료차 일본 체류 중 유신 선포를 듣고 유신 반대 성명을 발표한 후 망명 생활을 시작하였다.

10월, 이때부터 이듬해 8월까지 미국과 일본을 오가면서 유신 반대 활동을 전개하였다.

1973 6월 28일, 『독재와 나의 투쟁』 일본어판을 출간하였다.

8월 8일, '도쿄 납치 살해 미수 사건'이 발생하였다. 중앙정보부 요원들에 의해 일본 그랜드팰리스호텔에서 납치당해 수장될 위기에서 극적으로 생환하였다.

8월 13일, 납치된 후 동교동 자택으로 귀환하였다. 귀국하자마자 가택 연금과 동시에 일체의 정치 활동을 금지당하였다.

1974 2월 25일, 아버지 김운식 옹이 사망하였다.

1974 8월 22일, 신민당 전당대회에서 '반독재 선명야당 체제'의 구축을 위해 김영삼 총재의 당선을 적극 지원하였다.

11월 27일, 가택 연금 속에서 재야 반유신 투쟁의 결집체인 '민주회복국민회의'에 참여하였다.

1975 12월 13일, 선거법 위반 혐의(1963년 대통령 선거 관련)로 금고 1년 형을 선고받았다.

1976 3월 1일, 윤보선·정일형·함석헌·문익환 등 재야 민주 지도자들과 함께 '3·1민주구국선언'을 주도하였다.

3월 10일, '3·1민주구국선언'에 서명한 인사들과 함께 정식 입건되어 서울구치소에 구속 수감되었다.

1977 3월 22일, 대법원에서 징역 5년, 자격 정지 5년 형이 확정되었다.

4월 14일, 진주교도소로 이감되었다.

5월 7일, 진주교도소 수감 중 접견 제한에 항의, 단식투쟁을 하였다.

12월 19일, 서울대학병원으로 이송, 수감되었다. 얼마 후 교도소 때보다 제한(접견 차단, 창문 봉쇄, 서신 제한, 운동 금지)이 더욱 심하자 항의 단식하였다.

1978 12월 27일, 옥고 2년 10개월 만에 형 집행정지로 가석방된 후 장기 가택 연금 당하였다.

1979 3월 1일, 윤보선·함석헌·문익환 선생 등과 함께 '민주주의와 민족통일을 위한 국민연합' 결성을 주도, 공동 의장으로 반독재 투쟁에 앞장서 세 차례 연행되었다.

12월 8일, 박정희 대통령이 살해당한 10·26사태로 긴급조치 9호가 해제되고 자택 연금에서 해제되었다.

1980 3월 1일, 사면 복권되었다.

3월 26일, 기독교여자청년회(YWCA)에서 9년 만에 대중연설을 하였다. 그 후 사회단체, 대학의 초청으로 전국 순회 시국강연을 진행하였다.

5월 13일, 민주화 시위가 격화되자 시국성명을 통해 학생 시위의 자제를 호소하였다.

5월 16일, 김영삼 신민당 총재와 공동기자 회견을 갖고, 시국수급 6개 항(계엄령 해제, 정치범 석방, 정치 일정 연내 완결 등)을 제시하였다.

5월 17일, 신군부의 비상계엄령 전국 확대 조치로 동교동 자택에서 연행되었다.

5월 18일, 5·18민주화운동이 일어났다.

8월 9일, 육군 교도소에 수감되었다.

9월 11일, '내란음모사건' 결심 공판에서 '용공 분자와 제휴하여 정권 탈취를 기도'한 '내란음모' 혐의로, '국가보안법', '계엄법', '반공법', '외국환관리법' 위반에 따라 군 검찰로부터 사형을 구형받았다.

9월 13일, '내란음모사건' 18차 공판에서 1시간 48분에 걸친 최후 진술을 하였다.

9월 17일, 군사재판에서 사형을 선고받았다.

11월 3일, 육군본부 계엄고등군법회의에서 항소가 기각되어 원심에서 결정된 형량대로 사형을 선고받았다.

11월 6일, 이문영 등 '내란음모사건' 관련자 11명과 함께 육군본부 계엄고등 군법회의의 항소심 판결에 불복하여 상고하였다.

1981 1월 23일, 대법원 전원합의체는 서울형사지법 대법정에서 열린 '내란음모사건' 상고심에서 김대중이 제기한 상고를 기각하고 사형을 확정하였다. 그러나 1시간 뒤에 열린 국무회의에서는 "우방 국가들과 본인의 탄원 및 국민 화합을 위한다"는 명목하에 '특별 감형에 관한 건'이 의결되어 김대중의 형량이 사형에서 무기형으로 감형되었다.

1월 31일, 육군교도소에서 청주교도소로 이감되었다.

11월 3일, 수감 중 '브루노 크라이스키(Bruno-Kreisky) 인권상'을 수상하였다.

1982 3월 2일, 무기형에서 20년 형으로 감형되었다.

12월 16일, 청주교도소 복역 중 서울대학병원 12층으로 이감되었다.

12월 23일, 2년 7개월의 옥고 끝에 형 집행정지로 석방되어, 가족과 함께 신병 치료차 미국 워싱턴으로 출국하였다.

1983 1월 8일, 미국 버지니아주 알렉산드리아의 월세 아파트에 일가족이 정착하였다.

1월 31일, 『뉴스위크』지 회견에서 한국 민주화와 인권 상황에 대한 입장을 표명하였다.

2월, 미국 방송, 신문, 잡지 회견, 교민 초청 행사 등에 참석하였다. 재미 '한국인권문제연구소'를 창설하고, 교포 사회의 모국 민주회복운동을 주도하였으며, 망명 중 미국 학계, 종교계, 사회단체들로부터 초청을 받아 강연을 하였다.

5월 16일, 미국 에모리대학에서 명예 법학박사 학위를 받았다.

7월, 워싱턴, 뉴욕 등에서 김영삼 단식투쟁을 지원하는 데모를 하였다.

9월, 미국 하버드대학 국제문제연구소(CFIA)에서 객원 연구원으로 활동하였다. 이듬해 논문 「대중참여경제론」(Mass-Participatory Economy)을 제출하였다.

12월 23일, 옥중서신을 묶은 『민족의 한을 안고』를 출간하였다.

1985 2월 8일, 망명 2년 3개월 만에 당국의 반대와 주위의 암살 걱정을 무릅쓰고 귀국하였다. 김포 공항에 30만 환영 인파가 집결했으나 대인접촉이 봉쇄된

채 격리, 가택 연금에 처해졌다. 이후 수시로 가택 연금에 처해져, 총 55회의 가택 연금을 당하였다.

3월 6일, 정치 활동 규제에서 해금되었다.(김대중·김영삼·김종필 씨 등 16명) 그러나 사면 복권이 안 되어 여전히 정치활동을 금지당하였다.

3월 18일, 김영삼 씨와 야권통합을 합의하고 민추협 공동의장직을 수락하였다.

6월 17일, 김영삼 민추협 공동의장과 민주화 요구 공동 발표문을 채택하였다.

11월, 『대중경제론』(영어판), 『행동하는 양심으로』를 출간하였다.

1986 2월 12일, 신민당 민추협 중심의 대통령직선제 개헌 청원 1,000만인 서명운동을 시작하였다.

11월 15일, 전두환 정권이 자진해서 대통령직선제를 받아들이면 대통령 선거에 출마하지 않을 용의가 있음을 선언하였다.

1987 4월 6일, 김영삼 씨와 신당 창당을 선언하였다.

4월 8일-6월 25일, 78일간 가택 연금에 처해졌다.

7월 10일, 민정당 노태우 대표의 '6·29선언' 후 '김대중 내란음모사건' 관련자 전원과 5·18민주화운동 관련자 15명 등 모두 2,300여 명과 함께 사면 복권되었다.

9월 8일, 16년 만에 광주를 방문해 망월동 묘역에 참배하였다. 28년 만에 고향인 목포와 하의도를 방문하였다.

10월 27일, 미국 최대 노조인 산별노조총연맹(AFL-CIO)에서 수여하는 '조지 미니(George Meany) 인권상'을 수상하였다.

11월 12일, 평화민주당을 창당하여, 대통령 후보 지명 전당대회에서 당 총재 및 제13대 대통령 후보로 추대되었다.

12월 16일, 제13대 대통령 선거에서 낙선하였다. 이때의 선거는 사상 최악의 불법·왜곡·조작선거로 규탄받았다.

1988 4월 26일, 제13대 국회의원(전국구)에 당선되었다. 평화민주당이 제1야당이 되어 정국을 주도하였다.

5월 18일, 야 3당 총재 회담, 5공화국 비리 조사, 광주학살 진상 규명 등 5개 항에 합의하였다.

11월 18일, 국회 광주특위 청문회에 증인으로 참석, '김대중 내란음모사건'은 전두환 신군부 세력의 정권 찬탈을 위한 조작극이었음을 증언하였다.

1989 8월 12일, 서경원 방북 사건 관련 혐의로 강제 구인되어 심야 수사를 받고 불구속 기소되었다.

1990 1월 22일, 노태우·김영삼·김종필의 3당 야합 반대투쟁을 시작하였다.

7월 27일, 평민당 전당대회에서 총재로 재선출되었다.

10월 8일, '지자제 실시, 내각제 포기, 보안사 해체' 등을 요구하며 13일간 단식투쟁을 하였다.

1991 4월 9일, 평민당에서 이우정 등 재야 구 야권 출신 등을 영입해 신민주연합당(신민당)으로 창당하였다.

9월 10일, 이기택 민주당 총재와 신민당-민주당 통합을 선언하였다.

1992 3월 24일, 제14대 국회의원(전국구)에 당선되었다.

5월 26일, 민주당 전당대회에서 제14대 대통령 후보로 지명되었다.

9월 7일, 러시아 외무성 외교대학원에서 「한국 사회에서의 민주주의의 생성과 발전 원리에 관하여(1945-1991)」라는 논문으로 정치학 박사학위를 취득하였다.

12월 18일, 제14대 대통령 선거에서 낙선하였다.

12월 19일, 정계 은퇴를 선언하였다.

1993 1월 26일, 영국으로 출국, 케임브리지 객원연구원으로 연구 활동을 시작하였다.

7월 4일, 영국에서 귀국하였다.

12월 10일, 『새로운 시작을 위하여』를 출간하였다.

1994 1월 27일, 아시아의 민주화와 남북 통일을 연구하기 위해 아시아·태평양평화재단(아태재단)을 설립하였다.

5월 12일, 미국 내셔널프레스클럽에서 북핵 해결을 위한 '일괄 타결'과 '카터 방북'을 제안하였다.

9월 20일, 아시아태평양민주지도자회의(FDL-AP)를 설립, 상임공동의장에 취임하였다.

1995 7월 13일, 정계 복귀를 선언하였다.

9월 5일, 새정치국민회의를 창당하였다.

1997 5월 19일, 새정치국민회의 전당대회에서 제15대 대통령 후보로 선출되었다.

10월 27일, 김종필 자민련 총재와 후보 단일화에 합의하였다.

12월 18일, 대한민국 제15대 대통령에 당선되었다.

1998 2월 25일, 대한민국 제15대 대통령에 취임하였다.

3월 1일, 3·1절 기념사에서 남북 특사 교환을 제의하였다.

10월 8일, 한·일정상회담을 통해 '21세기를 향한 새로운 파트너십을 위한 공동선언'에 합의하였다.

12월 15일, 베트남 국가주석과의 회담에서 양국의 불행했던 과거를 청산하고 미래지향적인 우호 협력 관계 발전을 위해 노력하기로 합의하였다.

12월 16일, 제2차 아세안＋3 한·중·일정상회의에서 '동아시아비전그룹' 구성을 제안하였다.

12월 29일, 전국교직원노동조합(전교조)을 합법화하였다.

1999 7월 4일, 필라델피아 자유메달을 수상하였다.

9월 7일, 국민기초생활보장법을 제정하였다.

11월 23일, 민주노총을 합법화하였다.

2000 1월 12일, 광주민주화운동 관련자 보상 등에 관한 법률을 개정하였다.

1월 15일, 의문사 진상 규명에 관한 특별법, 민주화운동 관련자 명예 회복 및 보상법, 제주 4·3사건 진상 규명법 등 3대 민주 개혁법을 제정하였다.

1월 20일, 새천년민주당을 창당, 총재에 취임하였다.

3월 9일, 독일 베를린 자유대학에서 한반도의 냉전 구조 해체와 항구적 평화 및 남북 간 화해 협력을 위한 베를린 선언을 발표하였다.

6월 13일-15일, 분단 55년 만에 평양에서 남북정상회담을 개최, 6·15남북공동선언을 발표하였다.

6월 26일, 국회에서 헌정사상 첫 인사 청문회가 개최되었다.

8월 1일, 의약분업을 전면 실시하였다.

9월 2일, 비전향 장기수 63명을 북송하였다.

12월 10일, 노벨평화상을 수상하였다.

2001 1월 29일, 여성부가 출범하였다.

5월, 국가인권위원회법을 제정하였다.

6월 29일, 국세청은 『조선일보』·『동아일보』·『국민일보』 사주와 법인을 조세범 처벌법 위반 혐의로, 『중앙일보』·『한국일보』·『대한매일』은 주요 탈루 당시 대표이사와 법인을 검찰에 고발하였다.

7월, 부패방지법을 제정하였다.

8월 23일, 당초 계획보다 3년 앞당겨 국제통화기금(IMF)을 졸업하였다.

11월 5일, 제5차 아세안+3 한·중·일정상회의에서 동아시아자유무역지대(EAFTA) 창설과 민관 합동으로 구성되는 '동아시아포럼' 설치를 제안하였다.

2002 1월 14일, 낙동강·금강·영산강 특별법을 제정하였다.

2월 20일, 조지 부시 미국 대통령과 경의선 남측 최북단 도라산역을 방문하였다.

7월 11일, 정부 수립 후 처음으로 여성인 장상 이화여대 총장을 총리로 지명하였다.

9월 14일, 남북한 군 당국, 판문점 실무회담을 통해 경의선·동해선 연결 공사에 따른 비무장지대(DMZ) 지뢰 제거 작업을 9월 19일에 동시 착수키로 합의하였다. 이로써 휴전 이후 비무장지대가 처음으로 열렸다.

11월 6일, 초고속 인터넷 가입자 1,000만 명 돌파 기념 행사에 참석하였다.

12월 13일, 조지 부시 미국 대통령으로부터 미군에 의한 여중생 사망 사건과 관련해 사과 전화를 받았다.

2003 2월 15일, 한국·칠레 자유무역협정(FTA) 서명식에 참석하였다.

2월 24일, 제15대 대통령 퇴임 후 동교동으로 돌아왔다.

5월 10일, 신촌 연세대 세브란스병원에서 심혈관 확장 수술을 받았다.

5월 12일, 세브란스병원 입원 중에 처음으로 신장 혈액 투석을 받았다.

5월 27일, 제8회 '늦봄통일상' 수상자로 선정되었다.

6월 12일, 6·15남북정상회담 3주년을 맞아 퇴임 후 처음으로 언론과 회견을 갖고 대북 송금 특검을 비판하였다.

8월 8일, 만해대상을 수상하였다.

10월 23일, 서울고등법원에 '김대중 내란음모사건'에 대해 재심을 청구하였다.

11월 3일, 연세대학교 김대중도서관이 개관하였다.

12월 9일, 칠레 정부로부터 칠레공화국 대십자훈장을 수여받았다.

12월 15일, '춘사 나운규 영화제'에서 공로상을 수상하였다.

2004 1월 29일, '1980년 김대중 내란음모사건' 재심 선고 재판에 참석해, 사형 선고를 받은 지 23년 만에 무죄를 선고받았다.

5월 10일-19일, 유럽 3개국(프랑스, 노르웨이, 스위스) 순방하여, 경제협력개발기구(OECD), 노벨위원회, 세계보건기구(WHO)에서 연설하였다.

6월 15일, 남북이 공동으로 개최한 6·15남북공동선언 4주년 기념 국제학술대회에서 특별 연설을 통해 '김정일 위원장의 답방'을 제안하였다.

6월 29일, 중국을 방문, 장쩌민 군사위 주석 등 중국 지도자들과 면담하였다.

11월 6일, 유럽을 방문하여, 페르손 스웨덴 총리 및 참피 이탈리아 대통령과 회담하였다. 노벨평화상 수상자 세계정상회의에서 연설하였다.

12월 6일, 말레이시아 쿠알라룸푸르를 방문하여 제2차 동아시아포럼(EAF) 총회 특별 연설을 하였다.

12월 22일, 주요 연설 대담집 『21세기와 한민족』을 출간하였다.

2005 6월 12일, 독일 정부로부터 대십자훈장을 수여받았다.

8월 10일, 미열과 염증 증상이 있어 연세대 세브란스병원에 입원해 치료를 받은 후 8월 21일 퇴원하였다.

8월 16일, 병문안을 온 8·15 북측 당국 대표단으로부터 방북을 요청받다.

2006 3월 21일, 영남대학교에서 명예정치학 박사학위를 받았다.

11월 4일, 노무현 대통령 부부와 김대중도서관 전시실을 함께 관람하고 사저에서 오찬을 하였다.

12월 7일, 코리아 소사이어티가 수여하는 '밴플리트상'을 받았다.

2007 5월 16일, 독일 베를린 자유대학에서 제1회 '자유상'을 수상하였다.

9월 17일-29일, 미국 뉴욕과 워싱턴을 방문하였다. 클린턴 전 대통령, 헨리 키신저, 메들린 올브라이트 전 국무장관 등을 만나 북핵 문제에 대해 논의하였다.

10월 9일, 청와대에서 노무현 대통령으로부터 '2007 남북정상회담' 결과와 향후 추진 방향 등에 대해 설명을 들었다.

10월 30일, 일본 교토의 리츠메이칸대학에서 명예법학 박사학위를 받았다.

2008 4월 22일, 24년 만에 하버드대학을 방문해 '햇볕정책이 성공의 길이다'를 제목으로 강연하였다.

9월 11일, 노르웨이 스타방에르에서 열린 노벨평화상 수상자 정상회의에 참석하였다.

10월 27일, 중국 랴오닝성 선양에서 열린 '동북아 지역 발전과 협력 포럼' 개막식에 참석한 후 단둥시에 있는 압록강 철교를 둘러보았다.

2009 5월 5일, 중국을 방문해 시진핑 국가 부주석과 면담하였다.

5월 29일, 노무현 대통령 영결식에 참석하였다. 헌화, 분향한 후 권양숙 여사를 만나 위로하였다.

6월 27일, 6·15공동선언 9주년 기념행사에 참석해 '행동하는 양심이 되자'를 주제로 연설하였다.

7월 13일, 폐렴 증상으로 연세대 세브란스병원(서울)에 입원하였다.

8월 18일, 86세를 일기로 서거하였다.

김대중 대화록 간행위원회

김대중평화센터

고문 김성훈(전 농림부 장관), 김정길(전 법무부 장관), 박금숙(중국여성기업가협회 이사), 박승(전 한국은행 총재), 박재규(경남대학교 총장), 송현섭(더불어민주당 재정위원장), 양성철(한반도평화포럼 고문), 이종찬(전 국가정보원장), 이해동(사단법인 행동하는양심 이사장), 임동원(한반도평화포럼 공동대표), 장충식(학교법인 단국대학 이사장), 최재천(전 국회의원), 최학래(전 한겨레신문 대표이사), 한승헌(전 감사원장)
부이사장 최용준(천재교육 대표), 박지원(국회의원)
이사 김명자(전 환경부 장관), 김성재(전 문화관광부 장관), 김옥두(전 국회의원), 남궁진(전 문화관광부 장관), 백낙청(서울대 명예교수), 손병두(전 서강대 총장), 손숙(전 환경부 장관), 윤철구(김대중평화센터 사무총장), 윤풍식(국민통신·산업 회장), 황재옥(평화협력원 인권평화센터 부원장)
감사 김형민(에너락코리아 대표)
기획실장 박한수(김대중평화센터 기획실장)

김대중대통령광주전남추모사업회

김후식(사단법인 5·18부상자회 회장), 림추섭(광주교육희망네트워크 상임대표), 박관석(경제학 박사, 조선대학교 이사장), 이철우(5·18기념재단 이사장), 정범도(전 광주전남불교환경연대 공동대표), 정영일(광주시민단체협의회 상임대표), 정진백(김대중대통령광주전남추모사업회 상임대표), 정해숙(전 전국교직원노동조합 위원장), 현지스님(6·15공동선언실천남측위원회 광주본부 상임대표)

김대중 대화록 ❺
2007—2009

초판 1쇄 발행 2018년 8월 29일
지은이 김대중
엮은이 정진백
발행인 정진백 **편집** 김효은
발행처 도서출판 행동하는양심 **등록번호** 제2015-000001호
주소 광주광역시 동구 백서로137번길 29, 1층 | 전라남도 화순군 도곡면 온천2길 44 김대중기념센터
전화 061-371-9975 **팩스** 061-371-9976 **이메일** asia9977@daum.net

인쇄·제책 (주)신광씨링/출판사업부 (062-232-2478)

ISBN 979-11-964442-6-6 (04300) | ISBN 979-11-964442-0-4 (04300) 세트